S0-AII-209

2100
récit du prochain siècle

Coordination éditoriale : Jean-Pierre Brunerie, assisté de Diane Pinelli et Joëlle Schiltz
Coordination cartographique : Anne Chappuis et Boubacar Diarra (Sygrap), Luc de Golbéry (Université de Rouen)
Maquette : Anne Fournier et Tristan d'Amico
Conception graphique intérieure : Agathe Bonnafous
Dessins et design d'objets du futur : François Jégou, Patricia Welinski et Tanguy Le Moing.

Ce travail a bénéficié en particulier du concours des institutions et entreprises suivantes :
Ministère de la recherche et de la technologie,
Groupe de recherches et d'échanges technologiques (GRET),
Centre national de la recherche scientifique (Départements scientifiques, CNRS Publications et Presses du CNRS),
ENSCI - Les Ateliers de création industrielle,
CIRAD, ORSTOM, CNES, IFREMER, Météorologie nationale, INRETS,
ADITECH, COFREMCA, Association Futuribles, Editions A Jour, Euroconsult, GIP, Séquoïa Presse, XAEP, Wac Consultants.

La liste des contributeurs à ce travail collectif est donnée à la fin de l'ouvrage.

106, boulevard Saint-Germain - 75006 - Paris (France)

Payot

2100
récit du prochain siècle

Sous la direction de Thierry Gaudin

assisté de
Jean-François Dégremont

et de
Catherine Distler,
Gilbert Payan,
François Pharabod

Présentation

Vous avez dit 2100 ?

n voyant que les Nations Unies envisageaient une stabilisation de la population mondiale, dans un siècle, entre dix et quinze milliards d'habitants alors que nous venions de dépasser les cinq, j'ai choisi 2100 comme échéance de notre prospective. Je me disais qu'il serait intéressant de voir à quoi pourrait ressembler le portrait hypothétique d'une planète "stabilisée", quels fonctionnements techniques, économiques et sociaux on pourrait y prévoir, et quelles transitions, à quelle vitesse, nous amèneraient à ce nouvel état. A mesure que ce travail avançait, je voyais apparaître une immense transformation, l'aube d'une nouvelle phase de l'évolution de l'espèce humaine. Le changement qui s'annonce, en effet, dépasse l'imagination. Tous les métiers, toutes les formes d'organisation sont touchés. Dès lors, il fallait que je fasse partager cette vision à mes contemporains, même s'ils risquaient de la trouver contestable. Je ne pouvais garder dans un cercle restreint ce qui doit être restitué à tous. Les jeunes choisissent leur style de vie, les adultes orientent leur carrière, les entreprises définissent leurs stratégies, tous tirent des plans sur l'avenir. Ils ont le droit de savoir ce que pensent les spécialistes et ceux-ci ont le devoir de s'expliquer clairement.

Ce travail a rencontré bien des obstacles sur sa route. La plupart de nos interlocuteurs, les industriels comme les chercheurs, se montrèrent méfiants à l'idée d'une recherche prospective à cent ans. Certains disaient que vingt ans suffisent bien à ceux qui ont des décisions à prendre. C'était oublier que la révolution Meiji au Japon et la loi anti-trust aux Etats-Unis datent de plus d'un siècle et sont encore parmi nous. Et la Déclaration des Droits de l'Homme ! Complètement utopique quand elle a été écrite, elle est devenue, deux cents ans après, le principal enjeu politique planétaire.

D'autres experts disaient qu'au-delà de vingt ans, tout change tellement qu'on ne peut plus rien dire de "sérieux". Cet argument, très répandu dans les milieux scientifiques, consiste à s'interdire de parler de ce qu'on ne sait pas prouver. C'est l'épistémologie de Nasreddin Hodja, qui cherche ses clefs sous le réverbère parce que c'est éclairé, alors qu'il les a perdues chez lui, où il fait noir[1]. Il n'y a aucune raison de ne pas laisser parler l'imagination. Les auteurs du passé ont sous-estimé la rapidité des changements en péchant par excès de prudence et de conformisme. Les romanciers sont souvent plus près de la réalité future que les travaux de prévision, dans lesquels on cherche à paraître sérieux. Le vrai sérieux n'est pas où l'on croit.

A vrai dire, il est tout à fait nécessaire de réfléchir à cent ans. La plupart des grandes décisions dans l'urbanisme, l'agriculture, l'environnement, l'aménagement du territoire, l'éducation, les télécommunications, l'espace, auront des effets dans plus d'un siècle. Et il n'est pas digne de l'espèce humaine que ses dirigeants aient constamment l'air de parer au plus pressé. La grandeur de l'Homme n'est-elle pas d'imaginer le futur et de faire que son imaginaire devienne réalité ?

Je ne prétends pas détenir une vérité absolue, et j'aurai atteint mon but si d'autres se mettent à voir l'avenir à leur manière, avec la même passion. Ce qui suit est une œuvre libre et désintéressée, dont je prends personnellement la responsabilité. C'est un résultat de recherche, qui n'engage en aucune façon les institutions où il a été produit[2]. Que les autorités qui ont aidé à la réalisation de ce travail, notamment Monsieur Hubert Curien, Ministre de la recherche et de la technologie, soient donc chaleureusement remerciées pour nous avoir permis de penser librement.

Thierry Gaudin

[1] Le sens mystique de cette anecdote n'aura pas échappé au lecteur. Il s'agit d'un enseignement soufi : on en apprend plus en regardant l'intériorité, même obscure, qu'en cherchant sous les réverbères du dehors.

[2] Le Centre de prospective et d'études du Ministère français de la recherche et de la technologie et le GRET (Groupe de recherches et d'échanges technologiques).

maire

a

L'Histoire se souvient de la fin du vingtième siècle comme d'une période d'insouciance. Dès 1985, la société commence pourtant à s'animer de soubresauts inquiétants. L'ouverture des pays de l'Est, en 1989, a donné un temps de répit. La crise financière mondiale est repoussée. Les signes du futur sont là, mais n'attirent guère l'attention.

Il était une fois les cent prochaines années

pitre 1

1980 - 2020 : les désarrois de la société du spectacle

■ *Partout, on croit entendre Guizot : "enrichissez-vous". Le monde est comme drogué par la vraie fausse monnaie.*

■ *La rationalité est en baisse. L'exploitation de la crédulité s'amplifie. On murmure que les plus grandes banques se livrent, en secret, à des envoûtements. Des danses rituelles ont lieu dans la salle des coffres. Le vaudou pénètre le culte du veau d'or.*

Les esprits sont occupés par les vieilles structures, les vieux conflits, les vieilles habitudes. Ils ne prennent pas garde aux germes du nouvel âge. Bien peu se risquent à regarder l'avenir. La plupart disent qu'au-delà de cinq ans, aucune prévision n'est sérieuse. D'ailleurs, à quoi bon regarder si loin ? La sphère financière, désormais interconnectée, bouillonne de spéculations et s'éloigne des réalités du système industriel. Bouffie par ses propres fantasmes, elle risque, telle un immense soufflé, de s'effondrer à chaque instant. La vague d'investissements réalisés dans les pays de l'Est permet d'ancrer temporairement l'excès de monnaie dans des opérations concrètes. C'est ensuite le tour de la Chine. A l'occasion du rattachement de Hong-Kong, la diaspora chinoise prend le contrôle de l'empire du milieu : la périphérie investit dans le centre. La fièvre capitaliste s'empare alors du monde entier, se répandant jusqu'aux fins fonds de l'Afrique. Partout, on croit entendre Guizot : "enrichissez-vous". Après quoi, la crise financière de 2013 est résorbée en relâchant les contraintes monétaires. La planche à billets efface les difficultés. Le monde est comme drogué par la vraie fausse monnaie.

▲ *Dans les places boursières se joue un monopoly cynique et planétaire.*

Dans cette période incertaine, les enrichissements douteux se multiplient. Certaines entreprises réalisent de gigantesques profits, uniquement en spéculant sur les déséquilibres monétaires. Des aventuriers montent des coups financiers par milliards de dollars. En une heure, un "raider" - pirate industriel - de New-York peut lever une somme équivalente aux revenus annuels de millions de paysans indiens. La distinction entre marché financier au sens classique du terme et monopoly mondial sur écran vidéo ne cesse d'ailleurs de s'estomper : aux acteurs habituels s'ajoutent des millions d'opérateurs individuels et quasi-anonymes. Grâce à leur terminal de jeu, ces derniers peuvent intervenir sans intermédiaires sur les marchés boursiers et induire des effets seconds de grande ampleur. On se souvient avec effroi du "virus" niché sur un logiciel de jeu piraté qui faillit, en 1995, mettre à genoux la bourse de Tokyo et, de proche en proche, l'ensemble des places mondiales. L'"ordre" fut vite rétabli et des protections dressées, mais les rumeurs sont incontrôlables... Et la griserie de l'information commence à produire ses effets. La rationalité est en baisse. L'exploitation de la crédulité s'amplifie. Les entreprises ont leurs gourous, et même leurs sorciers. Les consultants se parent d'occultisme et les formateurs de rites initiatiques. On jette des sorts aux concurrents, on offre des sacrifices pour fidéliser les clients. On murmure que les plus

Conjuration, par Monsieur le fondé de pouvoir, d'une baisse de 0,8% du dollar. ▼

grandes banques se livrent, en secret, à des envoûtements. Des danses rituelles ont lieu dans la salle des coffres. Le vaudou pénètre le culte du veau d'or.

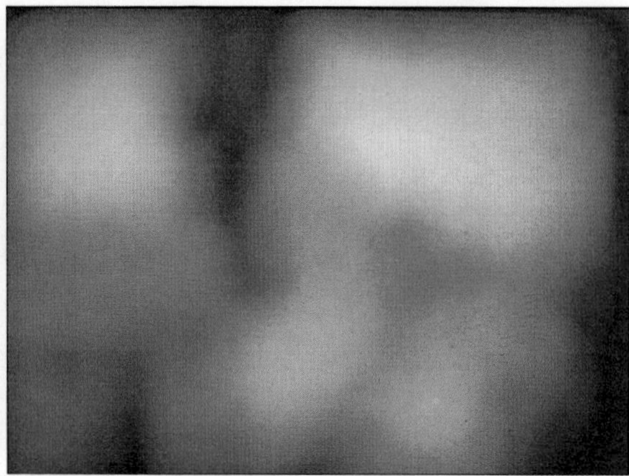

▲ *Le visage de la liberté émerge lentement à travers la brume des mots et des doctrines.*

Les fortunes les plus extravagantes côtoient les plus extrêmes misères. Les inégalités s'accentuent. Mais, à la surprise générale, ce ne sont pas les peuples les plus instruits dont la prospérité s'accroît le plus vite. C'est qu'il y a instruction et instruction. Le modèle d'enseignement des pays industrialisés, institué à la fin du dix-neuvième siècle, a progressivement dérivé de ses objectifs pour devenir un filtre de sélection sociale, à la manière des concours de mandarins de la Chine impériale. Partout, les savoirs pratiques passent au second plan. Les gardiens du pouvoir tiennent le haut du pavé. Aux Etats-Unis, les plus doués cherchent à devenir "lawyers" - avocats d'affaires - ou "managers", et délaissent les études scientifiques. En Europe aussi, la culture technique décline. Dans l'empire Ottoman, on appelait "Effendi" un homme cultivé, par opposition au fellah, le paysan producteur mais ignorant. L'"Effendia"[1], c'est la classe éduquée, celle qui connaît - et fabrique - les formalités bureaucratiques. Désormais les effendias sont partout. Elles sont la chair du pouvoir, dans les grandes entreprises comme dans les administrations. A la fin du vingtième siècle, les pays pauvres se sont empressés de construire des universités produisant des effendias, comme dans les pays riches. Or, au même moment, la productivité de ceux-ci baissait dangereusement[2], alourdie par des "armées de généraux" techniquement incompétents, incapables de réparer même les appareils d'usage courant, un téléphone ou un cyclomoteur, voire de déboucher un lavabo. Ils manient le faire-savoir bien plus que le savoir-faire. Ces pays disposent maintenant de classes dirigeantes d'un charme et d'une culture exquis, et d'une économie dans un état catastrophique. Les ressources

Les effendis font danser les cours de l'or. Pour les fellah qui l'extraient (ici au Brésil), c'est une autre ronde. ▼

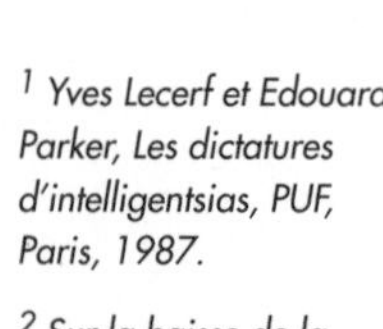

[1] *Yves Lecerf et Edouard Parker, Les dictatures d'intelligentsias, PUF, Paris, 1987.*

[2] *Sur la baisse de la productivité américaine, voir Jean-Jacques Salomon et Geneviève Schméder, Enjeux du changement technologique, CPE-Economica, Paris, 1987.*

naturelles de l'Argentine, du Soudan, du Cambodge ne demandent qu'à être valorisées. Elles sont suffisantes pour nourrir les populations, peu nombreuses, de ces pays. Mais leur déclin se poursuit. Les

problèmes pratiques réels, qu'il faut traiter, ne correspondent ni aux connaissances, ni même aux centres d'intérêt de leurs élites, quelles que soient leurs intentions affichées. Les effendis des pays pauvres, ayant acquis les mêmes diplômes que leurs collègues des pays riches, veulent avoir un niveau de vie équivalent. A cet effet, ils pompent les maigres ressources de leurs peuples. L'effendia est prédatrice. Mais, comme chez tous les prédateurs, son action n'est pas seulement destructrice. Elle a aussi des aspects positifs. Cette nouvelle classe sociale, aux ramifications internationales, est l'amorce d'une société planétaire. Son ambition constitue le germe d'une culture nouvelle. Néanmoins, elle se déconnecte de la réalité pratique, jusqu'à ce que son irréalisme la mette en danger. Alors, elle prend peur et revient au concret, relâche la confiscation corporatiste du savoir, laisse le peuple accéder à la culture technique et lui rend ainsi un peu la maîtrise de son destin. La prospérité se manifeste alors, s'établissant surtout dans les zones accueillant d'importantes collectivités d'émigrants. Ceux-ci, en effet, n'ayant pas été sélectionnés pour leur conformité aux normes de l'effendia locale, doivent faire leurs preuves par la pratique. C'est leur seule chance. Dès lors, ils se mettent en chasse du savoir pratique dont ils ont besoin, le trouvent et fécondent l'économie. La prospérité des Etats-Unis s'était construite sur le talent des immigrés. Le renouveau de l'Europe de l'an 2000 se fait grâce à eux.

■ *Les effendis des pays pauvres pompent les maigres ressources de leurs peuples. L'effendia est prédatrice.*

■ *La prospérité des Etats-Unis s'était construite sur le talent des immigrés. Le renouveau de l'Europe de l'an 2000 se fait grâce à eux.*

Toutefois, les perturbations engendrées par l'homme n'ont pas éveillé la vigilance des scientifiques. Mis à part quelques originaux, remuants et minoritaires, ils considèrent que leur métier est de rassurer le public et non de l'alarmer. Appeler au banc des accusés le pétrole, l'automobile ou l'excès d'emballage, c'est courir le risque d'irriter des financiers potentiels, au moment où, les commandes militaires déclinant, il faut se reconvertir vers l'industrie civile : les crédits d'abord, la conscience ensuite. Le temps n'est pas encore venu où, sûrs de leur mission, les chercheurs présentent au public leurs résultats, même s'ils déplaisent aux "lobbies". Dès lors, rares sont les volontaires pour expliquer que l'agriculture et l'industrie contribuent à la désertification et à la perturbation du climat. Sans doute, l'observation montre que, à l'échelle des millénaires, là où l'homme passe, l'herbe ne pousse plus. La Mésopotamie, grenier à blé de l'antiquité,

▲ *Les sécheresses sont plus rudes...*

▲ *... et les pluies sont plus diluviennes.*

berceau de la civilisation, est maintenant un désert. Le Middle West américain manque d'eau et des signes de désertification apparaissent. Les nuages passent sans s'arrêter au dessus des zones où la végétation s'est par trop réduite. Les perturbations dues à la déforestation s'étendent. De locales, elles deviennent continentales, puis planétaires. Les typhons sont plus violents, les sécheresses plus rudes et les pluies plus diluviennes. Les moussons se font attendre. Et elles tombent brutalement, en déluge. Paradoxalement sécheresses et inondations sévissent dans le même temps. Mais le volume global des précipitations n'est-il pas, grosso-modo, le même ? Pourquoi s'inquiéter ?

Le monde est une rose, respire-la et passe-la à ton ami.
Proverbe arabe.

Ce relâchement général de la conscience des scientifiques, plus occupés de carrières et de financements que de conscience et de déontologie, rend d'autant plus exemplaire le courage de certains d'entre eux. En 1996, Toshimo Katoh, Brésilien d'origine japonaise, prix Nobel d'éthologie - la biologie du comportement humain, animal et végétal - a pris la tête d'une véritable croisade pour la protection de la nature dans toute l'Amérique du Sud. Au moment de terminer le tournage sur le terrain d'une série d'émissions présentant le massacre de la forêt, il est pris dans une embuscade tendue par des mercenaires à la solde des éleveurs de zébus pour hamburgers américains. Il est tué sur place et son corps jeté aux crocodiles. Son caméraman a pu filmer et s'échappe. Tous les écrans du monde diffusent la scène. L'académie japonaise réagit immédiatement : ses frères de sang doivent se protéger de la barbarie. Puis, les Suédois et les Européens protestent contre le meurtre d'un prix Nobel. Partout, les journalistes forcent les caciques de la science à sortir de leur réserve. Dans le monde entier, la

Notre cameraman a pu filmer les mercenaires responsables de l'assassinat du Prix Nobel. ▼

■ ***La pression médiatique amplifiée témoigne d'une conscience planétaire naissante. L'idée d'une fiscalité basée sur les pollutions fait son chemin.***

■ ***Une coalition éphémère, où chaque gouvernement surveille surtout ses intérêts, n'empêche pas le Brésil de détruire l'Amazonie.***

conscience des chercheurs est ébranlée. Devant l'atrocité, ils savent désormais où est leur combat : du côté de la vie.

▲ *Lentement, les pollutions bouchent nos perspectives.*

Vers la fin des années 1980, les médias s'intéressent sérieusement à l'environnement. Ils touchent la sensibilité des pays prospères. Le mouvement d'opinion s'amplifie. Il s'exprime par le style de vie : regain des mouvements de consommateurs, nourriture "biologique", médecines douces, tourisme écologique. Une commune hollandaise construit une cathédrale de verdure. La classe politique est embarrassée. Dans un premier temps, elle donne le change avec des colloques et des déclarations d'intention. Mais la pression médiatique amplifiée témoigne d'une conscience planétaire naissante. L'idée d'une fiscalité basée sur les pollutions fait son chemin. Les écologistes[1] observent qu'il est paradoxal de payer pour les apports (la valeur ajoutée, les revenus, les bénéfices : toutes choses fort désirables) et non pour les pollutions, les inconvénients et les charges causées. Les impôts actuels, bâtis au gré de la commodité des prélèvements et sous la pression des intérêts en place, constituent des incitations erratiques. Ils ne relèvent pas d'un principe logique. Et la seule cohérence dont ils pourraient se réclamer, à savoir l'harmonie des intérêts particuliers avec l'intérêt général, n'est pas encore intégrée dans la réflexion des fiscalistes. Seuls les écologistes avancent cette solution pour restructurer l'économie, en y voyant une manière de rendre chacun conscient et responsable du véritable coût collectif de ses activités.

L'écologie pose aussi la question de l'autorité supranationale. Une coalition éphémère, où chaque gouvernement surveille surtout ses intérêts électoraux, n'empêche pas le Brésil de détruire l'Amazonie. Il faudrait une police internationale des mers pour arraisonner les pollueurs, une gestion commune des satellites de télésurveillance, des financements et même des pouvoirs d'expropriation pour aménager des parcs naturels et entreprendre un reboisement planétaire suffisant. L'Etat-Nation est un cadre trop étroit, mais on ne sait pas comment s'en passer. Le principe de territorialité du droit est admis partout. Comme à l'accoutumée, le droit est contourné avant d'être réformé : des pouvoirs croissants sont accordés tacitement, puis officiellement, à des associations indépendantes, Amnesty comme Greenpeace. Ces organisations opèrent alors sur les territoires nationaux, en concurrence avec les dispositifs des Nations-Unies, jugés trop pesants, et plus difficiles

On note, en bas de la photo, des formes que l'on appelait des arbres. ▼

[1] *Comme le souligne Von Wiezäcker.*

à évincer en cas de désaccord. Les négociations durent. Plus de quarante ans (1950-1992) avaient été nécessaires pour construire la communauté européenne, simple espace de libre concurrence économique. Cette fois, la pression des médias oblige à accélérer : la déforestation et l'effet de serre deviennent des sujets politiquement sensibles. Il faut, dans tous les pays, reboiser, remplacer l'essence, le fuel et le kérozène par l'hydrogène, et surveiller toutes les industries. En 2000, à la conférence de Nouméa, organisée à l'occasion du premier anniversaire de l'indépendance, une charte à vocation mondiale, proposée in extremis par les hôtes canaques, est adoptée. La presse la salue comme une "déclaration des droits de la planète". Les signataires s'engagent à respecter les principales normes d'émission (moins de trois tonnes par habitant et par an de gaz carbonique dans un premier temps, puis une tonne à partir de 2050), et à permettre aux Organisations Non Gouvernementales (les "ONG") d'intervenir sur leur territoire. L'ensemble des négociations fiscales et institutionnelles reste complexe. Les dispositifs internationaux efficaces, mis en place en 2022, ne voient leurs efforts se concrétiser que dix ans plus tard.

▲ *Entre deux séances de travail, les conférenciers de Nouméa se détendent.*

Ce revirement, succédant à une période de particularismes nationalistes, s'explique aussi par la conversion des militaires. Le surarmement de la planète en 1980 faisait frémir. Personne n'envisageait le recours à la bombe, encore moins aux armes bactériologiques... Mais les grandes puissances maintenaient leurs commandes, pour préserver leur industrie et leur image. Les autres cherchaient à s'en procurer par divers moyens détournés. A l'abri du parapluie nucléaire, les pays industrialisés pouvaient se livrer en toute quiétude à des ventes d'armes lucratives, attisant les conflits locaux dans les pays du tiers monde. Puis, le climat de détente qui s'installe peu à peu dans les années 1990 amène les fabricants et les militaires à s'interroger : partout, les crédits alloués à la défense baissent. Les conflits s'essoufflent, la guerre devient médiatique : les actes de terrorisme impressionnent le public, plus encore que les batailles. Mais ils présentent l'inconvénient, pour les industriels, de consommer peu d'armement. Renoncer à tuer est devenu plus "payant" que de tuer. Le but du jeu est d'avoir le beau rôle, celui du sauveur. Des enlèvements sont effectués par d'obscurs groupuscules incontrôlés, et les négociations sont menées par des organisations représentatives, crédi-

Les systèmes militaires de surveillance par satellites servent aussi à traquer les pollueurs. ▼

■ ***La déforestation et l'effet de serre deviennent des sujets politiquement sensibles. Il faut, dans tous les pays, reboiser, remplacer l'essence, le fuel et le kérozène par l'hydrogène, et surveiller toutes les industries.***

■ ***La guerre devient médiatique : les actes de terrorisme impressionnent le public, plus encore que les batailles. Mais ils présentent l'inconvénient, pour les industriels, de consommer peu d'armement.***

■ ***A l'occasion d'un inventaire de leurs missions, il apparaît que les forces armées sont en réalité occupées à des tâches de protection civile et de police de l'environnement.***

▲ *La reconversion des forces militaires laisse des œufs étranges dormir sur le sol.*

tées de la libération des otages, voire de la rédemption du preneur d'otages. Il s'agit bien entendu de mises en scène, qui montrent en tout cas que le métier militaire gagne en subtilité ce qu'il perd en force.

A l'occasion d'un inventaire de leurs missions, il apparaît que les forces armées sont en réalité occupées à des tâches de protection civile et de police de l'environnement. Elles arraisonnent les pétroliers qui dégazent en mer, aident à éteindre de grands incendies, à secourir les victimes de catastrophes naturelles. Leur équipement d'intervention "tous temps", même s'il n'est pas parfait, reste le seul qui convienne dans les cas graves. Mais alors ces missions, considérées comme marginales, voire subalternes, vont-elles devenir le rôle principal des armées ? Peut-on imaginer que les forces de différents pays, au lieu d'attendre un ennemi hypothétique, dans leurs cantonnements, l'arme au pied, se précipitent pour porter secours sur les lieux d'un séisme ou d'une inondation, et jouent au plus rapide et au plus efficace ? Les jeunes conscrits y trouvent une formation utile, et les gouvernements une popularité accrue. Le tournant est définitivement pris en 1997, lors d'un sauvetage dans la cordillère des Andes qui mobilise un des satellites de l'IDS[1]. Les fabricants d'armes réalisent l'intérêt d'une nouvelle génération de matériel au moins aussi sophistiqué que l'ancien. Le complexe militaro-industriel prend alors fait et cause pour la défense de l'environnement et les actions humanitaires. Pour preuve de sa bonne volonté, la France transforme le site de Mururoa, qui ne servait plus que d'épouvantail, en réserve ornithologique. L'avionneur Dassault présente aux participants de Nouméa sa dernière création pour la lutte anti-incendie, le Niagara. Capable de virages sur l'aile impressionnants et équipé de détecteurs spéciaux de protection pour les pompiers, il est bien plus rapide - et bien plus cher ! - que son vieux concurrent, le Canadair. L'Emirat de Bahrein, qui n'a pas de forêt à protéger, a tenu à acheter le premier exemplaire, démontrant ainsi son intérêt pour la protection de la nature. Les écologistes se sont enfin rendu compte que le pétrole et le charbon, responsables des émissions de gaz carbonique qui provoquent un important réchauffement de l'atmosphère, sont plus nocifs que le nucléaire. Consécutivement, les pays du Golfe, producteurs de pétrole, se sentant accusés, veulent donc investir dans l'écologie. Le rachat d'une bonne conscience planétaire déclenche parfois des gestes étranges.

▲ *La lutte contre le feu devient un objectif militaire majeur.*

[1] *Initiative de Défense Stratégique : programme américain visant à la constitution d'un bouclier spatial pour contrer toutes les agressions nucléaires.*

Dans cette société du spectacle, on compte sur la planète, vers 2015, un téléviseur ou écran pour quatre personnes en moyenne. Emetteurs et satellites de télévision directe arrosent jusqu'aux zones les plus reculées. Cet outil de communication est privilégié par les pouvoirs (souvent dictatoriaux) qui tentent de le détourner à des fins de propagande. Quelques centaines d'émetteurs ne permettent-ils pas de déverser leurs messages sur des millions de spectateurs passifs et souvent amorphes ? Le téléphone, instrument personnel, se limite encore aux pays industrialisés et aux classes dirigeantes des pays pauvres. On regarde la télé en moyenne deux heures par jour. Société du spectacle certes, mais cette fenêtre sur le monde transmet bien d'autres messages. Elle ouvre aussi le champ de conscience. L'image trahit celui qui croyait la contrôler. Le visage de la liberté émerge lentement à travers la brume des mots et des doctrines. D'autres moyens d'information, difficilement contrôlables, sont également disponibles. Alors que la télévision est centralisée, le téléphone est, lui, décentralisé. Elle représente le pouvoir central messianique, il est le système nerveux de la société civile, faite de liens personnels et de transactions. Avec la démocratisation de l'Est européen en 1989, comment ne pas penser qu'au-dessus de dix lignes téléphoniques pour cent habitants, et avec des télévisions transfrontières, tout système autoritaire est condamné ? En attendant, les pays du Sud, peu équipés en téléphones, restent vulnérables. La Terre se divise donc en deux : une minorité (un quart de la population mondiale) a droit à la parole et une majorité (les trois quarts) n'y a pas droit.

▲ Le village planétaire permet une quasi-ubiquité.

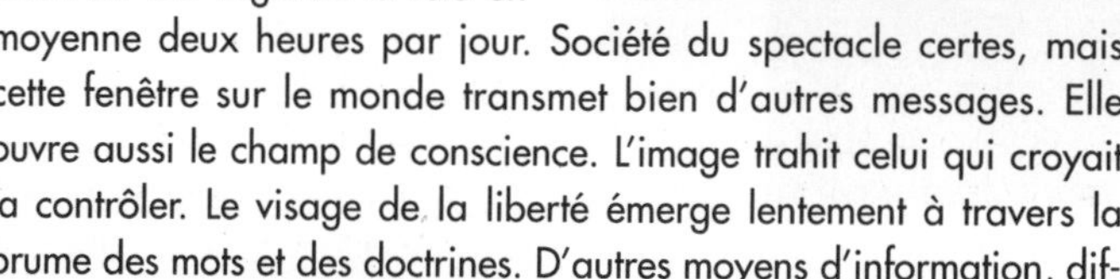

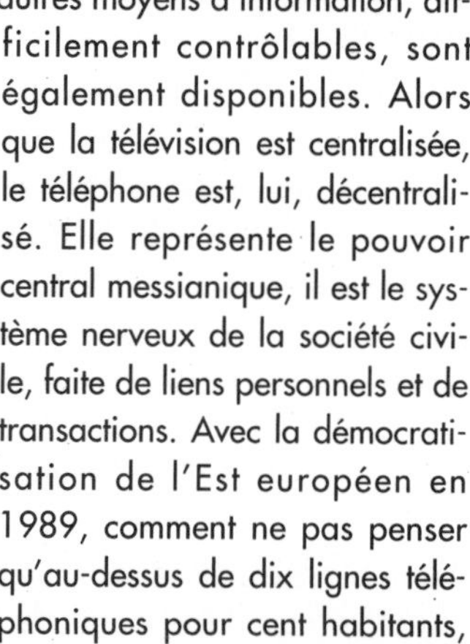

▲ Et dire que nos grands-parents imaginaient ainsi le visiophone !

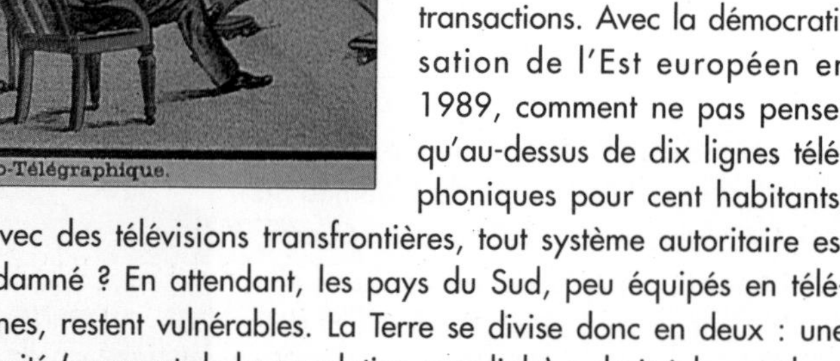

En conséquence, après les pouvoirs rationalistes issus de la fin du dix-neuvième siècle, déferle une vague de pouvoirs religieux intégristes, dont la montée, facilitée par l'ignorance, est propagée par les médias. En 1998, l'Inde fait la douloureuse expérience d'une lutte fratricide entre intégristes musulmans et hindous, qui ne doit qu'à l'intervention conjointe des grandes puissances de ne pas dégénérer en conflit nucléaire.

Dès le début du siècle, la carte de la richesse des nations coïncide avec celle de la densité en lignes téléphoniques. Les petites entreprises, sur lesquelles repose la prospérité, ne peuvent faire leur métier, ni s'étendre, sans cet instrument qui permet de joindre dans

■ *Les pays du Sud, peu équipés en téléphones, restent vulnérables. Une minorité (un quart de la population mondiale) a droit à la parole et une majorité (les trois quarts) n'y a pas droit.*

■ *Dès le début du siècle, la carte de la richesse des nations coïncide avec celle de la densité en lignes téléphoniques.*

■ *Toutes les entreprises et institutions sont vues comme des êtres vivants, intermédiaires entre l'individu et la société tout entière. Leur organisation s'inspire de celle du cerveau : elles sont "neuromimétiques".*

l'instant les clients, les fournisseurs et les banquiers. En fait, toute l'organisation sociale est, "à pas de colombe", transfigurée par la nouvelle communication. Le déclin des Etats-Nations se poursuit. Nouvelle forme d'organisation montante, les entreprises s'inscrivent naturellement dans les systèmes de communication décentralisés. Quand on évoque la "loi du marché", par opposition au "formalisme bureaucratique", ce n'est rien d'autre que la montée des transactions en réseau, où chacun peut choisir son fournisseur, opposée à une gestion centraliste et monopoliste, où il n'y a qu'un interlocuteur possible. Mais les premières générations de chefs d'entreprises restent encore inspirées des logiques anciennes. Il n'y a pas que les fous des asiles qui se prennent pour Napoléon, Louis XIV, Tamerlan, Gengis Khan ou Citizen Kane. Les lambris, les bureaux, les yachts, les fastes et l'apparat de nombreux industriels l'attestent. Les comportements, en retard sur la réalité, se raccrochent à des modèles du passé. Certains se prennent pour des prophètes ou des empereurs, d'autres pour des machines, et imprègnent toute leur organisation d'une logique taylorienne. Les cercles de qualité, malgré leur modestie apparente, ont inauguré une nouvelle philosophie, pour laquelle "la reconnaissance précède la connaissance". En 2009, les nouvelles représentations du "management" forment enfin un ensemble complet et structuré, enseigné dès le secondaire. Toutes les entreprises et institutions sont vues comme des êtres vivants, intermédiaires entre l'individu et la société tout entière. Leur organisation s'inspire de celle du cerveau : elles sont "neuromimétiques". Dans un cerveau, les neurones se spécialisent, mais aucun ne commande à tous les autres. Sans le rêve, un cerveau sombre dans la folie. Une entreprise aussi. Il y a plus d'argent disponible que de projets valables, disent les financiers. Dans ces conditions, la richesse n'est plus accumulation de monnaie. Elle requiert aussi la maturité de l'être, le sens donné à ses actes. Au début, les hommes cherchent à tâtons, dans leur vie privée, professionnelle ou associative, les nouveaux comportements et les nouvelles valeurs. Des styles de vie différents germent dans les esprits audacieux et non-conformistes, d'abord isolés. Les germes du futur sont des démarches personnelles non visibles du public. Néanmoins, les médias, le jour venu, démultiplient le message. Les valeurs du nouvel âge commencent à être largement diffusées. Le pouvoir, tel qu'on le pensait depuis Machiavel, apparaît comme un vestige du passé. Ce qui compte pour l'avenir, c'est la reconnaissance de la vie, sous ses différentes formes. L'élargissement de la conscience produit les premières failles dans les anciennes structures. Comme si un cerveau planétaire se constituait, peu à peu, poussant les connexions de ses neurones les unes vers les autres.

▲ *En 2009, la pratique des arts martiaux aide les chefs d'entreprise à trouver de nouveaux équilibres.*

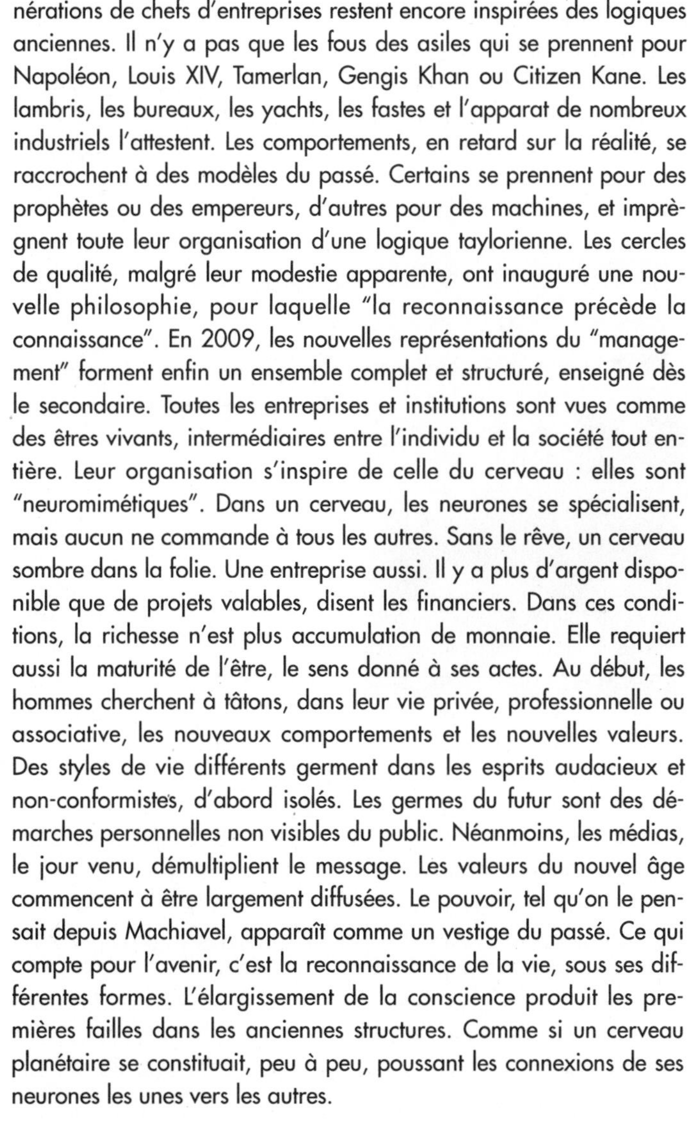

▲ *La mode de 2027 paraît aujourd'hui bien datée.*

Que de chemin parcouru depuis les "trente glorieuses" (1945-1975), où l'on jugeait l'avance et le retard des différents pays en termes de développement économique ! L'indicateur de la valeur ajoutée par habitant, mesuré en référence à des prix domestiques et des taux de change du marché international, semblait guider tous les autres : la santé, l'alimentation, les consommations usuelles paraissaient dépendre de lui. Mais derrière cette analyse simpliste se jouait une intrigue beaucoup plus subtile. Les investisseurs scrutaient en fait ce qu'ils appellent les "risques pays". En termes clairs : si je mets mon argent là, ai-je des chances de le retrouver ? Si oui, avec quelle rentabilité ? La vraie question pour eux n'est pas celle du développement, mais celle de la confiance. Celle-ci résulte d'une sociologie complexe, où interviennent des facteurs parfaitement irrationnels, tels que le racisme, le sexisme, les différents réseaux tribaux et religieux, toutes choses inavouables devant lesquelles les économistes distingués se voilent pudiquement le regard. Néanmoins, la fin du vingtième siècle est le théâtre d'événements surprenants. Dans un premier temps, les investisseurs ont trop de liquidités. Ils ne savent pas quoi financer. Ils soutiennent des opérations de voltige internationale, déconnectées du concret. Les "raiders", la "merger mania", les "junk bonds"[1], tout se déroule dans un petit milieu ivre d'argent, où l'on peut lever un milliard de dollars en trois coups de fil. Peu importe que cet argent vienne de la drogue, de la spéculation immobilière, de la vente d'armes ou d'activités polluantes. Dans un second temps, les capitalistes, qui ont le sentiment justifié d'achever la conquête du monde, cherchent de nouveaux pays à industrialiser. Après les quatre dragons (Corée, Taïwan, Hong-Kong, Singapour), à qui le tour : la Thaïlande, l'Iran, la Turquie, l'Indonésie, peut-être le Botswana ? Pourquoi pas nos frères séparés de l'Est : la Hongrie, la Tchécoslovaquie, peut-être même la Géorgie ? Mais comment discerner le bon grain de l'ivraie ? Il faut une bonne douzaine d'années pour que les entrepreneurs fassent surface. Dans un troisième temps, la question de la confiance est reposée en d'autres termes, moins politiques et plus terre à terre. Le poids de la démographie vieillissante du Nord se ressent. Le contraste avec la jeunesse et la vitalité du Sud devient manifeste. Le dynamisme est allé vers le soleil. Il y a aussi les immigrés, installés à leur compte dans les pays industrialisés. Ils ont ouvert des milliers de boutiques, créé des centaines d'entreprises, prouvé qu'ils savaient gérer. Beaucoup sont prêts à retourner au pays, si les conditions sont favorables. Or, les capitalistes cherchent des entrepreneurs sur qui parier. Le recyclage de l'argent des vieux riches vers les jeunes pauvres commence. Dès lors, la distinction entre pays pauvres et pays riches s'estompe. Des îlots de modernité sont apparus au Brésil,

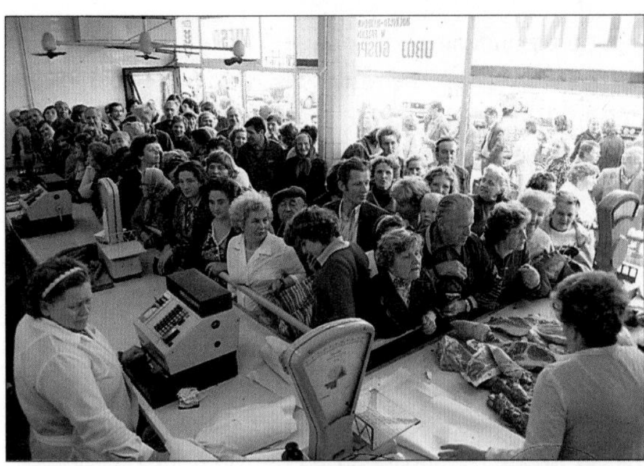

▲ *Ces scènes révolues prêtent aujourd'hui, en 2040, à de nombreuses interrogations..*

[1] *Pirates industriels, fusions en folie et obligations pourries.*

■ ***Les capitalistes, qui ont le sentiment justifié d'achever la conquête du monde, cherchent de nouveaux pays à industrialiser. Après les quatre dragons, pourquoi pas nos frères séparés de l'Est ?***

■ ***Le poids de la démographie vieillissante du Nord se ressent. Le contraste avec la jeunesse et la vitalité du Sud devient manifeste. Le dynamisme est allé vers le soleil.***

■ ***Cette société médiatique ne voit pas le drame humain qui se joue sous ses yeux.***

▲ *Le vingt-et-unième siècle retrouve le sens de la fête. L'Afrique et l'Amérique du Sud mènent la danse.*

en Inde, en Bulgarie, en Chine, en Afrique ; des plages de pauvreté existent partout, à New-York comme à Calcutta, à Londres comme au Caire. On utilise des relais financiers plus fiables parce qu'ancrés dans la sociologie locale : la Grameen Bank au Bangla-Desh, les tontines en Afrique. Les innovateurs étaient des déracinés. Ils ne s'attendaient pas à une reconnaissance si prompte, ni à se voir confier de tels moyens. Le capital est obligé de parier sur eux, pour éviter de s'effondrer dans la spéculation. Les économistes pensaient par habitude que l'Afrique surpeuplée s'appauvrirait. C'était ignorer les richesses naturelles que recèle ce continent, et l'intérêt croissant du public pour le tourisme écologique. Lassés de la contemplation de vieilles pierres - témoins de la mégalomanie des empereurs et des pharaons - les vacanciers fuient le béton et vont à la recherche du vivant. Spectacle, musique, art oratoire, la culture africaine est valorisée par les médias. Ses succès éclatent sur toutes les scènes du monde. Des fortunes refluent vers le continent noir. Des villes nouvelles commencent à s'y construire. La tendance à l'appauvrissement s'inverse.

Cette société médiatique, cependant, malgré l'abondance de son information, ne voit pas le drame humain qui se joue sous ses yeux. Les journalistes ne manquent pas de curiosité, mais ils préfèrent la fréquentation des hôtels confortables à celle des banlieues sordides et dangereuses, où même la police n'ose plus mettre les pieds. Or, deux milliards d'êtres humains sur six ont migré de la campagne vers les villes, soit chassés par la concurrence des agricultures industrialisées,

◀ *Les gangs de sauvages urbains s'organisent et se reconnaissent à leur mode particulière.*

*La peur a de grands yeux.
Proverbe russe.*

soit attirés par les tourbillons de la vie citadine comme des papillons par la lumière. Plus de la moitié de la population du monde est urbanisée dès 2002. Les enfants des banlieues naissent coupés de tout moyen de survie : le savoir-faire traditionnel rural ne peut leur être transmis. Plus ou moins illettrés, ils sont tenus à l'écart des techniques modernes, voués à l'exclusion. La production, très automatisée, se passe d'eux. Les riches n'ont plus besoin des pauvres. La situation de cette époque s'apparente à celle du milieu du dix-neuvième siècle en Europe, telle que l'analysait Marx, mais au niveau du monde entier. La dualité de la société s'accentue jusqu'à la caricature. Les exclus, nombreux (vingt à trente pour cent), deviennent des "sauvages urbains". Ils n'ont rien à perdre. Ils inventent de nouveaux modes de survie. Pour eux, la ville est comme une jungle. Ils s'organisent en bandes aux connexions internationales. Les sectes, les mouvements religieux intégristes, les pouvoirs maffieux prolifèrent sur ce terreau favorable. C'est la libanisation.

Les Etats-Nations sont affaiblis et dépassés par les événements. Les pouvoirs locaux restent embryonnaires. Poussant leur logique à son terme, les classes dirigeantes ont d'abord des réflexes de protection. Ne comptant que sur elles-mêmes, elles paient des milices privées. Elles s'achètent des équipements de protection sophistiqués. Les usines, les bureaux, prennent l'allure de bunkers sous surveillance électronique permanente. Des quartiers résidentiels entiers, où se regroupent les vieux riches, sont placés sous protection renforcée. Mais le dispositif est miné : les protecteurs sont aussi prédateurs. Gardes et voleurs sont cousins, issus des mêmes milieux... Ceux qui n'ont rien à perdre prennent des risques. Il y a des mouvements de masse, des agressions de bandes armées, des prises d'otages et surtout des sabotages imprévus (électricité, eau, téléphone). Les médias dramatisent. Les institutions, conçues en d'autres temps, à d'autres fins, sont lourdes, formalistes, inefficaces. Face aux événements, elles perdent ce qui leur reste de crédibilité. A quoi sert même l'arme nucléaire face à de pareils désordres ? On avait prévu les conflits entre nations différentes, où l'ennemi est clairement identifiable. Les attaques ne sont pas signées, l'agresseur se fond dans la foule. La nouvelle génération d'armes est constituée de faisceaux laser miniaturisés portés par des robots de poursuite. Elle permettra un jour d'atteindre sélectivement un individu dans le dédale d'une grande ville. Les militaires appellent cela la frappe microchirurgicale[1]. La difficulté est aussi d'identifier le suspect. En 2005, Interpol fait adopter une décision mondiale : tous les délinquants et criminels reconnus subiront désormais, dès leur arrestation, une petite intervention chirurgicale. Un code barre magnétique universel leur sera implanté dans l'os de la

Fabriquer des exclus, certes ; mais ensuite saurons-nous contenir les sauvages urbains ? ▼

[1] Mais elle est encore au stade du prédéveloppement, et les industriels chiffrent avec un nombre respectable de zéros le coût de sa mise au point.

■ *Les enfants des banlieues naissent coupés de tout moyen de survie : le savoir-faire traditionnel rural ne peut leur être transmis. Plus ou moins illettrés, ils sont tenus à l'écart des techniques modernes, voués à l'exclusion. Ils deviennent des "sauvages urbains".*

■ *Tous les délinquants et criminels reconnus subiront désormais, dès leur arrestation, une petite intervention chirurgicale. Un code barre magnétique universel leur sera implanté dans l'os de la hanche.*

hanche. Ainsi, des détecteurs simples permettront de les repérer dans les lieux publics, et les robots chasseurs pourront les poursuivre sans risque d'erreur. L'expression "l'avoir dans l'os" prend un sens nouveau et concret, qui fait frémir non seulement la pègre, mais aussi le citoyen paisible, car personne, dans certains pays, n'est à l'abri d'une rafle et d'un marquage indélébile.

▲ *Sans police, sans services publics, les grandes villes sont devenues une jungle où tous les coups sont permis.*

Et que peuvent faire les multiples bureaucraties sociales spécialisées, face au désarroi des jeunes ? L'éducation à l'occidentale est impuissante. Elle se complaît dans l'étude des cultures passées, et n'a presque plus rien à voir avec le quotidien. Quand elle parle des choses pratiques, l'alimentation, l'hygiène, les soins aux enfants, la santé, la ville, la nature, le travail de la matière, c'est, si l'on peut dire, de manière pornographique : elle évoque l'objet du désir, mais n'y donne pas accès. Elle montre la porte du château, mais refuse d'en procurer les clefs. Les exclus, les déshérités n'y trouvent rien qui leur serve à survivre. D'où des réactions violentes, contribuant encore plus à sa dégradation. Et il faudrait soixante-quinze ans à cette éducation-là pour se réformer[1] !
Heureusement, il y a les chemins de traverse. Le bricolage est un puissant véhicule de culture technique. Même les élites des effendias réapprennent en cachette, par ce moyen, un minimum de savoir pratique. Simultanément, la fermeture corporatiste du corps médical, et le désordre cafouilleux d'une alimentation hâtivement industrialisée, suscitent des réactions de vigilance du public. L'automédication, la diététique, le sport, le yoga et divers autres moyens de se maintenir en forme ont un succès croissant. Ne vaut-il pas mieux prévenir que guérir ? Ainsi, la population est amenée à se prendre davantage en charge elle-même. De nouvelles attitudes, plus responsables, se construisent peu à peu face aux difficultés quotidiennes.

Néanmoins, on ne peut parler de cette période qu'en termes diaboliques (étymologiquement : dia-ballein, séparer en deux). Elle est nécessaire à l'évolution. C'est seulement après avoir vécu l'extrême division que la conscience de l'unité peut s'incarner. Un raisonnement dual - opposant réussite et échec - imprègne la société. On considère comme allant de soi qu'il y ait des gagnants et des perdants, des surdoués et des nuls, des riches et des pauvres, des oppresseurs et des opprimés. L'essentiel de ce que les parents apprennent aux enfants, c'est comment être "dans le bon camp", ou comment s'en tirer quand même, en trichant, lorsqu'on est dans le mauvais. Dès lors, la division en deux, si forte dans l'imaginaire, se projette naturellement dans le social. Dans cette époque incertaine, les particularismes sont exacerbés. Sans doute, le mélange racial se produit en Europe, aux Etats-Unis, au Brésil. Mais les médias exaltent la foi naïve et exploitent la crédulité. Les télévangélistes se multiplient. De nouveaux

Le jeu a toujours été la meilleure des écoles... ▼

[1] *Jacques Lesourne, Education et société : les défis de l'an 2000, La découverte/Le Monde, Paris, 1988.*

prophètes apparaissent. Les intégrismes gagnent du terrain. Dans le désarroi, on se raccroche au passé. Le clivage entre les nantis et les exclus s'accentue. C'est la société duale, à l'échelle de la planète. A

▲ *Le clivage entre les nantis et les exclus s'accentue. C'est la société duale, à l'échelle de la planète.*

mesure que les Etats-Nations déclinent, les esprits tribaux sont réactivés. Face au "choc du futur", les individus cherchent refuge dans des clans. Toute matrice sociale où l'on se sent au chaud, membre d'une collectivité vraiment solidaire, est acceptée comme un havre protecteur, même si elle est maffieuse ou sectaire. On craint d'avoir à vendre son âme pour s'intégrer à la machine économique. On craint de perdre son âme face à l'invasion des messages publicitaires et à la pression des médias. Pour se défendre, on régresse. C'est le retour au ventre maternel, décrit par les psychanalystes, un désir viscéral d'appartenance. On se ressource dans le fusionnel. Alors, ce qui est fait à ceux de ma tribu est fait à moi-même. Et s'il y a crime, il y aura vengeance. La loi du talion a priorité sur la loi tout court.

Face à ces risques apparaît l'enjeu central de ce siècle : la fin du tribalisme, sa dissolution dans une appartenance plus large à l'espèce humaine et à la biosphère tout entière (Gaïa, la planète vivante). Mais avant d'être dépassé, le tribalisme est exacerbé. Son agonie s'accompagne de soubresauts. Hors d'Europe, les clivages sont réactivés, et donnent lieu à des troubles : le nationalisme turc, soutenu par un fort développement économique, étend son influence à ses frères des steppes d'Asie Centrale, dans le sud de l'Union Soviétique. En Asie du Sud-Est, Inde, Ceylan, Péninsule indochinoise, Malaisie, Indonésie, les luttes entre ethnies et religions différentes s'accentuent. Aux privilèges des uns répond la révolte des autres. Les droits de l'homme se trouvent face à d'autres mentalités où le sectarisme, le népotisme - ma famille et mes amis d'abord ! - et l'abus de pouvoir sont considérés comme des données naturelles de l'existence. En Amérique du Sud, l'incertitude et le danger poussent à l'émigration les couches les plus instruites. En Afrique, les frontières héritées de la colonisation sont remises en cause. Au Nigéria, au Bénin, en Centrafrique, les luttes tribales réapparaissent. Partout dans le monde, ces conflits sanglants produisent des effets dévastateurs. En Europe, les saignées des guerres de 1914-1918 et 1939-1945, encore visibles sur la pyramide des âges, n'avaient pas suffi à calmer les esprits tribaux. C'est seulement la révélation de l'horreur des camps de concentration, après la seconde

■ ***Face à ces risques apparaît l'enjeu central de ce siècle : la fin du tribalisme.***

■ ***Le sacrifice tribal et religieux du début du troisième millénaire est d'ampleur plus modeste mais il impressionne davantage.***

guerre mondiale, qui fait que tous se dirent "plus jamais ça". Le sacrifice tribal et religieux du début du troisième millénaire est d'ampleur plus modeste. Mais il est comparable en atrocité, car les attachements

▲ L'attaque nucléaire menée par la maffia provoque une brutale prise de conscience : c'est devenu un vrai danger.

ne sont pas moindres. La mort médiatisée impressionne davantage. L'Occident tient le rôle du bouc émissaire. L'âme lourde des humiliations coloniales passées, bien des peuples rêvent de laver dans le sang leurs offenses. Ils mènent de multiples attaques contre les pays riches, arrivent à semer le désordre chez les plus faibles d'entre eux. Mais déjà le principe qui fonde l'Occident - la liberté - est devenu mondial. Partout, les femmes perçoivent le règne de leur prochaine libération. Les victoires temporaires ne sont que le baroud d'honneur des forces du passé.

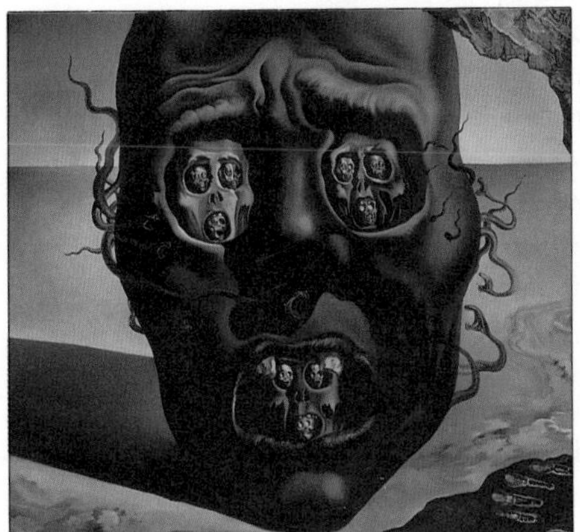

▲ L'agonie du tribalisme s'accompagne de soubresauts douloureux.

En 2013, la famille maffieuse dirigée par Don Giovanni, résidant au Honduras, a acquis le contrôle de quelques industries d'armement. Elle utilise, par des voies détournées, une arme nucléaire tactique contre le principal camp militaire du gouvernement mexicain, qui vient d'autoriser la vente libre de la drogue dans les écoles. Comme au temps de la prohibition, les Familles profitent des interdits. Libérer la vente, c'est autoriser la concurrence, et réduire à presque rien leurs énormes profits. Don Giovanni défend les intérêts de tous ses collègues. Il compte sur une propagande moralisatrice bien orchestrée pour condamner le Mexique. La bombe est lâchée par un soi-disant groupuscule intégriste chrétien, les "sauveurs de la pureté". Des émissions de télévision sur les ravages de la drogue sont programmées en même temps, car la maffia a aussi ses ramifications dans les médias. Mais la nièce d'un lieutenant de l'organisation, qui rendait clandestinement visite à son amant dans le camp visé, est brûlée par le rayonnement de la bombe. Devenu comme fou, le lieutenant de la maffia raconte toute l'affaire sur des antennes périphériques. On voit alors dans quel état se trouve le monde. Sous la puissance matérielle, gît une âme décomposée : incapable d'éduquer les enfants face aux drogues, incapable d'éviter la dissémination des armes, incapable d'avoir une information libre, incapable de maîtriser les pouvoirs maffieux. Les

L'argent n'a pas d'odeur.
Proverbe français.

pays riches sont alors dominés par une population âgée, particulièrement sensible aux attentats. Bien que la bombe ait eu un effet limité au casernement et à la petite ville environnante (dix mille morts), son impact est énorme et le mécontentement enfle. A leurs risques et périls, des enquêteurs révèlent que depuis quelques années déjà, les multinationales sont aux mains des Familles de la maffia. Avec l'argent de la drogue, elles avaient racheté les hypermarchés. Au moyen des centrales d'achat, elles avaient étranglé puis récupéré à bas prix les fournisseurs. Les compagnies pétrolières et les autres multinationales n'avaient pas résisté bien longtemps à leur style particulier d'OPA[1], où l'attaque financière coïncide avec la corruption des comptables et l'intimidation d'actionnaires importants. Le "big business" anglo-saxon s'habitue à tout. En 1990, on y parlait de "maffia money"; en 2000 de "maffia power"[2]; après 2010, on n'en parle même plus, tellement c'est évident. Le jeune diplômé en gestion doit d'abord, pendant trois ans, aller faire ses classes dans une de ces républiques corrompues et dangereuses où se nouent les trafics. Là, on juge ses aptitudes au chantage, sa résistance aux menaces. Le caractère maffieux des affaires est devenu comme une seconde nature. Les Etats-Unis déclinants et l'Europe sont rongés. Seul le système industriel et financier japonais résiste, malgré la corruption des responsables politiques, car il a filialisé sa propre maffia. Sa puissance est immense et tenue à l'abri des prédateurs. Mais elle est restée masquée, pour ne pas éveiller de craintes. Le moment est venu pour elle d'apparaître en plein jour. Le tableau de décomposition qui remonte en surface à l'occasion de l'Affaire mexicaine est terrible. L'indignation et la peur mobilisent des moyens financiers jusqu'alors frappés d'inertie ou de conformisme. C'est le grand réveil des papys. Le mouvement planétaire "ordre et lumière" part de cet événement. Il est fortement inspiré des sectes dures du bouddhisme Zen, et s'appuie au départ sur les fractions conservatrices du Keidanren[3]. C'est de cette période aussi que date la monnaie mondiale, imposée par le Japon, se substituant à la triade Ecu/Yen/Dollar, que les opérateurs avaient tant manipulée.

▲ *Dans les entreprises maffieuses, la cocaïne est consommée librement.*

La suite de la nuit du 4 août 1789, où les privilèges furent abolis, fut autrefois vécue dans la peur. 2015 rappelle aux riches la grande peur qui déclencha l'inversion de leur stratégie. Seuls les plus intelligents ont pu traverser les troubles. S'y ajoutent des parvenus qui en ont profité par des trafics divers. Ils savent qu'aucune forteresse ne peut plus tenir, que les tentatives dures de maintien de l'ordre sont vouées à l'échec. La complexité des techniques modernes s'accompagne de vulnérabilité. L'accumulation de richesses devient illusoire si on ne peut plus en jouir en paix. Une minorité se constitue dans les classes dirigeantes. Elle veut la fin des privilèges, la démocratie économique. Entreprises et possédants n'ont même pas compris 1789, dit-elle. Monarchiques, héréditaires, de droit divin, ils raisonnent à courte vue, en fonction de leurs intérêts immédiats. Comment ne pas voir en effet que la pauvreté est cause d'une démographie galopante qui submergera inévitablement les îlots de prospérité ? Il faut réintégrer les exclus. La nouvelle sauvagerie qui s'installe à nos portes n'est pas digne de l'espèce humaine. Il faut structurer l'espace : exproprier, reconstruire des villes bien ordonnées, induisant un style de vie civilisé. Structurer aussi les

■ ***Comment ne pas voir en effet que la pauvreté est cause d'une démographie galopante qui submergera inévitablement les îlots de prospérité ? Il faut réintégrer les exclus.***

■ ***La télévision est mobilisée, ainsi que les jeux vidéo, les organisations de loisir, les associations. On peut trouver les moyens financiers nécessaires : l'argent de la peur ne manque pas.***

La peur fait courir l'âne plus vite que le cheval.
Proverbe russe.

[1] *Offre Publique d'Achat.*

[2] *Argent et pouvoir de la maffia.*

[3] *Le patronat japonais.*

mentalités, par de la propagande éducative. En 1871, en France, Thiers avait bénéficié de la complicité tacite de l'ennemi pour mater la Commune. Mais la véritable réponse de la bourgeoisie fut celle de Jules Ferry : l'enseignement pour tous, laïc, gratuit et obligatoire[1]. "Nous ne pouvons pas les éliminer, façonnons-les à notre image. Eduqués, ils penseront comme nous et entreront dans notre jeu[2]". Le pari était juste, l'histoire l'a confirmé. Dès janvier 2016, un organisme nouveau, l'Entente éducative mondiale, consortium d'entreprises cofinancé par les Etats, organise, au niveau planétaire, des enseignements de masse. Ils passent, non par l'ancien système scolaire, mais par des voies nouvelles, plus directes et efficaces. La télévision est mobilisée, ainsi que les jeux vidéo, les organisations de loisir, les associations. On trouve les moyens financiers nécessaires : l'argent de la peur ne manque pas.

▲ Retrouver les racines de la connaissance devient un enjeu majeur après 2060.

Le micro-ordinateur est devenu d'usage courant en ce début de troisième millénaire. Commence alors le transfert des connaissances sur support électronique. Les expériences d'EAO[3] avaient été jusque-là des échecs. On avait tenté maladroitement de reproduire des démarches pédagogiques anciennes sans tenir compte des résultats les plus élémentaires des sciences cognitives. Et on avait aussi largement sous-estimé la quantité de travail nécessaire pour programmer les didacticiels. Stocker les informations dans des bases de données n'est pas tout. Il faut prévoir des balises, des repères, des classements, des connexions permettant à l'étudiant d'y naviguer. Il faut également prémunir ces logiciels contre toutes les erreurs de manipulation. Dès 1987, on savait que les hyper-textes permettraient de rendre l'ordinateur accessible à tous, y compris aux illettrés. Quelques petits programmes expérimentaux étaient sortis pour les enfants. Mais il restait du chemin à faire avant de mettre sur le marché des produits utilisables par tout un chacun. A peu près autant de chemin qu'entre la Ford modèle T et la Ford Mustang, sortie cinquante ans après. Le travail préparatoire est fait entre 2000 et 2020, avec des logiciels d'aide à la conception de logiciels.

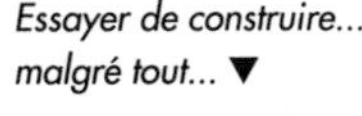

Essayer de construire... malgré tout... ▼

[1] *A la même époque, au Japon, l'empereur Meiji, en réaction à une défaite militaire, décide un énorme effort d'éducation. Il veut s'approprier le savoir du vainqueur pour prendre sa revanche. Il met fin à un long isolement. Un siècle après, le Japon domine l'économie mondiale, avec une population éduquée jusqu'à dix-huit ans.*

[2] *Jacques Donzelot, La police des familles, Editions de Minuit, Paris, 1977.*

[3] *Enseignement Assisté par Ordinateur.*

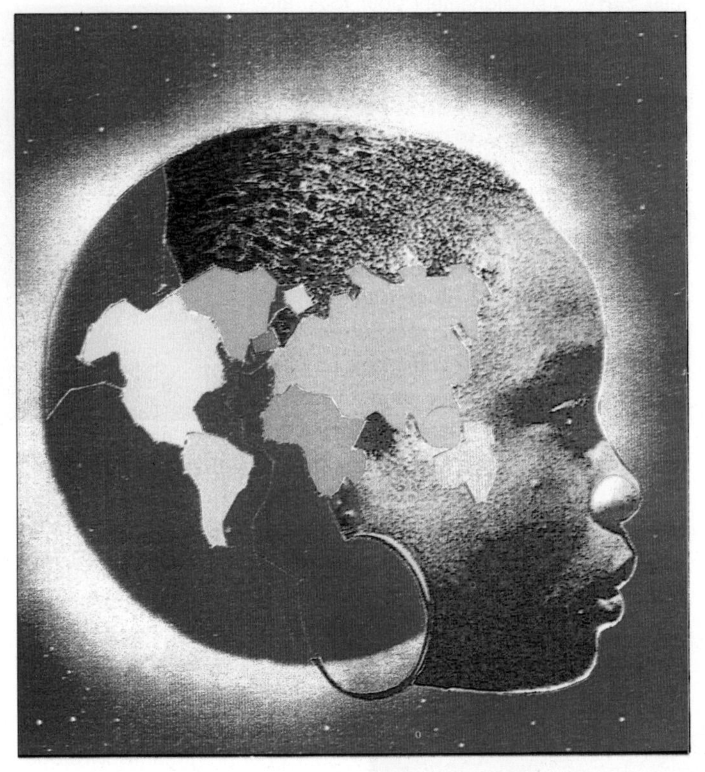

2020 - 2060 : une société d'enseignements

A partir de 2024, la société d'enseignement s'établit : il s'agit aussi d'un système d'ordre moral. Tous les moyens de propagande de la société du spectacle sont mobilisés. On cherche à en finir avec le

Où que j'aille, la technologie de l'enseignement m'assaille. ▶

▲ *Naviguer dans l'immense savoir accumulé depuis des siècles.*

"chacun pour soi". Ce que des consciences isolées avaient expérimenté au début du siècle se généralise. L'homme est fait pour explorer et incarner le futur. Avec le développement de l'adoption et de la pratique des mères porteuses, on préconise, non pas le retour à la famille naturelle, qui a perdu de sa force, mais la famille ouverte, l'organisation en petites communautés volontaires et solidaires, sortes de villages dans la ville. Les séries policières télévisées de la fin du vingtième siècle sont fortement taxées, puis interdites. Elles donnaient aux premiers sauvages urbains des modèles de comportement et une culture technique qui les aidaient à contrer efficacement la police ! Elles sont remplacées par des jeux-concours où l'objectif est de survivre dans des conditions extrêmes, de réparer des robots quotidiens, de trouver de nouvelles plantes ou de limiter des consommations énergétiques ou matérielles. Les machines à enseigner sont devenues aussi attractives que les jeux vidéo. Ce sont d'ailleurs, pour la plupart, des jeux exploratoires, certains dérivés de l'ancien Donjons et Dragons, avec des contenus moralisateurs. Mais même les androïdes pédagogues les plus perfectionnés ne peuvent remplacer le contact humain. Toute la planète s'organise pour l'encadrement des jeunes, jusqu'à l'âge de dix-huit ans. Sont considérés comme illettrés ceux qui ne savent pas se servir des terminaux pour les quatre opérations élémentaires : recherche d'information simple dans une base de données, inscription et lecture d'une comptabilité sur tableur préprogrammé, rédaction d'une lettre sur traitement de texte (correcteur orthographique autorisé) et envoi par télémessagerie, remplissage des formulaires des impôts et de la sécurité sociale. Les illettrés, hors d'état d'exercer leur citoyenneté, sont passibles de rééducation. Chacun doit faire revérifier ses aptitudes tous les cinq ans, au

Dans les années 1990, les jeux vidéo ne servaient pas encore à enseigner. ▼

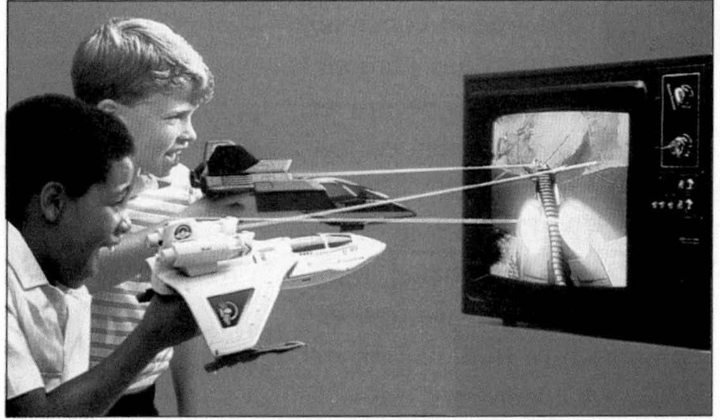

■ ***A partir de 2024, la société d'enseignement s'établit : il s'agit aussi d'un système d'ordre moral. Tous les moyens de propagande de la société du spectacle sont mobilisés. On cherche à en finir avec le "chacun pour soi".***

■ ***Chacun doit faire revérifier ses aptitudes tous les cinq ans, au moyen d'un télé-examinateur à intelligence artificielle, faute de quoi ses avoirs bancaires dépassant le minimum vital sont mis sous tutelle.***

moyen d'un télé-examinateur à intelligence artificielle, faute de quoi ses avoirs bancaires dépassant le minimum vital sont mis sous tutelle. La société d'enseignement produit ses premiers effets à partir de 2040, pleinement à partir de 2060. Alors, le monde est devenu une immense classe moyenne, relativement apaisée. Toutefois, le conformisme a son revers : la créativité de chacun est trop canalisée par l'éducation. Ne pouvant satisfaire ce besoin vital, les individus, tels des animaux parqués dans un zoo, développent des comportements maladifs. Nombreux sont ceux qui se prennent pour des ordinateurs. Ils disent qu'ils sont atteints par des messages, des ondes, qui déstructurent leurs logiciels. Ils paniquent à la seule évocation des virus (informatiques). Une sorte de maladie d'Altzheimer[1], atteignant autrefois les personnes âgées, a gagné toutes les générations. Certains l'attribuent à une mauvaise alimentation. L'industrie trafique tellement les produits qu'on ne sait même plus si les protéines viennent d'une vache, d'un poisson ou d'un arbre. En ce qui concerne les additifs, la baisse de vigilance des contrôles permet n'importe quoi... En fait, les vrais coupables sont les nouveaux terminaux télématiques neuromimétiques. Ils ont des effets hallucinogènes sur les usagers, qui sont comme absorbés par la personnalité de l'ordinateur. Un seul remède : garder ses distances.

■ *Les cités et les habitations privées ne sont plus des "machines à habiter", mais des natures artificielles où chacun peut "habiter en poète"*

■ *Le Design est devenu la clef de la compétitivité. Il est considéré comme un art majeur.*

■ *Les premières villes marines sont de grandes bases de loisir, d'un demi-kilomètre de diamètre, avec des plages équipées pour toutes sortes de nouveaux sports nautiques.*

Dès 2038, on sent néanmoins la fin d'un profond désarroi. Les sectarismes, les intégrismes et toutes les superstitions qui avaient profité des désordres et de l'inculture, se trouvent peu à peu surmontés. La religion, qui avait servi à tant de manœuvres criminelles, doit se redéfinir sur d'autres bases. Au lieu de partir des anciens textes sacrés, on enseignera au présent : qu'est-ce qu'une démarche de connaissance, pour chacun, ici et maintenant ? Le développement des sciences cognitives permet enfin de fonder un discours. Les textes du passé restent des références, pour leur valeur poétique et prémonitoire. La doctrine des trois connaissances (la science, la transe et le symbolisme) devient universelle, et se traduit concrètement dans l'organisation du travail et des loisirs. L'actualité se complaisait à décrire les accidents et les exactions. Elle se tourne vers ce qui semble porteur d'espoir. Les grands projets renaissent. On restructure les villes[2]. La nouvelle architecture s'inspire de l'éthologie. Elle cherche à ce que le nouveau "singe nu" se sente comme dans son milieu naturel. Mais c'est aussi pour guider ses désirs. Ces parcs dans la ville, ces espaces verdoyants calculés, programmés aux dimensions de l'homme, où l'on est sans cesse sollicité par des commerces, des jeux

Ces espaces verdoyants sont les fruits des jardiniers de la planète. ▼

[1] *La maladie d'Altzheimer attaque et ronge le système nerveux du malade.*

[2] *Dans un mouvement qui rappelle les débuts du logement social d'inspiration phalanstérienne au dix-neuvième siècle.*

et des sports, sont, sur un autre plan, des prisons sans barreaux. Elles conditionnent l'âme en canalisant le désir d'évasion. Les cités et les habitations privées ne sont plus des "machines à habiter"[1], mais des natures artificielles où chacun peut "habiter en poète"[2], des ventres accueillants, variantes multiples du jardin d'Eden. Le design des objets quotidiens est repensé dans le même esprit. Dans l'industrie, robotisée et flexible, l'éventail des possibilités est étendu et l'exécution plus rapide. Les systèmes de CFAO[3] permettent de sortir en un mois un produit dont la mise au point prenait autrefois cinq ans. Les difficultés ne sont plus au niveau des fabrications, mais dans l'adaptation des objets au public. Le Design est devenu la clef de la compétitivité. Il est considéré comme un art majeur. Le "designer" a remplacé l'ingénieur. Son rôle est de faire fonctionner les pulsions humaines, héritage biologique des temps anciens, mais au service de l'ordre.

▲ *Les maisons solaires sont pratiquement autonomes après 2041.*

C'est aussi l'époque de la conquête de l'océan. La mer est surtout fertile dans ses premiers mètres de profondeur, là où l'oxygène s'échange avec l'atmosphère. D'où la possibilité de développer de vastes champs d'exploitation, dans des structures souples proches de l'affleurement. Depuis 2002, les systèmes de surveillance et d'intervention sont suffisants pour garantir ce type d'installation contre la cueillette sauvage des pêcheurs. Les premières villes marines du début du millénaire sont poussées par le désir de fuir la terre ferme, où sévit un monde hostile. Ce sont de grandes bases de loisir, d'un demi-kilomètre de diamètre, avec des plages, équipées pour l'accueil des voiliers, la plongée et toutes sortes de nouveaux sports nautiques. Elles ont des installations d'aquaculture incorporées, qui approvisionnent quelques centaines de clients privilégiés en langoustes, soles, loups et coquilles Saint-Jacques frais et sélectionnés. Déjà, dans les années 1980, les bateaux de plaisance se comptaient en millions de par le monde. L'extraordinaire succès des loisirs nautiques était le signe d'un mouvement plus profond. Prendre en main un bateau, se confronter aux éléments exprimait un désir de liberté et de responsabilité, en même temps qu'un retour à la grande mer, d'où la vie est issue. Mais, comme il s'agissait des vacances, personne n'éprouvait le besoin d'y réfléchir. A leurs débuts aussi, vers 1900, l'aviation et l'automobile avaient été considérées comme des exploits sportifs, des compétitions de spécialistes, sans conséquence pour la vie quotidienne. Or, le désir d'autonomie est commun à tous les hommes, et tous finissent à plus ou moins long terme par le réaliser. La libération sous toutes ses formes est en marche. Les îles artificielles

▲ *Les jeux aquatiques sont à la mode.*

La rosée effraie-t-elle celui qui dort sur la mer ? Proverbe bengali.

[1] *Le Corbusier*

[2] *Hölderlin, cité par Martin Heidegger, dans "La question de la technique", in Essais et Conférences, Gallimard, Paris, 1980.*

[3] *Conception et Fabrication Assistées par Ordinateur.*

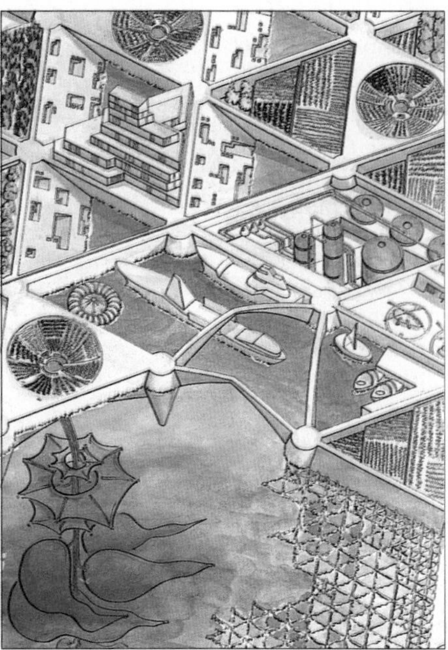

▲ Les villes marines abritent entreprises et technopoles.

s'implantent d'abord près des côtes saturées, pour fuir la pollution et la promiscuité : au Japon, en Méditerranée, en Floride, en Californie, dans la mer de Chine, elles drainent le pouvoir d'achat voisin. Les vacances nautiques satisfont des pulsions ancestrales : le grand nettoyage, la purification par l'eau, le retour à l'élément originel, l'exposition à l'énergie du soleil. Après 2011, la seconde génération de villes marines s'équipe en centres de formation et de colloques. Les grandes entreprises apprécient. Elles peuvent offrir à leur personnel une santé studieuse, et renforcer l'esprit d'équipe par quelques aventures communes. Certaines décident de construire leur propre île artificielle et d'y mettre leur siège social. La perspective de dériver au-delà des eaux territoriales réjouit les juristes. C'est un moyen d'échapper à l'impôt, et peut-être aussi de devenir vraiment internationales, en revendiquant un statut identique à celui des anciens Etats. D'ailleurs, le terrain au centre des grandes métropoles est hors de prix : l'île est plus rentable que la tour... et beaucoup plus séduisante. Dans ces grandes entreprises, le "management" a ses modes. Selon les années, les organigrammes se portent plus ou moins ébouriffés, en peigne, en brosse ou en turban. Les cercles de qualité changent de nom chaque saison. En 2020, le dirigeant dans le vent est aussi sur l'eau. Il a son île, y invite ses collègues comme autrefois les princes de la renaissance se recevaient entre eux. Le palais, devenu flottant, signifie la puissance, la ruse et la technicité de l'hôte. Il séduit en même temps qu'il intimide. Parmi les îles les plus en vue, celle du financier chinois Lee, avec ses décors nacrés parcourus d'éclairages laser, et sa piscine aux requins apprivoisés. L'invité y pénètre seul, pour mieux se sentir squale parmi les squales. Celle aussi de la multinationale PC (Planetary Computer[1]), d'où l'on peut, dans une immense salle de murs d'images, voir à chaque instant ce qui se passe dans n'importe quel endroit du monde, retransmis par les satellites de télésurveillance.

On se souvient de cette tentative audacieuse d'installer une partie de la cité financière de Hong-Kong sur une île flottante d'un kilomètre de long, positionnée à la limite des deux cents milles, pour échapper aux foucades du gouvernement chinois. Dans un grand mouvement de solidarité, le système financier mondial, moralement éprouvé par la vague de crises et de scandales boursiers de 1993, avait mobilisé quelques dizaines de milliards de dollars. Les gouvernements contribuèrent, car c'était une bonne occasion de relancer l'activité des chantiers navals. Malheureusement, en 2005, elle fut ravagée par un typhon gigantesque. Elle était constituée de barges rigides (ce que savaient faire les chantiers), ressemblant aux anciennes plateformes pétrolières, articulées entre elles, qui commencèrent à s'entrechoquer. Il y eut une centaine de morts et des dégâts matériels considérables. L'île fut réduite et consolidée. Il y reste un dernier carré de fidèles. L'infor-

■ En 2020, le dirigeant dans le vent est aussi sur l'eau. Il a son île, y invite ses collègues comme autrefois les princes de la renaissance se recevaient entre eux.

■ En 2034, la température moyenne de la planète a augmenté de trois degrés. Les grandes plaines du Middle West américain sont largement désertifiées.

■ La population des océans, en 2100, se compte en centaines de millions. Elle approchera le milliard à la fin du siècle suivant.

[1] Ordinateur Planétaire.

▲ *La reconversion des pêcheurs de la mer d'Aral fournit d'utiles renseignements préparatoires aux fermiers du Middle-West américain.*

▲ *La montée du niveau des mers submerge la plaine du Gange.*

matique boursière permet, comme à Londres depuis le Big Bang (1986), de délocaliser le travail. La place de Hong-Kong continue, éparpillée dans le Pacifique, et même au-delà : elle a ses antennes au Canada, en Ecosse...

En 2034, la température moyenne de la planète a augmenté de trois degrés. De nombreuses stations de sport d'hiver ont fermé, faute de neige. Les grandes plaines du Middle West américain, ancien grenier à blé, accomplissement de l'agriculture industrialisée, sont largement désertifiées. Vues de l'espace, elles ressemblent au pelage en lambeaux d'un bison. Partout, la population reflue vers les côtes et au bord des grands cours d'eau. Le niveau de la mer est monté de cinquante-cinq centimètres. Les plaines côtières sont inondées au Bangla-Desh, en Indonésie. On y reconstruit sur pilotis. L'élevage des crevettes remplace la culture du riz. On apprend à vivre au contact de l'eau et de la terre. Les villes marines repartent sur d'autres bases, plus ambitieuses. Il s'agit de constituer de véritables colonies, capables de recevoir plusieurs dizaines de millions d'habitants, afin d'échapper au carcan des mégalopoles terrestres. La communication ne pose plus de problème. Elle se fait par satellite. Et la plupart des difficultés urbaines sont plus faciles à résoudre en mer : le dessalement procure l'eau douce ; l'évacuation des déchets, après traitement, se fait par le fond ; l'énergie de la houle est récupérée par des digues de protection pneumatiques ; elle s'ajoute à celle du vent, du soleil et à l'énergie thermique des mers ; les cultures sont "hydroponiques", c'est-à-dire sans terre avec recyclage de l'eau ; tout un écosystème marin attaché à la cité l'alimente en poissons, coquillages, crustacés, et aussi en algues ; la circulation se fait comme à Venise, ce qui consomme peu d'énergie. Reste la vulnérabilité aux intempéries. Elle trouve sa solution grâce à un génie, l'architecte chinois Hu Yin, qui généralise l'emploi de matériaux souples, selon un principe structurel rappelant les méduses. Une partie des villes est immergée ; elles peuvent s'enfoncer en cas de grande tempête. La population des océans, en 2100, se compte en centaines de millions. Elle approchera le milliard à la fin du siècle suivant.

La mer n'achète pas de poissons.
Proverbe turc.

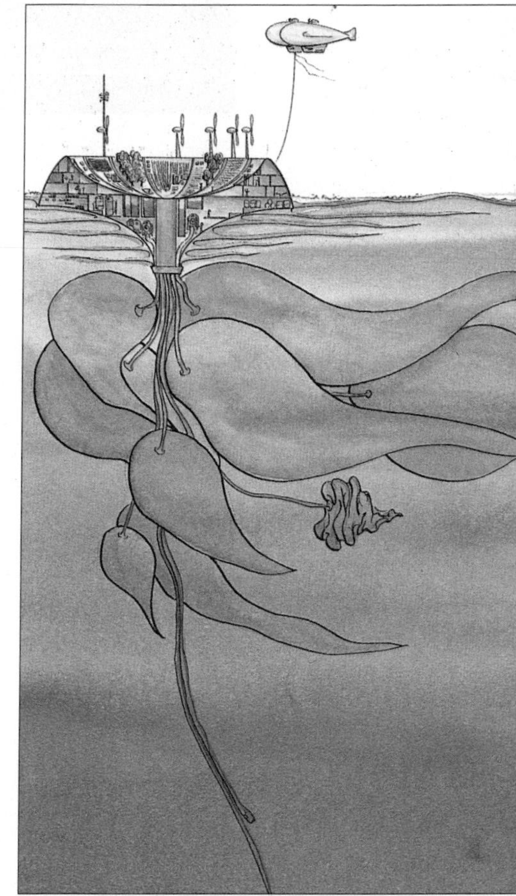

2060 - 2100 :
la société de libération

Vers 2062, la grande majorité de la population mondiale, supérieure à dix milliards, est éduquée selon les nouvelles normes, mises en place depuis 2024. La question du savoir se pose en d'autres termes. On ne

▲ L'explosion de la troisième centrale nucléaire avait eu lieu en 2018. Seules furent alors autorisées les centrales enterrées.

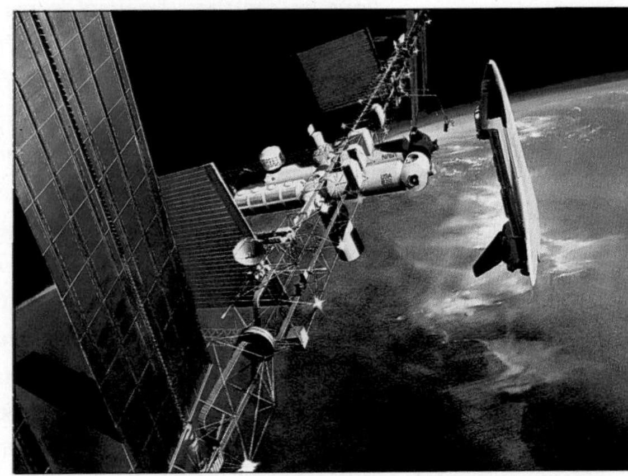

▲ Dans l'espace, de gigantesques champs de capteurs solaires récupèrent l'énergie qui est ensuite renvoyée sur terre.

cherche plus à dominer les connaissances, trop vastes pour être engrangées dans un seul cerveau, mais à "naviguer dans le savoir", stocké sur support informatique. Il ne s'agit plus d'essayer de boire la mer, mais d'être capable de s'y diriger, dit un philosophe.

Les cultures de la planète constituent un patrimoine commun. Les classes les plus instruites parlent une dizaine de langues. Elles manient les idéogrammes et le devanâgari[1] aussi bien que l'alphabet occidental et le cyrillique. Il n'est pas surprenant, même en milieu professionnel, qu'une conférence soit émaillée de jeux de mots polyglottes évoquant en parallèle un proverbe Bantou et un exploit du Ramayana.

Les approvisionnements en énergie, en matières premières et en alimentation, toujours délicats, ne sont plus critiques. En particulier, l'énergie vient de centrales nucléaires enfouies et de centrales solaires géantes, qui permettent la production d'hydrogène, stocké dans des cavernes. Une fiscalité modulable incite le marché à réguler la demande. La diversité des sources rend les économies beaucoup moins vulnérables. La consommation annuelle d'énergie par habitant tend à se stabiliser autour d'une tonne d'équivalent pétrole. Le pétrole et le charbon, énergies "sales", sont en voie de disparition. Les progrès de la biotechnologie et la mise en culture des océans ont éloigné les risques de famine. Les humains se demandent plutôt comment éviter de manger trop, comment ne pas se laisser intoxiquer par des friandises. La plus grande difficulté, en ces temps de séduction, est de rester maître de soi. C'est à cette période que l'on voit le féminin devenir plus important. Des civilisations matriarcales ont existé dans le passé. Dès les premières sociétés agraires, le rôle masculin du chasseur décline ; le savoir traditionnel issu de la cueillette, fonction féminine, les valeurs de préservation, de prévoyance, d'ordre, de calcul, le rapport aux rythmes biologiques prennent de l'importance. La déesse mère s'impose comme symbole de la nouvelle économie. Les valeurs masculines réapparaîtront plus tard, avec la constitution d'une classe de guerriers à la fois défenseurs et prédateurs. A l'échelle des siècles, les rôles respectifs des

■ Vers 2062, on ne cherche plus à dominer les connaissances, trop vastes pour être engrangées dans un seul cerveau, mais à "naviguer dans le savoir".

■ L'énergie vient de centrales nucléaires enfouies et de centrales solaires géantes, qui permettent la production d'hydrogène, stocké dans des cavernes.

[1] Alphabet indien.

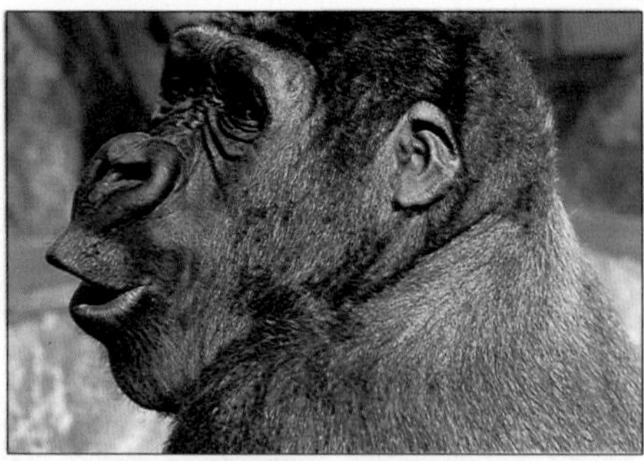

▲ L'homme reste, à 98%, mon proche cousin.

sexes, comme les croyances religieuses, sont en rapport avec les conditions objectives et concrètes de la survie. L'humain est, dans tous les registres, l'animal le plus opportuniste. Sa faculté exceptionnelle d'adaptation est la cause de sa suprématie. Or, les conditions sont devenues plus favorables aux femmes. La maternité, qui entraîne à structurer le psychisme des enfants, leur donne un avantage. Le tournant du siècle se joue partout sur l'éducation, cette phase de maturation prolongée, qui distingue l'homme des autres primates. Elle est plus familière aux femmes. Les métiers du futur sont plus intellectuels. Les qualités requises sont la fiabilité, la régularité, la continuité. La navigation dans le savoir est difficile. Il faut pouvoir compter sur ses partenaires. La structure mentale des femmes serait[1] biologiquement équipée pour gérer la complexité des rapports avec la nature et avec les enfants. Elle présenterait les qualités nécessaires à ces nouveaux métiers, dans lesquels les succès féminins s'affirment. Cependant, depuis plusieurs siècles, dans le monde entier, les femmes restaient cantonnées aux fonctions familiales, avec bien peu d'expériences, de voyages, d'occasions de mélange social. Prises dans les traditions, elles retransmettaient aux générations suivantes des comportements conservateurs, voire archaïques, en contradiction avec la mutation du nouvel âge. Et quand elles voulaient s'émanciper, elles imitaient les hommes, perpétuant ainsi une conception masculine de la réussite. Espoir du changement, elles en sont aussi le frein. Tout au long du siècle, à mesure que les résistances religieuses et tribales sont surmontées, la femme est peu à peu reconnue, sur toute la planète, dans toutes ses aptitudes. Elle conquiert sa liberté intérieure et, dans le même temps, l'ensemble de ses droits lui est légalement reconnu.

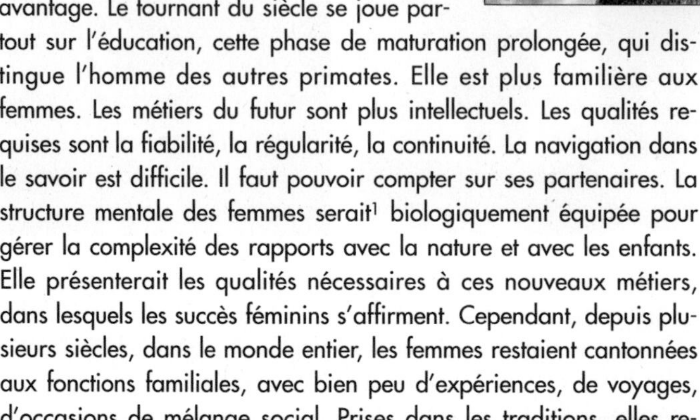

L'enfant est l'argile, la mère est le potier. Proverbe persan.

▲ A côté de l'union libre, le mariage a toujours droit de cité...

Avec la contraception, devenue mondiale pendant la première moitié du siècle, la maîtrise de la reproduction et donc de l'avenir est entre ses mains. Le plaisir sans risque devient possible. Les peurs ancestrales, la culpabilité sont jetées aux poubelles de l'histoire. Dans le nouvel âge, la connaissance ne passe plus par la mortification, mais au contraire par les voies radieuses : le don, l'ouverture, l'amour charnel. Les religions sacrificielles doivent faire demi-tour ou disparaître. Elles s'adaptent d'autant mieux que leurs traditions mystiques sont restées vivantes. L'islam évolue par le soufisme, l'hindouisme par le retour aux textes védiques et le yoga, le bouddhisme par le tantrisme et le zen. Dès la première moitié du siècle, Dieu se conjugue de nouveau au féminin. Astar, déesse androgyne de la connaissance, souple et belle, émerge des eaux, telle une vérité sortant du puits. Elle encourage le plaisir au lieu de le réprimer. Renouant avec la tradition de certains gnostiques d'Alexandrie au troisième siècle, elle fait de la sexualité une célébration, la voie

[1] D'après les éthologues (Konrad Lorenz, Desmond Morris...)

■ Le tournant du siècle se joue partout sur l'éducation, cette phase de maturation prolongée, qui distingue l'homme des autres primates.

■ Tout au long du siècle, la femme est peu à peu reconnue, dans toutes ses aptitudes. Elle conquiert sa liberté intérieure et, dans le même temps, l'ensemble de ses droits lui est également reconnu.

d'accès à la vérité, le recentrage de l'être menacé d'éclatement et l'accomplissement de la raison.
Les objets remarquables de la fin du vingtième siècle étaient d'inspiration phallique : des tours de bureaux, dressant vers le ciel le défi des premières multinationales, des fusées propulsées jusque dans la Lune et, accomplissement de la technique, le missile à tête chercheuse. Tous procèdent à l'évidence de fantasmes mâles, quel que soit le prétexte de leur érection. L'univers publicitaire organise avion, auto, TGV autour d'un personnage mythique, le jeune cadre dynamique, reflet pâlot du chasseur d'autrefois. On est encore dans un vieux monde de pouvoir, d'argent et de guerre. Mais bien peu sont vraiment des guerriers. Dès le début du troisième millénaire, la perspective change. L'inspiration féminine exalte l'intériorité. Les villes, au lieu de pousser en tours, s'excavent en géodes, où sont recréés des univers artificiels chaleureux et accueillants. Les espaces verts reconquièrent le cœur des cités. L'architecture hôtelière et commerciale est la première à promouvoir ces nouvelles formes. La mer (mère de la vie) devient un lieu habitable. L'espace, autrefois conquis par des fusées, symbole mâle, se meuble de planètes creuses, symbole femelle, où l'on préserve des écosystèmes artificiels. Ce sont des mondes en gestation. La créativité, qui se déployait agressivement vers l'extérieur en engins de mort, s'exerce maintenant avec la même énergie vers l'intérieur, comme régulation de la complexité vivante. On attache de l'importance à ce qui était autrefois négligé : comment construire des ambiances visuelles, sonores, tactiles... favorables à l'épanouissement créateur. La domotique se développe et les enseignements se rapprochent de la vie quotidienne. Dans la plupart des espèces, le mâle combat dans le visible, la femelle détecte et gère ce qui est caché. Le partage des aptitudes est un reflet du comportement sexuel. Le siècle de la femme s'accompagne donc d'un retournement de l'attention. A l'explicite du scientisme et du machinisme succède l'implicite : les jeux, l'exploration intérieure toujours inachevée, les arts divinatoires, la dialectique de l'autonomie et de la complexité.

▲ *L'instant immobile.*

La techno-nature est en marche... ▼

▲ *Construire des ambiances favorables à l'épanouissement créateur.*

▲ *Harmonie et paix intérieure pour se préparer à l'action.*

L'important n'est pas la domination de l'un ou l'autre sexe, mais l'équilibre des parts respectives de féminité et de masculinité dans chaque individu. Au vingtième siècle, les mouvements dits de libération de la femme annonçaient la fin d'une oppression millénaire. Mais ce n'était qu'une étape. Le pas suivant, c'est la transfiguration des hommes. Ils laissent s'effondrer le mur d'insensibilité derrière lequel ils se protègent, et entrent en communion avec leur être profond.

Ce n'est pas une égalité des sexes, mais bien une suprématie des femmes qui s'installe. Ayant acquis, par l'accès au travail, l'autonomie de ressources ; ayant, par la contraception, le contrôle de l'avenir de l'espèce, elles en viennent naturellement à exercer officiellement l'autorité. Dès l'an 2012, plusieurs pays commencent à remplacer le service militaire par un service de la vie, où l'on enseigne à prendre soin de la nature, de soi-même, des enfants et des personnes âgées, où l'on apprend aussi à survivre dans des conditions difficiles : le froid, la forêt, la mer... Les femmes sont évidemment les premières destinataires de cette expérience initiatique, où se mélangent aussi les cultures. Le vingt-et-unième siècle se présente comme le siècle de la femme. Les hommes ont alors moins de responsabilité, mais plus de liberté. Dans les médias et les messages publicitaires, apparaît un "homme-objet" en miroir de ce qu'a été la femme-objet. Ces hommes, présentateurs d'émissions télévisées ou vedettes du show-business, ressemblent à des poupées. Souriants, doux, attentifs, ils captent la ferveur du public par leur jeu nuancé. Simultanément, l'image d'un guerrier nu, dansant, bariolé, remonte du fond des âges, au temps des chasseurs. On le voit s'accomplir dans des exploits, rechercher la performan-

Le vingt-et-unième siècle se présente alors comme le siècle de la femme. ▼

■ ***Par dessus tout, l'homme retrouve le chemin de la sensibilité.***

■ ***Dans l'empire des signes, planétaire, interconnecté, fonctionnant en temps réel, apparaissent de nouvelles formes d'exploitation de l'homme par l'homme : à partir de l'an 2003, c'est l'exploitation de la faiblesse psychique qui s'impose à grande échelle.***

■ ***L'époque est légendaire. Elle s'inscrit dans le mythe par la mystification. L'art de l'illusion atteint des sommets.***

ce plus que la régularité : les sports, les explorations, les risques, les conditions extrêmes ; les aventures de l'esprit, la recherche ; développer ses talents artistiques, retrouver le sens de la beauté, de la parure. Et, par-dessus tout, l'homme retrouve le chemin de la sensibilité. Dans la vie quotidienne, la discrimination des sexes s'estompe. Au lieu d'exagérer son sexe, chacun recherche la cohabitation de ses deux composantes, féminine et masculine, pour être plus complet et autonome.

▲ *L'exploitation de la faiblesse psychique fait de nombreuses victimes.*

Mais tout ne s'accomplit pas sans heurt. Dans l'empire des signes, planétaire, interconnecté, fonctionnant en temps réel, la première moitié du siècle avait vu se développer de nouvelles formes d'exploitation de l'homme par l'homme. Marx avait autrefois dénoncé l'exploitation de la faiblesse économique ; à partir de l'an 2003, c'est l'exploitation de la faiblesse psychique qui s'impose à grande échelle. La drogue s'est répandue partout. Au début, on croyait à une bavure du système économique. On se demande hélas bien vite si ça n'en est pas l'aboutissement. D'ailleurs, combien de consommations fonctionnent comme des drogues, sans en être, au sens légal du terme. L'obèse occidental, vautré devant sa télé, surmené de travail, guetté par l'alcool et le tabac, est-il le modèle d'une société idéale et prospère, ou la proie d'un contexte destructeur ? Est-ce bien surprenant qu'il fasse si peu d'enfants ? La principale aspiration du siècle est de dépasser les fascinations pour rejoindre la vérité de la vie. En se libérant des habitudes, chacun espère pouvoir retrouver le créateur qu'il porte au fond de lui-même. Mais cette aspiration profonde et juste trouve en face d'elle des fabricants de mirages, des escrocs métaphysiques. L'époque est légendaire. Elle s'inscrit dans le mythe par la mystification. L'art de l'illusion atteint des sommets. En 2068, une rumeur crée une grande panique sur l'ensemble de la planète. Un laboratoire népalais aurait identifié, à Katmandou, un rétrovirus s'attaquant aux gènes humains. Son effet principal : détruire la volonté. Les victimes, dit-on, sont en bonne santé, mais errent comme des zombis, obéissant aux suggestions. Le code de ce virus ne correspondant à rien de connu, les chercheurs en déduisent qu'il s'agit d'une offensive extra-terrestre, destinée à soumettre l'espèce humaine à une loi supérieure. Compte tenu du conditionnement général de l'époque, il est bien difficile de discerner ceux qui sont atteints. Chacun se prend à craindre la contamination. La peur engendre une demande de vérification du

L'art de l'illusion ouvre une époque de mythes et de légendes. ▼

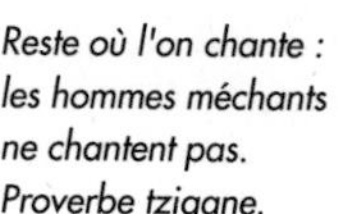

Reste où l'on chante : les hommes méchants ne chantent pas. Proverbe tzigane.

génome, opération coûteuse et complexe. C'est ce que voulaient les escrocs, liés au réseau "intermed", détenteur des appareils d'analyse. Une mathématicienne roumaine, Elena Titsa, démonte la supercherie, en prouvant l'incompatibilité des formules annoncées avec la grammaire formelle du génome humain. Si de telles mutations existaient, elles ne pourraient produire que des monstres non viables. Mais vingt ans après, malgré sa démonstration, des groupuscules éperdus se réunissent encore les nuits de nouvelle lune pour prier. Ils croient que l'attaque a eu lieu. Ils demandent du secours aux étoiles, implorent que la liberté soit rendue aux hommes.

▲ *Le monde manque d'eau...*

Après le conformisme moralisateur, vient l'époque de la libération. En 2082, commence à apparaître sur les écrans une nouvelle espèce de virus informatique détruisant sélectivement les programmes pédagogiques. Ils sont, en plus, porteurs de messages impertinents : "Profs = Parrains", rappelant douloureusement à la génération déclinante l'époque des maffias ; ou encore : "La vie, c'est pas ça", montrant l'effigie de Socrate, le plus connu des androïdes pédagogues. L'esprit de la contestation rappelle mai 1968 : "Il est interdit d'interdire". A force de vouloir modeler l'homme, la société étouffe ses capacités créatrices, et l'éloigne de la vie. Chercher, dans tous les domaines, à incarner l'essence du vivant, tel est l'objectif de la nouvelle pensée. La tentative de cartographie du génome et la microcinématographie de la production d'êtres vivants à partir des molécules d'ADN[1] avaient donné l'impression de pénétrer le cœur même des mécanismes de la vie. On ne savait pas pour autant quoi faire de la sienne, de vie. Un des premiers effets de cette contestation est la dissolution de deux des trois grandes bureaucraties de la planète. La Sécurité Sociale Mondiale et l'Entente Educative Mondiale n'ont plus de raison d'être. Soins et accès au savoir deviennent des droits fondamentaux, non comptabilisables, que chacun a intériorisés. Seule subsiste l'Administration Fiscale Mondiale, garante de la régulation des flux et empêchant d'éventuels retours en arrière. Le raffinement des connaissances offre au regard un paysage de plus en plus vaste

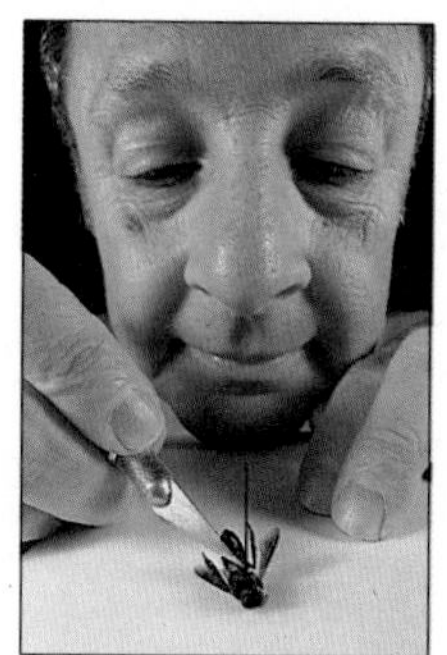

▲ *Il faut beaucoup de patience pour comprendre les mécanismes du vivant.*

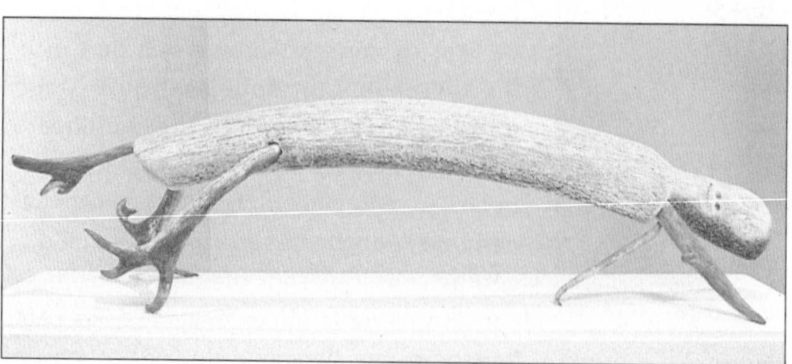

[1] *Rendu possible par un éclairage stroboscopique à la femtoseconde.*

et de plus en plus précis. La connaissance scientifique de soi a extraordinairement progressé. Des appareils miniaturisés permettent de doser le sang en temps réel. On peut connaître immédiatement son

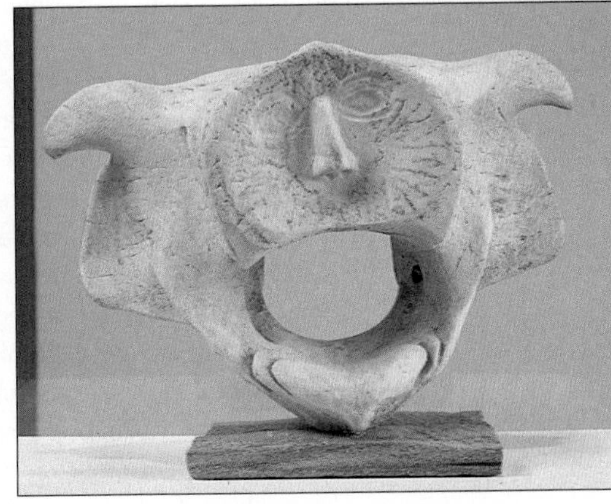

▲ *Quelque part entre le vivant et l'inanimé se situe un lieu de création.*

taux d'adrénaline ou de bilirubine, et donc saisir dans l'instant ce qui vous met en colère ou vous rend amoureux. Les ressorts profonds de la vitalité sont ainsi mis à la portée de tous. Mais, qu'est-ce que la vie ? Certaines sectes, au début du siècle, se prosternaient devant une double hélice de l'ADN, d'autres psalmodiaient les quatre lettres du code génétique ; on vendait des chapelets reproduisant les séquences les plus représentatives du génome humain. Les acheteurs comprirent vite que n'importe quel autre mantra aurait aussi bien fait l'affaire. Lorsqu'il fut établi comment certains chants stimulaient la sécrétion de médiateurs chimiques, on put mieux comprendre les bases scientifiques de la prière, en même temps que celles du Yoga et autres pratiques traditionnelles, autrefois jugées obscurantistes. La notion d'Art intermédiaire[1] est une des clefs de la nouvelle philosophie. Elle dit que la coupure, considérée comme allant de soi, entre le vivant et l'inanimé, doit être transgressée. On peut créer des êtres qui ne soient pas vivants, mais possèdent des caractères qui ressemblent à la vie. Et dans cette zone intermédiaire entre le minéral et le végétal, entre la molécule et le virus, se situe un lieu de création. L'homme considère enfin la planète comme son jardin. La destinée humaine devient clairement la mise en place du grand processus d'hominisation qu'est la techno-nature.

Cette techno-nature atteint son apogée dans l'espace. La controverse de cette époque porte sur la nature de l'homme : sa vocation est-elle limitée à la planète terre, qu'il a biologiquement domestiquée, ou doit-elle, en tant que manifestation de l'Esprit, s'étendre à d'autres espaces, hors du système solaire ? Les points de Lagrange, où attractions de la Lune et de la Terre sont équilibrées, sont occupés de stations spatiales, et la ceinture d'astéroïdes est exploitée pour fournir des matériaux. La première planète creuse, avec une dizaine d'habitants et un écosystème réduit à un millier d'espèces - une forêt, un lac, des mammifères et quelques insectes -, est au point de Lagrange L4 depuis 2027. C'est un grand cylindre de cinq cents mètres de diamètre, tournant sur lui-même pour maintenir une gravité artificielle. A l'intérieur, les conditions sont proches de celles que l'on trouve

■ ***La Sécurité Sociale Mondiale et l'Entente Educative Mondiale n'ont plus de raison d'être. Soins et accès au savoir deviennent des droits fondamentaux.***

■ ***La première planète creuse, avec une dizaine d'habitants et un écosystème réduit d'un millier d'espèces, est au point de Lagrange L4 depuis 2027.***

■ ***La destinée humaine devient clairement la mise en place du grand processus d'hominisation qu'est la techno-nature.***

[1] *Philippe Quéau, Métaxu, Ed. Champ-Vallon, Paris, 1989.*

sur la Terre. Au départ, il s'agissait d'expérimenter la mise en orbite d'un ensemble vivant complet, de la bactérie à l'homme, avec son énergie et ses matières premières, son agriculture et son élevage, capable de survivre éternellement de manière autonome. C'était un accomplissement de la techno-nature. Au bout d'une dizaine d'années, la dégradation due aux nombreux oublis est pleine d'enseignements. Une seconde génération de planètes creuses est lancée, de plus grande dimension, ne serait-ce que pour offrir aux oiseaux un plus grand espace de vol. Les premières sont transformées en bases touristiques, ce qui donne quelques moyens financiers supplémentaires et passionne le public. Le voyage, appelé pompeusement initiatique, dans Gaïa 2, devient un signe de reconnaissance pour toutes les personnalités terriennes. Mais, jusqu'à présent, les hommes de l'espace étaient tous revenus sur terre. En 2030, la naissance du premier bébé en orbite, prénommé Aurore, avait remué les foules. L'accouchement, retransmis en direct, eut valeur de symbole : sur terre, les troubles, l'incertitude, l'injustice ; dans la station spatiale, l'harmonie, la science, l'espoir. La date de la naissance avait été opportunément choisie pour l'avant-veille du vote du budget : les crédits de l'espace furent doublés. Les scientifiques, avec leur fausse naïveté coutumière, avaient orchestré un suspense de plusieurs semaines. Mais, secrètement, tout était programmé. Aurore, dès l'âge de douze ans, fit un tour de toutes les capitales du monde. Partout, elle fut accueillie en triomphe, symbole des temps modernes. Cette femme, la plus célèbre sans doute de la planète, avait donc cinquante ans en 2080. Excellent chercheur en infobiologie[1], elle avait toujours refusé d'exercer des responsabilités politiques, préférant rester en retrait, sage ne parlant que rarement. Envoyer dans les étoiles, sans espoir de retour, une planète artificielle habitée, était ressenti comme un déchirement. Elle emporta la décision, en rappelant sa naissance, que tous avaient vue : "Il faut bien couper le cordon ombilical." La grande libération de l'espèce allait pouvoir commencer. Et là, l'échelle des temps change. Une sonde spatiale, accélérée à vingt pour cent de la vitesse de la lumière, met vingt-cinq ans pour atteindre le système solaire le plus proche, et les signaux qu'elle émet reviennent en quatre ans[2]. Il faut donc plus d'un quart de siècle pour avoir les premières informations sur l'habitabilité des planètes entourant les étoiles les plus proches. Le programme s'étend sur plusieurs siècles. La première phase se fait en deux temps : dix sondes d'observation sans passagers sont envoyées vers les dix étoiles voisines en 2152. Elles observent et détectent les conditions favorables à la colonisation. Les résultats mettent plusieurs années pour atteindre la Terre. Pendant ce temps, une demi-douzaine de planètes creuses sont construites, pour expérimenter la maîtrise et la stabilité des équilibres biologiques. Seules les dernières sont équipées de propulseurs à an-

■ *En 2030, la naissance du premier bébé en orbite, prénommé Aurore, avait remué les foules.*

■ *C'est seulement en 2408 que tout semble prêt pour le grand départ. Quelle parole, quelles connaissances l'humanité va-t-elle propager dans la Voie Lactée ?*

[1] Discipline constituée vers 1995, combinant l'informatique et la biologie.

[2] L'étoile la plus proche est en effet à quatre années-lumière du système solaire.

timatière, que l'on essaye jusqu'au voisinage de Pluton. A partir de 2243, l'opération est rééditée avec une seconde génération de sondes et de planètes. C'est seulement à la troisième, en 2408, que tout semble prêt pour le grand départ. Mais de quoi seront porteurs ces voyageurs ? Que leur enseigner[1], pour les siècles des siècles ? Quelle parole, quelles connaissances l'humanité va-t-elle propager dans la Voie Lactée ?

▲ *L'envol vers les étoiles devient un objectif à trois siècles.*

Ce scénario prospectif est une respiration du processus d'hominisation. L'imaginaire se projette au dehors et, dans un même mouvement, la vie intérieure s'élargit, tente de mieux embrasser les principes de la nature. Mais à peine la situation paraît-elle maîtrisée qu'elle échappe à nouveau. Le désordre créateur se reconstitue aux marges de l'ordre. A chaque moment, la création prend ses distances, trouve son espace de liberté : les technopoles, les villes marines, les planètes artificielles... Dans un même temps, sous une apparence d'ordre dominant, se cache un désordre profond. Alors, quand ce désordre devient visible, il se produit une transition de la conscience. D'autres paradigmes, d'autres principes régulateurs, plus fondés, doivent prévaloir. On abandonne l'ordre ancien, chimère, fantasme, idéologie recouvrant de sordides manœuvres. Le danger est là. Le monde n'était qu'un brouillon. Il faut reconstruire de manière plus ordonnée. Reprogrammer l'enseignement, restructurer les villes. C'est la condition pour que le processus de libération puisse continuer. L'envol de l'homme suppose l'abandon des vieilles structures ossifiées, des idolâtries et des appropriations anciennes. Il faut être léger pour prendre de la hauteur. ■

[1] Ni la théorie de la relativité, ni les tragédies de Shakespeare ne suffisent. Le simple maniement du tournevis est plus vital. En fait, la base des enseignements est constituée des quatre maîtrises : la maîtrise de la matière, celle de l'énergie, celle du temps et celle du vivant.

Première partie

Vue d'ensemble

Dans quelle mesure peut-on croire le récit du début de ce livre ? Est-il fondé ou est-ce un délire ? Le reste de cet ouvrage tente de répondre à ces questions. Il présente d'abord des éléments de méthode, puis une description de l'évolution des techniques, les limites et les transitions planétaires, suivies d'une analyse des comportements des acteurs. La dernière partie de l'ouvrage montre les nouveaux horizons et les grands projets dans lesquels vient s'inscrire l'odyssée de l'espèce.

Le mot méthode vient du grec *méta-odos*, autrement dit le chemin qui mène au loin. Il contient l'idée d'une élaboration, d'un cheminement de la pensée. Dans quelle mesure ce cheminement est-il assuré, comment garantir son réalisme ?

Les prospectives énoncées par nos anciens se sont-elles réalisées ? Contrairement à une opinion très répandue, ils ne se sont pas tellement trompés. Le caractère prémonitoire de certaines visions de Léonard de Vinci ou de Jules Verne n'est plus à démontrer. Plus près de nous, entre les deux guerres, Hermann Oberth décrivait l'exploration spatiale jusqu'aux détails vestimentaires des cosmonautes. Concernant la vie quotidienne, Robida, vers 1900, imaginait déjà le transport aérien, le visiophone et la robotisation de l'agriculture.

Mais les experts pèchent souvent par excès de timidité. Ils voient les évolutions, mais n'osent pas le dire, contraints par le conformisme de l'époque. Ainsi, H.G. Wells était plus près de la réalité dans ses œuvres de science-fiction que dans ses écrits officiels, où il voulait avoir l'air sérieux. A cette inhibition de la pensée, s'ajoute aussi la chape des idées reçues. Les cerveaux les plus créatifs ont parfois été affectés d'une étonnante étroitesse d'esprit : Edison ne croyait pas au moteur à explosion, ni Marconi à la télévision. Malgré le foisonnement des innovations imprévues, la technique permet un regard plus juste et plus imagé sur l'avenir. Car elle est l'incarnation des rêves. Dès lors, celui qui parle technique sans se couper de l'humain s'adresse directement au rêve, qui est le moteur des transformations. Il va au fond des choses. Notre travail est tout entier imprégné de cette idée directrice : réconcilier l'humain et la technique. Les ingénieurs ont fait croire que celle-ci était froide, rationnelle et utilitaire. Elle consisterait, selon eux, à fabriquer des outils pour satisfaire des besoins. Mais cette version officielle ne résiste pas à un examen plus profond : les rapports de l'homme avec la matière, l'énergie, le temps et le vivant dépassent de loin la vision utilitariste. La technique nous transforme jusque dans notre intimité la plus profonde, et cela sans que nous le voulions, ni même, souvent, sans que nous nous en apercevions. Aujourd'hui nous ne pouvons plus nous passer d'électricité, demain de téléphone et de télévision. La technologie représente un pouvoir immense, issu de nos rêves. Les sorciers de la préhistoire - dont la tradition s'est perpétuée jusqu'à nous - ne rêvaient-ils pas déjà de l'envol de l'homme (réalisé en 1783 avec les premières montgolfières), de l'ubiquité (1925 : la télévision), de la télépathie (1876 : le téléphone), de fixer la mémoire des vivants (1829 : la photographie), de l'apocalypse (1945 : l'arme nucléaire) et du rayon de la mort (1960 : le laser) ? Tous ces rêves vont bien au-delà de la platitude utilitaire. Ils concernent l'essentiel : les relations avec le monde, la vie et la mort.

L'enjeu n'est plus la simple satisfaction des besoins, voire des caprices, mais l'accomplissement d'un univers nouveau, procédant du rêve, où la nature est remplacée par une techno-nature. D'ores et déjà, il suffit de regarder autour de soi pour voir cette techno-nature : partout l'œil rencontre bien plus d'objets fabriqués par l'homme que de matières naturelles, bien plus d'êtres vivants domestiqués et cultivés que de nature sauvage. La planète est peut-être en train de devenir un jardin. Mais elle ne le deviendra que quand l'homme aura réfréné ses excès. Les techniques particulières se fondent dans un système technique global, en interaction constante avec la civilisation, où tout se tient. La société crée la technique, qui en retour transforme la société, et cette interaction se perpétue.

Mais alors, face à ce cycle de la poule et de l'œuf, comment prévoir ? Bertrand Gille[1] observe que les civilisations tendent vers l'harmonie de leur technique et de leurs structures sociales. Les Chinois avaient inventé dès le dixième siècle la poudre à canon, l'imprimerie à caractères mobiles et les horloges mécaniques ; ils n'ont cependant pas été déstabilisés par leurs inventions,

[1] Bertrand Gille, *Histoire des techniques*, Gallimard (La Pléiade), Paris, 1978.

restées sous contrôle de la bureaucratie impériale. Les résistances immunitaires de la société chinoise aux innovations suffisaient à bloquer leur développement. Les Aztèques, les Arabes, les Azéris sont restés plusieurs siècles dans le même système technique, et les Pygmées plusieurs millénaires peut-être avant "les Dieux sont tombés sur la tête" avec leur bouteille de Coca Cola.

L'Occident fait exception à cette règle. Il a vécu à deux reprises une déstabilisation de sa technique. Au douzième siècle, intervient une révolution agraire (charrue à soc en fer, moulin à eau, sélection des semences, assolement). Les cathédrales, projets géants, dont la construction durait plus d'un siècle, datent de cette époque (sommes-nous encore capables de rêver des projets séculaires ?). Au dix-neuvième siècle, se produit la révolution industrielle (acier, ciment, énergie de combustion, chronométrage, microbiologie pastorienne).

A chaque transformation du système technique, une classe dirigeante, atteinte d'irréalité, cède la place à de nouveaux venus moins arrogants, mais plus efficaces. Chaque fois, matériaux, énergie, restructuration du temps et relation avec le vivant, les quatre pôles fondamentaux, sont activés. Chaque fois, la transformation complète du système technico-social prend un à deux siècles. Aujourd'hui, les quatre pôles sont à nouveau en ébullition (polymères, électrification, microélectronique et robotique, biotechnologie) et tout donne à penser que cette nouvelle révolution, qui nous mène vers l'avènement de la société de l'intelligence, prendra aussi un à deux siècles. Après la société de production, ce nouvel

âge connaît d'autres formes de consommation, de connaissance, et aussi, il faut bien le dire, d'exploitation de l'homme par l'homme. Le capitalisme, au temps de Marx, exploitait la faiblesse économique. La société du spectacle, le "médiatisme", exploite aujourd'hui la faiblesse psychique : la drogue, la passivité, l'éclatement des représentations, le désarroi philosophique et religieux le manifestent chaque jour.
Ces phénomènes vont encore s'amplifier avant de s'inverser. Pour comprendre les puissantes vagues de l'évolution, il faut moralement accrocher sa ceinture, et revenir aux origines. Comment se constitue le psychisme humain, quelles sont ses origines ? Les comportements élémentaires de l'*Homo* dit *sapiens,* en fait *Homo faber cocacolensis,* restent encore proches de ceux de son ancêtre, le primate du temps de la guerre du feu. L'éthologie, étude comparative des comportements animaux, a montré à quel point nous sommes voisins de nos frères naturels. Les primates vivent en tribus, les hommes aussi. Au point que, quand ils en manquent, ils en inventent de toutes pièces : le village, le club, le syndicat, la secte, l'entreprise, l'association, la communauté, l'ethnie, le peuple, la nation. Cependant, leur évolution les conduit à abandonner progressivement l'appartenance unique, absolue, fusionnelle, voire totalitaire. L'humain commence à pratiquer la multi-appartenance. Il est à la fois membre de sa tribu familiale, de ses tribus de loisir, de sa tribu professionnelle. A chacune de ces tribus, l'individu emprunte un peu et il se constitue une éthique, un habillement, des habitudes alimentaires et sexuelles qui font de

lui un être différent de tous les autres, bien que proche en même temps. La société de l'intelligence, avec ses moyens de communication planétaires, lui offre un choix immense.

Mais cet "hyperchoix"[1] a aussi ses inconvénients. L'homme est comme un animal enfermé dans un zoo. Or, éloignés de leur milieu naturel, les animaux captifs sont confrontés à des stimuli qui, psychiquement, les agressent. Certains réagissent en devenant boulimiques et obèses. L'homme moderne, stressé par la vie urbaine, fait de même. D'autres animaux disjonctent. Ils se mettent à dormir en restant prostrés. Parfois, ils ont ce balancement de détresse qu'on voit souvent dans les asiles d'aliénés, ainsi que dans les orphelinats et les mouroirs. L'homme, grâce à son énorme cerveau, peut s'évader en esprit plus facilement que l'animal. A la surinformation, il répond par le zapping. Il pratique la présence-absence, l'art d'être là tout en étant ailleurs. La société bascule alors du faire vers le faire-semblant. Des dirigeants qui font semblant de diriger, des chercheurs qui font semblant de chercher, des militaires qui font semblant de défendre le pays, des enseignants qui font semblant d'enseigner, des religieux qui font semblant de prier et des économistes qui font semblant de comprendre, chacun peut en rencontrer. Mais demain, l'homme devra trouver comment se reconstruire.

Avec l'éthologie, on peut donc mesurer l'enracinement des habitudes, les transformations, les innovations, et saisir, par continuité avec la nature, l'apparente étrangeté de nos contemporains. Les conditions semblent être réunies pour

[1] *Alvin Toffler, Le choc du futur, Gallimard (Folio, Essais), Paris, 1987.*

de profonds changements. La frénésie de consommation et d'appropriation qui a ravagé le vingtième siècle doit s'inverser et laisser place à une exploration de l'intériorité, une montée des valeurs féminines, une protection de l'intimité, une construction créatrice, en réaction contre les multiples tentatives de manipulation des psychismes.

En résumé, la technologie et l'éthologie sont les bases du raisonnement prospectif de cet ouvrage. L'une et l'autre sont enracinées dans la logique du vivant. L'évolution des objets techniques ressemble à celle des plantes et des animaux. L'évolution des comportements se fait par la régulation de la conscience.

Mais une trajectoire doit produire tous ses effets, jusqu'à l'absurde, avant que s'effectue la transition de conscience[1] qui redresse la barre. Les communications planétaires et instantanées du siècle prochain rendront certainement ces transitions plus rapides que par le passé. Mais il faut attendre que les absurdités du système actuel soient assez évidentes pour engendrer les transitions. En contribuant, à sa mesure, à la montée d'une conscience planétaire, cet ouvrage permettra, peut-être, d'aller moins loin sur le chemin des absurdités, et de rendre, en conséquence, les transitions moins douloureuses pour l'espèce humaine et la Nature.

Depuis l'apparition des premiers hominidés en Afrique de l'Est et leur déploiement progressif sur la planète, environ deux millions d'années se sont écoulées ; depuis que les premières villes ont été construites au Proche-Orient, environ neuf mille ans se sont écoulés ; et depuis que les

[1] On peut dire aussi les changements du paradigme, au sens de Thomas Kuhn, Structure des révolutions scientifiques, Flammarion, Paris, 1983.

hommes ont commencé à écrire leur histoire, environ cinq mille ans ont passé. Au regard de tout ce temps, qui n'est encore qu'un instant par rapport aux quatre milliards d'années que compte notre planète, l'espèce humaine ne s'est préparée à ce qui lui arrive que depuis moins de cent ans : la responsabilité de la gestion du monde. L'homme est capable de domestiquer ou d'exterminer tous les êtres vivants, y compris lui-même ; capable de vitrifier son environnement ou de l'empoisonner, mais aussi de l'aménager pour y développer la vie et la lumière.

Trop souvent attachés au passé et à leurs intérêts immédiats, les hommes doivent se tourner maintenant vers l'avenir et le regarder avec lucidité. La montée de la techno-nature, qui fait partie du grand processus d'hominisation de la planète, se fait, comme toutes les évolutions biologiques, par transitions et ruptures successives. Avec sa conscience, l'homme est "la prunelle de Dieu"[1]. Il s'élève là où aucun autre être vivant ne peut voir. Si, malgré cela, il n'arrive pas à maîtriser les principales transitions, il disparaîtra de la surface de la terre, dinosaure parmi les dinosaures. S'il y parvient, il deviendra le messager de la vie à travers les étoiles. ■

[1] Ibn Arabi, *La sagesse des prophètes*, Albin Michel, Paris, 1989.

Nous n'héritons pas la terre
de nos parents,
nous l'empruntons à nos enfants.
Proverbe africain.

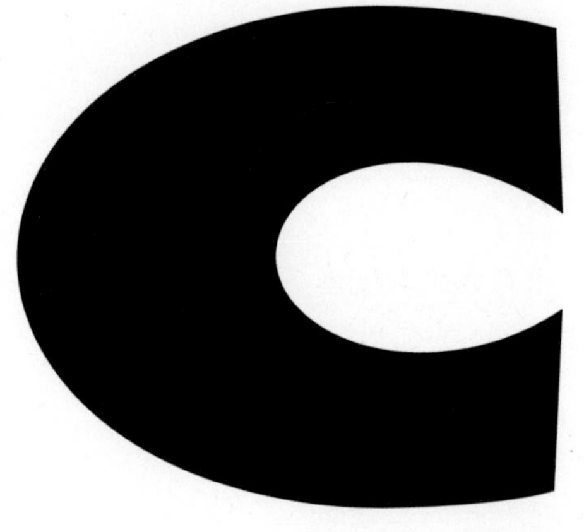

h a

La demande de prédictions est depuis toujours pressante. Elle fut longtemps satisfaite par les oracles. Mais, depuis le siècle des Lumières, où ils furent raillés et traités d'exploiteurs de la crédulité publique, la profession n'est plus très en vogue. La science s'est bien gardée de parler clairement du futur, sauf pour prévoir ce qu'elle savait calculer : les trajectoires des astres, des boulets de canon ou des fusées. Dès qu'il y a incertitude, elle suspend son discours.

Rétroprospective

pitre 2

Qui ne peut voir un autre monde est aveugle.
Proverbe indien.

Cela ne l'a pas empêchée d'énoncer bien des erreurs, tout en frustrant le public, qui préfère de loin une fiction approximative, mais poétique, aux tristes et mornes certitudes, dégageant une odeur plate d'évidence poussive.
Le métier d'oracle, l'un des plus anciens du monde et l'un des plus nobles, a besoin d'être réhabilité. L'invention du Yi King, première technique divinatoire, est attribuée à l'empereur mythique Fo Hi, fondateur de l'empire Chinois, vers le quatrième millénaire avant Jésus-Christ. Son œuvre est mémorable. Aujourd'hui encore, des entreprises ont recours au Yi King pour qu'il inspire leurs décisions. La géomancie arabe est voisine dans son principe : on tire au sort un extrait du livre des prédictions, dont on s'inspire ensuite pour interpréter la situation. Mahomet lui-même était géomancien. Les occidentaux qui fondèrent la science s'inspiraient aussi des techniques divinatoires et de l'ésotérisme : Képler était astrologue, Newton alchimiste et Descartes appartenait, dit-on, à l'ordre des Rose-Croix. Dans tous les domaines essentiels de l'histoire et de la pensée, la prospective était présente sous forme divinatoire.

■ ***La demande de prédictions a toujours été pressante ; l'homme préfère la fiction poétique aux mornes certitudes.***

■ ***Longtemps le mythe de "l'éternel retour" a prévalu, dicté par le cycle renouvelé des saisons.***

■ ***Si l'histoire n'est pas cyclique mais a un sens, allons-nous vers un progrès ou plongeons-nous vers l'abîme ?***

UN FUTUR FAIT DE CYCLES ?

A l'origine, les penseurs ont penché pour l'"éternel retour". Le rythme des saisons, rendu plus important encore par l'agriculture, induit un temps cyclique répétitif. Un cycle suit l'autre. Il n'y a aucune fin, puisqu'il y en a plusieurs. L'humanité, du même coup, se trouve privée de finalité. Les dieux n'y sont pas pour grand chose. Chaque époque n'est que la partie d'un tout. Chaque cycle finit en une sorte de catastrophe absolue qui provoque la disparition de l'humanité, puis sa régénération. Dans la Grèce antique, c'est Périclès qui résume cette conception du futur : *"Toute chose en ce monde est vouée au déclin."*
Parmi tous les systèmes de pensée que l'histoire a connus, nombreux sont ceux qui s'inspirent d'un modèle circulaire, ou d'une combinaison de cycles. Les astrologies sont dans ce cas. Se rattachant au mouvement des planètes en Occident, elles prennent plus souvent l'aspect de simples calendriers solaires en Chine, chez les Aztèques, les Arabes ou les Celtes. Les mêmes dates devraient donner lieu aux mêmes événements, transposés. La vie se cale selon des rites comme des rituels.

Inventions, machines, métiers, représentations, tous ces objets des temps passés revivent dans des musées, comme le Conservatoire National des Arts et Métiers, sis à Paris, que ces photos vous invitent à visiter. ▼

▲ *Avant de prédire l'avenir, ce Lapon est en extase, le tambour magique sur le dos.*

Les jours de la semaine ne tiennent-ils pas leur nom des planètes, qui tiennent elles-mêmes leur nom des dieux : la Lune pour Lundi, Mars pour Mardi, Mercure pour Mercredi, etc. Le mode de pensée cyclique est le plus naturel et sans doute le plus répandu sur la planète.

Avec les grandes religions, commence à se dessiner l'idée d'une origine des temps et d'une fin des temps. En Occident, au quatrième siècle, saint Augustin est le premier à proposer une histoire non plus cyclique, mais linéaire. L'humanité est, dit-il, comme un homme qui apprend et qui s'élève vers un état meilleur. Les périodes de croissance de l'humanité sont donc au nombre de six, chacune étant un progrès par rapport à la précédente. Une longue suite de prospectivistes reprendra la même idée. La science, elle-même, adoptera le modèle linéaire du temps. Seuls varient les étapes ou les âges qui la constituent comme autant de pierres. Il ne reste plus aux disciples qu'à guetter, à l'abri derrière leur doctrine, ce qui est annoncé.

Depuis quelques décennies, les partisans des cycles avaient quelque peu baissé les bras. Les trente glorieuses - 1945-1975 - avaient fini par imposer l'idée que le progrès, matériel du moins, pouvait ne pas avoir de fin. Les chocs pétroliers ont redonné du tonus à la pensée cyclique. La théorie de Kondratieff, un moment oubliée puis redécouverte avec ses cycles économiques cinquantenaires, promet la fin de la crise pour... l'an 2000. D'autres versions, qui ne situent pas le début des cycles au même moment que Kondratieff, voient la reprise à notre porte (et la prospérité au coin de la rue !).

DÉCADENCE OU PROGRÈS ?

Si l'histoire n'est pas cyclique, elle a un sens. Mais allons-nous vers un progrès ou plongeons-nous vers l'abîme ? A quelques exceptions près (comme pour l'évolution régressive de Salet), tous les auteurs

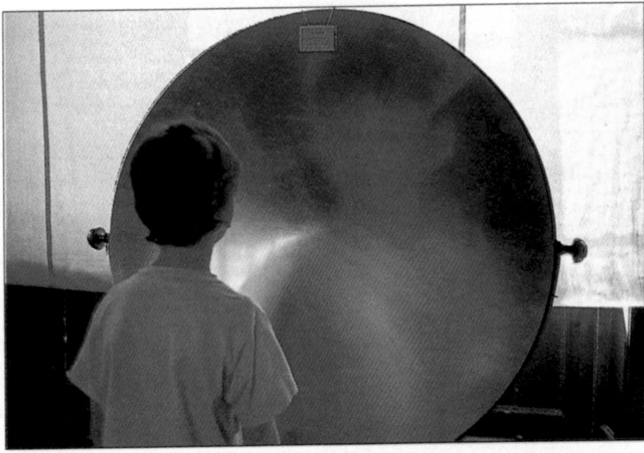

choisissent la montée : nous venons du mauvais et allons vers le bon. Pour Pascal, par exemple, l'homme, depuis son arrivée sur terre, ne cesse d'apprendre. Dans ces conditions, il ne peut y avoir décadence.

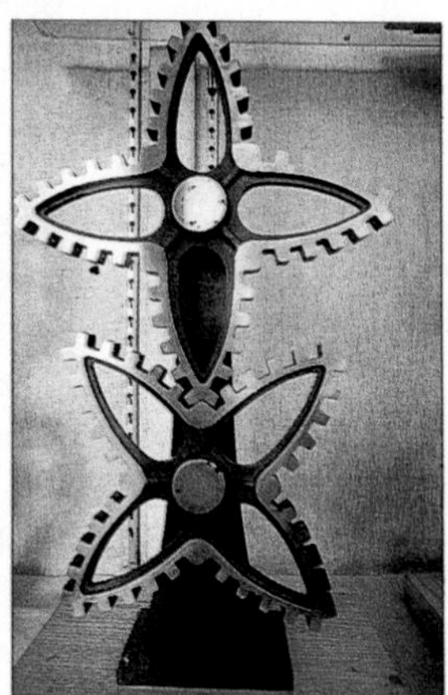

▲ *Pour les cycles de l'histoire, la roue tourne aussi.*

Poursuivant son raisonnement, il en tire trois conséquences :

• puisque l'avenir est la résultante de tous nos savoirs accumulés, il devient prévisible,

• l'avenir est qualitativement supérieur au passé comme au présent,

• l'avenir est unidirectionnel, il est maîtrisable.

Les adversaires de cette théorie auront beau jeu de poser quelques questions gênantes : si l'avenir est meilleur que le passé, comment expliquer la décadence de Rome, la panne du Moyen Age, Hitler et Staline ? N'oublions pas que notre regard sur le temps passé chausse les lunettes du présent et que ces "pannes", ces "décadences" ne sont que jugements subjectifs.

Peu importe, au fond, que l'histoire soit décadence ou progrès. Elle est, tout simplement. Une question, en revanche, nous intéresse au premier chef : pouvons-nous intervenir sur notre futur ? Nous pensons que si notre passé est immuable, notre avenir ne l'est sans doute pas. Gaston Berger[1], l'un des pionniers de la prévision en France, a montré que l'avenir doit être considéré non comme "*une chose déjà décidée et qui, petit à petit, se découvrirait à nous, mais comme une chose à faire.*" Et Bertrand de Jouvenel[2] a insisté sur le fait que "*l'avenir est pour l'homme (...), en tant que sujet agissant, un domaine de liberté et de puissance.*" Car enfin, si nous pouvons prévoir (prévoir), nous pouvons agir. Schumacher, l'homme qui a inventé le concept "small is beautiful", résume cette idée en une image : "*Le compte-rendu signalant qu'un navire est en train de couler n'est pas défaitiste. Seul peut l'être l'esprit dans lequel il est pris connaissance de ce compte-rendu. L'équipage peut aller s'asseoir et boire un coup. Il peut aussi courir aux pompes.*"

Imaginer des ULM, vous n'y pensez pas ? ▼

[1] Gaston Berger, *Etapes de la prospective*, PUF, Paris, 1967.

[2] Bertrand de Jouvenel, *L'art de la conjecture*, Sedeis, Paris, 1972.

■ *La prospective considère l'avenir non pas comme une chose "déjà décidée et qui petit à petit se découvrirait à nous, mais bien comme une chose à faire."*

■ *Bien des informations sur l'avenir n'ont aucune signification si elles ne sont pas datées. Mais la datation est le piège où se sont fait prendre de nombreux prévisionnistes !*

IMAGINATION ET PROSPECTIVE

H.G Wells a imaginé, dans ses écrits romancés, l'avion, le tank et la bombe atomique. Mais lorsqu'on lui demande de faire un pronostic "sérieux" sur ce qui se passera au milieu du vingtième siècle, il considère que les transports aériens n'ont, en 1902, pas d'avenir, que le tank n'est, en 1901, pas une invention raisonnable et, en 1924, qu'il s'écoulera des siècles avant qu'on ne parvienne à appliquer la théorie d'Einstein et à maîtriser la désintégration de l'énergie.
En outre, son esprit se "refuse à concevoir des sous-marins qui fassent autre chose qu'étouffer leur équipage ou s'échouer au fond de la mer."
En 1913, au contraire, le père de Sherlock Holmes, Sir Arthur Conan Doyle écrit une nouvelle dans laquelle une nation européenne imaginaire réussit à imposer autour d'elle un blocus total à l'aide de sous-marins. Dans le même magazine, la rédaction interroge divers experts qui jugent l'histoire parfaitement invraisemblable, ne serait-ce que parce qu'elle envisage l'éventualité que les sous-marins tirent sur des navires non armés ! "Rien de tel que les ignorants pour avoir des instincts" écrivait Victor Hugo à son ami Nadar en 1864.
(source : Bernard Cazes, Histoire des futurs, Seghers, Paris, 1986.)

AU JOUR ET À L'HEURE...

Ce n'est pas tout de prévoir, il faut aussi fixer les dates : bien des informations sur l'avenir n'ont aucune signification si elles ne sont pas datées. H.G Wells prévoit une guerre entre l'Allemagne et la Pologne à cause du territoire de Dantzig. Bien vu, mais mieux encore lorsqu'il propose une date : 1940. A quoi servirait à un entrepreneur, à un homme politique, qu'on lui annonce l'émergence d'un produit, d'une invention ou d'un conflit si la date ne figure pas en regard ? Mais la datation est le piège où se sont fait prendre de très nombreux prévisionnistes !

Il est vrai que, pour l'essentiel, la plupart des prévisions technologiques sont plus aisées à dater. Sachant que la soupape permet de fabriquer une machine à vapeur, il est possible, sans trop risquer de se tromper lourdement, de prévoir la date de fabrication de la toute première locomotive après avoir, auparavant, daté l'invention de la soupape.

La prévision technologique en 1900 : il convient de noter l'absence marquée d'automobiles et le nombre de batobus. ▼

En 1937, un écrivain américain, S.C. Gilfillian, prétend qu'à tout besoin correspond un produit et qu'il suffit d'anticiper sur le besoin pour connaître la date d'émergence du produit. Il repère ainsi, chez Edison, chez Steinmetz, dans sa propre littérature et dans celle de Scientific American des prévisions qui se sont réalisées à soixante-quinze pour cent, alors que leurs auteurs ne savaient pas, au moment où ils écrivaient, quelles technologies seraient mises en œuvre pour répondre correctement aux besoins discernés. Ce bel optimisme oublie un élément fondamental : même si la science peut proposer des solutions (mais on attend toujours l'hibernation, la traduction automatique ou les lunes artificielles pour éclairer la nuit), rien ne dit que le marché suivra. La technique permet aujourd'hui de fabriquer des milliers de produits que personne n'achètera parce que la demande n'existe pas.

Erreurs et coups de génie ?

On pourrait, des pages durant, démontrer que les anciennes méthodes avaient du bon. Les textes de Nostradamus ont donné lieu à des interprétations de l'avenir qui se sont, parfois, révélées justes. Les auteurs de science-fiction, de Jules Verne à H.G Wells, fournissent leur contingent de prévisions étonnamment précises. Un auteur français trop méconnu, Robida, rédacteur à la *"Vie Parisienne"*, a fait preuve d'une prescience confondante dès 1882. Il a annoncé la télévision, le télé-achat, le sonotone pour les sourds et les mal-entendants, les matériaux composites, le droit de vote des femmes, l'abolition de la peine de mort et les programmes de visite des Etats-Unis en une semaine. De surcroît, dessinateur achevé, il finalisait ses *"inventions"* en illustrant ses articles ou ses livres.

EN L'AN 2000

Un Agriculteur très occupé.

▲ *La prédiction, faite alors que l'agriculture était encore peu mécanisée, se révèle assez juste a posteriori.*

A l'inverse, on trouvera des exemples d'erreurs grossières tant il est vrai que, en matière de prévision, tout et son contraire a été dit. Et quand bien même il serait possible de prévoir une nouvelle technique, il s'agit ensuite de ne pas se tromper sur son utilisation potentielle.

Puis vint la science

Il est vrai que tous ces personnages étaient des romanciers ou des prévisionnistes amateurs. Le premier à conjecturer que la prévision devait reposer sur des bases scientifiques fut Condorcet. Plus proche de nous, le président américain Hoover lance, entre les deux guerres, un ambitieux programme de prévision sur les tendances sociales. Il en confie la direction à un chercheur, Ogburn, qui tente d'établir les bases de la futurologie. Prudent, ce dernier estime que les scientifiques ne doivent en aucun cas s'aventurer sur le terrain glissant des recommandations et doivent se borner à la prévision. La première mission Ogburn dure trois ans. Elle est suivie d'une deuxième, qui fut commanditée, cette fois, par un président démocrate, Roosevelt.

Mais il a fallu attendre la deuxième guerre mondiale pour voir apparaître les premiers professionnels de la prévision qui travaillent dans le domaine militaire.

C'est en 1944 qu'est lancé, par le général d'aviation américain Arnold, le premier programme de recherche prévisionnelle qui porte sur les inventions potentielles de matériels militaires. Fort content du

■ ***Quand bien même prédire l'invention d'une technique ou d'un produit est possible, reste à s'assurer que le marché suivra.***

■ ***Il a fallu attendre la deuxième guerre mondiale pour voir apparaître les premiers professionnels de la prévision, qui travaillent dans le domaine militaire.***

■ ***Vingt ans plus tard, la prospective gagne les milieux des universités, de la politique, des entreprises.***

▲ *A partir d'une observation attentive des technologies du passé, l'homme peut suivre les rails du futur.*

résultat, il met sur pied, avec la société d'aviation Douglas Aircraft, un organisme permanent, qui a pour objet de comparer les choix en matière de techniques militaires et qui prend pour nom "Research ANd Development" (Rand). En 1948, la Rand Corporation quitte Douglas et se met à son compte dans la banlieue de Los Angeles. Abandonnant sa spécificité militaire, la firme élabore un certain nombre de méthodes de prévision, dont la méthode "Delphi" (du nom de l'oracle grec de Delphes), qui servira de livre de chevet aux futurologues du monde entier.

Avec près de vingt ans de retard sur les militaires, la prévisionnite gagne les universités américaines (1964), puis le milieu politique : en 1972, est créé auprès du Congrès américain l'"Office of Technology Assessment" pour donner un avis aux élus américains sur les technologies nouvelles et leur impact sur la vie sociale. L'objectif de l'OTA est de débusquer les problèmes avant qu'ils ne se posent. De très nombreuses entreprises américaines ont, entre temps, constitué des groupes plus ou moins permanents, qui aident les directions à prendre leurs décisions. Après le choc pétrolier de 1973, une cinquantaine des plus grandes entreprises américaines indique s'appuyer sur des scénarios prospectifs pour leurs stratégies futures.

MÉTHODE SUBJECTIVE OU OBJECTIVE ?

Installée, institutionnalisée, la prospective doit aussi régler ses problèmes d'école. Deux méthodes de travail sont en présence.La première dite "objective", ou encore "projective", consiste tout bonnement à faire une analyse méticuleuse du passé, puis à projeter sur l'avenir les changements en cours en leur affectant un coefficient d'accélération ou de freinage.

La seconde, dite "subjective" ou "intuitive", consiste à réunir un groupe d'experts et à imaginer ce qui pourrait alors se passer.

La méthode objective bute sur... l'imprévisible. Car tout événement ultérieur à la prévision peut influer durablement sur la situation examinée et en changer totalement les données. Or l'histoire fourmille d'événements majeurs qui bousçulent toutes les extrapolations. Le plus célèbre,

Les biotechnologies ont été rêvées hier et elles bourgeonnent aujourd'hui. ▼

Des scénarios
qui s'enchaînent,
dans notre futur. ▶

ABONNEMENTS
Trois mois Six mois Un an
FRANCE & COLONIES
4 fr. 7 fr. 50 14 fr
UNION POSTALE
6 fr. 12 fr. 22 fr.

Le Petit Journal
illustré

PARAISSANT LE DIMANCHE
35e Année - N° 1763
On s'abonne dans tous les bureaux de poste
Les manuscrits ne sont pas rendus

Pour la sauvegarde des piétons

Il est bien juste qu'on s'occupe enfin d'eux. Un inventeur vient de proposer un appareil qui, fixé à l'avant des autos, cueillerait au passage les imprudents surpris sur la chaussée. Les expériences faites sur un "écrasé" volontaire ont donné les meilleurs résultats.

▲ *Assis dans le fauteuil du présent, il est parfois difficile de concevoir l'avenir.*

et qui fit beaucoup de tort à la prospective, fut le choc pétrolier : les experts annonçaient, avant 1974, une augmentation progressive de l'offre débouchant sur une stabilisation, voire une baisse à terme des prix du pétrole.

Une variante de la méthode objective consiste à dresser un inventaire complet de toutes les inventions prévues à court ou moyen terme, puis à envisager systématiquement le résultat obtenu en les croisant. Ainsi furent "inventées" les biotechnologies. Cette méthode, qui laisse place à la créativité, ne permet quand même pas d'envisager les "ruptures" si chères aux partisans de l'autre école.

La méthode subjective vise à surmonter les difficultés liées à l'extrapolation. Des experts sont censés faire preuve d'intuition ; compte tenu de leur culture technique, de l'évolution industrielle et des besoins qui s'exprimeront, ils doivent imaginer ou déduire les inventions et innovations industrielles ou sociales à venir. Cette théorie présente cependant un inconvénient, dès que la question est posée à plusieurs experts. Il peut se produire, lors de discussions entre experts, des effets d'intoxication des uns par les autres, qui occultent les prévisions exactes, mais minoritaires, au profit de prévisions fausses, mais majoritaires.

Pour pallier à cette difficulté, la Rand utilise donc la méthode "Delphi". Un groupe d'experts est interrogé, dans les mêmes termes sur un problème à moyenne ou longue échéance. Chacun renvoie le questionnaire, qui exprime ses positions. Puis un arbitre reprend les points sur lesquels les positions des experts sont trop éloignées et leur demande un réexamen du problème. La méthode Delphi a suscité un véritable engouement, parce qu'elle est relativement simple à mettre en œuvre et peut fonctionner aussi avec des non-spécialistes. Néanmoins elle présente quelques inconvénients. Le plus important est qu'on obtient une liste d'innovations probables, mais peu liées entre elles.

LE FUTUR DES MOTS

Prospective, futurologie, pronostic, divination, prédiction, oracle, augure, devin, pythie, sibylle, astrologie, voyance, prémonition, prophétie, présage, révélation, conjecture, prévision, intuition, vaticination, anticipation, fiction...
La richesse du vocabulaire est significative de l'importance que les hommes accordent au futur.

■ ***La méthode dite "projective" autorise une bonne créativité mais ne permet pas d'envisager les "ruptures".***

■ ***La méthode "intuitive" donne plus de chances aux prévisions majoritaires de l'emporter, quel que soit leur bien fondé.***

■ ***Toutes les méthodes prospectives (Delphi, scénarios etc.) courent un risque essentiel : celui de céder au conformisme ambiant.***

La méthode des scénarios a alors vu le jour. A partir d'une étude de fond préalable, les prospectivistes examinent dans le détail comment les résultats obtenus pourraient s'enchaîner, de façon cohérente. En variant les probabilités d'occurrence et les poids de chacun des paramètres, dix, cinquante ou cent scénarios seraient réalisables. Les difficultés proviennent à la fois des choix du futurologue et de ses lecteurs. Le prospectiviste doit limiter ses choix aux deux ou trois scénarios les plus vraisemblables, sous peine de noyer ses lecteurs dans des interrogations multiples. Ceux-ci choisissent presque toujours spontanément le scénario le plus conformiste, celui qui se résume à une simple projection du passé sur l'avenir. Un cas d'école connu est celui des futurologues de la Royal Dutch Shell, qui avaient prévu le premier choc pétrolier pour mai 1973 (alors qu'il eut lieu en octobre). Toute leur habileté fut alors consacrée à détourner les décideurs de l'un des scénarios qui ralliait tous les suffrages et qui prévoyait... la baisse lente du prix des produits pétroliers.

Pour chaque regard que nous jetons en arrière, il nous faut regarder deux fois vers l'avenir.
Proverbe arabe.

Un risque est commun à toutes les méthodes. Il s'applique en particulier aux cellules de prospective intégrées à des organismes ou entreprises. Les prospectivistes, par souci de ne pas déplaire ou, tout simplement, par le fait de leur immersion dans une entreprise et du manque de recul, prévoient... ce que souhaite leur direction.

LA PROSPECTIVE TECHNOLOGIQUE

Notre double affirmation : "*il faut prévoir, et on peut prévoir les discontinuités*", heurte de front un scepticisme renforcé par les crises pétrolières. Les dirigeants de grands groupes avouent qu'ils naviguent à vue. Les stratèges négligent la technologie. Nombreux sont les crédules. Et, en prospective, les plus crédules sont ceux qui... refusent de croire. L'incrédulité constitue une tradition vénérable, entretenue par les plus grands noms de la science : en 1832, Arago condamne les chemins de fer car "*la compression de l'air dans les tunnels serait funeste aux poumons des voyageurs.*" En 1865, le directeur du bureau américain des brevets démissionne en déclarant : "*Pourquoi rester, il*

◀ *De nombreux experts avaient prédit que les passagers ne survivraient pas à un voyage en train.*

Aujourd'hui, face au gratte-ciel abritant Kodak, trônent deux immenses gratte-ciels : celui de Polaroïd et celui de Xerox, qui ont industrialisé deux inventions refusées par Kodak.

Des technologies dites "d'avenir" attendent toujours de trouver leurs applications.

Les grandes traversées de Blériot et de Lindbergh ont été vécues seulement comme des exploits sportifs, et pourtant elles portaient en germe le fulgurant essor des transports aériens.

n'y a plus rien à inventer." Aussi peu clairvoyants, les experts commis par Napoléon III prouvent "scientifiquement" que la dynamo, qu'est en train d'inventer Zenobe Gramme, ne fonctionnera jamais. L'astronome américain Newcomb démontre mathématiquement l'impossibilité du vol des *"plus lourds que l'air"*. Au premier envol des frères Wright, mauvais perdant, il insiste : *"l'avion n'aura aucune application intéressante."*[1] A l'époque, le très compétent Smithsonian Institute avait limogé le professeur Langley qui osait proposer l'étude d'engins volants actionnés par des moteurs à explosion[2]. En 1887, Marcelin Berthelot, le grand chimiste, résume l'attitude de tous les sceptiques bardés de certitudes : *"L'univers est désormais sans mystère."*

▲ *Boule de cristal, oh ma belle boule, me diras-tu ?...*

Les industriels ont aussi leur lot d'erreurs en matière de prévisions : il y a quarante ans, le docteur Lang propose à Kodak, leader incontesté de la photographie, d'acquérir ses brevets du Polaroïd. La multinationale consulte la plus importante société de conseil en prévision technologique. L'intérêt du cliché instantané n'est pas perçu et l'invention refusée. Aujourd'hui, face au gratte-ciel de Kodak, trônent deux autres gratte-ciels aussi grands que lui : celui de Polaroïd et celui de Xerox, qui ont industrialisé deux inventions refusées par Kodak.

A l'inverse, des technologies, dites "d'avenir" il y a dix ou vingt ans, restent aujourd'hui porteuses d'un avenir... toujours lointain, ou sont tombées aux oubliettes. Ainsi la conversion directe du charbon en électricité par des procédés magnétohydrodynamiques (MHD) n'a pas tenu toutes ses promesses, même si URSS et Etats-Unis coopèrent à son développement. Quant à la fusion nucléaire, notamment par laser, elle demeure une lointaine perspective, malgré les rumeurs de fusion froide. Denis Gabor, en 1970, rapporte l'opinion des experts de l'époque : la première démonstration de fusion contrôlée doit intervenir en 1980. En 1990, on l'attend toujours.

ON PRÉVOIT MAL CE QUI N'EXISTE PAS DÉJÀ

Le Bipe[3] a effectué un exercice courageux en confrontant ses thèses de 1967 avec la réalité de 1977. La majorité d'entre elles était fondée, mais l'analyse des erreurs commises est instructive.

L'intérêt de l'examen d'écarts rétrospectifs est de montrer combien la prévision est marquée par le présent. L'évolution des applications existantes de l'ordinateur a été bien analysée. En revanche, les innovations n'ont pas été prévues, notamment la révolution du microprocesseur. Seul était crédible le développement de super-ordinateurs,

[1] *Pierre Papon, Pour une prospective de la science, Seghers, Paris, 1983.*

[2] *Profiles of future, Gollancz, 1962, et Hazards of prophecy, The new scientist, 1980.*

[3] *Bureau d'information et de prévision économique (société d'études).*

régentant d'immenses domaines d'activités selon un schéma hypercentralisé. Sur ce sujet, le Bipe n'est pas seul à s'être trompé. En 1961, un groupe d'experts, dirigé par Pierre Auger[1], sous-estime aussi la tendance à la miniaturisation des circuits intégrés. En 1965, le Stanford Research Institute, dans *"The World of 1975"*, évalue mal les progrès des circuits intégrés et les possibilités de la micro-informatique. En 1970, l'ouvrage de Denis Gabor n'envisage toujours pas les calculettes et les micros... alors que le premier microprocesseur est lancé par Intel l'année suivante.

La vue basse et le manque d'audace

"Dans les périodes de fort essor technologique, constate le sociologue Pierre-Noël Denieuil, *une bien faible place est accordée à une véritable prévision. Le présent y est trop dense, il est à lui seul l'avenir. Le présent contient le futur."* A force de regarder les événements de près, les observateurs deviennent myopes et superficiels. Les grandes traversées de Blériot en 1909, de Lindbergh en 1927, ont été essentiellement vécues par l'opinion publique comme des exploits sportifs. Rares sont ceux qui décryptèrent dans ces annonces le prochain développement des transports et du fret aériens.

▲ *Premier passage de la Manche par un engin aérien. Blanchard traverse le Pas-de-Calais le 7 janvier 1785. Parti de Douvres, il atterrit en Picardie.*

A l'opposé, une revue grand public, *"La Science et la Vie"* s'extasie, dans les années 1920 et 1930, sur une série d'*"inventions révolutionnaires"*, dont l'impact est analysé de la façon la plus superficielle : on baigne dans un monde de griserie technologique, où tout entre dans l'ordre du possible. Prévoir consiste alors à échafauder les interprétations les plus hardies, sans esprit critique. Voici l'avènement du *"livre sonore"*, dérivé de la bande magnétique. Voici le cinéma appliqué à l'enseignement : *"La présence réelle du professeur n'a plus d'intérêt. Il descendra pour toujours de sa chaire, afin de se cantonner au rôle beaucoup plus utile d'examinateur et de conseiller."* Des prévisions-affirmations qui négligent complètement le temps de maturation et les résistances au changement. L'apparition du motoculteur en 1923 inspire des conclusions audacieuses : *"Bien des problèmes sociaux seront en même temps résolus. La motoculture retiendra l'ouvrier des campagnes, parce qu'elle fera appel à son intelligence et non plus seulement à sa force musculaire ; elle ramènera peut-être dans les champs, à la ferme familiale, un grand nombre de désillusionnés et de désœuvrés."*

L'erreur la plus courante, commise par tous les experts, porte sur les taux de croissance, systématiquement sous-estimés pour la période

[1] *Tendances actuelles de la recherche scientifique, UNESCO, Paris, 1961.*

des années 1950 à 1970. Il ne s'agit pas là, strictement, d'une erreur technique de prévisionnistes, mais d'un refus psychologique d'admettre les conclusions auxquelles ils parvenaient. Putnam s'est fortement trompé sur la consommation d'énergie mondiale en 1975, parce qu'il a choisi de raisonner sur la valeur basse de sa prévision de développement, 3% par an, alors que sa limite haute, 5%, était remarquablement exacte. Le groupe de Louis Armand a, de même, sous-estimé de 29% la consommation énergétique de l'Europe des six, en 1975. Pourtant leur première analyse avait conduit les experts à des taux d'accroissement étonnamment proches de la réalité et même rigoureusement exacts pour la France. Mais *"ces taux d'augmentation apparaissaient trop élevés pour pouvoir être retenus dans des prévisions à vingt ans."*

■ ***Lors d'un congrès d'ingénieurs sur l'an 2000, on a pu constater que les approches variaient considérablement selon les disciplines.***

■ ***Le recours à l'imaginaire s'est révélé un moyen efficace pour vaincre pesanteurs et conformismes.***

■ ***L'innovation, explique un expert japonais, comprend trois moments : le rêve, le cauchemar et la réalité.***

◀ *Biens chauffés, les convives étaient radieux.*

LES STRUCTURES BRIDENT LA PRÉVISION

En 1971, lors d'un congrès d'ingénieurs sur l'an 2000, on a pu constater que les approches variaient considérablement selon les disciplines : un rapport sur l'électricité insiste sur la continuité dans les mécanismes de production. Dans ce domaine, la prévision s'efforce d'adhérer à la réalité présente, de ne pas la désavouer : l'avenir sera le prolongement, avec plus d'ampleur, du passé. En ce qui concerne l'urbanisme, le rapport conclut à l'impossibilité de prévoir, mais insiste sur le poids des réalisations engagées. Quant à l'astronautique, elle conduit le rapporteur à échafauder des hypothèses hardies sur la station spatiale de l'an 2000. Ces trois démarches sont typiques de l'influence du milieu sur la prévision.

Le spatial a besoin de se bercer du "rêve du cosmonaute", même exagéré, car le réalisme seul ne suffirait pas à convaincre la société de supporter l'effort financier nécessaire... Les producteurs d'électricité ont un problème différent : ils doivent justifier le bien fondé d'investissements amortis sur vingt ans. Ils sont donc condamnés à prévoir la continuité de la situation présente.

Le bâtiment demeure conservateur et peu industrialisé. Il voit donc un avenir très peu différent du passé.

▲ *La patinette motorisée donne au facteur un avantage décisif sur le chien méchant.*

Ce qui a échappé au voleur a été donné au devin.
Proverbe ladino.

Le temps devient un facteur crucial quand les blindés de l'adversaire traversent les Ardennes, mais aussi lorsque les concurrents adoptent un nouveau procédé plus efficient. Ce refus de voir le changement de l'échelle du temps est très fréquent. Ainsi, dans l'industrie automobile, à la veille de l'offensive japonaise des années 1970, de l'irruption de l'électronique et des plastiques, des techniques nouvelles de production, les experts se rassuraient en constatant la maturité de leur produit. Beaucoup d'erreurs proviennent du caractère dérangeant, voire inadmissible qu'auraient certaines hypothèses.

Pour contourner ces obstacles, le recours à l'imaginaire s'est avéré un moyen inattendu, mais efficace. Lors des manifestations Inova, le "jeu de l'utopie" a été l'occasion d'amener des hommes de différents horizons à réfléchir sur l'impact d'initiatives techniques, en faisant abstraction d'une réalité paralysante à force d'être présente. De même les "*Chroniques muxiennes*"[1] sont le résultat des difficultés éprouvées par des chercheurs à faire réfléchir des cadres d'entreprise sur l'introduction de la télématique dans leur travail de tous les jours. L'innovation, explique un expert japonais à l'OCDE, comprend trois moments : le rêve, le cauchemar et la réalité. Profonde philosophie : on n'atteint la réalité du développement, en partant du rêve, qu'au travers du cauchemar, du parcours d'obstacles et de la résolution des difficultés de toute nature.

Le recours à l'imaginaire permet à la pensée de s'envoler. ▼

L'ÉVOLUTION DE LA PROSPECTIVE

La prévision a beaucoup changé depuis cinquante ans. Dans les années 1920, on s'émerveillait devant le progrès scientifique et technique ; l'analyse de l'impact socio-économique était rare ou superficielle. A l'approche des années trente, on change de ton et de préoccupations. La notion de compétition industrielle s'impose de plus en plus. Elle sous-tend les interrogations sur l'avenir. Prévoir consiste alors à s'adapter au progrès technique, dans une course généralisée, et à faire mieux que l'étranger. "*Il faut être de son temps et suivre le char du progrès sous peine de rester dans le passé*", dira encore, dans les années cinquante, un slogan publicitaire.

Un troisième changement apparaît en 1971: la prospective s'attache à la notion de crise. Jusqu'à cette date, les textes de prospective et

[1] *Petites nouvelles de science-fiction (portant ce nom en hommage à Ray Bradbury).*

de futurologie évoquent rarement l'éventualité d'une crise, n'envisageant généralement que des évolutions régulières, sans discontinuité ni ruptures. Désormais, la prévision semble s'inscrire dans un pro-

cessus de résistance et de lutte, vaste conjuration au sein de laquelle il ne s'agit plus simplement de maîtriser l'essor technologique, mais bien plutôt d'en *"maîtriser la maîtrise"*, selon l'expression de Michel Serres. En ce sens, prévoir consiste à anticiper les hypothétiques conséquences d'un développement, qui semble parfois s'effectuer par-delà nos contrôles et notre vigilance.

▲ *Penser le futur,c'est changer de repères.*

Cette évolution de la prospective résulte d'une prise de conscience majeure, qui a eu lieu pendant les années 1970. La Terre est un espace limité, où l'on ne peut désormais agir en ignorant les conséquences indirectes de ses actes. D'où la montée de l'écologie, le cri d'alarme contre les habitudes prises de puiser dans les ressources terrestres sans compter, de déverser les polluants comme si fleuves et océans étaient infinis, d'utiliser la chimie sans envisager les effets secondaires de produits par ailleurs utiles. Tout le mouvement de critique de la science, de défense des consommateurs, d'intérêt témoigné au tiers monde, résulte de cette prise de conscience collective qui a, évidemment, fortement influencé la prospective.

Ceci n'est pas une machine à franchir les paliers dans les courbes de transition...▼

LA MÉTHODE SUIVIE DANS CET OUVRAGE

Donc, pour raisonner à cent ans, il ne suffit pas de prolonger les tendances. Il faut aussi essayer de voir les **inversions**, ces moments où, une situation s'étant développée jusqu'à l'absurde, une transformation qualitative se produit, permettant alors de repartir sur d'autres bases. En raisonnant ainsi, on quitte la logique mécaniste du prolongement pour entrer dans la prospective de la rupture, inspirée de la logique du vivant. La rupture ne concerne plus la matière et l'énergie, mais la conscience : l'enseignement du passé est tiré, les grilles de lecture se transforment, de nouvelles finalités se substituent aux anciennes. Ce qui est admis aujourd'hui comme évident sera remis en cause ; les repères changeront.

Tous ces phénomènes s'intègrent dans des **transitions**, des passages d'un palier à l'autre dans l'évolution du vivant, qui ont la

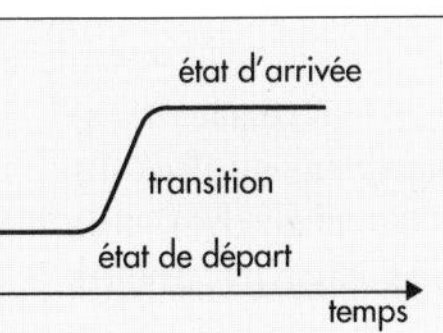

▲ Une courbe en S.

forme de courbes en S. Ces courbes de transition peuvent varier suivant les domaines. Par exemple, l'équipement des ménages en biens durables - automobiles, réfrigérateurs, télévision et machines à laver - s'est fait en Europe sur une durée de vingt ans, entre 1955 et 1975, à peu près à la même vitesse pour ces quatre produits, et avec dix ans de retard sur les Etats-Unis. Après l'invention du pneumatique, presque simultanément par Clément Ader, Dunlop et les frères Michelin, il avait fallu aussi une vingtaine d'années (de 1890 à 1910) pour équiper les français en bicyclettes, instruments de loisir devenus outils de transport quotidien de la classe ouvrière.

Il y a cependant des changements plus rapides. Depuis son invention au quatorzième siècle, la mode évolue selon des cycles annuels. Il y en a aussi de plus lents : le téléphone a attendu une cinquantaine d'années avant de décoller. Le coût de la pose des lignes y est pour quelque chose, mais aussi la méfiance des notables à l'idée que le peuple puisse communiquer comme eux. Cette même méfiance se retrouve chez les cadres du parti communiste chinois : ils ont favorisé la diffusion de la télévision, qui propage le discours du centre vers la périphérie, mais sont beaucoup plus réticents quand il s'agit de permettre à cette périphérie de se parler à elle-même. Le taux d'équipement téléphonique de la Chine est le centième de celui des pays industrialisés (0,4 ligne pour cent habitants), et il n'est pas prévu de l'augmenter très rapidement. Des pays centralistes, comme la France et la Chine, ont résisté davantage au téléphone que les pays polycentriques, tels les Etats-Unis et le Japon. Mais, quand la France a pris le virage, elle est allée plus loin que les autres. Depuis dix ans, les Français ont surpris leurs partenaires occidentaux, en installant gratuitement dans le public plus de trois millions de minitels que personne ne demandait. Pendant ce temps, les autres pays attendaient que le marché se déclenche, et, en vertu d'un credo bien établi, soutenaient que, s'il n'y avait pas d'acheteurs, cela prouvait que cet appareil était inutile. C'était négliger l'effet de maturation du système technique : l'existence de ces terminaux a créé un énorme marché pour des produits d'information, de la petite annonce à la banque de données techniques, en passant par les messageries roses. La disponibilité de ces produits d'information suscite, en retour, la demande de terminaux. Les deux marchés se créent mutuellement, comme la poule et l'œuf. Le minitel ne décolle toujours pas à l'étranger, tandis qu'il connaît en France une prospérité inespérée. Il y a dix ans, Wall Street réprouvait l'interventionnisme français, et saluait avec enthousiasme la dernière innovation américaine de l'électronique au foyer, à laquelle la presse financière prédisait le plus grand succès : le vidéodisque de RCA. Ce sera le plus grand échec de la décennie. Les courbes en S des outils de communication (téléphone, minitel..), l'équipement créant la demande, seraient donc plus "raides" que les autres : elles mettent

■ ***Dans les années 1970, la prospective évolue sous l'action d'une prise de conscience collective de la vulnérabilité planétaire.***

■ ***On quitte la logique mécaniste du prolongement pour entrer dans la prospective de la rupture, inspirée de la logique du vivant.***

■ ***L'enseignement du passé est tiré, les grilles de lecture se transforment, ce qui est admis aujourd'hui comme évident sera remis en cause ; les repères changeront.***

En France, les experts savent mettre au point simultanément le plus grand réseau télématique et surtout le tire-bouchon le plus rapide. ▼

plus longtemps à démarrer, mais elles sont bien plus rapides dès que le décollage s'est produit.

La lourdeur technique des équipements joue également : une automo-

▲ Faire décoller une invention n'est pas chose facile.

REVUES

Les prospectivistes et futurologues[1] disposent essentiellement de trois revues dans lesquelles ils peuvent publier leurs travaux ou chercher des informations sur des mutations significatives pour l'avenir.

- ***The Futurist*** **(Etats-Unis), édité par la World Future Society,**
- ***Futures*** **(GB), Butterworth & C° publishers,**
- ***Futuribles*** **(France), Futuribles sarl, Paris.**

[1] *Le terme "prospective" est plus utilisé en Europe, alors que "futurologie" a droit de cité aux Etats-Unis. Certains auteurs leur attribuent une signification différente ; la futurologie s'inspirerait plus volontiers de la technique d'extrapolation.*

bile vit cinq à dix ans, un wagon de chemin de fer peut tenir cinquante ans ; les générations successives sont donc plus espacées. Les grandes installations industrielles (cimenteries, centrales électriques, réacteurs chimiques, installations sidérurgiques) sont faites pour durer plus d'un demi-siècle, et se renouvellent par morceaux. Un sous-marin nucléaire ou un porte-avion sont construits en vingt ans et servent pendant trente ans. L'obsolescence est plus rapide pour les avions militaires (dix ans), les missiles ou même les chars (vingt ans). La durée de vie est plus difficile à cerner dans l'immobilier. Certaines constructions durent plusieurs siècles - la vue de Delft de Vermeer est encore reconnaissable - tandis que nous démolissons des immeubles construits il y a quarante ans. Cherchera-t-on à construire des bâtiments destinés à durer plusieurs siècles ou, au contraire, à être démontés au bout de trente ans, comme les maisons individuelles aux Etats-Unis et au Canada? Sans doute les deux à la fois, ce qui rend difficile l'élaboration des courbes de transition dans le domaine de l'urbanisme.

Par rapport aux échéances considérées, les grandeurs économiques usuelles, telles que le Produit National Brut ou les indices de prix, ne semblent pas pertinentes. Nul ne sait ce que vaudra un dollar dans cinquante ans, mais 2500 calories par jour restent toujours un minimum pour nourrir un être humain, et on peut compter, en kilogrammess par habitant, les différentes consommations, les investissements et les rejets de l'économie. Tous les raisonnements de cet ouvrage reposent donc sur des quantités physiques.

■ ***Les "courbes en S", indiquant les taux d'équipement, sont plus ou moins raides selon les produits considérés.***

■ ***Les sociétés modernes devront partir des besoins suscités par l'évolution sociale pour définir la transformation technologique, et non l'inverse.***

■ ***Les grandes décisions technologiques sont prises en fonction de vues à très long terme, explicites ou implicites.***

LA PROSPECTIVE EST-ELLE NÉCESSAIRE ?

Les sociétés modernes, pour rendre compatibles la recherche technologique et leurs impératifs économiques et industriels, devraient procéder à la démarche prospective inverse de celle qui a été pratiquée jusqu'à présent : ne plus se demander quelle redistribution sociale sera induite par le changement technologique, mais s'interroger plutôt sur les besoins suscités par l'évolution sociale et en déduire la transformation technologique qui s'impose inéluctablement. Le renversement est fondamental : partir de l'utilisateur, partir de l'expression sociale. Naturellement l'adoption de cette démarche n'est pas aisée. Elle se

▲ *Une grande partie des recherches sur le futur se fait dans les profondeurs du secret.*

▲ *Suivre les rails du possible pour s'envoler vers le futur.*

heurte à toutes les pesanteurs qui ont été précédemment soulignées. Mais quelle est la transparence de cette discipline qu'on ne peut encore totalement qualifier de science ? Une immense partie des recherches sur le futur est en effet secrète. Les militaires, très grands consommateurs d'études prospectives, couvrent leurs recherches sous le manteau du "secret défense". Les entreprises, publiques ou privées, ne révèlent pas davantage la majeure partie des études, qu'elles ont fait réaliser, au nom du secret des affaires. Or, *"à mesure que progresse la science, au demeurant sous forme éclatée, il devient plus nécessaire que jamais que les options qu'elle ouvre puissent être discutées."*[1] Car, à l'évidence, la prospective ne saurait, au vingt-et-unième siècle faire reculer la démocratie.

Le temps n'a pas toujours été portatif. ▼

On n'a jamais bon marché la mauvaise marchandise. Proverbe français.

L'impact de la prospective dépasse aujourd'hui largement ce qu'on pourrait attendre d'un exercice de prévision. Le héros de *1984* de George Orwell passait son temps à modifier, dans les vieux journaux des archives, les prévisions passées pour les mettre en accord avec les vérités du moment, les visions du présent. Les principales décisions technologiques, les grands investissements nucléaires, spatiaux, les équipements lourds sont évalués en fonction de vues à très long terme, explicites ou implicites. Ces options doivent être discutées en place publique. En dehors même des grands programmes, le "pouvoir des rêves" mène le monde. ■

[1] *Hugues de Jouvenel, Futuribles, oct. 1982.*

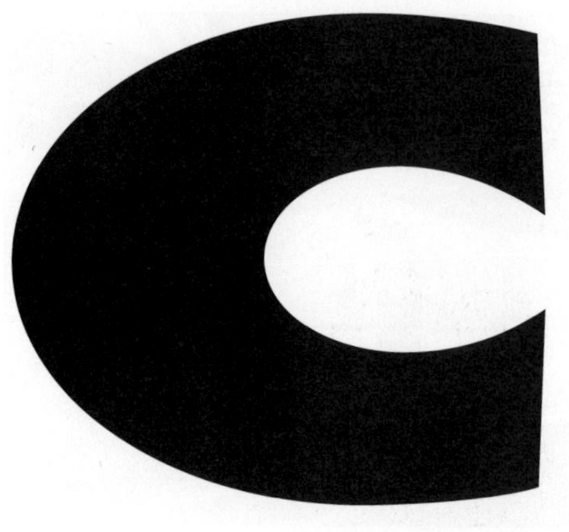

h a

Au moment où l'homme envisage de consacrer la toute-puissance de sa technologie par l'envoi d'êtres humains vers d'autres systèmes solaires, il lui faut aussi reconnaître, paradoxalement, qu'il ne peut se séparer de la nature dont il est issu, qu'il doit emporter avec lui un écosystème complet, avec ses plantes et ses animaux. Car il reste un primate, dont le patrimoine génétique est à 98% identique à celui du chimpanzé.

Au-delà du bien et du mal

pitre 3

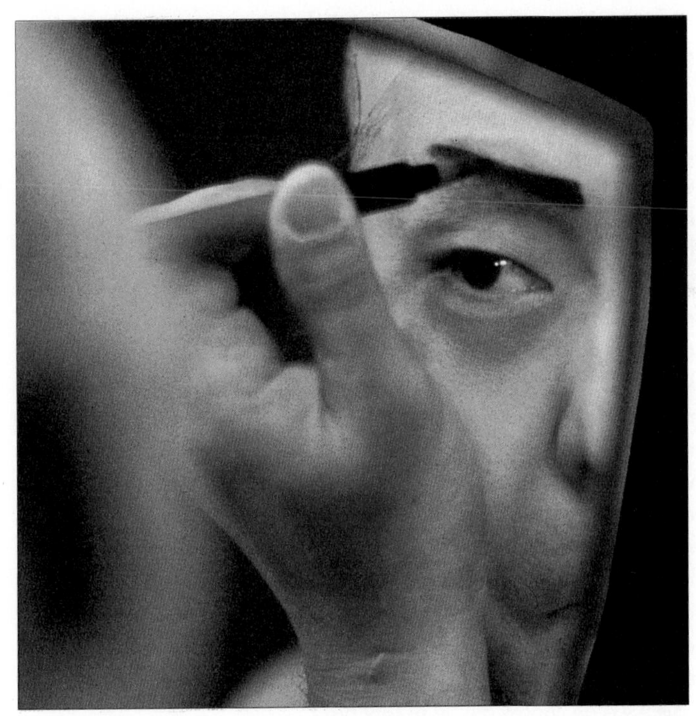

▲ *Derrière chaque être humain se cache un primate, ludique.*

Les quelques milliers d'années de civilisation que l'homme vient de vivre ont changé son mode de vie de façon radicale ; mais les moteurs de son comportement restent fondamentalement les mêmes, identiques à ceux d'un autre animal développé. Les progrès actuels dans l'observation des gestes des animaux mettent d'ailleurs facilement en lumière cette ressemblance. Prenons l'exemple des comportements agressifs. Autrefois, on les expliquait par le fait que l'animal, évoluant dans une nature qui ignore le bien et le mal, doit se nourrir. Cette vision est par la suite apparue un peu simpliste. L'éthologie, science des comportements, distingue aujourd'hui deux types d'agression[1] : la chasse, qui est en effet furtive et meurtrière ; mais aussi la colère. Celle-ci, exercée contre un semblable ou un concurrent, est au contraire démonstrative, et s'accompagne de vociférations, de gestes menaçants. Elle ne cherche pas à tuer, mais seulement à défendre un territoire. Elle est présente chez la plupart des espèces, par exemple chez les poissons de corail dont les couleurs vives sont autant de signaux d'interdiction à destination de leurs congénères.

▲ *Ça ne se passera pas comme ça...*

En transposant aux sociétés humaines la biologie du comportement, deux relations apparaissent : la prédation et la concurrence. Les deux agressions correspondantes sont très différentes dans leurs modalités comme dans leurs effets. Si l'exploitation de l'homme par l'homme se compare à une prédation, les luttes concurrentielles entre ethnies et entreprises ne sont pas négligeables. Elles sont un ressort tout aussi puissant des dynamiques sociales.

Nous partageons avec les animaux un certain sens du territoire et de la nécessité d'en défendre les limites. Quand il n'y a pas de territoire concret et tangible, nous en inventons un abstrait. Les organigrammes des sociétés ou des administrations fleurissent ainsi d'intitulés totalement incompréhensibles, résultats de négociations acharnées sur des délimitations abstraites. L'objectif, inspiré par le cerveau reptilien[2], consiste pour chacun à obtenir des attributions aussi vastes que possibles. Après quoi, comme il est impossible de les remplir, on se contente d'en interdire l'accès à d'autres.

Ainsi, dans les sociétés cultivées, l'importance des effendis se mesure beaucoup moins à ce qu'ils font qu'à ce qu'ils n'ont pas le temps de faire. Cette accumulation de notabilités qui se neutralisent mutuellement est d'ailleurs à l'origine d'une immobilité toujours plus complète que l'on peut résumer ainsi : plus il y a de personnes importantes, plus il y a de choses qui ne se font pas.

Un autre aspect essentiel du comportement animal est le jeu, que l'homme pratique lui aussi sous les formes les plus variées. Certes, il a pris l'habitude de le considérer comme une activité enfantine ou de détente, et ne le prend guère au sérieux. C'est là une erreur dénoncée par la biologie du comportement. Si les animaux jouent tant, c'est que le jeu a une fonction essentielle dans la perpétuation des

[1] *Konrad Lorenz, L'agression, une histoire naturelle du mal, Flammarion, Paris, 1977 ; Eibl-Eibesfeldt, Guerre ou paix dans l'homme, Stock, Paris, 1976.*

[2] *Henri Laborit, La vie antérieure, Grasset, Paris, 1989.*

■ ***La biologie du comportement animal peut être transposée aux sociétés humaines.***

■ ***Dans les sociétés cultivées, l'importance des effendis se mesure beaucoup moins à ce qu'ils font qu'à ce qu'ils n'ont pas le temps de faire. Cette accumulation de notabilités qui se neutralisent mutuellement est à l'origine d'une immobilité toujours plus complète.***

■ ***Les êtres qui ne jouent pas réduisent leur champ de perception, leurs facultés d'improvisation et de création.***

espèces. Il est une exploration des possibles et un apprentissage. Les êtres qui ne jouent pas réduisent leur champ de perception, leurs facultés d'improvisation et de création. Ils s'enferment dans un utilitarisme réducteur, sclérosant et peut être mortel. Huizinga[1] a bien montré combien, dans les sociétés humaines, le développement des jeux était effectivement signe de civilisation.
Ce serait également une erreur que de croire le jeu humain différent des activités animales par la complexité de ses règles. L'observation de la sexualité animale, considérée à tort comme rudimentaire, montre au contraire une richesse comparable à celle des rêves ou des fantasmes humains[2]. Les danses de parade amoureuse, la décoration (les plumes du paon), les cadeaux (comme ceux que les araignées offrent, emballés, à leurs partenaires), la diversité des modes de copulation, tout témoigne d'un raffinement extrême, d'une créativité et même d'un art.

▲ *Qui suis-je, où vais-je et quel est mon nom ?*

En fait, la plupart des comportements humains, y compris les processus de la pensée que l'on croyait originaux, se retrouvent dans le règne animal[3]. A l'intérieur du corps humain se déroule en effet une *"biologie des passions"*[4] régulée par des médiateurs chimiques, eux-mêmes en rapport avec des réactions du cerveau profond.
On connaissait depuis longtemps l'adrénaline, directement liée à l'agressivité. On sait maintenant que la bilirubine accompagne les sentiments amoureux, et que des dizaines d'autres médiateurs régulent la faim, la soif et la multitude de nos humeurs.
Le déclenchement d'une action humaine commence donc par un changement de l'état intérieur. Un désir, matérialisé par une de ces endorphines, envahit le sujet. Après quoi, celui-ci manifeste son appétit. Quand le seuil d'intensité est franchi, l'acte consommatoire se déclenche ; à la suite de quoi sa réalisation calme le désir originel (schéma dit de Lorenz-Craig).
En outre, le déroulement devient beaucoup plus complexe et poétique lorsqu'un autre partenaire désirant est impliqué. Tout un jeu de stimuli et de réponses s'établit. Par le moyen d'une multitude de signaux, les désirs s'harmonisent l'un avec l'autre, dans un envol commun. La richesse de ce qui se produit alors montre que les désirs sont interdépendants. Si l'amour emporte dans son flot les barrières et les cloisons, c'est parce que l'univers des passions est unique, même si l'on peut identifier quelques médiateurs particuliers.
Le comportement actuel des hommes présente donc d'étonnantes ressemblances avec celui des animaux placés dans leur milieu naturel. Certes, à l'inverse de ces derniers, l'homme ne se trouve pas toujours dans un environnement équilibré et adapté, chaque fonction vitale s'exécute selon son mode particulier à un rythme plus ou moins régulier. Mais il existe des possibilités de substitution : si le fonctionnement

[1] *Johann Huizinga, Homo Ludens : essai sur la fonction sociale du jeu, Gallimard, Paris, 1988.*

[2] *André Langaney, Le sexe et l'innovation, Seuil, Paris, 1987 ; Tobie Nathan, Psychanalyse et copulation des insectes : les phantasmes sexuels dans les transferts psychanalytiques et la copulation des anthropodes, Pensée sauvage, Paris, 1984.*

[3] *Donald R. Griffin, La pensée animale, Denoël, Paris, 1988.*

[4] *Jean Didier Vincent, Biologie des passions, Odile Jacob, Paris, 1986.*

▲ *Seuls ou à plusieurs, les enfants jouent. Certains adultes n'oublient pas...*

n'est pas normal, certains désirs peuvent éviter l'explosion en se transformant en d'autres désirs. Cela se traduit par des comportements de dérivation ayant pour but de résoudre les tensions intérieures.

Tout aussi significatives, les similitudes entre le comportement humain et celui d'animaux en captivité, enfermés dans un zoo par exemple. Deux de leurs stratégies méritent, à ce titre, une attention particulière : le simulacre et la coupure. Le simulacre, c'est la création de problèmes inutiles pour compenser le manque de stimulation. On peut ainsi observer que, dans sa cage, un chat sauvage jette parfois en l'air un oiseau ou un rat mort, puis bondit dessus. En lançant sa proie, il lui redonne du mouvement, donc une apparence de vie, et se donne l'occasion de la tuer à nouveau. Le simulacre peut dégénérer en fixation. Le comportement devient alors compulsif, autrement dit la répétition devient une fin en soi, agit comme une drogue. Sans doute correspond-elle effectivement à la sécrétion dans le cerveau de stimulateurs chimiques encore mal ou très peu connus.

AU-DELÀ DU BIEN ET DU MAL... (?)

La genèse des simulacres fait partie intégrante du fonctionnement des sociétés modernes. Elle est tellement présente que nous n'y faisons plus attention. Nous n'arrêtons pas de créer des formalités pour mieux les déjouer, d'inventer des difficultés pour avoir à les surmonter, d'imaginer des obligations purement fictives pour nous estimer contraints de les satisfaire. Certains vont chercher leur croix, espérant en secret que tous admireront leur façon de la porter. D'autres voudront décrocher la lune, jouissant à l'avance du moment où on les excusera de ne pas y être parvenus. D'autres encore accumuleront de l'argent, de la puissance ou

Mieux vaut être un oiseau de bocage que de cage.
Proverbe français.

de la respectabilité, comptant bien se protéger par une façade imposante du regard indiscret des contemporains.

L'acharnement au travail est l'un des simulacres les plus répandus des sociétés urbaines. La plupart des personnes atteintes ne fonctionnent pas sous la contrainte, comme elles voudraient parfois le faire croire, ni même soutenues par la noble ambition de contribuer à sauver la nature ou l'espèce humaine. Elles ressemblent plutôt à ce chat qui jette en l'air l'oiseau mort pour le rattraper. Elles s'occupent, faute de mieux, et avec acharnement, pour ne pas penser à leur détresse profonde, pour tuer le temps.

Sans doute, la question des simulacres ne se résume pas chez l'homme à quelques exemples de stratégies sacrificielles ou perverses. Eric Berne[1] a montré combien l'invention de scénarios est vivace et rejoint souvent les mythes et les contes de fées. Le scénario dit du petit chaperon rouge, consistant à prendre des risques inconsidérés, à susciter l'agression et à tendre un piège au loup, en est un exemple classique. Il est pratiqué couramment dans les immeubles de bureaux des grandes places financières, avec des variantes témoignant d'une créativité débordante.

La coupure, à l'inverse, est un moyen pour l'animal en captivité d'atténuer des stimulations trop fortes. A peine arrivé dans une nouvelle cage, avec des compagnons qui ne lui conviennent pas, un animal commence par s'énerver, s'affoler. Puis, dans certains cas, il tente d'interrompre le flux des stimulations en s'accroupissant dans un coin et en fermant les yeux. Ou, plus radicalement, il recourt à un sommeil excessif et prolongé. Comme il ne peut dormir tout le temps, il se livre pendant la veille à des comportements répétitifs : se gratter ou manger à l'excès, ou se livrer à un balancement de détresse.

Toutes ces stratégies sont reprises par l'homme : le jeu remplit souvent un rôle de simulacre, et les formes de coupure sont multiples, depuis le walkman jusqu'à l'absentéisme professionnel. Sans une telle panoplie de stratégies, nos contemporains ne supporteraient ni les monotonies de la vie sociale, ni la saturation de l'espace.

■ ***On peut noter des similitudes entre le comportement humain et celui d'animaux captifs. Deux de leurs stratégies méritent une attention particulière : le simulacre et la coupure.***

■ ***Nous n'arrêtons pas de créer des formalités pour mieux les déjouer, d'inventer des difficultés pour avoir à les surmonter, d'imaginer des obligations purement fictives pour nous estimer contraints de les satisfaire.***

■ ***Les formes de coupure sont multiples, depuis le walkman jusqu'à l'absentéisme professionnel. Sans une telle panoplie de stratégies, nos contemporains ne supporteraient ni les monotonies de la vie sociale, ni la saturation de l'espace.***

La coupure peut aussi mener à la méditation et à la sagesse. ▼

[1] *Eric Berne, Que dites vous après avoir dit bonjour ?, Tchou, Paris, 1987.*

L'humain possède, grâce à son imagination très développée, la faculté de s'absenter en esprit tout en étant là physiquement. Dans la vie moderne, ce genre d'absentéisme s'est développé dans des proportions considérables. L'effendia, qui fonctionne sur un principe de falsification, est son lieu de prédilection. Il est devenu habituel qu'un dirigeant fasse semblant de diriger, un fonctionnaire de fonctionner, un enseignant d'enseigner et un chercheur de chercher. La stratégie d'absence se prolonge par une stratégie d'attente, consistant à vivre sans vivre vraiment, dans l'espoir d'une autre vie moins morne. Elle est symbolisée par le conte de la belle au bois dormant : par suite d'un événement malencontreux, la vie profonde est mise en sommeil dans l'attente d'un prince charmant hypothétique, retenu sous d'autres cieux. Cette attente permet de l'imaginer radieux, de le parer de toutes les qualités, et évite les risques d'avoir à se confronter à une réalité en chair et en os. C'est pourquoi elle peut durer éternellement.

▲ *La faculté de s'isoler est devenue vitale au vingt-et-unième siècle.*

L'homme vivant dans la société contemporaine reste donc fortement semblable aux animaux. Cependant, il s'en distingue aussi par des caractères très spécifiques, comme la baisse d'activité de certains comportements, pendant que d'autres sont exaltés. C'est notamment le cas de l'alimentation et de la sexualité : l'homme mange plus que les autres primates, et son comportement sexuel est plus actif et diversifié. Les cycles d'excitation, d'appétence se multiplient. Il fait aussi preuve d'une plus grande plasticité, favorable à l'adaptation.

L'homme est un animal volontiers moutonnier. ▼

Aux yeux des biologistes, ce dernier caractère constitue la seule différence essentielle entre l'homme et les autres primates. Et elle n'est due qu'à une sorte d'accident de l'évolution, appelé néoténie. Ce phénomène se produit lorsqu'une espèce est placée dans des conditions de vie difficiles, et s'apparente à ce que la psychanalyse appelle une régression : l'adulte conserve les caractères de l'enfant, voire du fœtus, et parmi eux une grande plasticité. L'espèce humaine n'est pas la seule à subir un tel phénomène. Elle partage ce privilège avec un obscur amphibien du Mexique dont la larve (appelée axolotl) dispose de branchies externes ; comme quoi les bizarreries de l'évolution ne donnent pas forcément naissance à des espèces conquérantes...

L'homme adulte ressemble à un fœtus de singe. Mais les os de son crâne se consoli-

■ ***Une caractéristique essentielle de l'homme est sa grande faculté d'adaptation : car il conserve beaucoup plus longtemps que les autres animaux la plasticité de sa jeunesse.***

■ ***Dans le comportement humain, les parts respectives de l'inné et de l'acquis ne sont pas les mêmes que chez les autres primates.***

dent lentement. Son cerveau, n'étant pas contraint par la boîte crânienne, peut donc s'épanouir, contrairement à celui des autres primates. Mais cette différence n'est pas radicale, elle se résume au fond à la mutation de quelques gènes[1].

Les enfants valent mieux que la richesse. Proverbe islandais.

Le résultat essentiel de cette mutation est l'importance accrue de l'éducation. Dans le comportement humain, les parts respectives de l'inné et de l'acquis ne sont pas les mêmes que chez les autres primates. L'homme hérite de gènes certes, mais aussi d'une culture transmise pendant une enfance qui dure très longtemps. Et l'éducation peut faire évoluer l'espèce. En intervenant à l'âge où les comportements sont encore plastiques, elle est en mesure d'inculquer chez l'homme des désirs nouveaux et mieux adaptés à son environnement.

DE LA COMPENSATION À L'INVERSION

Mais la faculté d'adaptation de l'humain peut aller beaucoup plus loin. Dans certains cas, elle va lui permettre de retourner complètement à son avantage une situation qui ne lui était a priori pas favorable. On parlera alors d'inversion.

Ainsi, la stratégie de coupure de l'animal qui s'isole dans sa cage peut s'inverser chez l'homme en fraternisation. Par exemple, pendant une grève du métro, les humains supportent vaille que vaille d'être comprimés les uns contre les autres, situation qui déclencherait chez les animaux des réactions d'agressivité violente. C'est là une stratégie de coupure classique : les voyageurs sont là physiquement, mais s'évadent en esprit. La faculté d'adaptation peut aller jusqu'au renversement de la situation : au plus fort de la grève du métro à Paris en 1988, alors que l'entassement et l'attente deviennent intolérables, des usagers se mettent à fraterniser. Ils parlent à des inconnus. L'absurde devient facteur d'union, aidé par cet extraordinaire comportement humain qu'est le rire. L'extrême anomalie conduit à la communauté. D'une façon un peu semblable, pendant les derniers mois de la Première Guerre mondiale, des troupes au bord de l'épuisement dans le fond des tranchées se sont mises, ici et là, à fraterniser avec leurs ennemis désignés.

▲ *Entassés mais ravis.*

Quant au simulacre, il peut lui aussi renverser la situation en se muant en créativité. Dans le zoo humain, l'imagination est sans limites. Art, technique, science, philosophie... non seulement ces activités combattent la sous-stimulation, mais elle permettent à l'homme de faire usage de son organe le plus extraordinaire, son énorme cerveau (comparé à celui des autres animaux). Le destin de l'homme est de croire à ses rêves, au point de les vivre et de les réaliser.

[1] *Jean-Pierre Changeux, L'homme neuronal, Fayard, Paris, 1983.*

Grâce à cette exceptionnelle faculté d'adaptation, allant jusqu'à l'inversion d'une situation défavorable, l'espèce humaine a pu vivre le bouleversement du passage du milieu naturel à la techno-nature.

▲ *Voyez-vous, mon cher, la taille de notre tribu a changé.*

▲ *Le retour à la mer conduit à divers entassements.*

LA TECHNO-NATURE A PROGRESSÉ PLUS VITE QUE LE PATRIMOINE GÉNÉTIQUE

"Imaginez un territoire de trente kilomètres de long sur trente kilomètres de large, suggère Desmond Morris. *Supposez-le sauvage, peuplé d'animaux petits et grands. Représentez-vous maintenant un groupe compact de soixante êtres humains campant au milieu de cette région. Essayez de vous voir assis là, en tant que membre de cette tribu miniature, avec le paysage, votre paysage, s'étendant autour de vous à perte de vue. Nul sauf ceux de votre tribu n'utilise ce vaste espace. C'est votre domaine exclusif, votre terrain de chasse. De temps en temps, les hommes partent à la poursuite d'une proie. Les femmes cueillent des fruits et des baies. Les enfants jouent bruyamment dans les parages, imitant la chasse de leurs pères. Si la tribu s'implante bien et se développe, un petit groupe s'en sépare pour coloniser un nouveau territoire. Peu à peu, l'espèce se répand...*

"Imaginez maintenant le même territoire de trente kilomètres de long sur trente de large. Supposez-le civilisé, peuplé de machines et de constructions. Représentez-vous maintenant un groupe compact de six millions d'êtres humains campant au milieu de cette région. Essayez de vous voir assis là, avec tout le paysage complexe de la grande ville s'étendant autour de vous, à perte de vue... Comparez ces deux paysages. Dans le second, il y a cent mille individus pour chacun de ceux qui se trouve dans le premier. L'espace est demeuré le même. En termes d'évolution, ce changement dramatique a été presque instantané : il n'a fallu que quelques milliers d'années pour transformer le décor. L'animal humain semble s'être brillamment adapté aux nouvelles et extraordinaires conditions qui lui sont imposées, mais il n'a pas eu le temps de changer sur le plan biologique, d'évoluer pour devenir une espèce biologiquement civilisée."[1]

Revoyons les principales étapes de cette évolution, quasi instantanée dans l'histoire de l'espèce humaine. Il y a dix mille ans, celle-ci comprend quelque dix millions de chasseurs-cueilleurs, organisés en tribus.

■ *C'est grâce à cette exceptionnelle faculté d'adaptation, pouvant aller jusqu'à l'inversion d'une situation défavorable, que l'espèce humaine a pu vivre le bouleversement qu'a été le passage du milieu naturel à la techno-nature.*

■ *En terme d'évolution, le passage du territoire sauvage à la métropole a été presqu'instantané : quelques milliers d'années ont suffi.*

■ *Devenu agriculteur-éleveur, l'homme s'installe et engage un processus radicalement nouveau : l'hominisation, le remplacement de la nature par une techno-nature.*

[1] *Desmond Morris, ...inge nu, Grasset, ...968 ; Le Livre ...aris, 1970.*

Le défi d'exploration amène l'homme à s'élever.
▼

Apparemment, l'homme n'est encore qu'un primate parmi d'autres, un peu plus débrouillard peut-être, mais dominé par la nature.
Les apparences sont trompeuses. Depuis longtemps déjà, il progresse dans la fabrication d'outils toujours plus perfectionnés. Et surtout, il a commencé à rêver, à exprimer dans les fresques grandioses de Lascaux ou du Tassili sa communion avec la nature, ses inquiétudes face aux puissances qui l'entourent, son aptitude à lutter victorieusement.
Ce rêve, il va désormais l'imprimer dans la nature elle-même. Non pas seulement, comme les insectes au fil de l'évolution, par des pinces, griffes ou antennes, mais par l'organisation de l'environnement. Est-ce par nécessité, parce que les territoires de chasse sont saturés ? Par désir d'explorer un nouveau mode d'existence ? Par défi, comme plus tard il ira au sommet des plus hautes montagnes *"parce qu'elles sont là"* ? Toutes ces raisons, sans doute, se mêlent.
Devenu agriculteur-éleveur, l'homme s'installe et engage un processus radicalement nouveau : l'hominisation, le remplacement de la nature par une techno-nature. Ce processus va s'avérer extraordinairement "rentable", permettre de multiples innovations technologiques, la multiplication des hommes, l'allongement de leur vie, de multiples formes de création artistique. Avec le langage, l'écriture, le papyrus, le papier, l'imprimerie, l'informatique, le rêve ne cesse de s'élargir et de s'étoffer.

▲ Vous reprendrez bien un glaçon ?

Parallèlement à ce foisonnement imaginatif, l'homme fait aussi preuve, tout au long du développement de la techno-nature, d'une forte avidité vis-à-vis des réalités qui l'entourent. Pour des raisons de sécurité comme de développement personnel, l'homme a voulu dominer, s'approprier les objets, les maisons, les terrains, les actions, les pouvoirs, les personnes du sexe opposé et les enfants.
On peut être tenté de voir là une nature humaine immuable qui traverse le temps, et dont l'instinct d'appropriation ferait partie. En fait, le sens de la propriété est pour une bonne part d'origine sociale et culturelle. Faisant un dogme du jeu de la concurrence, les classes dirigeantes élèvent leurs enfants dans l'idée que le monde est une jungle, où il y a des prédateurs et des proies, et leur enseignent comment rester du côté des premiers. Dès l'âge de deux ans, ils apprennent de leur mère à défendre leur propriété, à prendre plus qu'ils ne donnent, à se défausser sur d'autres des tâches jugées socialement inférieures ou pénibles, à se maîtriser pour pouvoir commander, et à manifester des comportements dominateurs, similaires à ceux que l'on observe dans les tribus de primates.
Cette volonté constante d'appropriation est si forte que le processus d'hominisation de la nature va s'étendre aux populations humaines elles-mêmes. L'homme, pour se maîtriser lui-même, et plus encore les

classes dirigeantes pour maîtriser les masses, va matérialiser les moyens de "régulation". Les dieux mêmes sont mis au service de l'empire. La logique de celui-ci découle de la logique agricole ; ce

▲ *Les comportements d'appropriation étaient encore fortement stimulés par l'éducation de la fin du vingtième siècle.*

▲ *La domestication de l'homme par l'homme progresse lentement mais sûrement.*

ne sont que deux formes de la techno-nature. Par une externalisation des régulations et des fonctions, la société se met à assurer un équilibre de défense (sécurité, santé), de subsistance (reproduction, alimentation, habitat), d'existence (équilibre inter-individuel, évacuation non destructive des excitations endogènes). Mais la société impose en contrepartie de multiples inhibitions d'action, qui sont contrebalancées par l'intériorisation, le fait "*d'agir sans agir*".

Les dix-neuvième et vingtième siècles, malgré les lumières du dix-huitième et les principes posés par 1789, vont pousser la techno-nature à son paroxysme. Au triomphe des machines répondent les régiments des manufactures mobilisés comme des armées.

La naissance de l'entreprise est le fruit d'une première inversion, d'un retournement de situation aussi fécond, sinon plus, que le passage de l'élevage à l'agriculture. Avec le développement du commerce, en effet, ce n'est plus entre tribus que se déroulent les affrontements, mais entre entreprises et sans effusion de sang. Les concurrences se traduisent soit par l'élimination symbolique (l'absorption) du moins apte, soit par une spécialisation et un partage des niches écologiques (les marchés).

Entre hommes, la relation de prédation s'est muée en domestication. A la fois moins destructrice et plus dégradante que la relation du lion avec les gazelles : la gazelle meurt, non l'esclave ou le prolétaire ; mais le troupeau des gazelles trouve sa noblesse dans la course imposée par le lion. L'éleveur prend en charge les conditions de survie de sa proie, mais la prive de sa liberté et de sa dignité. Ce qui vaut pour le bétail vaut aussi pour les esclaves, les serfs, les ouvriers.

La domestication de l'homme par l'homme est un ressort fondamental des sociétés modernes. Elle commence dès l'enfance, à l'école, et se poursuit dans les entreprises. Exemple caractéristique : en 1845, l'hygiéniste Jacquet réclama la collaboration du médecin et de l'architecte pour la construction des écoles primaires ; il se plaignait du manque de rationalité du mobilier scolaire et disait qu'il fallait envisager d'accomplir pour l'école "*le même effort que pour les prisons et l'amélioration de la race chevaline*".

■ ***La naissance de l'entreprise est le fruit d'une première inversion, d'un retournement de situation aussi fécond, sinon plus, que le passage de l'élevage à l'agriculture.***

■ ***Le mouvement d'hominisation atteint aujourd'hui ses limites. La techno-nature est en train de finir de s'étendre à la planète entière et à ses environs immédiats.***

■ ***D'ici à 2100, il ne restera plus que l'espace marin, et l'espace tout court, comme lieux possibles de chasse et de cueillette.***

En effet, après les révolutions de 1848 et 1870, la bourgeoisie, effrayée par le danger des masses prolétaires incontrôlées, ne ménage pas ses efforts pour structurer les comportements. Elle définit des

▲ *Le style business touche toutes les tribus.*

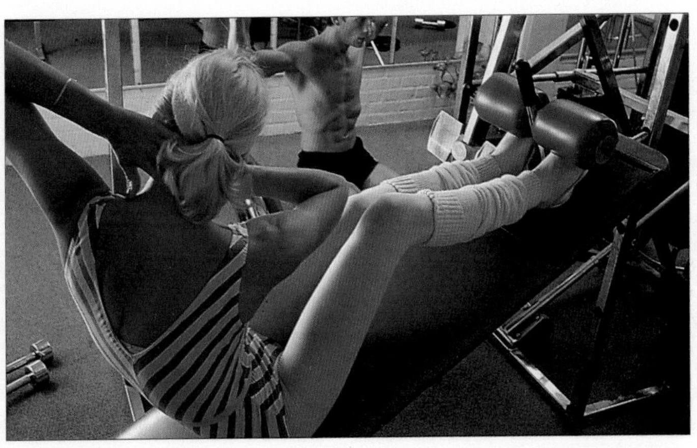

◀ *Mens sana in corpore sano est décliné tout au long du siècle.*

cadres disciplinaires rigoureux, des institutions de surveillance. Ce sont le collège, l'hôpital, la prison, où l'on enferme tout ce qui menace l'ordre public, qu'il s'agisse des délinquants, des malades... ou même des enfants qui troublent les adultes par leurs rires et leurs jeux. La structuration des villes, les avenues larges, éclairées la nuit, l'alignement des bâtiments, facilitent la tâche des forces de l'ordre. L'enseignement laïc, gratuit et obligatoire, inspiré des techniques des jésuites, structure le mental, canalise les passions, intériorise les contraintes de l'ordre bourgeois.

Les réactions varient selon les individus. Certains, bien adaptés aux fortes cohésions sociales, réagissent favorablement à la prise en charge par les mécanismes de régulation externe. Ils forment la population efférente : celle qui agit, construit, fabrique et consomme. Les individus qui la composent tendent à se fondre dans des groupements anonymes, en perdant leur faculté d'être liés par une connaissance personnelle. C'est ce qu'indiquent des indices comme la monotonie de l'habillement (généralisation du blue jean), l'emploi des déodorants, la convergence des modes et des styles comportementaux.

D'autres sont plus sensibles à la déstabilisation, causée par le passage de la régulation interne à la régulation externe, et réagissent par des refus, par une régression de sauvegarde vers un système plus primitif, mais plus rassurant. Ils forment la population dite afférente, à tendance passéiste, conservatrice, voire intégriste. Par sa sensibilité aux diverses pressions exercées sur elle, cette population peut jouer un rôle non négligeable : celui d'indicateur des déséquilibres introduits par la société efférente.

Le mouvement d'hominisation atteint aujourd'hui ses limites. La techno-nature est en train de finir de s'étendre à la planète entière et à ses environs immédiats. Les dernières grandes forêts naturelles sont remplacées par des espaces agricoles ou bien gérées et mises sous contrôle. D'ici à 2100, il ne restera plus que l'espace marin, et l'espace tout court, comme lieux possibles de chasse et de cueillette. L'aquaculture, le contrôle des pêches et la surveillance par satellite finiront d'ailleurs par les domestiquer à leur tour.

La domestication de l'homme par l'homme, ou son auto-domestication par des structures sociales et des institutions, ne peut pas non plus aller beaucoup plus loin. Hôpital, prison, école sont presque

▲ *Retrouver une identité passée ou des racines qui s'étiolent.*

▲ *Les réactions au stress de la vie dans les pays industrialisés surprennent plus d'un ethnologue.*

partout présents, largement inefficaces et souvent dangereux, ossifiés dans leurs structures passéistes. Ils font subir d'énormes prélèvements fiscaux au corps social.

Le processus suivi depuis la naissance de la techno-nature en arrive donc à un point où une nouvelle inversion, un nouveau renversement de situation, devient nécessaire pour l'homme. La cause profonde de cette inversion est la transformation objective des conditions de survie de l'espèce humaine. Les pénuries diminuent mais les limites de la planète sont atteintes, et le système de communication devient universel. L'humain est chargé de responsabilités nouvelles, qu'il n'avait jusqu'alors jamais assumées, et cela dans tous les domaines. Les manipulations génétiques lui confèrent les pouvoirs d'un démiurge. Partout, il est renvoyé à lui-même, à sa faculté de se contrôler, à la nature profonde de ses motivations. Maintenant, il va donc lui falloir, une nouvelle fois, s'adapter.

■ ***La situation actuelle ne saurait s'éterniser. Nous ne sommes que très imparfaitement adaptés à la techno-nature désormais omniprésente, et moins encore aux responsabilités qui deviennent celles de l'humanité actuelle.***

Tout indique en effet que la situation actuelle ne saurait s'éterniser. Nous ne sommes que très imparfaitement adaptés à la techno-nature désormais omniprésente, et moins encore aux responsabilités qui deviennent celles de l'humanité. Nous ne pouvons pas nous contenter de stimuli spécialisés, comme ces aigles qui, selon Morris, "*peuvent rester quarante ans dans une petite cage vide sans même se mordre les serres, à condition de pouvoir les enfoncer chaque jour dans la chair d'un lapin fraîchement tué*". Comme les chiens, les loups, les ratons-laveurs, les écureuils et les primates, nous sommes par nature intensément explorateurs, nous avons un besoin inné de variété dans les stimulations. Un univers limité, même s'il est confortable et sécurisant, nous fait sombrer dans l'ennui, la névrose... ou nous oblige à des rebondissements créateurs.

■ ***Cette sympathie qu'inspirent les tribus amazoniennes vient de ce qu'elles défendent non seulement leur survie, mais aussi une conscience globale du monde et un respect de la nature que nous avons perdus.***

Les signes de ce besoin de variété se multiplient aujourd'hui, en même temps que les ressources de base (alimentation, logement) deviennent progressivement disponibles en abondance, et que la technique produit à satiété des sons et des images. La difficulté n'est plus d'aller chercher les ressources, mais de se protéger des sollicitations, de préserver son être vivant profond contre le bruit et les agressions.

La saturation est devenue telle que la richesse ne se démontre plus par l'accumulation, mais au contraire par le dépouillement. Propreté, dignité, sobriété, conscience, cohérence sont à l'honneur. Pour l'homme futur, il y a plus d'art dans un ménage bien fait, qui manifeste l'ordre intérieur et la responsabilité, que dans une tonne d'acier supplémentaire, destinée à finir en ferraille si ce n'est en pollution.

Un renversement motivé/motivant est visible actuellement. Un tel phénomène est parfois observé quand un désir est trop facilement satisfait, autrement dit quand un déclencheur permet l'acte consommatoire trop rapidement, avant qu'un comportement d'appétence normal ait eu la possibilité de se développer ; par exemple, une nourriture trop hachée ne fait pas suffisamment mastiquer, et le sujet aura tendance à trop manger pour mastiquer suffisamment. D'une façon assez semblable, la sexualité n'est plus que rarement motivée par le besoin de reproduction : l'érotisme se nourrit de son propre mouvement.

Les dangers de l'excès ne sont pas moindres que ceux de la pénurie. Auparavant, lorsqu'on parlait des pauvres, c'était pour évoquer ceux qui avaient faim, faute de ressources matérielles. Désormais, il va falloir aussi penser à la pauvreté des âmes perdues, errantes, "zombifiées" par les conditionnements et les influences. Certaines se retrouvent dans les asiles ou la déchéance. D'autres vivent et travaillent apparemment comme tout le monde, mais la mort dans l'âme.

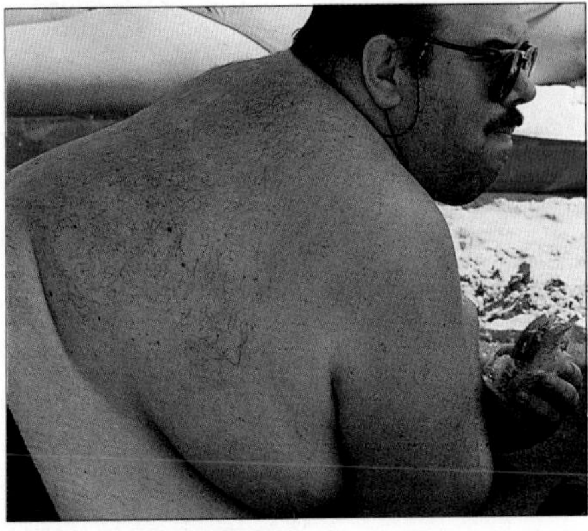

▲ *Les dangers de l'excès...*

Un autre signe du fait que nous sommes arrivés à une phase critique est la prise de conscience de ce que notre destin est lié à celui de l'écosystème planétaire. La sympathie qu'inspirent les tribus amazoniennes vient de ce qu'elles défendent non seulement leur survie, mais aussi une conscience globale du monde et un respect de la nature que nous avons perdus. Ces tribus, du seul fait qu'elles vivent en équilibre avec leur milieu, sont dépositaires d'une vision d'ensemble et auto-régulées. Nous qui approchons des limites, cette fois au niveau de la planète et de ses environs, cherchons confusément à nous refaire une conscience et à retrouver des raisons de nous discipliner.

Mais le vieux fonds n'apporte qu'une aide bien partielle. Ce n'est pas en nous réfugiant dans un passé tribal ou dans des conceptions périmées de la religion que nous pourrons répondre aux défis de la science et de la technique modernes.

Dans l'attente de cette inversion qui apparaît chaque jour plus nécessaire, la raison humaine ne suffit plus pour maîtriser complètement les comportements. L'individu, déstabilisé, se replie sur de petits groupes restreints et lâche la bride aux excitations endogènes. Autrement dit, il régresse.

Par ailleurs, ne pouvant exercer adéquatement ses fonctions sociales, il compense ces manques par un recours excessif aux fonctions de sécurité. C'est là le symptôme d'un malaise profond : une bonne adaptation devrait au contraire se traduire par un recours important aux fonctions de repos, de subsistance, de curiosité.

La société afférente, bien qu'elle conteste a priori la situation actuelle, participe cependant à la mise en place des systèmes de régulation, car les comportements d'aujourd'hui ne sont que des adaptations du passé. La part de l'apprentissage, donc du culturel, est devenue prépondérante chez l'homme social. L'éthologie montre que les apprentissages fortement enracinés acquièrent une série de propriétés identiques à celles des comportements innés : ils deviennent résistants à toute modification. Ils ne peuvent plus être oubliés, et les nouveaux apprentissages s'y superposent sans les effacer. Ils donnent lieu à des comportements d'appétence lorsqu'ils sont inhibés pendant une longue période (exemple des folklores). Leur fonctionnement est gratifiant car il provoque un phénomène de "*jouissance fonctionnelle*". Cette innéisation du culturel joue, et jouera probablement, un rôle important en permettant à la raison de corriger les "*fautes de l'instinct*" introduites par notre auto-domestication.

▲ *Les folklores et le sens de la fête ressurgissent.*

Mais, en dépit des résistances au mouvement qui peuvent se manifester ici ou là, l'arrivée de l'espèce humaine jusqu'aux confins de la techno-nature semble inéluctable. Peut-on être sûr pour autant que l'ensemble de la population mondiale suivra le mouvement ? Il n'est pas exclu qu'une fraction non négligeable refuse de s'y associer. Cela provoquerait une scission de l'humanité en deux rameaux, l'un évoluant vers une société intégrée, l'autre demeurant stable à un niveau plus archaïque. Une autre possibilité serait que la connaissance soit suffisante pour guider le monde vers une voie unitaire, préservant la liberté de chacun dans une interdépendance universelle. Mais, comme le disait Konrad Lorenz, "*les structures du système existant doivent être rompues pour qu'un autre système d'un degré supérieur d'intégration et d'harmonie soit créé*".

Puisque la réalisation par la techno-nature atteint aujourd'hui ses bornes, nous allons vers une nouvelle inversion. L'éthologie, qui nous en a montré la possibilité, peut aussi permettre d'envisager son orientation. Certes, les nouveaux types d'individus, d'états, d'entreprises, d'organisations, ne peuvent totalement s'imaginer à l'avance. Nous sommes comme les aveugles de la fable, qui découvent un éléphant. L'un touche la trompe et dit "*c'est un tuyau*". L'autre la patte et dit "*c'est une colonne*". Un troisième bute sur le flanc et dit "*c'est un mur*". Chacun croit connaître l'éléphant, mais n'en perçoit qu'un aspect.

■ ***Il n'est pas exclu qu'une fraction non négligeable de la population mondiale refuse de s'associer au mouvement "général" et préfère demeurer à un niveau archaïque.***

■ ***Certes, les nouveaux types d'individus, d'états, d'entreprises, d'organisations, ne peuvent totalement s'imaginer à l'avance.***

■ ***Les signes avant-coureurs de la prochaine inversion sont sans doute à rechercher en direction de l'entreprise. Elle ne dépend ni d'une communauté génétique, ni d'un territoire géographique.***

Ainsi sommes-nous face aux réalités majeures du futur. Car les inversions du comportement nous touchent trop profondément pour que nous puissions les voir : c'est un changement d'espace de référence et il faudra un certain temps d'accoutumance pour que les nouveaux repères-apparaissent.

▲ *Dites-moi, votre avenir est-il fidèle à notre passé ?*

Il est cependant déjà possible d'écarter de la réflexion certaines hypothèses qui entendaient hier encore monopoliser l'attention. Marx avait fait naître de grands espoirs, en proposant dans un premier temps une montée en force de l'Etat (la dictature du prolétariat), suivie d'une inversion radicale, apportant d'un même mouvement la fin de l'histoire et la fin de l'Etat lui-même. Mais cette vision s'est avérée trop imprécise et caricaturale. On peut imaginer, à la rigueur, des moutons enragés devenus loups ou des loups repus, amollis jusqu'à devenir moutons. Mais on ne voit pas, sauf les jours de fête, les uns et les autres fusionner par l'action bienfaisante d'un parti unique. C'est finalement l'Etat et le parti unique qui ont écrasé les autres structures. Le rêve s'est fait goulag avant de s'effondrer.

DÉCLIN DE L'ÉTAT-NATION

Les Etats-nations, comme le capitalisme primaire, sont sur le point de décliner au profit de nouvelles structures. Car les uns comme les autres sont fondés sur des formes trop frustes d'organisation et de finalités. L'Etat-nation se fonde sur une appropriation de l'espace et sur la logique tribale. Or les formes d'organisation où l'homme se perd dans des particularismes, où il ne peut exercer son rôle mondialiste et créateur, sont, de par le monde, de plus en plus considérées comme étouffantes et inacceptables.

Le culte de l'avion-cargo comporte des offrandes de nourriture. ▼

D'autre part, toute logique tribale d'espace vital ressemble nécessairement à celle des nazis, et mène inévitablement à des tentatives d'exclusion ou de génocide. Quant au capitalisme, il n'est efficace que dans les pays qui savent ou essayent de le réguler au moyen de diverses législations appropriées.

Les signes avant-coureurs de la prochaine inversion sont sans doute à rechercher en direction de l'entreprise. Celle-ci, en effet, est moins "matérielle" que l'Etat-nation. Elle ne dépend ni d'une communauté génétique, ni d'un territoire géographique. Avec elle, la communauté ne se constitue pas, comme dans les vieux schémas, dans un rapport de force ou de destin, mais par un contrat.

◀ *Les objets et les signes du futur, bons ou mauvais, dépassent les frontières des Etats-nations.*

L'entreprise poursuit aujourd'hui son évolution. C'est dans sa logique même qu'elle va trouver les racines d'une nouvelle inversion, nécessitée par un passage de l'économie des produits à l'économie des services, de la production de masse aux prestations qualitatives.
L'entreprise de demain est au-delà des "biens" comme des "maux". Dans le monde des médias, de l'informatique, de l'information et de la communication, ce qui compte (au sens le plus comptable du terme), ce sont les bonnes idées, les bons rêves. Le commerce est par essence séduction, puisque le client n'est pas obligé d'acheter. Cela est a fortiori vrai lorsqu'il s'agit de commercialiser des services, souvent substituables les uns aux autres.

Qui crée dans sa vie meurt en souriant. Proverbe polonais.

Aujourd'hui, l'entreprise doit aussi séduire son personnel. Non par sentimentalisme ou, comme par le passé, pour éviter des mouvements sociaux, mais pour obtenir l'adhésion et la mobilisation des meilleurs. Car, plus le travail est intellectualisé et créatif, plus la motivation doit être profonde. Les firmes les plus performantes ont compris cet aspect profondément démocratique de l'accomplissement post-industriel. Pour favoriser l'innovation, elles organisent un début de séparation des pouvoirs à l'intérieur d'elles-mêmes.
Cette inversion remet en cause les visions caricaturales du monde des affaires, fondées sur la logique des produits. Certes, Adam Smith, fondateur du libéralisme, recommandait le chacun pour soi : "*N'attendez pas que votre boucher vous délivre votre viande par altruisme*", disait-il. On en a déduit abusivement qu'il prêchait un système d'exclusion et de mépris. Mais, dans un texte peu connu, la Théorie des sentiments moraux, il décrit non plus un homme isolé, condamné à ne s'occuper que de la satisfaction de ses appétits, mais un individu qui cherche à être aimé, apprécié. C'est de cet homme-là qu'a besoin l'entreprise de demain. Pour le garder, elle jouera pleinement

Les simulacres de la communication interpersonnelle progressent. ▼

le jeu de rapports radicalement nouveaux. Déjà elle commence à se doter d'autres types de structures, cherchant ses modèles non plus dans les machines, mais au cœur de l'homme lui-même. L'hominisation se poursuit là aussi, mais sur un autre plan.

■ ***Dans le monde des médias, de l'informatique, de l'information et de la communication, ce qui compte (au sens le plus comptable du terme), ce sont les bonnes idées, les bons rêves.***

LA PLANÈTE NEURO-MIMÉTIQUE

C'est en s'inspirant des structures cérébrales que les entreprises de demain vont trouver leur vrai rôle. En 2100, il y aura douze milliards d'êtres humains, presque autant que de neurones dans le cerveau d'un individu. Entre ces individus, les connexions vont se construire, au moyen du réseau télématique, selon un processus d'apprentissage qui rappelle la structuration du système neuronal. On apprend à faire en faisant, et la circulation d'information prend forme par essais et erreurs, s'établissant progressivement comme mode finalisé de représentation du réel.

■ ***En 2100, la planète abrite douze milliards d'êtres humains, presque autant que de neurones dans le cerveau d'un individu. Entre ces individus, les connexions se construisent, selon un processus d'apprentissage qui rappelle la structuration du système neuronal.***

▲ *Le go permet de jouer à la découverte des nouvelles stratégies d'entreprise.*

C'est ce que pratiquent déjà certaines compagnies japonaises ou américaines. Les liaisons qu'elles établissent entre leurs différentes succursales et leurs sous-traitants dans le monde ressemblent dans leur forme comme dans leur fonctionnement (un éveil permanent), à un début de système neuronal. C'est le cas de Honda pour les approvisionnements en pièces mécaniques, de Mitsui Shosha pour la gestion de ses commandes commerciales.

Entre l'individu et l'espèce humaine tout entière sont en train d'apparaître des êtres intermédiaires conscients, collectifs, neuro-mimétiques. Ce sont les entreprises du nouvel âge. Quel espoir, quel défi pour les hommes de faire vivre ces êtres-là ! Mais aussi quels dangers de se laisser habiter par eux et d'y perdre sa liberté.

D'autres formes sociales voient d'ailleurs le jour. Ni Etats (on les qualifie d'ONG, organisations non-gouvernementales), ni entreprises (elles sont sans but lucratif), elles répondent à une demande essentielle de l'homme d'aujourd'hui et de demain : se mesurer à l'aune des enjeux de l'espèce entière. En témoigne le succès d'organisations nouvelles comme Greenpeace, Amnesty International, Médecins sans frontières...

Certes, il ne faut pas s'attendre à la dissolution des organisations particularistes, ni au déclin de la division du travail, qui seraient contradictoires avec l'extraordinaire diversité de la technique moderne. Mais, du fait que les individus ont besoin d'exister globalement, ils pratiquent la multi-appartenance. Chacun cherche sa dignité d'homo sapiens en s'impliquant dans plusieurs tribus, sans dépendre d'aucune, en se reconnaissant dans chacune.

L'énergie que l'homme investit dans chaque implication particulière varie selon ce qu'elle lui paraît apporter à l'intérêt général. A ce niveau, la préservation de lq biosphère et l'accomplissement de l'homme sont une seule et même chose.

La volonté d'appropriation était née de la première phase, matérielle,

▲ Durée et sophistication de l'éducation caractérisent l'espèce humaine.

▲ Les prothèses envahissent l'univers de l'homme et de la femme.

de la techno-nature. Avec l'approche des limites, l'appropriation perd son sens comme sa légitimité. L'espoir n'est donc pas déraisonnable : la régulation ne reposera plus sur la famine, la guerre et la peste, mais sur la volonté des peuples.

Depuis dix mille ans, l'homo "*sapiens*" a surtout été un homo "*faber*", un fabricant d'outils, d'objets et de techno-nature. L'hominisation entre dans sa troisième phase : après le rêve, puis l'extériorisation des rêves, les fonctionnements du monde sont intériorisés, par un nouvel élargissement du champ de conscience.

L'inversion est comme le retournement d'un gant. Le monde est encore vécu comme contrainte externe, et Dieu comme extérieur à l'homme. Après l'inversion, le monde sera vécu comme déploiement de l'inspiration. Conformément au schéma éthologique de Lorenz-Craig qui procède du dedans vers le dehors. L'appropriation cède la place à une recherche de la vérité du vivant. L'essentiel n'est plus de posséder des objets, mais de jouer son rôle, d'épanouir sa personnalité.

Pour aller plus loin, pour assurer la survie de notre espèce comme pour accomplir vraiment le processus d'hominisation, notre raison d'être, il nous faut devenir maîtres et possesseurs de nous-mêmes. Est-ce possible, après des millénaires de guerres et d'imprudences écologiques ? Cela suppose une mutation fondamentale, en nous-mêmes comme dans nos machines et nos institutions. Est-ce un rêve ? En tous cas, il ne semble pas déraisonnable, il semble même nécessaire.

"Le monde entier est une scène de théâtre et tous les hommes et les femmes de simples acteurs." ▼

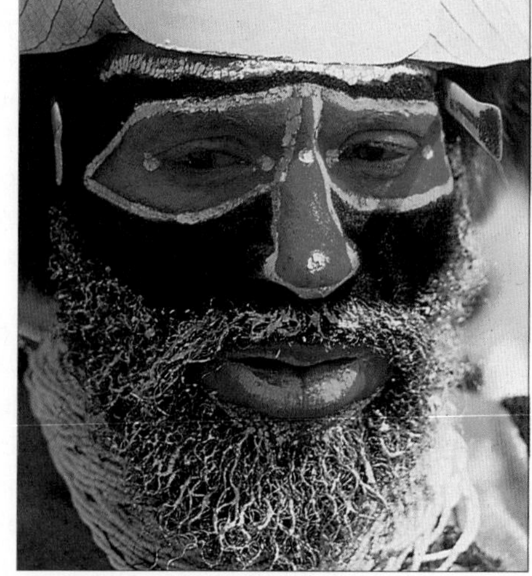

Au lieu d'aller chercher ses clefs au dehors, sous le réverbère parce que c'est éclairé, il va bien falloir se résoudre à aller les chercher au dedans où il fait noir[1]. L'inversion consiste en cela : le regard se tourne vers l'intérieur. Les valeurs féminines (l'intériorité) reprennent de l'importance et, par suite, les valeurs masculines (l'extériorisation) cèdent du terrain.

[1] Idriès Shah, *Contes derviches*, Courrier du livre, Paris, 1983.

■ Depuis dix mille ans, l'homo "sapiens" a surtout été un homo "faber", un fabricant d'outils, d'objets et de techno-nature. L'hominisation entre dans sa troisième phase : après le rêve, puis l'extériorisation des rêves, les fonctionnements du monde sont intériorisés, par un nouvel élargissement du champ de conscience de l'homme.

■ Les travaux répétitifs et déqualifiés sont repris en charge par des robots, des ordinateurs et des automatismes. Il reste à l'homme les métiers relationnels, la maintenance et la création.

Une fois acquise, cette inversion se décline dans de multiples directions :

• Le rapport d'exploitation de l'homme par l'homme s'inverse en rapport de séduction. Le travail se meuble de jeux et se mue en chemin de perfectionnement. Les travaux répétitifs et déqualifiés sont repris en charge par des robots, des ordinateurs et des automatismes. Il reste à l'homme les métiers relationnels, la maintenance et la création.

• Le rapport à l'habitation se détache de l'appropriation d'un lieu particulier pour s'attacher à un décor personnel, dont la représentation est aisément transportable et modulable selon les humeurs de chacun. Le rapport à l'environnement passe du mépris au respect : après avoir été considéré comme une poubelle, il devient jardin aimé et respecté, car l'extérieur doit être le reflet de l'ordre intérieur.

• Le rapport à la nourriture fait passer la diététique avant la "grande bouffe". Contre l'avachissement de la chair, le développement personnel s'appuie sur une palette variée de disciplines physiques, individuelles comme le yoga, ou collectives.

• Le rapport à la santé, actuellement organisé autour de la maladie, donc passif, devient actif par l'automédication et la prévention. L'individu cultive l'art d'accepter et de se préparer à tous événements importants de la vie, y compris la mort.

• Le rapport d'enseignement, autrefois focalisé sur l'accumulation des connaissances, s'inverse : il devient une exploration des talents. La démarche vers l'extérieur se complète par une démarche d'intériorité. L'apprentissage des formalités de l'effendia décline, elle cède la place à la recherche des savoirs pratiques. Le savoir-faire devient plus valorisé que le savoir.

• Le rapport à l'information cesse d'encourager la passivité, devant la télévision comme devant le supérieur hiérarchique ou l'expert ; ce qui est valorisé, c'est le comportement actif, inspiré, vivant. La richesse la plus appréciée devient l'expression de la profondeur humaine, la conscience élargie.

Au-delà du bien et du mal des morales traditionnelles, la valeur fondamentale du troisième millénaire, c'est le rêve créateur. ■

h a

La technique n'est plus une question subalterne. Il est encore d'usage, dans la vie courante comme dans les grandes négociations internationales, de dire "il reste encore quelques problèmes techniques à régler". Sous-entendu : l'essentiel est décidé, l'intendance suivra. Malheureusement, à l'échelle planétaire, l'intendance ne suit pas ; elle suit même d'autant moins que l'effendia la néglige.

La technique, pouvoir du rêve

pitre 

L'effendia évite, dans la mesure du possible, le jugement des faits. Elle fait une moue dédaigneuse quand on parle de technique, car celle-ci recèle une épreuve redoutée : ça marche ou ça ne marche pas. Et, quand ça ne marche pas, ça se voit. L'échec, l'incompétence sont rendus visibles. Toujours habile à brouiller les cartes pour conserver ses positions, l'effendia répugne par-dessus tout à d'aussi grossières confrontations. Néanmoins, le monde pourrait nourrir les cinq milliards d'humains qui l'habitent et même les douze qui l'habiteront en 2100 si les ressources de la technique étaient mobilisées à cet effet, c'est-à-dire si la culture technique des peuples pauvres était suffisante : *"Donne un poisson à un homme, il mangera un jour ; apprends-lui à pêcher, il mangera toute sa vie."* Bien plus, si le partage du savoir-faire technique était effectif, la fécondité des peuples pauvres s'abaisserait spontanément et l'équilibre entre les ressources et la population se ferait naturellement, par l'effet de la volonté des femmes.

Un Baleinobus.

▲ *Fallait-il être rêveur pour imaginer un tel univers !*

Utile, la technique est donc bien plus qu'un outil : désormais, les humains ne peuvent plus survivre sans la maîtriser. Manifestation des multiples façons par lesquelles l'homme se relie à lui-même et au monde, c'est un dévoilement de l'être. Elle évolue depuis l'aube de l'humanité, mais pas n'importe comment. A chaque époque, ses développements correspondent à des usages sociaux précis. Dès le début de la techno-nature, il y a dix mille ans, le feu sert à cuire les aliments, mais aussi à incendier les forêts, pour cultiver sur brûlis, au risque de désertifier.

L'horloge du Su Song faisait l'admiration des lettrés au dixième siècle. ▶

Des inventions comme l'imprimerie ou l'ordinateur font faire des bonds aux sociétés humaines, alors que d'autres leur procurent seulement des améliorations progressives. Ces évolutions ne constituent pas un processus continu. Elles se font par paliers, comme tous les phénomènes vivants, et installent, pour un temps plus ou moins long, des systèmes où les différents éléments se complètent mutuellement, en vue d'un état stable. Le changement est donc rare. Les défenses immunitaires des civilisations contre l'innovation sont efficaces : certaines ont su geler pour plusieurs siècles les techniques courantes

■ ***Toujours habile à brouiller les cartes pour conserver ses positions, l'effendia néglige les problèmes techniques.***

■ ***Prolongement du mental humain, extériorisant les transformations du corps, la technique concrétise les rêves : il est inutile de proposer une technique nouvelle à une société qu'elle ne séduirait pas.***

■ ***Vélo, automobile et avion sont nés de loisirs sportifs de privilégiés : le futile précède l'utile, le jeu précède l'outil.***

Marchandise qui plait est à moitié vendue. Proverbe français.

concernant la vie quotidienne. La machine à vapeur était connue, en tant que curiosité, des mécaniciens d'Alexandrie : la montrer pour étonner, certes, mais pourquoi l'utiliser ? La Chine, dès l'an mil, avait inventé la poudre à canon, la pâte à papier et découvert le principe de l'imprimerie à caractères mobiles (cinq siècles avant Gutenberg), ainsi que la mesure mécanique du temps (l'horloge de Su Song). Mais ces inventions, connues de l'empereur et de son entourage, n'ont pas atteint la société civile. Le système chinois n'a pas été déstabilisé par ses inventions, comme le sera l'Europe du douzième siècle. En Afrique contemporaine, des peuplades utilisent la roue et la propulsion par air comprimé pour les jeux d'enfant, et se refusent à l'insérer dans les activités adultes.

▲ *Inventé au début du dix-neuvième siècle, le vélo est resté un article de sport jusqu'au développement du pneumatique vers 1890.*

Certains y trouveront de la sagesse, d'autres jugeront cela dérisoire. Suspendons plutôt notre jugement, il faut d'abord comprendre. Prolongement du mental humain, extériorisant les transformations du corps, la technique concrétise les rêves : il est inutile de proposer une technique nouvelle à une société qu'elle ne séduirait pas.

LE FUTILE PRÉCÈDE L'UTILE

La clef de la technologie n'est donc pas dans la grise platitude du couple nécessité-utilité, mais dans le désir. Elle n'est pas dehors, mais bien dans l'homme ; la psychanalyse ouvre au moins autant de portes que la physique. Vélo, automobile et avion sont nés de loisirs sportifs de privilégiés[1] : le futile précède l'utile, le jeu précède l'outil.

Pour l'homme, le rêve est un fabuleux accélérateur. L'environnement, dans lequel animaux et plantes vivent, exerce sur eux des contraintes auxquelles ils ne peuvent échapper. Parmi les multiples mutations génétiques, seules subsistent celles qui leur permettent une meilleure adaptation au milieu. La loi de la sélection naturelle s'exerce à travers de nombreuses générations, bien au-delà de l'être animal ou végétal. L'homme est, ou plutôt était, aussi soumis à cette loi. Outre le fait qu'il est en train d'acquérir le savoir nécessaire pour modifier le patrimoine génétique de tous les êtres vivants, le sien compris, il échappe aussi à cette loi en domestiquant la nature. Ce ne sont plus des transformations génétiques, au rythme lent, qui le font s'adapter à son environnement. Ce sont les rêves. L'homme a longtemps rêvé d'avoir moins froid, de manger mieux et, souvent aussi, de voler et d'aller sous la mer. Il a fabriqué, à l'extérieur de son corps, les organes qui lui manquaient. Ces inventions se font dans une échelle de temps incomparablement plus

[1] Observation due à l'historien François Caron.

courte que celle de l'évolution génétique. L'homme a le pouvoir de s'adapter, de son vivant, à une partie des contraintes de son environnement. Mais il peut aussi le modifier pour le forcer à s'adapter à ses

■ ***La technologie et son aboutissement, la techno-nature, résultent de cent mille ans de rêves.***

■ ***Le progrès scientifique ou technique est presque toujours lié à la recherche d'une meilleure compréhension du monde. Cette recherche passe par la mise en évidence de structures unifiantes profondes, parce que des détails trop disparates cachent la forêt des similitudes essentielles.***

Le Facteur Rural.

contraintes. Il exporte alors son ordre intérieur et marque la nature de son sceau. Il a rêvé, puis inventé l'agriculture, la piscine, l'air conditionné, les nouvelles espèces animales. Il s'apprête à fabriquer des planètes artificielles, dans lesquelles tout l'environnement sera issu de son esprit. La technologie et son aboutissement, la techno-nature, résultent de cent mille ans de rêves.

RÉALISME DES RÊVES

L'esprit qui rêve s'évade dans des espaces où la réalité ne suit pas les lois du conformisme de l'éveil. Il peut alors transformer le monde, en construire une nouvelle représentation. Après le sommeil, cette représentation persiste et s'impose comme une nouvelle réalité. De tous temps, le rêve a été utilisé par l'homme pour comprendre le monde. La consommation de drogues hallucinogènes, qui provoque des états de conscience modifiés et analogues au rêve, est l'une des plus anciennes voies de la connaissance. Elle se pratiquait sous le contrôle étroit des maîtres chamans et n'avait rien à voir avec les excès destructeurs des temps modernes.

Le rêve est réorganisation libre et féconde par le biais d'une violence constructive car destructrice - pour un temps - des interdits que la réalité nous impose.

Comme l'enfant trouve dans le jeu (où il devient successivement docteur, aviateur ou instituteur), la force nécessaire pour préparer son passage à l'âge adulte, le créateur ne peut concevoir qu'après un détour par l'imaginaire. Nous disons bien : concevoir, et non aménager. Le remplacement de la vénérable chambre de Wilson de 1897 par la

Avec le premier envol de l'homme (21 novembre 1783), un million d'années de rêve se réalisent. ▼

mourir.
çais.

chambre à bulles de Glaser en 1952 a été certes un progrès important, mais revient simplement à remplacer la nature du fluide où a lieu la détente : passer d'un gaz à un liquide a été une amélioration plus que sensible, mais non une révolution. Substituer le modèle de Copernic (la Terre, planète parmi d'autres, tourne autour du Soleil) à celui de Ptolémée (la Terre est le centre de l'univers) est d'une toute autre portée... Avec la révolution copernicienne, tous les schémas jusqu'alors centrés sur eux-mêmes s'effondrent : l'ethnocentrisme comme l'égocentrisme.

Dans un très grand nombre de cas, le rêve explicite ou caché du créateur passe par un impérieux désir d'unification, de suppression de barrières en apparence solides. Le progrès scientifique ou technique est presque toujours lié à la recherche d'une meilleure compréhension du monde. Cette recherche passe par la mise en évidence de structures unifiantes profondes, contre la diversité apparente, aliénante parce que des détails trop disparates cachent la forêt des similitudes essentielles.

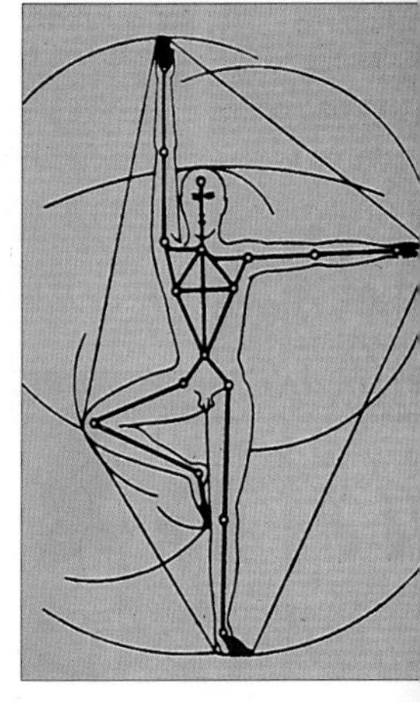

▲ *Au vingtième siècle, le progrès technique commence à prendre la mesure de l'homme.*

Passer du visible brouillé à l'invisible structuré nécessite de voir avec d'autres lunettes. Plus précisément, il faut être capable de réinterpréter le fonds commun - les outils de son époque - par une relecture plus aiguë qui, seule, permet de voir. Ainsi, lorsque Leibniz découvre le triangle infinitésimal par-dessus l'épaule de Pascal, il met en évidence la simplicité cachée de l'unité sous-jacente. Vaste programme, plus facile à décrire qu'à mettre en œuvre...

Comme l'auteur de science-fiction, l'homme qui écrit la technique de demain ne sait pas bien comment penser d'une nouvelle façon. Son arme principale consiste à tenir compte de tous les paramètres de l'existant, sauf un, qu'il choisit et essaie d'écarter à sa guise. De cette barrière enfoncée (comment ? Il ne le sait pas encore), il peut alors entrevoir un autre possible, qui, à son tour, générera peut-être davantage de liberté en brisant d'autres interdits.

DISTINGUER POUR UNIR

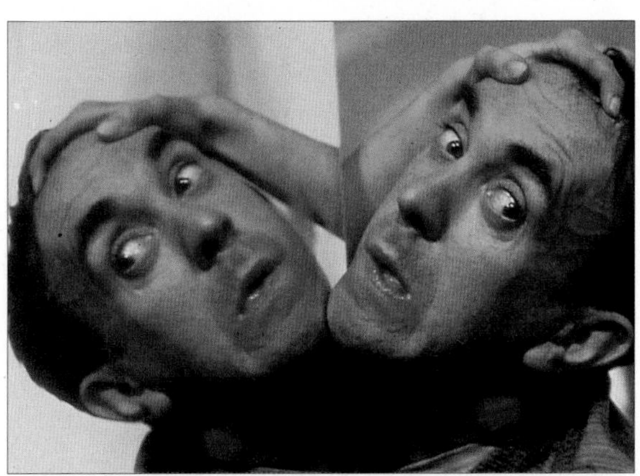

▲ *Distinguer pour unir, prendre en main le reflet autant que la réalité...*

Une autre méthode consiste à réunir des éléments de provenances distinctes. Dans cette mise en commun, possible entre les mains d'hommes réellement novateurs, l'un au moins des savoirs ainsi réunis voit singulièrement modifiées ses conditions usuelles de mise en œuvre. C'est ce contournement (parfois véritable retournement, ou même détournement) qui permet un bond en avant significatif, et un acte de réelle création. Le rôle du rêve est clairement de permettre, par une synergie a priori incongrue - donc seulement pensable dans un imaginaire libre -, le franchissement d'un seuil décisif.

Le meilleur exemple d'une telle fécondation originale date de 1637. Dans sa *Géométrie* (essai complémentaire au *Discours de la Méthode*), Descartes a bouleversé la science en réunissant algèbre et géométrie sous une même bannière. Bravant un interdit séculaire, il a ainsi ouvert à la mathématique un espace libre encore inconnu, et décuplé sa puissance. Depuis, les retombées de cette innovation profonde ont illuminé toutes les sciences.

▲ *La fée électricité devait apporter un enseignement plus efficace.*

■ *Descartes a bouleversé la science en réunissant algèbre et géométrie sous une même bannière. Bravant un interdit séculaire, il a ainsi ouvert à la mathématique un espace libre encore inconnu.*

■ *Savoir accepter l'imaginaire est la marque d'un créateur, dans tous les temps et tous les domaines de la pensée ou de l'action.*

La mathématique passe, auprès de ceux qui la subissent, pour une discipline trop rigoureuse, étouffant l'imagination. A regarder son histoire, il apparaît au contraire que son véritable rôle n'est pas de mettre en coupe réglée le raisonnement, mais de faire apparaître des êtres nouveaux qui semblaient impossibles. Les pythagoriciens dissimulèrent que la racine carrée de deux était un nombre "irrationnel". Ce qui aurait pu être le point de départ de nouvelles recherches est alors resté le secret d'alcôve d'une sorte de secte. Il fallut attendre le dix-neuvième siècle pour que les irrationnels aient le droit d'exister. Leur nom dit à lui seul les résistances qu'ils ont suscitées. Vinrent ensuite les transfinis, les nombres imaginaires, les espaces non euclidiens, les fractales et les catégories, qui font en quelque sorte abstraction de l'existence des objets pour ne s'intéresser qu'à leurs relations. Chaque fois, le dépassement des habitudes de pensée antérieures permet l'éclosion de nouvelles fleurs de l'esprit, qui définissent d'autres lectures de l'ordre du monde.

Dans le cas de Descartes, le mot "rêve" est d'ailleurs sans aucun doute à prendre à la fois dans son sens de désir encore flottant et immatériel, et aussi très exactement au pied de la lettre. L'histoire a retenu - notamment grâce à sa biographie, écrite par Baillet - une certaine nuit[1] pleine de songes inspirés.

Savoir accepter l'imaginaire est la marque d'un créateur, dans tous les temps et tous les domaines de la pensée ou de l'action ; ainsi, le mathématicien contemporain Alain Connes vient tout juste de faire preuve d'une hardiesse rappelant celle de Descartes en osant penser une autre géométrie aux confins de la physique de notre temps. Les exemples abondent, prouvant que la réalisation de

Le 2 des pythagoriciens n'était pas très sûr de ses racines. ▼

[1] *Elle se produisit dans un "poële" (une chambre chauffée en Europe du Nord), lors de quartiers d'hiver pris par le soldat Descartes, à Neuburg (sur la route reliant Ulm à Ratisbonne), le 10 novembre 1619.*

On ne peut être à la fois à la mer et au fleuve.
Proverbe malindé.

quelques rêves fondamentaux de l'humanité a été rendue possible par la réunion, *a priori* incongrue, de domaines séparés :

- l'envol a été rendu possible par l'union de deux mécaniques des fluides, celle de l'eau et celle de l'air, que l'on croyait distinctes ;
- l'ubiquité, aujourd'hui au moins partiellement conquise au moyen du téléphone et de la télévision, s'appuie sur la fusion des pouvoirs de l'électricité et du magnétisme, tous deux connus depuis les Grecs, mais superbement indifférents l'un à l'autre il y a deux siècles encore ;
- la lévitation n'est plus impossible depuis que peuvent se conjuguer les deux univers jumeaux et rivaux que sont l'onde et le corpuscule dans le phénomène de la supraconductivité ;
- nos robots modernes, formes concrètes du Golem du Rabbi Loew, ont pu accéder à la vie grâce à la rencontre d'une électronique de régulation et des progrès marqués de la mécanique miniaturisée ;
- enfin l'apocalypse nucléaire est jaillie de la rencontre foudroyante de la masse et de l'énergie, symbolisée par une équation hélas célèbre depuis un certain 8 août 1945.

▲ *A la fin du siècle des Lumières, le rêve d'envol était dans les assiettes.*

On peut, de même, montrer que l'utilisation à contre-courant d'un outil ancien apparaît, chez les grands noms de la science et de la technologie, comme une clef décisive pour expliquer leur créativité. Ainsi, comment ne pas voir que Newton a connu son plus grand triomphe en sachant relier deux mondes *a priori* contradictoires ou à tout le moins étrangers : le mouvement des astres (qui restent "en l'air") et la chute des corps (qui tombent lourdement).

Même si l'exemple de la pomme n'a été pour lui qu'un moyen de faire sentir la démarche de sa pensée, l'idée incroyablement hardie (sinon complètement stupide aux yeux de tous ses contemporains) de "voir" que la Lune, contre l'évidence apparente, "tombait" elle aussi sur la Terre à la manière de n'importe quel corps banal, lui a permis de concevoir la gravitation universelle. Son rêve - même si nous ne disposons pas ici, comme pour Descartes, de renseignements biographiques précis - ne peut qu'apparaître clairement dans cet adjectif dont fut qualifiée tout de suite, à juste titre, sa découverte : Newton, conscient de son génie, recherchait bien une "universalité", simplificatrice du système du monde, brisant ainsi le tabou de classifications réductrices (monde terrestre-monde céleste), dont personne n'avait encore jamais osé se démarquer.

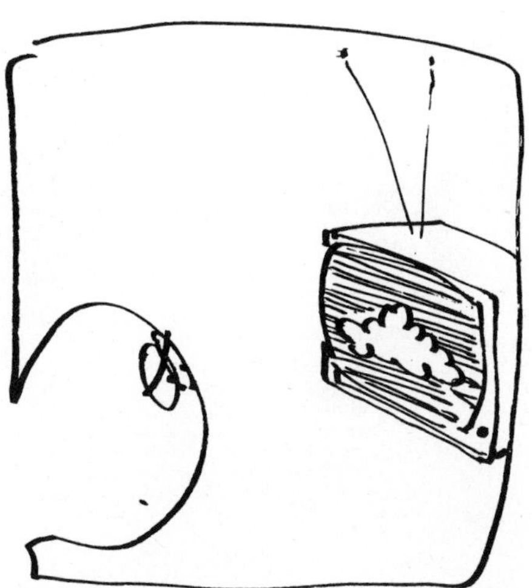

En joueur de cartes professionnel qu'il était, Descartes s'est bien gardé de montrer tous ses atouts. Sa méthode ne dit pas comment rêver. Il ne faut pourtant pas renoncer à tenter de rationaliser. Des

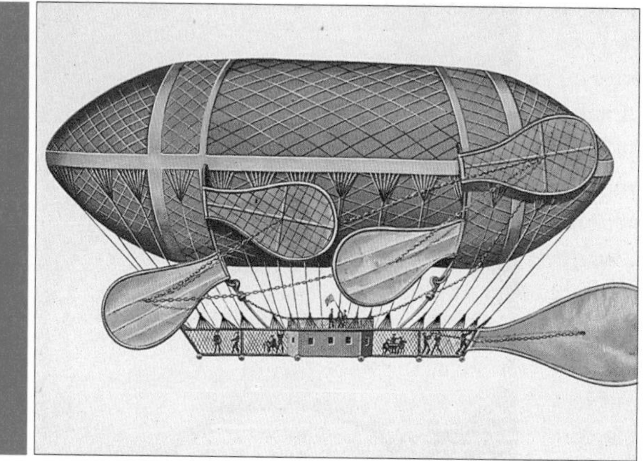

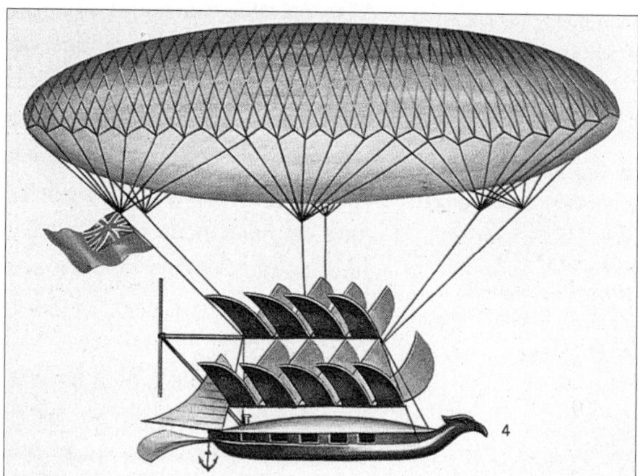

guides permettent de mieux comprendre comment se déroule le processus d'innovation dans notre société moderne.

▲ *Avant que les dirigeables ne fonctionnent réellement, des propositions luxuriantes étaient offertes aux yeux des souscripteurs crédules.*

LE PROCESSUS D'INNOVATION, RATIONALISATION DE L'IRRATIONNEL

Dans le champ des grands rêves de l'humanité, exprimés dans les mythes et les religions, existe une grille de lecture, que nous allons utiliser pour modéliser, si l'on peut dire, le processus d'innovation. Selon Georges Dumézil, le divin, autrement dit le Créateur, se structure dans la plupart des religions indo-européennes en trois fonctions. Pour prendre le cas de l'hindouisme, Vishnou est le protecteur de l'existant, Shiva est le feu dansant, à la fois destructeur et créateur, et Brahma la fonction spirituelle, unificatrice. Si l'image divine est trifonctionnelle, c'est sans doute parce que ce ternaire correspond à une structure fondamentale de l'entendement, que les sciences cognitives devraient confirmer. En suivant ce chemin, toute chose peut être distinguée selon ses trois aspects :

- l'aspect matériel, concret ;
- l'aspect affectif, énergétique ;
- l'aspect conceptuel, structurant.

En termes anciens, ces trois aspects sont respectivement le corps, l'âme et l'esprit des choses. Chacun peut être à son tour décomposé en trois, et ainsi de suite, comme dans une géométrie fractale. Ainsi, l'irrationnel est structuré par une rationalité d'ordre supérieur, ternaire, alors que celle de la science n'est que binaire (sujet-objet). En attendant que les sciences cognitives viennent compléter pour leur part le schéma évoqué.

En tant qu'incarnation de rêves dans la réali-

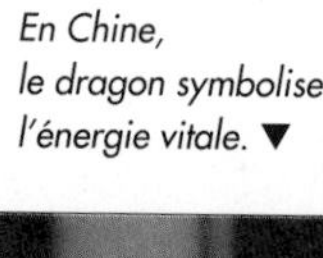

En Chine, le dragon symbolise l'énergie vitale. ▼

■ Toute chose peut être distinguée selon ses trois aspects : l'aspect matériel, concret ; l'aspect affectif, énergétique ; l'aspect conceptuel, structurant.

■ Les trois étapes du processus d'innovation : la conception (le créateur) ; l'organisation (l'entreprise) ; la socialisation (le marché).

té, le processus d'innovation n'est pas un mécanisme obéissant à la logique causale des systèmes fermés qu'étudie la science. Au contraire, dans son essence, l'innovation est une manifestation de la vie, qui relève alors des logiques cycliques téléonomiques[1] propres aux systèmes ouverts déstabilisés.

Le processus de l'innovation se déroule de la même manière dans les sciences, les arts et les techniques. Empruntons aux généticiens le principe d'interaction du texte et du contexte pour modéliser l'innovation. Le code génétique porté par un spermatozoïde est un texte. Il se combine avec le "texte du contexte", c'est-à-dire le code porté par l'ovule. Le mouvement de la vie apparaît alors comme une succession d'interactions texte-contexte dans des milieux emboîtés de plus en plus vastes : la cellule, l'utérus, la famille, la tribu, l'espèce, la biosphère, demain le cosmos avec des planètes creuses propulsées jusque dans les étoiles.

Dans le cas de la vie d'un produit industriel, la formulation d'un germe est un texte : un "brevet" s'il s'agit d'une invention, un "modèle" s'il s'agit de design. Ce germe, un concept, "brevet" ou "modèle", se combine avec le "texte du contexte", autrement dit la culture de l'entreprise qui accepte de le développer. Cette fusion a lieu lors de la rencontre entre le créateur et l'entreprise qui accepte de développer le germe, l'intègre, le fusionne dans sa propre culture, tout comme l'ovule accepte le spermatozoïde. De cette fusion jaillit à ce moment une reformulation, qui est préalable à la gestation du produit lui-même.

Les alchimistes ont fait avancer la compréhension du processus d'innovation. ▼

La période de gestation a souvent trop captivé l'attention des observateurs, au détriment de tout ce qui l'entoure, et l'on oublie parfois que *"le hasard ne favorise que les esprits préparés"* (Pasteur). Avant tout début de réalisation concrète du produit innovant, un lourd travail est nécessaire, constitué de plusieurs phases de préparation du terrain et de maturation de l'idée. Après sa mise sur le marché, le produit industriel parcourt aussi tout un cycle de vie. Schématiquement, il est possible de distinguer trois vies successives, dans trois "contextes" différents. Le premier objet, immatériel, est l'"idée" en cours de conceptualisation chez le "créateur". Le second est l'organisation : un être vivant collectif se structure, organiquement, pour porter le projet. Le troisième, enfin, est le "produit" lui-même qui vit son destin dans le monde extérieur des "usagers" :

- conception : le créateur ;
- organisation : l'entreprise ;
- socialisation : le marché.

Juste avant la Seconde Guerre mondiale, M. Lefèvre dirige le bureau d'études des usines automobiles Citroën. Il a acquis, grâce au succès de la Traction avant, une crédibilité suffisante pour se permettre d'imposer les vues les plus audacieuses, et ce bien qu'il ne soit pas

[1] "S'il est dans toute la nature un objet qui semble matérialiser une intention, un projet, une finalité enfin, ou, si l'on préfère utiliser un terme plus savant et moins compromis, une "téléonomie", c'est, à coup sûr, le germe, ce comprimé d'avenir." Jean Rostand.

"un ancien de la maison". Il veut faire un véhicule destiné aux classes populaires, aux ruraux et aux jeunes, jusqu'alors non motorisés. Il faut qu'il soit le moins cher et le plus solide possible. Il dit :

▲ Le premier prototype de 2CV ne comportait qu'un seul phare...

▲ ... et l'école de Design d'Anvers a pu proposer ensuite diverses variations.

"Faites-moi un parapluie à roulettes". Cette idée-germe paradoxale mobilise le bureau d'études. C'est un défi. Pour faire moins cher, le prototype n'aura qu'un seul phare. Le lancement sur le marché a lieu après la guerre. Il fait presque scandale, tant l'esthétique a été sacrifiée à la fonctionnalité. Mais la solidité, le prix, la sobriété et la commodité de la Deux chevaux s'imposent irrésistiblement. Ce sera la voiture française la plus vendue de l'après-guerre.

A chaque stade, chacun de ces trois objets concerne des groupes d'hommes très différents : entre un et dix individus au plus au moment de la germination du projet ; une entreprise de taille déjà bien plus considérable, pour le temps de l'organisation ; enfin un ensemble, peut-être énorme, constitué d'un "marché" potentiel se comptant en milliers, ou même millions, de personnes. A chaque stade, le contenu du rêve est, par conséquent, différent.

Conception, organisation et socialisation (enfance, formation et vie adulte) sont donc les trois temps de métamorphoses successives qui rythment la vie de chaque projet. Ces trois phases correspondent chacune a l'un des aspects du ternaire de Dumézil : d'abord le concept, puis la motivation, enfin le produit concret[1]. Il s'agit donc à proprement parler d'un processus d'incarnation, par lequel une idée (un texte), née dans un cerveau particulier, met à son service l'environnement immédiat (organisation) et se diffuse ensuite, portée par un produit industriel.

Mais l'évolution ne s'arrête pas là. A chaque époque, l'ensemble des produits commercialisés constitue un techno-système, qui fonctionne comme un écosystème, avec des prédateurs, des concurrences et des symbioses. Ce techno-système, résultat des messages des créateurs, est aussi un système culturel, où la société se reconnaît et se regarde, comme dans un miroir. Il a ses non-dits, ses valeurs et ses interdits. C'est de lui que s'inspirent à nouveau les créateurs. Mais il a aussi ses réactions et ses détournements. Contrairement aux souhaits initiaux, le magnétophone ne sert pas à garder trace de la voix d'un être mort ou à envoyer une carte de vœux émouvante, mais à enregistrer une conférence ou à dupliquer un disque de rock. La radio se

■ ***Les trois étapes de la vie d'un projet correspondent chacune à l'un des aspects du ternaire de Dumézil : d'abord le concept, puis la motivation, et finalement le produit concret.***

■ ***Pour chaque produit, vient le temps de la métamorphose. Il meurt, comme Osiris, inévitablement. Décomposé en ses éléments simples, il renaîtra peut-être, à travers d'autres rêves.***

[1] *Voir une présentation plus développée de cette structure en douze phases au lieu de trois, illustrée par le rythme zodiacal des saisons, dans la contribution de Thierry Gaudin, la Pensée, modes d'emploi, Etude 118, Aditech, Paris, 1989.*

L'imagination est la folle du logis.
Proverbe français.

dévoile soudainement comme instrument politique majeur (lors des coups d'Etat), guide de retours de week-end ou transmetteur de scores et résultats pour sportifs en pantoufles, plutôt que comme le vecteur de civisme vertueux de ses débuts.

Pour chaque produit, vient le temps de la métamorphose. Il meurt, comme Osiris, inévitablement. Décomposé en ses éléments simples, il renaîtra peut-être, à travers d'autres rêves, qui ont été suscités par sa brève existence, à la fois temps de déclin, d'éclipse et de ressourcement.

▲ *En 1911, AEG commercialise le premier robot ménager électrique. Mais le système technique n'est pas encore mûr, trop peu de ménages ont l'électricité.*

DÉSTABILISATIONS DU SYSTÈME TECHNIQUE[1]

Après avoir examiné le cas des innovations prises une par une, considérons maintenant le système technique pris dans son ensemble. Bertrand Gille[2] fait observer que les civilisations tendent à stabiliser leur technologie, pour préserver leurs structures sociales. En effet, même si les inventions sont nombreuses et de qualité, comme dans la Chine du dixième siècle, les déstabilisations sont rares. Reprenons l'exemple de celles du douzième et du dix-huitième siècle occidental : avec elles, tout a basculé.

Que cache le terme "déstabilisation" ? Tout simplement le fait que l'innovation technologique répercute sur la société des effets importants, à tous les niveaux : la vie des ménagères est transformée par

[1] Thierry Gaudin, Métamorphoses du futur, CPE Economica, Paris, 1988.

[2] Histoire des techniques, Encyclopédie de la Pléïade, Gallimard, Paris 1978.

LA MATIÈRE

De la *prima materia* des alchimistes (la matière première), part toute fabrication. Façonner la matière en se soumettant à ses lois est une discipline : l'homme s'y retrouve face à lui-même. Immuable, elle lui renvoie l'image de ses erreurs, de ses insuffisances, de ses désordres. Gravir les échelons de la perfection en s'appuyant sur son impitoyable neutralité est l'idéal du compagnon. L'ordre extérieur de la nature aide à la construction de l'ordre intérieur de l'artisan. En se mesurant à la matière, il se mesure à lui-même et prend acte de son évolution. La matière est le territoire des gens de métier. Le charpentier maîtrise le bois, le forgeron le fer, l'orfèvre l'or. Chaque corporation s'approprie son matériau, parfois dans le nom même qu'elle se donne.

Depuis l'antiquité, des dieux tutélaires, puis des saints patrons, président aux destinées des professions. La technique est ainsi en rapport direct avec le ciel. A chaque évolution, la matière flue entre les métiers. A l'époque d'Abélard, le fer, matériau militaire, va féconder l'agriculture. A l'époque des saint-simoniens, l'acier envahit toute l'industrie et la construction (Eiffel).

Le transfert de technologie, transgression des interdits corporatistes, est une irruption de la raison dans le sacré, exprimée concrètement par le transfert du matériau. Le vingt-et-unième siècle prépare la fin du tribalisme sous toutes ses formes, y compris corporatistes. Déjà, le menuisier travaille aussi bien le bois, l'aluminium ou le PVC pour fabriquer les fenêtres. Même les industries lourdes quittent peu à peu leurs spécialisations par matériaux, pour entrer dans la voie de la diversité, de l'intelligence. Le perfectionnement concerne moins les rendements que l'adéquation qualitative aux besoins de l'usager. Une ingénierie (l'analyse de la valeur) remplace l'affrontement commercial ; c'est une forme atténuée de la grande métamorphose : la violence transformée en langage.

L'ÉNERGIE

Depuis que Prométhée a dérobé le feu, l'énergie est le symbole de la puissance de l'homme, et aussi de sa démesure. Il ose détruire les forêts, réserves de vie, pour y substituer son ordre agricole. Il travaille la céramique, le verre et les métaux (pour fabriquer des armes redoutables). Par l'énergie, son démiurge s'exprime, quelque part dans les flammes. L'énergie nucléaire alimente en électricité l'éclairage, l'électronique et les télécommunications ; elle explose aussi en bombe, d'une puissance destructrice inouïe. Avant l'ère industrielle, l'énergie n'est pas unique mais segmentée sous différentes formes : le feu (forge, céramique, verre) ; l'énergie animale (transports, trait) ; le vent et l'eau (meunerie). A partir du douzième siècle, une gamme d'usages mécaniques (scier le bois, fouler le drap, broyer la pâte à papier) préfigure le machinisme qui est, dès ses débuts, ambigu comme l'énergie : il construit et détruit à la fois, multiplie la puissance et chasse le travailleur de son emploi. Dès 1860, le fermier traditionnel du Middle West doit se soumettre ou se démettre, passer à la moissonneuse et entrer dans le circuit financier international ou émigrer vers l'ouest. Après avoir embrasé l'agriculture de sa destruction créatrice (le Shiva de l'hindouisme), le feu de la mécanisation consume l'industrie (les robots fabriquent mieux que l'homme) et atteint pareillement le tertiaire : la bureaucratie sera comme passée au lance-flammes. La domestication de l'énergie est l'enjeu de la métamorphose contemporaine. L'électricité, qui rend invisible à l'usager l'origine de l'énergie (nucléaire, charbon, pétrole, eau, vent, soleil...), la rend disponible et régulable dans l'industrie comme chez les particuliers.

l'arrivée à domicile de l'eau courante et potable ou par la machine à laver le linge. Une entreprise est mise en faillite parce qu'une autre introduit sur le marché un produit meilleur et moins cher. Une religion, le protestantisme, se répand dans toute l'Europe du seizième siècle grâce à l'invention de l'imprimerie. Des sociétés entières (les Indiens précolombiens et, plus tard, ceux d'Amérique du Nord) sont détruites par celles qui arrivent avec fusils et alcool.

Le système technique, à chaque époque, peut être décrit de manière trifonctionnelle : la matière, l'énergie, la structuration du temps. A quoi il faut ajouter la relation avec le vivant, les rapports de l'homme et de la biosphère.

Dans le cas du haut moyen âge, lorsque les chevaliers partent aux croisades, le basculement de la technique va s'organiser autour de la matière. Il se résume en un mot : le défrichement. L'espace agricole, qui n'était exploité que de manière parcellaire, est systématiquement mis en culture, et structuré selon un ordre. Pourquoi ? Parce qu'il était devenu permis - et possible - de défricher, et que les outils (le soc de charrue en fer) étaient disponibles. Cette ouverture, cette brèche, dans laquelle s'engagent à la fois les intendants des domaines féodaux et les monastères cisterciens, semble liée à une baisse du danger. La chevalerie a emmené aux croisades tout ce qui peut combattre. L'agriculture s'installe tranquillement. Même les interdits officiels ne sont plus respectés. Sur le plan philosophique et religieux, les interdits sont aussi transgressés. La *doctrina sacra* de l'Eglise est mise en doute par Abélard. Il faut désormais prouver ce que l'on avance. Le germe de l'esprit

■ ***Le système technique, à chaque époque, s'organise autour de quatre pôles : la matière, l'énergie, la structuration du temps, la relation avec le vivant.***

■ ***La révolution industrielle du dix-neuvième siècle se structure autour de l'énergie. C'est le machinisme, avec la machine à vapeur, puis le moteur à explosion, qui exploitent la puissance motrice du feu.***

Dix ans après la "découverte" de l'Amérique par Christophe Colomb, l'homme enregistre son nouvel univers : le monde en 1502. ▼

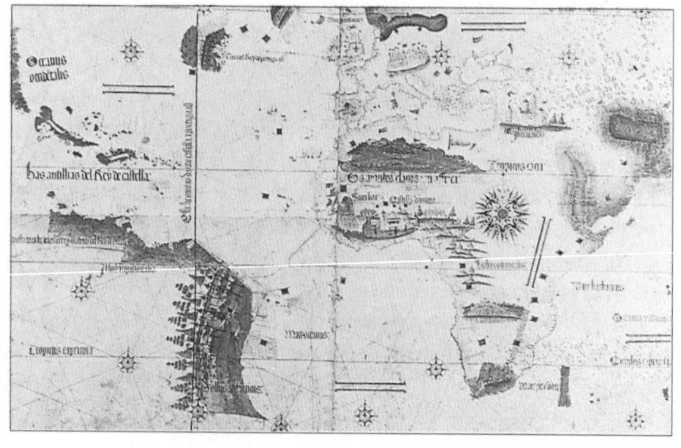

scientifique apparaît. L'hérésie progresse. La prospérité économique bouillonne. La population augmente : elle double entre 1100 et 1300. Mais dès l'approche des saturations, peu avant 1300, il se produit une cristallisation institutionnelle. Les interdits corporatistes et domaniaux réapparaissent. La technologie du quotidien se fige, préludant au grand déclin 1300-1500.

La révolution industrielle du dix-neuvième siècle se structure, non plus autour du matériau, mais autour de l'énergie. C'est le machinisme, avec d'abord la machine à vapeur, puis le moteur à explosion, qui tous deux exploitent la puissance motrice du feu. Là aussi, la permissivité s'ouvre au siècle des Lumières. Le mouvement philosophique manifeste une impertinence inégalée. La noblesse s'intéresse moins à ses domaines terriens. Déracinée par la vie de cour, elle

▲ *Avec la révolution industrielle, la machine broie l'âme.*

LE TEMPS

Au commencement, Ouranos (le ciel) copulait sans fin avec Gaïa (la terre). Leur fils Kronos trancha de sa faux le sexe de son père : le ciel se mit à tourner autour de la terre. Ce mythe grec est révélateur. Le temps linéaire est aussi cyclique, rythmé, car la mémoire fait revivre le passé. Rien n'aurait d'existence propre sans ce repli du temps sur lui-même, cette faculté de réactualiser. Cet éternel retour, comme le dit Mircea Eliade, incite à se replonger dans les moments fondateurs, à organiser des fêtes, des rituels, des scénarios, des circonstances qui permettent de reprendre contact avec les instants intenses où l'être des choses est apparu. Entreprises et institutions font référence à leurs pères fondateurs, et aux moments critiques - les crises - où leur destin s'est défini. On ne raconte pas les époques de bonheur tranquille, où il ne se passe rien, mais les instants intenses, où l'on a tenu le cap dans la tempête. La volonté de vivre ne se prouve pas au repos, mais sous l'orage. Et quand il n'y en a pas, on en invente pour exister encore.

L'Islam avait poussé à l'extrême l'exactitude de la symétrie et de la répétition dans l'art décoratif. Le machinisme, avec ses pistons, ses cylindres et ses bielles, met en scène la puissance par un mouvement repassant aussi très exactement, indéfiniment, sur lui-même. Mais l'exacte répétition est aussi le mode de fonctionnement des civilisations pour lesquelles le temps s'est arrêté. Psalmodier les mêmes versets, sacrifier aux mêmes rites immuables et répéter la fabrication de la même Ford modèle T *"de n'importe quelle couleur pourvu qu'elle soit noire"*, tout cela relève du même comportement : l'idolâtrie. Alors, évoquer le passé importe plus que de vivre le présent, étouffé dans des rituels bien ordonnés et sans droit à l'existence (quant au futur, il en est encore moins question...).

L'exactitude géométrique du mouvement des machines s'est étendue à la mesure du temps. Saint Benoît, au sixième siècle, avait défini une règle de vie structurant rigoureusement la journée des moines. Au douzième siècle, les sept heures canoniales rythment, du haut du clocher du village, la vie des champs comme celle des monastères. Les obligations d'horaire se font plus pressantes encore dans la société industrielle. La manière de compter le temps change : l'horaire des trains impose 17 h 45 au lieu de six heures moins le quart. Le chronométrage du travailleur surveille son rendement, l'enferme dans un filet de plus en plus étroit, mesure ses gestes au dixième de seconde.

Le temps, c'est de l'argent, mais aussi, avec l'électronique, de l'intelligence (artificielle). Programmer c'est (étymologiquement) écrire à l'avance : les processus prédéterminés s'exécutent en milliardièmes de seconde, donnant l'illusion de l'intelligence, alors qu'il s'agit seulement d'organisation. L'ordinateur optique, un million de fois plus puissant, franchira un nouveau seuil qualitatif : le traitement d'images et de sons sera aussi rapide qu'aujourd'hui le calcul. Alors, l'art de l'illusion se déploiera dans toutes ses possibilités, manipulant jusqu'à l'intolérable. Alors se produiront ruptures et inversions.

LE VIVANT

Lorsque l'homme projette son univers intérieur dans la nature, il le fait de deux manières : l'ordre économique et la caricature. L'ordre est manifeste. Vu d'avion, un paysage agricole offre au regard des rectangles bien ordonnés. Les sillons sont alignés, des variétés sélectionnées ont remplacé le foisonnement des plantes sauvages. La caricature apparaît chez le chien, qui chassait en meute et fut sans doute récupéré comme auxiliaire apprécié pour ses qualités sportives et son dévouement. A la suite de croisements et de sélections, certaines races sont devenues des animaux de compagnie (le chihuahua, le pékinois), aux formes fragiles ou baroques, ne possédant aucune des qualités de leurs ancêtres. Incapables de retourner à la vie sauvage, ils ne doivent leur existence qu'aux fantasmes humains, dont ils sont le réceptacle et l'incarnation.

La possibilité de manipuler les gènes place l'homme devant des responsabilités imprévues. En choisissant les espèces les plus rentables, il fragilise et appauvrit le patrimoine génétique, dont la richesse est faite de diversité. Cette maîtrise se retrouve dans la technologie des jardins. Chaque civilisation a un art de jardiner différent : la coupe au carré du jardin à la française, les parcs faussement naturels à l'anglaise, les symboles du jardin zen, les roses et les pièces d'eau de l'islam. Au-delà des risques, les jardins expriment l'âme des peuples.

cherche de nouveaux débouchés. Comme au moyen âge, une minorité active apparaît en réaction à une majorité conservatrice. Les développements des sciences permettent de s'attaquer aux pratiques traditionalistes des corporations. Les intendants, nouvellement enrichis, s'en mêlent. La concurrence internationale (les cotonnades indiennes) presse. Les conditions sont favorables à l'accueil des inventions. La trajectoire de l'industrialisation, comme celle du défrichement, dure deux siècles (1750-1950).

Actuellement, une déstabilisation d'ampleur comparable se profile, menant à la construction d'une société de l'intelligence. Elle s'articule sur la structuration du temps. La micro-électronique n'est pas autre chose, en effet, que la possibilité de programmer des événements qui se déroulent en nano-secondes. La permissivité, du fait de l'ouverture mondiale des marchés déréglementés, est là. La transition durera aussi un à deux siècles.

DU POUVOIR DE L'ÉTOILE À L'ESPRIT DU RÉSEAU

La déstabilisation contemporaine englobe toutes les autres. Elle est à la fois leur aboutissement et leur synthèse, car elle touche à l'essentiel de la civilisation : la connaissance. Les transformations du moyen âge et du dix-huitième siècle avaient été portées par la diffusion de la culture technique dans le peuple. Au douzième siècle, les monastères cisterciens sont des lieux de démonstration. Les artisans viennent voir les moulins et les reproduisent pour leur propre compte. Les paysans viennent se renseigner sur les meilleures semences, la sélection des animaux et les outils de labour. Au siècle des Lumières, l'Encyclopédie, tirée à 24 000 exemplaires, est aux trois quarts un inventaire des connaissances techniques de l'époque. Elle est relayée par le Conservatoire des arts et métiers et de nombreuses sociétés "philotechniques" qui diffusent dans le public un savoir autrefois captif des corporations.

LA CROIX

Depuis la théorie de la relativité, il est admis que matière et énergie sont dans un rapport direct : le carré de la vitesse de la lumière ($E=mc^2$). La disparition d'une toute petite quantité de matière lors de la rencontre avec une quantité équivalente d'anti-matière, produirait une énergie immense, à cause de l'énormité de cette constante c[1]. Avec quelques milligrammes d'anti-matière, on pourra faire le tour du système solaire... quand on saura la manier. La matière est en quelque sorte de l'énergie condensée.
Une relation tout aussi étroite existe entre le temps et le vivant. Au dix-neuvième siècle, la vie était définie comme "l'ensemble des fonctions qui résistent à la mort". L'idée de durée était déjà présente. Mais il y a plus : malgré leur fragilité, les êtres vivants sont porteurs de messages génétiques qui leur survivent. La matière est irrémédiablement atteinte par l'érosion du temps : elle se dégrade. Le vivant, au contraire, renaît constamment. Il se nourrit de matière et résiste au temps. Bien plus, il définit le temps. Comment la mémoire serait-elle possible, et l'apprentissage, et la conscience, sans ce repli du temps sur lui-même qui nous fait exister ? Le temps linéaire de la physique explique tout, sauf l'essentiel : comment se fait-il que je comprenne ? On peut représenter cette double relation matière-énergie et temps-vivant par une croix comme celle qui est représentée ci-dessous.

[1] *c = 300 000 kilomètres par seconde.*

Dès le début du troisième millénaire, le savoir est transféré par support électronique, et rendu accessible par le réseau téléphonique. La mutation est immense et planétaire, elle est plus rapide que les précédentes, mais elle n'est pas pour autant foudroyante. Ce qui limite la vitesse des changements, en effet, ce ne sont pas les possibilités techniques, mais la durée nécessaire pour que le public les assimile et se réapproprie la technologie.

De tous les êtres vivants sur la planète, l'homme est, semble-t-il, celui qui a développé les mécanismes de communication les plus évolués. Il a d'abord élaboré les outils de base que constituent les écritures et les langues, dont environ trois mille sont actuellement parlées sur la planète. Puis il s'est adjoint des supports de communication, ainsi que des techniques de transmission et de reproduction : le papier, la bande magnétique, l'imprimerie, la radio, le téléphone, la télécopie, etc.

Le monde de la communication est tout à la fois un lieu privilégié d'innovation technologique et le vecteur principal de toutes les déstabilisations des systèmes techniques. Ainsi, un élément essentiel du vingt-et-unième siècle est l'apparition d'une véritable conscience planétaire, qui résulte de la mise en place de moyens de communication modernes, accessibles à tous les êtres humains, en émission tout comme en réception.

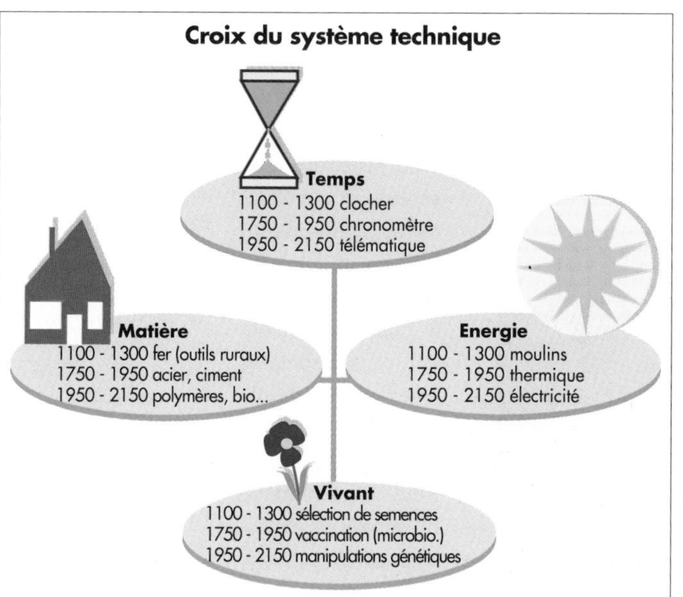

■ ***Actuellement nous voyons arriver une déstabilisation de grande ampleur qui construira en un à deux siècles une société de l'intelligence.***

■ ***Ce qui limite la vitesse des changements, ce ne sont pas les possibilités techniques, mais la durée nécessaire pour que le public les assimile et se réapproprie la technologie.***

L'organisation technique de ces multiples réseaux n'est pas socialement neutre, car de cette organisation découlent des modes de fonctionnement qui s'inscrivent dans des logiques dictatoriales ou démocratiques. Il y a une cohérence entre l'organisation que se donne une société et ses systèmes de communication. Mais cette cohérence n'est pas définitivement stable, car une dictature ne peut contrôler totalement les communications, ni une démocratie en maintenir parfaitement l'ouverture. De plus, avec l'accroissement incessant de la puissance d'intervention de l'homme sur son environnement, apparaît, de façon toujours plus aiguë, la nécessité de réguler les interactions énergétiques, démographiques, industrielles, militaires, alimentaires, financières. Faute de quoi, l'espèce humaine risque de se suicider sans même s'en rendre compte. Mais, plus grande est la complexité, plus difficile est la régulation, qui repose en tout premier lieu sur la circulation des informations dans les réseaux de communication. Cette circulation est structurée, de la même manière que les réseaux ferroviaires et routiers et les canaux avaient structuré l'économie de l'époque précédente, celle de l'industrie triomphante.

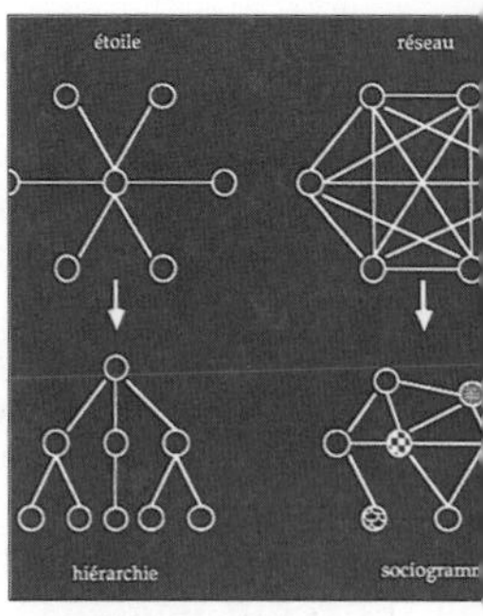

▲ *Les infrastructures de la communication canalisent les échanges selon deux schémas fondamentaux et toute une gamme d'intermédiaires.*

Deux grandes structures se partagent le pouvoir dans le nouveau système technique. Elles sont issues de la Grèce antique : la tyrannie, ou le gouvernement d'un seul, et l'isonomie[1], appelée aussi démocratie, où la prise de décision est équilibrée dans une collectivité (relativement) égalitaire.

La communication tyrannique a une structure d'étoile : les éléments de la périphérie ne peuvent se parler qu'en passant par un centre. La communication isonomique, au contraire, a une structure de réseau, où n'importe quel élément peut joindre n'importe quel autre[2].

Lorsque que le flux de communication augmente, en nombre comme en volume, l'étoile est donc vite saturée et se démultiplie en hiérarchie. Malgré cela, elle tend inexorablement vers l'engorgement au centre et la paralysie aux extrémités. Ce phénomène est bien connu de qui a vécu dans les administrations et les entreprises à structures centralisées. Le réseau, au contraire, a trop de connexions possibles et n'en utilise réellement que quelques unes, au gré des sympathies. Toujours menacé d'asthénie[3], il n'est maintenu en activité que par une animation permanente.

Il est donc logique de supposer que le passage de l'étoile au réseau, cette ouverture d'un espace de communication, est lié à la saturation en information, rendant évidente pour tout le monde, centre compris, l'inefficacité de la structure centralisée. Et ce passage est en train de se produire à l'échelle de la planète, car la technologie le propage. Les

Face à une communication centralisée, l'auditeur ne peut être que passif. ▼

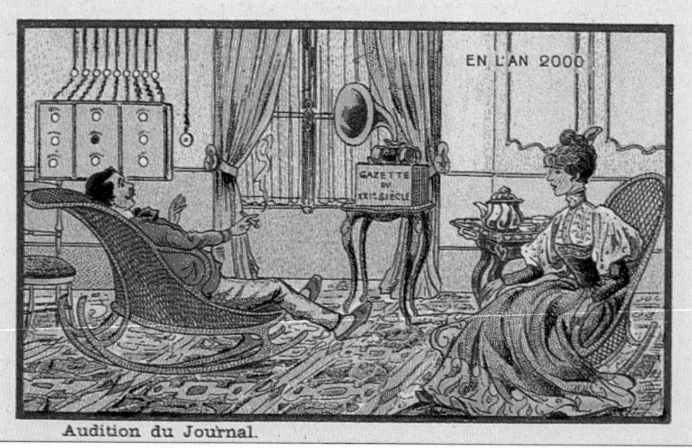

Audition du Journal.

[1] *L'isonomie, c'est l'état d'une collectivité qui trouve son équilibre par elle-même, du fait des actions égalitaires de ses membres.*

[2] *Si la périphérie comprend n éléments, il y a n connexions dans l'étoile, mais beaucoup plus dans le réseau : n(n-1)/2. Pour cent éléments, cela fait déjà un écart de un à cinquante.*

[3] *L'asthénie, c'est chez l'homme le manque de force, l'état de dépression, de faiblesse pour des raisons neuro-psychiques.*

■ La communication tyrannique a une structure d'étoile : les éléments de la périphérie ne peuvent se parler qu'en passant par un centre. La communication isonomique, au contraire, a une structure de réseau, où n'importe quel élément peut joindre n'importe quel autre

■ Le réseau, toujours menacé d'asthénie, n'est maintenu en activité que par une animation permanente.

■ La télévision renforce le centre : tous les pouvoirs veulent donc être médiatiques. Le téléphone permet à la périphérie de se coaliser, court-circuitant la hiérarchie, impulsant la création d'entreprises.

systèmes centralisés n'y échappent pas. Leur seul refuge, c'est de s'enfermer derrière des frontières et de bloquer toute la société. La mondialisation de l'ensemble des activités humaines ne permet plus de tenir

La Chine a payé cher sa stratégie d'isolement symbolisée par la grande ◀ muraille.

cette position très longtemps, sans déclencher des réajustements d'autant plus violents que le blocage a duré longtemps.

La transition de systèmes de communication en étoile vers des systèmes en réseau n'est pas un phénomène nouveau. Ainsi, lors de la formation des premières bourses de valeurs[1], les grands marchands reconnus dans toute l'Europe, saturés de demandes de transactions, étaient convenus de se placer autour d'une corbeille, isonomique par construction, pour y traiter leurs affaires collectivement.

Les modes de gestion participative dans les entreprises en sont un autre exemple. Les cercles de qualité, qui consistent à ouvrir des espaces de réflexion où se côtoient, sur une base égalitaire, tous les acteurs de l'entreprise, sont une réponse à la complexité croissante de la technique : en lieu et place d'une simple exécution des tâches se développe une réflexion collective, au contact du réel. Mais les cercles de qualité traduisent aussi une nouvelle organisation des entreprises, qui abandonnent des structures de communication issues du taylorisme au profit de structures en réseau. Cette transformation est d'ailleurs partielle, des organisations mixtes (étoile-réseau) constituant un modèle plus répandu.

Dans le monde contemporain, la télévision possède une structure en étoile ; même s'il y a plusieurs chaînes et du câblage, ce ne sont que quelques étoiles superposées. En revanche, le téléphone[2] a une structure en réseau. Bien que postérieure, la télévision a été diffusée bien avant lui. Pour cinq milliards d'habitants, il y a quatre cents millions de lignes téléphoniques dans le monde (huit pour cent personnes), et plus de six cents millions de téléviseurs.

Les effets de ces médias sur les comportements, les rationalités, les identités et l'économie de la société prise dans son ensemble sont bien sûr opposés. La télévision renforce le centre : tous les pouvoirs veulent donc être médiatiques. Le téléphone au contraire permet à la périphérie de se coaliser, court-circuitant la hiérarchie, impulsant la création d'entreprises[3].

Le fonctionnement d'un système en étoile fait appel à l'"*homo hierarchicus*" pour qui "le pouvoir, c'est le pouvoir". Quand il l'a, il l'exerce ;

[1] En Italie et en Hollande pendant la Renaissance.

[2] Minitel, fax et demain visiophone.

[3] La carte mondiale du développement du téléphone correspond à celle du développement économique. C'est plus qu'une coïncidence, bien que cela ne constitue pas la preuve d'une relation de cause à effet.

quand il ne l'a pas, il le subit. Il raisonne en termes domaniaux, rêve de maîtrise et de contrôle. Tout est pour lui territoire, à conquérir ou à défendre. Ce n'est pas en créant qu'il acquiert, mais en prenant à quelqu'un d'autre. La constitution d'une identité nouvelle ne peut procéder que du centre, qu'il imagine nécessairement au-dessus, projetant sur lui une légitimité transcendante.

▲ *Le pouvoir centralisé de l'Empire turc ramenait tout au trône du Sultan, dans son palais Topkapi.*

Dans un réseau, contenus et connexions sont fluctuants. Ce qui dure est du niveau conceptuel. C'est pourquoi l'exercice de la pensée claire y structure actes et relations. Le fonctionnement d'un réseau fait appel aux entreprenants, pour qui les hiérarchies et les territoires n'ont pas grande importance. Ils croient surtout à l'efficacité et mesurent l'estime qu'ils accordent aux autres aux résultats obtenus. Ils se disent que rien n'est jamais acquis et que seul existe ce qu'on se donne la peine de faire exister. Pour eux, le pouvoir créateur est redescendu dans l'homme, les dieux sont intérieurs.

Il résulte de l'extension des réseaux téléphoniques que les économies futures comprendront beaucoup de petites entreprises à haute valeur ajoutée ; l'artisanat, le petit commerce y tiendront la place principale. L'organisation de la communication en réseau commuté favorise la micro-initiative. Les structures centralisées y sont moins efficaces que les décentralisées. C'est un pas vers la démocratie économique, puisqu'une proportion plus grande de la population a accès à la liberté d'entreprendre. La communication en réseau favorise la démocratie dans tous les domaines. Elle autorise des circulations latérales d'information, qui échappent à tout contrôle, et facilite le fonctionnement de la société civile, indépendamment des relations de pouvoir.

La notion de pouvoir, autrefois considérée comme un absolu intangible et quasi magique, est relativisée. On ne parle plus du pouvoir, mais des pouvoirs et de leurs fonctions utilitaires. Les services publics sont sommés d'être effectivement au service du public. Les élus sont appréciés pour leurs performances de gestionnaires, non plus pour leur allure monarchique. D'ailleurs, les décisions les plus importantes ne sont plus vraiment entre les mains de ces pouvoirs, mais le plus souvent entre celles des acteurs économiques. Dans les pays - ils sont nombreux dans le tiers monde - où il y a la télévision mais pas encore le téléphone, les pouvoirs s'imposent à la population. Dès que le téléphone est installé, leur influence décline et la société civile, celle des commerçants et des entrepreneurs, prend alors effectivement les décisions, qu'elle leur fait au besoin approuver par la suite.

Pour mesurer l'ampleur de la transformation du vingt-et-unième siècle, il faut songer aux quantités énormes d'informations véhiculées. Alors qu'une langue complète comprend environ soixante mille mots, la technique moderne compte environ six millions de réfé-

Le visiophone expérimental est déjà utilisé aujourd'hui par les ménagères et les petits commerçants. ▼

■ *Ceux qui entreprennent se disent que rien n'est jamais acquis et que seul existe ce qu'on se donne la peine de faire exister. Pour eux, le pouvoir créateur est redescendu dans l'homme, les dieux sont intérieurs.*

■ *Les décisions les plus importantes ne sont plus vraiment entre les mains des élus mais le plus souvent entre celles des acteurs économiques.*

■ *L'autonomie, c'est la petite entreprise plutôt que la grande, l'organisation en réseau plutôt que la hiérarchie, l'économie informelle plutôt que les organisations officielles.*

rences, cent fois plus. Et ceci à décliner dans les trois mille langues de la planète ! Le travail technique devient en grande partie un travail de communication : en témoignent les méthodes dites de créativité, pour que communiquent des personnes qui d'habitude ne se parlent pas ; témoins aussi, les cercles de qualité et les modes de gestion participatifs. Ce n'est pas par philanthropie que les entreprises optent pour ces nouvelles formes d'organisation, mais par intérêt. Pour maîtriser un vocabulaire de six millions de mots, les systèmes centralisés sont inefficaces. Leur capacité de traitement est limitée à celle du centre. Il faut bien alors, quel que soit le désir inavoué de pouvoir, accepter que l'information soit traitée hors du centre.

Au siècle des Lumières, Jeremy Bentham avait imaginé une architecture de surveillance, qu'il appelait le panoptique (la machine à tout voir). Il la recommandait pour chaque lieu où une petite population doit en surveiller une très nombreuse : l'école, l'hôpital, la prison... et la manufacture. Cette méthode, qui servit de principe directeur aux architectures pénitentiaires et industrielles du dix-neuvième siècle, est devenue dépassée. L'industrie se pose moins de problèmes de discipline que de création, et les autorités pénitentiaires cherchent quant à elles à mieux préparer la réinsertion future de leurs détenus.

Le panoptique de Bentham, qui inspire les architectures pénitenciaires, hospitalières et scolaires depuis 1820, est un principe d'organisation en étoile qui fonctionne encore dans les entreprises tayloriennes. ▼

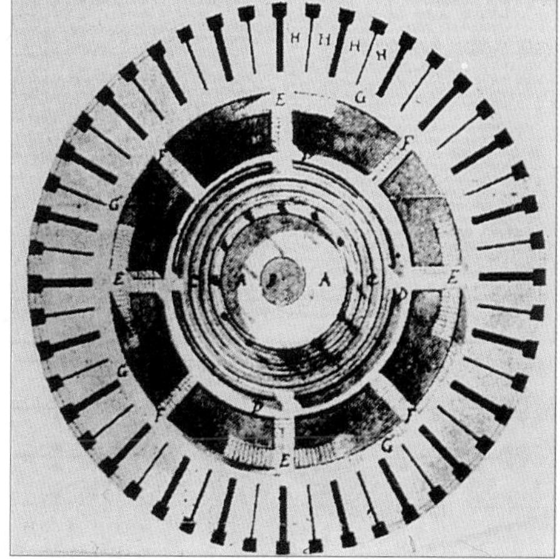

Les cent milliards de neurones d'un seul cerveau ne peuvent maîtriser qu'une partie de la technique. Partout les individus doivent échanger des informations et coopérer. A chacun de reconnaître le talent et les compétences de l'autre. Le monde qui émerge est constitué de petites unités autonomes (l'autonomie comme réponse à la complexité) articulées entre elles selon des processus fiables. "Small is beautiful", écrivait Schumacher. L'autonomie, c'est la petite entreprise plutôt que la grande, l'organisation en réseau plutôt que la hiérarchie, l'économie informelle plutôt que les organisations officielles ; c'est aussi le principe de subsidiarité, selon lequel les décisions n'ont pas à être prises au-dessus du niveau où l'information est suffisante pour les prendre. Depuis, l'expérience a montré que la petitesse ne suffisait pas à caractériser les systèmes futurs. Ils seront faits d'unités autonomes certes, mais s'exprimant de manière universelle, capables de régler leurs comportements sur des normes reconnues. Le franchisage en donne le modèle.

L'individu essaye de se défendre en marquant son territoire par des éléments décoratifs personnels. ▼

Mais l'autonomie la plus essentielle est celle des individus. Elle est faite de garanties sociales permettant à tous de vivre et de respirer, sur tous les plans. Elle est aussi constituée par un mouvement inté-

■ ***Après l'exploitation de la faiblesse physique (le féodalisme militaire), puis économique (le capitalisme), vient l'époque de l'exploitation de la faiblesse psychique.***

■ ***La conscience future ne nous est pas encore accessible. Aux yeux de nos arrière-petits enfants, nos actes paraîtront grossiers. Sans doute auront-ils appris à voir.***

Les sectes imposent une vision globale de la vie humaine, de la naissance à la mort. ▶

rieur d'individuation, chacun prenant en charge l'expression de son originalité et de son talent. Le risque est en effet d'extérioriser des performances et, conjointement, d'intérioriser des normes sociales et des critères étrangers à son être profond.

Cela s'appelle l'aliénation, qui ravage les classes dirigeantes comme les travailleurs. La tâche du vingt-et-unième siècle est de se libérer de ses différentes formes, y compris celles qu'induit la technique. Après l'exploitation de la faiblesse physique (le féodalisme militaire), puis économique (le capitalisme), vient l'époque de l'exploitation de la faiblesse psychique. Des forces considérables travaillent à l'aliénation des hommes : des entreprises, des mouvements sociaux adoptent des fonctionnements de sectes. Le dénouement n'apparaît qu'à la fin du siècle, quand le niveau de culture technique des peuples est suffisant pour assurer l'autonomie de tous. Les humains se libèrent alors des influences et dépassent les attachements résiduels du tribalisme. Alors, l'illusion devient aussi un art. Elle permet de faire fonctionner les pulsions du singe nu, ce qui est nécessaire à son équilibre, sans pour autant qu'il en soit prisonnier.

En réaction aux tentatives multiples de prise de contrôle ou d'influence psychique, la montée progressive de la conscience universelle est le trait dominant de cette période. Quelle en est la signification au niveau de l'espèce humaine tout entière ? Pour prendre une métaphore physiologique, si l'on met à un chaton des lunettes striées verticalement pendant ses douze premières semaines, il ne peut plus percevoir que

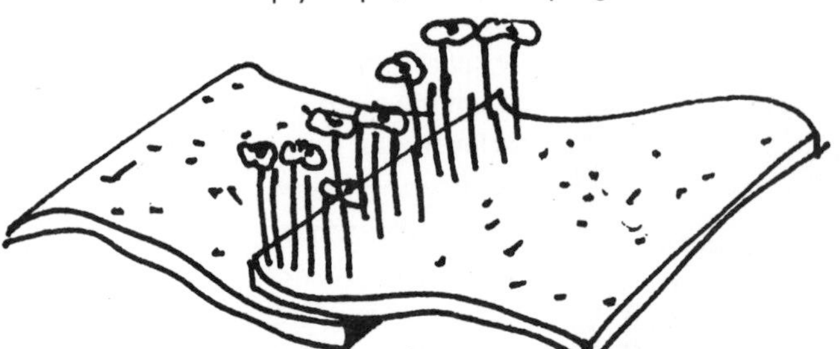

▲ *Nos arrières-petits-enfants inventeront de nouvelles façons d'entendre le monde.*

les mouvements verticaux, même après qu'on lui ait enlevé ses lunettes. L'examen histologique montre que, pendant ce délai, les cellules nerveuses ont poussé leurs dendrites les unes vers les autres et structuré leurs relations. De même, si le chaton porte des lunettes striées horizontalement, il ne discernera que les mouvements horizontaux.

L'espèce humaine est comparable à ce chaton et le réseau mondial de télécommunications construisant ses connexions est comparable aux dendrites des neurones. La conscience future ne nous est pas encore accessible. Nous ne pouvons que la pressentir et aider à son émergence en nous libérant des lunettes striées, autrement dit des grilles de lecture dogmatiques. Aux yeux de nos arrière-petits-enfants, nos actes paraîtront grossiers. Sans doute auront-ils appris à voir. ■

Deuxième partie

La technique

Appréciée pour son utilité, rejetée pour ses contraintes, la technique est bien plus qu'une collection d'outils, dociles ou rétifs. Elle est l'incarnation des rêves. Depuis dix mille ans (aux tous débuts de l'agriculture), l'homme projette dans la Nature son ordre et son désordre intérieurs. Il construit une techno-nature qui, à chaque évolution du système technique, devient de plus en plus artificielle. Le champ cultivé est plus artificiel que la forêt, la ville industrielle plus que le champ, la mégalopole plus que la ville. De même, les machines sont plus artificielles que les outils de l'artisan, les robots plus que les machines. Au vingt-et-unième siècle, la techno-nature s'étend à toute la planète, qui est entièrement placée sous la protection de l'homme, jusqu'aux dernières forêts "naturelles" et aux océans. Mais, bien évidemment, cet accouchement ne se fait pas sans douleur.

La technique, dit-on, serait comme la langue d'Esope, la meilleure et la pire des choses. Elle modèle le monde au gré de notre volonté mais, en retour, nous oblige au respect des règles, nous enferme dans des univers contraignants et pollués. Mais avant de juger si la technique est bonne ou mauvaise, essayons de comprendre son mouvement.

Si Jules Verne pouvait à son époque imaginer une bonne partie des choses que nous connaissons (l'hélicoptère, le sous-marin, le voyage spatial...), c'est parce que l'évolution du système technique est relativement lente et globale. Il lui suffisait de projeter les rêves de son époque, en vérifiant la vraisemblance de leur faisabilité, pour obtenir alors des résultats prospectifs tout à fait honorables. Pourquoi ne pas reprendre aujourd'hui la même démarche ? Les rêves du présent s'incarneront en objets. Si donc nous détectons un rêve et si nous ne voyons pas d'obstacle insurmontable à sa concrétisation, acceptons-le dans le paysage futur.

Mais il y a déjà, direz-vous, un immense bric-à-brac dont on ne sait que faire. C'est exact. Nous désirons nous simplifier la vie, réduire et maîtriser la complexité que nous avons nous-mêmes créée. Les objets deviendront donc conviviaux, amis de l'usager, s'adaptant à ses humeurs, devinant ses questions, discrets et joueurs à la fois. Fisher Price, le fabricant de jouets, fait figure de pionnier dans cette voie. Des enfants sont filmés en vidéo avec des prototypes de jouets. En décomposant image par image leurs gestes, leurs attitudes et leurs mimiques, l'entreprise choisit le meilleur agencement, la meilleure couleur, le meilleur matériau. L'attention du fabricant, autrefois tout entière captée par la mécanique, se pose maintenant, avec la même intensité, sur la relation avec l'usager.

D'autre part, l'objet se simplifie en évoluant. Au début de l'automobile, on distinguait clairement le phare, le garde-boue, le pare-chocs, la calandre. Chaque accessoire était nettement séparé des autres, leur fonction se lisait au premier coup d'œil. Génération après génération, l'objet "s'arrondit". Chaque partie collabore simultanément à plusieurs fonctions. Il y a intégration des formes. On le voit bien dans le cas du wagon ou du téléphone. Prenons l'exemple de la salle de bains, actuellement constituée d'une collection d'objets hétéroclites : une baignoire, un lavabo, des toilettes, un bidet, des porte-serviettes, des carrelages, du plâtre, de la peinture..., avec tous les risques de fuite et d'encrassement accumulés. Imaginons-la dans le futur. Elle devient évidemment monobloc, étanche. Aux anciens appareils correspondent de nouvelles combinaisons de fonctions agencées dans des emplacements prémoulés. La pose s'effectue globalement, par des techniques de gonflage et de polymérisation sur place.

Cette salle de bains illustre la grande plasticité de la technique moderne et met l'accent sur l'enjeu du vingt-et-unième siècle, la qualité du design. Elle ne représente d'ailleurs qu'une étape dans l'intégration des formes. Dès l'an 2000 apparaissent les premières maisons de grande série construites intégralement en usine, avec les équipements (chauffage, cuisinière, réfrigérateur, lit, penderies, éclairages...) incorporés. Elles sont transportées par la voie des airs.

La technique qui émerge sous nos yeux est en effet très différente de celle qu'imaginait Jules Verne. Il parlait de l'avenir de l'industrie lourde, alors que nous entrons déjà dans l'époque suivante, celle de la légèreté, de la finesse, de la complexité, de l'immatériel, de la société de l'intelligence.

Les matériaux sont aujourd'hui travaillés jusqu'au niveau de la molécule. On ajoute des radicaux aux polymères pour leur conférer des propriétés sur mesure, qui correspondent exactement aux emplois auxquels ils sont destinés. Ils peuvent mémoriser des formes qu'ils retrouveront au moment voulu. En même temps, la complexité du système des matériaux s'accroît. Il y en a tellement qu'on ne sait plus lequel choisir. D'où l'invention de méthodes, l'utilisation de banques de données informatisées et le développement d'une profession de consultants qui aident les industriels dans une phase de la conception que le compagnon gérait autrefois empiriquement : comment choisir et travailler les meilleurs matériaux ?

L'énergie est, elle aussi, utilisée de plus en plus finement. L'électrification du monde se poursuit et, derrière elle, apparaissent des processus de régulation et de maîtrise qui éviteront des gaspillages involontaires. Le passage à l'hydrogène comme combustible pour les avions d'abord, les automobiles, les usines et le chauffage ensuite, supprimera l'essentiel des pollutions et des risques de l'effet de serre.

La transformation décisive de notre époque, que Jules Verne ne pouvait prévoir, c'est la microélectronique, prolongée demain par la photonique. D'ici 2100 viendront peut-être d'autres inventions, aussi radicales et imprévues, au sujet desquelles rien ne peut être dit. En revanche, on peut prévoir dès maintenant l'immense métamorphose causée par l'électronique dans tout le système technique mondial, et on peut dire aussi qu'elle s'étendra au moins sur un siècle, comme la révolution industrielle. L'échelle des temps, autrefois rythmée par les secondes du chronomètre taylorien, se contracte un milliard de fois. Les calculs s'effectuent en milliardièmes de seconde. Quand l'ordinateur optique sera au point, on gagnera encore un facteur d'un million et, en plus, la possibilité de développer des traitements massivement parallèles, comme le fait le cerveau humain.

Le traitement de l'information sera complètement délocalisé. Chacun s'exprimera, les doigts sur un clavier, avec la voix ou peut-être encore par d'autres moyens, d'où il se trouvera (dans le métro ou au sommet de l'Annapurna). Le message sera instantanément reçu par le correspondant ou mis en attente dans une mémoire. Le rapport au travail, aux loisirs, au commerce, aux êtres proches et à soi-même sera radicalement transformé. Mais, contrairement à ce qu'imaginent parfois les techniciens, l'homme, trop sollicité, cherchera davantage à se protéger de l'excès d'informations. Chacun mettra des conditions d'accès strictes à sa bulle et ceux qui ne le feront pas risqueront des troubles mentaux.

C'est une société du "temps réel" qui émerge, dont les interactions se gèrent instantanément. Il est de plus en plus difficile de prendre du temps pour étudier et réfléchir. Les événements d'Europe de l'Est en 1989, et particulièrement ceux de Roumanie, sont déjà des basculements politiques branchés sur les médias, où le respect des formes démocratiques (élections, séparation des pouvoirs, constitution...) est différé, fonctionnant comme un aboutissement et non un préalable. Dans un autre registre, le krach boursier de 1987 résulte aussi d'une interconnexion mondiale en temps réel des places financières, où une partie des opérateurs confie à des ordinateurs le soin de décider des achats et des ventes, les humains étant devenus trop lents.

Ces deux exemples montrent à quel point la technique et le social sont interdépendants. A l'avenir, rien de ce qui nous concerne ne pourra plus être pensé en faisant abstraction de la technique. Elle est l'incarnation des rêves, de l'imaginaire, mais elle est aussi le moule dans lequel la société prend forme.

Ceci est encore plus vrai - et inquiétant - pour le vivant. Si les découvertes de Pasteur ont contribué à l'éradication de la plupart des maladies microbiennes, celles des savants actuels interviennent à un niveau plus fin, celui du code génétique. Le microbe est une cellule, le génome une macromolécule, qui porte en elle toute l'information nécessaire pour faire non seulement une cellule, mais un être vivant complet. Or, il semble bien que les grandes maladies modernes (cardiovasculaires, cancer, Alzheimer, sida) soient, en dernière analyse, des perturbations locales des mécanismes de reconnaissance au niveau moléculaire, des sortes de fautes d'orthographe, introduites ou non par un virus, perturbant la reproduction ou l'immunité. Lorsque la capacité d'intervenir sur cette reconnaissance atteint l'espèce humaine, la représentation de la vie en est transfigurée. Toutefois, la pénétration des mécanismes du vivant ne nous apprend pas ce qu'est la vie. Et lorsqu'un mystère s'éclaircit, un autre, encore indicible, émerge.

Cette seconde partie fournira au lecteur les informations de base sur la technique et ses perspectives d'évolution au vingt-et-unième siècle. C'est à la fois une collection de faits, un résultat de créativité et un cadrage de vraisemblances. Certains possibles ne se réalisent que lentement. Le téléphone, par exemple, a attendu cinquante ans avant d'être généralisé. Il était resté l'apanage des notables. Dans la présentation qui suit, il a donc fallu faire des choix. Ils nous semblent vraisemblables. Qu'ils se réalisent ou non dépend de nos enfants, qui en décideront. Peut-être choisiront-ils d'autres possibles. Peu importe. Notre but n'est pas d'avoir raison à tout prix, mais de faire réfléchir afin d'agir. ■

h a

Tout a commencé, sans doute, par le travail du bois. Les chimpanzés nous le rappellent. Ils fabriquent de petits outils (jetables) à l'aide d'un rameau pour prélever les termites dans leurs trous. Les archéologues définissent par les matériaux les différentes étapes de l'évolution humaine : âge de pierre, âge du bronze, âge du fer, et celui de l'acier à partir de l'industrialisation. Notre époque sera-t-elle pour les générations futures "l'âge du plastique" ?

La matière éclatée, puis reconstituée.

p i t r e 

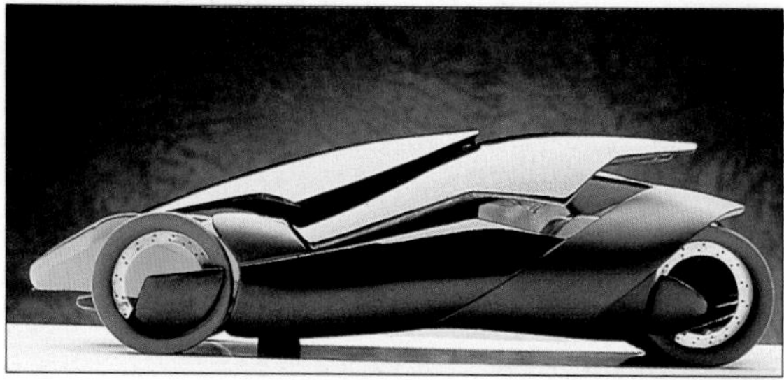

▲ *La souplesse des matériaux utilisés en carrosserie automobile permet au design de s'exprimer librement.*

Dans bien des évolutions de notre société, on distingue l'intervention des polymères. A partir de l'invention du nylon et du tergal, au milieu du vingtième siècle, les habitudes d'habillement ont évolué. L'avènement des bas puis des collants, qui ont permis la mode de la mini-jupe, n'aurait pas été possible sans cette découverte. Avec les vêtements de bain légers et moulants, ces matières nouvelles ont accompagné un mouvement profond, la redécouverte du corps - et un changement des comportements. Le vêtement était voile, corset au début du siècle. Il devient moule, sorte de seconde peau laissant apparaître les formes. Ce n'est pas, évidemment, la molécule de polyamide qui a induit cette évolution sociale, mais le procédé technologique a pu être capté par des industriels innovateurs et sensibles à la demande, à "l'air du temps". Plus que jamais, le vêtement de sport est précurseur du vêtement de ville. Le complet-veston dérive de l'équipement du chasseur des années 1800. Au vingt-et-unième siècle, notre habillement quotidien s'inspire du jogging et des combinaisons de ski. Le succès considérable de ces nouveaux vêtements a ensuite porté toute une industrie et permis de maintenir un bon niveau de recherche. La technologie a augmenté le nombre des possibles et la société a choisi ceux qui lui convenaient.

Avec les matières plastiques et les alliages métalliques légers, la bicyclette volante devient possible. ▼

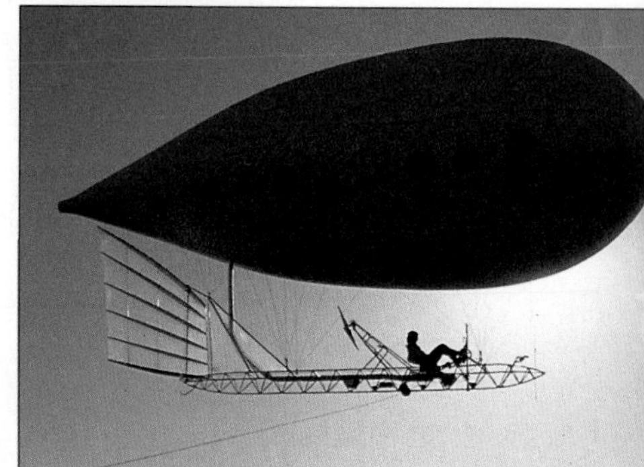

L'exemple de l'habillement est frappant, mais il en est d'autres qui montrent combien les matières utilisées pour vivre ou travailler influencent nos habitudes. En sport, la voile a découvert l'aramide et ses possibilités d'allègement : un spi de 2,7 kg pour 250 m^2. En 2010, les dirigeables, les vêtements de montagne utilisent les mylars, ces voiles fins, ultra-légers et si résistants qu'une aiguille ne peut les percer.

VERS LA FINESSE ET LA COMPLEXITÉ : L'HYPERCHOIX DES MATÉRIAUX

Cette évolution est celle de la synthèse. Le bois, la pierre ou l'os ne sont que transformés : pour obtenir un objet, il faut prélever un caillou ou une branche et tailler jusqu'à la forme voulue. Comme l'attrape-termites du chimpanzé, la massue ou l'amande en silex pré-existait en quelque sorte dans la matrice initiale. L'action de l'homme était celle

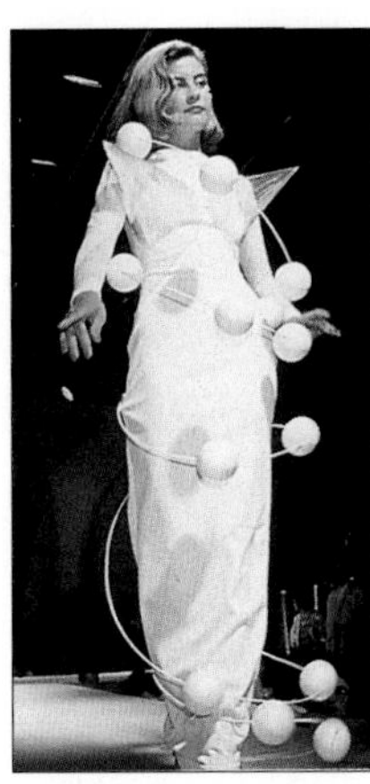

▲ *L'industrie du vêtement consomme avec plaisir les nouveaux matériaux.*

Du même bois on peut faire une croix et une trique.
Proverbe roumain.

du sculpteur : faire apparaître une forme cachée dans la masse. Le métal, lui, doit au préalable être extrait par une technique totalement différente du façonnage qui crée, dans le vrai sens du terme, l'objet final. Seul le matériau existait avant l'objet. Aujourd'hui, le façonnage des nouvelles matières comme les fibres de carbone ou le greffage à l'échelle moléculaire consiste parfois à créer le matériau au moment de la fabrication : le matériau lui-même ne pré-existe plus à l'objet. L'action n'est plus une déformation de la matière mais au contraire une re-création à partir du microscopique.

De la sculpture à l'extraction, de la fabrication à la re-création, ce lent cheminement traduit une meilleure connaissance de la matière. L'action descend alors vers des niveaux plus fins. Le travail ou les alliages des métaux, le moulage de pièces plastiques, l'assemblage de matériaux composites se réalisent en précision millimétrique. La fabrication des circuits électroniques requiert des gravures au niveau du micron (soit mille fois plus fin). Le greffage consiste pratiquement à créer une molécule de toutes pièces selon un cahier des charges en intervenant au niveau des radicaux (encore mille fois plus fins). Le façonnage des matériaux ne cesse donc de gagner en finesse. L'homme inscrit de plus en plus finement de l'intelligence dans la matière.

La conséquence de l'amélioration de la finesse est l'accroissement de la complexité. Les matériaux utilisables par l'industrie ou l'artisan, avant l'âge du plastique, étaient en nombre très limité. Ils sont maintenant des centaines et même des millions si l'on tient compte de toutes les espèces possibles de polymères. On peut parler d'un hyperchoix des matériaux. Le prospectiviste Alvin Toffler (le "Choc du Futur") inventait, il y a quinze ans, ce mot d'hyperchoix. L'homme moderne, disait-il, doit choisir entre trop de possibles, et cela le met en état de choc. Ici le problème numéro un, pour le fabricant, est bien de choisir le bon matériau. La question ne doit plus être : comment puis-je utiliser tel matériau pour fabriquer mon objet ? mais : quel matériau remplit les fonctions dont j'ai besoin ? Ce choix, beaucoup plus ouvert, donc difficile, mobilise une méthodologie nouvelle : l'analyse de la valeur.

Du papier au carton, du métal au plastique, les emballages d'un même produit mettent à contribution tous les matériaux. ▼

Les spécialistes des plastiques ont déjà pris l'habitude de distinguer deux types de polymères, les structurels et les fonctionnels. Les premiers apportent, comme les matériaux plus classiques, un ensemble de propriétés utilisées dans leur façonnage. Ce sont, par exemple, les fibres aramides pour leurs propriétés extrudables (utilisées en électronique, dans les plats pour four...) ou les polyesters saturés pour les emballages thermoformés. Les polymères fonctionnels ont été conçus dans le but d'exacerber spécifiquement l'une de leurs propriétés utile dans certaines catégories de produits : la porosité pour les filtres, les prothèses ou les stylo-feutres ; l'imperméabilité pour les emballages, la rétention de liquides dans les couches-culottes ou des systèmes humidificateurs pour

■ ***De la sculpture à l'extraction, de la fabrication à la re-création, ce lent cheminement traduit une connaissance de la matière.***

■ ***L'homme inscrit de plus en plus finement de l'intelligence dans la matière.***

■ ***L'hyperchoix des matériaux permet de poser la question : quel matériau remplit les fonctions dont j'ai besoin ?***

les déserts ; la biocompatibilité, la photosensibilité, la conductibilité électrique, etc. Les polymères fonctionnels sont beaucoup plus spécifiques mais tout de même moins qu'on ne pourrait le penser car ils ne s'utilisent pas forcément seuls. La richesse de cet ensemble est telle, désormais, qu'il est plus rapide de développer des alliages en vue de concevoir un matériau d'une certaine qualité (trois à cinq ans) que de chercher à inventer un polymère totalement innovant.

Cette entrée en scène des polymères et des matériaux composites ne se coule pas dans les moules du savoir-faire habituel. Ajouter des fonctions à une matière de base consiste aussi à mettre au point un procédé différent de fabrication. Les composites à base de fibres de carbone en sont aujourd'hui le meilleur exemple. On estime que pour un objet donné, en combinant le nombre de matériaux de base, les mille et une façons de les présenter (tresses, nappes, fils, etc.) et les méthodes d'assemblage des différentes couches, on obtiendrait à peu près 10 puissance 60 possibilités. Dans la recherche de la fonction pour l'objet final, l'hyperchoix est donc aussi, et parfois surtout, celui du procédé.

■ Par leur diversité, les polymères ont considérablement enrichi la palette des matériaux.

■ Traversant tout le vingt-et-unième siècle, la tendance lourde, si l'on peut dire, c'est l'allègement.

■ Transportant sa maison, l'homme nomade échappe aux mégalopoles engorgées.

■ Les nouveaux matériaux permettent de simplifier la vie, sous l'eau, sur terre ou dans l'espace.

L'AVÈNEMENT DU TOUT RECYCLABLE ET DE LA LÉGÈRETÉ

Traversant tout notre siècle, la tendance lourde, si l'on peut dire, c'est l'allègement. Les industries aéronautique et spatiale, pourvoyeuses de crédits, ont particulièrement poussé les recherches dans ce sens. Mais tout de même, cet amaigrissement général des objets de notre environnement quotidien reste étonnant. Il n'est guère d'exemples de produits courants dont le poids n'ait diminué depuis leur invention. Objet en apparence immuable, la bouteille de verre qui pesait 170 grammes en 1974 a fondu jusqu'à 95 grammes. Tous les ustensiles mécaniques, de l'automobile au réfrigérateur, ont subi de telles cures. L'acier ou le béton ont eux aussi, et depuis longtemps, évolué dans ce sens. Ainsi, dans les années trente, pour réaliser un mètre carré de plancher, il fallait vingt kilogrammes de poutrelles d'acier[1]. Aujourd'hui, grâce au béton armé et aux aciers supportant des contraintes plus importantes, cette masse a été divisée par 20...

Cette tendance vers l'ultra-léger ne peut que s'accentuer dans le domaine de l'habitat. Il est déjà révélateur de voir quel équipement de luxe un promeneur peut emporter au cours de pérégrinations montagnardes. D'un sac à dos d'une quinzaine de kilogrammes, il sort une tente, un sac de couchage, complétés peut-être par

L'homme peut vivre en nomade grâce à la légèreté des matériaux de son équipement de survie. ▼

[1] *Selon l'OTUA (Office Technique pour l'Utilisation de l'Acier).*

une couverture en aluminium s'il fait froid et un matelas en mousse pour plus de confort, une lampe électrique, un réchaud miniature, des aliments déshydratés, des ustensiles de cuisine et quelques autres innovations, comprenant une collection de gadgets électroniques. Seuls le livre de chevet et l'eau de la gourde sont - jusqu'à présent - restés invariants en poids ! Le promeneur de 2015 dispose en plus, et pour le même poids, d'un ordinateur, d'un système d'aide à la navigation et d'éléments de confort devenus banals (parfois indispensables) comme un appareil de télécommunication, un téléviseur, un magnétoscope, ou d'autres "générateurs d'environnements" et "générateurs d'ambiance".

▲ *La légèreté et la souplesse des nouveaux matériaux de construction permettent à l'imagination de s'exprimer dans de bonnes conditions de confort.*

Cette stratégie de l'escargot coïncide avec une évolution sociale : la population dans son ensemble est plus mobile. La délocalisation des lieux de travail, permise par les moyens de communications développés après 2000, favorise les déplacements fréquents des employés, voire d'équipes entières. L'engorgement des mégalopoles et les méfaits des sauvages urbains poussent eux aussi à la décentralisation massive. L'habitat perd de sa valeur, doit devenir déplaçable ou même "jetable". Matériaux variés, légers, aux fonctions intégrées se conjuguent alors pour répondre à la demande : on peut acheter sa maison sur mesure ou en prêt-à-habiter. Construite sur place ou en usine et apportée par la voie des airs, suspendue à un dirigeable-grue, elle est déjà prête à l'emploi, n'ayant besoin que d'être connectée aux réseaux urbains. De même, les cités marines réclament, tout comme les installations spatiales, les matériaux les plus légers possibles et des ensembles démontables, transportables et peu encombrants.

Le transportable n'est pas forcément la solution la plus simple. S'il faut se déplacer au sein d'une grande abondance de biens, autant jeter ici pour acheter à nouveau là-bas. D'autant que cette nouvelle coutume entre bien dans la tendance générale à s'entourer d'objets limitant les contraintes. L'objet jetable évite les tâches considérées comme ingrates : lavage, réparation, entretien courant. La mise au point de matériaux susceptibles de simplifier la fabrication permet, en diminuant les coûts, d'étendre l'habitude du jetable aux objets plus compliqués : après le briquet, les gadgets électroniques, type radios ou magnétophones, peuvent devenir jetables tout comme les calculettes, les ordinateurs miniatures, les vêtements ou les automobiles.

Une maison en argile ne brûle pas.
Proverbe haoussa.

A partir de 2020 apparaissent sur le marché des cabines d'habillement. Elles fabriquent des vêtements en polymère dans l'instant. Un "miroir" informatique permet d'abord de visualiser le modèle choisi, de le compléter, de voir comment un drapé réagit aux mouvements.

Une fois le choix final effectué, le modèle est moulé à même la peau. Après usage, la robe de Cendrillon est jetée dans un bac, et la matière qui la compose est recyclée, prête à une nouvelle utilisation.

▲ *En 1990, le recyclage des ordinateurs a encore quelques progrès à faire.*

Mais un objet jetable ayant une durée de vie faible, la quantité d'exemplaires en circulation est plus importante et la dépense en matière est finalement plus grande. Le jetable ne peut donc s'envisager que joint au principe du tout recyclable. L'idée est plus facile à énoncer qu'à réaliser à grande échelle. La refonte coûte de l'énergie et les procédés diffèrent d'un matériau à l'autre. En l'an 2000, les techniques à employer pour les polymères ou les fibres de carbone sont encore loin d'être opérationnelles. Et il faut attendre 2040 pour que l'industrie du tout recyclable produise davantage que les industries d'extraction et de production traditionnelles.

■ ***Le principe du jetable suppose que soient améliorés les circuits de recyclage.***

■ ***Espaces et décors deviennent programmables. Les murs écrans s'affichent suivant les mouvements et les humeurs de l'habitant.***

■ ***Le design peut traverser les âges comme celui de la chaise de bistrot, vieux de 160 ans.***

L'INTELLIGENCE MATÉRIALISÉE AU CŒUR MÊME DE LA MATIÈRE

Selon la jambe, la chausse. Proverbe français du XVIème siècle.

Cette recherche du plus léger est aussi celle du moins contraignant, tant pour l'utilisation des objets que pour leur fabrication ou leur entretien. C'est bien d'ailleurs la tendance naturelle de l'homme que de plier son environnement à ses besoins, forgeant ainsi sa "techno-nature". Pour y parvenir, il doit adapter de plus en plus finement ses objets à des circonstances de plus en plus complexes. Témoignage visible de ce processus : la tendance à l'intégration de fonctions diverses dans une même structure, conduisant à des objets de plus en plus "ronds". Les couteaux de cuisine à bon marché, qu'ils soient en acier ou en plastique, sont constitués d'un même matériau pour la lame et le manche, alors que les fonctions de ces deux parties sont complètement différentes. L'évolution du dessin des automobiles est probablement l'exemple le plus démonstratif de cette tendance. A la manière de Mickey, dont les formes s'arrondirent au fil de sa carrière, évoluant vers le juvénile, elles sont devenues toutes rondes. Le capot moteur et les ailes se fondent ensemble et avec le reste de la carrosserie, le pare-choc s'unit avec la calandre et les phares disparaissent. Les matériaux nouveaux, comme le plastique dans le cas du pare-choc, y sont bien pour quelque chose mais c'est surtout une réflexion a contrario qui explique le phénomène. D'ailleurs, l'intégration des phares n'a pas attendu les plastiques puisque Peugeot les avait déjà fait disparaître derrière la calandre de sa 402. L'intégration des formes est un mouvement général de l'évolution des objets techniques[1]. A chaque génération, ils se modifient à la manière des organes des animaux. Il y a une morphogénèse de la technique pro-

[1] *Gilbert Simondon, Du mode d'existence des objets techniques, Aubier, Paris, 1989.*

fondément enracinée dans le vivant. L'intégration de la fonction peut se faire à une échelle plus petite encore : Saint-Gobain vient de mettre au point un film plastique garni de cristaux liquides encapsulés dont la propriété est de modifier sa transparence en fonction du champ électrique. En l'appliquant sur une plaque de verre, il devient possible de l'obscurcir ou de l'éclaircir grâce à un simple rhéostat : voici la fonction du rideau intégrée à la baie vitrée et celle du pare-soleil au pare-brise ou au toit ouvrant de la voiture. L'évolution suivante est celle des murs-écrans d'images. A partir de 1998, les écrans des postes de télévision, des minitels et des ordinateurs commencent à être remplacés par des panneaux à cristaux liquides. Soit minuscules et privatifs (la paire de lunettes télématique), soit de la taille d'un mur entier. Le décor des maisons, des lieux de travail, des espaces collectifs devient programmable. Certains écrans sont aussi réactifs, changeant leur affichage suivant les mouvements ou les humeurs de l'habitant.

▲ *Les divers organes composant la voiture sont intégrés dans la forme générale.*

Le matériau, tout comme les sous-parties du système, doit se faire oublier. La technicité, c'est-à-dire l'apparente complexité d'un objet, n'apparaît que comme un effet parasite, une imperfection du système, aussi bien au moment de la fabrication que lors de son utilisation ou de son entretien. Nos ustensiles tendent à devenir "conviviaux". L'intelligence visible d'un objet passe dans le domaine de l'invisible, fondant les fonctions dans la matière même.

PROCÉDÉS NOUVEAUX POUR MATÉRIAUX ANCIENS : L'ÉVOLUTION DE LA MATIÈRE

Michael Thonnet inventa en 1830 un procédé original pour former le bois à la vapeur. Il s'inspira de techniques employées dans des industries bien différentes de la sienne, en l'occurrence l'art des tonneliers qui courbaient le bois de leurs douves et celui des menuisiers de la marine qui donnaient forme à la coque des navires. Thonnet alla beaucoup plus loin et parvint à un degré de courbure dont seuls étaient capables jusque-là les artisans du fer forgé. A voir ses chaises extraordinaires entièrement composées d'arabesques impossibles à obtenir avec du bois sculpté, on comprend que ce procédé original faisait naître un nouveau matériau à partir de l'ancien. Et que sa mise au point traduisait bien un désir profond de s'affranchir des limites apparemment imposées par la matière. Son design, vieux de 160 ans, est toujours contemporain, représenté notamment par

▲ *La maison gonflable élargit la sphère de vie quotidienne.*

la chaise de bistrot. Ce scénario se reproduit sans cesse pour les matériaux réputés traditionnels. Les matériaux "nouveaux" qui occupent pour un temps le devant de la scène ne doivent pas être les quelques arbres qui cachent la forêt. Ils ne sont que la façade un peu plus visible, un peu plus lumineuse, derrière laquelle s'active la recherche industrielle. Toutes les spécialités habituelles de la science des matériaux apportent leurs contributions : les mathématiques, la physique, la chimie, la thermodynamique, la métrologie, la tribologie (science des frottements) ou la rhéologie (étude des déformations visqueuses).

Les améliorations sont tout à fait impressionnantes. La mise au point d'aciers à haute limite élastique et d'une méthode de calcul par éléments finis, aux résultats plus subtils que les précédents, a permis à la SNCF de gagner 15% sur le poids de ses voitures "Corail". En attendant 2005 et les TGV en polymères. De même pour les bétons. Leur résistance aux efforts ou au vieillissement s'accroît. Les portées obtenues pour le pont de l'île de Ré ou de l'Arche de La Défense en témoignent. Les recherches au niveau moléculaire ont permis de prévoir le comportement des ciments pendant des dizaines d'années après la construction. Pour l'architecte, le béton est totalement plastique, c'est presque le matériau idéal. Dans l'imaginaire de l'usager, au contraire, c'est une prison. Entre le concepteur et l'habitant, le béton a pris. Il a figé sa forme pour des décennies. C'est pour cela que le vingt-et-unième siècle revient à la flexibilité : il arbore des maisons aux murs en matériaux souples, doux, chauds et changeants. Au lieu d'imiter le squelette du corail, l'architecture cherche à retrouver les qualités de la peau.

Même l'acier n'est plus celui d'autrefois. Au niveau de la fabrication, la complexité des laminages est réduite en travaillant en "flux continu", sans interruption. En produisant directement des pièces de deux millimètres d'épaisseur à partir de la coulée de métal liquide, on peut supprimer la phase de laminage à chaud. En 2000, on parvient à une épaisseur de 0,2 millimètre, ce qui élimine aussi le laminage à froid ; on fabrique ainsi sans opérations intermédiaires un produit presque fini. L'amélioration des procédés de fabrication n'est pas seulement une facilité, elle est aussi un moyen permettant de mieux contrôler les modifications induites dans la matière. Grâce à la meilleure connaissance des phénomènes physiques et chimiques et aux performances de l'informatique, il est possible de piloter fine-

■ ***Pour l'architecte, le béton est totalement plastique, il constitue presque le matériau idéal.***

■ ***La meilleure connaissance des phénomènes physiques et chimiques ainsi que les performances de l'informatique révolutionnent le traitement de l'acier.***

■ ***Après 2005, les voitures en alliage ultra-léger sont très répandues.***

■ ***Les métaux deviennent "superélastiques" ou "superplastiques" !***

ment ces opérations de manière à opérer des manipulations à petite échelle lors des phases à températures élevées : recristallisation, affinage de grains, précipitations, etc. Dès 2005, elles aboutissent, sans traitements thermiques ultérieurs, à des aciers spécialisés à hautes performances, combinant résistance et ductilité. Les verres métalliques sont un autre exemple. Produits par refroidissement ultra-rapide d'un mélange (un million de degrés par seconde), ils constituent des formes intermédiaires à partir desquelles, par refonte, seront obtenus des alliages aux grains beaucoup plus fins (moins d'un micron), qualifiés de "nanocristallins".

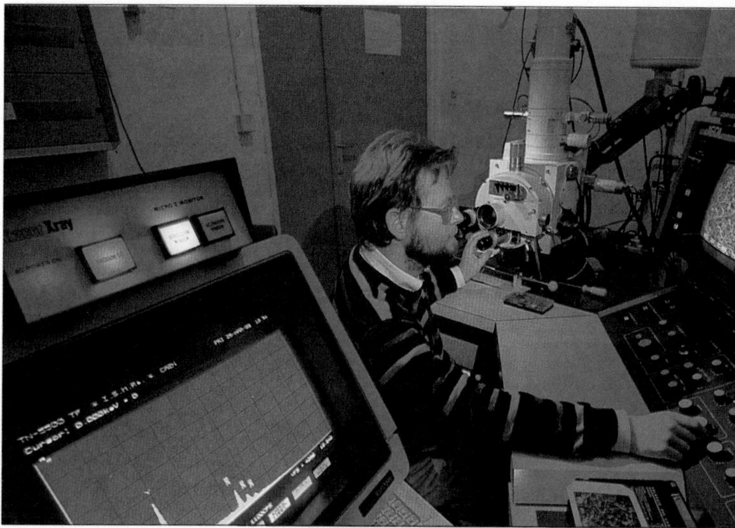

▲ *Au cœur des laboratoires, microscopes électroniques et analyseurs permettent de voir jusqu'aux atomes.*

Les progrès dans la mise en forme de l'aluminium expliquent le regain d'intérêt porté à ce métal à la légèreté bien connue. Quarante ans après des voitures comme la Dyna Panhard et l'Hotchkiss Grégoire, plusieurs constructeurs étudient de près le recours à l'aluminium pour réduire le poids de leurs automobiles. Ferrari et Audi font rouler en 1990 des prototypes, Honda et Jaguar vendent déjà en série limitée quelques exemplaires. Les pièces ne sont plus soudées, mais collées. Après 2005, l'alliage de l'aluminium avec le lithium (le plus léger de tous les solides, développé pour l'aéronautique) diminue encore la densité, rendant la solution métallique intéressante en regard de celle des composites ou des polymères.

Ces changements traduisent une meilleure finesse dans le travail des matériaux. En passant à une autre échelle, cette évolution conduit non seulement à gagner en performances, mais encore à doter quelques matériaux de qualités nouvelles, parfois contradictoires avec leurs propriétés naturelles jusque-là incontestées. Certains métaux témoignent d'une "superélasticité" ou d'une "superplasticité" lors de leur fabrication. Les polymères, appréciés pour leur haute résistance au courant électrique, deviennent d'excellents conducteurs et sont même envisagés pour la fabrication de piles en plastique. La céramique est un autre exemple célèbre. Fabriquées depuis le fond des âges à partir des éléments les plus courants de la planète, les céramiques constituent aujourd'hui

La première voiture du monde en céramique a néanmoins des pneus en caoutchouc (synthétique)... ▼

des matériaux de pointe, que l'on envisage de mettre un peu partout pour leurs performances exceptionnelles. Après les assiettes en céramique, voici les couteaux en céramique, les moteurs en céramique et les avions en céramique.

Le béton change lui aussi de rôle. Les spécialistes du bâtiment connaissent la faible élasticité de ce matériau. Cependant, dans les laboratoires, cette élasticité a pu être augmentée à un tel point que des ressorts en béton ont déjà été réalisés. Travaillées au niveau de la molécule, plus légères et plus souples, des formes de béton déclarées "à hautes performances" (déjà développées pour les coques de navires) sont utilisées dès l'an 2000 pour des éléments de carrosserie automobile ou même aéronautique.

Céramique ou ciment, c'est bien en améliorant la complexité du traitement et la finesse des manipulations que la recherche tend à obtenir une matière plus malléable et plus légère.

DE LA PHYSIQUE À LA CHIMIE : LA CRÉATION DE MOLÉCULES SUR MESURE

Physique et chimie sont grandes pourvoyeuses de techniques dans le domaine du matériau. L'informatique, qu'elle soit électronique, optoélectronique, bionique ou autre, est grande consommatrice d'innovations. Différentes techniques de gravure des circuits intégrés permettent aujourd'hui de descendre au-dessous du micron. Elles reproduisent en quelque sorte le travail des graveurs ou des marqueteurs, à une autre échelle, avec d'autres outils et d'autres bases physiques. Dans les transistors à base métallique, la micro-électronique s'inspire de l'électronique de papa en construisant une matrice de métal fonctionnant exactement comme la grille d'une lampe.

La fabrication physique, mécanique, d'édifices moléculaires fait émerger une technologie très spécifique, au savoir-faire unique en son genre. L'extrême miniaturisation n'est jusqu'à présent l'apanage que de la micro-électronique mais bien d'autres domaines profiteront de cette incursion dans des outils et des mécanismes construits atome par atome. Ainsi, la réalisation du microscope à effet tunnel exige la fabrication d'une aiguille dont l'extrémité est une pointe "absolue" puisqu'elle ne comporte qu'un seul atome. Le plus petit moteur du monde tient aujourd'hui dans un cheveu : il

Le modèle très agrandi des molécules permet à l'esprit de visualiser l'infiniment petit. ▼

s'agit d'une puce électronique dans laquelle un disque tourne sur un pivot central lorsque du courant est envoyé dans le circuit sous-jacent. Ce moteur sert dès 2015 à déboucher les artères et veines encrassées ; il actionne des micro-pompes qui dosent en continu l'injection d'insuline des diabétiques : le robot pénètre le corps humain. Sur un Airbus de la Lufthansa, un film collant gravé de microrainures, de l'ordre du centième de millimètre, diminue la traînée de l'appareil (c'est la "peau de requin"). On s'achemine ainsi vers la réalisation de "macrostructures microstructurées", dans lesquelles l'ordre est déterminé, quasiment à l'atome près, sur des étendues de plus en plus grandes.

A ce niveau, la physique passe la main à la chimie moléculaire. Il n'y a pas loin entre le principe de la construction de microstructures et la réalisation de molécules sur mesure. L'électronique est, là encore, parmi les premiers bénéficiaires de cette approche. Etat très particulier de la matière, le cristal liquide en est une bonne illustration. Dans ces structures bidimensionnelles, les molécules sont orientées dans une certaine direction et leur organisation est sensible à des forces extérieures, pression, température, champs électrique et magnétique. Il est donc possible de construire des architectures moléculaires, de créer des propriétés particulières et de les modifier facilement.

■ Les avions en céramique côtoient les ressorts en béton !

■ Le micromoteur sert dès 2015 à déboucher les artères et veines encrassées : le robot pénètre le corps humain.

■ Les vêtements ne se tachent plus, ne se déchirent plus, leurs couleurs varient en fonction du temps.

Aux confins de la physique et de la chimie émergent des possibilités infinies. Le concept "d'automate cellulaire", par exemple, date de 1940. Il consiste à créer un dispositif électronique dans lequel un très grand nombre d'unités de traitement sont organisées en plans et coopèrent entre elles. C'est l'idée de base des systèmes informatiques neuronaux, ou massivement parallèles. Le passage au niveau de la molécule a suggéré très rapidement le principe "d'automates moléculaires", dans lesquels les unités de traitement seraient des molécules, et dont le nombre pourrait être très grand. On parle déjà de "l'électronique moléculaire".

Ces idées mettent davantage de temps à se diffuser dans d'autres secteurs de l'industrie. La mécanique vient de découvrir les cristaux liquides dont la viscosité varie avec la pression, l'industrie textile s'est approprié le greffage, véritable bouture d'une molécule sur une autre pour lui ajouter la fonction désirée. Les vêtements ont tout à y gagner : ils ne se tachent plus depuis 2030, ne se déchirent plus, sont inusables, leurs couleurs sont variables en fonction du temps, de l'heure ou de l'environnement.

Les vêtements utilisent toutes les possibilités des nouveaux matériaux. ▼

De tels exemples n'illustrent que l'intervention au moment de la fabrication. Mais, notamment dans le cas de la micro-électronique, le problème sera de faire fonctionner ces édifices moléculaires, obligeant à des actions sur la matière à l'échelle de la molécule ou de l'atome. Ce champ reste à explorer et peu de solutions sont envisageables actuellement. On peut imaginer inverser le processus du microscope à effet tunnel et se servir de la pointe non plus comme d'un système de mesure mais comme d'un outil, capable de titiller la matière au niveau de l'angström (10 puissance moins 10 mètre). Dès 2010 apparaissent des systèmes de traitements de l'information où les opérations élémentaires sont réalisées par des molécules spécialisées qui dialoguent entre elles par échanges chimiques.

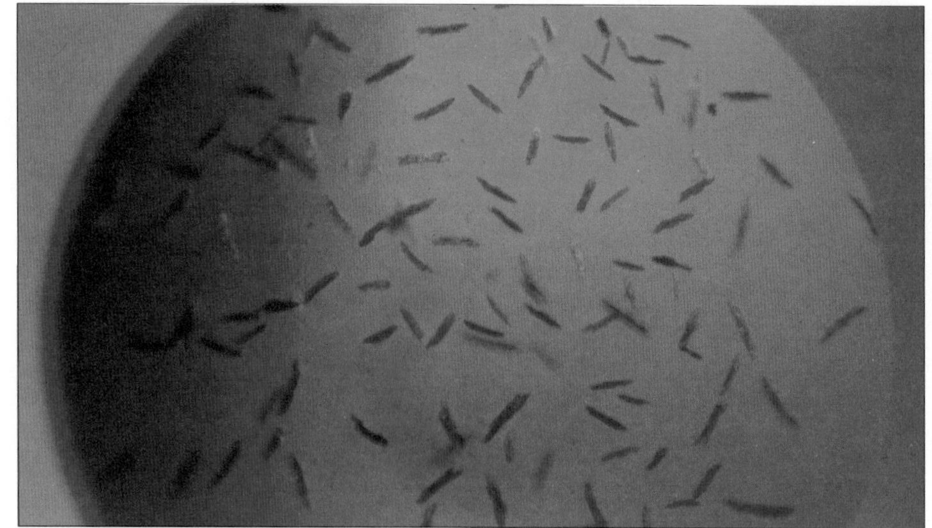

A la frontière du vivant et de la matière, se trouve la fabrication des cristaux de protéines. ▶

IMITER LE VIVANT ET CONJUGUER LES SCIENCES

Ces résultats sont issus de recherches appliquées et volontaristes. Elles ont apporté à peu près exactement ce que l'on cherchait. La recherche fondamentale, quant à elle, apporte aussi son lot de découvertes plus ou moins fortuites. Ainsi en est-il de la supraconductivité dont font preuve certaines céramiques à base d'oxydes de cuivre. Les chercheurs ont manifestement mis le doigt sur une propriété fondamentale de la conduction électrique, illustration de la mécanique quantique. Démonstration académique des effets d'une découverte scientifique importante, les résultats se diffusent de manière imprévisible dans de multiples secteurs, dont quelques-uns seulement sont entrevus. Le transport à distance de l'électricité, qui consomme huit pour cent de l'énergie transportée dans les fils électriques, y trouve un intérêt évident. Les possibilités de stockage de l'électricité peuvent aussi conduire à une meilleure utilisation des centrales, s'adaptant enfin aux variations cycliques ou accidentelles de la consommation. Les ordinateurs y gagnent en vitesse, jusqu'à ce que l'optique prenne le relais de l'électronique. Et tous les systèmes utilisant des aimants à haute puissance voient leur coût diminuer, les scanners RMN par exemple. Mais surtout, des techniques difficiles à imaginer sans la supraconductivité peuvent voir le jour, comme les bateaux à propulsion magnéto-hydro-dynamique. En 2050, la supraconductivité utilise encore de l'azote liquide. Elle requiert d'assez grands froids, mais elle a révolutionné les transports en commun et développé toute une gamme de jeux pour enfants. Vêtus de combinaisons métalliques, ils font d'immenses glissades sans danger sur des aires aménagées. Le jeu de poursuite ou des quatre coins, sorte de billard humain, s'est répandu principalement en Asie.

La quatrième dimension, en l'occurrence le temps, est encore un paramètre bien mal maîtrisé. On réalise, en général, la plupart des matériaux pour qu'ils restent le plus longtemps possible dans le même état. La découverte et la mise au point des alliages à mémoire

■ ***En 2050, la supraconductivité révolutionne les transports en commun.***

■ ***"Eduqué", un objet peut changer de forme sous l'effet de variations de températures.***

■ ***Il s'agit donc bien d'imiter le vivant. Seul le "matériau vivant" peut intégrer toutes les fonctions que l'on souhaite lorsqu'il faut réparer un organisme endommagé.***

de forme ouvre une nouvelle perspective. Ces matériaux peuvent changer de structure en fonction des sollicitations de l'environnement. Les alliages métalliques utilisés jusqu'à présent ont trouvé des analogues chez les polymères. "Eduqué", un objet peut changer de forme à la demande, sous l'effet de variations de chaleur, comme si une fonction motrice était ajoutée à l'intérieur même de la matière. Lorsqu'on aura trouvé d'autres moyens que la température pour provoquer un changement de forme dans ces matériaux (ondes, ultrasons, etc.), on disposera d'un "langage" pour modifier de loin la taille, la forme ou les propriétés d'une pièce.

Physique, mécanique et chimie ne sont pas les seules sciences à intervenir dans la conception de matériaux originaux. La biologie a fait une entrée remarquée de deux manières différentes. La mise au point de biomatériaux a conduit les spécialistes à étudier de près le matériau vivant, d'abord pour s'y conformer, ensuite pour l'imiter. Après les alliages métalliques, les polymères et les fibres de carbone utilisés dans les prothèses et choisis pour leur biocompatibilité, la tendance est à une meilleure collaboration avec le vivant, aux matériaux organiques ou "presque vivants". Ainsi, pour éviter le descellement des prothèses accrochées sur un os, pense-t-on moins à inventer une super colle qu'à rendre leur surface poreuse de manière à la laisser envahir par le tissu osseux. Les biomolécules sont elles aussi étudiées de près, une dizaine de variétés de collagène ayant actuellement la vedette, au côté de la chitine extraite des carapaces de crustacés.

En 2038, la mode du gazon, matériau vivant, habille hommes, maisons et voitures. ▼

Il s'agit donc bien d'imiter le vivant. Il y a continuité entre les recherches de matériaux biocompatibles et les cultures de cellules dans des tissus vivants reconstitués. Seul le "matériau vivant" peut intégrer toutes les fonctions que l'on souhaite lorsqu'il faut réparer un organisme ou un membre endommagé.

En sens inverse, la biologie a inspiré des solutions différentes. Les recherches sur la photosynthèse artificielle ont démontré la faisabilité de diodes monomoléculaires. D'une manière générale, les champs de la chimie organique et de la biochimie sont riches en molécules très réactives. Les fonctions du vivant ont de quoi faire rêver bien des industriels : autoreproduction, cicatrisation et réactions complexes à l'environnement. La matière vivante, qui se construit d'elle-même par programmation génétique de végétaux domestiqués, n'est plus loin. Dès le début du troisième millénaire, une peinture murale vivante est mise sur le marché. C'est une sorte de lichen qui épure l'atmosphère, régénère l'oxygène et dégage une odeur de printemps. A partir de 2040, la maison biologique est expérimentée. La programmation génétique a fait de tels progrès que les murs, entièrement faits de matière vivante, poussent tels des plantes, en se conformant au dessein initial de l'architecte.

Jacques Monod soulignait que les enzymes, au niveau moléculaire donc, agissaient avec les réactions chimiques comme des relais électroniques avec le courant électrique : elles régulent une réaction en fonction d'un paramètre extérieur, la concentration d'une certaine molécule dans ce cas. Leur taille et leur poids (de l'ordre de 10 puissance moins 17 gramme) semblent hors de portée d'une miniaturisation des systèmes informatiques de 1990. Le stockage de l'information, codée au niveau de l'atome dans l'ADN, donne lui aussi une idée de ce que pourraient atteindre des systèmes qui s'en inspireraient. Un calcul simple, prenant comme référence le nombre de "mots" inscrits sur l'ADN humain contenu dans un noyau de quelques microns de diamètre, montre que 300 000 encyclopédies tiendraient dans un millimètre cube. Bien sûr, rien ne nous renseigne sur la taille que devra avoir le système capable de lire et d'écrire dans un tel concentré, de même qu'il est difficile d'imaginer jusqu'à quelle taille une mémoire de ce type pourra fonctionner correctement et quelles applications seront traitées.

■ ***A la suite des solides construits à l'atome près, viennent les édifices atomiques, à la particule près.***

■ ***Créée en laboratoire en 1987, l'antimatière se révèle le meilleur concentré d'énergie imaginable.***

■ ***Le bouleversement des industries du matériau ouvre l'ère des très grands projets.***

La biologie n'est pas la seule science à féconder celle des matériaux. En cherchant toujours à changer d'échelle, cette dernière, après la chimie moléculaire, s'intéresse fatalement à la physique des particules. Puisque l'on peut construire des solides à l'atome près, la suite logique de cette descente vers l'infiniment petit est la construction d'édifices atomiques à la particule près : fabrication d'isotopes nouveaux, d'atomes plus lourds que l'uranium, de "faux atomes", où les électrons, protons et neutrons auraient laissé la place à d'autres, ou des milieux encore plus diffus. Ce sont de nouveaux états de la matière, comme l'ont été les cristaux liquides. Ces nouveaux états induisent, lorsqu'ils sortent des laboratoires, des applications dont la variété ne semble limitée que par notre capacité à imaginer. Le rêve se concrétise.

La mécanique quantique peut sembler ériger une limite avec le célèbre principe d'incertitude, selon lequel il est impossible de mesurer avec une grande précision un certain état d'une particule sans altérer gravement la qualité de la mesure d'un autre paramètre. L'effet tunnel, déjà mis au travail en microscopie et en micro-électronique, montre que l'on peut tirer profit des fantaisies microscopiques de la matière, là où son caractère ondulatoire se manifeste. De même, la "lumière comprimée", dans laquelle on module volontairement la précision sur deux paramètres, la phase et l'amplitude, véhicule une quantité d'informations bien plus

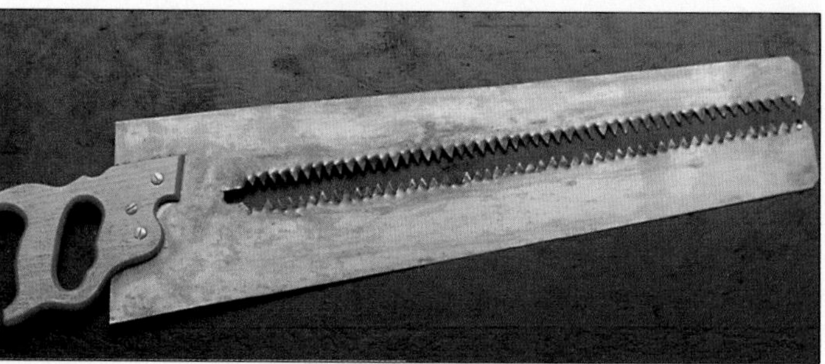

▲ *Comme le montre avec humour Jacques Carelman, les outils appropriés aux nouveaux matériaux nécessitent des recherches poussées...*

grande : cette technique, encore au stade du laboratoire, ne réclamerait que un ou deux photons par bit, au lieu de la vingtaine qui est nécessaire dans une liaison optique. Dans ce domaine des transmissions, on peut pressentir un effort pour s'affranchir des contraintes liées aux télécommunications par voie électromagnétique. Quand la société mondiale s'interconnecte, investit les océans et se répand dans l'espace interplanétaire, peut-on supporter longtemps les perturbations dont sont victimes les ondes électromagnétiques : ondes radio soumises aux caprices orageux de l'atmosphère, lumière diffusée ou absorbée pour un rien, difficultés énormes de la communication sous-marine bien connues des militaires (repérage des sous-marins). Comment par exemple effectuer une visée laser vers une station installée sur la face cachée de la Lune ? Des particules comme les neutrinos, interférant peu avec la matière, traversant une planète sans problème, sont intellectuellement bien tentantes. Il ne reste qu'à fabriquer l'antenne... ce qui sera difficile, car justement, ils traversent tout sans rien perturber. En attendant, l'ordinateur optique utilise massivement le fait que des rayons lumineux peuvent se croiser sans interférer. Ce qui n'était pas le cas des fils des anciens circuits.

La microphotographie en lumière polarisée invite à découvrir la galaxie de la matière. Ici, de petites sphères de polyéthylène. ▶

La physique des particules a amené un autre jouet porteur d'avenir : l'anti-matière. On sait déjà fabriquer et contenir ces particules de charges opposées à celles de la matière et interférant avec elles d'une manière explosive. Il s'agit en fait du meilleur concentré d'énergie imaginable, impossible à trouver dans la nature (il ne peut en exister des quantités appréciables que dans des zones de l'espace éloignées de notre galaxie), mais constituant le carburant artificiel idéal. L'énergie dégagée par réaction est considérable : un milligramme d'anti-hydrogène s'annihilant avec un milligramme d'hydrogène produirait l'énergie nécessaire à la satellisation d'une navette spatiale. Le produit de cette réaction est de la lumière qui se prête mal au décollage d'un engin depuis la Terre mais conviendrait parfaitement pour la propulsion d'un vaisseau spatial sorti de l'atmosphère : en 2150, une centaine de kilogrammes sont suffisants pour qu'un vaisseau de dix tonnes atteigne en quarante ans Proxima Centauri, l'étoile la plus proche du Soleil, à quatre années-lumière.

DES CHANGEMENTS IMPORTANTS MARQUENT LA NAISSANCE D'UNE INDUSTRIE

La complexité des industries du matériau ne date que de quelques dizaines d'années. La rapidité d'évolution est supérieure à celle des transformations progressives d'un corps de métier. A l'échelle de l'histoire humaine, on peut même parler de séisme. L'augmentation exponentielle des connaissances sur les matériaux bouleverse donc des professions entières. Naguère, l'ouvrier, l'artisan et l'ingénieur étaient indissociablement liés au matériau qu'ils travaillaient quotidiennement. Leur art était justement de se plier aux contraintes de cette matière pour l'apprivoiser et en obtenir tout ce qui en était possible. Fondu dans le principe des corporations, cet état d'esprit cloisonnait les spécialistes en fonction de la matière elle-même.

On peut déjà interpréter l'avènement du mot matériau comme un signe de changement. Jusque-là, on ne parlait que de bois, d'acier, de fer, de plastique, de béton mais pas de matériau. Personne n'avait besoin d'un terme générique englobant tous les autres. Le vocabulaire restait interne à chaque corps de métier. L'utilisation de nombreux types de matériaux, combinés selon des procédés variant à l'infini, la tendance à réaliser pour chaque pièce le matériau sur mesure, qui ne préexiste pas à l'objet, ont littéralement fait éclater ces divisions. Les meilleurs spécialistes, déjà, ne peuvent pas tout connaître des matériaux et des procédés utilisés pour la fabrication de pièces complexes.

Avec une faucille d'argent, on moissonne des épis d'or.
Proverbe finnois.

La course à la légèreté a, elle aussi, des effets importants. Au Japon, entre 1975 et 1985, à valeur identique des objets finaux fabriqués, le besoin en acier diminue de 47% (18% pour l'aluminium et 8% pour les plastiques). Ainsi, actuellement, même en période de forte croissance économique, le besoin en matériaux se situe très en retrait par rapport à la croissance globale de la production. Du coup, le phénomène tend à s'auto-entretenir. Car devant ces marchés qui s'effritent, les producteurs de matériaux ripostent en développant la recherche. Ce qu'un secteur perd en quantité, il le regagne en diversifiant ses produits et en améliorant leur qualité, dans la mesure où il sait s'adapter. Ce n'est pas un hasard si, depuis le début des années 1980, le Japon mobilise une bonne partie de sa recherche pour le développement des matériaux, de façon à être aussi performant que dans les domaines de l'électronique ou des biotechnologies.

A la fin de cette secousse tellurique, matériaux, alliages et procédés nouveaux sont entre les mains d'une industrie pionnière. Les moyens à mettre en œuvre pour entreprendre une recherche sont souvent considérables. Les industriels aident quelques laboratoires pour en capter les productions ou bien créent leurs propres centres de re-

cherche, selon des techniques désormais éprouvées dans plusieurs grands domaines de la technologie. Les découvertes sont donc l'œuvre de "pionniers sponsorisés". La place est bien étroite pour des chercheurs isolés. Mais la sponsorisation est facile. La réalité et l'intérêt de ces recherches sont unanimement reconnus. Elles apparaissent comme la continuation d'un travail multi-séculaire aux débouchés évidents.

Les avantages au niveau des produits finis ne sont pas les seuls. Les méthodes de fabrication, bénéficiant elles aussi d'améliorations importantes, font diminuer les coûts industriels, la consommation d'énergie et par conséquent la pollution. Pour reprendre l'exemple de la bouteille de verre dont le poids a été divisé par deux en quinze ans, cet allègement, accompagné d'une technologie plus affinée, a réduit la consommation d'énergie nécessaire à la fabrication de 25%.

Pendant le vingt-et-unième siècle, le développement de cette industrie conduit à une prospérité nouvelle pour les grandes entreprises engagées dans ce secteur porteur. Les technologies récentes payent. La demande est forte pour les matériaux à "hautes performances" à destination du militaire, de l'aéronautique ou du spatial. Les débouchés rémunérateurs dans le domaine de l'informatique et de l'énergie justifient la poursuite des études. Les grandes firmes sont lancées dans des programmes de recherche de grande ampleur. Le soutien des Etats ne suffit pas, il faut opérer des regroupements autour de grands projets pour continuer les recherches sur le travail moléculaire, l'utilisation des particules et la fabrication d'antimatière. On peut parler d'une "nouvelle sidérurgie".

Les nouveaux matériaux - car on en découvre sans cesse - se répandent dans les secteurs de masse, d'abord l'automobile puis le bâtiment. La première tour en plastique et fibres de carbone est en cours de construction en 1990 à Tokyo. Les coûts diminuent sans cesse et aucun objet ne peut échapper à l'influence de l'hyperchoix.

■ ***Les découvertes sont alors l'œuvre de "pionniers sponsorisés".***

■ ***Les matériaux sont consommés en quantités moindres, sans renier une exigence croissante de qualité.***

CHANGEMENTS CULTURELS : DE L'INGÉNIEUR AU DESIGNER

Le problème devient alors de répondre à des demandes de plus en plus diversifiées. Le savoir-faire doit se déporter du produit de base vers le produit final. La complication est extrême : 10 puissance 60 possibilités pour fabriquer un objet quelconque en plastiques composites ! La quantité d'informations nécessaires pour décrire le savoir de cette industrie devenue multiforme ne peut plus être manipulée que par l'intermédiaire de systèmes informatiques.

Mais il faut bien que les spécialistes apprennent à mieux communiquer entre eux. Pour maîtriser pareille quantité d'informations, un vocabulaire riche et mis en commun doit être inventé pour que puissent être associés, dans un même produit final, des matériaux et des procédés de fabrication totalement différents. La machine informatique intervient dans l'enregistrement de ce savoir, dans sa propagation par l'intermédiaire des bases de données, puis au moment de la conception avec les stations de travail qui remplacent table à dessin et règle à calcul.

▲ *L'informatisation complète de la conception des carrosseries automobiles élimine l'étape de la sculpture manuelle en glaise.*

A la fin du vingtième siècle, des réticences existent toutefois, comme dans tout secteur impliqué dans le changement. L'esprit corporatiste ne s'éteint pas de sitôt. Les hommes de l'acier s'opposent encore souvent à ceux du plastique. Les vocabulaires évoquent la rivalité ou sont même carrément belliqueux. Face à "l'attaque des matériaux nouveaux", on trouve "la riposte des métaux". Même si les journalistes abusent régulièrement de ce genre de formules, ils témoignent, ce faisant, de la persistance des divisions, qui sont liées à un véritable changement culturel du savoir sur les matériaux : connaissances plus fines, moins intuitives, plus complexes et davantage partagées entre spécialistes de divers pays et de divers domaines.

En fait, le système technique évolue comme un ensemble vivant, par essais et erreurs, par mutations et réactions. Des concepts intermédiaires apparaissent, auxquels on n'avait pas pensé et qui s'imposent par la commodité de l'usage. Ainsi, la planche d'aggloméré, qui n'est ni du bois, ni du polymère, ou le profilé d'aluminium. Le bricoleur peut apprivoiser les matières modernes. Le phénomène est analogue, toute proportion gardée, à celui du tableur en micro-informatique. Ce logiciel illustre un concept différent, selon lequel il devient possible de réaliser, sans être programmeur, des fonctions qui, auparavant, constituaient des programmes, propriétés des informaticiens. Le novice, en fait, est aussi un spécialiste, non pas du fonctionnement de son ordinateur-outil mais du pro-

La lévitation magnétique est une importante application de la supra-conductivité. ▼

■ ***Le système technique évolue comme un ensemble vivant, par essais et erreurs, par mutations et réactions***

■ ***De petites sociétés, s'appuyant sur le savoir réparti dans des banques de données, sont capables de fabriquer n'importe quel objet à la demande.***

blème à résoudre. Certains ingénieurs, de la même manière, voient lentement fuir leur patrimoine de savoir vers d'autres spécialistes, proches du produit fini. L'ingénieur laisse donc la place au designer. Réfléchissant en termes de fonctionnalités, ce dernier représente le point de vue de l'utilisateur et libère sa pensée des contingences techniques liées à la réalisation.

VOICI LE TEMPS DES "ARTISANS DU COMPOSITE"

L'industrie, traditionnellement lourde, de la production des matériaux de base et de leur première transformation, se double d'une industrie de services. Voici le temps des "artisans du composite". La baisse des coûts des matériaux est générale ; de petites sociétés, s'appuyant sur le savoir réparti dans les banques de données, sont capables de fabriquer n'importe quel objet à la demande. Elles répondent à des besoins ponctuels, exprimés par de grandes sociétés mais aussi par de petites entreprises ou des commerçants. Le prix de la matière première intervient faiblement dans le prix global. L'essentiel du coût vient du travail de conception, de la partie "logicielle" du procédé qui est mis en œuvre.

Il n'est d'ouvrage que de maître. Proverbe français du XVIème siècle.

Une telle flexibilité facilite les petites séries. La couleur des objets, leur forme, leur texture peuvent être quelconques et en tout cas indépendantes du matériau de base. Le beau, le toucher agréable sont incorporés dans n'importe quel objet, avec un faible surcoût. Quelque chose comme une liberté supplémentaire dans la création... Il devient possible de se faire fabriquer des objets totalement personnalisés ou de modifier l'aspect des ustensiles de la vie courante. Véhicules, lieux d'habitation, vêtements peuvent devenir fluorescents, prendre l'aspect de la peluche ou se parer d'images mouvantes... Pour des prix plus abordables, on peut utiliser des "matériaux prédiffusés", matière première malléable que ces sociétés de services adaptent à la demande, pour concevoir des vêtements originaux ou des bijoux d'un soir.

Les plus modestes entreprises de la planète parviennent à accéder à ce marché du "prêt-à-porter personnalisé". Jusqu'en 2050, les intérêts des pays en voie de développement ne convergent pas avec ceux des pays industrialisés, qui seuls peuvent promouvoir des recherches lourdes. Les artisans locaux s'adaptent vite aux matériaux nouveaux et inventent quelques savoir-faire pour réparer ces objets venus d'ailleurs. L'opportunité du sur-mesure permet ensuite la constitution de petites industries qui produisent localement les produits les mieux adaptés à la population environnante. Elles parviennent également à exporter leurs idées et à créer des effets de mode, qui donnent un nouveau souffle aux exportations d'objets artisanaux qui ont "apprivoisé" la technique mise en œuvre.

Le temps des grandes compagnies spécialisées par matériau est maintenant révolu. La firme US Steel s'est transformée en USX. Les grands de l'acier, de l'aluminium, des métaux non-ferreux, sont, au moyen d'accords croisés, devenus des fournisseurs multinationaux

En recyclant des emballages perdus, les enfants imaginent de nouveaux jouets. ▶

qui vendent non seulement le produit, mais aussi la manière de s'en servir. Analyse de la valeur, CFAO, design, richesse du catalogue sont leurs principaux arguments commerciaux. Elles parrainent des artistes pour manifester publiquement la qualité de leur savoir-faire.

■ ***Les plus modestes entreprises accèdent au marché du "prêt-à-porter personnalisé".***

LA TRIPLE ÉVOLUTION DU VINGT-ET-UNIÈME SIÈCLE

■ ***Moins de matière, moins d'énergie mais davantage d'intelligence.***

Ce n'est pas maîtrise de faire comme les autres. Proverbe gallica du XVème siècle.

Moins de matière, moins d'énergie mais davantage d'intelligence : tel est le tryptique décrivant l'évolution des matériaux. Qui conduit à une meilleure adéquation du matériau aux besoins, et à une plus grande indépendance entre l'objet final et le matériau de départ. On peut comparer ce phénomène à la domestication des sources d'énergie. La technologie les a multipliées et a permis leur transformation en d'autres formes d'énergie. Par l'intermédiaire de l'électricité, la force mécanique d'une chute d'eau devient source de chaleur pour la cuisson des pâtes dans une maison située à des dizaines de kilomètres, la fission d'un atome d'uranium, quelque part dans la vallée du Rhône, provoque une accélération du TGV et la combustion de quelques centilitres de pétrole permet à un homme de se raser. Il y a un découplage total entre la nature de l'énergie aux moments de sa production et de sa consommation. On ne perçoit pas de matériau pouvant jouer le rôle de l'électricité, intermédiaire systématique, sorte de joker énergétique. En revanche, le choix des matériaux de base, démultiplié par la variété des procédés de fabrication, est si grand que la réflexion peut porter désormais bien davantage sur les fonctions à réaliser que sur les moyens de "faire avec" la matière disponible. Il y a là aussi un découplage, permettant aux constructeurs finaux, indus-

Des panneaux solaires sur une carrosserie en plastique pour alimenter une automobile à moteur électrique. ▼

Les nouveaux matériaux se combinent. On entre dans l'ère de la complexité et de l'hyperchoix. Le vingt-et-unième siècle privilégie la légèreté et il concilie le tout jetable avec le tout recyclable. L'homme intègre l'intelligence dans le matériau. ▶

triels, artisans ou artistes, d'être beaucoup plus libres dans leurs créations, puisque, de toute façon, les spécialistes des matériaux trouvent bien le moyen de réaliser ce qui leur est demandé avec assez d'insistance. ■

Depuis qu'elle est sur terre, l'humanité n'a cessé d'accroître

h a

sa consommation d'énergie. Pour la première fois, on peut observer aujourd'hui une tendance à la stabilisation, voire à la diminution de cette consommation, tandis que l'effet de serre et la pollution viennent rappeler les dangers de nos excès. Au vingt-et-unième siècle, l'énergie est, non pas rationnée, mais multiple et rationalisée.

L'énergie maîtrisée

pitre 6

La maîtrise de l'énergie correspond à un apprentissage long et difficile, tenant compte de la croissance des besoins du tiers monde.
C'est le principe même de la vie que de consommer l'énergie pour la

▲ *Le "Lightning field" est une œuvre de l'artiste plasticien Walter de Maria. Située au Nouveau Mexique, c'est un rectangle de un mile sur un km qui comporte 400 mâts d'acier inoxydable disposés en grilles rectangulaires et espacés de 220 pieds. Tonnerre et foudre se manifestent environ 60 jours par an. Lorsque l'air est chargé d'un courant électrique intense, les pointes des mâts émettent une lumière incandescente appelée feu de Saint-Elme.*

transformer en mouvement. L'envol d'une cigogne symbolise la transformation d'une parcelle de l'énergie thermonucléaire du Soleil. L'espèce humaine s'est échappée de ce fonctionnement en même temps que de son statut d'animal en domestiquant le feu. Au siècle dernier, elle s'est mise à consommer des énergies fossiles (charbon, pétrole, gaz) plus rapidement qu'elles ne se forment. En 1990, l'espèce humaine consomme chaque année vingt-cinq fois son propre poids de biomasse fossile : environ 1,4 tonne d'équivalent pétrole, pour un humain pesant cinquante-cinq kilogrammes. Ramenée à l'échelle d'un individu, l'augmentation de la consommation d'énergie est impressionnante. En 1800, un travailleur dépensait en moyenne deux mille heures de travail manuel par an et utilisait mille heures d'"équivalent-travail"[1] fournies par des machines ou des animaux. A l'aube du troisième millénaire, il n'effectue lui-même que mille heures de travail, mais il est aidé par des machines fournissant quarante-neuf mille heures d'équivalent-travail.

DE LA BOULIMIE À L'INDIGESTION

Depuis plus d'un siècle, la priorité est la production d'énergie. Il faut avant tout satisfaire la demande de l'industrialisation. C'est l'époque des hégémonies. Le développement de la machine à vapeur a fait du charbon le combustible principal. Plus pratique, plus rentable, facilement transportable, le pétrole prend sa succession. Il devient l'énergie de référence, le prix de référence, l'unité de référence. Les producteurs d'électricité, recherchant le moindre coût plutôt que la diversité, ont beaucoup fait pour entretenir ce monopole. Est-ce un signe révélateur, la consommation de bois de chauffage, la source la moins contrôlable, disparaît pratiquement des statistiques officielles... Puis, l'approvisionnement en pétrole suscitant des inquiétudes, la logique de l'indépendance a conduit les pays industrialisés à se tourner vers le nucléaire. Aujourd'hui, de semblables espoirs sont placés dans l'énergie de fusion, conduisant aussi à des installations centralisées.

■ ***L'envol d'une cigogne symbolise la transformation d'une parcelle de l'énergie thermonucléaire du Soleil.***

■ ***Depuis vingt ans, la succession de crises du pétrole aidant, la diversification des sources est une priorité.***

■ ***La logique même de l'énergie change, car l'épuisement des combustibles fossiles se rapproche.***

[1] *J.-P. Deléage, L'énergie, Cahiers Français n°236.*

Il semble donc qu'une certaine logique ait poussé vers la source unique. Mais elle ne s'est jamais totalement imposée, malgré le rôle intermédiaire que joue l'électricité. Dans le tiers monde, faute d'une

richesse et d'une infrastructure suffisantes, c'est la biomasse (bois et déchets de l'agriculture) qui demeure le combustible numéro un.

Depuis vingt ans, la succession de crises du pétrole aidant, la tendance est à la diversification des sources. Entre 1973 et 1988, la part du pétrole a baissé de 20%, déclinant à 38% de la consommation globale. Le charbon et le gaz ont lentement progressé. Ils atteignent 30 et 20% du bilan mondial. L'hydraulique est passée de 5 à 6% alors que l'électricité nucléaire prenait rapidement une part équivalente, passant de 0,8 à 5%.

En cette fin de vingtième siècle, la logique de l'énergie change. L'épuisement des combustibles fossiles se rapproche : quelques générations tout au plus, bien peu à l'échelle de l'espèce. L'effet de serre, les pluies acides et la pollution des océans inquiètent les populations et les gouvernants. Enfin, le développement des pays les moins avancés oblige à abandonner le modèle de consommation des économies industrialisées.

L'ÉPUISEMENT DES STOCKS EST POUR APRÈS-DEMAIN

"La houille manquera un jour, cela est certain. Un chômage forcé s'imposera donc aux machines du monde entier, si quelque nouveau combustible ne remplace pas le charbon. A une époque plus ou moins reculée, il n'y aura plus de gisements carbonifères, si ce n'est ceux qu'une éternelle couche de glace recouvre au Groenland, aux environs de la mer de Baffin, et dont l'exploitation est à peu près impossible. C'est le sort inévitable." En 1877,

Le charbon est la ressource énergétique principale de la Chine et de l'Inde, grands consommateurs du vingt-et-unième siècle. Malheureusement il reste le plus polluant. ▼

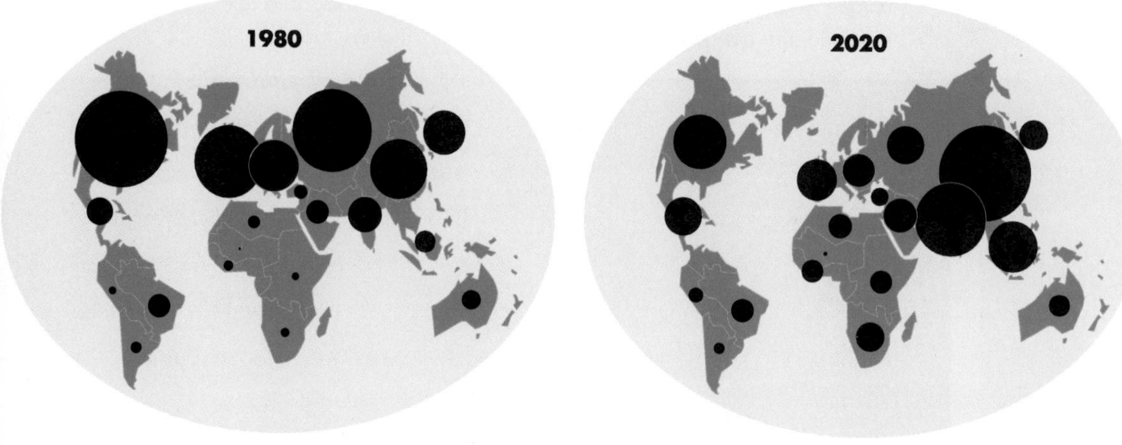

Jules Verne prédisait déjà dans les Indes Noires l'épuisement des ressources en combustibles fossiles. Prudent, il n'avançait pas de date. Car si cette réflexion est l'évidence même, la quantification des ressources encore disponibles est une autre affaire.

Les énergies fossiles se renouvellent à un rythme extrêmement lent[1]. Elles ne sont qu'un avatar du cycle de la vie, proportion infime des cadavres de plantes ou d'animaux enfermés dans le sous-sol par le hasard des mouvements tectoniques. C'est pourtant dans cette source limitée que nous puisons une énergie toujours plus grande : elle représente actuellement près de 90% de la consommation mondiale. En 1990, l'humanité brûle 3 milliards de tonnes de pétrole, 2,4 milliards de tep (tonnes-équivalents pétrole) de charbon, 1,6 milliard sous forme de gaz et 0,4 milliard en uranium.

Les estimations des réserves de ces différents combustibles montrent que nous disposons encore de plusieurs décennies d'autonomie, à la condition de chercher de nouveaux pétroles au fond des mers ou sous les glaces, d'exploiter méticuleusement les gisements existants, d'utiliser massivement le bon vieux charbon et le gaz, tout en conser-

■ ***L'échéance 2100 semblait lointaine mais il est possible de tenir jusque-là, moyennant une augmentation des coûts d'extraction. Seule l'énergie de fusion serait inépuisable. Mais peut-on la domestiquer ?***

Consommation de pétrole en 1988 (en Mtep)

E.U.	*871*
Eur. Ouest	*580*
URSS	*435*
Japon	*224*

Consommation de charbon en 1988 (en Mtep)

E.U.	*537*
Chine	*480*
URSS	*360*
Eur. Ouest	*288*
Eur. Est	*263*
Inde	*104*

[1] L'uranium, lui, ne se renouvelle pas du tout.

LA FIN DE L'ÈRE DU PÉTROLE ?

La production cumulée depuis le début de l'ère du pétrole (forage de Drake en 1859) jusqu'à aujourd'hui est d'environ 87 milliards de tonnes, dont une cinquantaine depuis la crise du pétrole de 1973 ! A ce rythme, les réserves mondiales actuellement connues sont épuisées vers 2030. Ce chiffre n'est qu'une moyenne : les gisements du Moyen-Orient ont encore près de cent ans de vie, mais les Etats-Unis auront épuisé leurs réserves connues en 2000 et l'URSS en 2005. En fait, ce ne sont pas là les termes d'épuisement réel (depuis des années, les Américains n'ont devant eux qu'une dizaine d'années de production...), car on continue régulièrement à découvrir de nouveaux gisements et à réévaluer les anciens. Mais ils sont chaque fois plus difficiles à découvrir et à exploiter, donc économiquement et écologiquement plus chers. Les plus connus d'entre eux à l'heure actuelle sont ceux des bassins sédimentaires du plateau continental. D'après les études de l'US Geological Survey (B.F. Grossling, In search of oil, Financial Times, 1985), il ne reste à découvrir que l'équivalent d'une vingtaine d'années de consommation au rythme actuel, sur la base d'un taux de récupération de 34%. Les experts ont en effet la conviction que la plupart des grands gisements ont maintenant été découverts. On passe ainsi d'une échéance 2030 à 2050. Au-delà il faut faire appel aux "nouveaux pétroles".

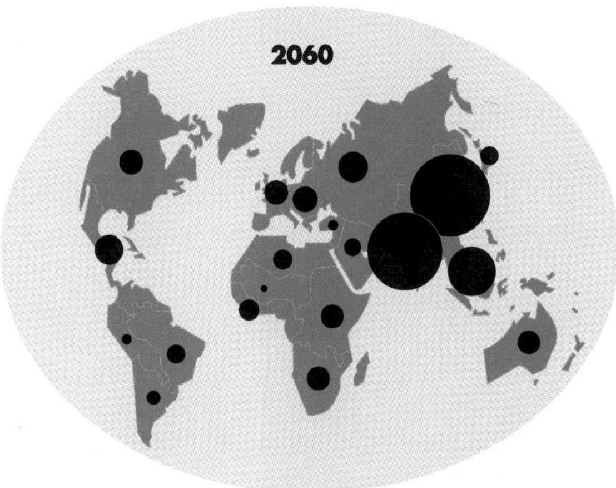

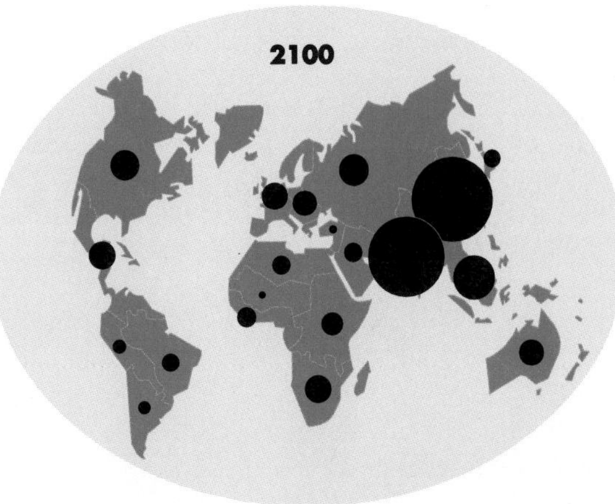

▲

Les émissions de gaz carbonique dans l'atmosphère

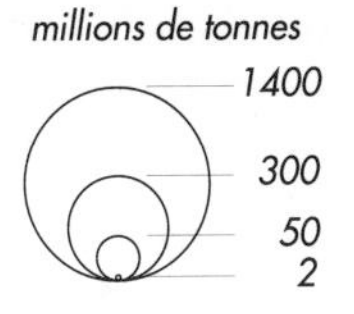

vant un certain enthousiasme pour le nucléaire. L'échéance 2100 semblait lointaine, mais il est possible de tenir jusque-là, contrairement aux estimations pessimistes du club de Rome (1970), moyennant une augmentation des coûts d'extraction (pétrole sous-marin, mines plus profondes...). Seule l'énergie de fusion serait inépuisable. Mais peut-on la domestiquer ?
Des considérations écologiques imposent alors des modifications profondes de la stratégie énergétique.

▲ Le CO_2 est le principal responsable, par effet de serre, du réchauffement de l'atmosphère. L'émission actuelle dans les pays industrialisés est de cinq tonnes par habitant et par an. L'émission souhaitable à terme est d'une tonne. Un objectif accessible pour 2020 serait de trois tonnes. Les pays industrialisés diminuent leurs émissions par des actions anti-pollution, sans pour autant réduire leur train de vie. Les émissions des pays en développement augmentent, pendant leur phase d'industrialisation.

LA DÉGRADATION DE LA PLANÈTE POURRAIT DEVENIR IRRÉVERSIBLE

Jusqu'à une époque très récente, l'impact des activités énergétiques sur l'environnement s'est limité aux effets locaux : risques pour les travailleurs, pollution des bassins miniers et des zones industrielles, atmosphère des grandes agglomérations (Londres, Mexico, Los Angeles, etc.). La fin du vingtième siècle voit l'émergence de problèmes planétaires, dont la responsabilité incombe aux pays consommateurs de pétrole (Etats Unis, Europe, URSS, Japon) et aussi de charbon (Etats-Unis, Chine, URSS et demain Inde). D'autres problèmes transfrontières, sans être globaux à l'échelle planétaire, n'en sont pas moins importants : pluies et dépôts acides dus aux oxydes de soufre et d'azote (pétrole et charbon), nuages radioactifs en cas d'accident nucléaire.

L'EFFET DE SERRE ENTRAÎNE, PAR AILLEURS, LA MODIFICATION DES CLIMATS

Sous forme de gaz carbonique, l'utilisation des combustibles fossiles rejette chaque année 5,8 milliards de tonnes de carbone dans l'atmosphère. S'y ajoutent environ 1,6 milliard de tonnes dues à la déforestation, dont la moitié pour la seule forêt amazonienne. Sur la base d'un doublement de la teneur en gaz carbonique au milieu du

*Le charbon se moque des cendres.
Proverbe peul.*

La collecte du bois de feu, ressource énergétique essentielle pour l'Afrique, contribue à la désertification. Désert sur lequel s'élèvent ◀ des cathédrales...

Dans l'eau courante, il n'y a pas de saleté. Proverbe indien.

siècle, les études convergent vers une augmentation de la température moyenne mondiale de deux à quatre degrés, entraînant une modification des climats, importante quoique difficile à cerner. De la montée du niveau de la mer (qui pourrait être de cinquante centimètres à un mètre) aux changements de donnes dans l'agriculture mondiale, les conséquences multiples de cet effet de serre commencent à peine à être évaluées.

■ Les études convergent vers une augmentation de la température moyenne mondiale de deux à quatre degrés, entraînant une modification des climats et la montée du niveau de la mer, de cinquante centimètres à un mètre.

PLUIES, DÉPÔTS ACIDES ET POLLUTIONS NE CONNAISSENT PAS LES FRONTIÈRES

Les oxydes de soufre et d'azote émis par les combustions forment des acides et des sels dans l'atmosphère avant de retomber au sol, plus ou moins loin des sources d'émission, sous forme de pluies acides. De tels phénomènes ont été observés dans l'est des Etats-Unis et du Canada, en Europe (Allemagne, Scandinavie, Europe de l'Est). Ils endommagent la nature : acidification des lacs, des eaux souterraines et des sols, dépérissement des forêts. Des mesures ont été prises aux Etats-Unis et en Europe pour limiter la pollution par les gaz d'échappement automobiles et pour épurer les fumées des grandes installations de combustion. Le temps de réaction a été d'environ dix années. Les premières observations scientifiques remontent à 1974, les décisions politiques au milieu des années 1980. Quant à la mise en application complète de ces mesures, elle était en 1990 bien loin d'être terminée.

Chaque année, plus de trois millions de tonnes de pétrole sont rejetées à la mer ! Pour près de la moitié, ces déversements proviennent des installations industrielles et des grandes villes, transitant par les cours

■ Les oxydes de soufre et d'azote émis par les combustions forment des acides et des sels dans l'atmosphère, avant de retomber au sol sous forme de pluies acides.

■ Dépolluer ou éviter de polluer est parfaitement possible. Ce qui est inquiétant, c'est la résistance des décideurs industriels.

D'ÉNORMES RESSOURCES EN CHARBON

Les ressources mondiales de charbon sont énormes et se chiffrent en centaines d'années de production. Elles sont réparties plus uniformément que celles de pétrole ou de gaz. Le charbon peut jouer un rôle important au vingt-et-unième siècle, si l'on sait résoudre les problèmes de transport, de déchargement et surtout de pollution, le charbon (et la tourbe) étant la plus polluante des sources énergétiques fossiles disponibles.

[1] Philippe Roqueplo, Pluies acides, menace pour l'Europe, CPE-Economica, Paris, 1987.

◀ Le nuage de Tchernobyl

La zone grisée montre les surfaces touchées par le nuage entre le 26 avril 1986 à 12 heures et le 2 mai 1986 à 12 heures.

• Le 28 avril, le nuage s'étend de la Pologne à la Suède, couvrant la Norvège, la Finlande et la Russie au nord jusqu'à la mer Caspienne au sud.

• Le 30 avril, déformé par les vents, il couvre maintenant la quasi totalité de l'Europe de l'est, l'Autriche et le nord de l'Italie, jusqu'à la Corse et la Sardaigne.

• Le 2 mai, remontant vers le nord, il recouvre la France, la Belgique, l'Angleterre,la Suisse, l'Allemagne, la Hollande, et, au sud, la Tunisie.

d'eau et l'atmosphère. Viennent ensuite les déversements directs du transport maritime, rejets réguliers de pétrole par les navires en mer (eau de ballast polluée et eaux de nettoyage des citernes), représentant 1,1 million de tonnes. Les accidents de pétroliers comptent pour 0,4 million de tonnes. Du Torrey Canyon (1967) à l'Exxon Valdez (1989), en passant par l'Amoco Cadiz en 1978 et bien d'autres, l'océan subit en moyenne un naufrage de supertanker de plus de cent mille tonnes tous les deux ans. S'y ajoutent chaque année trois ou quatre naufrages de pétroliers de vingt-cinq à cinquante mille tonnes. Bien que plus faibles, les déversements par les plate-formes de production en mer ont un impact important dans le golfe du Mexique, en mer du Nord et dans le golfe persique. Les dommages dus à la pollution de la mer par les hydrocarbures sont particulièrement sensibles sur les côtes et sur les élevages de coquillages et de poissons. L'atteinte à la faune littorale est spectaculaire. Les conséquences en haute mer sont moins visibles mais cependant tout aussi préoccupantes.

La contamination de l'atmosphère n'entame en rien l'enthousiasme de nos sympathiques volleyeurs. ▼

Les faits sont là : l'industrie pollue. D'un point de vue seulement technique, dépolluer ou, mieux, éviter de polluer est parfaitement possible. Ce qui est inquiétant, c'est la résistance des décideurs industriels qui, dans leur majorité, au lieu d'essayer de remédier à ces nuisances, mènent un peu partout des combats d'arrière-garde. Ils utilisent leurs moyens de pression, considérables, pour persuader les décideurs politiques de ne rien faire. Aux Etats-Unis, le Président a été bombardé de rapports expliquant que l'effet de serre est en grande partie illusoire. Selon eux, il est urgent d'attendre, pour en savoir plus, une nouvelle génération de satellites météo qui sera lancée... dans dix ans ! En Europe, c'est l'industrie automobile qui s'est illustrée, en retardant autant qu'elle le pouvait le passage à l'essence sans plomb. La bataille se situe donc, comme c'est souvent le cas dans le domaine de l'énergie, sur le terrain de la désinformation. "Lobby or not lobby" aurait dit Shakespeare. Mais attention aux réactions du public !

■ ***La bataille se situe sur le terrain de la désinformation. "Lobby or not lobby" aurait dit Shakespeare. Mais attention aux réactions du public !***

■ ***A cinquante mètres sous terre, dans une enceinte en béton, Tchernobyl n'aurait pas fait de dégâts majeurs.***

■ ***Reste le problème des déchets, dont certains sont radioactifs pendant des milliers d'années.***

IL FAUT PRENDRE EN COMPTE LES RISQUES DU NUCLÉAIRE

L'énergie nucléaire dispose de beaucoup d'avantages. Elle produit une électricité indépendante des aléas de l'approvisionnement pétrolier, de la topographie (il faut toutefois de l'eau) ou du climat. Malgré cette supériorité, elle a provoqué les premières grandes réactions de rejet. La lourde hérédité de la bombe atomique n'est pas faite pour inspirer la sympathie. Le mot radioactif suscite une crainte viscérale. L'homme peut-il se permettre d'aller chatouiller ce feu sacré enfoui au cœur de la matière ? Et les autorités n'ont fait que renforcer la méfiance en sous-informant avec régularité les populations de la réalité des risques.

Il est possible que le nucléaire termine son histoire après quelques beaux accidents. L'alerte de Three Mile Island (deux cent mille personnes évacuées) et l'incendie de la centrale de Tchernobyl ont définitivement montré que les risques étaient réels.

Mais au vingt-et-unième siècle, la demande d'énergie croît et les centrales prolifèrent à travers le monde. On privilégie alors la filière thorium, dont les déchets ont une durée de vie réduite. Les pays de l'Est et ceux du tiers monde sont à l'évidence demandeurs. La diffusion des centrales risque de permettre en même temps celle de la fabrication des bombes atomiques, malgré les contrôles effectués. Mais le vrai problème est surtout celui de la technologie. Une centrale

A partir de 2030, ce type de centrale nucléaire est enterré. ▼

Evolution prospective des populations et des consommations d'énergie primaire

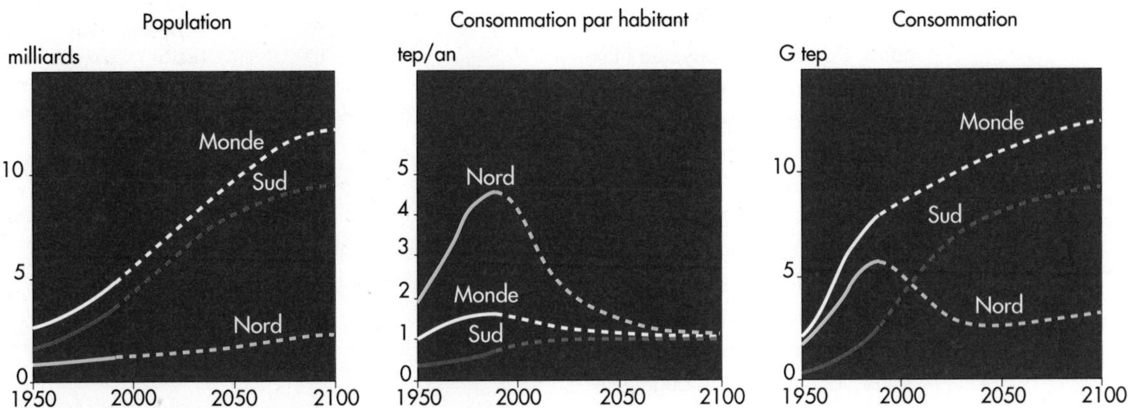

▲ *Du fait de la croissance de la population et malgré une consommation moyenne en baisse, la consommation globale croît fortement.*

nucléaire se pilote avec un personnel hautement qualifié et rare. Alors, il faut les enterrer et assister pilotage et entretien par des robots. A cinquante mètres sous terre, dans une enceinte en béton, Tchernobyl n'aurait pas fait de dégâts majeurs. L'enterrement, qui n'augmente pourtant que de moins de 10% le coût de la centrale, avait été jusqu'à présent écarté. Le nucléaire cherchait en effet à réduire les coûts au maximum pour rester compétitif avec le pétrole. Mais on peut penser qu'au bout de quatre ou cinq accidents ou sabotages, les constructeurs et les exploitants se décident, mettant fin à une époque d'irresponsabilité.

Reste le problème des déchets, dont certains sont radioactifs pendant des milliers d'années. Des immersions, par quatre mille mètres de fond ont été effectuées par quelques pays européens. Elles devaient assurer une dilution efficace des radio-éléments, qui s'échappent une fois les fûts détériorés par la corrosion. Mais les organismes marins risquent de les reconcentrer. Autre possibilité : l'isolation dans les formations géologiques profondes. Tant que la durée de radioactivité ne peut être réduite, l'idée générale est de les éloigner le plus possible de l'humanité. On pense à les envoyer dans l'espace percuter le soleil, au sein duquel la fournaise viendra à bout des noyaux les plus actifs. Le retraitement est une voie également possible, car ces déchets sont de l'énergie en conserve !

LE DÉSÉQUILIBRE NORD/SUD VA ENCORE S'ACCENTUER

L'inégalité devant l'énergie entre les pays industrialisés et les autres est flagrante. Les chiffres sont brutaux : un habitant d'Afrique ou d'Asie dispose en moyenne de moins de 0,6 tonne-équivalent-pétrole (tep) par an quand un Américain du Nord en consomme plus de 7, la moyenne mondiale s'établissant à 1,6. Plus finement, on distingue trois grandes situations-types. La première est celle des Etats-Unis, où le secteur des transports a pris une importance considérable, atteignant 2,5 tep par habitant et par an, le tiers du total, presque autant que la consommation d'un Japonais, et où l'industrie tend à diminuer au bénéfice du secteur habitat-tertiaire. L'URSS et les pays de l'Est sont un cas d'espèce. La consommation domestique et les transports y sont encore peu développés, alors que l'industrie représente près des deux tiers de la consommation nationale. Enfin, en Afrique, la consommation, encore très faible (0,4 tep par habitant et par an) et réservée aux besoins domestiques, augmente considérablement lorsque les transports et l'industrie apparaissent. La tendance générale est à un équilibrage progressif entre les parts relatives des trois grands secteurs (industrie, transports et l'ensemble constitué par habitat, tertiaire et agriculture).

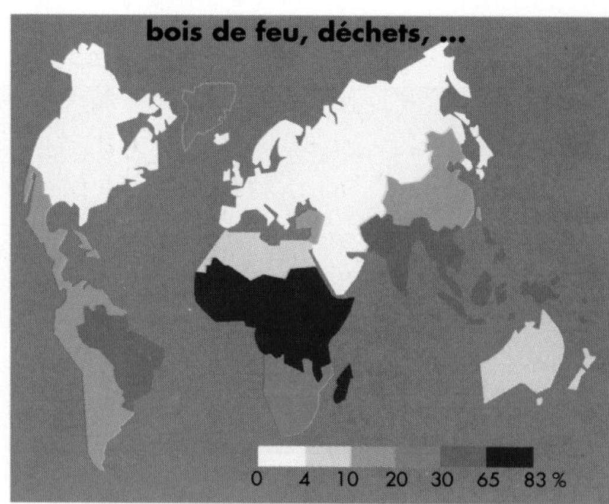

■ ***L'évolution dans les pays industrialisés tend plutôt vers une diminution de la consommation énergétique par habitant, mais à qualité de vie égale, grâce à de meilleurs rendements.***

■ ***C'est dans les pays les plus peuplés (Chine, Inde) que se prennent les décisions énergétiques importantes pour le vingt-et-unième siècle.***

En valeur absolue, l'évolution dans les pays industrialisés tend plutôt vers une diminution de la consommation énergétique par habitant, mais à qualité de vie égale, grâce à de meilleurs rendements à tous les niveaux. Ces pays surconsomment : chauffage intempestif de locaux mal isolés, climatisation, transports coûteux, procédés industriels gaspilleurs. A Los Angeles, les pointes de consommation d'électricité, que l'on enregistre localement, se produisent en été, à cause de la climatisation.

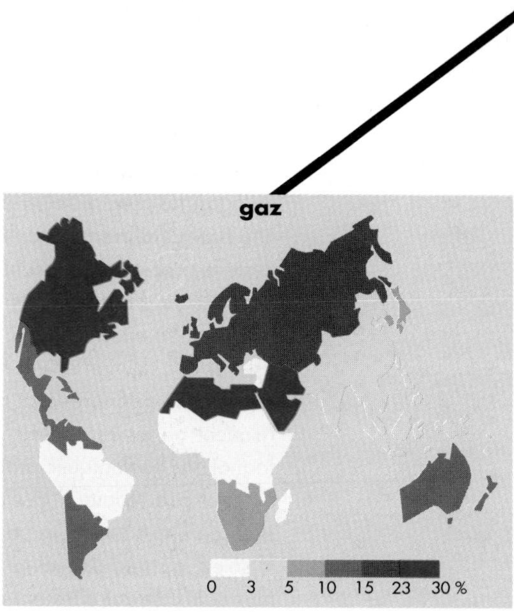

Les chemins de l'art branché mènent tous à l'illumination. ▶

Dans le tiers monde, on est encore plus loin de l'efficacité. Pour cuire les aliments, il faut dix fois plus d'énergie dans une ville africaine que dans un pays industrialisé. Le bois demeure le principal combustible. Mais la quantité d'arbres coupés accroît la déforestation. L'énergie de la biomasse, dans ces conditions, n'est plus renouvelable. Les grandes villes semblent creuser des déserts autour d'elles. A Ouagadougou, il faut parcourir en 1990 soixante kilomètres pour trouver du bois pour la cuisine.

En parallèle, les besoins individuels ont ten-

La consommation d'énergie en 1980

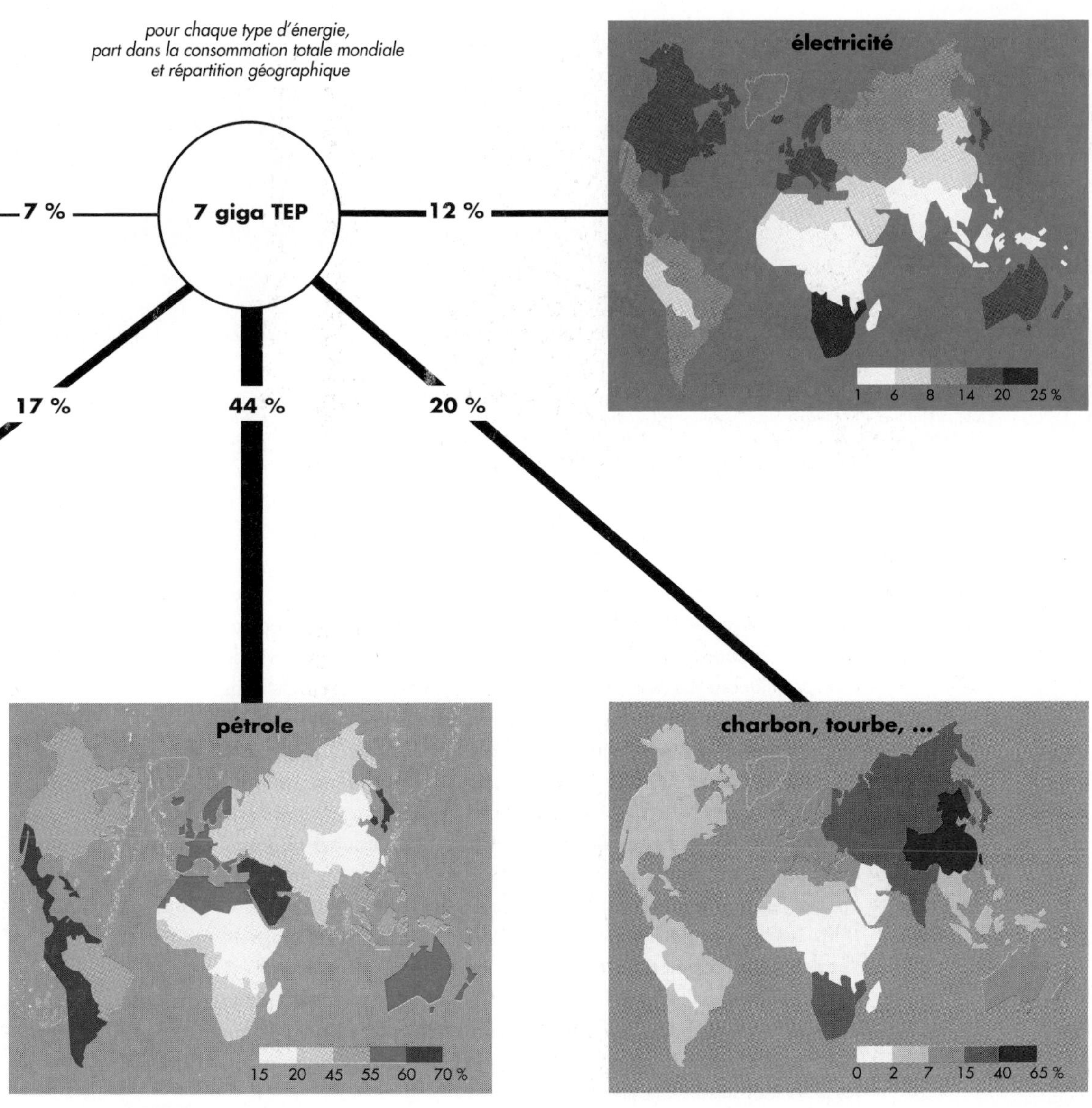

▲ *Ces cartes présentent l'énergie effectivement consommée par les usagers (sept milliards de tep), déduction faite des pertes pendant l'extraction, la production ou le transport.*

dance à croître avec l'évolution du mode de vie, passant de la simple subsistance rurale (cuisson des aliments, pompage de l'eau, chauffage) à une participation à la modernisation (éclairage, appareils électriques, déplacements) et au développement (industrie, transports). Une insatisfaction grandissante, renforcée par la diffusion du modèle occidental, s'installe dans les grandes villes du tiers monde, l'écart se creusant entre ces cités et les zones rurales. La consommation par habitant des pays pauvres ne peut donc qu'augmenter. Si le transport routier se développe dans le tiers monde comme il s'est développé dans les pays industrialisés, la demande en produits pétroliers dépassera vite les possibilités de production. C'est dans les pays les plus peuplés (Chine, Inde) que se prennent les décisions énergétiques importantes du vingt-et-unième siècle.

Evolution des consommations spécifiques

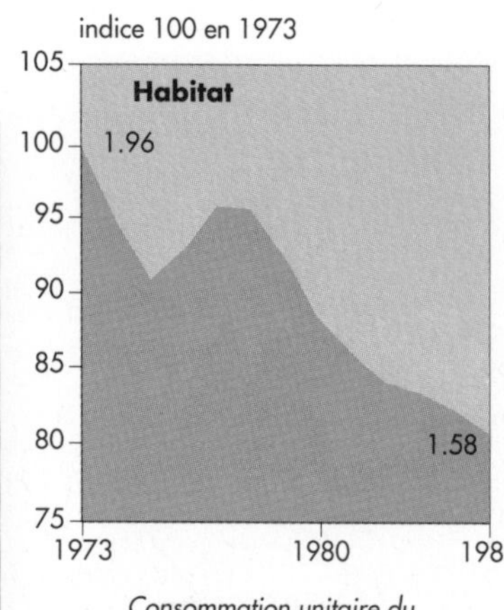

Consommation unitaire du secteur résidentiel en France (en tep/ménage.an)

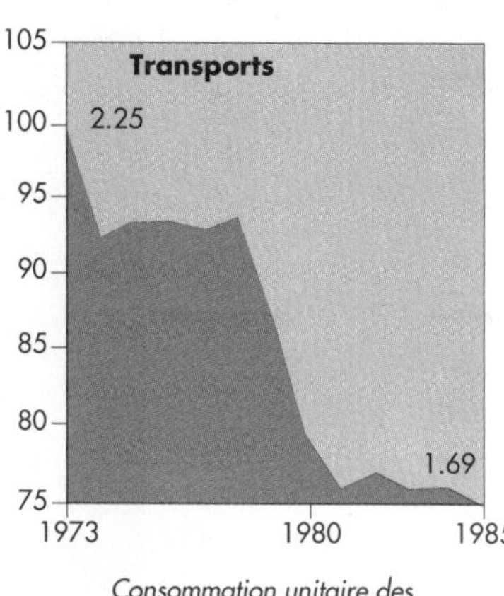

Consommation unitaire des automobiles aux Etats-Unis (en tep/véhicule.an)

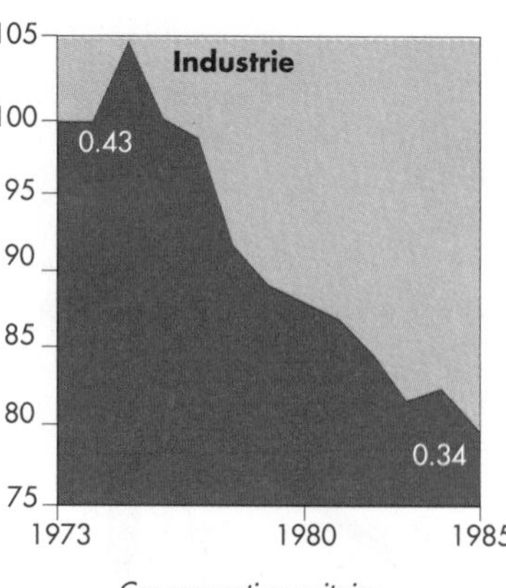

Consommation unitaire de la sidérurgie au Japon (en tep/tonne d'acier)

VERS UN RÉGIME ÉQUILIBRÉ : LE SALAIRE DE LA PEUR

Face à des pays industrialisés dont la priorité commence à être l'économie d'énergie et la protection de l'environnement, les pays pauvres cherchent d'abord à s'industrialiser et à augmenter le niveau de vie de leurs populations. La démographie aidant, la part du tiers monde dans la consommation énergétique mondiale augmente pendant plus d'un siècle. Selon les experts de la Conférence Mondiale de l'Energie, elle atteint déjà 65% en 2020, soit environ 6,3 milliards de tep. Les données inquiétantes ne manquent pas. Le pétrole, le charbon et même le biogaz polluent l'atmosphère, modifient les climats, détruisent la couche d'ozone, tandis que le nucléaire nous gratifie de déchets infréquentables et d'un risque permanent d'émissions radioactives accidentelles. Les pays en développement privilégient l'économie et délaissent l'écologie. La menace d'une catastrophe planétaire au ralenti se confirme. L'humanité va-t-elle s'adapter à temps ? Elle le peut, si elle le veut et se donne les moyens de réagir. La solution se dessine qui consiste en une rationalisation plus grande de la consommation dans les pays industrialisés, puis dans les autres.

■ Les pays en développement privilégient l'économie et délaissent l'écologie. La menace d'une catastrophe planétaire au ralenti se confirme. L'humanité pourra-t-elle s'adapter à temps ?

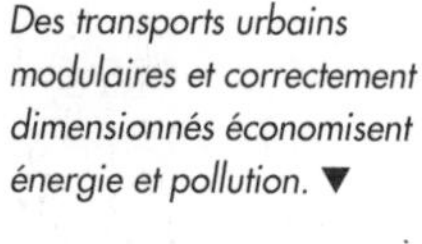
Des transports urbains modulaires et correctement dimensionnés économisent énergie et pollution. ▼

Après le choc pétrolier de 1973, au terme duquel le prix de l'or noir a été multiplié par quatre, l'économie mondiale s'adapte. La croissance de la consommation de pétrole est stoppée dès le deuxième choc pétrolier de 1979/1980. Elle se stabilise autour de 3 milliards de tep. Les pays en développement importateurs sont les plus atteints. Les pays industrialisés s'adaptent mieux : maîtrise de l'énergie, diversification des sources hors OPEP... De 1973 à 1985, la consommation ne progresse plus qu'au rythme de la démographie, de 6 à 7,6 milliards de tep.

■ Les trains à grande vitesse (TGV), deux à trois fois plus rapides que les trains classiques, sont cependant plus économes en énergie que leurs prédécesseurs.

A production égale, il y a donc réduction de la consommation, grâce à l'amélioration des technologies. La productivité énergétique s'améliore. L'exemple de l'agriculture est flagrant. Sur une exploitation moyenne en Beauce (dont la productivité a doublé en vingt-cinq ans), la quantité d'énergie nécessaire à la production de cent quin-

■ L'inertie du système économique mondial est colossale. Un meilleur rendement n'implique pas la diminution immédiate des consommations.

taux de blé a diminué de 20%, passant de 1 à 0,8 tep. L'industrie et les transports subissent la même évolution. Les trains à grande vitesse (TGV), deux à trois fois plus rapides que les trains classiques, sont cependant plus économes en énergie que leurs prédécesseurs. Par la qualité du service rendu, ils prennent des clients à l'avion. La consommation par kilomètre et par voyageur est alors réduite dans un rapport de 4,2.

Ces améliorations ne résultent pas d'une prise de conscience écologique. Elles participent tout simplement de la logique industrielle : à production égale, la réduction des matières premières utilisées engendre des bénéfices supérieurs. La logique capitaliste œuvre ici dans le bon sens. Dans la première moitié du siècle, la tension inéluctable sur les énergies fossiles, en augmentant les prix, stimule encore l'économie. Mais l'inertie du système économique mondial est colossale. Un meilleur rendement n'implique pas la diminution immédiate des consommations. Au rythme de construction actuel (trois cent mille logements par an), ce n'est que vers l'année 2050 que le parc français de logements bénéficie globalement des innovations dans la maîtrise de l'énergie qui ont permis la réglementation de 1989. Dans l'automobile, l'impact des programmes de recherche des années 1980 n'est sensible sur l'ensemble du parc français qu'à partir de 2005-2010. Les économies réalisées de 1973 à 1990 ne proviennent donc pas d'une transformation profonde, mais des efforts fournis pour une meilleure maîtrise des outils existants. L'influence

▲ La maison solaire produit la majeure partie de son énergie et ne fait appel aux réseaux qu'exceptionnellement.

pays industrialisés por- une attention ente (et méritée) ux économies d'énergie.

es modes de transport us ou moins économes

de de isport	Consommation spécifique[1]
	(en grammes d'équivalent pétrole par voyageur et par kilomètre)
	13,8
ı	15,1
mobile	36,2
n	58,1

rce Enerpresse 16/1/89

Intensité énergétique et développement

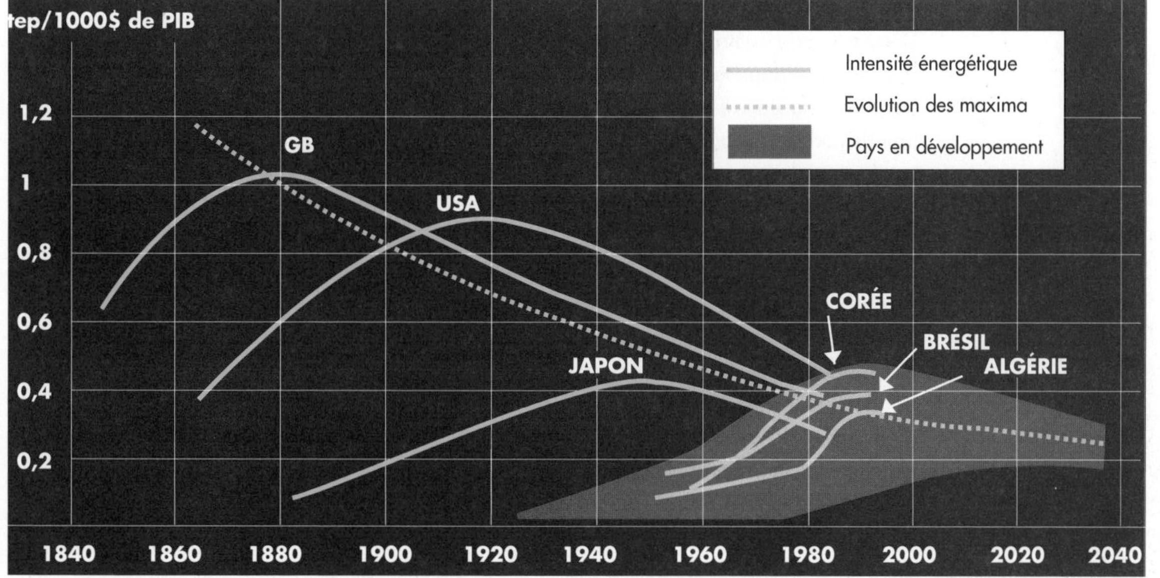

L'URANIUM NE SE RENOUVELLE PAS DU TOUT

La production mondiale annuelle est de l'ordre de cinq cents millions de tep, sur la base de dix mille tep par tonne d'uranium (correspondant au fonctionnement des réacteurs actuels à eau pressurisée). Beaucoup moins divulguée que celle des autres ressources pour des raisons stratégiques et militaires, la répartition géographique des réserves concerne tous les continents. L'espérance de vie des gisements actuellement connus est limitée à 2030 pour l'ensemble du monde, compte tenu des utilisations actuelles. Les perspectives de nouvelles découvertes sont bonnes : les ressources spéculatives seraient dix fois supérieures aux réserves prouvées[1]. Si des milliers d'installations nucléaires se répandent à travers le monde, ces perspectives optimistes, bien sûr, sont à revoir.

des procédés nouveaux n'apparaît pleinement qu'au rythme du renouvellement, c'est-à-dire bien après l'an 2000. Les rendements énergétiques continuent donc à s'améliorer au cours du vingt-et-unième siècle.

Peut-on raisonnablement étendre ces considérations aux pays non encore industrialisés ? L'analyse de l'évolution sur plus d'un siècle de l'intensité énergétique (quantité d'énergie dépensée par unité de produit intérieur brut d'un pays, en tep/1000 $) dans les pays industrialisés apporte des éléments de réponse. L'industrialisation conduit tout d'abord à une augmentation de l'intensité énergétique pendant une cinquantaine d'années, laps de temps nécessaire à la mise en place des infrastructures. Elle diminue ensuite de façon continue avec les effets combinés de la saturation sur les équipements et des progrès technologiques[2]. Plus frappant encore, les maxima atteints sont en constante décroissance : 1,1 en 1870 pour le Royaume-Uni, 0,9 pour les Etats-Unis en 1920, et 0,4 pour le Japon en 1960. L'industrialisation d'un nouveau pays s'effectue avec des technologies beaucoup plus efficaces que celles qui ont permis l'industrialisation des plus anciens. A terme, l'intensité énergétique ne dépasse pas les valeurs actuelles des pays industrialisés.

■ ***Deux tendances apparaissent. La première est la tentative de diversification de la nature et de la qualité des sources primaires. La seconde consiste, à partir d'une énergie primaire donnée, à coproduire plusieurs vecteurs énergétiques.***

■ ***La pénurie d'uranium a des chances d'être reportée dans la deuxième moitié du vingt-et-unième siècle et de retarder d'autant l'arrivée des surgénérateurs.***

AUGMENTER LES RENDEMENTS POUR OBTENIR DES GAINS TRÈS APPRÉCIABLES

Depuis la crise pétrolière de 1973, et en particulier depuis 1980, apparaissent deux tendances. La première est la tentative de diversification de la nature et de la qualité des sources primaires : fabrication de carburants à partir de charbon, de biomasse ou de méthane, production d'électricité à partir de combustibles pauvres (bois, déchets, paille, charbons bas de gamme, etc.), passage du charbon au fuel ou inversement selon les problèmes d'approvisionnement.

La seconde tendance consiste, à partir d'une énergie primaire donnée, à coproduire plusieurs vecteurs énergétiques. La cogénération se développe aux Etats-Unis. A partir d'un combustible unique, le gaz naturel par exemple, elle fournit à travers une "unité de transformation" à la fois de la chaleur et de l'électricité. Le rendement est doublé (de 40% en électricité à 80% en cogénération chaleur-électricité). D'autres tentatives existent : production de méthane, de compost et de chaleur à partir de déchets urbains, de protéines et de carburants à partir de biomasse, d'électricité et de vecteur chimique stockable, par exemple l'hydrogène, à partir du nucléaire ou de l'hydraulique.

[1]P.H. Bourrelier, R. Dietrich, Le mobile et la planète ou l'enjeu des ressources naturelles, CPE Economica, Paris, 1989.

[2]J.M. Martin, L'intensité énergétique de l'activité économique dans les pays industrialisés, Economie et Société n°41, 1988.

L'énergie nucléaire peut, elle aussi, augmenter ses rendements. La filière HTR à uranium enrichi permettrait d'atteindre des températures de l'ordre de 750°C (contre 320°C dans un réacteur classique) et par conséquent des rendements de conversion plus élevés (40% contre 30%). Dans les surgénérateurs, l'uranium 238 non fissile est transformé en plutonium réutilisable dans un autre réacteur. On utilise alors trente fois mieux l'uranium, ce qui permet, théoriquement, de multiplier par trente la quantité des réserves prouvées. Mais ce type de centrale est délicat, coûte cher et on estime à trente-cinq ans le temps pour obtenir, à partir d'un réacteur, la quantité de plutonium nécessaire au démarrage d'un second réacteur. Contrairement aux prévisions des années 1970, à quelques exceptions près (la France par exemple), la filière nucléaire s'est développée à un rythme beaucoup moins rapide que prévu. Technologie difficile à maîtriser, pendant la construction mais aussi lors de son fonctionnement, elle nécessite une culture technique très poussée, que seuls possèdent actuellement certains pays industrialisés. C'est peut-être une raison temporaire de la faible percée, à ce jour, de la filière nucléaire dans les pays du tiers monde. S'y ajoutent le coût très élevé, la durée de construction et la taille des unités souvent incompatible avec celle des réseaux en place. Dans les pays industrialisés, la filière nucléaire peut se développer. Mais leur consommation d'électricité croît lentement et ils sont souvent en situation de surcapacité. Dans ces conditions, la pénurie d'uranium a des chances d'être reportée dans la deuxième moitié du vingt-et-unième siècle et de retarder d'autant l'arrivée des surgénérateurs.

▲ *La moto électrique ne se cabre pas, elle se câble.*

SIMULER LE SOLEIL PAR LA FUSION CONTRÔLÉE

La fusion de l'hydrogène ou du deutérium, application industrielle du principe de la bombe H et réplique des réactions nucléaires se déroulant au sein du soleil, occupe depuis des dizaines d'années les meilleurs laboratoires de physique du monde. Enjeu : obtenir une énergie inépuisable ou presque. Elle utilise l'eau comme combustible. Deux types de réactions sont envisagées. L'une fusionne deux noyaux de deutérium et produit de l'hélium 3 ainsi que du tritium, gaz radioactif de période courte

(12,3 ans). La seconde fusionne du deutérium et du tritium pour aboutir à de l'hélium ordinaire. Elle est plus intéressante, mais nécessite du tritium, qui n'existe pas à l'état naturel. Le deutérium, en revanche, rem-

▲ *Dans cet énorme tore, appelé Tokamak, on essaie de stabiliser du plasma à la température du soleil.*

▲ *5 à 8 % de l'énergie mondiale proviennent du bois de feu.*

place l'hydrogène dans les molécules d'eau une fois sur 6 700, soit 34,4 grammes par mètre cube. En choisissant la fusion deutérium-deutérium, on parviendrait à tirer de ces 34,4 grammes l'équivalent de deux cents tonnes de pétrole : la mer deviendrait du coup une source d'énergie fantastique et quasiment inépuisable (l'océan mondial contenant un milliard de milliards de mètres cubes d'eau).

Mais cette technique, non encore démontrée, même en laboratoire, pose des problèmes beaucoup plus difficiles que ceux de la fission. Pour fusionner des noyaux atomiques chargés positivement, donc ayant tendance à se repousser, il faut leur communiquer de très grandes vitesses, c'est-à-dire des températures extrêmes : cent millions de degrés pour la fusion deutérium-tritium et quatre cent millions pour la réaction deutérium-deutérium, et ceci pendant une durée suffisante. Malgré des efforts de recherche gigantesques, les conditions initiales de la fusion atomique n'ont encore jamais été atteintes et l'échéance annoncée pour l'installation des premières centrales est sans cesse repoussée. Elle reste invariablement à trente ans depuis une vingtaine d'années. En réalité, la faisabilité technique n'est pas encore démontrée et, de toute façon, une fois le principe acquis, il faudra un temps supplémentaire pour la maîtriser. Enfin, l'économie du procédé n'est pas encore établie. Il est possible qu'elle se révèle insuffisante, à moins qu'un procédé plus simple et nouveau apparaisse, comme certains l'avaient espéré en 1989 avec la "fusion froide".

■ ***Malgré des efforts de recherche gigantesques, les conditions initiales de la fusion atomique n'ont encore jamais été atteintes et l'échéance annoncée pour l'installation des premières centrales est sans cesse repoussée.***

La chaleur de la terre est disponible sous nos pieds

Depuis longtemps, on utilise les eaux remontant la chaleur des profondeurs de la terre. C'est la géothermie classique. En fonction de la température, on produit soit de la chaleur, soit de l'électricité. Les sites géothermiques à basse ou haute température (60 à 250°C) sont très nombreux dans le monde. Les techniques de forage et de réinjection sont maîtrisées dans la plupart des cas. On peut donc s'at-

■ ***La géothermie profonde peut couvrir les besoins d'une petite ville.***

Avec du travail on tire le feu de la pierre. Proverbe néerlandais.

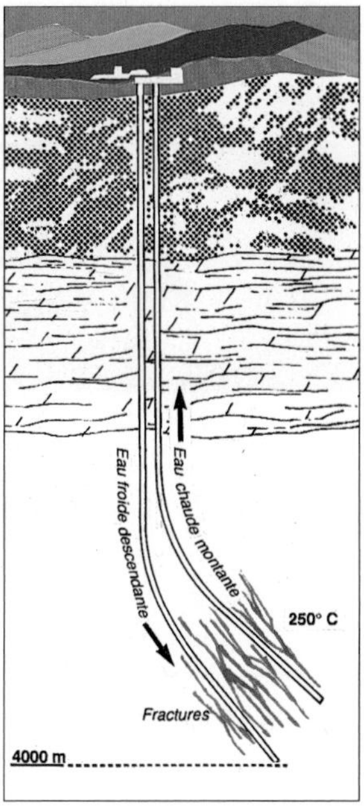

tendre à un développement important mais évidemment très localisé de cette ressource. Plus récemment, on a proposé d'étendre le concept de géothermie à l'exploitation de la chaleur des roches sèches. La méthode consiste à fracturer les roches entre deux forages. L'eau, injectée sous pression dans l'un des forages, se réchauffe au contact des parois avant d'être extraite par l'autre puits. Or il existe, pour toute la surface du globe, un gradient thermique de l'ordre de trois à quatre degrés par cent mètres (et même dix degrés dans certaines zones), ainsi que des roches profondes se prêtant à la création d'échangeurs à des profondeurs de deux à six mille mètres. Alors, c'est à l'aplomb même de l'usage de chaleur ou d'électricité qu'on peut exploiter la ressource, avec des puissances qui peuvent parfois aller jusqu'à quelques dizaines de mégawatts.

L'eau, injectée sous pression dans l'un des forages, se réchauffe au contact des parois avant d'être extraite par l'autre puits. ▶

Les rapides progrès des techniques de forage, dus aux programmes pétroliers, permettent d'envisager, à partir de 2030, le recours à ce nouveau type de géothermie, d'abord dans les zones à fort gradient thermique. En cas de réussite, chaque puits peut fournir chaleur et électricité à des villes de mille à dix mille habitants et ceci pendant quelques dizaines d'années.

VALORISATIONS DU BOIS DE FEU ET DES DÉCHETS RESTENT INDISPENSABLES

Dans le tiers monde, la biomasse (bois et déchets) constitue souvent la seule énergie disponible. Dominante jusqu'au milieu du dix-neuvième siècle, cette source représente encore 5 à 8% de l'énergie mondiale. Dans les pays en voie de développement, la consommation de bois peut atteindre 0,5 à 2,5 tonnes par foyer et par an pour le seul besoin de la cuisson. Dans les pays industrialisés, la consommation de bois de chauffage, méconnue, est importante. En France, le bois reste le second combustible en maison individuelle (6,7 millions de tep) après le fioul (7,5 millions de tep), mais avant l'électricité (6 millions de tep). Aux Etats-Unis, cette consommation de bois atteignait cinquante millions de tep en 1984[1]. En Afrique, en Asie et en Amérique Latine, cette source représente encore au vingt-et-unième siècle un apport appréciable. En 2020, le bois fournit encore de 30 à 45% de la consommation en Afrique sub-saharienne et en Asie du Sud[2]. Mais le bois peut avoir un rôle encore plus important. Par une exploitation rationnelle, il est tout à fait possible de prélever quelques milliards de tonnes de

Les véhicules à alcool ont été développés au Brésil. ▼

[1] *L'énergie, Cahiers Français, juin 1988.*

[2] *Rapport de la Conférence Mondiale de l'Energie de septembre 1989.*

carbone, sous forme de combustible, parmi les soixante à soixante-dix que produit la végétation continentale chaque année. Si l'on reste dans des limites contrôlées, il s'agit bien d'une énergie renouvelable. Les carburants de synthèse, à base d'éthanol, sont un des vecteurs intéressants pour utiliser cette source. Encore faut-il que les forêts soient protégées, cultivées et renouvelées, fût-ce dans des champs en friche.

▲ *Le pétrole n'est pas le seul carburant possible : des solutions de substitution existent.*

ÉQUIPER L'HIMALAYA ET LES ANDES EN BARRAGES GÉANTS

L'énergie hydraulique contribue pour plus de 20% à la production mondiale d'électricité. Dans les pays en voie de développement, elle représente, avec 42% du total, la principale source d'électricité. L'installation de nouveaux très grands barrages, à l'exemple d'Assouan, est soumise à de fortes contraintes : raréfaction des sites équipables, importance des investissements, aléas écologiques, déplacements de populations. Pourtant, cette solution peut encore s'appliquer à de nombreuses régions : à l'Amérique du Sud, dans la chaîne des Andes. En Asie, les Indiens, les Chinois et les Népalais ne restent pas insensibles au formidable potentiel énergétique que constitue l'Himalaya. Ce massif énorme, très tourmenté, bien arrosé et peu peuplé, possède une extraordinaire variété de sites possibles, petits ou grands. Sans défigurer les plus belles montagnes du monde, quelques barrages constituent dès 2020 un approvisionnement énergétique substantiel aux pays avoisinants. Ils permettent, au passage, de régulariser le cours du Brahmapoutre et du Gange et d'éviter les inondations régulières de zones déjà menacées par la montée des eaux.

▲ *Des barrages géants sont implantés dans les Andes et dans l'Himalaya.*

VERS DES STATIONS SPATIALES SOLAIRES

A part l'uranium et la chaleur du sous-sol, l'énergie disponible sur terre vient du soleil. La récupérer à la source semble donc plus naturel que de s'en prendre à ces formes concentrées, mais dégradées, que sont les combustibles fossiles. Les plus répandues d'entre les techniques possibles sont ces capteurs thermiques installés sur les toits, sortes de radiateurs sous verre ou simples bidons peints en noir. Ces chauffe-eaux efficaces ont connu un grand succès : il en existe en 1990 plus de six millions de mètres carrés installés de par le monde, dont 1,8 million aux Etats-Unis et 1,3 au Japon.

▲ *Dans l'espace, de gigantesques champs de capteurs solaires récupèrent l'énergie qui est ensuite envoyée sur terre par micro-ondes.*

Le soleil permet aussi de fournir de l'électricité grâce aux photopiles. Après vingt ans de recherches, des progrès notables ont été obtenus sur les rendements, la fiabilité, la facilité d'emploi et le prix. Le rendement des systèmes photovoltaïques atteint maintenant couramment dix pour cent. Ils peuvent être utilisés dans des conditions économiques satisfaisantes pour les régions non encore équipées d'un réseau. En Algérie, deux cent mille foyers ruraux pourraient être équipés d'installations photovoltaïques à un coût inférieur à celui de leur raccordement au réseau[1].

Lorsqu'un bon réseau est en place, on peut aussi songer à la méthode classique : une centrale complexe, pilotée par des spécialistes et fournissant de l'électricité vendue à toute une région. Cette solution, déjà mise en œuvre avec des centrales solaires en Californie, fait l'objet d'expérimentations diverses à partir d'installations individuelles ou collectives. La société Luz a ainsi installé deux cents mégawatts de centrales solaires thermodynamiques de 1985 à 1989, destinées aux besoins de pointe engendrés par la climatisation. Des petites centrales photovoltaïques de puissance, entièrement automatiques, se développent également. L'électricité produite devient dès aujourd'hui compétitive avec des solutions traditionnelles pour des régions très ensoleillées comme le sud-ouest des Etats-Unis, le Mexique, l'Afrique du Nord, le Moyen-Orient ou encore l'Australie.

L'énergie solaire peut aussi venir des satellites. Une centrale spatiale, munie de capteurs photovoltaïques immenses (cinquante à cent kilomètres carrés), est installée sur une orbite géostationnaire et produit de cinq à dix mille mégawatts. Elle transmet l'énergie électrique vers la terre par un faisceau de micro-ondes. Au sol, la surface occupée par l'antenne de réception est vingt fois plus faible, à production annuelle donnée, que pour une centrale solaire terrestre. Ces centrales orbitales n'encombrent aucun site et distribuent l'énergie sur des régions éloignées en diminuant aussi les dimensions des réseaux. En outre, la quasi-permanence des rayonnements (aux éclipses près, qui ne durent jamais plus de 74 minutes sur l'orbite géostationnaire) permet de ne prévoir qu'un stockage de faible durée (une heure

■ ***En Afrique, en Asie et en Amérique Latine, le bois représente encore au vingt-et-unième siècle un apport appréciable. Encore faut-il que les forêts soient protégées, cultivées et renouvelées.***

■ ***Les barrages géants de l'Himalaya permettent, au passage, de régulariser le cours du Brahmapoutre et du Gange, et d'éviter les inondations régulières de zones déjà menacées par la montée des eaux.***

■ ***Une centrale spatiale, de cinquante à cent kilomètres carrés, est installée sur une orbite géostationnaire et produit de cinq à dix mille mégawatts.***

[1] *Djidi et alt., Conférence Mondiale de l'Energie, Cannes, 1986.*

contre cinq à six). Les rendements autorisés par ce principe sont excellents : les productivités espérées sont trois fois plus élevées pour la centrale spatiale que pour la simple solution terrestre.

Le principe du satellite solaire peut être aussi celui du miroir : en orbite géostationnaire, il reçoit l'énergie envoyée depuis la terre sous forme de micro-ondes par une centrale située sur un site exceptionnel mais peu peuplé, par exemple un barrage en haut-Himalaya. De ses trente-six mille kilomètres d'altitude, il renvoie alors ces micro-ondes vers des villes, des cités marines ou des installations industrielles isolées. L'économie du réseau est importante, d'une part pour alléger les installations au sol, d'autre part pour rendre plus aisées des modifications de configurations.

▲ *Don Quichotte aurait apprécié.*

■ ***Les machines utilisant le vent ont beaucoup évolué grâce aux progrès de l'aéronautique. En revanche, l'énergie de la houle et l'énergie thermique des mers ont été encore peu exploitées, malgré d'énormes potentiels.***

Les machines utilisant le vent ont beaucoup évolué grâce aux progrès de l'aéronautique. Les éoliennes modernes n'ont plus grande ressemblance avec les moulins à vent tant utilisés dans le passé. Les fermes éoliennes de Californie regroupent des centaines de machines (plus de 1500 MW installés) raccordées au réseau électrique et elles préfigurent des installations qui peuvent être implantées dans de nombreux pays. En revanche, l'énergie de la houle, qui est du vent concentré, ainsi que l'énergie thermique des mers, ont encore été peu exploitées, malgré d'énormes potentiels.

LES ÉNERGIES DEVIENNENT DOUCES[1]

Au cours des années 1970, les énergies renouvelables ont démontré leur faisabilité technique. Des progrès continus et substantiels sont apparus dans toutes les filières : capteurs solaires ou photovoltaïques, éolienne, microhydraulique, culture et transformation de la biomasse. On dispose aujourd'hui d'éléments fiables sur l'état des technologies disponibles, on connaît les applications déjà rentables.

Malgré ces progrès, leur développement marque le pas. Les énergies renouvelables ont, c'est vrai, quelques défauts. Elles sont inépuisables à l'échelle humaine mais leur disponibilité peut être périodique et parfois aléatoire

DES RÉSERVES IMPORTANTES DE GAZ NATUREL

Les réserves prouvées ont une espérance de vie de soixante-dix ans et les ressources restant à découvrir doivent doubler ce délai. Mais une part importante des nouvelles ressources se situe probablement dans des zones difficiles (Arctique, Sibérie, mers profondes, etc.).

Des ressources non conventionnelles peuvent également être recherchées ultérieurement. Il s'agit de gaz en place dans des aquifères profonds associés à des mines de charbon ou piégé dans des formations très peu perméables. Ces ressources éventuelles n'ont pas encore fait l'objet d'évaluation. Reste la possibilité de gaz non biogénique provenant des profondeurs du manteau terrestre. Son existence n'est pas encore clairement prouvée et son exploitation paraît tout à fait spéculative.

[1] "Dans un monde dont l'humanité rencontre pour la première fois les limites, à une époque où les hommes prennent brutalement conscience de vivre sur le capital de la planète plutôt que d'en exploiter sagement les revenus, il importe de fixer son choix sur une forme d'énergie renouvelable. Au lieu d'exploiter l'énergie solaire stockée en quantité limitée sous forme de charbon ou de pétrole, après avoir tiré parti de cette forme indirecte d'énergie solaire que constitue l'hydroélectricité, le jour approche où, hors l'énergie nucléaire, les hommes devront avoir appris à utiliser directement le flux d'énergie solaire que reçoit notre globe. Il n'est pas trop tôt pour s'y mettre sérieusement." Marcel Boiteux, février 75.

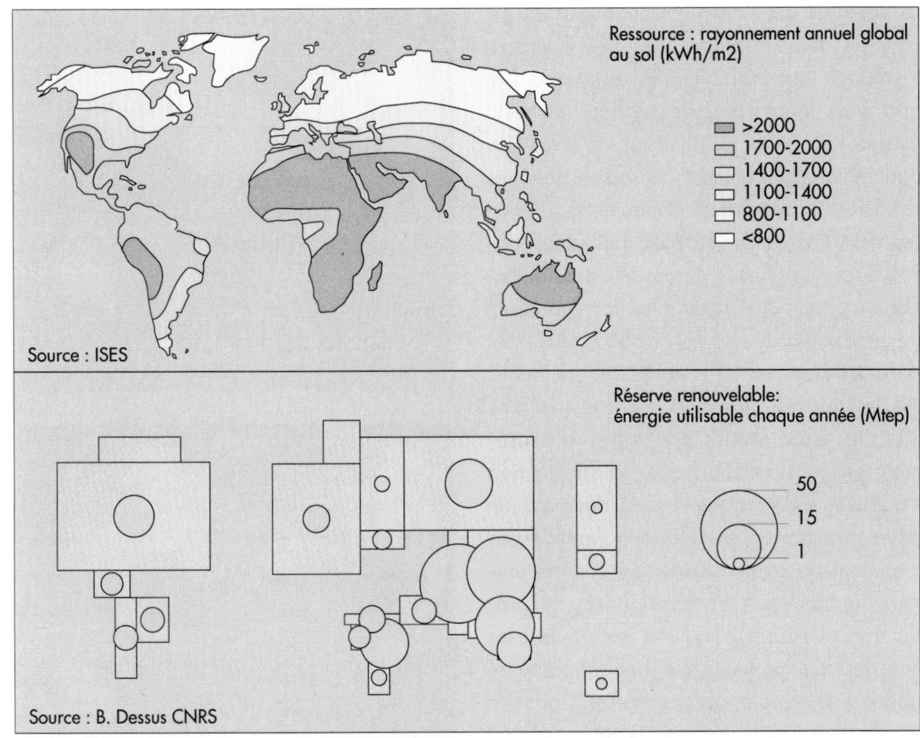

Potentiel de l'énergie solaire

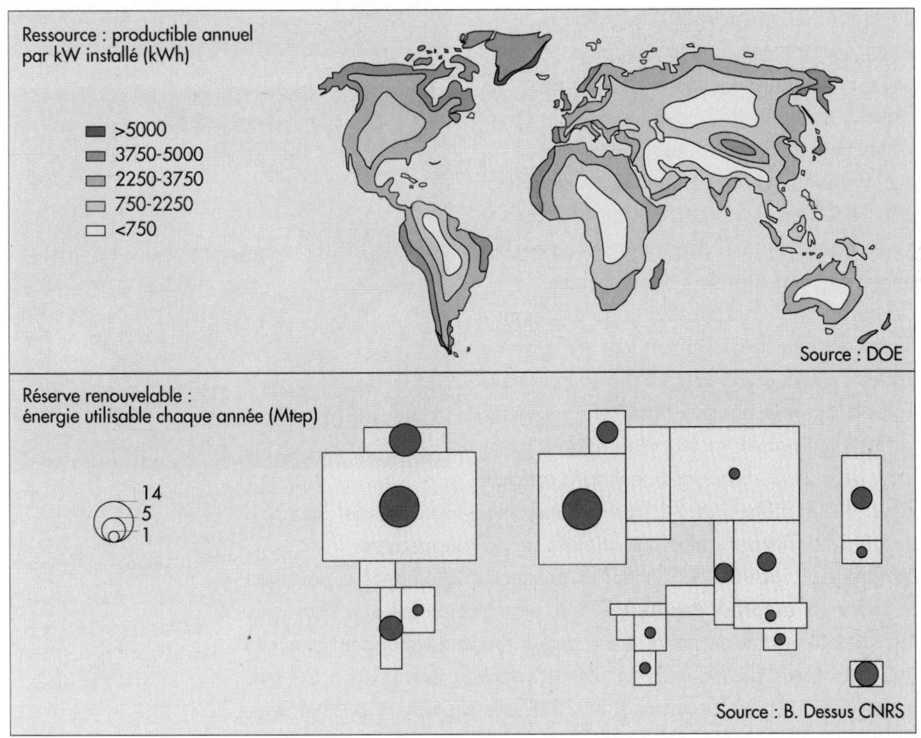

Potentiel de l'énergie éolienne

(cycle diurne, saisons, météorologie, etc.), ce qui impose le plus souvent des moyens de stockage. Elles sont réparties largement à la surface terrestre, mais avec de grandes disparités locales et sont moins denses que les sources primaires fossiles. Quelques-unes ont néanmoins acquis une grande importance dans certaines régions.

Le potentiel des énergies renouvelables est considérable[1]. Comme pour les énergies fossiles, il faut distinguer les ressources (les quantités théoriquement utilisables sans considérations de coût) et les réserves (les quantités techniquement utilisables dans les conditions économiques du moment).

Les réserves renouvelables utilisables dès 1990 sont de plus de quatre milliards de tep par an (pour une consommation mondiale de sept milliards de tep), et 80% se situent dans les pays en voie de développement[2]. Les formes les plus décentralisées de ces énergies doivent être prises très sérieusement en considération pour la satisfaction des besoins des zones rurales des pays en développement. Les solutions centralisées imposent en effet des investissements unitaires et des coûts de fonctionnement (production et réseau) souvent incompatibles avec les conditions locales (faible densité de population, faible consommation annuelle par habitant) et entraînent ainsi la plupart du temps des gaspillages énergétiques.

Elles représentent également, pour certains pays industrialisés comme le Canada, les Etats-Unis ou l'URSS, des réserves importantes (1,3 milliard de tep), dont la mise en exploitation peut contribuer très sensiblement à la réduction des émissions de gaz carbonique dans l'atmosphère, dont ces pays sont aujourd'hui les premiers responsables.

Les carburants de synthèse, un peu à la manière de l'électricité, interviennent comme vecteurs intermédiaires entre des sources multiples (biomasse, charbon, gaz) et des usages variés (automobile, moteurs thermiques fixes, etc.). Déjà produits actuellement dans certains pays (Brésil, Etats-Unis, Afrique du Sud, Nouvelle-Zélande), ces carburants ont d'importantes potentialités de développement.

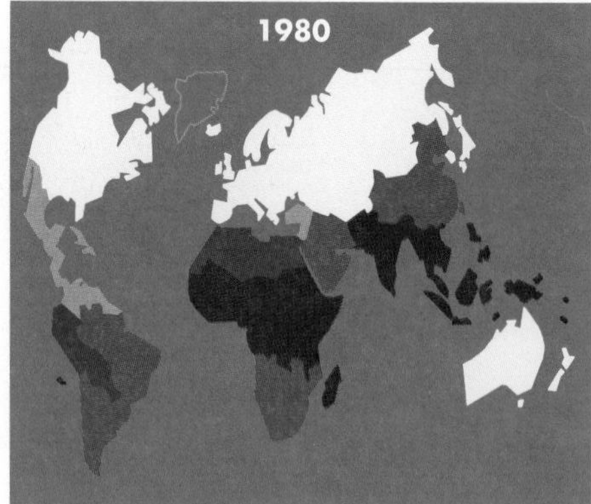

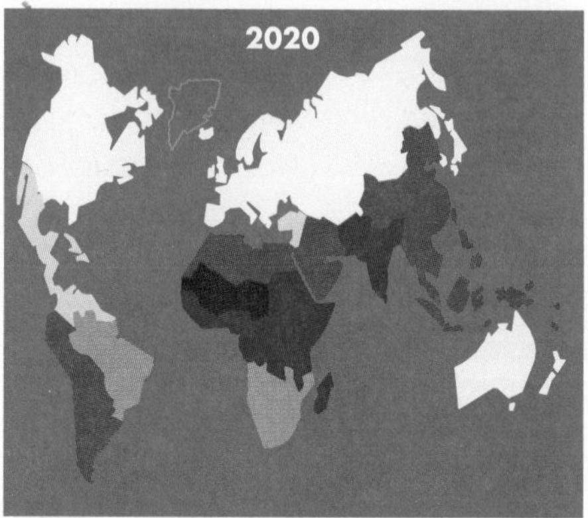

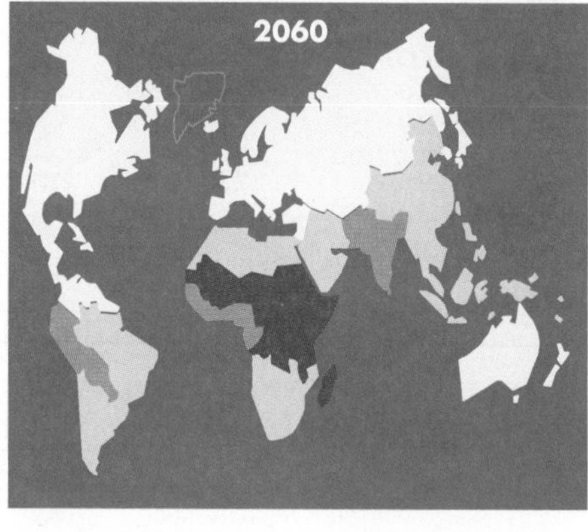

▲ *Dès 2080, la planète entière dispose de l'électricité à domicile.*

Les procédés actuels permettent la production d'éthanol à partir de la biomasse au Brésil depuis 1975, et plus récemment aux Etats-Unis (où l'alcool est tiré du maïs). Ces carburants se développent plus vite que ceux issus des sources fossiles et représentent environ 20 millions de tep en 2000 contre 5 et 2 millions de tep, respectivement, pour le charbon et le gaz. En matière de pollution, ils constituent un progrès. En effet, les carburants issus de la biomasse contribuent à la réduction du gaz carbonique atmosphérique puisque le carbone qu'ils rejettent dans l'atmosphère en provient.

Le charbon et le gaz naturel peuvent eux aussi être convertis, au prix d'un investissement technologique. Ces techniques de conversion de

[1] *B. Dessus, Les promesses des énergies renouvelables, La Recherche, octobre 1989.*

[2] *F. Pharabod, Atlas Mondial de l'Energie / World Energy Atlas, Aditech, Paris, 1989.*

sources carbonées en hydrocarbures de synthèse contribuent au vingt-et-unième siècle pour une part importante aux mutations qui accompagnent l'épuisement progressif du pétrole conventionnel. Il s'agit en effet de techniques déjà utilisées à l'échelle industrielle, dont les rendements peuvent être améliorés. Les carburants de synthèse présentent aussi l'avantage de s'intégrer dans la continuité du système actuel : les adaptations du réseau de distribution ou des moteurs sont relativement mineures par rapport aux systèmes concurrents que sont la voiture électrique et la voiture à hydrogène.

■ **Les réserves renouvelables utilisables dès 1990 sont de plus de quatre milliards de tep par an (pour une consommation mondiale de sept milliards de tep), et 80% se situent dans les pays en voie de développement.**

LA CIVILISATION DE L'HYDROGÈNE : LES PLUS PROMETTEUSES DES PERSPECTIVES

■ **L'hydrogène, transportable comme le gaz naturel, peut être stocké en masse (réservoirs souterrains) ou près des usagers, converti en énergie thermique ou électrique et utilisé dans des véhicules. Il pose aussi un problème de sécurité, en formant un mélange détonant avec l'air.**

L'hydrogène est déjà largement utilisé dans l'industrie chimique (synthèse de l'ammoniac, du méthanol, de certains alcools) et en raffinerie. Son usage énergétique direct est actuellement limité aux moteurs de fusées, sous forme d'hydrogène liquide, alors qu'il a contribué dans le passé à la composition du gaz de ville à partir du charbon.
L'hydrogène, utilisé comme vecteur énergétique entre des sources d'énergie et des usages, présente de nombreux avantages. Transportable comme le gaz naturel, il peut être stocké en masse (réservoirs souterrains) ou près des usagers, converti en énergie thermique ou électrique et utilisé dans des véhicules. Sa combustion ne porte aucune atteinte à l'environnement puisqu'elle produit de l'eau. Obtenu par électrolyse de l'eau, il sert du même coup à absorber les trop-pleins de production électrique (pendant les heures creuses) des grandes unités dans les pays industrialisés, ou des centrales solaires dans les régions ensoleillées. On peut également l'extraire par gazéification des mines de charbon. Il peut servir à de multiples usages : gaz pour usages thermiques industriels ou domestiques, carburant de synthèse élaboré à partir du charbon, avion à hydrogène, voiture à hydrogène, pile à combustible. La faible densité de l'hydrogène liquide impose des réservoirs encombrants. C'est une contrainte. Il pose aussi, bien sûr, un problème de sécurité, l'hydrogène ayant tendance à prouver ses potentiels énergétiques en formant un mélange détonant avec l'air. Il reste enfin à établir les conditions économiques du système complet (englobant production, stockage, transport et transformation).

L'électricité à domicile

Pourcentage des ménages ne disposant pas de l'électricité

95
70
40
20
10
5
0

▲ *Les voitures à l'hydrogène sont la solution non polluante du vingt-et-unième siècle.*

Ce n'est pas une idée récente puisque c'est en 1917 qu'est apparue la première voiture à hydrogène. Mercedes, BMW et Peugeot ont réalisé des prototypes de démonstration. L'adaptation à l'hydrogène des moteurs à explosion ne pose pas de gros problème technique, si ce n'est un problème de rendement. Pour l'améliorer, il faut utiliser un moteur électrique, alimenté par une pile à combustible. Ce système utilise le phénomène inverse de l'électrolyse de l'eau, en combinant l'hydrogène et l'oxygène pour donner de l'eau et de l'électricité. Ces piles ne sont envisagées en 1990 que pour la production d'électricit

▲ *Les capteurs solaires de la fin du vingtième siècle ne sont pas encore intégrés dans l'architecture locale.*

desservies. Elles ont fait l'objet de recherches aux Etats-Unis dans les années cinquante pour des usages spatiaux, puis pour l'alimentation électrique de réseaux en coopération avec le Japon.

STOCKER L'ÉNERGIE POUR ÉCONOMISER

L'hydrogène est un moyen de stocker l'énergie. Les autres possibilités de stockage, aussi bien de chaleur que d'électricité, représentent aussi un enjeu considérable. Elles permettent la gestion des pointes de la demande, de l'intermittence dans le cas des énergies de flux (cycles diurnes ou saisonniers), ainsi que la protection contre les incidents sur le réseau.

Le plus connu de tous les systèmes de stockage est la batterie, dont les performances ont longtemps stagné. A l'échelle industrielle, la solution passe éventuellement par l'aluminium. En effet, l'aluminium pur s'obtient par électrolyse de l'alumine. Ensuite, l'électricité est récupérée avec un bon rendement en effectuant la réaction inverse dans un générateur électrochimique transformant l'alumi-

LES NOUVEAUX PÉTROLES

Comme le pressentait Jules Verne, on assiste à une tentative d'exploitation des nouvelles frontières. Ce sont les "nouveaux pétroles", offshore profond (bassins sédimentaires en mer situés sous plus de deux cents mètres d'eau), Arctique (l'Antarctique n'est évoqué qu'à voix basse), sables asphaltiques, huiles extra lourdes, schistes bitumineux ou récupération assistée. Cette dernière consiste à employer des techniques diverses pour fluidifier le pétrole avant son extraction, faisant passer le taux de récupération de 25 ou 30% actuellement à 40%. Le potentiel ainsi récupérable représente environ une quinzaine d'années de production supplémentaires. Les autres ressources (huiles lourdes, sables asphaltiques, schistes bitumineux) peuvent doubler les ressources mondiales, mais leur exploitation se heurte à de nombreux problèmes (mines géantes, pollution des eaux et atteintes à l'environnement, traitements thermiques et chimiques avant transport et raffinage, etc.). La mobilisation de ces nouveaux pétroles serait cependant nécessaire si l'on voulait prolonger l'ère du pétrole de 2050 à 2100.

■ Les possibilités de stockage, aussi bien de chaleur que d'électricité, représentent un enjeu considérable.

■ La construction de grands réseaux maillés de distribution d'électricité et de gaz est-elle le seul modèle au vingt-et-unième siècle pour l'ensemble du monde ou d'autres solutions sont-elles envisageables ?

nium en alumine, avec production d'électricité. La capacité de stockage est très intéressante : un cube d'aluminium de vingt-cinq mètres de côté contient ainsi théoriquement trois cent cinquante gigawatt-heures, soit la consommation de la Suisse pendant deux ou trois jours.

▲ *La centrale solaire géante de Luz fonctionne en 1990 en Californie.*

Les systèmes à supraconducteurs sont utilisés pour le stockage d'électricité local, mais aussi dans le cadre d'une amélioration importante de l'efficacité des réseaux. En revanche, la technologie complexe continue à alimenter les différences entre les solutions applicables en pays industrialisés et dans les pays en développement. En ce qui concerne le stockage thermique, on signale l'apparition récente de systèmes de stockage journalier de froid (à chaleur latente de fusion) et l'expérimentation en grandeur réelle de stockages intersaisonniers de chaleur basse et moyenne température dans les formations sédimentaires (cent à six cents mètres de profondeur).
Dans tous les cas, pour la production centralisée de vecteurs comme l'électricité ou la chaleur, pour leur transport et leur distribution, l'enjeu des progrès potentiels des techniques de stockage est évident. Ceux-ci conditionnent également la pénétration des systèmes autonomes de production d'énergie finale à partir d'énergies primaires de flux (soleil, vent...), directement liés à la satisfaction locale de services de base (éclairage, froid, transmissions).

RÉSEAUX ET PRODUCTIONS DÉLOCALISÉES D'UN NOUVEAU TYPE SE COMPLÈTENT

La construction de grands réseaux maillés de distribution d'électricité et de gaz est-elle le seul modèle au vingt-et-unième siècle pour l'ensemble du monde ou d'autres solutions sont-elles envisageables, en particulier pour l'électrification des pays du tiers monde ? Si l'électricité paraît indispensable (éclairage, transmissions, santé, pompage de l'eau), il n'est pas certain que la meilleure méthode consiste, dans les pays à forte composante rurale, à assurer ces services par la construction et la maintenance de réseaux de distribution. Tout dépend de la densité de la population. L'électrification progresse, mais reste un privilège : moins d'un habitant sur trois en bénéficie dans les zones rurales du tiers monde. La Banque mondiale estime le financement de l'électrification de ces pays à plus de cent milliards de dollars par an d'ici à l'an 2000, le dixième des dépenses mondiales d'armement.
Dans les dernières décennies, on a assisté, tout au moins dans les pays industrialisés, à l'extension massive des réseaux : route, fer,

La nuit est enceinte,
qui sait de quoi
elle accouchera à l'aube ?
Proverbe kurde.

eau, téléphone, etc. Pour l'énergie, les réseaux s'étendent aussi : électrification en Europe du Nord, y compris en zone rurale, développement des réseaux de chaleur urbains en Europe du Nord et en

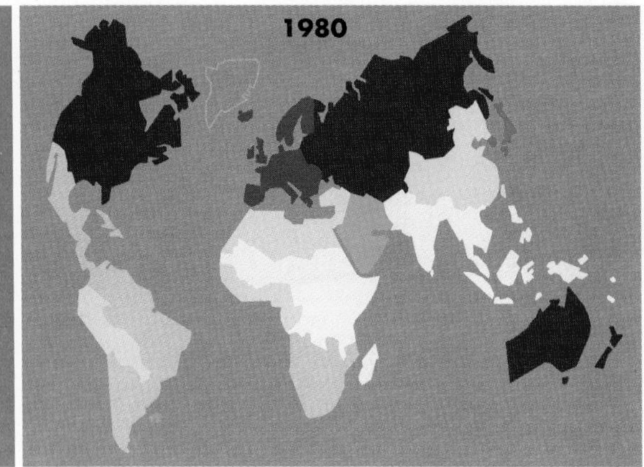

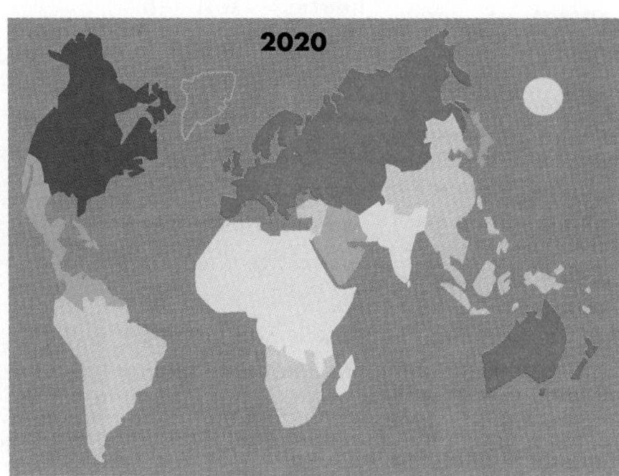

▲ *Les pays industrialisés maintiennent ou accroissent leur niveau de vie tout en diminuant la consommation d'énergie par habitant.*
En 1980, chaque individu a consommé environ 25 fois son poids de biomasse fossile (non renouvelable).

▲

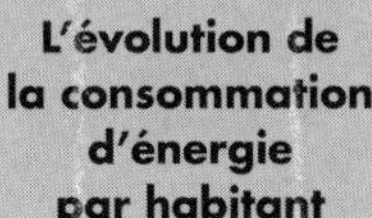

L'évolution de la consommation d'énergie par habitant

Tonnes Equivalent Pétrole (TEP) par habitant

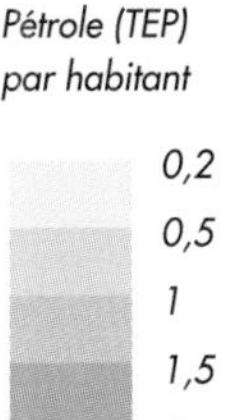

Europe centrale, gazoducs en provenance d'Europe du Nord, d'Union soviétique, d'Afrique du Nord et stockages souterrains dans des structures sédimentaires. Au vingt-et-unième siècle, l'énergie se conçoit donc comme un réseau planétaire. On y retrouve même, on l'a vu, le principe des satellites géostationnaires. Ces réseaux ne sont pas tous identiques : ils sont adaptés localement à des situations spécifiques et intègrent des stockages d'électricité.

Au vingt-et-unième siècle, l'évolution du système énergétique mondial va vers un concept analogue aux réseaux d'information conversationnels. En effet, la double évolution technologique qui se produit en amont des unités de production d'électricité (utilisation de polycombustibles, déchets, rejets, ressources locales) et en aval (cogénération) tend à transformer une partie des utilisateurs d'électricité en producteurs. Cette tendance est renforcée par les exigences de qualité de courant qui peuvent être particulières à chacun d'eux. Dans ces conditions, on peut envisager un réseau dont les points sources deviennent très nombreux et qui assure les échanges marginaux (surplus, demandes de pointes) de producteurs-consommateurs d'électricité. Une illustration extrême est constituée par les réalisations américaines d'alimentation domestique par photopiles où il est possible de déverser l'excédent d'électricité d'origine solaire sur le réseau. Il s'agit là d'une évolution potentielle importante du réseau, depuis un système à sens unique entre producteur centralisé et usager final, vers un système d'échanges d'énergie entre partenaires à la fois producteurs et consommateurs (réseaux en rhizome).

LE SCÉNARIO : LA MAÎTRISE DE L'ÉNERGIE CONTRE L'EFFET DE SERRE

L'évolution du système énergétique mondial s'effectue par crises. Celles-ci sont mises en évidence par des révélateurs : les tensions sur les ressources affectent les prix ; l'effet Tchernobyl bloque le développement du nucléaire ; dans certains pays, le développement démographique absorbe l'intégralité de la croissance économique, entraînant une stagnation des consommations par habitant ; enfin, l'effet

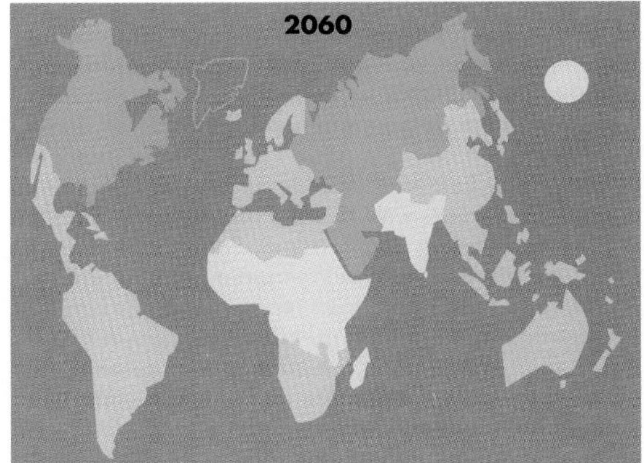

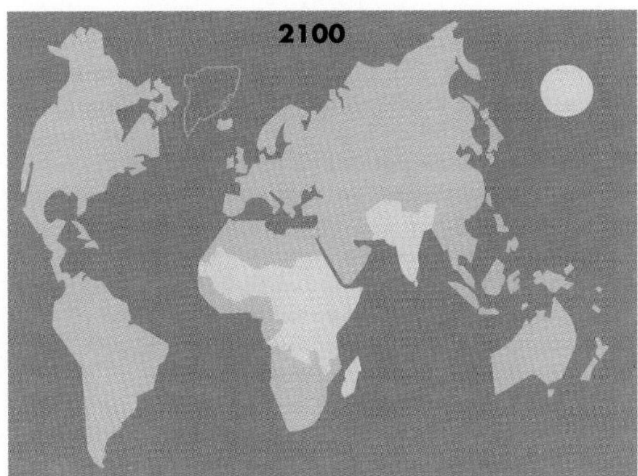

de serre remet en cause le recours massif au charbon, envisagé il y a peu en raison de sa grande disponibilité. Autant de facteurs qui donnent des à-coups au développement du système énergétique.

A l'inverse, les inerties ralentissent les évolutions globales. La montée régulière du gaz carbonique dans l'atmosphère est particulièrement représentative de cette continuité. Quels que soient les scénarios envisagés, il semble difficile de ramener la concentration de gaz carbonique dans l'atmosphère en deçà de la valeur des années 1950 (qui se montait déjà à 300 ppm).

Enfin, il ne semble pas qu'il faille s'attendre à des bouleversements rapides. Les techniques du futur s'implantent progressivement et coexistent longtemps avec les techniques actuelles, et même avec celles du passé. L'idée du remplacement rapide d'un système par un autre n'est pas réaliste (voir les illusions du "tout nucléaire"). Les sources d'énergie sont donc plus nombreuses. Le vingt-et-unième siècle est celui de la complexification de l'approvisionnement en énergie. Des réseaux planétaires captent et répartissent sur l'ensemble du globe des énergies de provenances multiples.

La plus grande course de voitures solaires traverse toute l'Australie. ▼

Quant à la pollution et à l'effet de serre, il faut bien apprendre à vivre avec. Les solutions pensées et mises en œuvre depuis la fin du vingtième siècle pour limiter les dégâts ne prennent effet que progressivement et se diffusent doucement dans un tiers monde en développement industriel. La Terre a peut-être encore devant elle un siècle à souffrir.

Devant ce constat inquiétant, peut-on prendre des mesures radicales ramenant dès 2050 les émissions de gaz carbonique à une valeur suffisamment faible pour qu'elles soient absorbées

■ ***Les techniques du futur s'implantent progressivement et coexistent longtemps avec les techniques actuelles, et même avec celles du passé. Le vingt-et-unième siècle est celui de la complexification de l'approvisionnement en énergie.***

L'ÉTUDE GOLDEMBERG ET ALT. : UN SCÉNARIO VOLONTARISTE

Réalisée par quatre experts travaillant dans des pays aux situations économiques et énergétiques très contrastées (Brésil, Suède, Inde, Etats-Unis), cette étude a été présentée lors du treizième congrès de la Conférence Mondiale de l'Energie.
Le progrès technique généralisé à tous les usages peut et doit être poursuivi. L'application systématique de politiques de maîtrise des consommations d'énergie à l'échelle de la planète répond aux besoins du développement économique et social, dans les pays industrialisés comme dans les pays en développement, moyennant des consommations d'énergie bien inférieures, pour chaque usage, à celles d'aujourd'hui.
L'exercice de prospective entrepris a donc consisté à examiner pour toutes les consommations, les techniques disponibles les plus économes en énergie. Il ne s'agit pas de prévisions : les auteurs ne cachent pas les difficultés de l'entreprise qu'ils proposent et consacrent plusieurs chapitres à la discussion de la mise en œuvre de politiques suivies et vigoureuses de maîtrise des consommations d'énergie. La phrase suivante est parfaitement significative de leur démarche : "la future demande en énergie est plus une question de choix que de prévision".
Pour les pays industrialisés, les résultats de l'étude conduisent les auteurs à considérer qu'une réduction de 50% de la consommation d'énergie finale par habitant peut être réalisée entre 1980 et 2020, et ceci de façon compatible avec une forte augmentation du confort et de la production. La consommation moyenne d'énergie primaire par habitant dans les pays industrialisés peut donc décroître de 4,8 tep/hab.an en 1980 à 2,4 tep/hab.an en 2020.
Dans les pays en développement, une stratégie de recherche de l'efficacité énergétique maximale est proposée en imaginant que ces pays atteignent à l'horizon 2020 un niveau d'activité et de confort similaire à ceux des pays occidentaux des années 1970. La consommation d'énergie primaire par habitant passe alors de 0,6 à 1 tep/hab.an. On arrive ainsi à une consommation totale mondiale en 2020 de l'ordre de neuf milliards de tep. La consommation moyenne mondiale par habitant, qui est de 1,6 tep/hab.an en 1980, passe alors à 1,2.

J.Goldemberg, T.B.Johansson, A.K.N. Reddy, R.H.Williams, Energy for a sustainable world, Wiley Eastern Limited, New Dehli, 1988.

par la biosphère ? La réponse est oui. La quantification des évolutions par zone et par source d'énergie conduit alors à proposer les perspectives suivantes :

• consommation par habitant dans les pays actuellement industrialisés ramenée de 4,8 à 2,4 tep/hab./an dès 2020, diminuant ensuite vers 1 tep/hab./an ;

• dans les pays en développement, consommation moyenne de 1 tep/hab./an en 2020, stabilisée ensuite.

La consommation mondiale s'établit alors à 9,7 milliards de tep en 2020 et 12,5 en 2100. La consommation moyenne par habitant est de l'ordre de 1 tep/an en 2100. Les approvisionnements - en millions de tep (Mtep) - peuvent être les suivants :

	Charbon	Pétrole	Gaz	Nucléaire	Hydraulique	Biomasse	Solaire	Total	Economies
1960	1 370	985	375	0	180	400	0	3 310	
1985	2 140	2 820	1 350	330	450	570	0	7 660	
2020	2 200	2 200	2 300	800	900	1 000	300	9 700	3 000
2060	1 500	800	1 200	2 500	800	2 200	1 500	11 500	6 500
2100	1 700	500	1 000	2 800	2 000	2 500	2 000	12 500	9 200

La mise en œuvre effective d'un tel programme suppose :

• un effort croissant de maîtrise de l'énergie : plusieurs milliers de Mtep d'économies chaque année dans les pays industrialisés, ce qui représente plus que leur consommation totale de 1970 dès 2030 ;

• la prolifération des centrales nucléaires : l'équivalent de 570 réacteurs de 1 000 MW dès 2020, et de 1800 réacteurs en 2060, dont

Les centrales nucléaires dans le monde

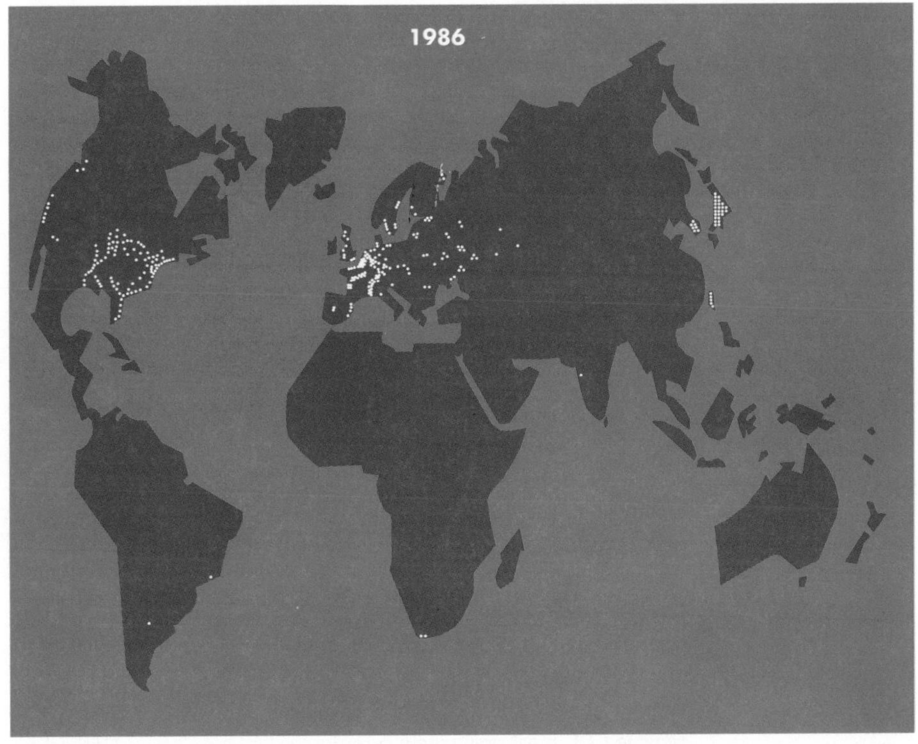

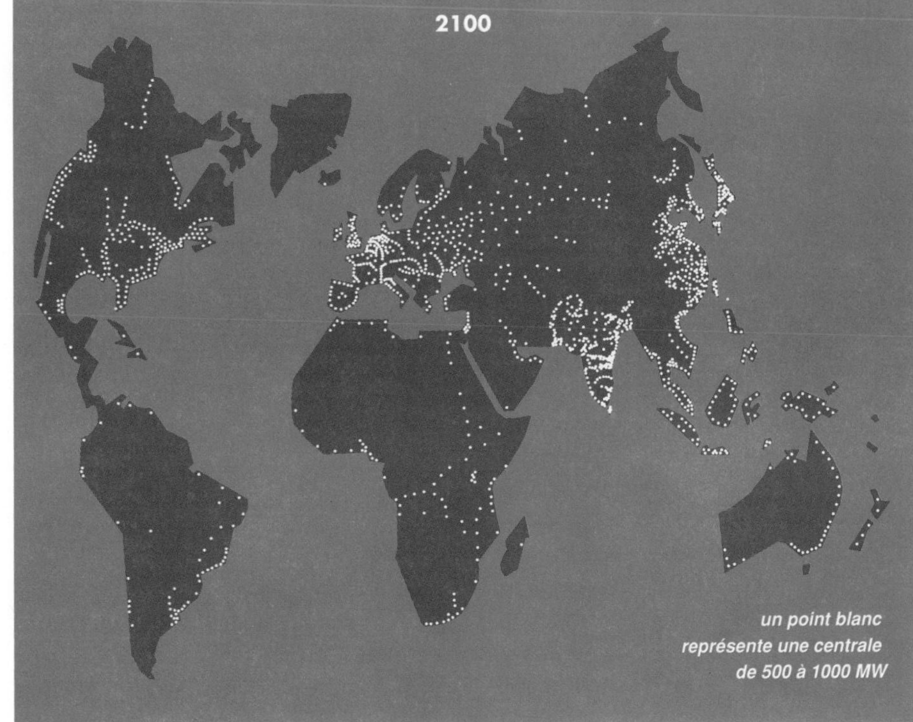

Toutes les centrales nucléaires sont enterrées à partir de 2030 et présentent donc un risque minimum.

La prolifération des centrales nucléaires (570 en 2020, 1800 dès 2060) a été rendue possible par les progrès de l'intelligence artificielle. Elle est nécessaire pour le développement du Tiers Monde. ▶

1100 dans les pays en développement ;

• l'installation de nombreuses centrales solaires : 8 000 centrales de 250 MW occupant chacune cinq kilomètres carrés en 2060, en particulier en Afrique, et de 200 satellites solaires déployant chacun cinquante kilomètres carrés de panneaux ;

• construction de nouveaux barrages sur tous les continents aux réserves hydrauliques encore inexploitées : Himalaya, Cordillère des Andes.

• le développement massif de la biomasse et du carburant hydrogène, produit à partir de l'électricité, seuls combustibles à ne pas induire d'effet de serre.

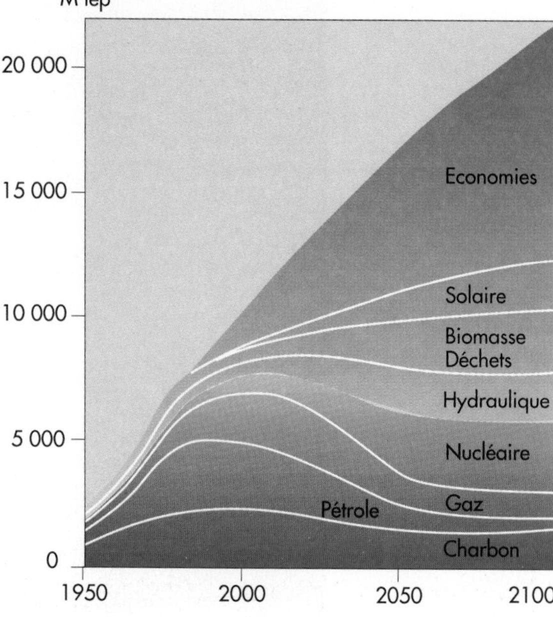

▲ *De toutes les sources diversifiées, les économies occupent la première place.*

Il suppose enfin que la déforestation soit stoppée et que soient entrepris de vastes programmes de reboisement, en relation avec le développement des usages énergétiques de la biomasse.

Mais le CO_2 n'est pas le seul à renforcer l'effet de serre. Une action volontaire doit être également menée pour limiter les émissions d'autres gaz : chlorofluorocarbures (CFC), méthane, protoxyde d'azote...

Ce scénario permet d'assurer un développement durable d'un monde rééquilibré en évitant les conséquences néfastes de l'effet de serre. La stabilisation de la concentration en CO_2 est obtenue dès 2060 à une valeur inférieure au seuil de doublement. Par ailleurs, il suppose, bien sûr, une extrême vigilance dans la mise en œuvre des réacteurs nucléaires à filière de déchets à courte durée de vie.

■ ***L'évolution du système énergétique mondial suppose un effort croissant de maîtrise de l'énergie, la prolifération des centrales nucléaires, l'installation de nombreuses centrales solaires, la construction de nouveaux barrages, le développement massif de la biomasse et de vastes programmes de reboisement.***

LA SOLUTION FISCALE !

Le monde en a-t-il les moyens et la détermination ? Il est illusoire d'espérer que les mécanismes du marché de l'énergie réajustent spontanément la consommation et limitent la pollution. Ils auraient plutôt tendance à l'augmenter qu'à la freiner. Une politique autoritaire de rationnement ne peut pas non plus produire les effets escomptés. Les pollutions et les surconsommations les plus massives touchent l'Union soviétique, qui vient de vivre trois quarts de siècle d'économie "dirigée". La seule voie possible est de laisser leur liberté aux acteurs, mais de faire en sorte, au moyen de la fiscalité, que leurs intérêts particuliers coïncident avec l'intérêt général. En termes clairs, pour réduire les émissions de CO_2, il faut taxer l'acteur économique qui a décidé d'émettre ce gaz, en proportion de ce qu'il émet ou fait émettre[1]. De la sorte, il cherche à réduire cette pollution qui lui coûte et participe ainsi à l'effort général d'assainissement. Si,

■ ***Les pollutions et les surconsommations les plus massives touchent l'Union soviétique. Pour réduire les émissions de CO_2, il faut taxer l'acteur économique qui a décidé d'émettre ce gaz, en proportion de ce qu'il émet.***

[1] *Von Wiesäcker.*

en plus, le produit de cette taxe est recyclé dans une organisation pour les économies d'énergie, il peut aussi se faire aider dans ses investissements économiseurs et le processus s'en trouve accéléré. Plusieurs pays ont, dans le passé, fortement taxé certaines énergies. En France, plus de la moitié du prix de l'essence automobile va au fisc. Mais, jusqu'à présent, ces taxes étaient motivées par des considérations de sécurité d'approvisionnement. Il ne fallait pas rendre le pays trop vulnérable. La question se pose maintenant en d'autres termes, et à un autre niveau. La teneur en CO_2 est la même sur toute la planète, bien que certains pays en produisent plus que d'autres. Il est donc logique de penser à un système d'incitation fiscale au moins pour partie international, et en tout cas harmonisé au niveau mondial. Cette idée est reprise plus loin, pour accélérer la nécessaire transition de l'environnement. ■

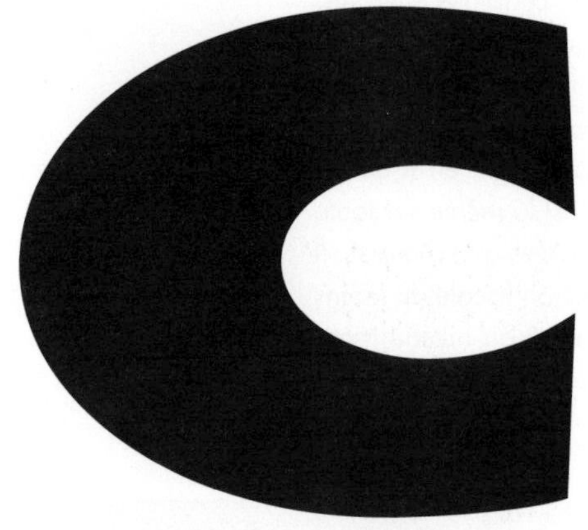

h a

A Lake Placid, aux Etats-Unis, lors des Jeux Olympiques de 1980, un skieur remporte une compétition de ski de fond d'une durée d'une heure avec seulement un centième de seconde d'avance sur le second. Quelques années auparavant, il aurait été impossible de départager les deux concurrents. Le temps que nous passons à de multiples activités se contracte et s'affine toujours plus vite.

Le temps contracté

pitre 7

Il nous faut moins de temps pour nous déplacer, moins de temps pour fabriquer des objets, moins de temps pour calculer ou pour entrer en communication avec un autre humain. L'observation d'un usager d'ordinateur est révélatrice du changement d'état d'esprit qui découle de cette contraction du temps : alors que sa machine s'apprête à réaliser en une minute ce qui lui aurait pris plusieurs heures sans elle, il peste parce que l'accès à la mémoire électronique prend quelques secondes de trop... Le même usager trouvera également anormal de ne pas entrer sur le champ en communication téléphonique avec la succursale de Tokyo.

▲ *Le moteur de l'horloge a disparu mais le temps est encore là.*

D'une certaine façon, le progrès technique est un lent cheminement vers la maîtrise du temps. La photographie et le cinéma permettent de le remonter ou de le revivre, les machines et les véhicules de l'économiser. Le gramophone, ancêtre du magnétophone, fut souvent présenté à ses débuts comme une machine à faire revivre les morts en écoutant leurs paroles. Le téléphone, le visiophone, le télécopieur ont pour avantage principal de faire gagner du temps de transport.

La conquête du temps a commencé depuis très longtemps. Nos lointains ancêtres se transmettaient leur histoire, comme le font encore quelques sociétés dites primitives, par tradition orale. Les jeunes apprenaient par cœur les récits des anciens et y ajoutaient leur propre témoignage. Le dessin, puis l'écriture ont permis de franchir une étape, la fixation du message hors de l'individu. L'histoire, d'un seul coup, existait alors objectivement, puisque le lecteur avait sous les yeux la trace directement transmise, la "preuve" du passé, et non plus le résultat d'une longue suite de réinterprétations déformées.

Les avancées les plus récentes de l'astrophysique scrutent aussi le passé. Edwin Hubble, qui a donné son nom à un télescope spatial - appelé aussi la machine à remonter le temps - a montré que les galaxies s'éloignent les unes des autres à une vitesse proportionnelle à leur éloignement. En découle la conception d'une histoire globale de la matière dont l'origine, le Big Bang, remonterait à quelque quinze milliards d'années. L'histoire de l'univers tout entier se concrétise. Et de l'observation des étoiles résulte un regard nouveau sur l'histoire, puisque la lumière qui nous parvient aujourd'hui de ces astres fut émise dans les premiers temps de l'univers. L'homme apprend à manipuler

Autrefois, l'astrolabe servait à repérer la position des astres. ▼

Le simple fait d'observer des étoiles lointaines devient un moyen de regarder dans l'histoire : la lumière qui nous parvient aujourd'hui de ces astres fut émise dans les premiers temps de l'Univers.

Le laser femtoseconde permet de pénétrer au cœur des réactions chimiques du vivant. On découvre le monde au ralenti.

des échelles de temps qui échappent à toute comparaison : jusqu'au siècle dernier, le monde, conformément aux thèses de l'Eglise, était vieux d'à peine 6 000 ans. Au vingtième siècle, la géologie et l'astronomie introduisent le million puis le milliard d'années. Parallèlement, notre connaissance du temps s'oriente vers l'infiniment bref. En 1600, Galilée parvient à mesurer des intervalles de l'ordre du dixième de seconde en s'aidant du pouls humain ; au dix-neuvième siècle apparaît la milliseconde ; les années 1970 commencent avec la conquête de la picoseconde et les lasers "femtosecondes" travaillent aujourd'hui sur des intervalles de temps du même nom. Ces découvertes essentielles modifient toute notre perception de la vie. Seules des machines complexes mesurent de telles divisions du temps, qui échappent définitivement à l'œil et à l'entendement humains. L'homme décortique et structure le temps toujours plus finement. Si le va-et-vient du balancier est une donnée palpable, que signifie pour l'homme la femtoseconde ?

▲ *En hommage à Morris.*

CLIC!

LA FEMTO-SECONDE
AUT ARRETER SA
NTRE POUR LIRE L'HEURE

C'est un nouvel univers qui reste à découvrir. Ainsi, il est désormais possible d'observer au ralenti les vibrations des molécules dans un cristal ou les processus biologiques dans les gènes. Le laser femtoseconde, utilisé comme un stroboscope, permet de pénétrer au cœur des réactions chimiques du vivant qui étaient, jusqu'à maintenant, inaccessibles. On observe alors le mouvement des molécules comme s'il s'agissait de boules de billard. En biologie, le fonctionnement de très grosses molécules, comme les protéines, ne peut être compris qu'en tenant compte des propriétés dynamiques dues aux incessantes vibrations d'atomes autour d'une position moyenne. Depuis le début des années 1970, on peut observer, en direct, la multiplication des cellules vivantes depuis l'œuf initial jusqu'à l'être complet. Aujourd'hui, il devient possible de voir véritablement se dérouler le processus de fabrication, non plus des cellules, mais de leurs composants élémentaires. Ainsi, on commence à observer la fabuleuse mécanique qui fait se reconnaître et s'emboîter les molécules composant le code génétique, avant que commence la construction de la double hélice de l'ADN et que, de proche en proche, se reconnaissent et s'assemblent les constituants du futur être vivant.

QUELQUES REPÈRES CHRONOLOGIQUES SUR LA CONTRACTION DU TEMPS DANS L'HISTOIRE

**On a commencé à parler de dixième de seconde (10^{-1}) en 1600,
de centième de seconde (10^{-2}) en 1800,
de milliseconde (10^{-3}) en 1850,
de microseconde (millionième de seconde, 10^{-6}) en 1950,
de nanoseconde (milliardième de seconde, 10^{-9}) en 1965,
de picoseconde (millième de milliardième de seconde, 10^{-12}) en 1970,
de femtoseconde (millionième de milliardième de seconde, 10^{-15}) en 1990,
d'attoseconde (milliardième de milliardième de seconde, 10^{-18}) en 2020.**

Ce cadran solaire, à Ségovie, rythmait le temps du seizième siècle.

LA PERCEPTION DU TEMPS MODIFIE L'ORGANISATION DES SOCIÉTÉS

Le temps n'épargne pas ce qui se fait sans lui.
Proverbe français.

Cette décomposition sans cesse plus fine du temps nous suggère, et nous impose parfois, de modifier nos modes de vie. L'histoire est accélérée par l'invention de l'imprimerie : grâce aux livres, la réforme protestante s'étend en moins de dix ans dans toutes les campagnes d'Europe ; la révolution de 1789 est transmise en différé de quelques jours par la presse (environ 500 journaux périodiques sont créés entre 1788 et 1790 en France) ; le réseau de télégraphes Chappe sillonne la France dès 1791 et sauve plusieurs fois la République en transmettant en quelques heures les nouvelles de Lille à Marseille. Plus récemment, le taylorisme introduit les chaînes de montage où les gestes sont mesurés au dixième de seconde. Les horaires et les cadences de travail font l'objet de vives luttes entre patrons et ouvriers qui débouchent peu à peu sur l'abandon du travail aux pièces. Le développement des chemins de fer, qui harmonise les heures locales, inaugure une nouvelle manière de dire le temps, précise à la minute près et basée sur le cycle de vingt-quatre heures : il est dix-huit heures quarante-cinq et non plus sept heures moins le quart. Le carcan du temps enserre même aujourd'hui les activités agricoles qui, traditionnellement, se plaçaient sur une autre échelle, celle du "rythme de la nature". Désormais, les horaires d'ouverture du guichet bancaire ou l'heure des journaux télévisés cadencent à la minute près l'activité de l'exploitant agricole, cependant que le clonage végétal permet de dupliquer en quelques mois, à des millions d'exemplaires, les nouvelles espèces dont la

L'ÉTERNEL RETOUR

"La question du temps a été depuis toujours au centre des préoccupations humaines. Des spéculations ont mis en cause l'idée de nouveauté, affirmé l'inexorable enchaînement des causes et des effets. Des savoirs mystiques ont nié la réalité de ce monde changeant et incertain et ont défini l'idéal d'une existence qui permette d'échapper à la douleur de la vie. Nous savons d'autre part l'importance dans l'Antiquité de l'idée de temps circulaire, revenant périodiquement à ses origines. Mais l'éternel retour lui-même est marqué par la flèche du temps comme le rythme des saisons ou celui des générations humaines". (Ilya Prigogine et Isabelle Stengers, Entre le temps et l'éternité, Fayard, Paris, 1988).

L'effondrement du célèbre "jeudi noir", en 1929 à New York, avait mis plusieurs jours à se propager à travers le monde. En septembre 1987, le krach a affecté la planète en quelques instants.

multiplication aurait pris plusieurs dizaines de cycles annuels il y a seulement trente ans. L'inscription des personnes et des événements du passé, qui s'était déjà affirmée en passant de la peinture à la photographie, devient plus exacte encore avec le cinématographe et surtout la vidéo légère, outil de base du reporter contemporain. Ainsi la chaîne de télévision CNN fait systématiquement appel à des reporters vidéo amateurs... La peinture était marquée de la subjectivité de l'artiste. Le reportage prétend, quant à lui, avoir toutes les apparences de la réalité. Sous les apparences de l'objectivité, son hyperréalisme laisse la porte ouverte à la désinformation. Si l'image monte en épingle des faits dûment sélectionnés, sa diffusion, sans cesse plus large et plus rapide fait s'emballer l'histoire. Ce phénomène commence avec l'arrivée du télégraphe électrique, du téléphone, des liaisons par câbles transatlantiques puis par voie hertzienne et, enfin, explose avec les émissions de radio et de télévision retransmises en direct sur la planète entière. L'accroissement du volume des informations, l'augmentation des vitesses de transmission et celle du nombre de personnes touchées rendent la société humaine sans cesse capable de réactions plus rapides : krachs boursiers, guerres, révolutions et coups d'états ont des durées qui sont passées de la dizaine d'années à l'heure en une vingtaine de siècles et de l'heure à la minute en moins de cinquante ans. L'effondrement du célèbre "jeudi noir", en 1929 à New York, avait mis plusieurs jours à se propager à travers le monde. En septembre 1987, le krach a affecté l'ensemble des places boursières de la planète en quelques instants. De même, la révolution russe de 1917 s'est déroulée en plusieurs semaines alors que la révolution roumaine de 1989 s'est jouée sans aucun délai, en direct, à la télévision.

Temps gagné, tout gagné. Proverbe allemand.

Cette contraction du temps, évidente pour l'histoire économique, militaire et politique fonctionne tout autant dans le domaine des sciences et des techniques. En 1990, il faut trois mois pour concevoir et réaliser entièrement un nouveau prototype de carrosserie automobile, là où trois ans suffisaient à peine en 1950. Quelques minutes suffisent à obtenir l'ensemble des articles scientifiques, des brevets, des décisions de justice concernant, à l'échelon planétaire, un nouveau produit chimique. Il y a trente ans, cette recherche n'aurait tout simplement pas été engagée car elle

La maîtrise du temps permet la création d'univers artificiels ▼

▲ *Les projections holographiques en relief accroissent encore le réalisme et la force des images.*

aurait mobilisé une lourde équipe de documentalistes pendant plusieurs années. Une découverte scientifique, de nos jours, est diffusée en quelques heures, par les réseaux de messageries électroniques, et ceci dans le monde entier.

Les effets de la contraction du temps pénètrent le champ politique (le charnier de Timisoara) tout comme le champ scientifique (la fusion froide, la mémoire de l'eau) : les faits annoncés et retransmis si rapidement ne reflètent pas la réalité mais l'histoire se transforme cependant, parfois temporairement et parfois sans possibilité de retour, comme si les informations étaient exactes. La guerre des rumeurs a toujours existé. Elle prend, à cause de la contraction du temps, une telle importance qu'elle constitue la première forme de combat du vingt-et-unième siècle. L'art militaire n'est plus à cette époque d'anéantir, mais de persuader (l'ennemi qu'il est vaincu).

On peut se demander si ces effets pervers de la contraction du temps dans la collecte et la transmission des informations ne constituent pas l'amorce d'un phénomène pathologique généralisé qui ramènerait l'individu face à l'histoire dans la position de ses lointains ancêtres : ne pouvant plus se fier à aucune des "histoires" qui lui sont racontées, même sous l'apparence objective du reportage vidéo, l'individu considère *tous* les récits comme des légendes. Seuls des privilégiés ont le temps et les moyens de s'intéresser également à l'origine et au traitement de l'information : cette dernière acquiert une "épaisseur" qu'elle ne possédait pas. Nous passons d'un monde sous-informé à un monde sur-informé où la passivité du spectateur est encouragée. Saturé d'informations, de suggestions, d'interprétations, l'individu est déconnecté de la réalité. Il se réfugie dans le jeu, le simulacre. En même temps, il protège la bulle confortable de son environnement immédiat qui est "vrai" parce que perçu sans inter-

■ ***Ne pouvant plus se fier à aucune des "histoires" qui lui sont racontées, même sous l'apparence objective du reportage vidéo, l'individu considère tous les récits qui lui sont faits comme des légendes.***

■ ***Alors l'individu perd par la même occasion, sa capacité de décision et d'intervention démocratique sur la société. Icare s'est brûlé les ailes.***

■ ***Les effets de la contraction du temps pénètrent le champ du politique tout comme le champ du scientifique : la réalité annoncée et retransmise si rapidement n'était pas la réalité, mais l'histoire s'est transformée.***

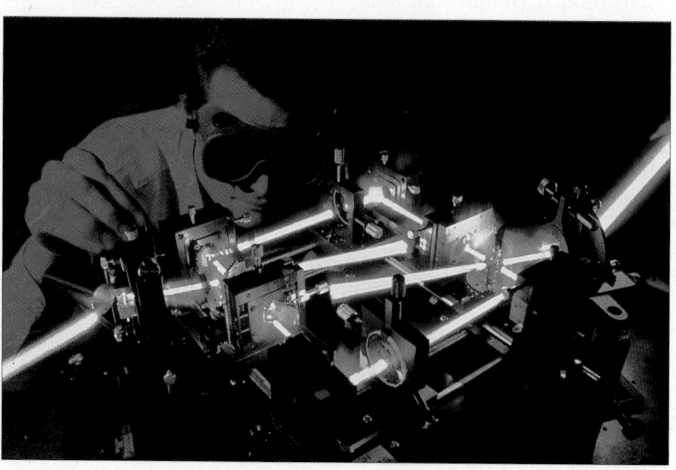

Dans l'ordinateur optique, l'information circule à 300 000 kilomètres par seconde. ◀

médiaire. Mais l'individu perd aussi, par la même occasion, la capacité de décision et d'intervention démocratique sur la société que la technologie lui avait pourtant offerte. Icare s'est brûlé les ailes.

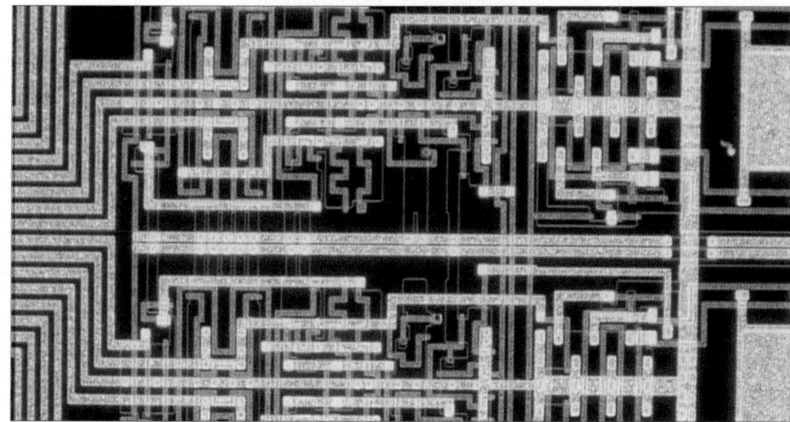

▲ *L'horloge d'un circuit intégré bat à plusieurs dizaines de millions de coups par seconde.*

L'INFORMATIQUE STRUCTURE LA MICROSECONDE

Ce voyage de l'homme dans l'infiniment petit a engendré des technologies, des industries toujours plus complexes ; informatique, électronique et télécommunications ont des caractéristiques communes : elles mettent toujours plus rapidement à la disposition du demandeur des quantités d'informations toujours plus grandes. Depuis longtemps ces technologies de l'information concernent tant le contenu que sa distribution. Dès l'Antiquité, le calcul est présent partout : en Mésopotamie, en Egypte, en Grèce, en Chine, chez les Indiens d'Amérique. La réalisation du premier automate de calcul date du dix-huitième siècle. Aujourd'hui, le microprocesseur entre dans les objets les plus quotidiens, comme la montre ou la carte à puces. Le nombre de circuits intégrés contenus sur une même puce (une surface de quelques millimètres de côté) se multiplie. Il passe de quelques unités au début des années 1960 à un millier en 1970. En 1990, les mémoires électroniques comportent plus de quatre millions de circuits. Et la course à l'intégration est loin d'être terminée, confirmant ainsi la loi de Moore, établie en 1964, qui prévoyait un doublement de l'intégration au moins tous les deux ans. Dans le même temps, alors que les capacités de traitement augmentent, les prix baissent.

En 1990, les systèmes de réservation aérienne ont la possibilité de traiter jusqu'à 1750 opérations en parallèle. Les super-ordinateurs sont capables de traiter plusieurs millions d'instructions par seconde. L'accroissement de la capacité de traitement des ordinateurs n'est pas sans répercussion sur la vie quotidienne de chacun. Les ordinateurs domestiques, présents dans vingt pour cent des foyers américains, possèdent les capacités des super-ordinateurs du milieu des années 1960. Les prix continuent de baisser, la miniaturisation s'accentue et les capacités de traitement ne cessent d'augmenter. La poursuite de la baisse des coûts conduit, en 2010, à la commercialisation d'ordinateurs personnels d'une capacité analogue à celle des super-ordinateurs de 1990. Cette progression de la puissance brute, mesurée en vitesse de traitement, s'accélère encore. Et l'ordinateur optique, dans lequel la lumière remplace l'électricité, augmente encore la vitesse d'un facteur mille dès 2030. En plus, il dispose, comme nos deux hémisphères cérébraux droit et gauche, de capacités de traitement complémentaires. D'un côté le calcul et la déduction analytique, de l'autre la vision globale et l'induction. La communication entre les deux se fait par des transformations mathématiques sur les images et les sons dérivées de la transformation de Fourier.

LA SOCIÉTÉ DE L'INTELLIGENCE ARTIFICIELLE

Depuis Pascal, les machines semblaient vouées au calcul numérique, militaire ou civil. Elles le font, en 1990, infiniment plus vite que des humains. Ces résultats ont été rendus possibles par les travaux théoriques de Boole, Babbage et Turing qui ont montré l'identité complète entre une modélisation du calcul numérique et sa concrétisation à l'aide d'assemblages de composants électroniques simples. Dès le début de l'informatique, de nombreuses tentatives sont menées pour tenter d'automatiser d'autres fonctions humaines. Par exemple raisonner, parler, lire des textes manuscrits, traduire. Pour ce faire, la machine doit réaliser des opérations non plus sur des nombres (identifiés à des courants dans des circuits électriques), mais sur des symboles (les lettres, puis les mots). Les premières expériences donnent naissance à une nouvelle discipline, l'intelligence artificielle, porteuse de très grands espoirs. Les prototypes présentent des capacités, apparemment importantes, d'imitation des comportements cognitifs humains. Ces espoirs sont vite déçus. La machine devrait être capable de manipuler non seulement les symboles, mais aussi ce qu'ils véhiculent : le sens des mots, leur contexte d'utilisation, etc., toutes choses intuitives qu'on ne sait pas formaliser. L'homme bute sur la description de ses propres raisonnements[1]. Cependant, avec l'intelligence artificielle se développent de nouvelles techniques de programmation des ordinateurs, qui donnent des résultats acceptables dans des contextes très restreints et assez bien formalisés : les maladies de la tomate, les déplacements à l'intérieur d'une usine, les descriptions de couches géologiques, l'analyse du bilan comptable d'une entreprise. La machine se comporte alors comme un expert à qui l'on demanderait son diagnostic. Cependant, elle est, à la différence de l'homme, toujours incapable d'inventivité car elle ne peut s'échapper des règles et des informations qui lui ont été inculquées. Elle ne sait pas apprendre même si elle commence à raisonner sur des situations et des faits non encore totalement décrits. Or, bien des problèmes ne se résolvent qu'en apprenant avant, mais aussi pendant qu'ils sont étudiés. C'est le cas, par exemple, de la traduction automatique. Chacun sait qu'une traduction

▲ *Ô génial Lucifer ! Il n'y a que toi pour avoir de pareilles idées...*

[1] *Hubert Dreyfus, L'intelligence artificielle, mythes et limites, Paris, Flammarion, 1984.*

■ L'ordinateur optique augmente encore la vitesse d'un facteur mille dès 2030. En plus, il dispose, comme nos deux hémisphères cérébraux droit et gauche, de capacités de traitement complémentaires.

■ A la différence de l'homme, la machine est toujours incapable d'inventivité car elle ne peut s'échapper des règles et des informations qui lui ont été inculquées.

mot à mot, avec l'aide d'un dictionnaire, ne donne pas de bons résultats. Le dictionnaire n'est jamais complet car la richesse et la puissance de la langue sont inhérentes, entre autres, au fait que le sens de chaque mot se modifie en permanence. Une traduction ne se situe pas au niveau du mot, mais à celui d'un ensemble de mots placés dans un contexte scientifique, commercial, historique ou poétique indescriptible à l'avance et que la machine devrait donc pouvoir maîtriser avant de commencer à traduire, puis en traduisant. La prise de conscience de la nécessité d'inclure l'apprentissage chez les ordinateurs est récente. On pensait qu'il suffisait de donner des instructions à exécuter. On sait maintenant que cette démarche "autoritaire" de l'homme vis-à-vis de la machine est insuffisante, et contredit les fondements de la logique. Depuis vingt ans à peine et surtout depuis le début des années 1980, l'informatique flirte avec la psychologie, la sociologie, la neurologie pour former les sciences cognitives. Comme pour l'intelligence artificielle à ses débuts, des résultats prometteurs sont obtenus. Ainsi, la machine à lire l'écriture manuscrite voit industriellement le jour avant l'an 2000. Mais les chercheurs, échaudés par les échecs de l'intelligence artificielle, font preuve d'une grande prudence en matière de prospective. Dans les années 1990, ils considèrent que la réalisation, par une machine, de tout ce que sait faire un enfant âgé d'un an serait un immense progrès. Les compétences d'un traducteur restent bien supérieures à celles d'une machine. Le rythme d'accroissement des connaissances sur les mécanismes cognitifs est néanmoins soutenu. Mariés à l'apparition de nouvelles architectures d'ordinateurs capables, comme le cerveau humain, de manipuler en parallèle d'énormes quantités d'informations visuelles, auditives, tactiles, ces nouveaux savoirs permettent l'apparition de machines totalement nouvelles. D'abord spécialisées, comme le robot qui balaye le quai des gares en présence des voyageurs, elles acquièrent progressivement des capacités plus larges et passent d'environnements spécifiques (le robot qui surveille et répare les tubulures dans la centrale nucléaire) à des environnements communs (le robot qui entretient la maison ou le jardin).

Il est difficile d'empêcher le temps de s'écouler. ▼

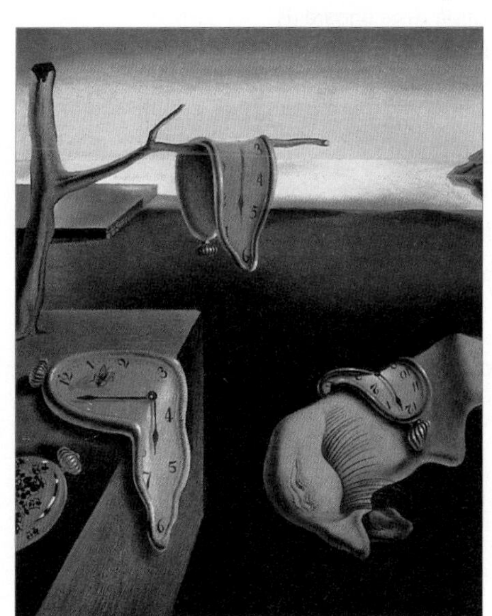

TOUS LES HOMMES SONT VOISINS

En 1879, Jules Verne, dans *Les cinq cents millions de la Begum*, imagine les téléconférences, trois ans après l'invention du téléphone par Graham Bell. "Grâce au téléphone, nous pouvons tenir conseil à Franceville en restant chez soi... Le docteur toucha un timbre avertisseur qui communiqua instantanément son appel au logis de tous les

L'ignorant parle, le savant déduit. Proverbe persan.

membres du conseil. En moins de trois minutes, le mot "présent", apporté successivement par chaque fil de communication, annonça que le conseil était en séance." Le système de téléconférences ne se concrétisera qu'un siècle plus tard... A l'origine, le téléphone sert surtout à la retransmission des spectacles de théâtre ou d'opéra. Ses débuts ne sont pas sans évoquer ceux du minitel, un siècle plus tard : il a aux yeux des notables, qui freinent alors son développement, la réputation d'être un outil de libertinage, de débauche favorisant les conversations amoureuses...

▲ *La télécommunication portable progresse et connaît son apogée avec les émetteurs-récepteurs implantés derrière l'oreille.*

Depuis, la conception que la société se fait du téléphone est revenue aux idées de Jules Verne. La planète entière est un immense réseau, relié par fil ou par satellite. Les limites ne sont plus celles des distances à parcourir mais des richesses et, plus encore, des volontés politiques locales. Dans les pays industrialisés et démocratiques, où le téléphone est considéré sans arrière-pensée, la grande affaire des années 1990 est l'explosion du téléphone mobile. Le téléphone quitte le foyer, devient nomade. Il est possible de téléphoner dans la rue, en dehors de toute cabine téléphonique, depuis le TGV ou à bord d'un avion. Comme la montre au vingtième siècle, le téléphone portatif fait partie du prêt-à-porter du vingt-et-unième siècle. Toutefois, en 1990, l'utilisation reste encore essentiellement professionnelle, car les équipements sont chers (de l'ordre de 500 dollars) et les services aussi (un abonnement de 125 dollars par mois). A moyen terme, l'émergence des technologies numériques entraîne une baisse des coûts et favorise une forte extension. En 2005, le taux de pénétration atteint 10% du marché aux Etats-Unis.

■ ***Il est possible de téléphoner dans la rue, en dehors de toute cabine téléphonique, ou à bord d'un avion. Comme la montre au vingtième siècle, le téléphone portatif fait partie du vêtement du vingt-et-unième siècle.***

■ ***Tous les grands pays industrialisés sont en train de se doter de réseaux numériques. L'alignement sur un standard unique s'est engagé sans l'ombre d'une résistance, signe que ce développement est jugé inéluctable.***

L'AVENIR EST NUMÉRIQUE

Parallèlement à son développement, le téléphone a engendré de nouveaux services comme le télex, la télécopie, le vidéotex ou la communication entre ordinateurs... L'écrit et l'image ont ainsi rejoint le son dans l'univers des télécommunications. Notre aptitude nouvelle à découper le temps en tranches infimes aboutit au numérique, qui apparaît partout, dans la Hi-Fi (les disques compacts, les magnétophones numériques), dans le téléphone (Numéris), dans la radio (RDS, Radio Data System). En technologie numérique, le signal est découpé en tranches, et chacune est mesurée et codée sous la forme d'un nombre. L'information ainsi numérisée se prête particulièrement bien à toutes sortes de manipulations par les systèmes informatiques. Pour une entreprise, cela simplifie tous les problèmes

Simulation numérique en météorologie. ▼

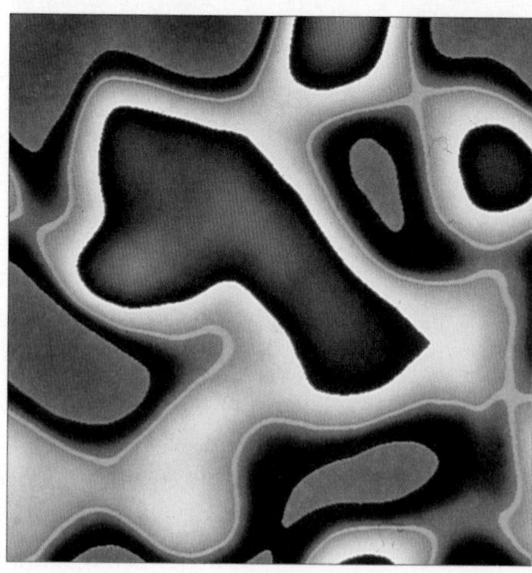

de connexion d'appareils divers, ordinateurs, télécopieuses, téléphones, télex sur le standard téléphonique commun. Le réseau numérique facilite l'utilisation commune des télécommunications et de la vidéo, déjà amorcé avec le minitel. Le gain est d'abord celui de la rapidité de travail. Au lieu de cinq secondes pour afficher un écran de minitel, il suffit d'un dixième de seconde avec un minitel numérique.

Nous n'en sommes qu'à la "bande étroite", permettant la transmission de données, la télé-écriture et la transmission d'images fixes ou d'animation lente. Depuis 1988, avec le Réseau numérique à intégration de services (RNIS), il est possible en France de transmettre simultanément sur une même ligne une conversation téléphonique de qualité Haute Fidélité, un dialogue de communication à grande vitesse avec un ordinateur et des images de qualité cinématographique. Tous les grands pays industrialisés se dotent de tels réseaux numériques, et, contrairement aux dures batailles normatives sur la télévision à haute définition, l'alignement sur un standard unique s'est engagé sans l'ombre d'une résistance, signe que ce développement est jugé inéluctable et que les services attendus le sont au niveau planétaire.

UNE SOCIÉTÉ ORGANISÉE EN RÉSEAUX NON CENTRALISÉS

Les paroles retentissent plus loin que le fusil.
Proverbe maori.

Pour augmenter la capacité et la rapidité des transmissions, la fibre optique, transportant la lumière et non plus l'électricité, est déjà indispensable. Le réseau numérique de la seconde génération, appelé aussi à "large bande", l'utilise abondamment, le débit passant à une centaine de mégabits par seconde. Cette technologie s'est étendue à l'ensemble des pays industrialisés aux environs de 2020. Son aboutissement, c'est la transmission d'images animées et sonorisées, unissant en un seul appareil le minitel et le téléviseur. Après l'association de l'informatique et des télécommunications dans les années 1980, vient l'alliance entre les télécommunications et l'audiovisuel qui étaient jusque là séparés pour des raisons tant historiques que réglementaires. Les conséquences de cette seconde mutation sur la société sont importantes. Alors que la télévision transmet des images expédiées depuis un système central, le téléphone, puis le visiophone et le minitel-téléviseur permettent une multitude de connexions. Outil de domination doté d'un petit nombre d'émetteurs, le système de télévision traditionnel est l'image même de la centralisation. Avec le téléphone, tout le monde peut appeler tout le monde. Avec le minitel-téléviseur, tout le monde peut montrer tout à tout le monde... et il y en a qui ne vont pas s'en priver. Les émetteurs sont innombrables, le réseau n'a plus la forme d'une étoile, mais celle d'un maillage. L'expérience montre que cette évolution est source de développement économique : n'importe quelle entreprise travaille avec de multiples clients et de nombreux fournisseurs, suivant des modalités complexes et avec des rapports fréquents. A l'inverse, la domination d'une structure centralisée rigide est très compromise par un tel maillage, difficile à contrôler : si tous les usagers sont connectés, il faut, dans un système policier, qu'un habitant sur trois écoute les deux autres, ce qui est évidemment impossible. Pratiquement, au-delà d'une ligne pour dix habitants, le pouvoir central se voit inévitablement contourné.

Devant cette véritable explosion des télécommunications, les réseaux, à la fois concurrents et interconnectés, ne sont plus la propriété des Etats. Parallèlement, les prix s'alignent progressivement sur les coûts réels. En revanche, l'idée que le téléphone est indispensable, comme l'eau et l'électricité, conduit à la notion du téléphone de survie. Un service CMI, la communication minimum d'insertion, est offert à la population, sous la forme d'un abonnement au réseau local ou d'un nombre minimum d'appels locaux gratuits. C'est d'ailleurs une vieille idée, proposée en 1990 : inclure le droit à la communication dans la déclaration des droits de l'homme.

■ ***Tout le monde étant connecté, il faudrait, dans un système policier, qu'un habitant sur trois écoute les deux autres, ce qui est évidemment impossible. Pratiquement, au-delà d'une ligne pour dix habitants, le pouvoir central est inévitablement contourné.***

■ ***La documentation de l'Airbus occupe, sous sa forme papier... deux fois plus d'espace que l'avion lui-même. Enregistrée sur disques optiques, elle tient dans une camionnette.***

■ ***L'écran mural relié aux réseaux et à l'ordinateur domestique remplace la chaîne hi-fi, le téléviseur, le magnétoscope, le bureau, la bibliothèque, le téléphone...***

TOUTE L'INFORMATION PARTOUT, ET VITE...

L'accroissement des capacités de traitement de l'information va de pair avec l'accélération des vitesses de transmission et des capacités de stockage de l'information. Les fibres optiques dans les années 1980, transmettent plusieurs milliards d'unités élémentaires d'informations par seconde. Après l'an 2000, elles en véhiculent jusqu'à cent milliards en trois secondes environ, soit l'intégralité de l'Encyclopedia Brittanica, gravures et images comprises. Les disques compacts, pour leur part, stockent cinq cents millions d'informations élémentaires, soit six cents fois le volume stocké sur les disquettes communément utilisées avec les micro-ordinateurs de 1990. Un disque compact peut aussi stocker des données informatiques (il s'agit du CD Rom, disque compact à mémoire morte, sur lequel on n'écrit qu'une fois et du CDI ou disque compact interactif, qui révolutionne l'enseignement après 2010), au lieu des sons pour lesquels il était initialement utilisé. Il contient alors jusqu'à 200 000 pages de textes, soit l'équivalent de 300 livres de la taille de celui que vous lisez en ce moment. Des bibliothèques entières peuvent donc passer sur disques optiques. Le premier avantage est celui du volume : la documentation de l'Airbus occupe, sous sa forme papier... deux fois plus d'espace que l'avion lui-même. Enregistrée sur disques optiques, elle tient dans une camionnette. Mais le gain fondamental concerne le temps d'accès à une information qui tombe à quelques secondes au lieu de quelques minutes, quelques minutes au lieu de quelques heures.

Avec une souris et un écran, on peut "naviguer" dans le musée. ▼

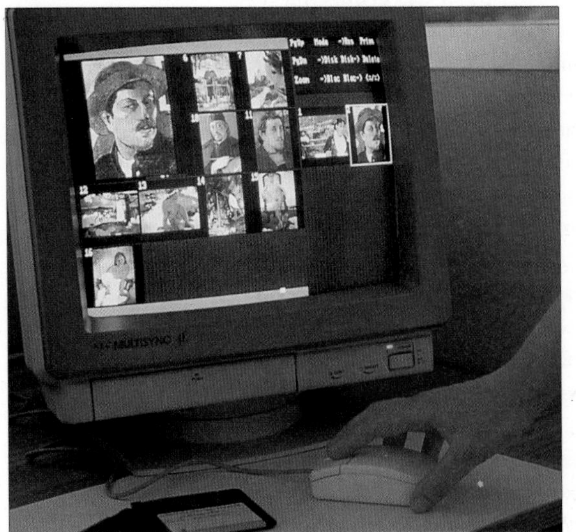

Qui a le temps a la vie.
Proverbe français du XVIIIème siècle.

Encore faudrait-il savoir ce que l'on veut savoir... et, d'une certaine manière, avoir prévu les processus de recherche. Empiler les informations sur un support, optique ou autre, ne sert à rien. Il faut aussi les structurer, prévoir et apprendre la "navigation dans les savoirs". Cette expression, promue par le constructeur d'ordinateurs Apple dès 1987, représente en effet un enjeu majeur du siècle. Savoir naviguer dans ces concentrés d'informations devient, dès les années 2020, un enseignement obligatoire à l'école primaire. Car, ce dont a besoin l'usager, au-delà de l'information elle-même, c'est d'économiser du temps dans son voyage à travers l'exhaustivité, la fraîcheur et la mise en forme de l'information. Et celui qui ne sait pas le faire est immédiatement mis sur la touche, pour cause d'illettrisme.
C'est l'écran, d'ordinateur ou de télévision, qui est le principal moyen d'accès à l'information. Le cœur du foyer n'est plus la cheminée depuis l'irruption de la télévision. A la chaleur de l'ancien temps est venue se substituer la danse inquiétante et froide des lutins sur l'écran cathodique. L'écran mural est relié aux réseaux large bande et à l'ordinateur domestique multi-fonctions dont la puissance est sans commune mesure avec la taille. Il remplace la chaîne hi-fi, le téléviseur, le magnétoscope, le bureau, la bibliothèque, le téléphone... Il gère la maison et commande les tâches ménagères aux différents robots. Il met à la disposition du consommateur culturel le savoir de l'humanité et aussi ses passions. Que choisir ? *Elephant man* ou *Massacre à la tronçonneuse* ? *L'empire des sens* ou *La nuit des morts vivants* ? *Le grand bleu* ou *L'exorciste* ? *La guerre des étoiles* ou *Nuits et brouillards* ? *Love story* ou *Dracula* ? L'hyperchoix est là, omniprésent. L'homme du vingt-et-unième siècle est-il vraiment un forçat de la communication, un drogué des médias ? Toute l'économie l'y pousse. Mais on voit aussi se développer des réflexes de protection. Comment retrouver son intimité, découvrir son être profond ? On recherche des ambiances favorables. L'exploration se retourne vers l'intérieur, la communication est suspendue.

▲ *Les cartes routières sont enregistrées sur des disques compacts. Un calculateur d'itinéraire aide alors le conducteur.*

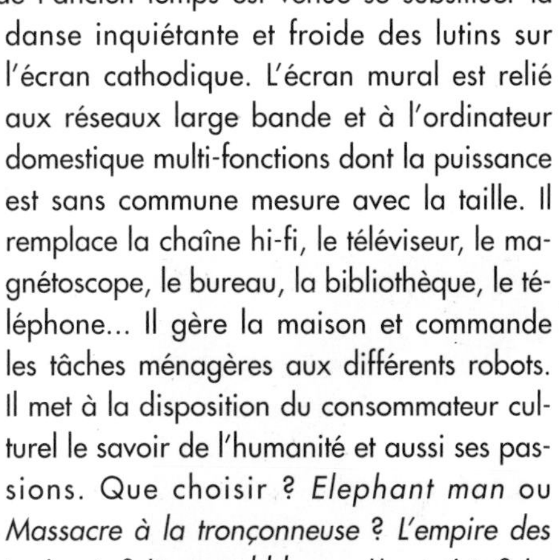

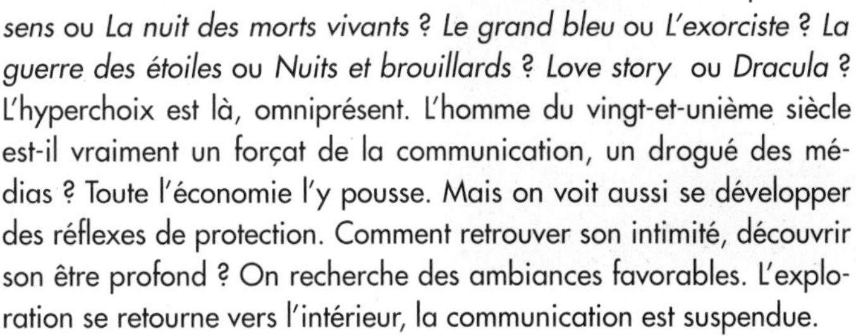

UNE ÉCONOMIE IMMATÉRIELLE GAGNE LA PLANÈTE

La crise mondiale a engendré une nouvelle économie fondée sur l'échange des services. Après la civilisation agricole, puis la société industrielle, place à la révolution du tertiaire, où l'information devient matière première et la communication enjeu stratégique. C'est l'un des secteurs vitaux de l'économie mondiale, en attendant qu'il devienne le premier dans les pays industrialisés. L'électronique mondiale englobait 2,5% de l'activité industrielle totale en 1970. Elle représente, en l'an 2000, plus de 8%. Cette même année, 60% des emplois dans la Communauté Européenne s'exercent dans le domaine de la communication. Mais, surtout, ces nouvelles activités influencent l'ensemble des activités humaines : l'industrie, la culture et la formation. Dans la valeur ajoutée d'un produit industriel, le traitement de l'information représente en 1990 environ 50% du coût total contre 13% au début du siècle.

La partie physique d'une automobile (la tôle, le plastique) ne représente plus qu'une part modeste de son coût. Le gros des dépenses d'un fabricant concerne l'investissement sur la recherche et le développement, le design, le commercial, la publicité. En un mot, les dépenses portent plus sur la matière grise que sur le matériau. Les matières premières, qu'elles soient minérales, agricoles, brutes ou transformées, ne sont plus primordiales. Les matières nécessaires à la fabrication des circuits intégrés les plus récents ne représentent plus que 2 à 3% de leur prix de revient. La fabrication de cinquante kilogrammes de fibres optiques, qui transmettent à distance égale autant de messages téléphoniques qu'une tonne de cuivre, nécessite vingt fois moins d'énergie mais suppose la maîtrise d'un savoir-faire autrement plus complexe. La révolution de l'intelligence est en marche.

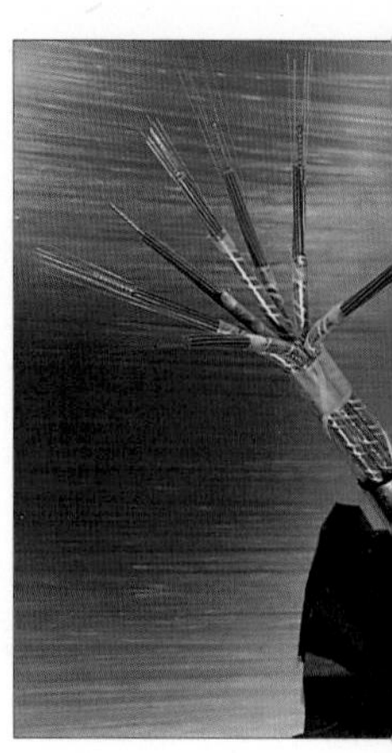

▲ *Image, son et données sont transportés par des fibres optiques.*

La nouvelle économie tertiaire réduit la dépendance vis-à-vis des pays fournisseurs de matières premières et l'appareil de production devient de plus en plus flexible. Il est plus facile de déplacer des logiciels et des banques de données qu'une chaîne de montage.

▲ *Au supermarché, en 2027, acheter des fruits électroniques avec des cartes de paiement électroniques est devenu monnaie courante.*

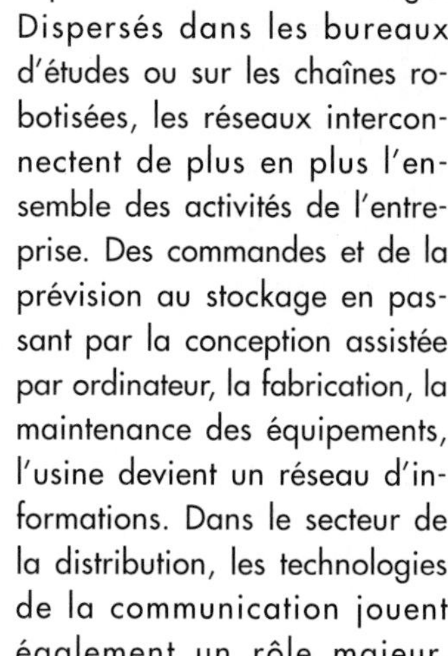

Dispersés dans les bureaux d'études ou sur les chaînes robotisées, les réseaux interconnectent de plus en plus l'ensemble des activités de l'entreprise. Des commandes et de la prévision au stockage en passant par la conception assistée par ordinateur, la fabrication, la maintenance des équipements, l'usine devient un réseau d'informations. Dans le secteur de la distribution, les technologies de la communication jouent également un rôle majeur. Prenons le cas d'un magasin. Voici une quincaillerie qui vend, sur une centaine de mètres carrés, du matériel de bricolage. Elle gère une dizaine de milliers de produits, répartis sur plusieurs centaines de fournisseurs. Le client entre. Il porte sur lui une carte d'identification magnétique, directement enregistrée par les détecteurs de l'entrée. Il prélève dans les rayons les produits dont il a besoin : une clé à molette, de la colle... Il se dirige vers la sortie et les détecteurs repèrent les produits. L'ordinateur vérifie l'approvisionnement du compte en banque et procède au débit. Les vendeurs n'interviennent plus que pour donner des conseils, et créer un contact humain personnalisé. Ce sont des passionnés de bricolage. La comptabilité est tenue automatiquement à jour, les statistiques de vente établies en temps réel, les fournisseurs appelés par l'ordinateur lorsque les stocks baissent. Le rôle du commerçant est d'aménager le cadre, de détecter les nouveautés. Il est de moins en moins comptable, gestionnaire ou manutentionnaire et de plus en plus artiste.

▲ *L'information tombe du ciel à jet continu.*

L'automatisation massive est aussi de règle dans le système financier mondial. Le calcul et le paiement des revenus des titres, la tenue des listes d'investisseurs, la transmission en temps réel des ordres de vente et d'achat sont indispensables au fonctionnement des bourses, qui brassent des millions de transactions par jour. Dès 1990, le réseau interbancaire Swift assure 24 heures sur 24 la liaison télématique entre 1 200 banques, dont les 500 premières mondiales, et achemine ainsi 600 000 transactions par jour dans une quarantaine de pays. Au début du vingt-et-unième siècle, tous les établissements financiers et les banques sont connectés.

LES PAUVRES DEVIENNENT ENCORE PLUS PAUVRES

Sur le terrain de l'électronique, de l'informatique et des contenus informationnels s'engagent les plus violentes hostilités de la planète. En 1990, les Etats-Unis maintiennent encore leur suprématie sur le marché de l'informatique (IBM à elle seule représente 45% du marché), mais leur supériorité dans l'électronique a été balayée par les Japonais, suivis des nouveaux pays industrialisés d'Asie, la Corée du Sud, Taïwan, Hong Kong. Il n'y a plus de fabricants américains de postes de télévision aux Etats-Unis depuis 1987. Le rachat par Sony de Columbia et de CBS illustre la volonté des multinationales japonaises de contrôler le marché mondial des équipements électroniques et aussi celui des contenus informationnels. Les dessins animés japonais déferlent aujourd'hui sur le monde entier comme ceux de Walt Disney il y a trente ans. L'Europe, berceau de la photographie et du cinéma, a du mal à s'organiser entre Dallas et Goldorak. Attaquée sur le marché des contenants, elle s'est fortement engagée dans les projets de télévision haute définition qui laissent encore espérer une opportunité historique de rééquilibrage : malheur au perdant qui subira une domination généralisée à moyen terme. Quant à la bataille sur les contenus, la mondialisation de la société du spec-

■ ***Les nouvelles technologies de l'information participent lourdement au début du siècle, à l'élargissement du fossé entre pays riches et pays pauvres. Le village planétaire a sa banlieue misérable.***

LE SOUS-ÉQUIPEMENT EN...

téléphones et visiophones

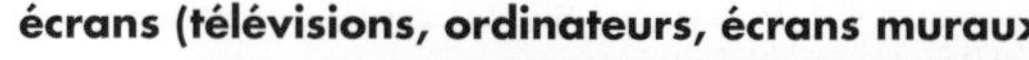
écrans (télévisions, ordinateurs, écrans muraux)

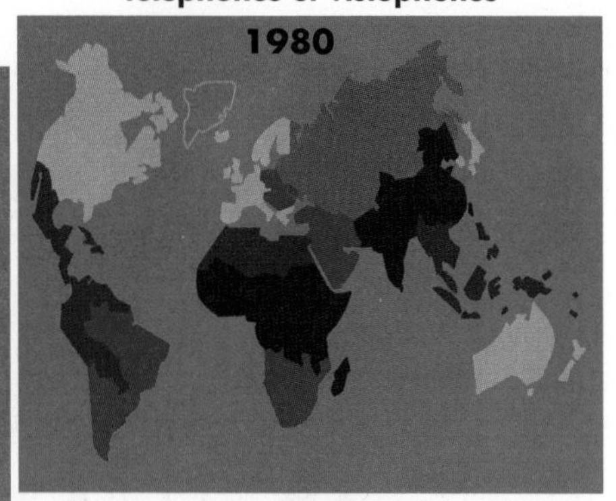

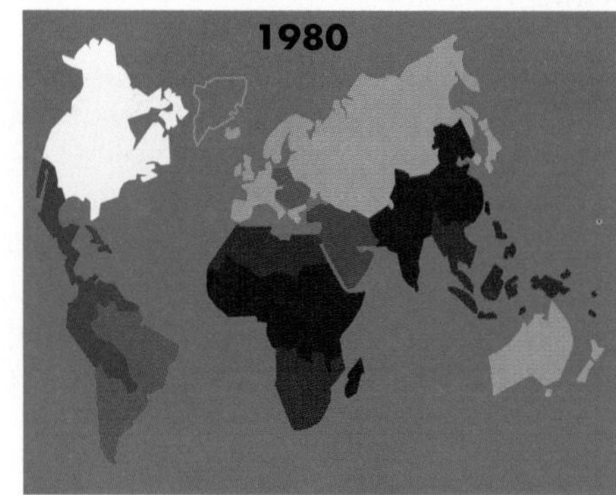

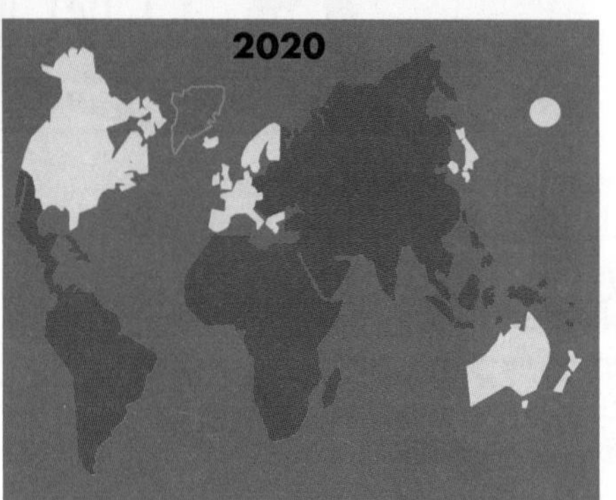

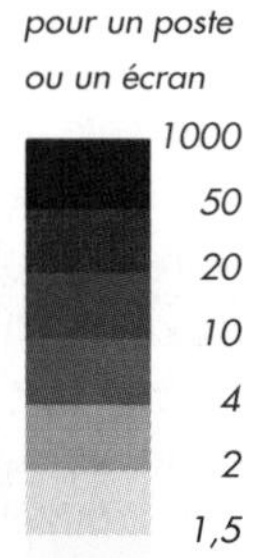

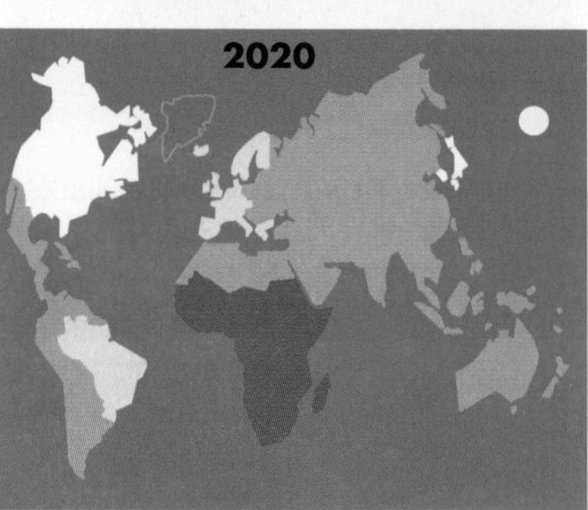

A partir de 2040 téléphones, visiophones et écrans sont totalement intégrés et indissociables. Les cartes qui suivent présentent cette synthèse.

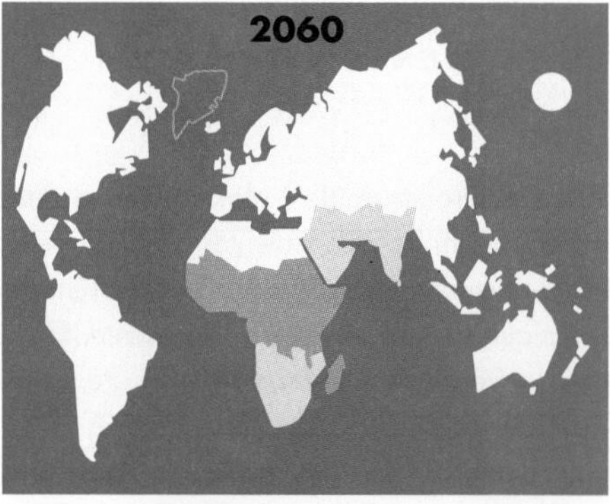

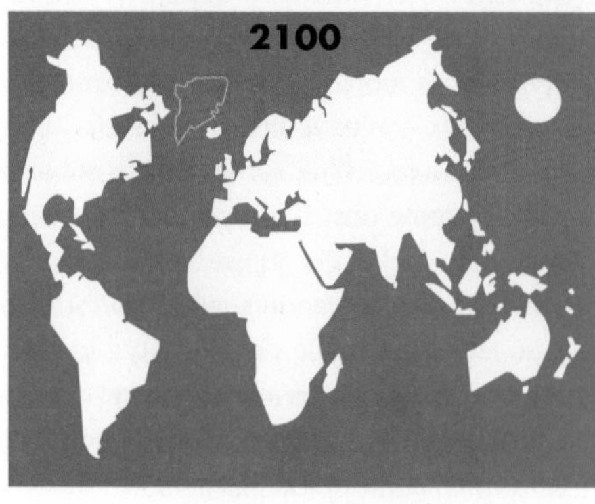

Le sous-équipement en moyens de communications modernes est un frein important au développement et à la démocratisation. Le monde aide l'Afrique à s'équiper massivement à partir de 2020 : le village planétaire prend forme.

On conquerra le monde entier par la parole, mais non par un sabre tiré. Proverbe géorgien.

tacle donne encore à l'Europe de multiples occasions d'offrir, aux côtés du cinéma indien et du documentaire cubain, sa participation à l'œuvre de création planétaire, par de nouvelles expressions de ses grandes traditions mythologiques. La pensée n'est plus seulement celle du "vieux continent". Elle se décline en de multiples formes, adaptées à des publics nouveaux et diversifiés. Les Schtroumpfs voisinent avec le Ramayana et Tarkovski avec Kurosawa.

En matière d'information scientifique et technique, les Etats-Unis ont une position dominante depuis la fin de la seconde guerre mondiale : ils détiennent 90% du marché des banques de données scientifiques, techniques et industrielles en 1990. Leur domination subsiste jusqu'en 2020 lorsque l'ouverture massive des réseaux d'information est rendue obligatoire par l'importance des déséquilibres Nord-Sud.

Jusqu'à cette date, en effet, les nouvelles technologies de l'information participent lourdement à l'élargissement du fossé entre pays riches et pays pauvres. Le village planétaire a sa banlieue misérable. En 1990, la carte mondiale du téléphone correspond, à quelques exceptions près, à celle du développement économique.

▲ *En 1990, le téléphone portable est un privilège de riche.*

Quelques pays asiatiques ont pris de l'avance, comme Hong Kong où, dès 1990, toute la population se promène avec un téléphone portatif. Singapour possède, à cette même époque, le réseau le plus numérisé du monde. En revanche, la plupart des pays non industrialisés sont incapables, dans un premier temps, de réaliser les importations massives d'équipements nécessaires à la mise en place des réseaux. C'est seulement entre 2020 et 2060 que les zones en voie de développement s'ouvrent dans leur ensemble au monde moderne. Il n'est plus possible alors maintenir ce secteur des télécommunications à l'état de chasse gardée des pays riches. La mise en place des réseaux communicant par satellites, accompagnés d'équipements au sol très légers et difficilement identifiables, court-circuite les stratégies traditionnelles de contrôle et rend inopérantes les politiques restrictives. L'utilisation massive des télécommunications à des fins éducatives conduit nécessairement à repenser les stratégies nationales. Il devient suicidaire de limiter la circulation de l'information alors qu'elle occupe une place centrale dans l'économie devenue, à tous les niveaux, neuro-mimétique. Restreindre ses télécommunications, au vingt-et-unième siècle, équivaut à s'amputer d'une partie de son système nerveux. Les technologies mobiles permettent aux pays en voie de développement de faire un saut de génération dans la mise en place des télécommunications interpersonnelles. Les infrastructures sont moins coûteuses. En 2020, les pays de l'Est européen ont rattrapé leur retard, suivis quelques an-

■ ***La carte de paiement électronique personnelle est devenue tellement importante dans la seconde moitié du siècle que son implantation dans le corps humain est sérieusement envisagée.***

nées plus tard par l'Amérique latine. En 2050, chaque ménage en Inde et en Chine peut disposer d'une ligne téléphonique. Quant à l'Afrique, en retard sur les autres, elle est équipée à partir de 2010, sur la base d'un programme d'aide volontaire et massive des pays industrialisés. Il n'est alors plus tolérable qu'un continent entier soit laissé à la traîne.

▲ *A l'aide de sa palette électronique, le designer esquisse un objet à venir.*

L'HOMME NOMADE SUR LE PAS DE LA PORTE...

Dès 2020, les télécommunications mobiles dépassent en importance les matériels fixes. Le taux d'équipement des ménages passe d'un ou deux abonnements à quatre ou cinq. A partir de 1996, les nouveaux téléphones sont de la taille d'une calculette. Ils ont un écran à cristaux liquides sur lequel le correspondant appelant peut inscrire son nom. Ils sont aussi munis d'une mémoire et fonctionnent comme répondeurs. De la sorte, chacun peut se protéger des appels importuns et prendre les messages stockés quand il le souhaite. Ils comportent également, si nécessaire, un terminal d'ordinateur avec une imprimante. Un numéro personnel permet d'être joint où que l'on soit. D'abord dans les pays industrialisés et enfin n'importe où sur le globe, on peut toujours se connecter. Les cartes à puces multi-services remplacent la monnaie-papier et, par le déclenchement des virements bancaires dans les sites à péage, permettent de reconstituer la journée de quiconque. Quel bonheur pour un état policier ! La carte de paiement électronique personnelle est devenue tellement importante dans la seconde moitié du siècle que son implantation dans le corps humain est sérieusement envisagée. Ainsi les risques de perte sont fortement limités d'autant qu'elle vient en complément indispensable de la puce Télécom, couramment greffée derrière l'oreille depuis 2050 et des lunettes-écran de visualisation que chacun a dans la poche.

Ce mode de vie "branché", désormais accessible au plus grand nombre des habitants des pays riches, n'est pas sans poser de redoutables problèmes de protection de la vie privée. Très vite, bon nombre d'entre eux refusent d'entrer dans le système et imposent des législations limitant les atteintes à l'intimité. Déjà en 1990, la moitié des abonnés du téléphone en Californie était sur liste rouge. Et la plupart des répondeurs téléphoniques ont pour fonction première de sélectionner les appels. Quant au téléphone numérique, la publicité explique que l'un de ses avantages est de visualiser sur un petit

■ *Ce mode de vie "branché", désormais accessible au plus grand nombre des habitants des pays riches, n'est pas sans poser de redoutables problèmes de protection de la vie privée.*

écran le numéro de l'appelant, ce qui complique la tâche des prospecteurs commerciaux et des amateurs de canulars téléphoniques (le revers de la médaille concerne les réseaux d'appel anonyme tel SOS-amitié ou SOS-sida). On peut imaginer mille et une astuces pour garantir quelques moments de vie intime à ces Terriens continuellement connectés ; chacun fonctionne alors comme un neurone parmi les dix milliards d'un cerveau planétaire. On invente des systèmes experts miniaturisés, capables de filtrer la communication, sortes de secrétaires électroniques. Responsable des pollutions du mental humain, la technologie est sollicitée pour y remédier, dans un phénomène désormais classique de fuite en avant.

VERS UNE SOCIÉTÉ DE CRÉATION

▲ *Les murs d'une chambre anéchoïque absorbent entièrement les sons, ce qui permet d'effectuer des mesures très précises de vibrations.*

Art et informatique peuvent-ils faire bon ménage ? Les images traitées par ordinateur sont devenues familières sur le petit écran. C'est particulièrement vrai dans la publicité et les vidéo-clips. Mais c'est aussi le cas dans les longs métrages avec, notamment, la séquence de 37 secondes du *Retour du Jedi* illustrant en hologramme une planète flottant dans l'espace. La palette électronique offre aux arts graphiques un champ d'expériences nouveau et immense. Réservés tout d'abord à cause de leur coût aux professionnels, ces nouveaux outils de création sont accessibles au grand public dès 2000. L'ordinateur vient s'installer aux côtés de la plume et du pinceau. Cela ne change rien au fait que la création artistique réside ailleurs que dans l'outil.

Cependant ce n'est pas un hasard si, pour prendre l'exemple de la littérature, des artistes reconnus comme Raymond Queneau ou Italo Calvino[1] se sont exprimés alors même que le traitement informatique des textes prenait son essor. Les ouvrages de ces auteurs sont très fortement inspirés par la vision structurée de la langue qui dominait la linguistique depuis le début des années 1950. L'outil façonne l'artiste et réciproquement.

L'ordinateur peut être utilisé pour le traitement des mots et des images, mais aussi des sons. Dès 1965, la musique est peut-être l'art le plus spectaculairement investi par l'informatique et l'électronique. En 1990, plus de deux tiers des musiques de films, d'accompagnement de spots ou de séquences télévisées dépendent des ordinateurs et des machines électroniques tant pour la composition que pour l'exécution ou la diffusion. Les instruments de musique électroniques ont encore souvent la forme des instruments anciens (piano, guitare,

[1] Ces auteurs font partie, avec Georges Pérec et plusieurs autres écrivains, de l'OULIPO, Ouvroir de littérature potentielle, qui respecte des contraintes de forme d'écrit très strictes.

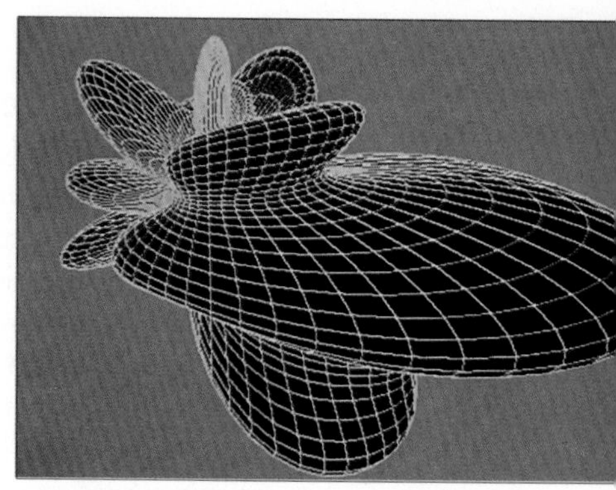

▲ Du brassage musical planétaire jailliront les nouveaux Mozart.

batterie). Sous cette apparence, ils offrent des possibilités tout à fait nouvelles : pluralité des sonorités qui permettent à un piano électrique de devenir clavecin, piano bastringue ou instrument de concert en restituant des ambiances de boîte de nuit, d'église ou de salle de spectacle ; pluralité des traitements de la musique elle-même avec la transposition, l'accompagnement, la mise en rythme, la mémorisation automatique de séquences. Les qualités acoustiques de ces instruments dépassent, à prix égal, celles des instruments classiques et ils offrent des fonctions qui en facilitent considérablement l'apprentissage et l'utilisation. De nouveaux instruments apparaissent aussi à un rythme étonnant. Ils commencent à pouvoir s'interconnecter pour donner au praticien la possibilité de jouer de plusieurs instruments et réaliser ainsi, d'une nouvelle manière, le rêve de l'homme orchestre.

Chacun interprète à sa manière la musique des cieux.
Proverbe chinois.

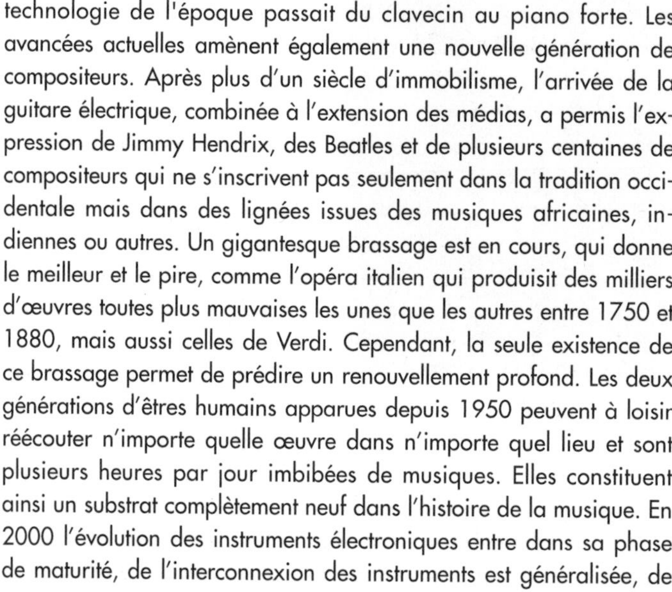

Beethoven et Chopin n'ont pu exprimer leur génie que parce que la technologie de l'époque passait du clavecin au piano forte. Les avancées actuelles amènent également une nouvelle génération de compositeurs. Après plus d'un siècle d'immobilisme, l'arrivée de la guitare électrique, combinée à l'extension des médias, a permis l'expression de Jimmy Hendrix, des Beatles et de plusieurs centaines de compositeurs qui ne s'inscrivent pas seulement dans la tradition occidentale mais dans des lignées issues des musiques africaines, indiennes ou autres. Un gigantesque brassage est en cours, qui donne le meilleur et le pire, comme l'opéra italien qui produisit des milliers d'œuvres toutes plus mauvaises les unes que les autres entre 1750 et 1880, mais aussi celles de Verdi. Cependant, la seule existence de ce brassage permet de prédire un renouvellement profond. Les deux générations d'êtres humains apparues depuis 1950 peuvent à loisir réécouter n'importe quelle œuvre dans n'importe quel lieu et sont plusieurs heures par jour imbibées de musiques. Elles constituent ainsi un substrat complètement neuf dans l'histoire de la musique. En 2000 l'évolution des instruments électroniques entre dans sa phase de maturité, de l'interconnexion des instruments est généralisée, de nouveaux Mozart apparaissent.

■ ***Un gigantesque brassage est en cours, qui donne le meilleur et le pire, et qui débouche sur un renouvellement profond de la musique.***

UN MONDE ARTIFICIEL NOUS TEND LES BRAS

La grande révolution du vingt-et-unième siècle dans le domaine social, c'est la dissociation entre le lieu de travail et l'acte de travailler. De plus en plus, les salariés ne se regroupent plus dans leur entreprise. La catégorie des travailleurs indépendants se développe. Seuls, ils sont assistés de leurs "secrétaires électroniques". L'équipement informatique s'occupe du lien avec l'extérieur, note et filtre les appels, gère les dossiers, cherche les informations.

■ ***L'écran devient un intermédiaire indispensable entre l'objet et l'homme. Mais, surtout, l'ordinateur transforme la manière de voir la réalité et par conséquent modifie le système de valeurs.***

Ainsi, une partie importante de la population active attachée au traitement de l'information se trouve partiellement affranchie des horaires de bureau et de la servitude des déplacements quotidiens entre le domicile et le lieu de travail unique. La présence exigée est remplacée par des obligations de connexions (téléconférences), de résultats (stockés en mémoire) et des relations directes avec la clientèle.

L'homme n'est pas moins stressé. Mais il apprend à gérer des stratégies de coupure et de présence/absence. Il peut se permettre de faire deux choses à la fois en programmant à l'avance ou à distance certains travaux. L'ubiquité est devenue presque réelle, le risque de schizophrénie aussi. Dans le même temps, le travail devient abstrait. Les rapports de l'homme avec la nature et les objets se modifient. Avant-hier le cheval et le sol, hier l'outil et l'établi, constituaient l'univers de nos ancêtres paysans, artisans ou ouvriers. Aujourd'hui, l'écran devient l'intermédiaire indispensable entre l'objet et l'homme. Souris ou crayon optique, tableur et agenda électronique, graphiques et logiciels de gestion de fichiers, images et sons composent l'environnement professionnel. Mais, surtout, l'ordinateur transforme la perception de la réalité. Les maladies du vingt-et-unième siècle sont des maladies mentales. Les modes d'exploitation de l'homme par l'homme investissent le mental, le conditionnent et le saturent. Contre les abus, la résistance s'organise pour protéger ce que l'homme a de plus sacré : la liberté de son esprit.

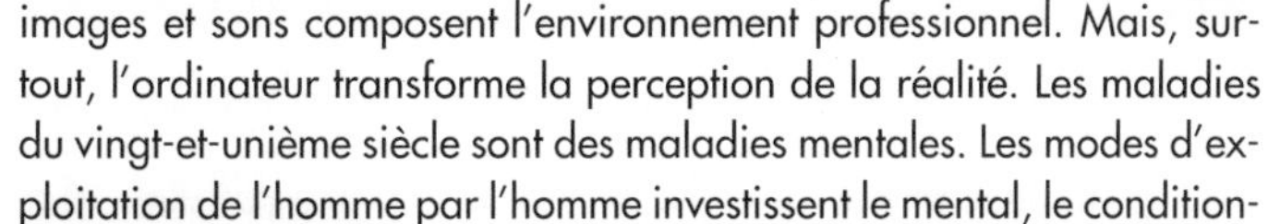

De même que dans les autres chapitres de cet ouvrage, nous sommes tentés de nous représenter la planète et l'humanité comme un immense être vivant qui régule ses comportements. Si la société informationnelle, devenant étouffante, ne permettait plus à l'espèce humaine de vivre et de se développer, alors celle-ci inventerait les moyens de bénéficier des avantages du câblage généralisé sans en subir les inconvénients. De même qu'existent aujourd'hui des parcs naturels dans lesquels l'homme limite ses interventions, on imagine des espaces laissés volontairement vierges de tous réseaux de communication.

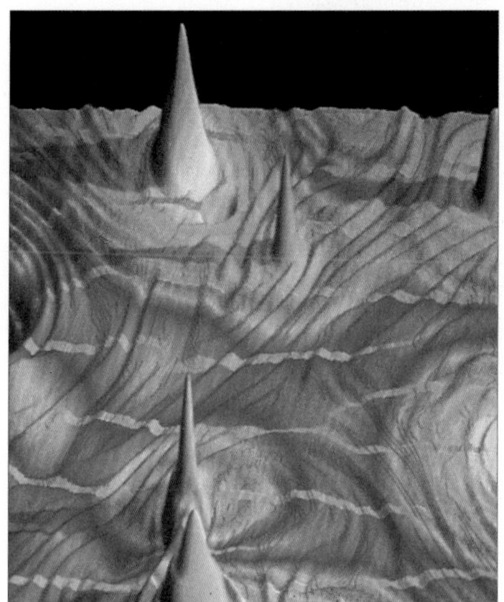

▲ *Les mécaniciens et les météorologues voient le monde à travers des images artificielles. Prévoir le temps quinze jours à l'avance est devenu fiable en 2063.*

L'objet des technologies de l'information est de contracter le temps. Elles ne nous apportent rien d'autre. On peut décrire ce mouvement en trois phases, chacune commençant avant la fin de la précédente. La technologie rapproche d'abord les hommes par les télécommunications, de la simple conversation téléphonique jusqu'à la recherche d'informations assistée par ordinateur. Le savoir humain est disponible sur le réseau planétaire. Elle devient agressive ensuite, noyant l'individu dans un trop-plein d'informations et de sollicitations. Enfin, après avoir contracté le temps et abusé de ses pouvoirs, elle est mise en demeure de "décontracter son emprise". Lorsque nous avons appris à maîtriser le nouvel emploi du temps, elle nous ouvre alors un accès plus large à l'essentiel. ■

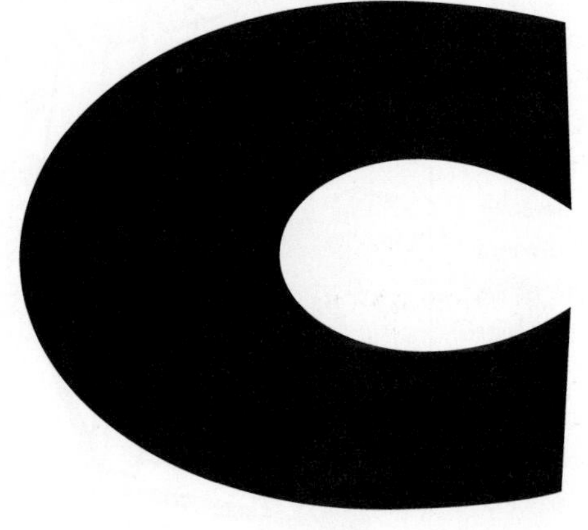

h a

Il ne s'agit déjà plus de savoir si oui ou non les biotechnologies vont "changer la vie". Elles y œuvrent et depuis longtemps. Mais auront-elles la nécessaire modestie qui semble de mise en face des questions qu'elles posent ? Quelle réflexion l'humanité doit-elle mener ? Car les succès se transforment parfois en échecs.

Le vivant réquisitionné

pitre 8

Ainsi, l'introduction de la myxomatose en Australie dans les années 1950 permit d'enrayer, pour un temps, la prolifération catastrophique des lapins ravageant les cultures. Mais une souche à peine

différente de cette même maladie, fortuitement introduite en Europe, ne put être contrôlée et provoqua des ravages considérables...

Affirmer en 1990 que le génome[1] humain est fini et comporte trois milliards de "paires de base" est juste. Proposer de le lire pour le transcrire sur papier représente une tâche énorme, mais accessible à la technologie actuelle en quelques dizaines d'années de travail. En revanche, prétendre le décoder entièrement prête à sourire. Déjà, le classement d'une très grande bibliothèque est difficile à concevoir. Et la complexité des effets du gène relève d'un ordre de grandeur supérieur : trois milliards de caractères, cela fait beaucoup de livres écrits dans une langue quasi inconnue.

Le pire peut aussi se produire. Les manipulations pourraient ainsi créer une algue dont la prolifération incontrôlable envahirait, en quatre ans, océans, rivières et ruisseaux, sur toute la planète... Ou un rétrovirus encore plus redoutable que celui du Sida.

Au mieux, les biotechnologies ne sont encore que du bricolage. Utile, certes : un rendement végétal amélioré entraîne le recul de la malnutrition ; ont été éradiquées des maladies autrefois mortelles. La science, à l'aube du vingt-et-unième siècle, se doit de vaincre le cancer et le sida. L'ironie de la complexité nous assaille dans un domaine a priori totalement "maîtrisé", l'informatique, où apparaissent des "virus" qui se reproduisent et annihilent les systèmes. La réalité n'a pas hésité à faire un pied de nez à une démarche intellectuelle parfois teintée d'arrogance.

Ce dernier exemple n'est pas déplacé. En Europe, on considère, avec Jacques Monod, que le vivant va de l'amibe à l'éléphant. Pour les Japonais, il va de la pierre à l'esprit. Les virus informatiques sont ainsi des êtres intermédiaires[2], quasi-vivants. Les entreprises peuvent aussi être considérées comme des êtres vivants neuromimétiques, reconnaissables à leurs connexions ou systèmes d'information.

Cette transformation - l'essence même du vivant devient informationnelle - est la représentation de la science moderne, après le vivant-machine du dix-huitième siècle et le vivant-usine chimique du dix-neuvième siècle. Elle implique une modification fondamentale de la

■ Le "bricolage" génétique permet de rendre d'immenses services comme faire reculer la faim et la maladie.

■ Les entreprises peuvent aussi être considérées comme des êtres vivants neuromimétiques, reconnaissables à leurs connexions ou systèmes d'information.

■ Les recombinaisons génétiques font appel à des "outils" biologiques pour lire, couper, coller, transmettre, fusionner des gènes.

[1] Le génome est constitué de vingt-six paires de chromosomes, qui sont des regroupements de gènes. Un gène est fait d'assemblages de molécules de base, collées par paires et dont les séquences transcrivent le patrimoine génétique. Ce patrimoine est différent d'un individu à l'autre, sauf pour les vrais jumeaux. Les molécules de base sont au nombre de quatre. Donc une paire de base est comme une lettre choisie parmi 4x4 = 16 possibilités. Notre code génétique est, par suite, un énorme "mot" de trois milliards de lettres, choisies chacune dans un alphabet de seize.

[2] Philippe Quéau, Metaxu, Editions Champ Vallon, Seyssel, 1989.

perception de l'homme : la nature, vivante ou inanimée, devient domptable et l'homme peut, à terme, devenir le jardinier de sa planète, et créer sa techno-nature. Il a déjà commencé. Il lui reste à terminer sa tâche, sans pour autant entrer dans la danse infernale de l'apprenti sorcier.

LES ARBRORIGÈNES

Ces sculptures les "arbrorigènes" sont des créations biotechnologiques. L'artiste plasticien, Ernest Pignon Ernest, leur a donné forme et vie en moulant des corps en éponge de polyuréthane et en y injectant des micro-algues. Ces sculptures ont ainsi la fonction chlorophyllienne, elles sont vivantes, de la même façon que les arbres sur lesquelles elles sont installées.

DE LA NATURE À L'HOMME, EN PASSANT PAR L'ENVIRONNEMENT

Ce que beurre ni whisky ne peuvent guérir est incurable. Proverbe gaélique.

Depuis l'après-guerre, une révolution a bel et bien eu lieu : celle par laquelle il est devenu possible d'intervenir sur les mécanismes intimes de la vie. Deux bouleversements majeurs sont intervenus. Le premier est la mesure de l'infiniment petit, les macromolécules. On connaît les constituants chimiques du vivant, et même leur forme (la double hélice). Dans le prolongement de cette avancée, une seconde rupture, technologique, est survenue au début des années 1970, avec l'invention des outils pour couper et rajouter des morceaux de molécules : ce sont les ciseaux et la colle du texte génétique.

Au niveau des composants textuels élémentaires apparaît la profonde unité de la vie. En descendant à cette échelle, on peut désormais travailler conjointement sur toutes les espèces. La connaissance d'une mouche (la drosophile), celle de vers parasitaires ou celle de la bactérie Escherichia coli (le premier micro-organisme utilisé pour des expériences de recombinaison génétique) est transposable à l'ensemble du vivant.

Le deuxième bouleversement concerne les techniques. Pendant des siècles, l'homme n'avait d'autres moyens pour guérir, réparer ou modifier que l'intervention brutale pour amputer, couper, hybrider, ligaturer. Ces actions n'étaient pas sans rappeler la mécanique ou la plomberie. L'intervention suit désormais aussi les lois du vivant elles-mêmes. Elle en détourne les mécanismes et s'appuie sur eux pour agir. Les médicaments interviennent directement sur l'activité des cellules. Les recombinaisons génétiques font appel à des "outils" biologiques pour lire, couper, coller, transmettre, fusionner des gènes ; certains de ces outils sont peu "recommandables" : des virus, des bactéries ou des cellules cancéreuses.

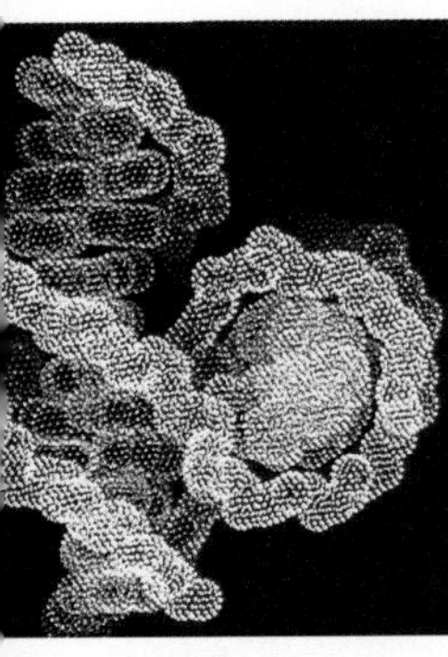

▲ Les hélices des molécules de la vie s'enroulent voluptueusement.

▲ *La simple greffe du jardinier crée déjà des arbres étranges.*

Lorsque Cohen et Boyer parviennent, en 1973, à introduire un fragment de gène étranger dans le programme génétique d'Escherichia coli, ils ouvrent une possibilité d'intervention directe et rapide dans le programme génétique de toutes les espèces. Ce qui était lié au hasard des mutations génétiques - et se situait donc sur une échelle temporelle indéterminée - devient programmable par l'homme, court-circuitant ainsi les mécanismes de mutation-sélection naturelle. Ce n'est pas seulement la structure du vivant qui peut ainsi être remise en cause, mais aussi son rythme d'évolution, son cycle de reproduction, sa temporalité. Cette compression du temps, qui permet la mise en place d'une véritable ingénierie génétique, représente un élément majeur de la révolution biotechnologique à venir.

Ces ruptures ont créé une situation nouvelle. Sur le plan socio-économique d'abord : de nouveaux acteurs émergent et les relations entre les différents partenaires scientifiques, industriels ou économiques se modifient. Elles changent notre vision philosophique et peut-être même religieuse du vivant. Elles exacerbent les craintes que suscite la technologie. La réquisition[1] possible du vivant réveille en nous des rêves ou des cauchemars secrets, peuple notre univers de mutants ou de clones, ressuscite les formes monstrueuses qui habitent nos mythologies. Elle ouvre aussi la voie à une rationalité eugénique, d'autant plus inquiétante qu'elle serait indolore.

■ ***La réquisition possible du vivant réveille en nous des rêves ou des cauchemars secrets, peuple notre univers de mutants ou de clones, ressuscite les formes monstrueuses qui habitent nos mythologies.***

■ ***A partir d'un bourgeon de rosier, on obtient entre deux et quatre cent mille rosiers par an.***

■ ***Les nouvelles variétés sorties de laboratoire puisent directement l'azote dans l'air, évitant le recours aux nitrates polluants. La recherche est ici, non seulement au service de l'économie, mais surtout au service de l'écologie.***

IL FAUT RÉQUISITIONNER LA NATURE : LES BIOTECHNOLOGIES AUX CHAMPS

Au vingtième siècle, la révolution biologique n'a touché l'agriculture et l'agro-alimentaire que de manière superficielle. La mécanisation, puis l'utilisation d'engrais et de phytosanitaires d'origine chimique ont eu, depuis une cinquantaine d'années, un impact plus important. Les "révolutions vertes", pourtant déjà anciennes, ont, en fait, à peine commencé !

Depuis une trentaine d'années, sont apparues des techniques de multiplication rapide *in vitro* et de régénération des plantes. A partir d'un bourgeon de rosier, on obtient entre deux et quatre cent mille rosiers par an. Le développement plus récent de nouvelles techniques *in vitro* vient apporter une puissance accrue à la recherche d'hybridation de nouvelles espèces végétales.

Pour modifier les plantes cultivées, ces techniques créent plus rapidement de nouvelles variétés résistantes au stress (brutale absence d'eau, froid, salinité des sols...), mais aussi à certains herbicides,

[1] Réquisition évoque ici la notion de "Gestell" introduite par Heidegger, La question de la technique, in Essais et conférences, Gallimard, Paris, 1980.

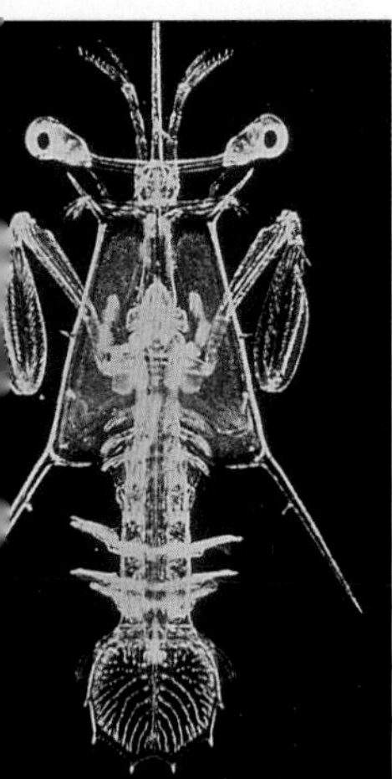

▲ *Les micro-organismes sont réquisitionnés, tels cette larve qui nage.*

aux maladies fongiques, bactériennes ou virales, ayant des rendements accrus, etc. Ces plantes sont utiles dans nombre de pays en voie de développement.

La lutte contre les maladies des plantes a encore beaucoup de progrès à faire. Le grand espoir est de rendre possible la vaccination des végétaux, sur une vaste échelle. Pour lutter contre certaines maladies, des organismes vivants (bactéries, insectes stérilisés...) sont préférés aux produits issus de la chimie, considérés comme trop polluants. C'est le cas de la bactérie Bacillus thuringiensis, dont les effets toxiques se limitent aux insectes. On assiste à un élargissement considérable du champ de vision du biologiste, de l'organisme à l'écosystème. En 1990, les problèmes généraux de gestion des écosystèmes sont loin d'être résolus. Si nous connaissons relativement bien les dangers liés à l'utilisation excessive d'engrais, d'herbicides et de pesticides chimiques, nous ne savons presque rien des effets sur l'environnement ou sur l'homme de micro-organismes ou de plantes modifiés. Quant aux plantes modifiées elles-mêmes, nous ignorons, pour l'essentiel, leur degré de résistance aux maladies. Nous ne savons pas non plus si les méthodes culturales à mettre en œuvre bouleverseront profondément et dans quel délai l'agriculture.

▲ *Phylodendrons et gardenia-éprouvettes attendent d'être replantés.*

Entre 1990 et 2000 apparaissent diverses biotechnologies dans le domaine végétal. La pénétration dans l'agriculture varie de 70%, pour les sondes qui diagnostiquent des maladies des plantes, à 30 ou 40% pour les plantes manipulées génétiquement et résistantes à tous les insectes. Vaccins, plantes résistantes aux herbicides, micro-organismes protégeant les plantes, nouveaux régulateurs de croissance, amélioration du taux protéique et biocontrôle des mycotoxines font partie des développements attendus qui touchent, entre autres, céréales, pommes de terre, betteraves et vigne.

L'amélioration des rendements, déjà forte - entre un et quatre pour cent par an depuis les années 1970 -, continue à un rythme compris au moins entre un et deux pour cent par an d'ici l'an 2005. Les biotechnologies produisent sans doute des plantes de meilleur "rendement", comme disent les agriculteurs. Elles permettent surtout, à partir de 2010, de se passer - ou presque - d'engrais. Les nouvelles variétés de laboratoire puisent directement l'azote dans l'air, évitant le recours aux nitrates polluants. La recherche est ici, non seulement au service de l'économie, mais surtout au service de l'écologie.

L'ANIMAL RECOMBINÉ EST POUR DEMAIN

Les premières manipulations génétiques d'embryons animaux furent réalisées dans les années 1960, mais des résultats intéressants n'ont été obtenus qu'avec la maîtrise des techniques d'introduction de gènes étrangers dans le noyau de la cellule.

Les buts recherchés par ces modifications du patrimoine génétique sont multiples. Le premier d'entre eux est le plus trivial : le gène le plus fréquemment introduit dans les œufs a été celui de l'hormone de croissance, qui permet d'obtenir des animaux nettement plus gros. En dehors de ces considérations quantitatives, les recherches actuelles visent aussi à modifier les caractéristiques des aliments à leur source même : lait plus digeste (permettant par exemple de surmonter les problèmes d'intolérance au lactose), viandes de meilleure qualité grâce à l'augmentation de certaines graisses, etc. De manière plus complexe, on a également cherché à résoudre divers problèmes liés à l'élevage : résistance aux maladies, notamment par protection préventive contre certains virus, dès le stade embryonnaire, nourriture plus économique (sans apport par exemple d'acides aminés comme la lysine), parcage plus aisé.

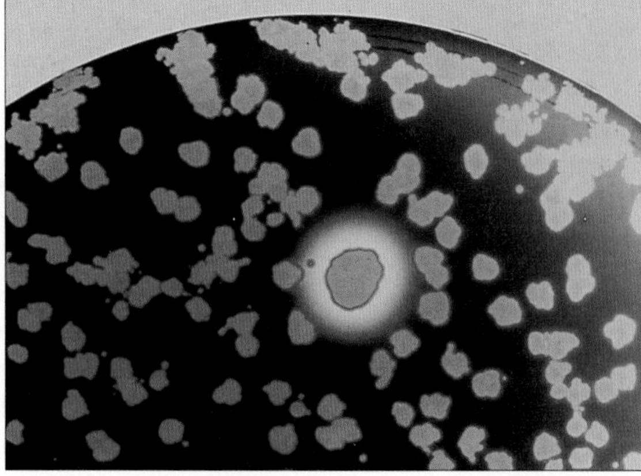

▲ *Le bacille subtil et manipulé, dégrade l'amidon, créant un halo industrialisable.*

D'un veau on espère un bœuf et d'une poule un œuf.
Proverbe français.

Moyennant quelques bricolages génétiques, les organismes vivants deviennent de nouvelles filières de production. Plantes, animaux ou bactéries, parmi les mieux connus, fournissent des produits de toutes sortes, alcools, solvants, molécules rares, médicaments, insecticides, etc. Il est possible d'extraire du maïs environ trois cents produits différents. On passe du poulet en batterie à la domestication des bactéries. Dans une optique de production à l'ancienne, les enzymes et les bactéries se mettent au travail. Pour le plaisir, on crée de nouvelles orchidées chez soi. Apparaissent alors des chimères, êtres vivants génétiquement manipulés.

Ces "fermes moléculaires" constituent un débouché nouveau et particulièrement lucratif pour l'agriculture. Mais les technologies nécessaires restent longtemps hors de portée des paysans indépendants. Après 2020, les vendeurs de semences étendent leur catalogue en proposant des variétés aux gènes manipulés et dûment brevetés.

Comme dans le domaine végétal, l'élevage voit apparaître avant l'an 2000 des sondes diagnostic, des vaccins recombinés et des animaux transgéniques. Veaux, vaches, cochons, couvées sont touchés

La chimère poule-caille résulte de manipulations génétiques. ▼

La ponte d'œufs carrés, si elle satisfait l'industrie alimentaire, reste une pénible épreuve pour les gallinacées. ▼

dans des proportions qui varient entre 20% des cheptels - parfois - et 60-70% - le plus souvent - avec des taux d'amélioration des rendements atteignant 30% en 2005.

■ ***Moyennant quelques bricolages génétiques, les organismes vivants deviennent de nouvelles filières de production. Plantes, animaux ou bactéries fournissent des produits de toutes sortes, alcools, solvants, molécules rares, médicaments, insecticides...***

■ ***On attend des biotechnologies qu'elles nous servent des plats idéaux, irréprochables sur le plan diététique, parfaitement ajustés à nos besoins, propres et de bon goût.***

LA RÉVOLUTION AGRO-ALIMENTAIRE PERMET DE NOURRIR LA PLANÈTE

L'agro-alimentaire, plus que d'autres secteurs peut-être, est confronté à des demandes contradictoires. Dans les pays riches, priorité est donnée à la diminution des contraintes. Les aliments doivent être préparés le plus rapidement et le plus simplement possible, tout en se conservant sans difficulté. Ces demandes ont favorisé une certaine standardisation et la recherche de produits de substitution, qui débouchent sur une perte de la qualité organoleptique compensée par une meilleure stabilité. Un retour à des traditions fermières, accompagné d'une nouvelle recherche du goût, se dessine. Mais le gros du marché reste dominé par la production en grande série.
La valeur nutritive n'est plus la priorité, elle est même parfois évitée, comme dans ces produits dont la publicité nous dit fièrement qu'ils ne contiennent pratiquement aucune calorie. On s'attend à un aliment adapté, standardisé, contrôlé. Dans les pays pauvres, au contraire, les problèmes sont, hélas, toujours quantitatifs. Et l'urgence pousse à une mise en exploitation de souches à rendement rapide et élevé.
Les biotechnologies ont répondu à cette demande et fourni quantité de marqueurs, de tests de diagnostic et d'analyse toxicologique. Des recherches menées dans le domaine de la santé et de la pharmacie sont ainsi en passe de trouver de nouvelles applications dans le secteur agricole et agro-alimentaire.
En aval, on attend donc des biotechnologies qu'elles nous servent des plats idéaux, irréprochables sur le plan diététique, parfaitement ajustés à nos besoins, propres et de bon goût. En amont de la chaîne alimentaire, les biotechnologies sont sollicitées pour faciliter la production. Il faut industrialiser et robotiser.

Si l'industrie agro-alimentaire cherche à satisfaire les besoins de l'alimentation humaine, celle-ci doit intégrer quelques productions nouvelles. Certaines algues offrent des alternatives intéressantes pour régler des problèmes de malnutrition ou d'alimentation du bétail. Les conditions du marché décident de l'essor de multiples produits, dont la technologie est au point. C'est le cas par exemple des "POU", protéines d'organismes unicellulaires, pour l'alimentation du bétail, ou encore la culture de diverses plantes. C'est donc seulement dans les années 2000 que les biotechnologies végétales prennent vraiment leur essor et, en particulier, les manipulations génétiques (les plantes transgéniques). Dans le courant du vingt-et-unième siècle, les performances de la BAO (Biotechnologie Assistée par Ordinateur) se font progressivement sentir de la manière la plus surprenante. Il avait fallu des générations de sélection patiente et têtue pour obtenir des animaux de compagnie, tels le pékinois, petit chien velu au minois enfantin, miroir de pulsions étranges. Il descend du loup, comme tous les chiens, mais dans quel état ! Incapable de survivre sans l'homme, ce n'est plus, au regard des lois de la vie, qu'une caricature de ses nobles ancêtres. Mais voilà que les manipulations génétiques permettent de fabriquer sur commande des animaux domestiques : les pythons tendres, les paresseux multicolores, les pandas-nounours pour enfants. La régulation de leur agressivité les rend inoffensifs et la planète se peuple d'une faune fantasmatique. De même, les plantes manipulées permettent le développement d'une agriculture urbaine et même d'appartement, sur terrain artificiel ou encore hors-sol. Les villes reverdissent.

▲ Ces algues appétissantes sont cultivées en laboratoire.

■ *Les pythons tendres, les paresseux multicolores, les pandas-nounours pour enfants : la planète se peuple d'une faune fantasmatique.*

■ *Cette différence entre le traitement de la nature et celui de l'être humain ne se résorbe qu'à la fin du vingt-et-unième siècle.*

■ *L'éradication de maladies et l'établissement d'un "confort" somatique (disparition de la douleur, de la fièvre, des migraines, etc.) risquent d'être payés par l'émergence de maladies nouvelles.*

▲ Ce petit chien, miroir des fantasmes humains, est le résultat de patientes sélections.

ASSISTER LA MACHINE HUMAINE EST UN IMPÉRATIF SOCIAL

Entre les mains du biologiste, l'homme est lui aussi objet. Chacun entend bien, d'ailleurs, que son corps soit confié à des spécialistes d'une parfaite efficacité, un service qui n'est pas sans rappeler celui du garagiste ou de la société de maintenance informatique. Le corps doit se faire oublier. A l'aube du troisième millénaire, si les domaines végétal et animal semblent encore dominés par un souci d'industrialisation et de standardisation, celui de la santé humaine témoigne du souhait d'échapper au déterminisme biologique (sexe,

patrimoine génétique...) comme aux maladies, à la vieillesse et à la mort. Cette différence entre le traitement de la nature et celui de l'être humain ne se résorbe qu'à la fin du vingt-et-unième siècle.

Trop de docteurs, peu de médecins. Proverbe français.

Les seuls produits réellement nouveaux et commercialisés, issus des biotechnologies, concernent la santé et la pharmacie. Les technologies très coûteuses de recombinaison génétique se sont, en effet, tout naturellement orientées vers des produits thérapeutiques à forte valeur ajoutée. Les recherches ont porté sur des produits anti-tumeurs, anticancers et anti-thromboses, qui concernent les maladies mortelles les plus fréquentes des pays industrialisés.

Les biotechnologies démultiplient les possibilités de l'industrie pharmaceutique, jusque là limitée à la sélection de nouvelles molécules. Les méthodes de sélection sont finalement aléatoires, et donc coûteuses, partant d'agencements complexes de molécules pour arriver à des principes actifs hautement spécifiques. Or, les micro-organismes, par exemple, s'adaptent aux antibiotiques et sont capables de vivre et de se développer en leur présence, soit en fabriquant de nouvelles enzymes qui affaiblissent leurs effets, soit en devenant "antibio-résistants". La difficulté croissante à mettre au point de nouvelles catégories d'antibiotiques incite à d'autres trajectoires de recherche plus directes, en particulier celles de la recombinaison génétique.

GUÉRIR LE CANCER.

Les recherches menées depuis le début du vingtième siècle ont montré que les virus (rétrovirus) responsables de certains cancers apportaient moins une information génétique nouvelle qu'ils n'altéraient le matériel génétique existant. Des proto-oncogènes (du grec *onkos* tumeur) se trouvent ainsi activés sous l'influence de différents agents (virus, substances chimiques, nutritionnelles, hormonales, radioactives...) et conduisent à un développement anarchique de la cellule. Le dépistage précoce reste encore la meilleure méthode pour lutter contre le cancer.

La chimiothérapie classique cherche à créer des molécules capables de faire la différence entre une cellule cancéreuse et une cellule saine. Cette discrimination sera toujours difficile à maîtriser en raison de la similitude fréquente entre les deux types de cellules et de la forte variabilité des cellules cancéreuses au sein d'une tumeur. Essayée depuis plusieurs années, une approche nouvelle en chimiothérapie consiste à choisir des agents toxiques, parmi l'éventail des molécules connues, et à les doter d'une "tête chercheuse" qui permet de les diriger uniquement ou de préférence vers les cellules cibles. D'autres recherches s'orientent vers la répression de l'oncogène ou l'inhibition de l'ARN messager.

Par ailleurs, la découverte des facteurs de croissance, le clonage des gènes correspondants et leur séquençage ont également permis d'étudier les mécanismes de régulation de la croissance cellulaire. Les recherches sur les oncogènes et facteurs de croissance contribuent aujourd'hui à établir une théorie cohérente du cancer qui serait dû à l'altération d'un ou plusieurs gènes (gènes codants pour des facteurs de croissance, pour leurs récepteurs ou pour leurs messagers intracellulaires) impliqués dans la régulation de la prolifération cellulaire. Ces connaissances nouvelles pourraient permettre de bloquer la prolifération des cellules en administrant des antagonistes des facteurs de croissance ou des anticorps monoclonaux bloquant les récepteurs.

Nous n'avons aujourd'hui qu'une faible idée, malgré les tests sur les animaux et les tests cliniques préalables à toute mise sur le marché, des effets secondaires à long terme que peuvent occasionner ces produits nouveaux. Pire, nous savons que nous nous sommes engagés dans une spirale sans fin. L'éradication de maladies et l'établissement d'un "confort" somatique (disparition de la douleur, de la fièvre, des migraines, etc.) risquent d'être payés par l'émergence de maladies nouvelles, nées de l'intervention de l'homme sur son environnement micro-organique.

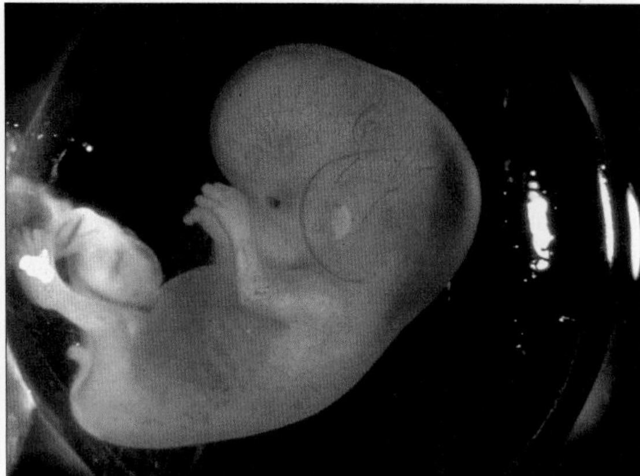

▲ *A sept semaines, l'embryon et son patrimoine génétique sont déjà sous le regard de la science.*

LE DÉPISTAGE GÉNÉTIQUE ET SES DILEMMES

Les succès les plus marquants des biotechnologies portent sur le diagnostic. La médecine prédictive a été rendue possible grâce au développement du dépistage des gènes délétères. D'ores et déjà, on peut prévoir si un fœtus donnera naissance à un mongolien. La mère se trouve alors devant le dilemme : avorter ou pas ? Ce qui était autrefois imposé par la nature fait alors l'objet de choix éthiques difficiles. Chacun peut se trouver aujourd'hui devant de telles décisions. La prédiction pré- et post-natale permet de surveiller les individus vulnérables, de leur recommander certaines précautions hygiéniques et de leur prescrire un traitement précoce. Une quinzaine seulement de maladies héréditaires, parmi les plus graves, bénéficient en 1990 de moyens de diagnostic qui se révèlent parfois redoutables. En effet, s'il est possible de diagnostiquer, les moyens thérapeutiques font encore trop souvent défaut et l'unique recours reste souvent l'interruption de grossesse. Dans ce domaine de la santé, les progrès de la science sont visibles, mais ses limites aussi. Le choix éthique se pose parfois à des êtres humains qui ne sont pas préparés à l'assumer.
Ceci pose un problème crucial. Car la manipulation génétique suit actuellement la demande du marché... Au nom de quels critères pourra-t-on souhaiter conserver ou non un futur enfant blond ou brun, noir ou blanc, grand ou petit, garçon ou fille..?

■ *Quel cauchemar pourrait bien imaginer un dictateur disposant de la maîtrise partielle des gènes et des greffes dans le cerveau ?*

■ *La réduction du sommeil physiologique n'est pas l'éveil philosophique du spirituel. C'est peut-être même le contraire : une manière technologique de transformer l'homme en zombi, pour mieux le manipuler.*

■ *Outre de règles éthiques et d'une juridiction, nous avons besoin désormais d'une évolution générale des mentalités.*

VERS DES THÉRAPIES GÉNIQUES

Environ trois mille maladies liées à des défauts génétiques plus ou moins graves sont aujourd'hui connues. On a pu localiser, sur la carte chromosomique, le gène responsable d'une dizaine d'entres elles. Les données épidémiologiques indiquent une augmentation du nombre des malformations héréditaires et congénitales. Elles sont à l'origine de plus de 30% de la mortalité pendant la première année de vie, y compris dans les pays où le taux de natalité est stable, voire en baisse.

Certaines thérapies géniques sont appelées des vœux de toutes les populations. Il en va ainsi de la maîtrise du cancer (2020), de la guérison des mycoses tenaces (2030), de la prévention et du traite-

▲ *Les arbrorigènes semblent danser avant leur installation dans les arbres.*

ment des thromboses (2005) ou plus simplement des caries dentaires (2020). D'autres posent ou pourraient poser des problèmes éthiques : le contrôle de l'affect et de l'agressivité (2040), la maîtrise des greffes dans le cerveau (2050), la neutralisation des états de dépression (2050) ou le contrôle des processus de sénescence (2040). Et plus près de nous, que faut-il entendre par régularisation des réponses sexuelles (2020) ?
Quel cauchemar pourrait bien imaginer un dictateur disposant de la maîtrise partielle des gènes et des greffes dans le cerveau ? Que penser, par exemple, de la réduction du besoin de sommeil (2010) ? Derrière cette apparente question technique, se profile l'image d'un homme mobilisé, mais par qui ? La réduction du sommeil physiologique n'est pas l'éveil philosophique du spirituel. C'est peut-être même le contraire, une manière technologique de transformer l'homme en zombi, pour mieux le manipuler.

REPRODUIRE L'HUMAIN À L'IDENTIQUE

Les premières recherches ont porté sur l'insémination artificielle peu après la seconde guerre mondiale. Le problème se complique depuis 1978 avec les possibilités de fécondation *in vitro*, hors de l'organisme féminin, puis de réimplantation de l'ovule fécondé dans la matrice. Une première question éthique s'est posée pour les ovules fécondés surnuméraires. Le taux d'échec étant important, plusieurs ovules sont prélevés et fécondés, alors qu'on sait qu'il ne sera possible d'en réimplanter qu'un nombre limité. Les autres sont-ils ou non des êtres vivants, humains ? Le serment d'Hippocrate est silencieux sur le sujet. Ces difficultés se trouvent renforcées lorsque l'ovule fécondé est réimplanté non chez la donneuse, mais chez une mère porteuse. A la question des ovules surnuméraires viennent s'adjoindre des problèmes psychiques et juridiques. Ce n'est pas seulement de règles éthiques et d'une juridiction dont nous avons besoin désormais, mais d'une évolution générale des mentalités. L'ampleur des débats est signe d'une difficulté à appréhender ce nouvel ordre du vivant. Que se passera-t-il si l'on peut développer le fœtus entièrement à l'extérieur du corps féminin sans réimplantation de l'ovule fécondé ?

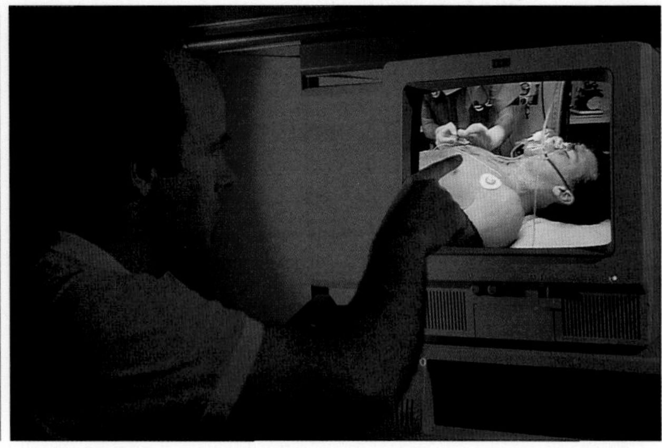

▲ *Les simulateurs d'urgence médicale permettent l'entraînement des médecins.*

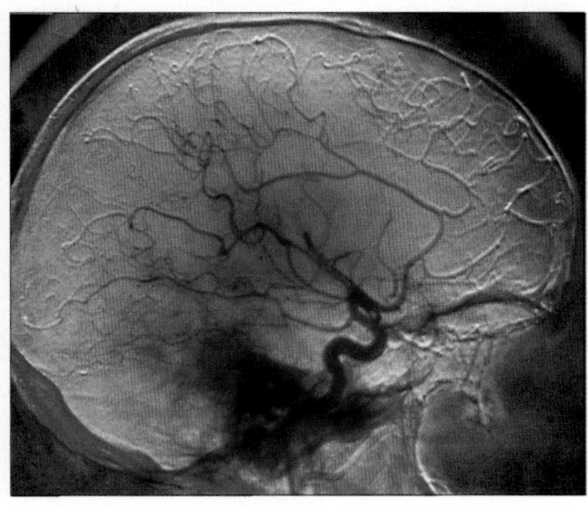

▲ *L'étude du cerveau autorise en 2050 la maîtrise des greffes.*

Quelles conséquences pour la femme et l'homme qui ont donné leurs ovules, leurs spermatozoïdes ou leur patrimoine génétique ? Quelles conséquences pour l'enfant ? Quelles représentations du couple, de la famille, naissent de ces possibilités ? Le prolongement futur des expériences actuelles ouvre la porte au clonage humain, c'est-à-dire à la reproduction asexuée d'individus . Quel usage fait-on des techniques consistant à réaliser des duplicata exacts des "parents", grâce à la transplantation de leurs patrimoines génétiques dans des œufs humains servant de simples réceptacles (avoir un double qui est une banque d'organes disponibles est alors possible...la réincarnation artificielle se profile...) ? On peut en effet imaginer, même s'il n'est pas encore sûr que ce soit réalisable, qu'au lieu d'une fécondation, qui mélange les patrimoines génétiques des parents, une simple reproduction soit possible. Vous pourriez ainsi avoir un enfant qui soit votre vrai jumeau, avec quelques dizaines d'années en moins. C'est, en quelque sorte, une réincarnation artificielle. Dès lors, le choix entre le narcissisme et l'amour est posé en termes nouveaux. Quelle tentation de produire un autre soi-même enfant ! Quelles possibilités nouvelles de transmission d'expérience par sympathie et, peut-être, de progrès dans la sagesse ! Mais quel abandon aussi : le couple, l'union, l'autre complémentaire de soi, l'être achevé à deux. Le vingt-et-unième siècle interroge l'affectivité. Nous ne sommes plus devant une technique utilitaire, plate et rentable, mais devant des défis posés à ce qu'hier encore nous croyions l'essentiel.

Ces technologies ne sont pas pour autant rejetées ; par un acte de

■ ***L'homme est un explorateur incorrigible. L'aventure est tentée par quelques uns. D'autres crient au scandale.***

■ ***Pour l'instant, il y a concurrence entre la "voie biologique" et la "voie matériau". A terme, ces deux voies ne font qu'une, lorsque le matériau vivant peut être reconstitué parfaitement.***

refus, l'ensemble du corps social ne tourne pas le dos à ces possibilités. L'homme est un explorateur incorrigible. L'aventure est tentée par quelques uns. D'autres crient au scandale.

▲ *La maîtrise de soi, l'harmonie avec la nature sont enseignées par les philosophies orientales.*

LES PIÈCES DE RECHANGE DU CORPS HUMAIN

L'ensemble de ces possibilités diagnostiques ou thérapeutiques permet d'intervenir au siège même des maladies ou des processus de reproduction. Il ne s'agit plus simplement de ravauder le squelette par quelque prothèse, mais de réparer la matière vivante.

La réparation physique du corps humain a fait, en quelques années, des progrès remarquables, que ce soit dans le développement de prothèses (orthopédiques, auditives, intra-oculaires ou cardio-vasculaires) ou dans le remplacement d'organes, de parties du derme et de l'épiderme. Certains biomatériaux sont des matières inertes, alliages divers ou céramiques, aux propriétés exceptionnelles n'entraînant aucun effet secondaire. D'autres sont biodégradables, servent de pansement et favorisent la croissance de cellules avant de disparaître totalement. Ils peuvent aussi avoir la même structure que l'os, et se faire coloniser peu à peu par les cellules osseuses. Les techniques d'immunologie, de la biologie cellulaire et de l'ingénierie des matériaux se trouvent mises en jeu. Le rapprochement des deux technologies n'est pas encore terminé. Pour l'instant, il y a concurrence entre la "voie biologique" et la "voie matériau". Faut-il développer des matériaux pour remplacer la peau ou bien trouver les moyens de faire repousser, par culture de cellules, un derme et un épiderme naturels ? A terme, ces deux voies ne font qu'une, lorsque le matériau vivant peut être reconstitué parfaitement. Pour réparer une articulation osseuse, le matériau idéal, c'est l'os. On peut réaliser des organes artificiels indiscernables de leurs homologues naturels.

Automédication et auto-analyse deviennent courants et portables vers 2030. ▼

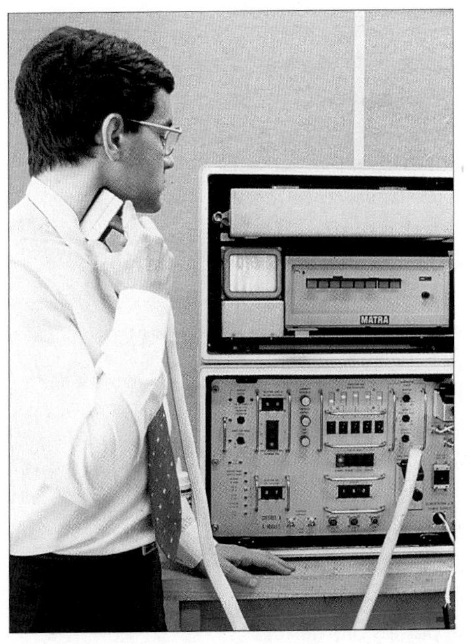

Tel père, tel fils.
Proverbe français.

Il ne s'agit pas de fabriquer par voie chimique un ersatz de matériau vivant, mais de créer du "presque vivant" en utilisant toutes les ressources des mécanismes biologiques. La maîtrise du développement embryonnaire rend, à cet égard, beaucoup de services dans la régénération de tissus endommagés.

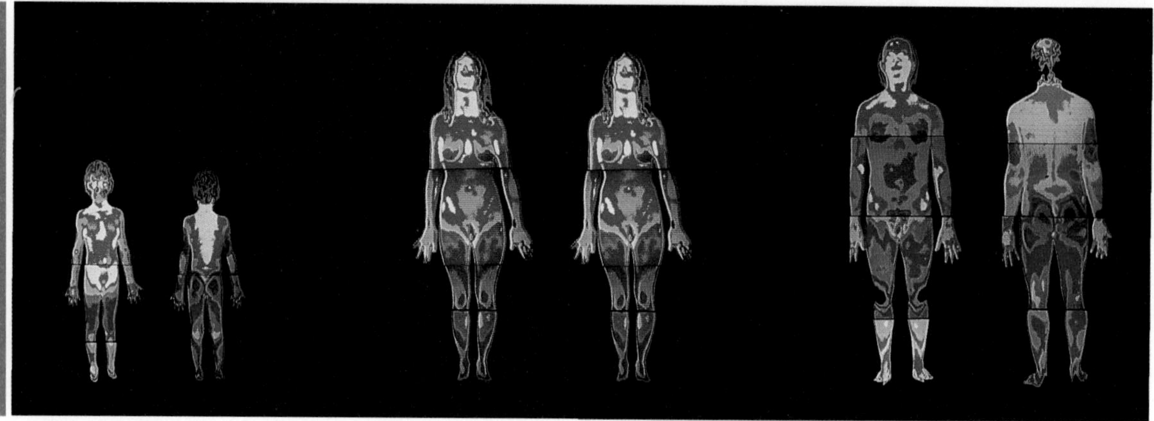

▲ *La thermographie permet de visualiser parties chaudes et froides du corps. Elle sert par exemple à détecter des cancers du sein.*

Ces procédés, relevant de techniques jadis totalement ignorées, ne touchent pas que la médecine. Ils conduisent à estomper la frontière nette qui existe entre le naturel et l'artificiel.

LA CONNEXION NEURONALE ET LES MALADIES DU CERVEAU

Le cerveau a, jusqu'à présent, échappé à cette mise en pièces du corps humain. Il ne se remplace pas si aisément. Les recherches avancent lentement et n'ont connu que de modestes succès. Les greffes n'ont encore jamais entraîné de découvertes importantes, malgré quelques résultats intéressants de greffes de neurones fœtaux.

Les maladies du cerveau constituent sans doute le dernier grand secteur de recherche de la science médicale. L'allongement de la vie est un des facteurs qui rendent ces recherches importantes. Devant une population vieillissante, il faut bien trouver le moyen de réduire la sénilité. L'intervention sur le cerveau offre un champ d'action énorme. Déjà, il est possible de retarder les effets de la maladie de Parkinson. On peut, de la même manière, restituer l'usage de leurs membres à des paralysés, ou modifier le comportement de certains malades mentaux. Bien sûr, ces manipulations ont, comme les travaux sur le gène, de quoi effrayer et se trouvent confrontées elles aussi à des problèmes d'ordre moral. Mais si l'éthique refuse les altérations du comportement, elle accepte la guérison des maladies et l'utilisation de gadgets divers.

Les insectes étaient là avant les dinosaures et ils seront là après nous. ▼

L'étude du cerveau devient le sommet de l'art biotechnologique, prenant la place qu'occupe actuellement le génie génétique. A l'information pure, matérialisée par les bits des ordinateurs et les gènes de l'ADN, succède la notion de réseaux, d'interactions, d'interconnexions. Cette vision, parallèle à l'émergence de principes équivalents en informatique, depuis les ordinateurs à structure neuronale jusqu'au développement des réseaux planétaires de communication, s'étend jusqu'aux relations entre organes, organismes et populations. La biologie prend alors davantage en compte la complexité de la vie terrestre, changeant d'échelle pour passer au niveau des écosystèmes.

LA TÉLÉPATHIE EN 2065

Le rêve de la télépathie véritable passe, non pas à travers ce succédané qu'est le téléphone, mais par l'implantation d'un petit appareillage, une fois qu'ont été décodés les signaux issus de l'œil et de l'oreille. Il suffit de peu de chose, alors, pour transmettre par radio à un cerveau des informations qui sont perçues comme des sensations véritables. Principe hallucinogène très supérieur à la télévision et à la drogue. En décodant en sens inverse les influx nerveux transmis à la bouche pour parler, il est possible d'expédier ce signal par la voie des ondes et, moyennant un système d'adressage - certes compliqué à mettre au point - d'atteindre n'importe quel individu en n'importe quel point de la planète. Le réseau des télécommunications mondiales rejoint alors le réseau de neurones qu'est le cerveau. A l'aube du vingt-deuxième siècle, cette donnée nouvelle de l'organisation humaine a déjà une importance considérable.

LA TECHNO-NATURE CONCERNE LA VIE SUR ET HORS DE LA PLANÈTE

Ce n'est pas uniquement dans le domaine de la conservation des espèces ou de la protection de l'environnement que les biotechnologies peuvent jouer un rôle. Durement touché par diverses pollutions, l'environnement a besoin d'un véritable nettoyage, ainsi que de mesures préventives contre de nouvelles pollutions. Des résultats spectaculaires ont été réalisés dans l'épuration des eaux usées et le traitement d'effluents d'origine agricole par l'utilisation de micro-organismes. Certaines bactéries possèdent des enzymes qui dégradent des hydrocarbures ou des composés très toxiques comme le benzène. Le développement de nouvelles souches bactériennes permet, dans des conditions contrôlées, de nettoyer l'environnement de composés chimiques parmi les plus nocifs et de valoriser, en les transformant, les éléments qui étaient, jusqu'à présent, purement et simplement rejetés.

Il s'agit là de mesures de nature véritablement médicale, à la fois thérapeutiques et préventives. Notre environnement a été en deux siècles profondément transformé. Ce mouvement ne peut que se poursuivre. Un fossé de plus en plus net se creuse certainement entre, d'une part, les espaces d'environnement protégé, qui tendent à devenir des conservatoires de la nature, d'autre part, les zones de production agricole industrialisée bénéficiant des apports technologiques les plus récents, et enfin, encore plus problématiques, les mégalopoles. A côté de cette spécialisation des territoires, apparaissent de nouveaux environnements dans les villes marines ou sous-marines.

■ ***Les maladies du cerveau constituent sans aucun doute le dernier grand secteur de recherche de la science médicale.***

■ ***Le développement de nouvelles souches bactériennes permet, dans des conditions contrôlées, de nettoyer l'environnement de composés chimiques parmi les plus nocifs.***

La conquête de l'espace offre aussi, avec les stations orbitales et les planètes creuses, de nouveaux territoires à explorer et à habiter pour lesquels il faut concevoir des écologies nouvelles, des environnements artificiels clos entièrement contrôlés. De telles réalisations exigent bien plus qu'une série de manipulations génétiques. Il faudrait plutôt parler de "régulations écologiques". Tout doit être prévu, même le fait que la nature est imprévisible.

Le cycle du vivant doit être recréé dans ces mondes artificiels, depuis la décomposition par des micro-organismes jusqu'à la vie d'animaux supérieurs destinés à la boucherie ou à l'agrément, en passant par le fonctionnement de forêts et de lacs, les bilans en eau, en oxygène et en gaz carbonique, etc. Ce cycle doit se dérouler de manière automatique, avec un minimum d'interventions humaines. Mais si les technologies actuelles nous permettent d'imaginer facilement comment fabriquer des arbres en plastique ou des images animées de grande dimension donnant aux astronautes l'illusion qu'ils vivent à New-York ou à Bora-Bora, il est beaucoup plus difficile de se représenter un écosystème complet, qui pourrait définitivement couper le cordon ombilical avec la Terre. Pourtant une telle expérience est tentée.

Le plancton marin monte la garde dans tous les océans. ▼

En septembre 1990, huit personnes, quatre hommes et quatre femmes, s'enferment en Arizona, pour la première fois au monde, dans un écosystème hermétiquement clos. Biosphère II comprend aussi 150 oiseaux, des poissons et diverses espèces végétales. L'eau et l'air sont régénérés par les plantes. L'ensemble ne communique avec l'extérieur que par le rayonnement solaire qu'il reçoit et les échanges de signaux avec les autres terriens. Il est supposé pouvoir vivre en équilibre pendant des mois, peut-être des années, peut-être des siècles... Cette expérience marque le début d'un nouvel âge. Celui où l'homme accepte d'assumer la responsabilité du pilotage d'une techno-nature autonome.

■ ***Les technologies actuelles nous permettent d'imaginer facilement la fabrication des arbres en plastique; il est beaucoup plus difficile de se représenter un écosystème complet, qui pourrait définitivement couper le cordon ombilical avec la Terre.***

L'ÉTONNANTE RÉSISTANCE DU VIVANT AUX MANIPULATIONS

Mais s'il est possible d'envisager de créer une techno-nature artificielle, il ne faut pas sous-estimer les capacités de réaction du vivant aux manipulations externes.

Cette image, reconstituée par ordinateur, permet la visualisation d'une tumeur sur la moëlle épinière. ▼

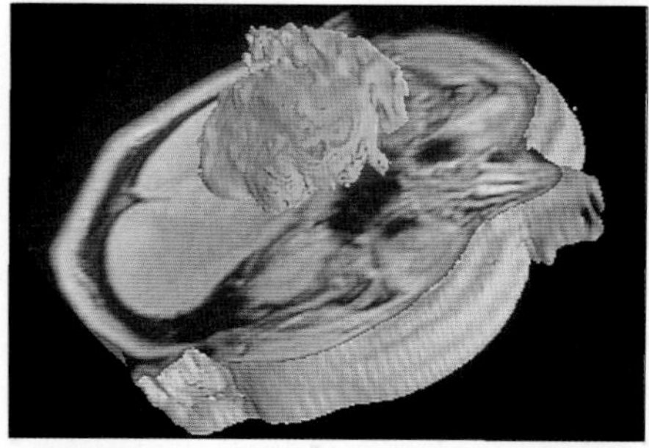

L'escalade de la résistance des plantes est maintenant un fait reconnu. Après une longue période d'utilisation intensive de pesticides dans l'agriculture, des dizaines de "mauvaises herbes" et des centaines d'insectes sont devenus résistants aux produits chimiques conçus pour les tuer. La recherche de nouvelles molécules herbicides coûte de plus en plus cher (40 millions de dollars en

■ ***S'il est possible d'envisager de créer une techno-nature artificielle, il ne faut pas sous-estimer les capacités de réaction du vivant aux manipulations externes.***

moyenne) et tend à impliquer des composants chimiques toujours plus puissants. Les stratégies de court et moyen terme se concentrent sur l'extension du marché des pesticides à large spectre d'action, qui

▲ *L'Organisation de Conservation des Espèces protège plantes et animaux, même ceux sans défenses.*

sont déjà commercialisés pour certaines cultures naturellement tolérantes. Cette extension du marché des herbicides est estimée à deux ou trois milliards de dollars dans les années 2000.

Les armes des plantes sont parfois bien cachées. Chez certaines, des gènes dont l'expression était faible, voire inexistante, se trouvent stimulés en cas d'attaque. Soit ils renforcent les parois des cellules végétales, évitant ainsi le passage du parasite d'une cellule à l'autre, soit ils bloquent le développement des parasites par la production de phytoalexines, soit encore ils le neutralisent par la sécrétion d'une protéine inhibitrice d'enzymes servant à sa digestion. De nombreuses entreprises cherchent à identifier et à isoler les gènes responsables de l'expression de ces protéines de défense. Il devient alors possible de renforcer les défenses à titre préventif, ou de développer une production de ces protéines en fermenteur.

Rigoureusement sélectionnées, les plantes carnivores n'atteignent deux mètres de haut que dans des laboratoires bien protégés. ▼

Mais ces extraordinaires capacités de réaction du vivant remettent constamment l'homme au défi de maîtriser la création. C'est un duel d'intelligence qui se déroule au long du siècle, ponctué de surprises, de catastrophes et de rebondissements.

PRÉSERVER LE VIVANT DEVIENT UNE IMPÉRIEUSE NÉCESSITÉ

La sélection des éléments les plus performants réduit la diversité des sources génétiques, ce qui pourra se révéler dangereux si l'on n'y prend pas garde. Voici venue l'ère du déssaisissement.

Tous les moineaux périraient si les chats avaient des ailes. Proverbe danois.

Premier risque direct : l'introduction d'un nombre limité de gènes commercialement intéressants dans un très grand nombre d'espèces cultivées différentes peut fragiliser l'ensemble de ces espèces si des mutations indésirables affectent certains de ces gènes. C'est ainsi qu'on a vu aux Etats-Unis dans les années 1970, un maïs hybride présenter une rouille des épis qui, en quelques mois, a conduit à des catastrophes économiques. Cette maladie a menacé d'extinction certaines espèces et fait flamber le prix des semences résistantes.

▲ La diversité des fruits et leur recombinaison avaient déjà inspiré Arcimboldo.

C'est là un exemple frappant d'un risque induit, nouveau et beaucoup plus grave : la vulnérabilité génétique par réduction de la diversité. Aujourd'hui encore, 40% des surfaces cultivées en maïs aux Etats-Unis sont issues de six lignées pures seulement. Un risque non négligeable d'uniformisation des cultures et d'appauvrissement de la diversité biologique existe réellement. Fragilisée par la mise au point de plantes aux patrimoines génétiques uniformisés, négligée du fait de la surexploitation d'espèces aux rendements élevés, la diversité biologique figure parmi les thèmes majeurs du vingt-et-unième siècle. Réserves et jungles protégées fleurissent.

La diversité biologique est une grande richesse que l'homme a su, de longue date, exploiter. Douze mille espèces végétales étrangères ont été introduites en Europe, dont les principales céréales et les plantes à tubercules. Dans les Iles Britanniques, par exemple, les espèces importées l'emportent en nombre sur les espèces natives. Les meilleurs gardiens de cette diversité sont aujourd'hui les sélectionneurs, qui l'utilisent au quotidien pour l'amélioration des espèces.

▲ La tulipe noire, une espèce inventée, se sent encore bien seule.

Pour l'essentiel, nous ignorons encore beaucoup de cette diversité. Il est même difficile de la quantifier puisque nous ne connaissons que très vaguement le nombre d'espèces qui vivent sur la Terre : selon toute probabilité, il est compris entre cinq et.. trente millions. Qu'en connaît-on ? Environ 1,6 million d'espèces ont été nommées et décrites depuis Linné, dont les deux tiers dans les pays tempérés, lesquels ne constituent manifestement pas les territoires les plus riches. Selon certaines estimations, entre trois et vingt-cinq millions d'espèces tropicales et subtropicales sont encore à décrire, tandis que les espèces marines sont presque totalement à découvrir. La diversité du vivant n'a pas fini de nous étonner !

Face à cet inventaire incomplet, la tentation existe de considérer que les espèces encore inconnues ne présentent que peu d'intérêt au regard des grands équilibres et qu'il convient, comme par le passé, de laisser jouer la sélection naturelle. Après tout, elles

■ ***Plus de 99,99% des espèces ayant existé sont aujourd'hui éteintes. Ainsi va la vie : au niveau des espèces, comme des individus, la mort fait partie du processus du vivant.***

■ ***Négligée du fait de la surexploitation d'espèces aux rendements élevés, la diversité biologique figure parmi les thèmes majeurs du vingt-et-unième siècle. Réserves et jungles protégées fleurissent.***

■ ***Les méthodes de protection in vitro doivent être complétées par des méthodes de conservation in vivo dans des "réserves" écologiques.***

ont conduit, à travers quatre extinctions massives depuis cinq cents millions d'années, à la diversité génétique actuelle : plus de 99,99% des espèces ayant existé sont aujourd'hui éteintes. Ainsi va la vie : au niveau des espèces, comme des individus, la mort fait partie du processus du vivant. Elle lui est nécessaire. La disparition des dinosaures, il y a soixante millions d'années, a permis, indirectement, le développement des petits mammifères. Mais il faut remarquer que les échelles de temps n'ont rien à voir : l'homme modifie l'environnement de manière très rapide, en un très court instant à l'échelle des temps géologiques.

▲ *La conservation du patrimoine génétique devient impérative au vingt-et-unième siècle.*

L'autre tentation, d'inspiration intégriste, est celle du moratoire : ne plus rien faire, interdire toute expérimentation génétique et préserver dans des banques les différents plasmas germinatifs dans l'attente d'un renforcement de nos connaissances, qui est freiné par là même. Rien ne se fait de bon à partir de la peur.

La biologie du vingt-et-unième siècle se doit de résoudre ce problème. Cette nécessité signifie que les sciences de la vie, botanique et zoologie, l'exploration et la découverte des espèces vivantes de la Terre, seront des disciplines vitales pendant longtemps encore. Un siècle n'est pas de trop pour inventorier trente millions d'espèces. L'agriculture doit, quant à elle, gérer la diversité biologique comme elle n'avait pas encore appris à le faire.

Les biotechnologies peuvent se révéler de puissants alliés d'une défense de l'environnement accompagnant la dynamique de la nature. Les progrès les plus assurés de conservation des espèces végétales ont été réalisés depuis une trentaine d'années grâce aux techniques de cryopréservation des semences et des embryons somatiques végétaux, de culture de tissus et de régénération des plantes. Des banques de conservation de souches génétiques existent depuis la fin du dix-neuvième siècle, la première ayant été créée à Prague. La plus ancienne des Etats-Unis, à Fort Colins, regroupe plus de deux cent mille variétés de graines de deux mille espèces différentes (ce qui est extrêmement peu). De nombreuses autres existent de par le monde, et une réelle prise de conscience s'amorce, mais les moyens manquent parfois. De plus, les pays du tiers monde se montrent souvent plus attirés par la sélection et l'adaptation de souches rentables que par la conservation pure.

Les méthodes de protection *in vitro* doivent être complétées par des méthodes de conservation *in vivo* dans des "réserves" écologiques. On s'est toutefois aperçu depuis 1975 environ qu'il ne servait à rien de créer des réserves naturelles isolées et qu'il valait mieux répartir plusieurs biotopes reliés entre eux par des sortes de corridors, constituant un véritable "réseau de nature".

Là aussi, le vingt-et-unième siècle correspond à un tournant majeur. Le phénomène des réserves naturelles s'amplifie. Une partie au

moins du continent antarctique est considérée comme zone naturelle et inviolable. Après les désastres écologiques qu'ont subis les pays de l'Est, les réserves nationales deviennent une des priorités des nouveaux gouvernements, qui, de surcroît, ont à faire face aux pressions populaires en matière d'environnement.
L'Organisation de Conservation des Espèces (OCE) est créée en 2025 : il a fallu longtemps pour que l'homme voie là un sujet plus important que la conservation des monuments. L'OCE finance alors un réseau mondial de biobanques, conservatoires du patrimoine génétique.

L'HOMME DOIT MAÎTRISER LES POSSIBILITÉS QUE LUI OFFRE LA TECHNOLOGIE

Enjeux à la fois commerciaux et socio-culturels, les biotechnologies révèlent des aspirations contradictoires : vivre plus longtemps, maîtriser la reproduction, améliorer les productions, expérimenter sur le végétal, l'animal et l'homme, mais également, respecter la vie, ne pas considérer le vivant comme un esclave, protéger l'environnement et la diversité du patrimoine génétique.
Malgré ses réticences devant les possibilités, la société exige beaucoup de la science du vivant. Les prouesses de la médecine conduisent à considérer une mort précoce comme une injustice sociale ou une faute professionnelle du médecin. La mort était au vingtième siècle un tabou si mal assumé qu'on laissait se multiplier des acharnements thérapeutiques, voisins de la torture. Elle est progressivement réintégrée, acceptée comme un aboutissement, un nécessaire passage de la grande loi du vivant. Mais la question de fond pour le vingt-et-unième siècle est bien celle d'une définition de la personne humaine.
Des "comités biomoléculaires", des décrets et parfois même des lois - comme au Danemark par exemple - tentent de contrôler, voire d'interdire, les relargages dans la nature de micro-organismes manipulés ou l'utilisation de plantes transgéniques *in vivo*. Et pourtant les consommateurs apprécient goût, forme et texture des pommes-oranges...
Les nations occidentales ont déjà rencontré ce type de problème avec les différentes législations sur la contraception et l'avortement. L'opinion publique a pesé alors d'un poids considérable dans ces débats . Elle joue un rôle équivalent dans l'imposition d'interventions géniques ou de programmes de recherche concernant la santé humaine.
On peut même imaginer, dans certains cas, un refus pur et simple. Après une période d'incubation et de réflexion, des réglementations extrêmement rigoureuses interdisent les expériences sur le vivant, sonnant le glas des recherches et des développements in-

Tu es fils des morts et tu boiras la même eau qu'eux.
Proverbe arabe.

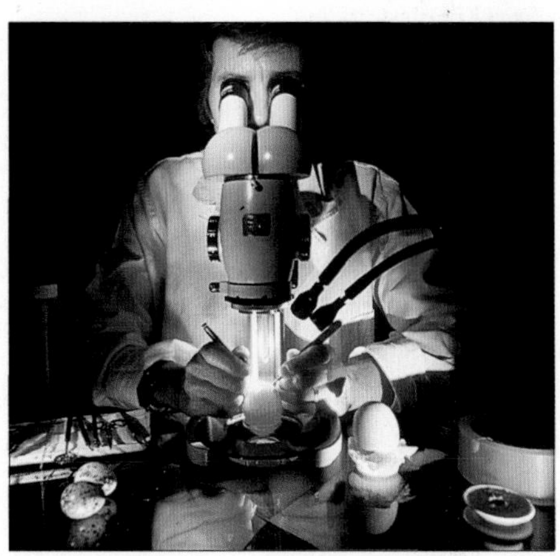

▲ *Le regard focalisé sur l'œuf va devoir s'élargir à l'humain.*

dustriels. Sous la pression des écologistes, et à la suite d'accidents survenus lors d'expériences *in vitro* ou *in vivo*, l'opinion publique se mobilise pour imposer des moratoires.

Dans ce cas, ne subsisteraient en 2020 des recherches biotechnologiques actuelles que quelques produits à forte valeur ajoutée, impossibles à obtenir efficacement et à moindre coût par d'autres voies.

La montée en puissance des biotechnologies intervient brutalement, au moment où apparaissent des situations de rupture. Jusque-là, les grands groupes industriels ne dévient que lentement leurs activités vers les technologies nouvelles. Quand les bouleversements surviennent, la réorganisation profonde des marchés les incite à basculer de manière rapide et définitive. Les situations de rupture déterminantes pour les biotechnologies sont celles qui amènent à la création d'environnements complètement nouveaux, d'une techno-nature "plus nature que techno", comme les planètes creuses de l'espace, de biotopes diversifiés créés pour cultiver certaines espèces, à la gestion des ressources hydriques, des espaces urbains, des problèmes démographiques...

Dans le domaine de la santé, apparaissent des appareils personnels d'autodiagnostic et d'automédication, qui permettent à l'utilisateur de s'affranchir des "prêtres" de la science médicale. Le problème du choix des interventions possibles se pose alors directement à l'utilisateur final et non en termes d'éthique sociale. Les nouvelles technologies du vivant permettent à l'homme de s'améliorer en s'automodifiant pour se doter des capacités physiques qui lui manquent. Grâce aux organes artificiels, l'homme s'adapte à des conditions de vie nouvelles : voyages interplanétaires de très longue durée, conditions de vie sous-marine (la plongée profonde ouvre de nouvelles joies aquatiques à l'homme pourvu de branchies...), installation dans des environnements artificiels dont la programmation correspond à celle de ses occupants. Vision d'un ensemencement des étoiles par des hommes, des plantes et des animaux aux gènes mutés... A l'aube du vingt-deuxième siècle, nous ne sommes pas loin de concrétiser ces visions.

L'homme sort de l'aventure biotechnologique plus puissant peut-être, mais surtout investi de responsabilités qui, autrefois n'appartenaient qu'aux dieux. Plus encore que l'intelligence scientifique et technique, c'est l'intelligence du cœur et l'éthique qui sont sollicités par la révolution des biosciences. Les temps prométhéens s'achèvent. Ici commence le règne de Gaïa, la nature, mère de toutes choses. ■

■ ***L'homme sort de l'aventure biotechnologique plus puissant peut-être, mais surtout investi de responsabilités qui, autrefois, n'appartenaient qu'aux dieux.***

■ ***Plus encore que l'intelligence scientifique et technique, c'est l'intelligence du cœur et l'éthique qui sont sollicités par la révolution des biosciences.***

■ ***Malgré ses réticences devant les possibilités, la société exige beaucoup de la science du vivant.***

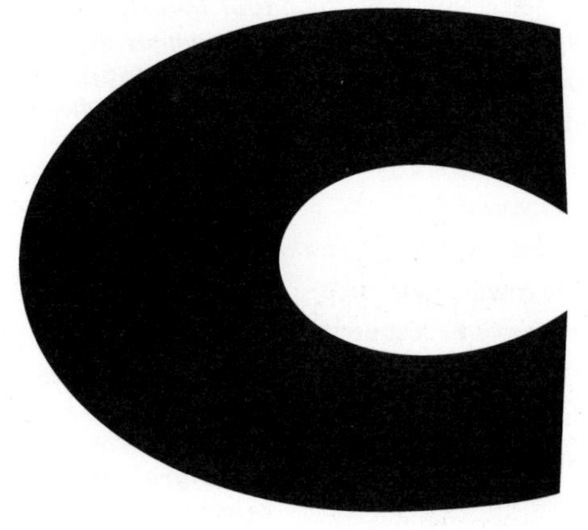

h a

De tous temps, les techniques ont été organisées selon un système cohérent, en relation étroite avec les structures sociales et l'ensemble des croyances. C'est bien compréhensible : la technique sert à survivre. Elle constitue une infrastructure sur laquelle la société se bâtit. Mais elle est orientée par la volonté humaine, produite en rêve avant de s'incarner dans des objets. L'anticiper, c'est donc combiner le rêve et la nécessité, et estimer la rapidité des changements.

Le machinisme et après ...

p i t r e

▲ Le laveur de vitres est, parfois, un court instant, saisi d'étranges vertiges.

Après l'ère du machinisme vient la société de l'intelligence. Le machinisme, dont l'origine remonte au siècle des Lumières, arrive à son apogée avec le robot. La production, alors, peut se faire presque sans hommes. Le lieu de production se trouve évacué. La société de l'intelligence se construit donc autour du traitement de l'information, sous toutes ses formes. La communication, la programmation, le commerce, les banques, les assurances, l'éducation, le design, la conception, la recherche, les loisirs, l'art sont les nouveaux pôles d'activité. Ils sont bien loin de ceux de l'ancienne société ouvrière de production : le charbon, l'acier, la mécanique, la chimie... Mais la substitution s'étend sur plusieurs décennies. Après deux siècles d'industrialisation, il faut aussi des délais de l'ordre du siècle pour que le système nouveau révèle toutes ses possibilités. L'année 1983, bicentenaire de l'envol de l'homme (les premières montgolfières apparaissent en 1783) est aussi celle où arrivent sur le marché la vue artificielle (pour les robots), l'ouïe artificielle (avec la reconnaissance de la parole), le son artificiel (téléphone numérique et disque compact) et le dessin artificiel (conception assistée par ordinateur ou CAO). L'écriture devient digitale et audiovisuelle. La civilisation est touchée en son centre. Sa mémoire change de forme. La relation au temps, à la reproduction, est atteinte. Les organisations humaines deviennent neuromimétiques.

L'ILLUSION DE LA COMPLEXITÉ

L'industrie du recyclage permet désormais de trier les bonbons pour présenter enfin des paquets de couleur uniforme. ▼

Les philosophes de la fin du vingtième siècle ont pris l'habitude d'agiter la complexité comme un épouvantail. Elle serait la cause de tous nos maux. Leur solution est paradoxale. Face à une situation complexe, il faudrait, pour s'en sortir, la compliquer encore.

C'est une brillante invention que ce mot, qui profite avant tout aux marchands d'illusion. Il recèle une manière sophistiquée de dire au public qu'il vaut mieux ne pas chercher à comprendre, que les choses sérieuses doivent être laissées aux gens sérieux, même si eux non plus ne comprennent pas très bien. C'est la dernière manœuvre d'intimidation intellectuelle d'une effendia qui se sent vaciller.

Nos ancêtres, qui vivaient dans les savanes, étaient face à un univers tout aussi complexe que le nôtre. Ils faisaient de leur mieux pour capitaliser leur expérience, transmettre leur connaissance, inventer des explications mythiques. Mais, face aux centaines de milliers d'espèces animales et végétales, aux aléas du climat et aux ruses du gibier ou des prédateurs, il fallait un jugement ferme, rapide et de bons réflexes pour arriver à s'en sortir. Combien de nos contemporains seraient encore capables de survivre dans ces conditions ?

Il y a de fausses vérités et de vrais mensonges.
Proverbe tzigane.

■ *L'écriture devient digitale et audiovisuelle. La civilisation est touchée en son centre. Sa mémoire change de forme.*

■ *La complexité profite avant tout aux marchands d'illusion. C'est une manière sophistiquée de dire au public qu'il vaut mieux ne pas chercher à comprendre.*

■ *La complexité de la techno-nature est identique à celle de la nature. Elle donne l'impression qu'elle s'ajuste aux capacités humaines.*

La complexité ne date donc pas d'hier. Ce qui est nouveau et marquant, c'est son caractère artificiel. En fait, la complexité de la techno-nature rejoint celle de la nature. Elle donne même parfois l'impression de s'ajuster aux capacités humaines.

Ainsi on estime que le panorama complet de la technique moderne est couvert par environ six millions de mots. C'est un ordre de grandeur voisin du nombre d'espèces naturelles. La technologie peut être comparée à un grand écosystème, dans lequel chaque objet aurait sa niche écologique. Mais les capacités des groupes humains n'atteignent pas cet ordre de grandeur. Les langages les plus élémentaires, tels que le Basic pour communiquer avec les ordinateurs, ne comportent que soixante mots. Il en faut dix fois plus (six cents) pour se débrouiller dans la rue en pays étranger. Six mille mots sont à la portée d'un individu, soixante mille d'une culture, six millions de l'espèce humaine toute entière. Une langue naturelle (l'anglais, le français, le chinois...) comprend environ soixante mille mots, cent fois moins. Le vocabulaire d'un homme cultivé, romancier ou expert, est dix fois plus réduit : six mille mots. Un supermarché gère un catalogue de douze mille références, mais un très grand magasin (Le Grand Passage, à Genève ou Macy's, à San Francisco) en a quatre cent mille. Se dessinent donc des ordres de grandeur de la complexité.

La complexité technologique semble, mais semble seulement, faire reculer les limites : le microprocesseur de l'an 2000 comporte cent millions de transistors et sa capacité double toujours tous les ans.

La complexité se traduit aussi de manière dynamique, en nombre de cycles par unité de temps, et en diversité des cycles. Or les moteurs tournent de plus en plus vite (des dizaines de milliers de tours par minute), les lignes de communication transfèrent des millions d'informations élémentaires par seconde, ce seront bientôt des milliards.

Les objets techniques se miniaturisent, chaque composant ou connexion doit occuper un espace toujours plus petit ; cette évolution est d'ailleurs nécessaire pour la montée en performances, car la vitesse de la lumière restant indépassable, les quelques centimètres finissent par compter pour des signaux à plusieurs giga-Hertz. La machine se ferme donc sur elle-même : d'abord pour gagner en efficacité, pour se "concrétiser", dit Simondon[1]. Ensuite pour mieux protéger ses parties les plus fines ; des pièces de base de quelques microns sont très fragiles à la poussière et même aux rayons cosmiques ;

Les prélèvements marins sont effectués à l'aide de bras manipulateurs. ▼

[1] *Gilbert Simondon, Du mode d'existence des objets techniques, Aubier, Paris, 1989.*

des impulsions électriques de quelques picosecondes sont sensibles aux interférences électro-magnétiques. Elle se ferme enfin, pour simplifier l'image de la complexité aux yeux des êtres humains, peu aptes à l'appréhender directement. La machine du dix-neuvième siècle était fascinante à voir, car elle montrait ses mécanismes : la passion de quelques amateurs pour la locomotive à vapeur en témoigne encore aujourd'hui ; par contraste, le micro-ordinateur frappe par la banalité de ses formes comme de ses couleurs : c'est devenu de la matière... grise.
Corrélativement, les échanges avec l'extérieur s'organisent et passent par l'intermédiaire d'interfaces de plus en plus sophistiquées, qu'il s'agisse de communiquer avec les êtres humains ou avec le monde matériel. Sur le petit écran, la couleur et le mouvement fleurissent. Le conducteur d'une machine mécanique classique ne disposait que de quelques manettes, de quelques voyants ; les pilotes d'un Airbus ou d'une usine doivent prendre en compte des milliers d'informations complexes. Pour qu'ils en tirent parti, leur présentation synthétique doit être soignée. Et ils s'entraînent avec un simulateur, précurseur de la génération des machines illusoires.

▲ *La calligraphie d'idéogrammes reste à l'état de prototype.*

DE L'AUTONOMIE À L'INITIATIVE, L'OBJET

Complexes, fermées, "intelligentes", les machines affirment chaque année plus nettement leur autonomie. L'outil primitif, simple prolongement matériel de la main, s'organise en plusieurs pièces, puis se pose sur le sol, reçoit une énergie d'abord externe (poulies des usines mécaniques jusqu'aux années 1940), puis interne (moteurs électriques et thermiques dans chaque machine), et enfin témoigne de comportements de plus en plus indépendants. Aux yeux de tous, le robot exprime matériellement l'autonomie, éventuellement inquiétante, d'une machine presqu'intelligente.
Mais, malgré son caractère abstrait, c'est le concept "d'objet" au sens informatique qui est le plus porteur des évolutions profondes de la machine. L'objet est apparu dans le langage Smalltalk développé par Alan Kay chez Rank Xerox dans les années 1970. N'essayons pas trop de le définir ici : les spécialistes eux-mêmes s'en gardent bien... du moins quand ils sont ensemble. Tels les oracles d'autrefois, les experts ne peuvent se regarder sans rire. Disons qu'il s'agit de quelque chose que l'on appelle et que l'on manipule dans un système informatique. Par exemple un programme, ou un ensemble de données, ou une image... Un objet est créé, supprimé, activé. Il porte un nom et il est souvent représenté par un petit dessin, une "icône". Les objets communiquent entre eux au moyen de messages. La programmation par objets consiste précisément à concevoir ces

La forteresse s'écroule par l'intérieur.
Proverbe géorgien.

messages et les actions qu'ils déclenchent chez l'objet récepteur. Les objets sont donc actifs : ce sont en quelque sorte des machines purement logicielles. Une telle activité conduit à une autonomie croissante, une capacité d'initiative. Celle-ci n'est que trop bien attestée par une catégorie perverse d'objets : les virus informatiques qui polluent et détruisent les programmes en se reproduisant. Ceux-ci ne sont pas un épiphénomène, une épine agaçante fichée dans le pied d'une informatique pure et dure. L'apparition du virus témoigne de la richesse désormais atteinte par les systèmes informatiques et, sous un angle particulier, de leur convergence avec le biologique.

Les virus informatiques de l'an 2100 sont plus dangereux que jamais. Mais ils ne sont plus qu'une forme perverse de ces milliards de composants logiciels qui constituent l'essentiel des systèmes informatiques. D'où une évolution profonde du rôle du concepteur, décrite sous l'angle technique par les travaux de Meyer[1]. Il doit certes concevoir des objets, mais la plus grande partie d'entre eux préexistent. Qu'ils soient déjà actifs dans le monde où le concepteur doit intervenir, ou qu'ils puissent être puisés dans une bibliothèque d'objets. Il suffira de les concrétiser. Une grande part du travail consiste donc à organiser la société des logiciels, qui sont des êtres intermédiaires quasi vivants, artificiels.

■ ***Le robot exprime matériellement l'autonomie, éventuellement inquiétante, d'une machine presqu'intelligente.***

■ ***Une grande part du travail consiste à organiser la société des logiciels : ils sont devenus des êtres intermédiaires quasi-vivants, artificiels.***

LA COMPLEXITÉ DE L'ILLUSION

Malgré ce qui précède, il faut reconnaître à l'idée de complexité un certain fondement, sur lequel il importe alors de ne pas se tromper.

Plutôt que de complexité, il serait plus juste de parler de perplexité. Dans sa tentative pour saisir et dominer le réel, l'esprit se retrouve confronté à ses propres limites. Il doit s'interroger sur lui-même, remettre en cause ses propres fonctionnements. De fait, ils sont remis en cause par les fabricants d'illusion. Au début des années 1980, Yves Lecerf, professeur d'université, à la fois ethnologue et informaticien, étudie les sectes. Il entreprend, par dérision, de construire un prédicateur automatique. Il s'agit d'un ordinateur parfaitement ordinaire dans lequel sont stockées quelques dizaines de phrases toutes faites, prises dans le discours d'une des sectes étudiées. De surcroît, il programme aussi cette machine pour le dialogue. Lorsqu'une question est posée, elle repère les mots correspondant au vocabulaire enregistré, et répond d'une phrase toute faite les contenant. S'il n'y en a pas, elle demande de préciser la question. Au-delà de cinquante phrases enregistrées, l'illusion du dialogue est bonne, au-delà de cent, elle est presque parfaite. Est-ce seulement une farce ou le signe d'une question plus profonde ?

Les robots n'aiment pas les images du passé, lorsque l'homme faisait leur travail. ▼

■ ***Le prédicateur automatique répond d'une phrase toute faite. L'illusion du dialogue est presque parfaite.***

[1] *Bertrand Meyer, Object-oriented software construction, Prentice Hall, 1989.*

Cent phrases, c'est très peu. Par ce moyen ou d'autres, voisins, on peut fabriquer non seulement des prédicateurs, des voyants, des astrologues, mais aussi des hommes politiques (d'autant plus facilement que leur parti a une doctrine simple, ferme et claire), des psychanalystes (ce qui a été réalisé aux Etats-Unis) ou encore des "experts" de domaines variés. L'art de l'illusion est là, tout près, à portée de n'importe quel programmeur facétieux. Dès lors, l'image de l'esclave mécanique docile, voire servile, la chose sans initiative ni répartie obéissant au doigt et à l'œil, doit être complètement révisée. Le début du troisième millénaire est plein de robots certes, mais ce sont des robots illusionnistes, fascinants, séducteurs, endoctrineurs et provocants. Auprès d'eux, le pouvoir de fascination des jeux vidéo ou de simulation, comme le célèbre Donjons et Dragons, est un pâle et maladroit exercice de débutant.

L'INTELLIGENCE EST LE PROPRE DE L'HOMME

QU'EST CE QU'IL EST ARTIFICIEL

■ ***Le début du troisième millénaire est le domaine des robots illusionnistes, fascinants, séducteurs, endoctrineurs et provocants.***

La génération des machines psychophages est à peine commencée. Elle se déploie en simulateurs et configurateurs d'ambiance. Le cinéma en relief et holographique sur géode est le précurseur des machines hallucinogènes. Image et son se présentent alors tous deux en relief. Des expériences permettent d'anticiper d'autres étapes, à la fois fascinantes et inquiétantes.

A la fin du vingtième siècle, la Nasa, sous prétexte d'entraîner ses pilotes, a mis au point un casque et un gant. Ceux-ci n'ont pas pour rôle de protéger, mais de plonger celui qui les porte dans un univers imaginaire. Le casque est en effet muni de petits écrans de télévision, qui présentent une image à chaque œil. Le gant est bourré de capteurs, qui enregistrent les mouvements de la main. Les uns et les autres sont reliés à un ordinateur, dans la mémoire duquel se trouve cet univers. Quand le sujet remue la main, il la voit bouger dans le casque. Mais elle touche et elle interagit avec des objets virtuels, qui n'existent qu'en mémoire machine. De la sorte, l'homme se trouve acteur d'un univers imaginaire, dont il apprend vite les règles. La possibilité d'agir multiplie en effet la vitesse d'apprentissage.

■ ***L'homme se trouve acteur d'un univers imaginaire, dont il apprend bien vite les règles.***

■ ***Les jeux pédagogiques se sont ensuite multipliés, la société d'enseignements s'avance.***

Cette plongée dans l'illusion a été poussée plus loin par Alan Kay, avec l'idée de vivarium. Le vivarium est un écosystème modélisé dans une mémoire informatique, avec des algues, des roches et des poissons. Il apparaît sur écran. Ce n'est pas seulement pour le spectacle, car l'usager est actif. Il peut se mettre ainsi aux commandes d'un requin. L'écran lui présente alors tout le vivarium vu par le requin. Il peut se déplacer, en commandant à sa monture. Mais s'il demande au squale des mouvements contraires à sa nature, ces derniers ne seront pas

Le chat-robot est resté très affectueux. ▼

LE VIVARIUM : S'ÉCLATER OU IMPLOSER ?

C'est dans le monde totalement synthétique des "vivariums" (inventés par Alan Kay) que se déploie au cours du vingt-et-unième siècle une grande part de notre activité.
Matériellement, il s'agit de reconstituer autour de nous un univers complet et tridimensionnel, soit par affichage sur toutes les parois d'une pièce, soit par le port d'un casque avec un petit écran vidéo pour chaque œil (un walkman vidéo, en quelque sorte). Pour se déplacer et pour agir dans ce monde, on enfile des gants (ou mieux, une combinaison complète) munie de capteurs qui repèrent tous les mouvements et de dispositifs qui, autant que possible, donnent des sensations, notamment des impressions d'effort conformes aux réactions du monde artificiel où l'on s'est aventuré.
Ce monde est habité par des humains, par des êtres imaginaires, trouvés dans des bibliothèques d'objets, d'animaux ou de personnages, ou encore créés et animés en temps réel par d'autres "joueurs" qui partagent le même monde virtuel (mais qui peuvent être physiquement très éloignés de nous). Ces "êtres" sont des objets informatiques, données et programmes, qui peuvent donc se stocker ou se transmettre sur des supports magnétiques.
Réalisé en prototype dès la fin des années 1980, le vivarium est devenu abordable au commun des individus vers la fin du siècle, et se perfectionne constamment : visualisation de plus en plus réaliste, richement colorée et en relief, espace sonore subtil, sensibilité des capteurs, variété des mondes et des êtres, intelligence des personnages, richesse des interactions.
Le vivarium permet à chacun de s'exprimer dans des transpositions de plus en plus lointaines. On commence par s'y matérialiser "naturellement", puis on se transpose, devenant un requin, un astéroïde, un globule blanc, un robot industriel... Ces mondes virtuels traduisent nos goûts, nos fantasmes. On peut donner libre cours à ses pulsions les plus extrêmes, sans danger physique pour soi-même ni pour ses partenaires.
Mais les dangers psychologiques ne sont que trop confirmés par les faits, comme l'ont montré des précurseurs ludiques comme Donjons et Dragons. Certains s'enferment dans un monde rose et perdent le courage d'affronter le réel. D'autres poussent la violence ou l'éros jusqu'à la folie. D'autres encore introduisent des virus perturbateurs et subtilement destructeurs. D'autres entrent avec leurs partenaires dans des jeux de pouvoir et de domination/soumission qui ne font que se renforcer jusqu'à devenir des drogues.
Ainsi, c'est à eux-mêmes, à leur intériorité, que l'extrême liberté de ces nouveaux espaces renvoie les hommes, individus et groupes sociaux. Eclatez-vous... mais attachez vos ceintures avant le décollage. Sinon, c'est l'implosion qui vous attend !

exécutés ou feront l'objet de résistances. Ainsi, il apprend, de façon empirique, par l'action, l'éthologie du requin, il entre dans sa peau.
Ici, non seulement l'univers est imaginaire, mais il simule le vivant, grâce à l'intelligence artificielle, dont les "objets" - mais peut-on encore parler d'objets ? - ont été dotés.
Le robot n'est plus un exécutant, serviteur zélé et fidèle. C'est un être multiforme, qui, peu à peu, entoure l'homme, occupe ses perceptions, investit ses sens et le soumet à des règles contextuelles contre lesquelles il ne peut rien. La manipulation de l'homme par l'homme est en marche. On en perçoit ici la nature profonde : plonger l'individu dans des contextes où il peut se mouvoir et agir, mais en respectant des règles préprogrammées. Ces règles sont en fait ce qu'on veut lui apprendre. Tout commença d'abord avec l'entraînement des pilotes d'avions et d'engins militaires. Dans des situations où la moindre erreur peut être fatale, ne faut-il pas chercher à éduquer le mieux possible les réflexes ? Puis vint la simulation de gestion d'entreprises avec les "business games". Les jeux pédagogiques se sont

On n'apprend rien qu'à force de se tromper. Proverbe turc.

ensuite multipliés. Tout converge vers une manipulation généralisée où manipulateur et manipulé sont tous deux consentants. La limite et le renversement de cette évolution apparaissent lors de la manifestation des premiers troubles psychiques. On ne se prend pas longtemps pour un requin sans que les premiers symptômes évocateurs n'apparaissent rapidement. Dès le début du troisième millénaire, on croise dans la rue des êtres humains zombifiés par des apprentissages trop efficaces. On voit alors jusqu'où on est allé trop loin. En même temps, on dispose des outils nécessaires pour lancer l'industrialisation des connaissances, la grande révolution pédagogique des années 2020 à 2060.

COPIER LA NATURE OU BIEN INNOVER RADICALEMENT ?

De tout temps, l'homme a cherché à innover en copiant la nature. Il suffit d'aller voir l'avion de Clément Ader au Conservatoire des arts et métiers, à Paris, pour s'en convaincre. L'inventeur a copié la nature avec la forme des ailes, la géométrie générale de la machine et le remplacement du bois plein par des assemblages creux, pour gagner en rigidité et en poids. Néanmoins, il a renoncé au battement des ailes, qui s'est révélé aussi inefficace que les pattes pour les véhicules terrestres, au profit de l'hélice.

Le progrès des robots industriels, ou des engins de terrassement, obéit aussi à ce double processus. L'organisation des bras et la position des vérins s'est, au fil des ans, rapprochée du type d'articulation et de motricité que l'on trouve chez les animaux. Mais les dimensions, les matériaux, les formes d'énergie restent très éloignées du biologique. C'est dans le domaine de l'"intelligence artificielle" que la combinaison des deux mouvements est la plus intéressante à suivre. Cette expression indique l'imitation, par l'artifice, par la technologie, d'une de nos capacités les plus essentielles, l'intelligence. Ou, du moins, d'un certain nombre d'activités que l'on peut qualifier d'intelligentes.

Pour tenir compte de petits problèmes de manutention, les disques laser de 2017 ne se rayent plus. ▼

Dans le domaine des jeux, et singulièrement dans celui des échecs, on voit la machine atteindre aujourd'hui le niveau des maîtres, au terme d'une évolution régulière qui devrait normalement la conduire à les dépasser. Mais, en même temps, la machine emprunte et utilise dans la plupart des cas des itinéraires différents de ceux des joueurs humains. Ainsi progresse la machine, à la fois en copiant la nature et en s'écartant d'elle, que ce soit pour ses organes matériels ou pour ses fonctions du plus haut niveau. Tantôt elle est si différente de nous qu'elle se fait monstrueuse, ou d'une abstraction in-

▲ *La chaîne s'est vidée de ses opérateurs humains.*

compréhensible. Tantôt elle nous rejoint si bien qu'un effort s'impose pour détecter le simulacre. A quelle date la machine atteint-elle le même niveau de complexité que le nôtre, au point que la différence ne soit plus perceptible, et que nous soyons distancés ? En 2050, affirmait le roboticien américain Hans Moravec. Jamais, tranchaient d'autres, pour qui l'homme est par essence transcendant à toute machine. Question mal posée, entend-on encore : la machine nous dépasse sur des fonctions définies, comme le calcul, mais reste en retard sur le global. Qui sait ? disaient les plus conciliants : à force de mettre le meilleur de nous dans nos créations, à force de faire converger le mécanique et le biologique... pourquoi ne nous rejoindrions-nous pas nous-mêmes ? Le débat oppose depuis vingt ans Feigenbaum et Dreyfus. Le premier dit que lorsqu'on aura découvert toutes les règles comportementales auxquelles obéit un être humain, on pourra faire un homme artificiel, et peut-être même plus, un Golem. Le second dit que, pour des raisons philosophiques, l'homme ne peut expliciter toutes ses règles. Mais l'un et l'autre se retrouvent à côté du berceau des machines dites connexionnistes, qui précisément semblent capables d'apprendre par l'expérience, mais sans qu'il soit nécessaire de leur énoncer des règles intelligibles. Ces machines sont neuromimétiques. Dans leur fonctionnement, elles s'apparentent à des organismes vivants : la machine devient "vivante". Et plus elles sont performantes, moins elles sont compréhensibles. Même les automates ont besoin d'un jardin secret.

Pour bâtir haut,
il faut creuser profond.
Proverbe mongol.

■ ***La machine atteint aujourd'hui le niveau des maîtres et va normalement les dépasser.***

ROBOTS ET ATELIERS FLEXIBLES

Quelle que soit la passion du mécanicien, de l'ingénieur, de l'informaticien, la machine, au départ, fut faite pour produire. Après avoir produit en grande série des objets tous identiques (la même Ford T), le robot permet la flexibilité, c'est-à-dire la diversité des produits, sans ralentir le rythme de la production. L'automatisation "flexible" intègre l'ensemble des moyens de production : commandes, planifi-

■ ***A force de mettre le meilleur de nous dans nos créations, pourquoi ne nous rejoindrions-nous pas nous-même ?***

■ ***Le robot permet la flexibilité, c'est-à-dire la diversité des produits, sans ralentir le rythme de la production.***

COMPTE-RENDU DE VISITE (2037)

L'usine Tien-Hoa produit des sous-marins miniaturisés, de loisir, destinés à la pêche au gros et à l'aquaculture des jardins sous-marins, qui ont trouvé une large clientèle chez les retraités de Floride, de Tanzanie et de Nouvelle-Zélande.

Usine sans hommes, très compacte, elle rassemble une centaine de robots principaux, sans compter la maintenance et la coordination. Ils sont très divers. Les plus élaborés et les plus adaptables ont une apparence animale, voire humanoïde, avec leurs membres agiles et leur tête bardée de caméras et de capteurs. La plupart sont spécialisés : chariots de transfert, transtockeurs, fours à régulation intelligente, etc. Le contrôle de qualité est omniprésent, mais, comme nombre de fonctions essentielles, ne se laisse pas voir : la valeur de l'usine réside dans ses logiciels, non dans ses équipements matériels. Les hommes ne viennent à l'usine que s'il est nécessaire d'intervenir physiquement pour reconfigurer les unités d'assemblage ou effectuer des travaux exceptionnels. En temps normal, les opérateurs travaillent depuis leur domicile, grâce à leur station de télésurveillance et de téléopération. Cette station comporte un "écran relief". Il peut fournir en mode interactif des descriptions volumiques des en cours de conception ou de fabrication. Il permet aussi la téléprésence aux réunions de travail.

cation, ordonnancement, conception, programmation des machines, gestion des stocks, expédition, etc. C'est ce qu'on appelle la productique intégrée, ou encore le CIM (Computer Integrated Manufacturing). Ateliers flexibles, CAO, organisation et gestion JIT (Just In Time) s'y marient. Le progrès est plus ou moins rapide selon les secteurs économiques concernés. Automobile, appareils de communication, matériels électriques et électroménagers comptent parmi les secteurs les plus avancés. Mais les robots coûtent cher et sont encore longs à programmer. Leurs capacités potentielles sont immenses. On peut les équiper de capteurs plus sensibles que nos organes de perception et de muscles bien plus puissants que les nôtres. Whittaker, chercheur au Carnegie Mellon University, considère que les robots voient mieux que nous, notamment parce qu'ils peuvent compléter la vision optique binoculaire (ou tri-oculaire) par des mesures au laser ou aux ultrasons. Et, pour traire les vaches, les robots ont su se faire en même temps assez durs pour résister aux coups de patte, et assez doux pour ne pas blesser les pis.

Les robots peuvent devenir beaucoup plus grands que l'homme. Au début du troisième millénaire, c'est le cas des engins de travaux publics, et aussi du matériel agricole, où la robotique a percé dès avant l'an 2000. Ils peuvent également être beaucoup plus petits, tels le nanomoteur de la taille d'un cheveu qui anime un gratteur que l'on envoie déboucher les artères encrassées. Les robots nettoyeurs se multiplient. Certains font le ménage dans le métro, d'autres lavent les vitres des tours. Des nanorobots nettoient l'intérieur du corps humain. Certains robots travaillent isolément, éloignés de tout, dans des sondes d'exploration spatiale. Mais, en général, ils se regroupent en unités de production qui sont l'aboutissement de l'usine comme de l'artisanat d'hier.

■ ***Un nanomoteur de la taille d'un cheveu qui anime un gratteur que l'on envoie déboucher les artères encrassées.***

■ ***Les robots sont des "amplificateurs" qui dilatent nos possibilités naturelles ou compensent nos déficiences.***

L'allégorie du "Voyage fantastique" devient réalité dès 2015 avec les nanomoteurs. ▼

G.O. (GENTIL ORDINATEUR)

L'HOMME DANS LE MONDE DES MACHINES

Si les robots sont souvent présentés comme nos "alter ego", il existe aussi des machines qui nous prolongent, qui nous remplacent. Ce sont des "amplificateurs" qui dilatent nos possibilités naturelles ou compensent nos déficiences.
Le symbole même de l'amplificateur, c'est la voiture. Moyen de transport efficace (en général...), mais plus encore projection de la personnalité. Que deviennent les transports ?

ZOOLOGIE DES ROBOTS FIN DE SIÈCLE.

Les robots de 1990 sont toujours plus ou moins spécialisés, ne serait-ce que pour limiter les coûts. La plupart d'entre eux, par exemple, ne se déplace pas et donc, s'ils ont des bras, ils n'ont ni jambes, ni roues. Leurs champs d'activité sont divers :
- dans l'industrie, les robots manufacturiers (soudage, collage, peinture, assemblage, polissage, desserte, transport...) complètent d'autres systèmes automatiques (machines-outils à commande numérique, presses, machines à injecter, etc.) ;
- dans les milieux extrêmes, les robots déplacent la frontière de l'intervention humaine ; dans la plupart des cas, les robots sont téléopérés ou téléprogrammés, c'est-à-dire que l'homme et le robot communiquent et coopèrent ; le spatial fournit ainsi de très nombreux exemples de réalisations, dont les plus raffinées sont, en 1990, les sondes interplanétaires ;
- le monde sous-marin accueille les robots, même si le plongeur humain a pu pénétrer jusqu'aux profondeurs importantes dont l'exploitation pétrolière réclamait la maîtrise ;
- le monde nucléaire est un de ceux où les robots sont les plus utiles ; les chaînes de traitement des déchets, qui doivent assurer auto-maintenance et démantèlement en fin de vie, les utilisent de façon intensive ;
- pour la défense, les robots les plus courants s'appellent missile autoguidé, torpille intelligente, missile de croisière, robots d'intervention pour désamorcer des colis piégés, repérer explosifs et armes, être les éclaireurs du danger ;
- dans les mines comme en agriculture, l'automatisation du machinisme conventionnel se poursuit régulièrement. Les robots de cueillette sortent des laboratoires et un robot tond des moutons (volontaires !) en Australie ;
- le robot est également présent à l'hôpital. Malgré de nombreuses tentatives, l'orthèse ou la prothèse intelligente ne trouvent pas de vastes marchés. Certaines machines de "monitoring" ou organes artificiels peuvent déjà être considérés comme des robots ; on voit aussi des robots en chirurgie ;
- dans la vie domestique, le robot ménager n'est pas encore vraiment un robot, au sens où l'entendent les hommes de l'art. Mais il le devient au fur et à mesure que ses régulations et ses organes de perception progressent. L'aspirateur ménager autonome ne fait que de timides tentatives ;
- dans le domaine des services, deux thèmes sont privilégiés, le nettoyage et la surveillance.

▲ *Le retour de week-end en automobile volante pose toujours le problème des bouchons.*

Les recherches sont d'autant plus actives que l'automobile et l'aviation, parties initialement de rien, sont devenues au vingtième siècle des secteurs dominant l'économie. Le vingt-et-unième siècle présente une grande diversité de véhicules collectifs ou individuels. Tantôt pour aller très vite si cela est justifié, comme pour les véhicules d'intervention de sécurité civile ou militaire. Tantôt pour aller partout, y compris dans la montagne, l'eau et l'air.

Individuel ou collectif ? Telle est la première question qui se pose aux transports depuis 1900. Nos ancêtres rêvaient d'infrastructures. Ils imaginaient un monde maillé d'un réseau de voies ferrées, de trains, de métros et tramways interconnectés. Puis le transport individuel s'est fait conquérant, avec l'automobile de l'après-guerre. Dans les pays neufs, des mégalopoles ont poussé sans transports en commun structurés ou presque. La crise de l'énergie a légèrement réduit le déséquilibre. Les succès du TGV et des lignes aériennes de deuxième et troisième niveau ont montré les limites de l'individualisme. On se demande encore si, en 2100, le transport aérien individuel se sera développé, et dans quelles conditions de sécurité.

Mais au-delà des tentatives hégémoniques des différents groupes de pression et des batailles de titans (le rail contre la route, l'automobile contre les zones piétonnes et les transports en site propre, l'avion contre le TGV), l'évolution des transports suit certains fils conducteurs. Chaque outil a son domaine d'excellence et ses limites. L'aviation n'est pas contestée pour le transport intercontinental rapide de passagers, ni l'automobile pour parcourir la campagne en touriste. En revanche, la concurrence est vive sur les trajets domicile-travail, ainsi que sur les liaisons rapides de quelques centaines de kilomètres où s'affrontent air, rail et route. Dans cet écosystème des transports, les niches technologiques de chaque produit se précisent peu à peu. On voit apparaître, dès 2005, de nouveaux objets occupant des places laissées vacantes : le très petit véhicule à trois roues avec moteur électrique ou le dirigeable-grue pour le transport de charges vers des zones non desservies. Couplé avec la fabrication en usine des maisons, il révolutionne la construction. C'est l'époque où le rêve

■ ***Dès 2005, l'apparition du dirigeable-grue pour le transport de charges, révolutionne toute la construction.***

■ ***Les anciens jet-skis sont devenus les véhicules familiaux des habitants des villes marines.***

■ ***La maison du vingt et-unième siècle réagit : c'est un amplificateur programmable et sensitif.***

▲ *Les murs d'images balisent l'univers des grandes cités.*

d'implanter des villes à la campagne peut enfin se concrétiser : certaines sont ainsi construites en moins de dix jours. Les monorails urbains fleurissent, suivis, en 2023, des systèmes de guidage sur autoroute. Les tentatives de patins à roulettes à moteur et le développement des ULM arrivent dans la décennie suivante. A cette époque, les anciens jet-skis sont devenus les véhicules familiaux des habitants des villes marines. C'est à la jonction du sport et de l'utilitaire que se produisent les créations les plus fascinantes.

A l'inverse, la maison mobile renouvelle le fantasme de l'univers personnel déplaçable, essentiel à une bonne part des voyages extraordinaires dont rêvait déjà Jules Verne. Confortable, climatisée, à géométrie interne variable pour permettre la succession de différentes activités, la maison mobile n'a même pas besoin d'être très grande pour devenir un espace permanent d'existence. L'habitabilité intérieure, la possibilité de réaménager l'espace ont séduit le public. L'objet se fait plus féminin. Il séduit désormais autant par son aspect intérieur qu'extérieur. Après la Renault Espace, que l'on croyait réservée, lors de son lancement, à une clientèle spécialisée, se déploie toute une gamme de véhicules habitables, qui gagnent peu à peu l'essentiel du marché sur toute la planète. La maison aussi est un amplificateur-prothèse. Nous la bourrons tous les ans avec un peu plus d'électronique. La maison du vingt-et-unième siècle est programmable. Un ordinateur déclenche le chauffage, fait couler le bain ou chauffer le café au moment où les conditions prédéfinies sont vérifiées. Commandée par téléphone, elle est également sensitive. Le système informatique repère les anomalies et les effractions, sait dans quelle pièce se tiennent les habitants et règle l'environnement en conséquence. Le terme de domotique a été forgé aux alentours de 1986 pour traduire une volonté de mise en cohérence de tous ces équipements, ne serait-ce que pour ramener à la raison

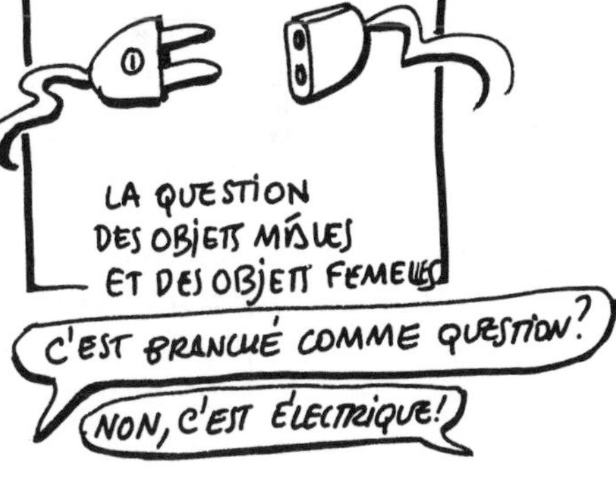

RETOUR À LA MAISON

Le jour tombe. La voiture-bureau, après une tournée en clientèle, revient se garer dans la résidence. La maison attendait. A quelque distance, elle a reconnu le véhicule, discrètement échangé les messages de sécurité avec l'ordinateur de bord. Tout va bien. C'est la bonne maison pour la bonne voiture. Les portes s'ouvrent d'elles-mêmes, celle de la maison face à celle de la voiture : il suffit de se lever !
Ambiance calme : la maison sait que l'hôte est fatigué du voyage, des dialogues, des affrontements commerciaux et sociaux. En sourdine, presque subliminale, une musique ancienne (du Boulez) ; un soupçon de parfum d'anis, pour éveiller l'appétit.
Peu à peu, les murs s'animent. La maison sent (elle a des milliers de capteurs diversifiés) que l'hôte se détend. Un petit robot apporte le cocktail préféré, assorti de quelques amuse-gueule mis à réchauffer dès que l'approche de la voiture a été perçue.
Mais quelles sont les nouvelles ? Un des murs se transforme en écran informationnel. D'abord les messages de la famille. Attention aux notes d'un des jeunes, indique l'androïde pédagogue, qui croit déceler une baisse de motivation. Globalement, tout le monde est en bonne santé, et la statistique du métabolisme et des consommations des membres du foyer ne fait que traduire, bien normalement, la montée de sève du printemps.
Au fait, comment est le jardin ? L'hôte se dirige vers une cloison qui s'ouvre devant lui, laissant pénétrer l'air plus vif de l'extérieur, volontairement laissé très "naturel" dans ce quartier excentré d'une petite ville du Gâtinais. Tiens, le système d'arrosage automatique semble mal réglé. Les pousses de la race nouvelle de jasmin que l'hôte tente de créer ne sont pas aussi belles qu'espéré. Un dialogue avec l'ordinateur-jardinier ne permet pas de bien comprendre la cause. Mauvais choix génétique ou mauvaise programmation de l'humidificateur goutte à goutte ? Un peu tard pour y travailler ce soir, mais cela mérite d'y passer la journée de demain, car cette espèce nouvelle, brevetée par l'hôte, intéresse beaucoup certains parfumeurs.
La maison s'anime, la famille élargie se rassemble. Une quinzaine de personnes a choisi de dîner ensemble ce soir. A peu près la moitié de la petite tribu qui habite les cinq maisons du micro-village. Une mamie arrive en fauteuil roulant, escortée par deux gamins qui la taquinent en écoutant ses histoires. Des adolescents dévalent avec des copains. Râleurs et pas très propres, mais on ne dira rien. Une conversation s'établit ; on essaie d'y faire participer un cousin handicapé mental, sans grand succès. La discussion est relancée par des spots d'information. Les enfants contestent la position d'un gourou, les anciens hochent la tête, les parents font la part des choses. Entre les convives, le chien se dispute avec le robot-chat.
Chacun rejoint ensuite son espace personnel, où il anime à l'écran ses personnages favoris, lance les programmes éducatifs, ou encore appelle les copains éloignés. Les couples se retirent dans l'intimité. Le ménage des hôtes retrouve son nid conjugal, cet espace qu'ils ont amoureusement perfectionné au fil des ans.
Puis la nuit s'installe. Le village veille, protégé de toute agression extérieure. Attentif à préserver en son sein les équilibres. Demain, la maison réveillera chacun à son heure.

des câblages toujours plus chevelus. D'autres parlent de "maison intelligente". Dès la fin du vingtième siècle, les expériences se multiplient au Japon, en Europe et aux Etats-Unis.
Mais les amplificateurs énergétiques perdent de leur importance au profit des amplificateurs informationnels, des réducteurs de complexité. D'où l'importance de la communication homme-machine, qui consomme une part croissante de la puissance des ordinateurs.

HOMME ET MACHINE : L'INTERFACE

La musique adoucit les mœurs. ▼

Robot ou amplificateur, nous devons communiquer avec la machine. Certes, nous n'avons plus à lui fournir d'énergie : plus de moulin à bras, de manivelle, ni même, sous la machine à coudre, de pédale. Sauf pour entretenir la forme. Les échanges sont devenus essentiellement informationnels. Une des clés de l'avenir est alors l'organisation de ces échanges et des dispositifs qui les permettent.

Celui qui confesse son ignorance la montre une fois ; celui qui essaye de la cacher la montre plusieurs fois.
Proverbe japonais.

La machine comprend la parole dans des conditions très limitées qui en restreignent l'usage.

La vision artificielle donne lieu , après 2016, au développement de toute une gamme de jeux où l'environnement visuel et sonore évolue. Le plus connu est la danse du feu.

Etant donné la nature du système sensori-moteur des humains, la communication passe actuellement par deux canaux principaux : main/clavier-souris dans le sens homme/machine, écran/œil en sens inverse. Tous les autres sens restent plus difficiles à utiliser.

▲ *La vision nocturne est devenue indispensable aux missions de sauvetage.*

Presque tout le monde rêve de progrès substantiels sur le canal vocal. On entend régulièrement dire que la machine comprend la parole. En fait, c'est toujours dans des conditions très limitées, qui jusqu'ici en restreignent l'usage à quelques applications industrielles et militaires. Cela tient notamment à la complexité de la langue naturelle, écrite et orale. Des progrès sont toutefois notés après la conférence de Kigali en 2061. A l'inverse, s'il est facile de faire dire un texte à la machine, il est très difficile de rendre sa diction correcte et a fortiori agréable. Pour obtenir une bonne expression orale (prosodie), comme pour comprendre la parole, il faudrait que la machine travaille à partir du niveau sémantique, autrement dit qu'elle "comprenne" ce qu'elle entend ou ce qu'elle veut dire. Les progrès en ces domaines sont réels, mais très lents, et il ne faut pas s'attendre à des découvertes spectaculaires, au moins dans les prochaines années. Le dialogue homme-machine exploite intensément les capacités remarquables de l'œil et de la part considérable du cerveau qui est affectée à la vision. La vue est, en quelque sorte, un calculateur fortement parallèle, à la fois rapide et adaptatif. Le petit écran est donc devenu le moyen universel employé par l'ordinateur pour nous informer et nous instruire. Les progrès sont réguliers tant en ce qui concerne les écrans (couleur et résolution, également la présentation) que le design des messages. On peut enfin proposer des visions combinées du monde réel et de données pré-

La police municipale a adopté une attitude très stricte en ce qui concerne les infractions au code de la route. ▼

sentées sous forme graphique. C'est le cas des systèmes d'information et de pilotage d'avions de chasse et d'hélicoptères. En sens inverse, la vision artificielle (celle où le robot reconnaît l'objet qu'on lui présente) n'est utilisée, en environnement industriel, que pour des positionnements, ou, dans l'univers bureautique, pour la lecture de caractères (de plus en plus efficace). Quand l'ordinateur regarde son utilisateur et interprète ses mouvements sans attendre des frappes au clavier relativement lentes, on peut alors dire que la machine réagit au doigt et à l'œil. Les expériences de 1990 ne concernent encore que les handicapés. Elles donnent ensuite lieu au développement de toute une gamme de jeux où l'environnement visuel et sonore évolue selon le mouvement du corps des joueurs. Le plus connu est celui dit de la danse du feu... Le prix des dispositifs de vision baisse régulièrement et ils pourraient donc être appliqués dans les interfaces homme-machine. Mais l'idée même d'être regardé par une machine devient gênante : sommes-nous prêts à l'accepter ?

Je salue mon seul parent survivant dans le monde : la terre.
Proverbe maori.

A la différence du robot, la prothèse ne menace pas de se révolter, car elle n'est pas conçue pour être autonome. Mais nous pouvons tout de même en devenir esclaves, par habitude. A force d'utiliser des calculettes et des outils de CAO, restera-t-il des gens capables de concevoir sans machine ? Les automobilistes au ventre trop rond ont besoin de faire du sport. Ils courent le dimanche dans les parcs. De même, la multiplication des ordinateurs fait renaître le besoin de sports neuronaux : échecs, go, jeux mathématiques, awélé, mots croisés... Mais l'interface entre un individu et une machine n'est qu'un aspect microscopique des problèmes qui nous attendent au vingt-et-unième siècle : c'est douze milliards d'humains qui vont communiquer avec cent milliards de machines.

Plus que la relation "homme-machine", c'est la relation "groupe-système" qui va requérir des recherches soutenues. On commence à parler de "groupware"... ce n'est que le début d'une longue marche vers une nouvelle "ingénierie" à la fois technologique et sociale.

En 2063, la révolte des robots-guerriers fut matée en deux jours. ▼

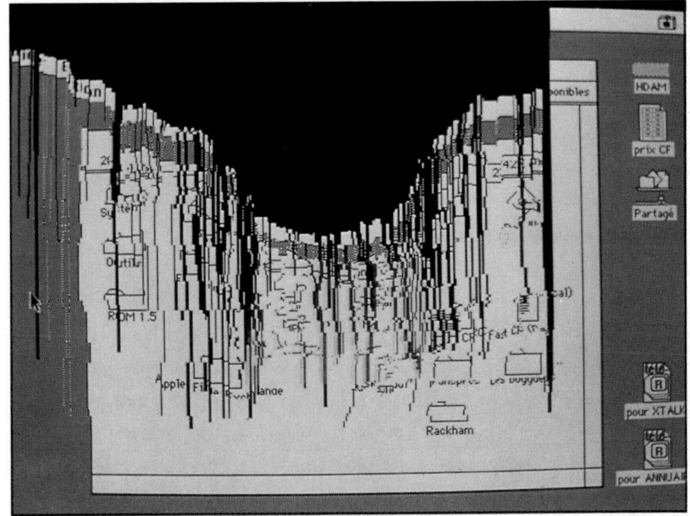

La destruction à distance des écrans d'ordinateurs est rendue possible par la création de virus extrêmement pernicieux. ▶

Alors, la dynamique est-elle celle de la machine ou celle de nos rêves ? Les deux convergent puisque la machine, de plus en plus affranchie des contraintes passées, devient surtout expression de nos conceptions, de nos rêves. Mais, en même temps, chaque individu domine de moins en moins les machines. Le dix-neuvième siècle, et la première moitié du vingtième, ont vu le triomphe des mécanismes, des machines orgueilleuses jusqu'à l'impudeur. Elles ont atteint leur paroxysme, dans le grandiose comme dans l'atroce, avec la Deuxième Guerre Mondiale. Des "Temps modernes" au "Dictateur", les films de Charlie Chaplin en ont décliné les facettes. Ensuite, jusqu'aux années 1980, c'est la généralisation, la diffusion des machines, en tous lieux et pour toutes les fonctions, qui est marquante : automobile, électro-ménager, micro-ordinateurs. Le monde des machines reste polarisé par quelques monstres sacrés, médiatiques pour le pire et pour le meilleur : automobile de formule 1, générateurs nucléaires, vecteurs spatiaux. Mais déjà on atteint la saturation en de nombreux points (encombrement des infrastructures de transport, pollution).

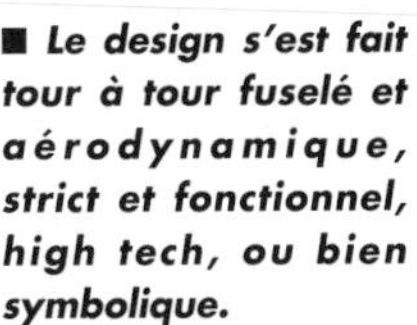
■ ***Le design s'est fait tour à tour fuselé et aérodynamique, strict et fonctionnel, high tech, ou bien symbolique.***

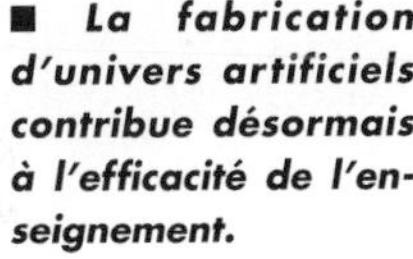
■ ***La fabrication d'univers artificiels contribue désormais à l'efficacité de l'enseignement.***

LA SOCIÉTÉ DE L'INTELLIGENCE

La fin du vingtième siècle est encore sous l'influence d'une conception servile de la technique. Les machines sont censées être des esclaves mécaniques, réquisitionnés sans effort par leurs maîtres, comme le disait, en 1953, Martin Heidegger. Néanmoins, comme dans l'antiquité, bien des maîtres sont tombés amoureux de leurs esclaves. Alors, la forme et les performances des machines ont commencé à exprimer certains fantasmes. Le design s'est fait successivement fuselé et aérodynamique, strict et fonctionnel, militaire, géométrique, destructeur, high tech (l'objet révèle son intérieur), symbolique. Les performances ont aussi été cultivées pour elles-même. On gagne dix minutes d'avion sur un trajet de mille kilomètres, et on en perd trente pour se rendre à l'aérogare et procéder aux formalités d'embarquement. On achète une GTI qui peut atteindre 200 kilomètres/heure pour rouler à 20 kilomètres/heure dans les embouteillages. La performance sert de décoration. On l'exhibe de temps en temps, pour impressionner les connaisseurs. Mais l'objet est là, docile et puissant. Et la passion est assouvie de temps en temps.

LA GRANDE INVERSION DE 2020

A l'aube du troisième millénaire, l'homme est encore hanté par un rêve satanique. Comment dominer, manipuler ou domestiquer son semblable ? Il consomme à cet effet une énergie et une imagination impressionnantes (dépenses militaires, publicité...). Les machines, subrepticement ou ouvertement, multiplient la puissance du conditionnement. La fabrication d'univers artificiels dans lesquels on plonge les sujets est, dès l'an 2000, à portée des programmeurs. Elle présente des avantages : l'efficacité de l'enseignement en bénéficie. Mais elle ouvre la porte à des pratiques ambiguës, à la fois génératrices de plaisirs et porteuses de manipulations.

Cette évolution technique s'accompagne d'un retournement de l'attention. Ce qui pose problème à l'homme, c'est moins une extériorisation conquérante qu'une intériorisation des équilibres. Il lui faut équilibrer sa relation avec la nature, qui ne peut plus être seulement prédatrice comme par le passé, à cause du déséquilibre écologique planétaire et des autres risques technologiques majeurs. Il lui faut aussi équilibrer sa relation avec lui-même, avec les dangers des différentes formes de drogue et de manipulation psychique. Cette intériorisation se dessine dans l'architecture. Les hôtels et centres commerciaux apparaissent sous la forme de géodes. L'aménagement intérieur est revalorisé. Les actions vers l'extérieur gardent une valeur, non plus pour leurs résultats, mais pour les effets intérieurs qu'elles produisent.

Dans la civilisation de l'image, les projections holographiques géantes envahissent notre espace intérieur. ▼

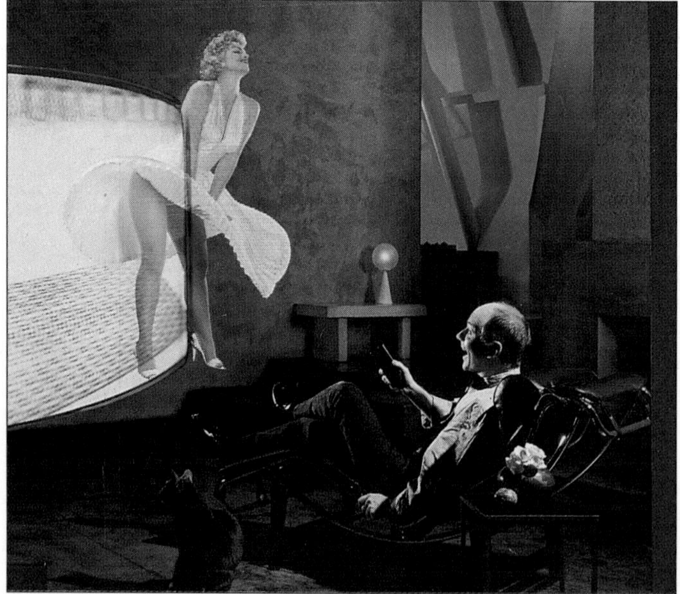

A quoi sert de faire le tour du monde si l'on reste identique en tous points ? Autant rester chez soi et évoluer intérieurement. Le design s'en ressent. Il était cantonné à l'habillage du produit. Il s'intéresse

▲ *Le père Noël se reconvertit tant bien que mal, à une époque de mythes et légendes.*

désormais à sa structure et à ses fonctionnements. L'aspect extérieur suffisait à le qualifier. On consentait à regarder les objets industriels comme les œuvres d'un art mineur porteuses d'un peu d'esthétique parce que, comme disait Raymond Lœwy, " la laideur se vend mal". Désormais, l'essentiel est en dedans. Si l'on peut zombifier les humains en jouant sur leur environnement, en saturant leurs sens de messages et d'ambiances, alors les ressorts de la puissance sont bien vers l'intérieur. Et la résistance au pouvoir s'organise, à ce moment, aussi depuis l'intérieur.

Ce fonctionnement cognitif intériorisé se retrouve, à l'échelle de la planète, avec la construction du réseau téléphonique mondial. Ce dernier permet de court-circuiter les anciennes formes de pouvoir, basées sur l'autorité et la contrainte.

La grande inversion de 2020 fait alors passer l'humanité de l'ère de la manipulation à l'ère des enseignements. La diffusion universelle d'interfaces conviviales permet à tous d'entrer dans les réseaux informationnels du vingt-et-unième siècle. Peu à peu, le fonctionnalisme est dépassé, les espaces matériels relayés par les "configurateurs d'ambiance". De surcroît, de nouveaux moyens de transport et l'ouverture vers l'espace desserrent les contraintes physiques de la planète Terre. A partir de 2060, la libération devient assez sensible pour que le design ludique, la réalisation des rêves, devienne une activité partagée par la plupart des êtres humains. La société de l'intelligence commence alors. Celle où l'intelligence n'est plus confisquée par quelques-uns, mais répartie dans l'ensemble du corps social. Comme disait Hölderlin, nous commençons à ré-"habiter en poète". L'essence de la technique n'est plus la réquisition comme autrefois, mais est devenue l'art de l'illusion. Dès lors, l'essentiel est la conception, la créativité, la dialectique du rêve et du principe de réalité. Les machines, et les réseaux qu'elles forment, servent ces rêves et les conditionnent en même temps. Elles en aident la naissance et la mise en forme, en permettent le partage en mode local ou à distance, les stockent pour s'affranchir du temps, et parfois (plus rarement) leur donnent une existence matérielle. D'ici 2100, nous serons douze milliards à rêver efficacement. Pour éviter le cauchemar, il faut travailler les rêves autant que la technique. ■

■ ***Qui veut zombifier les humains en jouant sur leur environnement tout en saturant leurs sens de messages et d'ambiances ?***

■ ***Peu à peu, le fonctionnalisme est dépassé, les espaces matériels relayés par les "configurateurs d'ambiance".***

Troisième partie

L'approche des limites

Le déploiement planétaire de la technique ouvre la perspective d'un monde sans frontières, où se réalisent les rêves des hommes. Cette vision s'appuie sur des faits, mais il faut aussi voir les risques. La planète n'est pas illimitée et l'espèce humaine, déjà nombreuse, devrait doubler, atteignant douze milliards d'individus aux alentours de 2100. D'ores et déjà des saturations se manifestent. Les villes sont embouteillées, les pollutions mal maîtrisées et les déserts gagnent. La nourriture est surabondante dans certains pays, alors qu'on meurt encore de faim ailleurs.

L'approche des limites se fait le plus souvent dans de mauvaises conditions. Les responsables semblent pris de court. L'imprévoyance est la règle, alors qu'elle devrait être l'exception. Il n'y a jamais de quoi accueillir les nouveaux venus. Ils squattent les terrains pour y construire des baraques. Les transports, l'électricité, le téléphone ne sont pas pour eux. Il n'y a pas de classes pour leurs enfants, et pas de place dans les universités quand ils sont grands.

Que signifie cette société d'exclusion au regard de l'histoire ? Déjà, au moyen âge, quand les limites techniques de l'époque avaient été approchées, les saturations s'étaient accompagnées d'un durcissement général, précédant le grand effondrement du quatorzième siècle. Les institutions ont alors préféré leur propre survie à celle des hommes. Au dix-neuvième siècle, la réaction des classes dirigeantes fut différente. Quittant la mentalité du château fort, où les privilégiés se murent dans une attitude défensive, elles opèrent un gigantesque effort de structuration : les villes (Haussmann) et les esprits (Jules Ferry). Face à la partition de la société en deux classes, où les riches devenaient de plus en plus riches et les pauvres de plus en plus pauvres, elles jouent l'intégration, le nivellement par le haut. Il faut attendre quelques décennies pour mesurer le succès de cette stratégie.

Néanmoins, les approches des saturations sont toujours des époques d'injustice et d'oppression, et en même temps des époques de prise de conscience où les grands problèmes de l'humanité sont reposés. En comparaison, les périodes tranquilles et sans histoires sont des périodes d'insouciance, voire d'inconscience, pendant lesquelles, faute d'enjeu, les questions morales, philosophiques et religieuses sont peu débattues.

La notion de transition permet d'appréhender ces évolutions dans une perspective plus globale. Elle vient de la biologie. Quand une espèce s'accroît jusqu'à saturer sa niche écologique, ses effectifs suivent une courbe en S. C'est ce que nous appelons une transition : le passage d'un état germinal à un état saturé, où le terrain est occupé. La première partie d'une courbe en S ressemble à une exponentielle, c'est un développement sans contrainte, insouciant comme le furent les "trente glorieuses" de l'après-guerre sur le plan économique. La seconde partie au contraire est une décélération, avec intériorisation des contraintes externes. Entre les deux, une inflexion, l'inversion de tendance, dans laquelle la logique s'inverse et la conscience s'élargit. Aussi les quatre transitions présentées dans les chapitres qui suivent sont de véritables tournants de l'histoire de l'humanité.

La première transition concerne la démographie mondiale qui s'infléchit. Les baisses de la natalité sont déjà perceptibles, la diffusion de la contraception et l'éducation vont les accentuer. Les calculs de projection montrent une évolution lente. La seconde phase de la courbe en S de l'espèce humaine s'étend sur l'ensemble du vingt-et-unième siècle. Les Nations Unies voient une stabilisation entre dix et quinze milliards en 2100. Nous avons calculé, avec des hypothèses de migration plus fortes et une décroissance de la natalité moins rapide, un maximum de douze milliards et demi au vingt-deuxième siècle. Mais les différences entre les calculs ne deviennent sensibles qu'à partir de 2050. D'ici là, sauf catastrophe majeure, le nombre total des humains est à peu près déterminé, bien que leur localisation ne le soit pas. Le début du vingt-et-unième siècle est en effet une période de fortes migrations, accentuée par le réchauffement de la planète qui rend habitables des parties de la Sibérie et du Canada, alors que la désertification progresse dans les zones tropicales à la natalité débordante. Après quoi, le développement du tourisme et la possibilité de se connecter instantanément en tous lieux aboutissent à une véritable délocalisation de l'espèce humaine.

La transition agro-alimentaire est sans doute le phénomène économique le plus lourd de conséquences. Depuis la Seconde Guerre mondiale, elle est la cause de migrations massives et de déstabilisations des sociétés traditionnelles. Après plusieurs vagues de migration vers les villes, réduisant à moins de 10% la population restant dans les campagnes, le système agro-alimentaire du vingt-et-unième siècle prend un visage bien différent de ce qu'il est aujourd'hui. La provenance de la nourriture n'est plus nécessairement rurale. Des "agricultures sans terre", sur billes d'argile expansée ou d'autres terrains artificiels, sont réparties en tout lieu, y compris dans les villes et sur les eaux ; l'aquaculture se développe massivement ; les produits deviennent plus versatiles (la même protéine peut provenir d'une viande, d'un poisson, d'un soja, voire d'un arbre, puis être dotée d'un goût et d'une texture convenant au public). Voilà autant de facteurs qui font de la production alimentaire une activité industrielle comme les autres.

La transition agro-alimentaire engendre par contrecoup une transition urbaine. La concurrence des agricultures industrialisées, désespérant les petits cultivateurs, a, en quelques décennies, repoussé vers les villes plus d'un milliard d'êtres humains.

Dans toutes les grandes cités du monde, à l'Est comme à l'Ouest, au Nord comme au Sud, sont nés et ont grandi des "sauvages urbains". Ils n'ont plus accès aux techniques de leurs ancêtres, qui permettaient de survivre dans la nature. Ils n'ont pas pour autant accès aux technologies modernes, étant en quelque sorte nés exclus de la société du signe. Pour ceux qui arrivent illettrés à l'âge adulte, il est presque impossible de rattraper le retard. Le rêve américain du "self made man" devient, pour les pauvres, si inaccessible qu'il en est dérisoire, objet de révolte plus que de convoitise. Les déshérités, alors, considèrent la ville comme une jungle et y inventent de nouveaux modes de survie.

A l'exploitation de la faiblesse économique dénoncée par Marx, succède maintenant l'exploitation de la faiblesse psychique, la "persuasion clandestine"[1] , la drogue sous toutes ses formes, les pouvoirs maffieux. La science s'est enfermée dans des jargons. L'irrationnel revient. Les sectes prolifèrent, les charlatans se multiplient, les intégrismes gagnent. Partout, l'homme s'attaque au psychisme de son semblable, pour le manipuler, l'intimider ou l'envoûter.

La fortune ne met pas à l'abri des influences, au contraire. Seules les âmes fortes résistent. Elles sont plus fréquentes chez les sauvages urbains, habitués dès leur enfance à survivre en exploitant les faiblesses des autres, que chez les nantis élevés dans la ouate. La pauvreté et l'exclusion atteignent des niveaux à la fois inhumains et dangereux. L'accroissement de l'injustice inquiète les classes dirigeantes et jusqu'aux classes moyennes des pays riches. Mais surtout, l'insécurité physique des personnes, riches comme pauvres, s'accroît, jusqu'à l'intolérable.

Dès lors, le choix est clair : la violence ou le "partage du savoir"[2]. Après avoir contenu la marée humaine des mégalopoles par la violence et la dissuasion, le moment vient inévitablement où il faut inverser la stratégie : délocaliser l'urbanisme (technopoles, villes marines), structurer les grandes cités par des transports en commun, y aménager l'espace pour faciliter le maintien de l'ordre et, dans un même mouvement, mettre la culture technique à la disposition du public, dans des formes accessibles à tous.

[1] Vance Packard, *La persuasion clandestine*, Calmann-Lévy, Paris, 1989.

[2] Philippe Roqueplo, *Le partage du savoir*, Seuil, Paris, 1974.

Les très grandes villes devenues dangereuses et insalubres sont restructurées. La population préfère les villes moyennes, les technopoles, puis les cités marines. La délocalisation est facilitée par le développement des télécommunications. Etre physiquement absent n'empêche pas d'être branché. Non seulement le travail sur les lieux de loisir devient possible, mais la question de l'occupation de l'espace est posée autrement. S'agglutiner dans des lieux surpeuplés est un pis-aller, il faut repenser les rapports de la ville et de son environnement.

Le vingt-et-unième siècle est celui de la conception d'univers habitables complets, dans lesquels l'ensemble des fonctions - approvisionnement, transports, communications, travail, achats, loisirs - ont été prévus avant construction. La baisse du coût des travaux publics due, entre autres, à leur robotisation ; la légèreté et la simplicité de l'habitat ; la possibilité de fabriquer en usine des maisons transportables par dirigeable ; les logements mobiles et/ou gonflables rendent beaucoup plus rapide et moins coûteuse l'implantation de collectivités humaines en tous lieux. En partant de l'idée de "terrain artificiel" de l'architecte japonais Kikutake, on peut imaginer des villes migrantes, se déplaçant au gré des tâches à accomplir ou du plaisir de leurs habitants, comme des bateaux en croisière. Construire et démonter sont les deux phases d'un même mouvement. La société de production a construit à l'excès. La société du troisième millénaire, qui n'a plus besoin de la pierre ou du béton pour donner forme et solidité à sa mémoire, démonte autant qu'elle construit, et perd l'idolâtrie des vieux objets.

L'environnement est aussi en transition. La techno-nature atteint la planète entière. Cette approche des limites cause une inversion de tendance. Déjà, en 1990, on légifère pour le reboisement du Canada, on fait de la propagande pour celui de la Chine et le monde entier s'émeut de la destruction de l'Amazonie. L'effet de serre est perçu comme une menace, alors que ce n'est qu'un défi. L'homme peut s'accommoder de quelques degrés de plus et d'une montée d'un mètre du niveau des mers. Il construira, au choix, des digues, des pilotis ou des cités marines. Mais il faut aussi faire attention à d'autres phénomènes, résultant de la déforestation et de la surexploitation. Ainsi, le Middle West américain, immense grenier à blé industrialisé, manque d'eau et s'essouffle. Les prélèvements de la pêche s'auto-disciplinent, car certaines espèces marines surexploitées s'étiolent. La prise de conscience des limites de la planète se fait là aussi en même temps que l'aquaculture se développe. L'océan, dernier espace de cueillette, entre à son tour dans la techno-nature.

Les chapitres qui suivent reflètent donc une vision globale. Celle que pourrait avoir un Martien regardant l'espèce humaine dans ses grands mouvements, depuis sa planète. Ils n'énoncent pas ce qui est souhaitable, car les transitions s'accompagnent de souffrances et d'injustices que l'on aimerait bien éviter. Ils essayent seulement de donner une idée d'ensemble de l'approche des limites, un cadrage global de l'évolution du siècle. ■

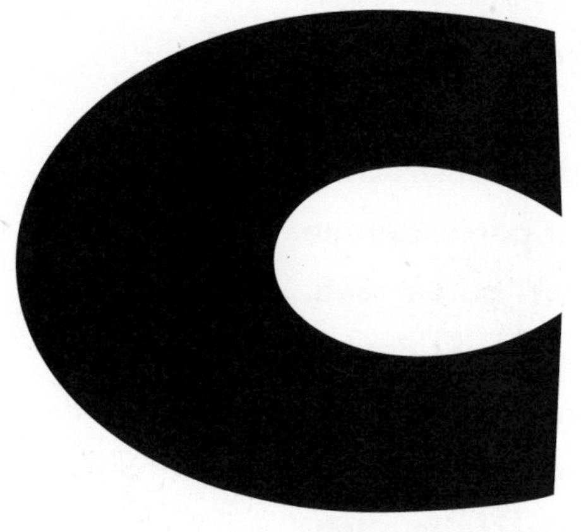

h a

L'espèce humaine achève son expansion à la surface de la planète au cours du vingt-et-unième siècle. La forte croissance démographique du vingtième siècle ralentit puis s'arrête. L'humanité entre dans la seconde phase d'une courbe en S, qui débouche sur une stabilisation de la population mondiale autour de treize milliards d'habitants en 2140.

La transition démographique

pitre 10

Les équations démographiques se combinent à celles de l'éducation, de la santé. Au moment même où l'espèce humaine commence à maîtriser, sur le plan physiologique, sa reproduction et non plus à la subir, elle devient capable de modifier son expansion et sa répartition à la surface du globe, en changeant rapidement les conditions de vie d'une grande partie de la population.

▲ *La planète s'apprête à accueillir tous ses enfants.*

En matière de population, les projections se calculent facilement. En effet, la vie humaine est relativement longue (70 ans) par rapport aux échelles de temps de ce rapport prospectif (110 ans). Quatre informations sont nécessaires pour effectuer ces calculs : la population de départ et sa répartition par tranches d'âge, l'évolution des taux de fécondité par âge, résumés, sur de longues périodes, par le nombre moyen d'enfants par femme, et enfin les risques de mortalité par âge. Alors, pour chaque tranche d'âge de la population de départ, il suffit de calculer les naissances et les décès. Cela donne un résultat à la fin de la première période, qui sert de base au même calcul pour la période suivante. En progressant pas à pas, la fiabilité de la prévision diminue lentement, au fur et à mesure que s'accroît l'incertitude sur les taux de fécondité et de mortalité futurs. Cette fiabilité est très bonne sur des durées courtes (dix à cinquante ans), car la plus grande partie de la population future est déjà née et donc les paramètres (nombre de femmes qui pourront procréer, répartition par tranches d'âge etc.) sont connus.

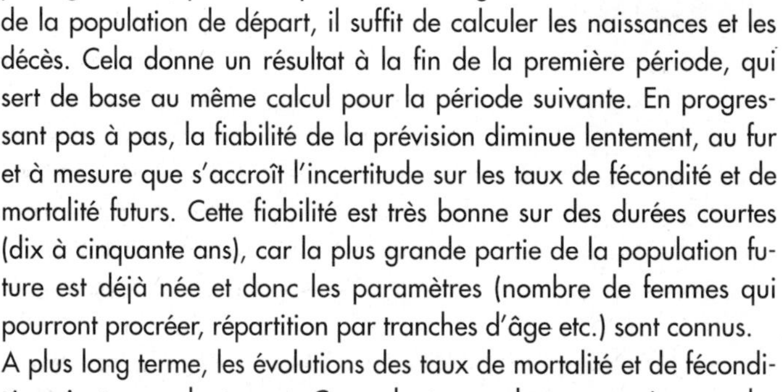

▲ *Apprendre la nécessité du mélange des races commence dès l'école, même en Afrique du sud.*

A plus long terme, les évolutions des taux de mortalité et de fécondité varient assez lentement. Cependant, avec le temps qui passe, les hypothèses faites sur la fécondité et la mortalité influent de plus en plus fortement sur la pyramide des âges. Or ces hypothèses dépendent de divers paramètres : la qualité des systèmes de santé, le niveau de vie, la culture technique, les migrations. En matière de démographie, l'importance d'un raisonnement prospectif, qui traite simultanément l'ensemble des paramètres du futur, est donc visible. Seule cette démarche minimise les risques d'erreurs. En regard de ces remarques, le chiffre de douze milliards d'habitants pour 2100 relève d'une estimation effectuée dans une fourchette de dix à quinze milliards d'habitants sur la planète et ne constitue en aucun cas une certitude absolue.

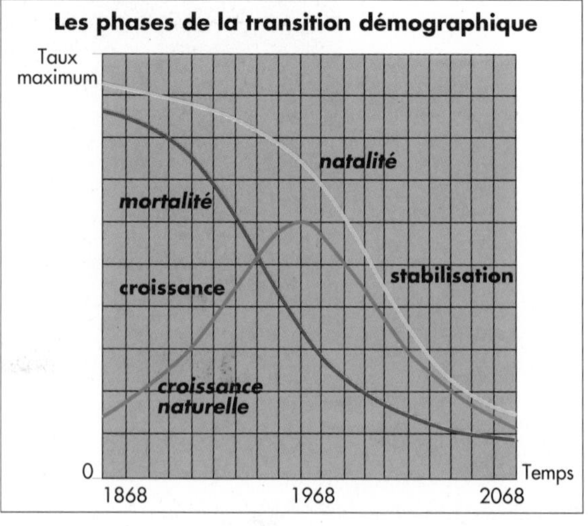

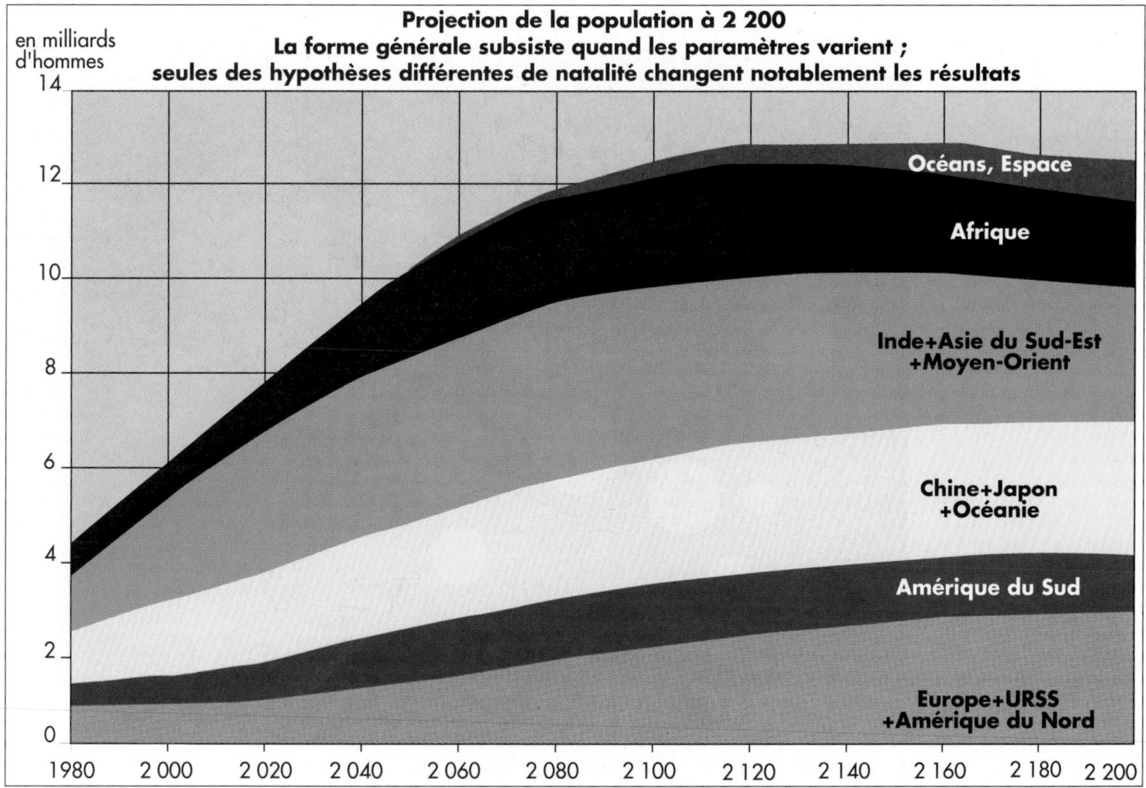

Le modèle démographique construit à partir de ces paramètres donne les populations mondiales suivantes :

- aujourd'hui (ou plutôt hier, en 1987) : 5 milliards d'habitants.
- demain matin (en l'an 2000) : 6 milliards d'habitants.
- demain soir (en 2020) : 8 milliards d'habitants.
- après-demain (en 2100) : 12 milliards d'habitants.
- au-delà, il y a stabilisation autour de : 13 milliards d'habitants.

LA DÉMOGRAPHIE À VISAGE HUMAIN

En matière démographique, les thèses les plus opposées s'affrontent. Selon Alfred Sauvy, la planète peut nourrir quinze milliards d'hommes : il préconise une politique nataliste. Pour René Dumont[1], au contraire, la désertification progressant en Inde, au Brésil et en Afrique, il faudrait programmer un recul de la natalité.

Le démographe doit donc faire preuve d'humilité. Les résultats de ses travaux sont intrinsèquement liés aux hypothèses de départ. Confrontées à la réalité, certaines prévisions laissent rêveur : en 1932, les experts envisageaient, pour la France, une population comprise entre 31 et 39 millions d'habitants pour 1975. Elle fut à l'époque de 53 millions.

■ ***Au-delà même des incertitudes liées aux migrations et aux catastrophes, nombreux sont les risques d'erreur en matière de prospective démographique.***

Plusieurs causes d'erreur affectent la prospective démographique. Tout d'abord, les catastrophes sont imprévisibles, ainsi que les migrations. De plus l'incertitude liée à l'observation reste importante et les recensements ne sont qu'approximatifs : en 1968 on avait compté

[1] *Le Monde diplomatique, juillet 1987.*

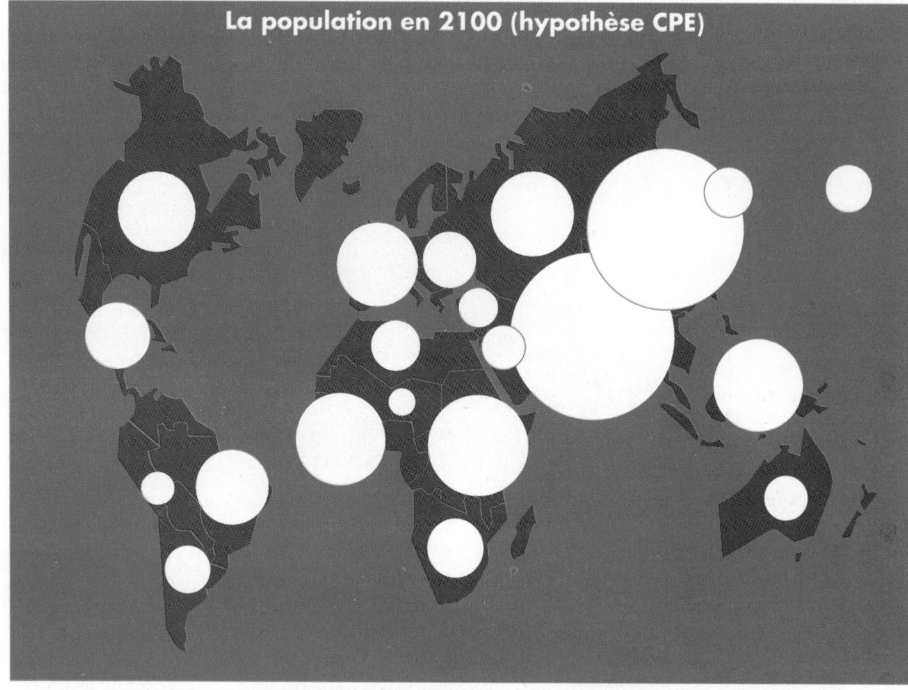

49,8 millions de Français alors que le cinquante millionième aurait pu être fêté quelques mois auparavant. Enfin, des erreurs peuvent entacher les hypothèses concernant les évolutions de la fécondité et de la mortalité. Ainsi, jusqu'en 1990, les démographes des Nations Unies avaient tendance, à faire des projections volontaristes à tendance malthusienne[1]. Ils présentaient des perspectives stabilisant la population mondiale à dix milliards en 2100, surestimant la baisse de fécondité de la Chine, de l'Inde et de l'Afrique. Or on ignore le rythme de cette baisse, la date où elle atteint son plancher et l'évolution ultérieure : déclin ou fluctuations autour d'un équilibre.

population en centaines de millions d'habitants

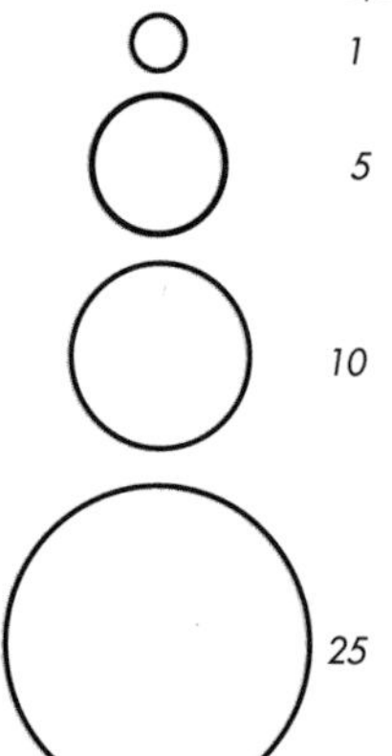

DU DÉCOLLAGE À L'EXPLOSION

Si le cinq milliardième humain a été fêté en 1987, c'est plus un symbole qu'un résultat statistique précis. Peut-être eût-il été plus juste, et plus symbolique encore, de fêter le quatre-vingt milliardième bébé depuis les débuts de l'humanité. Le taux d'accroissement moyen annuel de la population mondiale, inférieur à 0,2% jusqu'en 1800, a augmenté progressivement pour atteindre 2,1% vers 1965-1970. Il diminue jusqu'à 1,4% en l'an 2000, le zéro pour cent se profilant à l'horizon des premières décennies du vingt-deuxième siècle.
Cette évolution est l'aboutissement d'un processus marqué de phases de stabilité et d'expansion. Au temps des chasseurs-cueilleurs, l'espèce humaine comprenait une cinquantaine de millions d'individus, soit l'effectif de la France actuelle, répartis sur l'ensemble de la planète. La population augmente quand l'agriculture sur brûlis se répand, à partir de la Mésopotamie, de la Palestine et de la Chine. Cette "révolution néolithique" se fait néanmoins avec des taux d'ac-

[1] Malthus, économiste anglais (1766-1834), préconisait la limitation des naissances par la contrainte morale, pour remédier au danger de la surpopulation.

■ Au temps des chasseurs-cueilleurs, l'espèce humaine comprenait une cinquantaine de millions d'individus, soit l'effectif de la France actuelle, répartis sur l'ensemble de la planète.

■ La population augmente avec la "révolution néolithique".

■ L'allongement de la durée de vie des enfants a provoqué, dans le tiers monde des années 1960, une explosion démographique sans précédent au moment où les pays industrialisés voyaient leur natalité diminuer.

Les inégalités devant la mort en bas âge

nombre de naissances en 1980 (en millions)

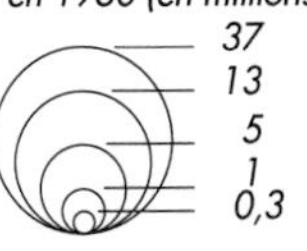

proportion d'enfants qui meurent avant cinq ans par rapport aux naissances

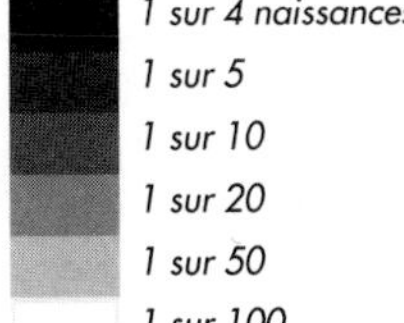

croissement d'environ 0,2% par an, dix fois plus faibles que ceux des années 1960. Au début du moyen âge, la population terrestre est d'environ 200 millions d'individus. Elle atteint le milliard peu après la Révolution française.

Le processus de l'"explosion démographique" est simple : toutes les sociétés souhaitent prolonger la vie et garder leurs enfants. Les progrès de la vaccination, de l'hygiène et des soins médicaux ont permis, un demi-siècle après Pasteur, l'éradication de certaines causes de mortalité infantile. L'espérance de vie est passée, dans les pays du tiers monde, de 30 à 50 ou 60 ans en moins de trois décennies. Une classe d'âge ne fait pas plus d'enfants, mais la plupart atteignent l'âge de procréer, alors qu'il en mourait autrefois plus de la moitié. Cet allongement de la durée de vie des enfants a provoqué, dans le tiers monde des années 1960, une explosion démographique au moment où les pays industrialisés voyaient leur natalité diminuer.

Trop d'enfants n'a jamais fait éclater le toit de la maison.
Proverbe roumain.

LA GRANDE PEUR DES RICHES

Cette explosion a provoqué une grande peur dans les pays riches. N'allaient-ils pas être envahis par les pauvres ? Comment contenir cette marée humaine avec une population de moins en moins nombreuse et de plus en plus âgée ? Cette prise de conscience déclenche, dès les années 1950, le courant interventionniste anglo-saxon : un premier programme de limitation des naissances en Inde, puis la création du Fonds des Nations Unies pour la population en 1969. Les deux grandes conférences mondiales sur la population, en 1974 à Bucarest et en 1984 à Mexico, ont été organisées à la demande des pays industrialisés, pour renforcer leur pression malthusienne sur la natalité du tiers monde. Les débats de Bucarest n'auraient sans

La belle femme est celle qui a un enfant sur le dos.
Proverbe bambara.

doute pas été si vifs si les participants avaient su que le taux d'accroissement de la population mondiale pendant les années 1965-1970 relevait d'un maximum appartenant désormais au passé. Les débats de Mexico ont été plus sereins parce que l'on connaissait alors le mouvement de réduction générale de la natalité. Ce soulagement des pays riches ne les empêche pas de rester vigilants, et de soutenir partout les mouvements de planning familial. Leur état d'esprit est comparable à celui de la bourgeoisie européenne du milieu du dix-neuvième siècle, face à la montée du prolétariat. Au lieu de s'attaquer à la cause de la pauvreté (l'ignorance), on s'attaque à son effet (la fécondité).

■ ***Au lieu de s'attaquer à la cause de la pauvreté (l'ignorance), on s'attaque à son effet (la fécondité).***

■ ***L'Afrique, continent actuellement peu peuplé, dépasse en croissance tous les autres pour atteindre 2,4 milliards d'habitants en 2100.***

LES DISPARITÉS ENTRE NORD ET SUD

Si la transition démographique est bien engagée à l'échelle de la planète, on constate encore aujourd'hui une grande diversité des taux d'accroissement annuel des populations. Quasi nuls, voire négatifs dans quelques pays européens (Suisse, RFA et RDA, Royaume-Uni, Suède, Belgique, Luxembourg, Autriche, Danemark), ils sont supérieurs à 3,4% au Moyen-Orient et en Afrique noire, par exemple.

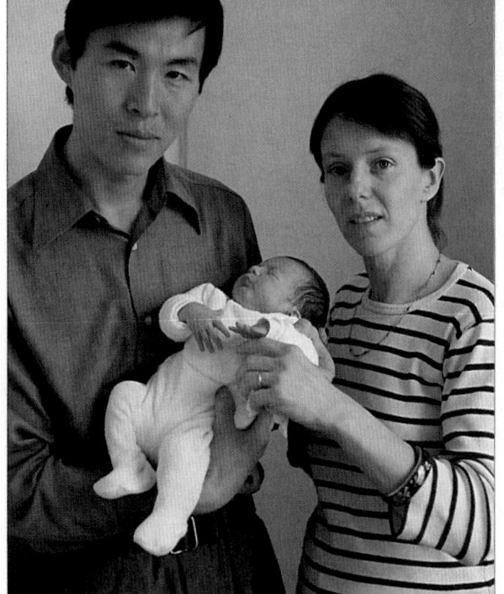

▲ Malgré les disparités, l'Est et l'Ouest, le Nord et le Sud, s'unissent.

En partant des populations actuelles de chaque région, le paysage démographique de la planète évolue considérablement. En 2080, l'Asie du Sud (Inde, Indonésie, Moyen-Orient) compte au maximum 3,8 milliards d'habitants. L'Asie de l'Est (Chine, Japon, Australie, Océanie) croît jusqu'en 2160 pour atteindre 2,9 milliards. L'Amérique latine se stabilise aussi. De 400 millions en 1980, elle augmente à 1,3 milliard en 2120. Mais l'Afrique, continent actuellement peu peuplé (550 millions d'habitants), dépasse en croissance tous les autres pour atteindre 2,4 milliards en 2100, avant de décroître !

Les disparités s'expliquent principalement par de grandes différences de fécondité, dont le taux est aujourd'hui de 3,4 enfants par femme au niveau mondial (le taux de 2,1 enfants par femme représente le seuil de renouvellement de la population).

Vers 1945, il était de 4,8. Il baisse depuis une trentaine d'années, et surtout depuis les années 1970, à cause des diminutions rapides constatées en Amérique latine et en Chine.

Dans la plupart des pays industrialisés, la fécondité est faible, depuis longtemps parfois avec un taux généralement compris entre 1,4 et 2. Cette grande homogénéité rencontre cependant quelques exceptions

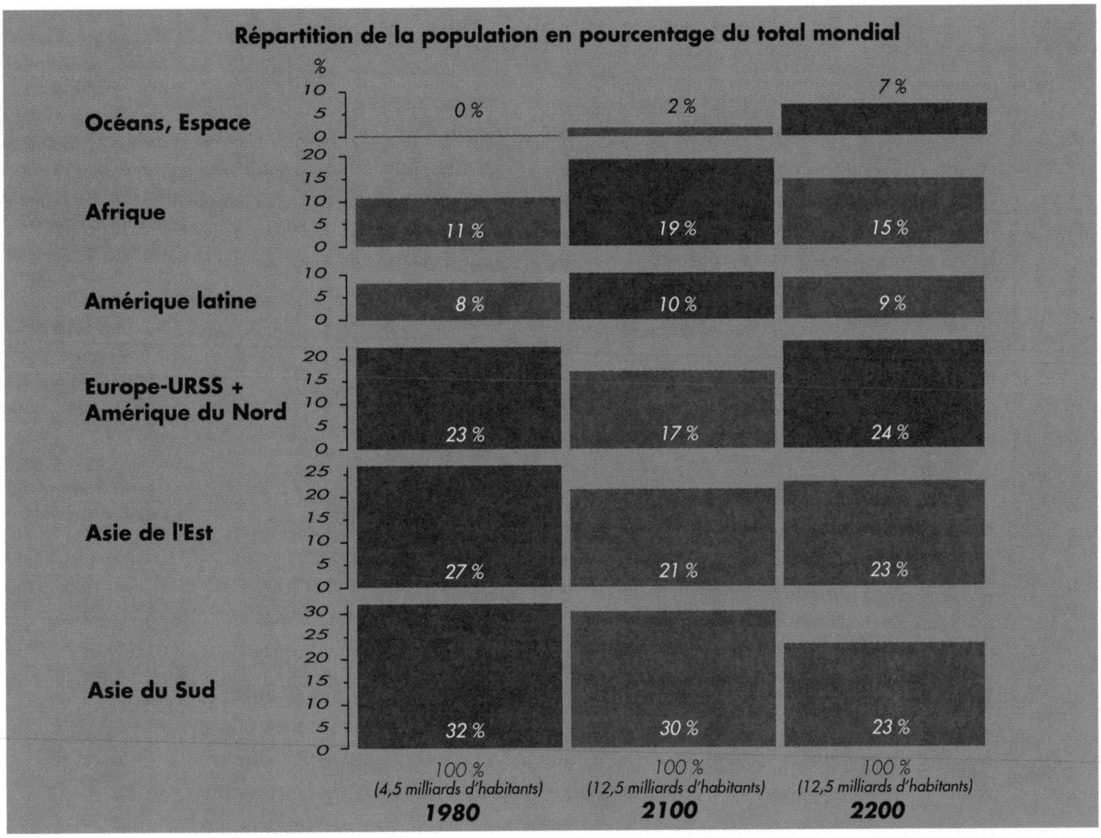

Répartition de la population en pourcentage du total mondial

%	1980	2100	2200
Océans, Espace	0 %	2 %	7 %
Afrique	11 %	19 %	15 %
Amérique latine	8 %	10 %	9 %
Europe-URSS + Amérique du Nord	23 %	17 %	24 %
Asie de l'Est	27 %	21 %	23 %
Asie du Sud	32 %	30 %	23 %
	100 % (4,5 milliards d'habitants)	100 % (12,5 milliards d'habitants)	100 % (12,5 milliards d'habitants)

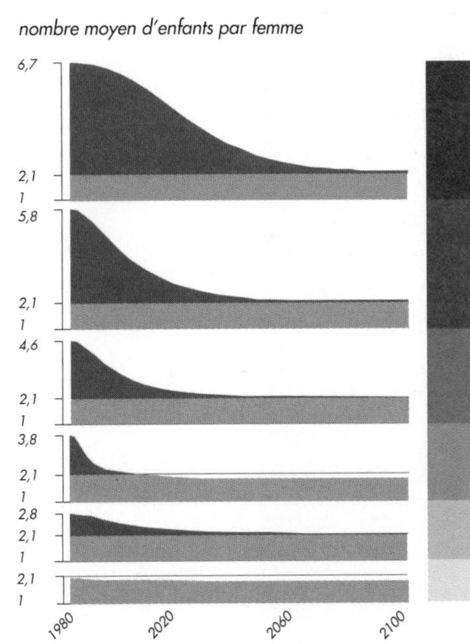

L'évolution de la fécondité

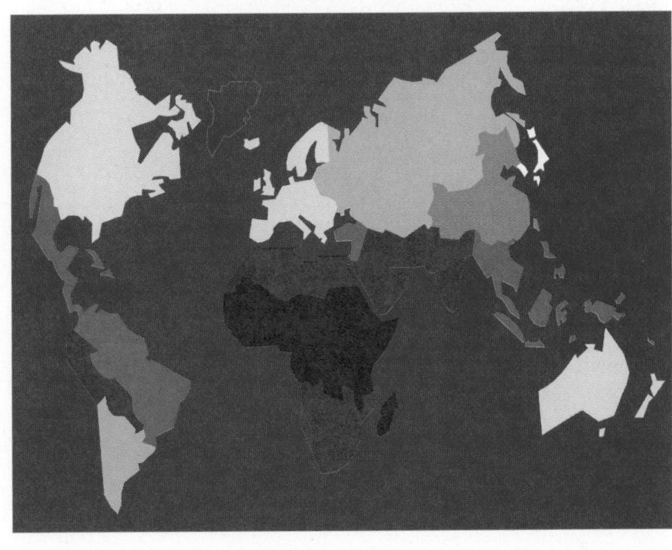

(par exemple l'Islande : 2,6). Les pays d'Europe de l'Est et l'Union soviétique ont une fécondité légèrement supérieure (1,8 à 2,4). A l'inverse des pays riches, les pays du tiers monde présentent de nombreuses disparités. En moyenne, le nombre d'enfants par femme s'élève à 4,1. Les pays africains ou arabes ont une fécondité très forte. Plus de sept enfants par femme en Algérie, Syrie, Jordanie, Niger, Tanzanie ; plus de huit au Kenya. Cependant, certains pays sont au niveau de l'Europe : les nouveaux pays industrialisés asiatiques (Singapour, Taiwan, Hong-Kong, Corée du Sud), qui sont en phase de développement rapide ; la Chine, avec 2,3 enfants par femme, d'après les statistiques officielles (comme les pays de l'Est) ; et aussi des îles (Bahamas, Barbade, Cuba, etc.). La forte fécondité ne caractérise donc plus le tiers monde, comme on pouvait le dire dans les années 1960.

■ ***Le réchauffement de la terre amplifie le déséquilibre. La désertification s'étend au Sud, tandis qu'au Nord des zones actuellement trop froides (Sibérie, Nord canadien) deviennent hospitalières et fertiles.***

■ ***Le nombre croissant d'immigrés qui viennent chercher du travail et des connaissances pose des problèmes d'intégration à la plupart des pays européens.***

NORD CONTRE SUD... DES MIGRATIONS INÉLUCTABLES ?

Entre un Nord riche et vide et un Sud misérable, les migrations semblent inéluctables, voire relever de la justice la plus élémentaire. Scandale d'une Auvergne désertée face aux accumulations de population du Caire, ou des régions centrales des Etats-Unis face au Bangladesh ! En témoigne cette réflexion d'un voyageur revenant d'Algérie : *"Là-bas, dans les rues, on ne voit que des enfants. En France, on ne voit que des chiens."*

Le réchauffement de la terre amplifie le déséquilibre. La désertification s'étend au Sud, tandis qu'au Nord des zones actuellement trop

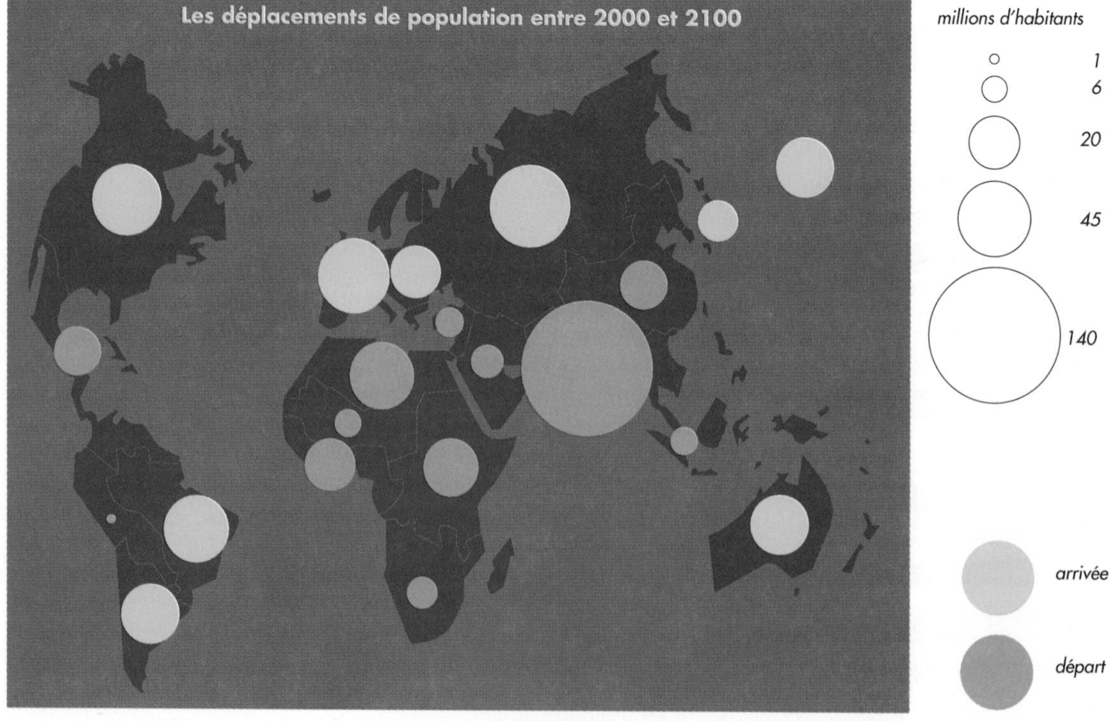

froides (Sibérie, nord canadien) deviennent hospitalières et fertiles. Ainsi, avec la montée des eaux, que deviennent les habitants du Bangladesh ou de la plaine du Nil, dont le nombre se chiffre en centaines de millions ? Ils émigrent ou construisent sur pilotis.

En 1990, la répartition de la population à la surface du globe résulte pour une large part des courants migratoires. Souvenons-nous du peuplement de l'Amérique du Nord, de l'Australie et de la Nouvelle-Zélande, et aussi de l'Amérique latine. Depuis plusieurs siècles, l'Europe déverse ses excédents démographiques sur le reste du monde, tout en sécrétant la construction d'un système technique planétaire. Nous vivons déjà un reflux. Le nombre croissant d'immigrés qui viennent chercher du travail et des connaissances pose des problèmes d'intégration à la plupart des pays européens. Mais, quelles que soient les frictions, l'histoire montrera que l'un et l'autre mouvements étaient nécessaires à l'unification du monde.

En 1985, sur 5 milliards d'hommes, 1,2 vivent dans les pays industrialisés, et 3,8 dans le reste du monde ; soit un rapport de 1 à 3. En 2000, le rapport est de 1 à 4. En 2100, il y aurait eu, en l'absence de migrations, 1,7 milliard d'habitants dans les pays industrialisés et 10,7 dans les autres, soit un rapport de 1 à 6.

Si les démographes se risquent à établir des hypothèses d'évolution future de la fécondité et de la mortalité, ils sont beaucoup plus prudents en ce qui concerne les migrations internationales. Pour estimer la population française à 53 millions en 1975, il aurait fallu compter les importations de main-d'œuvre de l'après-guerre, les rapatriés d'Algérie et tous les réfugiés qui ont afflué depuis 1932. Or, non seulement ces déplacements sont difficilement prévisibles, mais on n'ose pas les envisager avant qu'ils se produisent. L'administration des Nations Unies, en particulier, ne peut pas se permettre de publier des projections comprenant d'importants mouvements migratoires. En effet, cela signifierait qu'elle prédit des réfugiés, échappant à des oppressions ou des crises économiques...

Le migrant du futur ressemble-t-il aux colons du dix-huitième et du dix-neuvième siècle, par exemple aux Irlandais, chassés par la grande famine aux Etats-Unis ? Ou bien est-il comparable aux *boat people* de la fin du vingtième siècle, ou encore aux touristes et aux voyageurs d'affaires ?

On recense traditionnellement la population d'après sa résidence principale. Mais la réalité est tout autre. Elle est agitée de mouvements quotidiens (les trajets domicile-travail), hebdomadaires (les week-ends), annuels (les vacances d'été pendant lesquelles des villages doublent ou triplent leur population et des villes se désertifient). Ces migrations temporaires, qui datent de moins d'un siècle, ne sont pas prises en compte par les recensements, qui s'attachent au "domicile principal". Dans une société devenue en partie nomade, il faut regarder une nouvelle réalité surgir.

L'attachement à un territoire particulier et privatif diminue ; c'est un reliquat du passé, un souvenir du temps où le lopin de terre nourrissait le paysan. La migration de demain sera motivée par la recherche d'un

Les migrations saisonnières des vacanciers - ici en Espagne - ne sont pas encore prises en compte par les démographes. ▶

milieu valorisant mais aussi par le désir de fuir un contexte d'oppression politique ou sociale. A cet égard, lorsqu'un jeune Sicilien, un Kabyle ou un Burkinabé émigre, il s'échappe d'un milieu qui lui semble oppressant, pour jouir de la liberté - supposée - de la ville, même si, trop souvent, le rêve d'eldorado et de liberté se concrétise en salaire de misère et en racisme. Il sait que le combat sera dur, mais faire le voyage, c'est accéder à la connaissance, c'est vivre. Son parcours économique est aussi initiatique. Il y a chez tout homme un désir migratoire. Les mouvements de population peuvent s'accroître, puisque les transports sont de plus en plus faciles et les variations de pression sociale et démographique plus fortes à cause de la baisse d'"inertie" des sociétés. Les modes de vie traditionnels et stabilisateurs sont progressivement abandonnés. Trois grandes vagues sont visibles, dont la combinaison donne un modèle du vingt-et-unième siècle.

La première résulte de l'urbanisation. Les agriculteurs traditionnels, appauvris par la concurrence des agricultures de haute technologie et conscients de ne pouvoir partager indéfiniment le lopin entre les héritiers, envoient leurs enfants vers les villes avec l'espoir qu'ils renverront de l'argent. Les conditions de vie urbaines étant de plus en plus dures dans les mégalopoles du tiers monde, des migrations en cascade se produisent, vers les pays industrialisés. Déjà le Mexique se déverse dans les Etats-Unis, l'Afrique dans l'Europe ; l'Inde et la Chine essaiment un peu partout dans le monde. A la seconde génération, les enfants n'ont plus accès au savoir-faire de leurs parents qui permet de survivre en milieu rural. Ils n'ont pas pour autant l'instruction nécessaire pour le maniement des technologies modernes. Alors, ils deviennent des "sauvages urbains", considérant la ville comme une jungle, forcés d'inventer de nouveaux modes de survie.

La seconde vague est un mouvement inverse de désurbanisation dans les régions indus-

Les conditions d'accueil des travailleurs immigrés manifestent l'imprévoyance et l'inorganisation des sociétés de la fin du vingtième siècle. ▼

Le poussin ne reste pas toujours sous la corbeille. Proverbe persan.

trialisées, avec un rééquilibrage qui se dessine au profit des villes moyennes. Le mouvement existe déjà en Europe et commence aussi en Amérique du Sud. Devant l'insécurité, la pollution, les encombre-

Des conditions d'hygiène désastreuses accompagnent la croissance anarchique des mégalopoles. ▶

ments, le coût des loyers, la population fuit les grandes villes. Le développement des communications permet de rester branché tout en étant au calme. Les infrastructures (transports, écoles, commerces) des villes moyennes sont vivifiées par ces apports, ce qui attire de nouveaux migrants. Bien entendu, les régions au climat agréable comme la Californie ou la Côte d'Azur sont les premières à bénéficier de l'implantation de nouvelles technopoles.

La troisième vague est la conséquence de l'évolution du rapport ressources/population. Le Maghreb, par exemple, a une démographie très forte et des ressources qui s'épuisent. Mais, ailleurs, des régions sous-peuplées pourraient être développées et nourrir une population bien plus importante. Des surfaces cultivables importantes sont inutilisées en Europe et en Amérique du Sud. L'Australie est un continent presque vide. Enfin, l'évolution du climat, si la teneur en CO_2 continue d'augmenter comme prévu, accélère les désertifications et rend cultivables des zones froides comme la Sibérie, le Nord Canadien, la Scandinavie, voire le Groenland.

■ ***Déjà le Mexique se déverse dans les Etats-Unis, l'Afrique dans l'Europe ; l'Inde et la Chine essaiment un peu partout dans le monde. Ces émigrants n'ont pas l'instruction nécessaire pour le maniement des technologies modernes.***

■ ***Le système technique influe aussi. La désertification du Maghreb n'est pas inéluctable. La technologie permet des mises en valeur qui ne sont pas faites, ni même envisagées.***

Le système technique influe aussi. La désertification du Maghreb n'est pas inéluctable. La technologie permet des mises en valeur qui ne sont pas faites, ni même envisagées. En examinant attentivement les possibilités du dessalement, de l'irrigation goutte à goutte, des serres, de la sélection des variétés végétales et des manipulations génétiques, on trouve sans aucun doute de quoi nourrir le Maghreb dans cent ans et au-delà. Néanmoins, comme ces techniques ne sont pas portées par la population locale, ni apportées par les enseignements qu'elle reçoit, l'émigration, qui est aussi l'accès à d'autres savoirs, devient un passage obligé.

Imagine-t-on des masses illettrées se transformant en colons pourvus d'une culture technique dans le Nord canadien ? Pourquoi pas ? Nos ancêtres l'ont fait aux Etats-Unis, mais à travers quelles épreuves ! Aussi, une dissémination massive des savoirs techniques apparaît comme le moyen d'éviter la souffrance, à condition qu'elle ait lieu à temps et sous une forme appropriée.

A cet égard, regarder le monde sans tenir compte des frontières donne une image de la planète bien différente de ce que la littérature démographique admet habituellement comme allant de soi.

L'Afrique et l'Amérique du Sud sont en général considérées comme pauvres et donc surpeuplées : c'est à l'évidence faux. Les seules régions à peuplement vraiment dense sont l'Inde, la Chine, l'Europe de l'Ouest et la côte nord-est des Etats-Unis, prolongée vers l'intérieur jusqu'aux grands lacs. Sur cette carte, la population s'établit de préférence à la jonction de la terre et de l'eau, sur les côtes ou le long des grands fleuves.

Comme le montre clairement Susan George[1], la notion de surpopulation n'a pas grand sens. Les Pays-Bas (385 habitants au kilomètre carré) sont-ils plus ou moins surpeuplés que le Brésil (15 habitants au kilomètre carré) ou l'Inde (209 habitants au kilomètre carré) ? La question n'est pas de savoir à combien se chiffre la population, mais quelles sont ses ressources, et, surtout, comment elle les exploite et les consomme. Les techniques pour produire de la nourriture en quantité suffisante pour douze milliards de terriens, multiples et connues, ne sont pas mises à la disposition des populations. La culture technique est laissée dans un état lamentable. Il ne s'agit pas d'un manque de ressources, mais d'une confiscation du savoir. La question de savoir si la terre peut nourrir douze milliards d'humains a deux réponses : douze milliards d'instruits, sans difficulté ; douze milliards d'illettrés, certainement pas. Mais comme les pauvres se

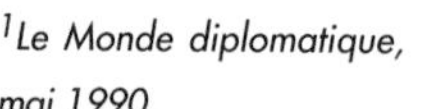

[1] *Le Monde diplomatique*, mai 1990.

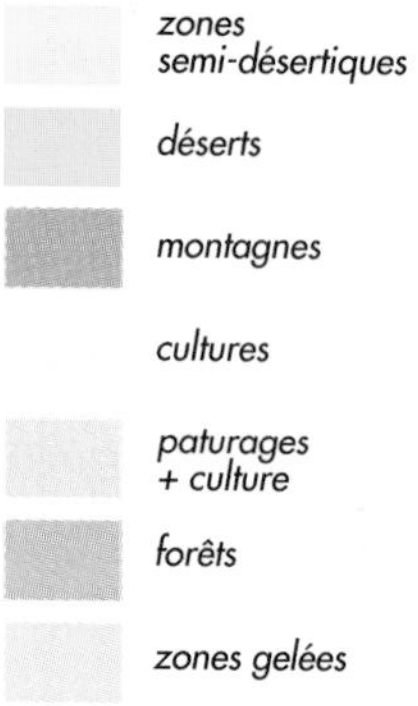

zones semi-désertiques
déserts
montagnes
cultures
paturages + culture
forêts
zones gelées

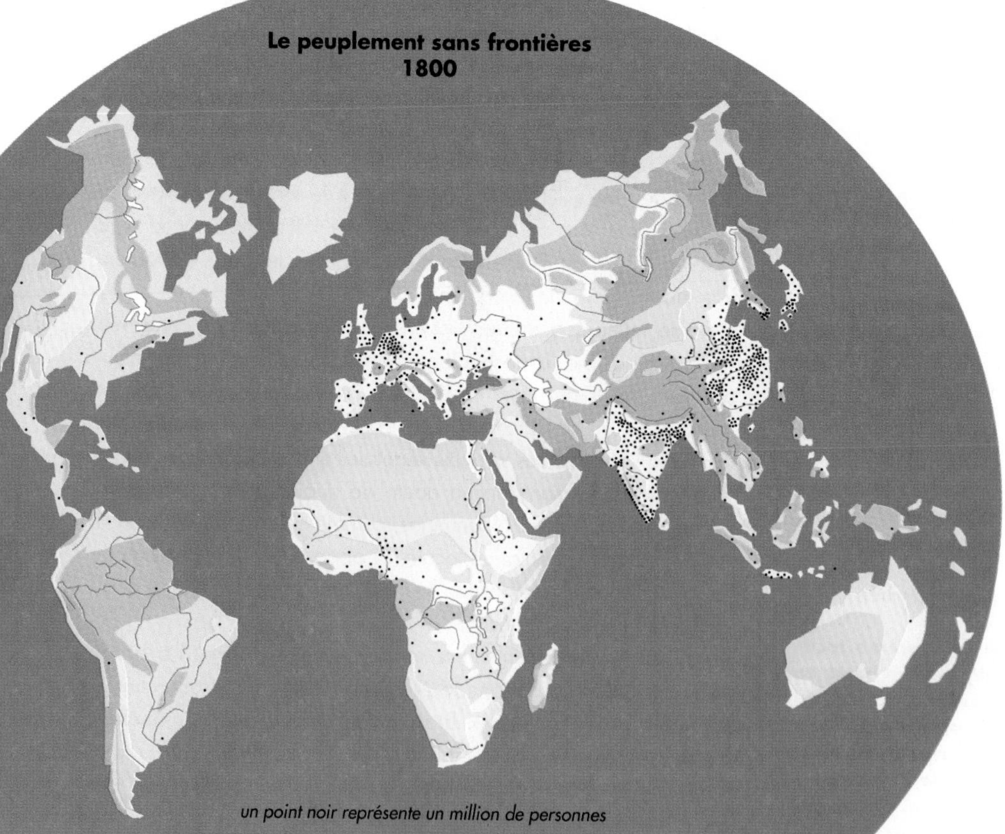

Le peuplement sans frontières
1800

un point noir représente un million de personnes

■ ***La population s'établit de préférence à la jonction de la terre et de l'eau, sur les côtes ou le long des grands fleuves.***

■ ***Les techniques pour produire de la nourriture en quantité suffisante pour douze milliards de terriens, multiples et connues, ne sont pas mises à la disposition des populations.***

multiplient cependant que le nombre des riches stagne, le problème crucial du vingt-et-unième siècle ne concerne pas la limitation des naissances mais le partage du savoir technique. Reste l'angoissante question des croissances incontrôlées et fort disparates.

▲ *Les causes de l'afflux de population sont multiples. Ici un pèlerinage au bord du Gange.*

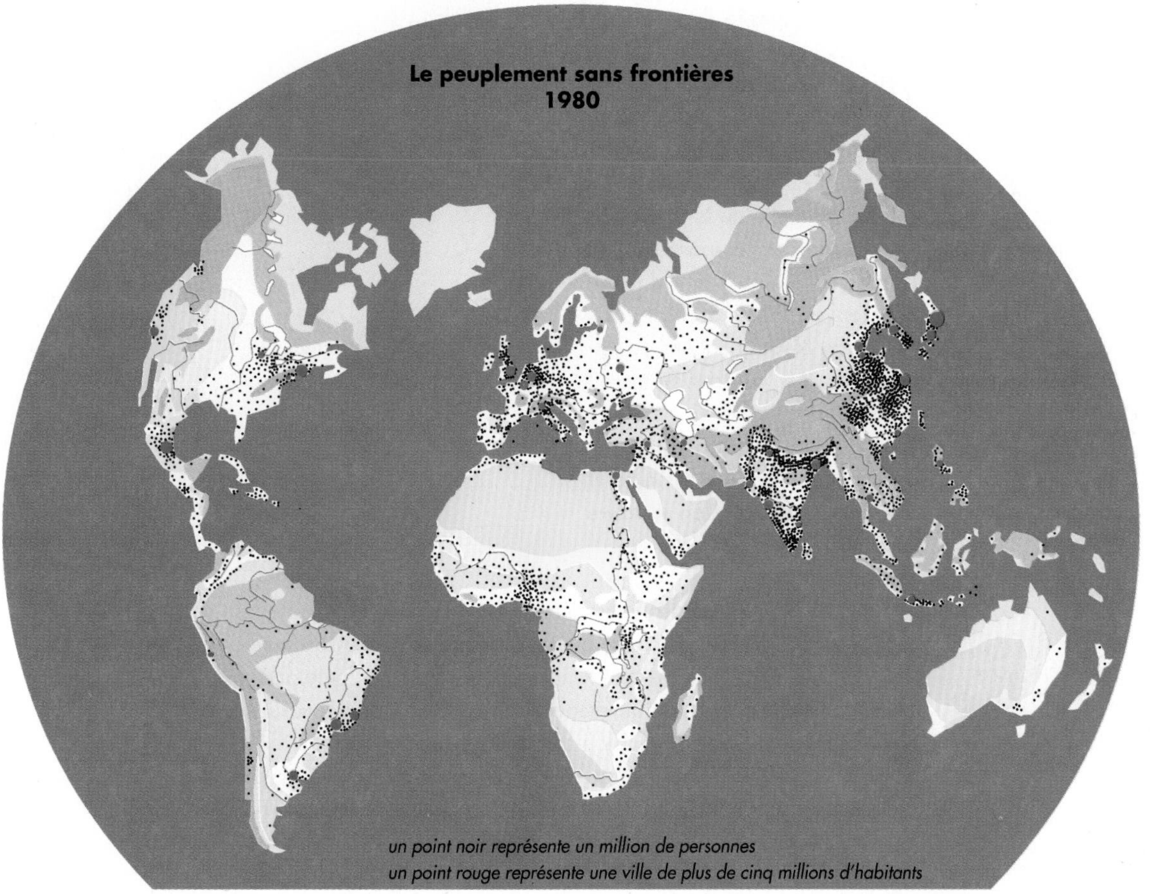

Dans la période de déséquilibres qui dure au moins jusqu'en 2020, le Nord peut-il rester dans une logique tribale et se défendre militairement contre la pression migratoire ? Un "mur" entre le Nord et le Sud succédant au mur de Berlin ? Ou plutôt la grande muraille de Chine, plaçant l'empire du Milieu à l'abri des hordes barbares ? Certains y pensent. A la frontière du Mexique et des Etats-Unis, patrouilles, jeeps et hélicoptères n'endiguent pas le flot humain, les fortes amendes infligées aux employeurs de main-d'œuvre clandestine non plus. L'époque est à l'écroulement des murs. Les migrations sont-elles pacifiques ? Avec une organisation radicalement différente de l'espace, l'opposition Nord-Sud perd-elle son sens ? On va dans un premier temps, du

Le peuplement sans frontières
1980

un point noir représente un million de personnes
un point rouge représente une ville de plus de cinq millions d'habitants

tiers monde au quart monde... Puis, après inversion et enseignement, le monde entier s'oriente vers une conciliation de l'éthologique et de l'écologique. L'évolution vient en partie d'un élargissement de l'espace où l'humanité peut se déployer, selon les schémas suivants :

• Le principe de nécessité conduit à mettre en culture, avec un but commercial, de nouvelles zones : en Amazonie, en Afrique centrale et ensuite, après réchauffement dû à l'effet de serre, en Sibérie, en Scandinavie et au Canada. Mais cela ne déclenche pas de vagues de peuplement massif, car l'agriculture est, sinon robotisée, du moins fortement mécanisée.

• Le principe de plaisir ouvre au peuplement des régions entières du fait de leurs attraits naturels. Le ski se pratique dans les immenses champs de neige de l'Himalaya et de la cordillère des Andes, le yachting et la plongée sur la grande barrière de corail au nord de l'Australie et dans le golfe de la Californie mexicaine. La prospérité se répand sur les îles Fidji, Vanuatu, Samoa et dans l'archipel des Tuamotu. Les installations de loisirs attirent à leur tour du travail délocalisable. Ne voit-on pas déjà les technopoles européennes migrer vers la neige et le soleil ? A terme, on y trouve une part importante de la population du monde.

■ *A la fois par défi, par plaisir et par nécessité, la vie humaine s'étend aux espaces aquatiques.*

■ *Des créations ex nihilo sont réalisées ; Bagdad, au dixième siècle, était déjà une ville nouvelle d'un million d'habitants, créée par le fait du prince.*

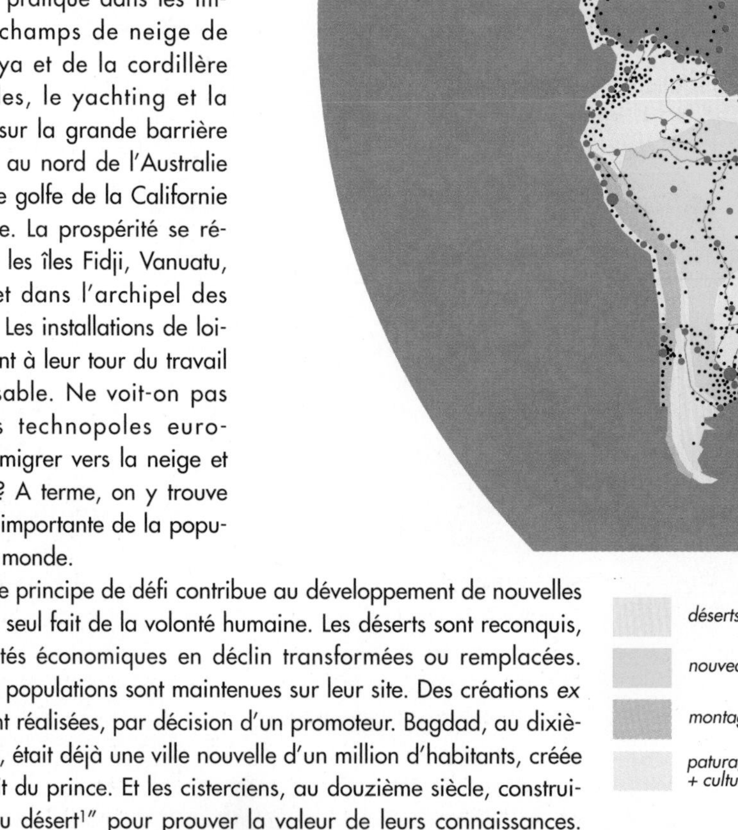

• Enfin, le principe de défi contribue au développement de nouvelles zones du seul fait de la volonté humaine. Les déserts sont reconquis, les activités économiques en déclin transformées ou remplacées. Ainsi, les populations sont maintenues sur leur site. Des créations *ex nihilo* sont réalisées, par décision d'un promoteur. Bagdad, au dixième siècle, était déjà une ville nouvelle d'un million d'habitants, créée par le fait du prince. Et les cisterciens, au douzième siècle, construisaient "au désert[1]" pour prouver la valeur de leurs connaissances. Depuis, la technique a beaucoup progressé. Témoin le projet japo-

[1] Ils voulaient seulement dire dans un lieu inhabité, non encore défriché.

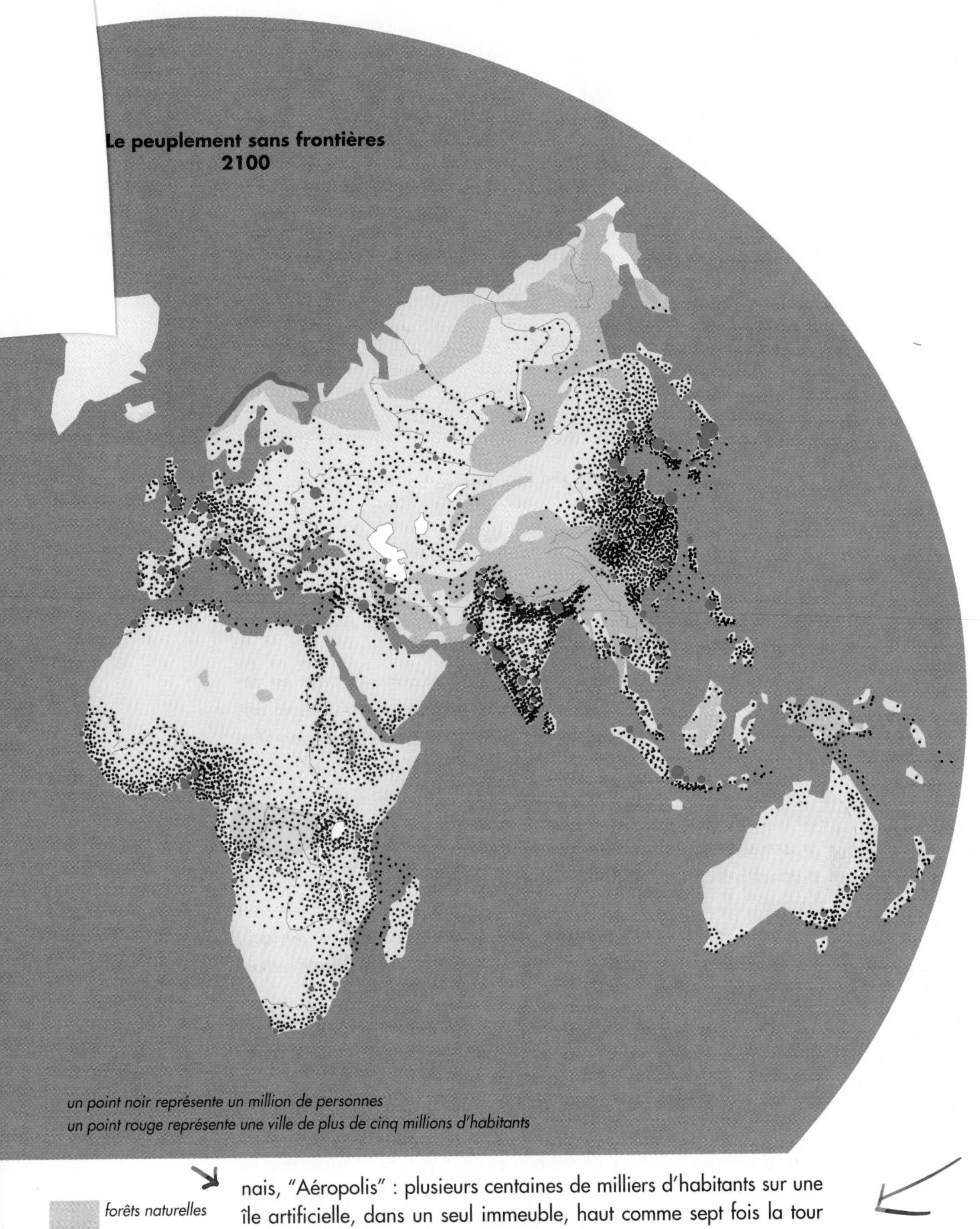

nais, "Aéropolis" : plusieurs centaines de milliers d'habitants sur une île artificielle, dans un seul immeuble, haut comme sept fois la tour Eiffel et composé de trièdres empilés.

A la fois par défi, par plaisir et par nécessité, la vie humaine s'étend aux espaces aquatiques. Après la migration vers les côtes, un habitat sur l'eau se développe, qui accueille des centaines de millions de personnes au vingt-deuxième siècle. Enfin, l'espace interplanétaire lui-même s'ouvre, malgré les énormes consommations énergétiques nécessaires pour s'arracher à l'attraction terrestre.

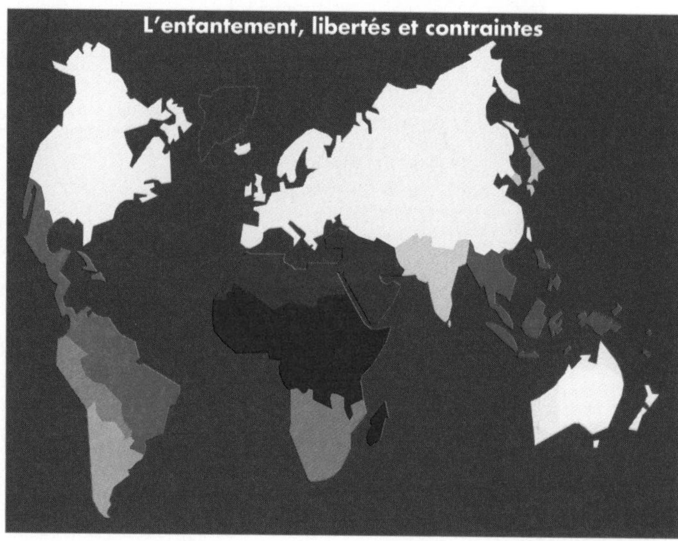

▲ *Cette carte présente la situation par grandes zones géographiques. Certains pays sont parfois en décalage par rapport à leur zone.*

UNE FÉCONDITÉ CONTROLÉE... PAR QUI ?

Depuis les conférences de Bucarest et Mexico, les gouvernements sont sensibilisés au contrôle des naissances. Mais la fécondité ne se décrète pas, ni à la hausse, ni à la baisse. De tous temps et dans tous les pays, les femmes ont trouvé normal d'avoir des enfants et ont aussi essayé de réguler les naissances.

"L'enquête mondiale sur la fécondité, réalisée dans 41 pays en développement de 1972 à 1984, a révélé qu'il existait un besoin très net et non satisfait de programmes de contraception et de planification de la famille. En Afrique, moins d'un quart des femmes qui ne veulent plus d'enfants pratique la contraception ; en Asie, elles sont 43% et en Amérique latine, 57%. Peut-être un quart de toutes les grossesses des pays en développement aboutit à un avortement, la plupart parce que la contraception est inexistante. Si toutes les femmes qui disent ne plus vouloir d'enfants pouvaient cesser de concevoir, le nombre des naissances diminuerait de 27% en Afrique, de 33% en Asie et de 35% en Amérique latine. Et la mortalité maternelle diminuerait de moitié[1]."

■ ***Peut-être un quart de toutes les grossesses des pays en développement aboutit à un avortement.***

■ ***Les communications interpersonnelles ont amené un changement des normes et des valeurs qui a entraîné une baisse sensible de la natalité en Asie et en Amérique latine.***

Au Mexique[2], une forte baisse de la fécondité a été observée : 25% en cinq ans, entre 1977 et 1982, soit 5% par an, beaucoup plus que prévu. A quoi cette baisse est-elle attribuée ? Dans le groupe d'âge 25-29 ans, la pratique de la contraception explique, à elle seule, une baisse de la fécondité de 22%, soit la presque totalité. Une analyse socio-économique a montré que ce changement considérable du comportement n'était pas lié à la micro-économie du foyer : le changement le plus important apparaît pour les moins instruits. Le programme national de planification familiale a joué son rôle, mais aussi les communications interpersonnelles, qui ont amené un changement des normes et des valeurs. Il en a résulté une forte demande pour la contraception, qui explique la baisse sensible et continue en Asie et en Amérique latine, lorsque les services de santé étaient en mesure d'y répondre. Cette évolution se poursuit au cours des premières décennies du vingt-et-unième siècle, à plus forte raison avec

[1] *Rapport des Nations Unies (FNUAP), Dr Nafis Sadik, 1990.*

[2] *Fatima Juarez, octobre 1987, Le changement de fécondité au Mexique : l'importance des facteurs socio-économiques et des variables intermédiaires, séminaire EHESS-CEAL.*

▲ *Avant 2100, j'irai dans les étoiles.*

l'aide des nouveaux moyens contraceptifs demandés par les femmes. Les politiciens et les technocrates s'opposent parfois à cette demande contraceptive. A Madagascar, en 1984, arguant que "le pays est grand", le gouvernement interdit ou rend pratiquement impossible aux femmes l'accès à la planification familiale. En Algérie, en 1986, un statisticien du ministère du Plan, pour argumenter son hostilité au programme de planification familiale du ministère de la Santé, reprend l'argument de la surface des terres disponibles : *celles du Sahara*, dit-il, *pourraient être irriguées.* Pendant ce temps, l'eau est rationnée à Alger... Néanmoins, une baisse de fécondité globale s'amorce sur le continent africain.

Plus encore que l'Afrique, l'Inde et la Chine définissent la démographie de la planète : ces deux pays représentent 38% de la population mondiale. Or, leurs gouvernements ont mené, depuis plus d'une dizaine d'années, des politiques particulièrement énergiques de limitation des naissances. Ces politiques sont parfois allées bien au-delà des vœux de la population. En Inde, le parti du Congrès s'est trouvé, à la fin des années 1970, en difficulté électorale pour avoir organisé d'énergiques campagnes de stérilisation massive. Actuellement, la croissance de la population indienne reste supérieure à 2% par an, malgré une fécondité en diminution chez les jeunes. Les états du Nord (Uttar Pradesh et Bihar), avec une forte densité et une faible productivité agricole, ont une démographie débordante. Deux états du Sud (Kérala et Tamil Nadu), plus urbanisés et plus scolarisés, ont une croissance plus faible. Parmi les nombreuses raisons de faire des enfants, figure le désir de bénéficier d'allocations familiales et d'assurer sa propre sécurité pendant ses vieux jours. Les paysans pauvres ne raisonnent plus en économie fermée. Ils se disent que leurs enfants pourront aller à la ville et leur envoyer de l'argent. Ils ont intérêt à procréer, tant que l'eldorado urbain est crédible.

En Chine, où la prise en charge des vieux par les jeunes est fortement valorisée, cette motivation est également présente et la limitation draconienne à un enfant par femme est une contrainte ressentie comme intolérable en milieu rural. La conviction qu'"une nombreuse progéniture mâle est signe de bonheur" est encore ancrée dans les esprits, et l'on dit que certaines familles en sont arrivées à tuer leur petite fille, pour pouvoir à nouveau tenter leur chance d'avoir un garçon. On dit aussi que les Chinoises fraudent le contrôle en accouchant dans une autre région, pour déclarer ultérieurement leur enfant supplémentaire comme émigrant. Le souvenir des famines des années 1958-61, suites du grand bond en avant, est encore dans les mémoires. Elles ont "coûté" soixante millions d'habitants à la Chine[1]. L'idée de se garantir des malheurs par la force de sa famille reste vivace. Néanmoins, les signes d'alignement de la Chine sur les pays industrialisés sont manifestes : la mortalité infantile a baissé de 15% en 1950 à 4% (le niveau de la France dans les années 1950), et la natalité est descendue dans les villes au niveau de 1,15 fille par femme, ce qui correspond à la norme des pays industrialisés.

Le cas du Mexique est exemplaire. Il montre que la contraception place l'avenir entre les mains des femmes. Mais, pour reprendre la célèbre formule, la meilleure pilule, c'est le

▲ *Au vingt-et-unième siècle, les moyens contraceptifs et l'éducation donnent enfin aux femmes le pouvoir de contrôler leur fécondité.*

MOI JE PRÉFÈRE LES SACS À DOS!
ÉCOLE
MAISON

[1] *Anita Rind, Le Monde, 10 avril 1984.*

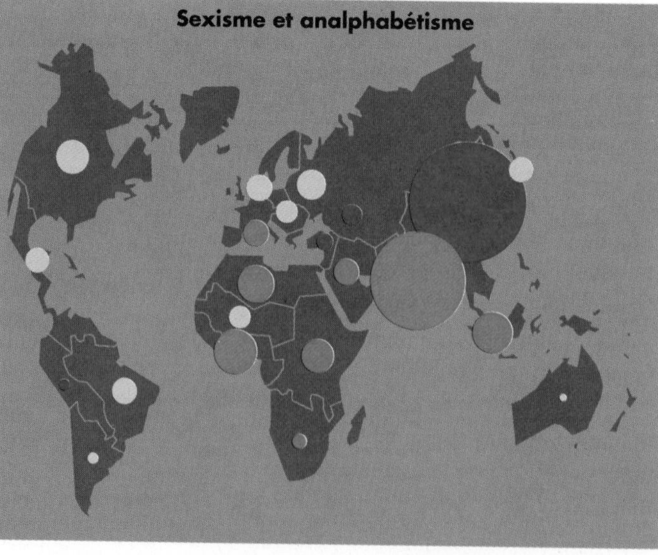

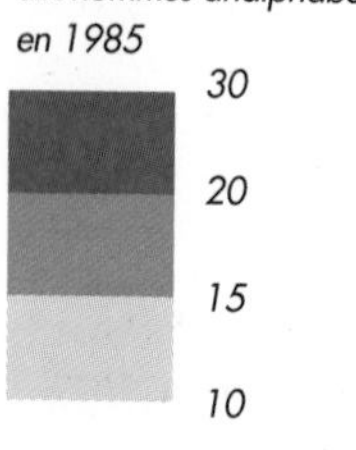

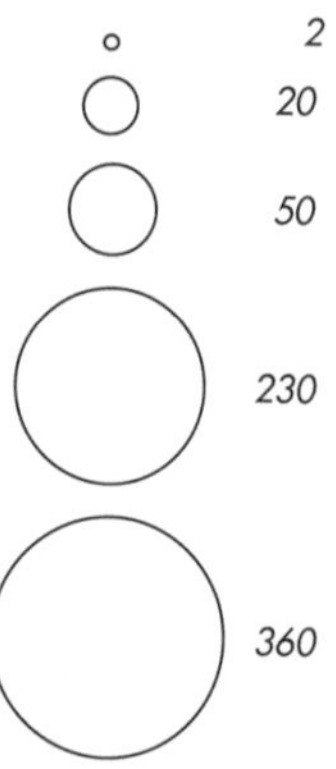

Fils pieux,
bâton des vieux.
Proverbe allemand.

développement. L'éducation des femmes est décisive car celles-ci sont à la fois actrices et éducatrices des comportements. Il reste néanmoins chez les politiciens une certaine confusion, manifestant aussi l'égoïsme des mâles au pouvoir. Le risque de procréation apparaît encore comme le dernier garant du contrôle d'une société patriarcale sur la vie sexuelle des femmes. De ce point de vue, le vingt-et-unième siècle, où se décident croissance, stabilisation ou extinction de l'espèce humaine, est le siècle de la femme. Tout est entre ses mains et dépend de sa conscience et de son inconscient, du sens profond qu'elle veut donner à la vie.

L'évolution de l'espérance de vie entre 1980 et 2100

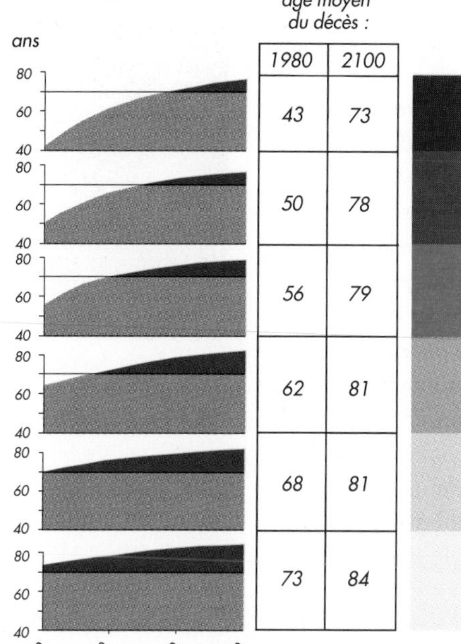

1980	2100
43	73
50	78
56	79
62	81
68	81
73	84

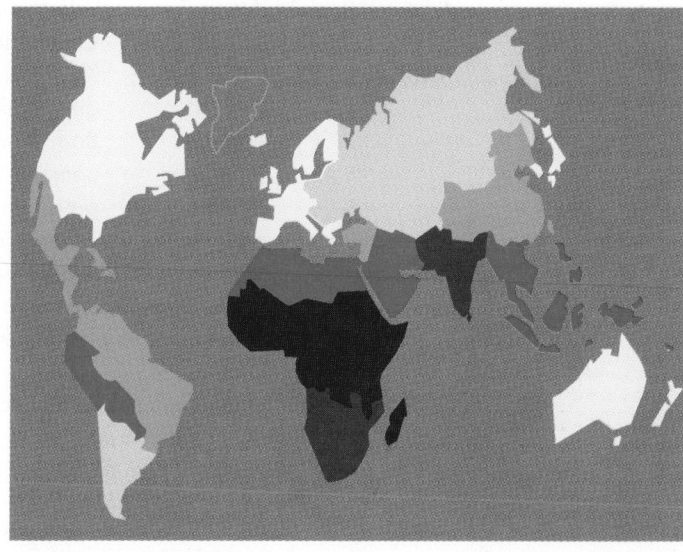

SANTÉ ET LONGÉVITÉ

L'évolution démographique n'est pas seulement liée aux transformations des systèmes éducatifs. On meurt encore en 2100. Le progrès médical a sensiblement allongé l'espérance de vie, mais les plus favorisés ne dépassent pas 150 ans. La mode n'est plus à la congélation des corps "en attendant le progrès de la technique". Nul ne sait l'évolution de la croissance de l'espérance de vie. Les Nations Unies envisagent une stabilisation vers 77 ans. Albert Jacquard fixe la limite aux alentours de 150 ans et parle même de retarder les principales étapes biologiques de notre vie (puberté, ménopause). Mais pour quoi faire ? Sauf découvertes radicalement nouvelles, dans un avenir proche, le décès survient autour de la centaine d'années. Un départ décidé ou subi ? Question trop redoutable pour être traitée sereinement en 1990. Contrôler les naissances, oui ; contrôler les décès... Le sujet encore tabou revient sans cesse, d'une façon plus insistante : euthanasie, acharnement thérapeutique, responsabilités. Quant aux gouvernements, tous affichent évidemment leur volonté de faire baisser

■ ***Le vingt-et-unième siècle, où se décident croissance, stabilisation ou extinction de l'espèce humaine, est le siècle de la femme. Tout dépend de sa conscience et de son inconscient du sens profond qu'elle veut donner à la vie.***

■ ***Contrôler les naissances, oui ; contrôler les décès... Le sujet encore tabou revient sans cesse, d'une façon plus insistante : euthanasie, acharnement thérapeutique, responsabilités.***

le niveau de la mortalité, avec le risque d'augmenter la population. La population mondiale vieillit. C'est un résultat assuré, mécanique, des prévisions. Au fur et à mesure que la démographie se stabilise, la proportion de jeunes diminue : 35% ont moins de 15 ans en 1990, quelque 20% en 2100. Parallèlement, la population âgée augmente : les 6% de plus de 65 ans en 1990 sont 20% en 2100. Dans les pays pauvres, le poids des jeunes est considérable (45% de moins de 15 ans en Afrique, 30% en Asie). Avant que la baisse de fécondité esquissée n'entraîne un vieillissement de la population, il faut immédiatement nourrir, loger, former des millions de jeunes qui arrivent en masse sur un marché du travail incapable de les absorber. Jusqu'en 2050, le vieillissement a des conséquences favorables dans les pays en développement en renforçant la tranche des actifs. Cependant, à terme, il est porteur des mêmes questions et inquiétudes que dans la plupart des pays industrialisés.

▲ *En 2100, la population du monde, plus âgée, grimpe difficilement aux arbres.*

Période	Monde	Pays industrialisés	Tiers monde
1950-1955	46	65	41
1980-1985	59	73	57
2020-2025	70	77	69

▲ *L'espérance de vie croît.*

Comme le montre ce tableau, l'espérance de vie est nettement différenciée entre le Nord et le Sud. Dans le tiers monde, y compris au sein d'un même pays, les différences peuvent être également très importantes. Au Sénégal, dans les années 1960-70, le taux de mortalité juvénile variait de vingt pour mille dans la capitale, où sont concentrés la majeure partie des moyens préventifs et curatifs du système de santé, à plus de cent pour mille en milieu rural, soit un rapport de 1 à 5.

Mais le vieillissement des pays industrialisés est, lui aussi, source de désarroi. Comment ne pas s'interroger sur le profil d'une population où l'espérance de vie atteint près de 80 ans, tandis que la fécondité

LA MORT DE CÉDRIC

25 février 2100. Dans une chambre tranquille d'un pavillon à l'ancienne des banlieues ouest, Super-Papy se sent tout à coup moins bien. Il a fêté ses 130 ans il y a trois semaines, mais le moindre geste lui demande maintenant tellement d'efforts ! Et l'affection des siens ne lui cache pas l'importance des matériels et les heures de soins que son état exige. Tout cela doit coûter bien cher.

Dans la maison, une bonne partie de la famille élargie se trouve rassemblée pour les vacances de février. Les autres participent par visiophone. Ils sont une quarantaine en tout, répartis sur cinq générations. Un peu de toutes les couleurs, il a du mal à s'y faire. D'ailleurs, malgré ses efforts, il n'arrive plus à retenir les noms et prénoms des derniers. Tout le monde est en bonne santé, même le mongolien transgéné très peu de temps après sa conception. Le fils et la fille de Super-Papy ont passé la centaine et devisent tranquillement dans la pièce à côté. Les plus jeunes se chamaillent au rez-de-chaussée. Pourquoi les enfants sont-ils toujours aussi fatigants, et toujours plus disposés à suivre leurs idées plutôt que les bons conseils de leurs parents ?

Un visiophone sonne, et le sourire d'une de ses arrière-arrière... belles-filles apparaît sur l'écran. La famille se regroupe dans la chambre pour se réjouir de la nouvelle : le premier enfant de la sixième génération vient de naître. Quel prénom lui donner ? La maman voudrait l'avis de tous.

L'émotion est un peu trop forte pour l'aïeul. Tout à coup le signal s'affole sur le moniteur de surveillance. On s'empresse. Mais, d'un tout petit geste, il fait comprendre : *"C'est bien, laissez. J'ai fait ma part. A vous de jouer maintenant."* Message entendu. Il est un temps pour coudre et un temps pour découdre.

La maman aussi a compris. Elle a reconnu ce clin d'œil de la vie qui s'achève à la vie qui commence. Elle conclut : *"Eh bien, si personne n'y voit d'inconvénient, le bébé s'appellera Cédric, comme Super-Papy".*

Un vieux cheval connaît lui-même le chemin.
Proverbe japonais.

est juste suffisante pour le renouvellement, comme c'est déjà le cas en Allemagne : le poids des personnes âgées y devient peu à peu considérable, et, par voie de conséquence, la mentalité réfractaire aux changements, la quête de l'aventure, la joie créatrice, le jeu et l'improvisation sous l'éteignoir. Le désir de vie, ressort fondamental de la démographie, est récupéré, recyclé et absorbé dans un désir de survie, l'énergie dépensée à prolonger artificiellement des existences végétatives. Thanatos, la pulsion de mort, prend le pas sur Eros, préludant à un déclin. Jean Bourgeois-Pichat[1] observe que si le comportement reproducteur de la population mondiale s'aligne sur celui des pays les plus industrialisés au début des années 1980, on aboutit à l'extinction de l'espèce humaine vers 2400.

Confrontée à ce scénario, l'idée d'une transition démographique paraît *a priori* optimiste. La vie humaine n'a pas la même valeur quand on fait beaucoup d'enfants et quand il en meurt en bas âge. Nous prévoyons, et nous souhaitons, une population stabilisée. Mais sommes-nous vraiment prêts à cette transition ? Question de culture, et pour une bonne part question de "santé".

■ ***Jusqu'en 2050, le vieillissement a des conséquences favorables dans les pays en développement en renforçant la tranche des actifs. Cependant, à terme, il est porteur des mêmes questions et inquiétudes que dans les pays industrialisés.***

■ ***En Afrique, on meurt du choléra, maladie foudroyante, parce que les règles de base de l'hygiène ne sont plus respectées en zone urbaine.***

MALADES ET BIEN PORTANTS

Il ne suffit pas de vivre, il faut être "en bonne santé". Actuellement, et pour longtemps encore, cela est presque synonyme de "ne pas être malade". La prévention n'est jamais ou peu prise en compte. De ce point de vue, il reste encore beaucoup à faire dans les pays en voie de développement comme dans les pays industrialisés.

En Afrique sub-saharienne, par exemple, les principales composantes de la mortalité sont assez bien identifiées dans l'enfance. Ce sont essentiellement les maladies infectieuses et la malnutrition, qui sont souvent combinées[2]. Parmi les causes de la mortalité de l'adulte, se trouvent comme dans les pays industrialisés, des maladies dégénératives. Mais les agents infectieux y prennent encore une large part. En outre, des maladies qui n'avaient guère touché l'Afrique jusqu'à ces dernières décennies commencent à s'implanter : le choléra, quel que soit le climat, sec ou humide ; et surtout le sida, dont la gravité entache de façon imprévisible les perspectives de mortalité, même si des espoirs de guérison ou de prévention commencent à apparaître.

Ces deux maladies sont révélatrices. En Afrique, on meurt du choléra, maladie foudroyante, parce que les règles de base de l'hygiène ne sont plus respectées en zone urbaine et parce que les soins ne sont pas accessibles (hôpitaux surchargés, médicaments insuffisants ou périmés). On meurt du sida

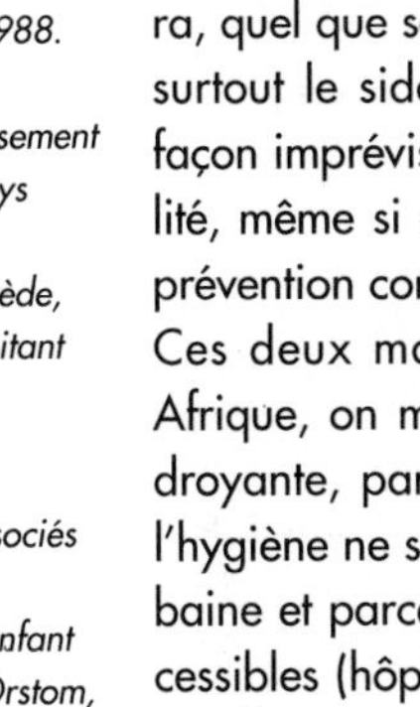

[1] Population, n° 1, 1988. Depuis cette date, des signes de redressement de la natalité des pays industrialisés sont apparus jusqu'en Suède, dont le PNB par habitant est le plus élevé.

[2] M. Garenne, Risques de décès associés à différents états nutritionnels chez l'enfant d'âge préscolaire, Orstom, Dakar 1987.

parce que les seules préventions contre cette maladie à développement lent (un sujet peut rester apparemment sain, tout en étant contagieux, pendant un à six ans) ne sont pas acceptées socialement et que, lorsqu'elle se déclare, les seuls médicaments un peu efficaces sont financièrement inaccessibles. Dans le cas de ces deux maladies, le niveau d'éducation et les conditions de vie de la population sont décisifs. Les défaillances du système de santé viennent ensuite aggraver, avec des issues souvent mortelles, la situation. Hélas, dans une majorité de pays africains, le budget de la santé publique baisse depuis plusieurs années. Au Sénégal, par exemple, il est passé de plus de 9% du PIB en 1960 à 6% en 1978.

Cette situation ne peut changer tant que les effendia locales, fonctionnant avec des logiques tribales, soignées dans les pays du Nord lorsqu'elles sont malades, continuent à privilégier les budgets militaires par rapport aux budgets d'éducation et de santé. Mais surtout, cette situation ne change pas tant que les pays industrialisés, n'envisageant le monde qu'en termes strictement financiers, continuent à pomper les pays du Sud. L'argent de la peur n'arrive pas dans les pays en voie de développement avant 2020.

▲ *Santé et longévité sont des signes de sagesse.*

LA SANTÉ, AU-DELÀ DE LA NON-MALADIE

George Orwell, dans son roman *1984*, imagine une société conformiste où règne la désinformation. Le ministère de l'Amour s'occupe de la guerre, et celui de la Vérité réécrit l'histoire suivant les besoins du présent. De même, dans nos sociétés contemporaines, le ministère de la Santé s'occupe des maladies. S'il s'occupait vraiment de la santé, son activité principale serait de développer le sport, l'hygiène, la diététique, les espaces verts et le yoga.

L'arsenal médical des pays industrialisés est organisé pour la lutte contre les maladies selon un schéma de type industriel : face aux maladies, le monde occidental produit des médicaments et des moyens de traitement appropriés. La chimie fabrique les remèdes. L'hôpital est une usine à soins relativement efficace, en termes de productivité et de qualité : les économies d'échelle permettent de regrouper des personnels hautement qualifiés ainsi que des équipements coûteux. Mais les aspects négatifs ne manquent pas non plus. Outre leur inhumanité, ces grands rassemblements de malades propagent certaines maladies. Ils ont pour corollaire une organisation taylorienne de haute spécialisation et des professions médicales organisées en castes. Ce type de médecine a encore un potentiel important et permet l'éradication d'un certain nombre de maladies, dont les foyers, toujours actifs, continuent d'être menaçants. Le coût de certains équipements, comme les scanners, les robots chirurgicaux, et demain d'autres technologies avec des équipements lourds, en réserve l'usage à des sites centraux puissants.

Mieux vaut être riche et bien portant que pauvre et malade.
Proverbe français.

La pharmacie progresse dans le mode d'administration du médicament (la galénique), parfois aussi important que sa composition même. On envisage d'implanter (ou du moins de coller sur la peau) des micropompes osmotiques ou motorisées, pour inoculer la substance au rythme optimal. Les médicaments et leurs combinaisons peuvent aussi être personnalisés, l'ordinateur permettant de définir des compositions et dosages soigneusement adaptés à un receveur

▲ *La protection technologique contre la maladie dans un pays industrialisé : on élève certains enfants malades dans des bulles stériles.*

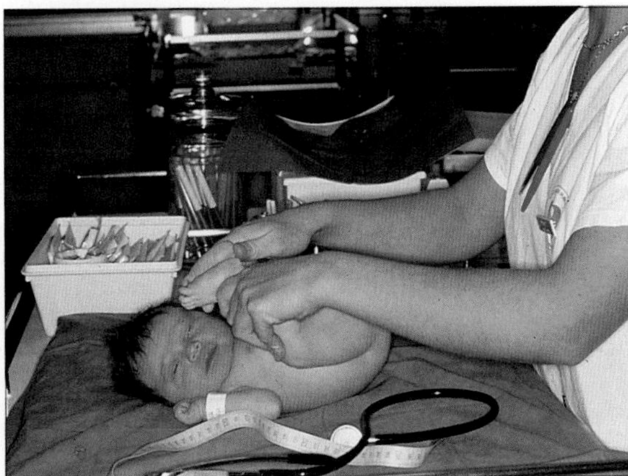

▲ *Les réflexes sont testés dès la naissance. L'enfant s'habitue à la manipulation.*

déterminé. Produit industriel, donc, mais évolutif, personnalisé. Et, loin de se substituer aux défenses naturelles de l'organisme, il les utilise et en renforce les mécanismes.

Dans les pays en voie de développement comme dans les pays industrialisés, la vision uniquement "techniciste" et médicale de la santé commence à être dépassée pour intégrer la lutte contre la mortalité dans une politique cohérente de développement, avec :

- un système de santé touchant l'ensemble de la population, ce qui est loin d'être le cas en 1990 ; la visite de dispensaires de brousse est un spectacle émouvant : le dévouement le plus total s'accompagne d'un inefficace dénuement ;
- une amélioration de l'hygiène dans l'environnement quotidien : approvisionnement en eau potable, assainissement, lutte contre certains insectes vecteurs de maladies, etc.
- et bien sûr une politique d'éducation, en particulier des mères, en vue de promouvoir la santé des enfants : accès à une information sanitaire de base, à des conseils nutritionnels simples, à une bonne compréhension des rôles de l'hygiène et du régime alimentaire.

Le manque de technologies médicales n'explique pas les différences constatées entre pays riches et pauvres. Les méthodes efficaces sont connues : la culture hygiéniste fait la différence. Inversement, nous avons beaucoup à apprendre des médecines ancestrales et traditionnelles, quitte à nous garder d'en transposer naïvement les recettes. Ces médecines ont su, en effet, compléter leurs techniques de guérison par des stratégies préventives souvent très efficaces.

L'homme de 2100 dépasse la conception techniciste maladie-médicament, car elle ne répond que partiellement à des objectifs de santé plus avancés que la simple remise en état du corps malade. Les moyens de mesure offrant une meilleure connaissance de soi, la porte est ouverte à de nouvelles techniques de régulation du physique par le psychique. Grâce à des appareils d'auto-contrôle portables, chacun peut connaître les éléments de son état de santé (sa pression artérielle ou son taux de cholestérol) avant même d'être malade, et pratiquer une autorégulation par le sport et la diététique.

■ ***La situation sanitaire des pays africains ne peut changer tant que les effendia locales, fonctionnant avec des logiques tribales, soignées dans les pays du Nord lorsqu'elles sont malades, continuent à privilégier les budgets militaires par rapport aux budgets d'éducation et de santé.***

■ ***Les médicaments et leurs combinaisons peuvent être personnalisés, l'ordinateur permettant de définir des compositions et dosages soigneusement adaptés à un receveur déterminé.***

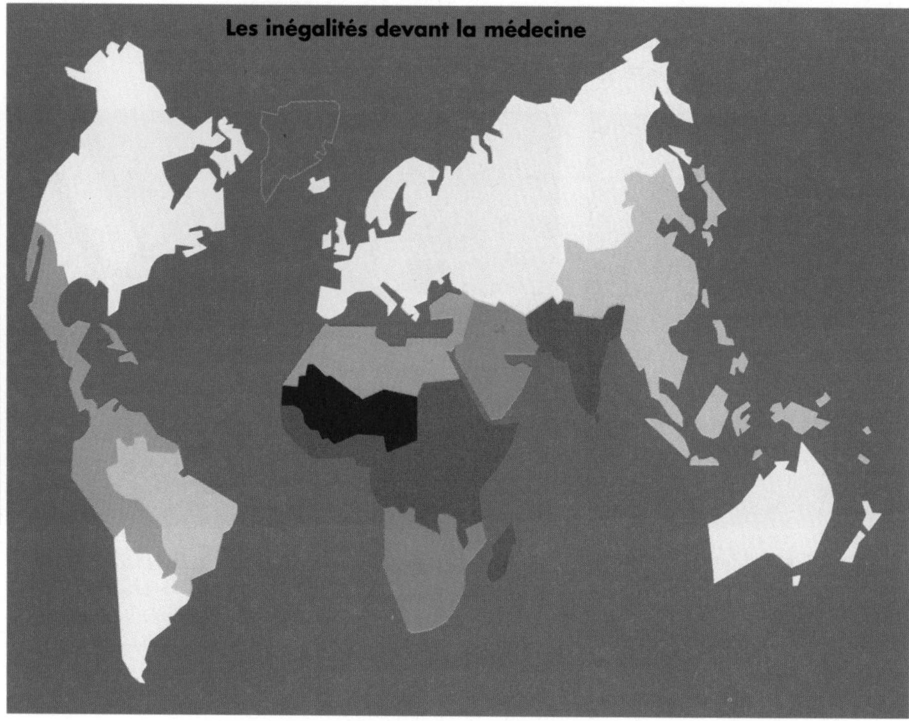

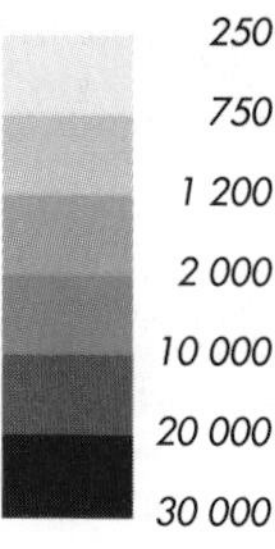

LES PROFESSIONS MÉDICALES

Dans les années 2020, le statut des professions médicales est profondément réévalué ; c'est une question d'autant plus importante que la santé représente une grande part de l'activité économique.

Tout d'abord, de nombreuses voix s'élèvent pour faire sauter le protectionnisme institué par les effendias des milieux médicaux et pharmaceutiques. Ceux-ci exercent trop souvent une sorte de chantage sur le corps social, en s'interposant entre le malade et son propre corps. La corporation médicale connaît, comme d'autres professions, une inversion de stratégie. Cela initie une "société d'enseignements", particulièrement opportune en matière médicale. Jean Bernard fait écho à Canguilhem : *"La médecine, puisqu'elle est désormais scientifiquement et techniquement armée, doit accepter de se voir radicalement désacralisée"*.

Mais la médecine se réduit-elle à une science, matérialisée dans des services et des produits pharmaceutiques ? N'est-ce pas plutôt à la culture qu'il faut la comparer, cet autre domaine - clé des activités du vingt-et-unième siècle ? Dès lors une toute autre logique des emplois et des statuts se fait peu à peu jour.

Si la branche vieillit, tu ne pourras plus la courber. Proverbe oubykh.

■ La médecine se réduit-elle à une science, matérialisée dans des services et des produits pharmaceutiques ? N'est-ce pas plutôt à la culture qu'il faut la comparer, cet autre domaine clé des activités du vingt-et-unième siècle ?

L'AUTO-MÉDICATION

■ L'auto-médication bute sur plusieurs limitations. La première est de bon sens : il faut un minimum de maturité pour bien se soigner, et, dans certains cas, une maturité hors du commun.

A chacun de prendre, progressivement mais radicalement - à partir de 2020 -, le contrôle de sa propre santé. La technologie, d'ailleurs, fournit des outils de plus en plus riches. Les livres ont déjà apporté leur contribution, sous la forme de dictionnaires médicaux, de guides des médicaments courants. La presse publie des magazines destinés au grand public, qui dispose, *via* la télématique, de banques de données très efficaces.

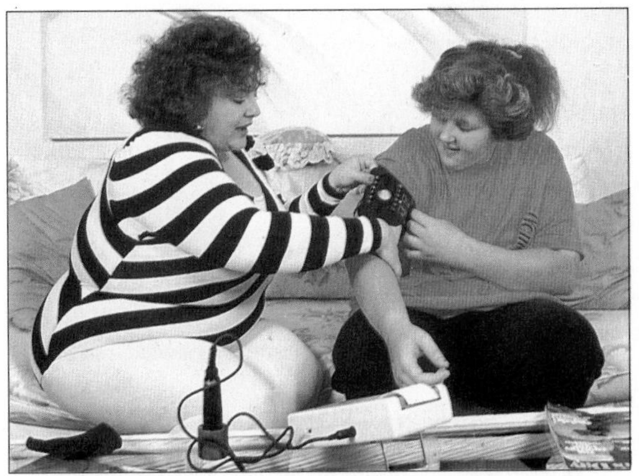

▲ *L'auto-médication, même électronique, ne peut compenser déséquilibres psychiques, suralimentation et manque d'exercice physique.*

▲ *Au vingt-et-unième siècle, se soigner devient possible en tous points de la planète.*

Dès les années 1950, des groupes se sont formés pour aider leurs membres à régler des problèmes de santé, en les soutenant pendant les phases difficiles (les Alcooliques Anonymes, ou les *Weight Watchers* par exemple). Les modes de fonctionnement particuliers de ces groupes, leurs techniques originales permettent à l'individu de se dépasser.

Cependant l'auto-médication bute sur plusieurs limitations. La première est de bon sens : le malade inconscient, le vieillard sénile ou l'enfant ne sont pas en état de prendre des décisions. Il faut un minimum de maturité pour bien se soigner et, dans certains cas, une maturité hors du commun. D'autant plus que les vendeurs de pilules dorées et les charlatans en tous genres prolifèrent. L'exploitation de la faiblesse psychique trouve dans la santé son terrain d'élection.

Et cela conduit à une autre inversion, faisant apparaître l'absurdité de certaines approches de la médecine qui attend la maladie pour la soigner. Il faudrait partir de l'homme sain, dans toutes les phases de son existence, pour le conduire au meilleur de lui-même. Et, seulement par exception, le soigner d'éventuelles maladies.

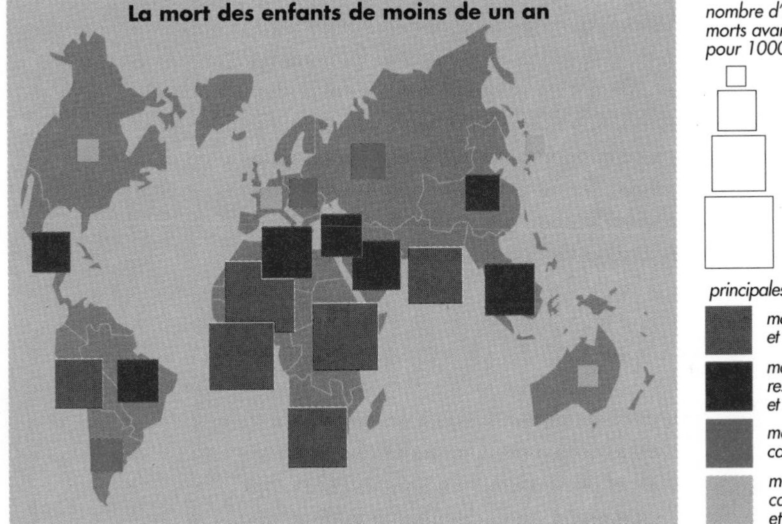

Les formes positives de la médecine sont déjà à l'œuvre, quoique souvent sous une forme embryonnaire : centres de mise en forme, soins esthétiques, mouvements sports et jeunesse, médecine préventive d'entreprise, associations sportives, etc.

L'automédication bénéficie d'une panoplie de technologies dont seules les prémices étaient visibles en 1990. Quelques produits précurseurs avaient pénétré les foyers depuis le début du siècle : petite pharmacopée, pansements de base, pèse-personnes, thermomètre. Des moyens plus sophistiqués se répandent ensuite : prise du pouls, de la tension. Dès le début du vingt-et-unième siècle, non seulement la thermographie, les électrocardiogrammes et les électroencéphalogrammes sont, avec des logiciels d'interprétation, à la portée du grand public, mais celui-ci dispose aussi d'instruments de mesure d'endorphines, pour évaluer l'intensité des émotions, et donc permettre à chacun d'affiner sa perception de lui-même. L'espace télématique envahit cet univers. Les appareils d'autodiagnostic se branchent sur l'ordinateur pour bénéficier de ses facilités de calcul, de ses capacités de stockage pour constituer un dossier médical personnel sur carte à mémoire, de sa ligne de communication pour consulter à distance des médecins ou des serveurs automatisés d'aide au diagnostic et à la prescription...

Les robots se multiplient. En chirurgie, ils prolongent ou remplacent la main. En salle de gymnastique, ils donnent une dimension ludique aux appareils trop austères de la musculation classique. En salle de massage, ils relayent les humains trop peu nombreux. Ainsi, les objets informatiques deviennent-ils les compagnons de notre existence la plus intime. *The second self*[1] a même osé titrer Sherry Turckle, une sociologue américaine, en parlant de l'ordinateur personnel.

■ ***Le vingt-et-unième siècle passe peu à peu d'une démographie subie à une santé voulue. La connaissance technique remplace une nature trop souvent hostile par une techno-nature maîtrisée.***

LA LIMITE ÉCONOMIQUE

En matière de santé, une limite financière se dresse rapidement. Car la demande de produits et de services reste insatiable, malgré l'expansion considérable des marchés

[1] *Sherry Turckle, Les enfants de l'ordinateur, Denoël, Paris, 1986.*

Certaines morts évitables

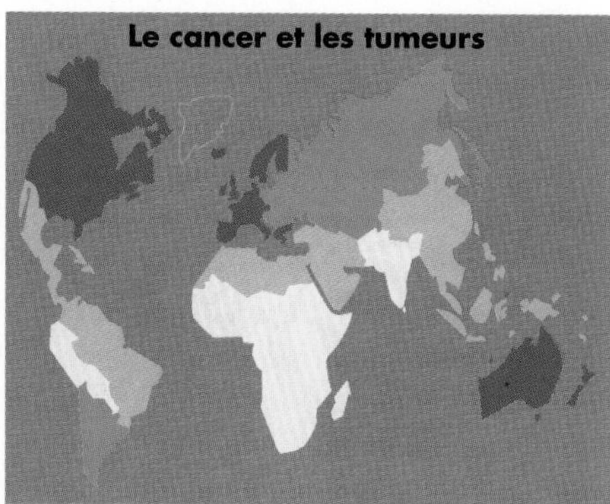

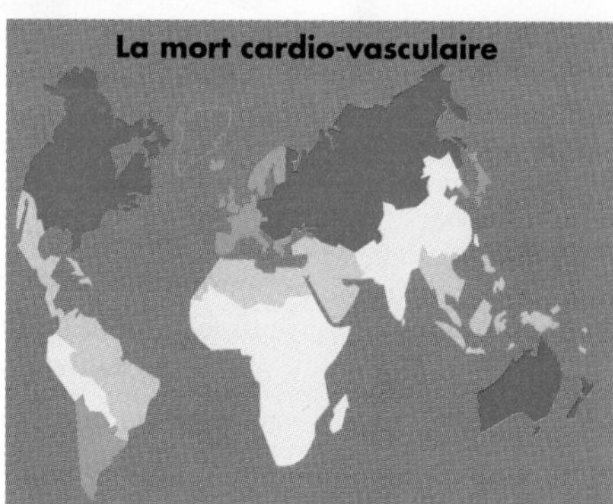

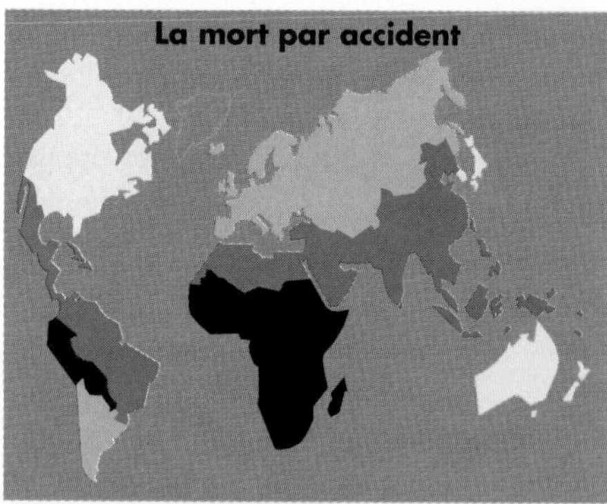

risque de mort par

cancer et tumeur

très élevé
élevé
faible
très faible

comme des budgets publics. C'est tant mieux pour les emplois que crée ce secteur, décennie après décennie. Car, à un moment ou à un autre, il faut décider d'arrêter de soigner, faute de moyens. La barre est considérablement plus haute dans les pays industrialisés, mais il y a bien sûr toujours une barre.

Alors, comment décider ? Au vingtième siècle, les positions sont des plus diverses. Aux Etats-Unis, c'est la loi du marché : se soigne qui peut payer, et jusqu'aux limites de ce qu'il peut payer. Ailleurs, en Australie par exemple, les soins sont totalement gratuits, ce qui revient à remettre toute la décision entre les mains des pouvoirs publics, dispensateurs de l'argent des contribuables. En France, la situation est intermédiaire, combinant sécurité sociale et médecine libérale.

Les rapports de la santé avec l'argent restent largement incohérents, jusqu'à la transition vers la phase d'enseignements. Pendant cette seconde phase, la santé est à l'apogée de sa phase marchande comme expression ordonnée d'un pouvoir normatif. Après quoi s'engage une phase de libération, commencement de la sagesse.

maladie cardio-vasculaire

très élevé
élevé
faible
très faible

LA LIMITE ÉTHIQUE

Le vingt-et-unième siècle passe donc peu à peu d'une démographie subie à une santé voulue. La connaissance technique remplace une nature trop souvent hostile par une techno-nature maîtrisée, mais l'homme n'en frôle pas moins des catastrophes, individuelles ou globales tout au long du siècle.

L'automédication, par exemple, n'est pas sans effets pervers. A se couvrir de capteurs, à interroger chaque matin l'ordinateur comme la marâtre de Blanche-Neige son miroir... certains sombrent dans la maladie imaginaire, déjà stigmatisée à propos du dictionnaire médical, ou dans la fixation obsessionnelle.

accident

très élevé
élevé
faible
très faible

Quant à la médication par les professionnels, plus ou moins médiatisée par les cartes de santé et les réseaux télématiques, il faut une vigilance constante, un appel répété aux ressources des médias, de la rue même, pour l'empêcher de nuire aux libertés individuelles... tout cela présenté sous le couvert des meilleures intentions du monde.

En matière de médecine, tout n'est pas permis. Même à l'égard de soi-même. On n'a pas le droit de vendre son corps, ou une partie de son corps. Dès que l'on transige sur ce point, l'abus se présente, comme le montrent les achats de sang en Amérique du Sud.

Mais jusqu'où peut-on aller ? La réponse est d'autant plus délicate qu'elle oblige à introduire le nombre dans un domaine où il semble incongru. Et qui décide ? Entre l'Etat et l'individu, toutes sortes d'instances ont leur mot à dire, ou, du moins, ne se privent pas de prendre la parole. Quels que soient les vœux des uns et des autres, le scénario prospectif aboutit à une image contrastée :

En 2020, les appareils d'autodiagnostic personnels et portables sont devenus d'usage courant. ▼

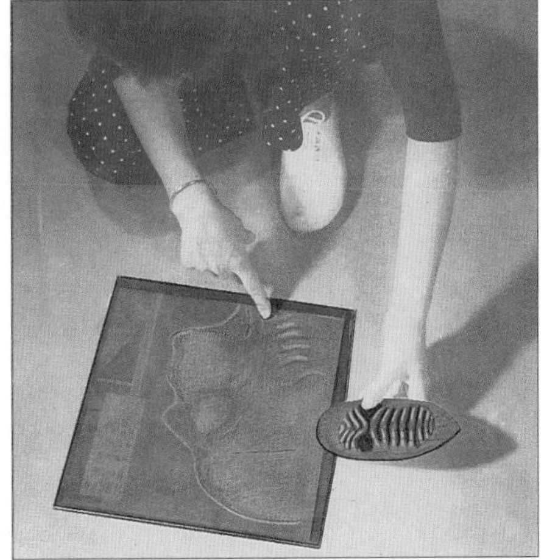

accouchement

très élevé
élevé
faible
très faible

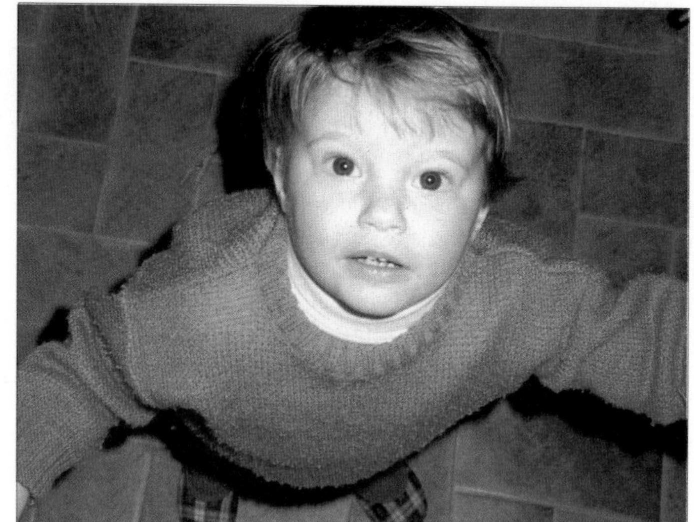

Apprendre à regarder en face la vie, la maladie, la mort. ▶

• 1990-2020 : le déséquilibre démographique s'accroît entre riches et pauvres. Il y a d'importantes migrations, malgré la montée des racismes. Des troubles et des tensions apparaissent par suite du maintien, du renforcement ou même de la création de nouvelles appartenances tribales.

• 2020-2060 : une des périodes les plus normatives de l'histoire de l'humanité. Education et propagande massives pour aligner les comportements des pauvres sur ceux des riches. Il faut attendre le milieu du vingt-et-unième siècle pour que la culture technique soit diffusée à tous, pour que cesse la confiscation corporatiste du savoir.

■ Il faut attendre le milieu du vingt-et-unième siècle pour que la culture technique soit diffusée à tous, pour que cesse la confiscation corporatiste du savoir.

• 2060-2100 : libération des contraintes et des normes de la période précédente, renaissance spirituelle, intellectuelle, éthique. L'obtention d'un équilibre démographique planétaire n'est possible qu'avec l'accession à une certaine maturité psychologique de l'ensemble de l'humanité. ■

Education, affectivité, jeux caractérisent la renaissance du vingt-et-unième siècle. ▶

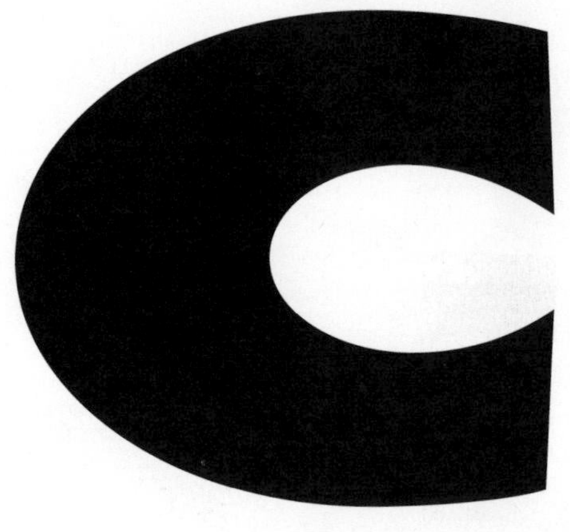

h a

Aujourd'hui, plus personne ne devrait mourir de faim sur la Terre. Le vingt-et-unième siècle voit un net progrès vers une alimentation de qualité, des modes de production plus épanouissants et la réduction des risques écologiques. Les techniques agricoles sont de mieux en mieux maîtrisées et les rendements progressent sans cesse. Les prévisions démographiques les plus généreuses se situent toujours très au-dessous des 30 à 40 milliards d'êtres humains que la planète serait, en théorie, capable de nourrir.

La transition agro-alimentaire

pitre 11

Les visions optimistes de l'évolution de la situation agro-alimentaire mondiale sont encore peu convaincantes à la fin du vingtième siècle. Le tableau des systèmes agricoles est en effet écœurant : chez les

▲ *L'obésité, causée par l'angoisse, ...*

▲ *... et la faim attestent des deux aspects d'un même dysfonctionnement.*

riches, une suralimentation maladive, avec des excédents que les destructions de récoltes, les quotas de production et le gel des terres ne suffisent pas à résorber. Dans le même temps, des millions d'humains sont sous-alimentés, voire meurent de faim.

Les famines paraissent pourtant de plus en plus anachroniques. La maîtrise de l'agriculture a désormais atteint un niveau tel qu'il serait absurde d'imaginer, par exemple, que l'Irlande connaisse à nouveau la tragédie qu'elle a vécue il y a un siècle et demi (un million de morts entre 1846 et 1851). Pourtant, les désordres atteignent encore des proportions dramatiques dans le tiers monde.

LA MONDIALISATION DE L'AGRICULTURE

Le grand poisson mange le petit.
Proverbe français.

Les trois prochaines décennies sont celles de tous les dangers. La pénurie alimentaire, qui représente évidemment le risque le plus grave, menace d'apparaître pour des raisons structurelles. Dans bien des pays en développement, le niveau de production atteint des limites qui ne peuvent être surmontées que par une modernisation en rupture avec les mentalités traditionnelles. La production, d'abord déterminée par le marché international, n'a que des rapports assez lâches avec les besoins locaux. En conséquence, sans même envisager des circonstances exceptionnelles (sécheresse, guerre), le risque de pénurie alimentaire est fortement présent, au moins pour les catégories les plus pauvres et les plus marginalisées de la population.

Des discours simplistes suggèrent de faire profiter les pays les moins productifs des excédents des pays industrialisés. Même en raisonnant à court terme, une telle solution n'est pas opérationnelle. Son efficacité dépend de la qualité de la logistique et de la distribution finale, souvent problématique. Comme le dit un expert : "*Transporter un million de tonnes de farine au Sahel, on sait le faire. Y amener mille camions pour assurer le transport, on sait le faire. Mais après, assurer la distribution effective de la farine à ceux qui en ont besoin, on ne sait pas.*" En réalité, peut-être saurait-on, en utilisant des satel-

origine des calories		nombre de calories par jour
végétale %	animale %	
95	5	2000
95	5	2300
90	10	2450
85	15	2450
90	10	**2900**
75	**25**	**3200**
65	**35**	**3400**

La carte du mal-manger

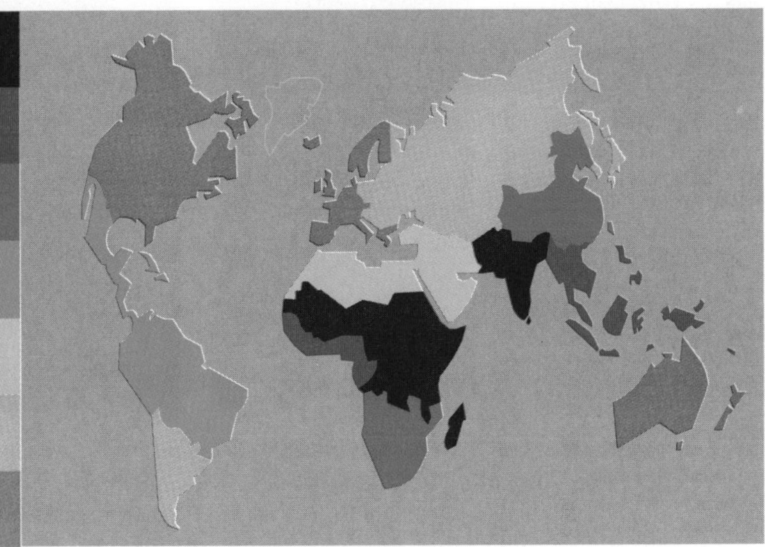

▲ *Mal-manger, c'est soit ne pas assez manger, soit trop manger comme dans les pays industrialisés.*

lites pour repérer, bien avant les récoltes, les zones sinistrées, et des dirigeables pour amener les denrées là où elles sont nécessaires. Mais oserait-on passer ainsi par dessus la tête des gouvernements locaux ? Ils constituent un alibi si confortable pour ceux qui ne veulent rien faire. En la matière, ce n'est pas la possibilité technique, mais bien le courage politique qui fait défaut. Tout se passe comme si les pays démocratiques avaient mis une sourdine à leur vocation, la défense des droits de l'Homme, en se défaussant sur des effendias locales, pour mieux ménager de vulgaires intérêts financiers.

En outre, l'équilibre d'un pays suppose une certaine autosuffisance alimentaire. En-dessous de 50%, l'inquiétude de la population l'amène à remettre en cause, parfois de façon violente, un système politique coupable de ne pas éloigner la menace de la disette. La comparaison entre les trois pays du Maghreb est instructive à cet égard : le Maroc est autosuffisant à 80%, la Tunisie à 60%, l'Algérie à 30% seulement. De même, l'agressivité internationale du Japon s'explique en partie par le fait que, malgré un soutien tout particulier à l'agriculture nationale, il n'atteint pas un taux d'autosuffisance de 50%.

■ ***L'équilibre d'un pays suppose une certaine autosuffisance alimentaire. En-dessous de 50%, l'inquiétude de la population l'amène à remettre en cause, parfois de façon violente, un système politique coupable de ne pas éloigner la menace de la disette.***

La conservation a désormais atteint une telle qualité de service que n'importe quel produit agricole, même très périssable, peut être consommé couramment à des milliers de kilomètres de son lieu de production. Le marché agricole est donc devenu mondial et c'est au niveau de la planète entière que la loi de l'offre et de la demande détermine les orientations de la production et le prix des denrées.

■ ***En quelques dizaines d'années, des territoires où la production agricole était liée depuis des siècles aux seules habitudes alimentaires de leurs habitants ont dû s'adapter aux lois du marché international.***

En quelques dizaines d'années, des territoires où la production agricole était liée depuis des siècles aux seules habitudes alimentaires de leurs habitants ont dû s'adapter aux lois du marché international. C'est lui qui détermine quel produit il convient de cultiver pour avoir quelque chance de le vendre ou qui, à l'inverse, fait disparaître sous le jeu de la concurrence les productions locales, dès lors que leur prix de vente est supérieur à la moyenne mondiale. La nécessité de s'intégrer dans ce système planétaire efface progressivement tous les systèmes de production orientés vers l'autoconsommation non solvable.

▲ *J'ai verni la pomme dans tous les sens et sur toute la surface pour qu'elle brille bien, puis j'ai soufflé de toutes mes forces pour qu'elle sèche plus vite.*

▲ *Je suis en train de peindre la main du sorcier. Mais c'est difficile de trouver les couleurs. J'ai mis du jaune et du noir. Mais ce n'est pas très beau, alors j'ai enlevé le noir et j'ai mis du blanc, c'est mieux.*

Les élèves de la classe de CE1 de l'école du Bois de l'étang à La Verrière (France), ont créé des "sculptures" à base de fruits en plâtre, pour illustrer ce chapitre.

Cette évolution a des conséquences dramatiques pour les petits Etats, dont le poids dans le commerce international est souvent négligeable. Car c'est aussi le marché mondial qui détermine les cours. Par l'effet uniformisateur des bourses, les grands produits sont vendus sensiblement au même prix, quel que soit le lieu, le mode et même le coût de leur production. Et, malheureusement, ces prix sont instables, pour de multiples raisons. La demande (orientée essentiellement par les pays industriels) dépend des grands cycles économiques, des stratégies des intermédiaires et de la fluctuation des goûts des consommateurs. Pour un même produit, l'offre peut provenir de zones géographiques très diverses, où les différences de productivité sont considérables : aujourd'hui, entre les exploitations traditionnelles du tiers monde et les agricultures industrialisées, la productivité par travailleur varie de 1 à 300, d'après Marcel Mazoyer. En outre, les fluctuations des monnaies modifient de façon importante et imprévisible les conditions de la compétitivité. Cette instabilité rend particulièrement vulnérables tous ceux qui n'ont pas les moyens financiers de se protéger des variations de prix, ni les connaissances nécessaires pour se spécialiser dans de petits produits à haute valeur ajoutée, à l'abri des fluctuations. La compétition entre pays producteurs est vive, ce qui rend problématique la conclusion d'accords de régulation des cours. Que ce soit entre exploitants d'un même pays, ou entre pays différents, le jeu est partout le même : c'est la loi du plus fort, et le plus faible risque de disparaître, chassé de sa terre vers la ville par une concurrence impitoyable.

DES SYSTÈMES DE CONCURRENCE MULTIPLES

Du fait de la mondialisation du marché, les évolutions qui se dessinent concernent des zones extrêmement larges. En simplifiant, on peut distinguer trois types de produits, selon qu'ils proviennent des pays tempérés, des pays tropicaux ou indifféremment de ces deux zones.

Les produits des pays tempérés sont presque toujours en excédent (céréales, produits animaux, etc.). Les coûts budgétaires de stockage ou de vente subventionnée sont de moins en moins acceptés par les Etats, mais ceux-ci se satisfont aussi de pouvoir maintenir à un bon niveau des exportations stratégiques.

Par ailleurs, ces produits pénètrent dans l'alimentation des villes des pays en développement, ouvrant des marchés nouveaux aujourd'hui peu solvables, et qui risquent de l'être encore moins si cette substitution se fait au détriment d'agricultures locales peu productives. *A contrario*, rendre solvables les consommateurs des pays pauvres implique de favoriser leur développement. Dans cette perspective, l'agriculture reste dans un grand nombre de cas le secteur-clé. Or, le développement agricole devrait logiquement aboutir à alimenter les consommateurs locaux, en concurrence avec les aliments importés. Pris dans cette double contrainte, les pays pauvres sont obligés d'inventer des solutions nouvelles qui reposent, en tout premier lieu, sur une amélioration considérable des compétences techniques. Face à l'uniformisation des marchés mondiaux, il leur faut restaurer une diversité, en se portant vers des petits produits originaux, pour lesquels des connaissances nouvelles sont nécessaires.

■ ***Que ce soit entre exploitants d'un même pays, ou entre pays différents, le jeu est partout le même : c'est la loi du plus fort, et le plus faible risque de disparaître, chassé de sa terre vers la ville par une concurrence impitoyable.***

■ ***Rendre solvables les consommateurs des pays pauvres implique de favoriser leur développement. Dans cette perspective, l'agriculture reste dans un grand nombre de cas le secteur-clé.***

■ ***Les pays pauvres sont obligés d'inventer des solutions nouvelles qui reposent, en tout premier lieu, sur une amélioration considérable des compétences techniques.***

▲ *Répandues sur l'autoroute, ces pêches provenaient d'Espagne.*

Pour les grands produits spécifiques des pays tropicaux (café, cacao, caoutchouc...), la compétition subsiste. L'absence d'accords de cartellisation permet aux firmes de profiter perpétuellement des faiblesses de telle ou telle zone géographique. Les pays industrialisés restent les principaux débouchés. Ceux-ci se multiplient à mesure que de nouvelles zones du monde s'enrichissent : les quatre dragons d'Extrême Orient, le Brésil, l'Europe de l'Est... Dès lors, la gestion des marchés passe par des accords prévoyant des procédures de stabilisation des cours et des formules contractuelles. Mais, quel que soit le mécanisme de régulation, un antagonisme Nord-Sud persiste longtemps sur les prix, avec une compétition Sud-Sud sur les marchés.

A plus long terme, les données sont modifiées par deux nouveaux facteurs : la concurrence au Nord de produits de synthèse se substituant aux produits tropicaux et, dans un même temps, l'émergence au Sud d'une capacité de consommation locale.

Enfin, pour les produits issus de différentes écologies, pouvant provenir aussi bien du Nord que du Sud, par exemple le coton ou le maïs, ou pour les produits substituables quelle que soit leur origine (huiles), la concurrence tend à se généraliser, dans la mesure où la génétique étend l'aire géographique de production et la transformation des produits alimentaires favorise les substitutions entre matières premières. La concurrence s'opère entre tous les pays, comme on peut le constater sur le marché des huiles.

La composante Nord-Nord de la concurrence fait intervenir des intérêts stratégiques et des capacités budgétaires de soutien. La composante Sud-Sud fait intervenir les avantages comparatifs naturels, mais surtout la capacité à dégager durablement des excédents

Au Burkina, la sous-alimentation atteint les enfants. ▼

exportables grâce à un bon niveau de rémunération des producteurs. Enfin, la composante Nord-Sud de la concurrence reste importante. Les Etats-Unis en particulier, dans le cas du riz, du coton et du maïs, cherchent à contrôler le marché mondial ou, à défaut, à garder des parts importantes. Il en est de même des nouveaux venus de la Communauté européenne. Ces pays méditerranéens, forts de l'appui européen au titre des politiques régionales, substituent leur production aux importations, puis exportent leurs produits vers l'extérieur. Toutes ces évolutions modifient notablement au cours du vingt-et-unième siècle le paysage des grandes zones géographiques.

■ ***Le continent africain est celui qui suscite le plus d'inquiétudes. Son accession à l'indépendance s'est opérée selon un principe dont on n'a pas fini de déplorer le caractère irréaliste : le respect des frontières héritées des puissances coloniales.***

■ ***Les terres ne se régénèrent pas, d'autant qu'une croissance démographique incontrôlée force à dépasser le seuil de production maximal des biotopes, compte tenu de l'état des connaissances techniques locales. Les mouvements vers les meilleures terres s'amplifient donc, envenimant les conflits ethniques.***

L'AFRIQUE EN GRANDE DIFFICULTÉ

Le continent africain est celui qui suscite le plus d'inquiétudes. Victime exemplaire de l'agriculture néolithique, ravagé par la désertification, il avait déjà un niveau de subsistance très bas à l'arrivée des colonisateurs européens. Son accession à l'indépendance s'est opérée selon un principe dont on n'a pas fini de déplorer le caractère irréaliste : le respect des frontières héritées des puissances coloniales. Ces lignes abstraites coupent les territoires de peuplades traditionnelles ou, au contraire, forcent à vivre ensemble des ethnies qui s'ignorent, voire se détestent cordialement. Ainsi qu'il était prévisible, les gouvernements, s'accrochant à un nationalisme artificiel, ont multiplié les causes d'incidents et de conflits tribaux.

Quand bien même les territoires nouvellement découpés vivent en paix, la fermeture des frontières bloque les circulations traditionnelles, et les échanges commerciaux s'opèrent plus facilement avec les anciennes puissances coloniales qu'avec les pays voisins. De plus, les effendias locales ont un goût prononcé pour le pouvoir, hérité des anciennes chefferies ou appris dans les universités occidentales, et une forte attirance pour l'argent, mais n'ont que peu d'intérêt pour les techniques agricoles. Les intérêts des agricultures locales sont par suite, sauf à de rares exceptions, pour le moins négligés...

Nous avons fait des fruits géants avec des bandes plâtrées, nous les avons ensuite peints et vernis pour qu'ils brillent. Nous les placerons ensuite sur la main du sorcier. ▼

Tous ces facteurs font que la situation africaine s'est dégradée. Les sécheresses répétées ont accéléré la crise écologique. Les terres ne se régénèrent pas, d'autant qu'une croissance démographique incontrôlée force à dépasser le seuil de production maximal des biotopes, compte tenu de l'état des connaissances techniques locales. Les mouvements vers les meilleures terres s'amplifient donc, envenimant les conflits ethniques. Les zones de densification rapide (golfe de Guinée) ne peuvent plus faire face à la demande. Rien que pour nourrir la population, les rendements doivent quadrupler en quarante ans. La productivité du travail agricole doit être multipliée par dix pour compenser l'exode massif vers les villes. C'est possible techniquement, mais au prix d'un effort d'éducation populaire difficilement compatible avec les privilèges des effendias. D'où des crises politiques graves dès la fin du vingtième siècle.

Du Maghreb au Moyen-Orient, le potentiel agricole est limité et les ressources d'exportation étroites, alors que la population augmente rapidement. Le développement demande que s'installe une discipline collective minimale et une stratégie d'investissement : barrages d'irrigation, lutte contre l'érosion, cultures maraîchères, techniques sophistiquées de "dry farming". Par ailleurs, ces pays sont proches de l'Europe et subissent l'attraction de son mode de vie. On peut ainsi noter qu'en Algérie le pain remplace graduellement la semoule, alors que le blé tendre se cultive beaucoup moins facilement dans ce pays que le blé dur. Si l'agriculture locale ne peut répondre à ces nouveaux besoins, ni directement, ni en permettant de financer des importations, l'émigration est vouée à se perpétuer.

L'ASIE À L'APPROCHE DES LIMITES

Les chevaux de guerre naissent sur les frontières. Proverbe chinois.

Les pays d'Asie, eux, ont fait de grands progrès pendant la période 1965-1990 : c'est la "révolution verte", réussite exemplaire de la science mise au service du tiers monde. Les fondations américaines Ford et Rockefeller ont lancé des programmes de recherche, qui ont mis au point des variétés de riz et de céréales plus productives et plus résistantes. Puis le savoir-faire correspondant a été diffusé, par des réseaux d'animateurs, jusque dans les villages d'Inde et de Chine. Cette révolution a permis de faire face dans un premier temps à l'accroissement démographique de la période.

Mais les rendements restent encore, dans bien des zones, insuffisants par rapport aux prévisions démographiques. En cherchant encore à les accroître, les cultivateurs engendrent une pollution des zones irriguées. Par ailleurs, les agricultures locales ne sont pas prêtes à faire face à une forte demande de diversification alimentaire. Les producteurs

Les inondations sont fréquentes à Dacca. ▼

Les révolutions vertes

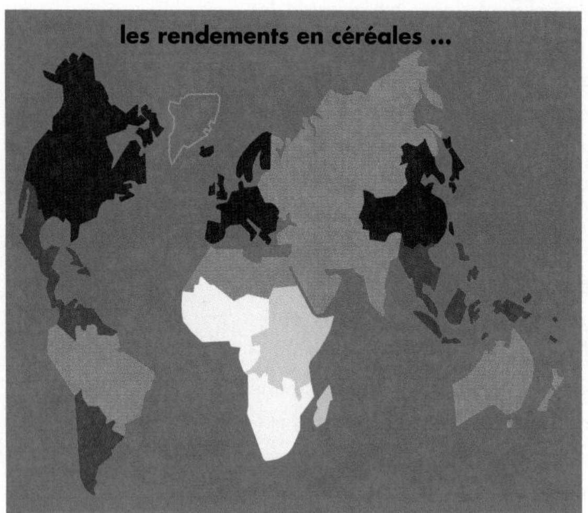

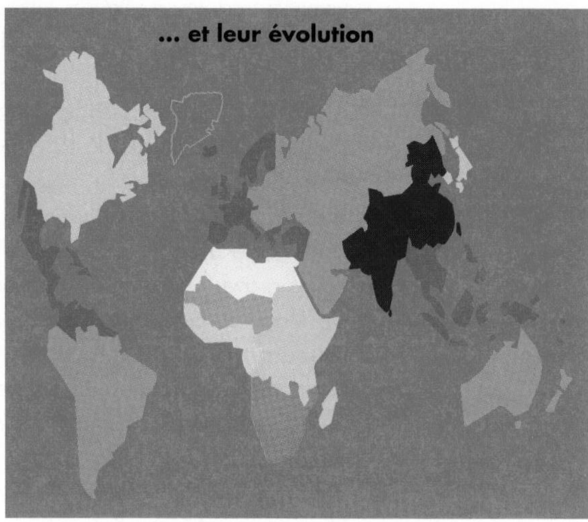

quintaux de céréales par hectare cultivé en 1983

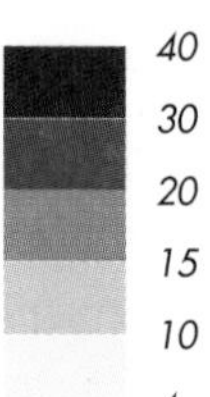

variation annuelle moyenne des rendements en céréales entre 1975 et 1983

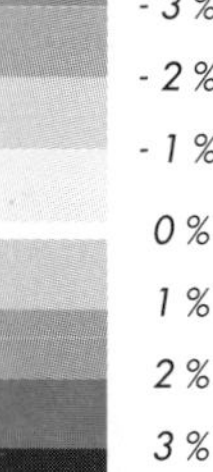

cherchent alors à accroître la production par la mise en valeur de nouvelles régions (montagnes thaïlandaises, Bornéo), mais cela ne se fait qu'au prix d'une disparition de la forêt.

Les modes de production et d'organisation s'adaptent, mais lentement. L'Inde, par exemple, produit assez pour nourrir globalement sa population et même pour exporter. Mais elle n'a pas réussi à réduire les inégalités, laissant une partie non négligeable de sa population dans la misère et la sous-alimentation. La Chine, en revanche, a préservé une certaine égalité, que la libéralisation progressive de l'agriculture remet en question. Lorsque le sort d'une population immense est réglé par très peu de centres de décision, toute erreur de politique économique entraîne des risques sociaux importants.

Le Japon représente un cas particulier. Plutôt que d'épuiser sa terre en cherchant à accroître sa productivité par tous les moyens, il a choisi d'acheter à bas prix ce qu'il ne peut produire. Sa dépendance agricole est largement contrebalancée par la puissance des excédents financiers de ses autres activités économiques.

INÉGALITÉS ET INCOHÉRENCES EN AMÉRIQUE TROPICALE

Les systèmes ruraux des Amériques tropicales étaient déjà marqués par la violence avant Christophe Colomb (extension très rapide de l'empire inca, colonisation des Antilles par les Caraïbes venus du Sud). Mais l'arrivée brutale des conquistadors et le type de culture coloniale qu'ils ont instauré n'ont fait que renforcer les inégalités foncières : 60% de la population rurale ne possède aucune terre.

L'écart ne fait que s'accroître. Au Brésil, entre 1967 et 1978, les exploitations de plus de dix mille hectares ont doublé leur surface. 3200 exploitations occupent 30% de la terre cultivable. Les paysans sans terre sont poussés à se replier sur les zones marginales et à détruire la forêt pour la mettre en culture. D'où l'apparition de graves menaces écologiques et de troubles sociaux.

En année de bonne récolte, le pauvre est encore plus à plaindre. Proverbe coréen.

Les problèmes perdurent en raison d'une alternance permanente entre les politiques de redistribution sociale (réforme agraire, lutte contre les inégalités) et le raidissement des classes dirigeantes. La

▲ Détruire les pastèques pour pouvoir les vendre...

▲ ... et produire encore plus ...

dette limite les possibilités d'intervention. Cette situation dure jusqu'après 2020 : tant qu'il y a de la forêt à défricher, les "fronts pionniers agricoles" peuvent accueillir de nouveaux arrivants.
L'Amazonie ne peut être sauvée qu'au prix de réformes agraires radicales et de sévères mesures de protection, qui sont au-dessus des forces du gouvernement brésilien. La communauté internationale est de plus en plus consciente que la disparition de la forêt serait une catastrophe écologique à éviter à n'importe quel prix. La nécessité mène donc à une ingérence étrangère de plus en plus forte dans les affaires intérieures brésiliennes, s'accompagnant de modernisation.

■ L'Inde produit assez pour nourrir globalement sa population et même pour exporter. Mais elle n'a pas réussi à réduire les inégalités, laissant une partie non négligeable de la population dans la misère et la sous-alimentation.

■ La Chine, en revanche, a préservé une certaine égalité, que la libéralisation progressive de l'agriculture remet en question.

■ L'Amazonie ne peut être sauvée qu'au prix de réformes agraires radicales et de sévères mesures de protection. La communauté internationale est de plus en plus consciente que sa disparition serait une catastrophe écologique.

TOUT N'EST PAS ROSE POUR LES AGRICULTURES INDUSTRIALISÉES

La civilisation agraire européenne traditionnelle, qui associe céréales et jachères, a influencé le paysage d'immenses régions du monde : l'Europe elle-même, les territoires où ses populations se sont établies (Etats-Unis, Canada, Argentine, Afrique du Sud, Nouvelle-Zélande) ou que ses armées ont colonisés. Elle exerce et exercera sans doute encore longtemps une grande influence sur la vie campagnarde et les modes de production. Partout dans le monde, on voue un grand respect à sa technicité (l'adoption du soc de charrue en fer au douzième siècle a fait faire un bond à la productivité, de même que, récemment, la généralisation du tracteur) et à sa bonne connaissance des végétaux (notamment pour la sélection des semences).
Pourtant, on ne saurait prétendre que l'agriculture de type européen n'a que des succès à son actif. Elle risque, comme les autres, la surexploitation. C'est le cas aux Etats-Unis, dès la fin du vingtième siècle[1]. Il faut aussi se souvenir que, avant la Seconde Guerre mondiale, les agriculteurs français les plus pauvres n'étaient pas plus productifs que ceux de la zone tropicale d'aujourd'hui.
Sans doute, dans les pays d'agriculture industrialisée (Amérique du Nord, Europe, Australie, cône sud latino-américain, Afrique du Sud,

[1] *Des fermiers spectateurs de leur propre mort, La faillite de l'agriculture américaine, Le Monde Diplomatique, Paris, janvier 1987.*

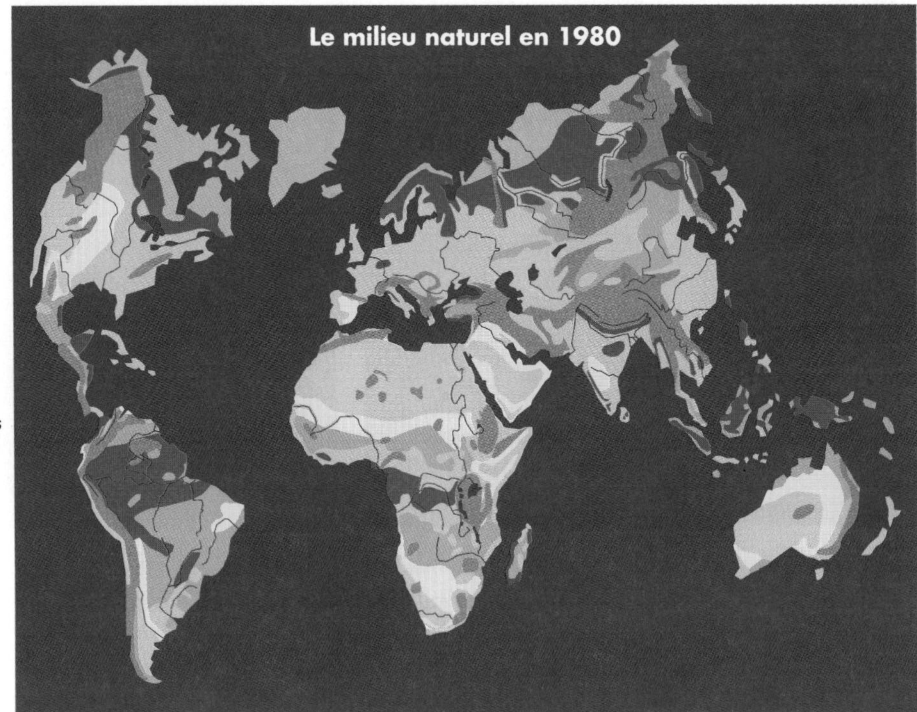

▲ *La déforestation intensive de la fin du vingtième siècle crée de nouveaux déserts ...*

Japon), la productivité est élevée. Les protections et aides publiques sont importantes[1]. L'agriculture est largement excédentaire et les exportateurs se font concurrence alors que les importateurs sont peu solvables (pays de l'Est, pays en voie de développement). Néanmoins, tout système de concurrence acharnée, dans l'agriculture comme dans l'industrie, finit par laminer les marges. La tentation est alors grande de manger son pain blanc en surexploitant, au risque de désertifier, puis de s'en aller. Dans ces périodes difficiles, trois scénarios successifs se déroulent :

- la concentration des terres entre les mains d'exploitants plus industrialisés et hautement productifs, accompagnée d'une poursuite de l'exode rural ;
- le gel des terres pour éviter la surproduction et maintenir les prix à un niveau suffisant pour faire vivre les agriculteurs locaux ; ce n'est possible que dans un espace protégé de façon efficace de la concurrence internationale ;
- la recherche de la diversité qui s'oriente vers de petits produits innovateurs, spécialités différenciées à la recherche d'une clientèle ciblée, prête à payer la qualité plus que la quantité.

La moisson est devenue très mécanisée dans les agricultures industrialisées... ▼

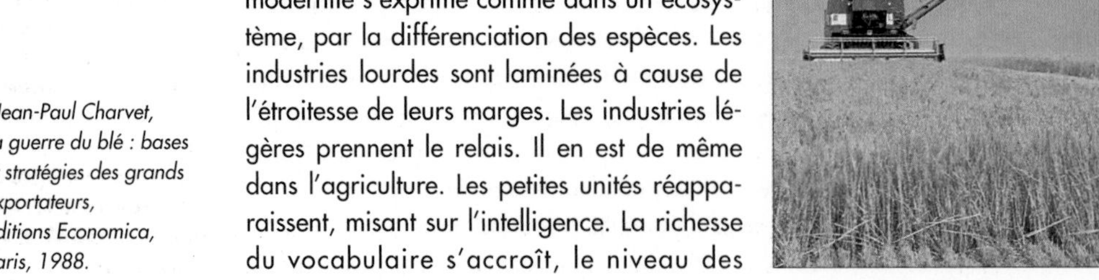

Dans l'agriculture comme dans l'industrie, la modernité s'exprime comme dans un écosystème, par la différenciation des espèces. Les industries lourdes sont laminées à cause de l'étroitesse de leurs marges. Les industries légères prennent le relais. Il en est de même dans l'agriculture. Les petites unités réapparaissent, misant sur l'intelligence. La richesse du vocabulaire s'accroît, le niveau des

[1] *Jean-Paul Charvet, La guerre du blé : bases et stratégies des grands exportateurs, Editions Economica, Paris, 1988.*

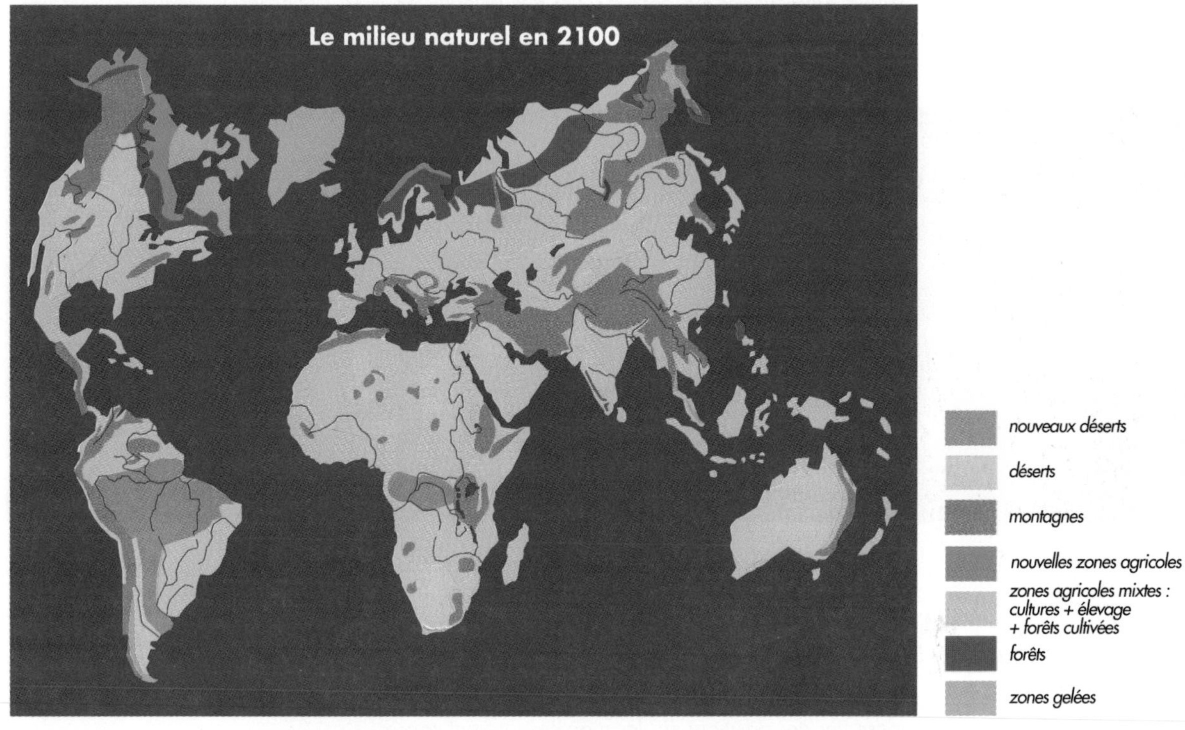

... qui sont un peu ▲ contrebalancés par l'extension des zones rendues accessibles par le réchauffement de la planète.

connaissances exigé monte, la vigilance et la détection des petits marchés s'affinent. Là comme ailleurs, l'agriculture se tourne vers la "high-tech" et est assortie de pluri-activité.

LES DIFFICULTÉS DES POUVOIRS PUBLICS

Cependant, le désordre agricole mondial n'a pas que des conséquences en matière de famine et de pauvreté. Les motifs d'inquiétude sont également nombreux sur le plan écologique. La pollution chimique dans les espaces agricoles à haute intensité de fonctionnement ne peut plus être ignorée. L'époque où les spécialistes ne s'alarmaient que de doses infinitésimales d'engrais relevées dans l'eau de certaines rivières appartient déjà au passé. Pour constater la gravité de la situation, il suffit bien souvent de faire analyser l'eau du robinet, celle-là même que les habitants consomment directement tous les jours pour boire, cuisiner ou se laver.

■ Dans les pays d'agriculture industrialisée, la productivité est élevée. Les protections et aides publiques sont importantes, les exportateurs se font concurrence alors que les importateurs sont peu solvables.

Par ailleurs, la campagne se porte de plus en plus mal. D'immenses espaces, exploités jusqu'à la corde par des techniques ne permettant pas le maintien de la fertilité, deviennent des terres stériles. La disparition des populations agricoles laisse la terre à l'abandon. Et l'expérience montre que celle-ci, une fois abandonnée, ne recrée pas un milieu naturel intéressant, ni même une biomasse utile aux grands équilibres écologiques de la planète : il ne se constitue qu'un maquis impénétrable et sans valeur. Il faut cinquante ans à l'homme et mille ans à la nature pour reconstituer des écosystèmes complets.

■ D'immenses espaces, exploités jusqu'à la corde par des techniques ne permettant pas le maintien de la fertilité, deviennent des terres stériles. Il faut cinquante ans à l'homme et mille ans à la nature pour reconstituer des écosystèmes complets.

Pour protéger leur agriculture, et maintenir un niveau suffisant d'autosubsistance, les pays en développement ont intérêt à pratiquer un certain protectionnisme garantissant des niveaux de prix, donc des revenus suffisants à leurs agriculteurs. Mais les gouvernements ne peuvent pas laisser trop monter le prix des denrées alimentaires sans

▲ *Le marché reste traditionnel.*

▲ *La pénurie crée des files d'attente devant les magasins d'alimentation en Pologne.*

mécontenter gravement leur électorat urbain. Le cas s'est produit au Sénégal, en Algérie, en Tunisie... Pour éviter un divorce avec leur population, ils se doivent d'assurer l'équilibre économique, y compris un minimum d'autosuffisance alimentaire. A cet effet, il leur faut promouvoir les exportations, soit pour obtenir des devises, soit pour conserver des positions sur les marchés internationaux.

Mais aucun ne peut durablement trahir les intérêts de ceux qui l'ont porté au pouvoir et l'y maintiennent. Un Etat à structures démocratiques est donc *a priori* plus enclin qu'un autre à chercher à freiner l'affaiblissement de son agriculture, en raison de la simple nécessité de ménager les producteurs agricoles, tant que ceux-ci sont plus nombreux que les consommateurs urbains. Mais dès que le poids électoral des villes dépasse celui des campagnes, l'agriculture risque d'être laminée par la concurrence internationale.

Pour avoir quelque chance de défendre efficacement son agriculture, un Etat se doit en outre d'éviter deux écueils : d'une part un excès d'autorité et de centralisation, d'autre part la faiblesse, la corruption et le laxisme qui le laissent sans force face aux pouvoirs plus ou moins occultes du grand négoce international.

Pour compenser dans une certaine mesure la faiblesse des petits Etats, les instances internationales tentent d'améliorer les conditions des échanges et surtout de lutter contre l'instabilité des prix. Mais les résultats obtenus sont décevants. La Cnuced[1] avait ainsi prévu en 1976 un accord sur l'ensemble des produits de base. Quinze ans après, il n'était toujours pas en application. Les pouvoirs publics ne peuvent donc pas fonder beaucoup d'espoirs sur une éventuelle réglementation internationale. Il existe déjà toute une panoplie de règles nationales, voire d'accords internationaux, luttant contre les pratiques déloyales et les abus de position domi-

[1] *Commission des Nations Unies pour la coordination du développement économique.*

nante, pour permettre aux marchés de fonctionner loyalement. En pratique, ces règles sont facilement tournées et continuent à l'être en l'absence de pouvoirs judiciaires internationaux crédibles. Aussi la généralisation de protections des agricultures les moins productives est-elle une position d'attente, consistant à maintenir des niveaux de revenus assez élevés pour permettre aux agriculteurs de vivre, malgré leur faible productivité de départ, en attendant la montée de leur niveau technologique.

▲ *La protection n'est pas indispensable.*

■ Dès que le poids électoral des villes dépasse celui des campagnes, l'agriculture risque d'être laminée par la concurrence internationale.

■ Les mécanismes de protection ne peuvent fonctionner efficacement que si la zone sur laquelle ils s'appliquent est assez vaste. De grands sous-ensembles cherchent ainsi à se définir et à se protéger au sein d'un marché agro-alimentaire unifié (Communauté européenne, Union nord-américaine, marché centre-américain, Caraïbes, Maghreb, ...).

Les mécanismes de protection ne peuvent fonctionner efficacement que si la zone sur laquelle ils s'appliquent est assez vaste, et si les producteurs de cette zone peuvent y trouver leur intérêt. De grands sous-ensembles cherchent ainsi à se définir et à se protéger au sein d'un marché agro-alimentaire unifié. Cela concerne les "marchés communs" (Communauté européenne, Union nord-américaine, marché centre-américain, Caraïbes, Maghreb, ...) et les "pays continents" : Etats-Unis, Chine, Inde. Dans ces deux derniers pays, la production est liée à une volonté exportatrice, mais leur accroissement démographique devrait absorber à moyen terme leurs excédents alimentaires. Pour une raison inverse, les producteurs de céréales africains ont intérêt à s'unir pour constituer une zone à l'abri des importations à bas prix de l'agriculture industrielle et mécanisée.

Dans les pays industrialisés, des échanges se développent entre des zones naguère isolées : mobilité des populations, abaissement des barrières douanières, unification des marchés agricoles. Tous ne profitent pas également de cette unification. La règle "à chacun selon son héritage"[1] joue à plein : la productivité de l'agriculture est proportionnelle au capital effectivement disponible, et la formation du capital proportionnée au capital existant.

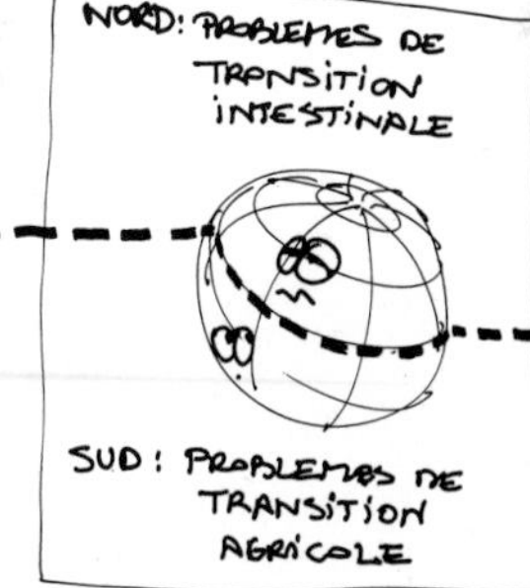

Hors de ces organisations, de grands espaces économiques agricoles subsistent. Les Etats n'y ont pas de politique agricole commune, ce qui les rend perméables aux influences du marché mondial, laisse se développer un capitalisme agricole régional et favorise les trafics aux frontières. L'Amérique latine est vouée à une telle situation.

CE SONT LES ENTREPRISES QUI TRANSFORMENT L'AGRICULTURE

Ce ne sont pas des Etats ni même des organisations transnationales, mais bien des entreprises que viennent les initiatives technico-économiques et la création d'emplois. L'origine des firmes qui interviennent sur le marché agro-alimentaire est diverse : grands courtiers internationaux en grains, industries de transformation, industries de l'amont (engrais, semences, machinisme), firmes pétrolières, secteur

[1] *Marcel Mazoyer, La crise de la paysannerie, in Actuel développement n° 47.*

de la distribution. Les exploitants eux-mêmes, dès qu'ils atteignent une surface et une formation économique suffisante, se constituent en entreprises, tout en jouissant généralement de statuts particuliers.

Dans les petits sacs sont les fines épices. Proverbe français.

MENTHE : L'AGRICULTURE PLUS FORTE QUE L'INDUSTRIE !

Des recherches françaises, associant des physiologistes, des industriels et des utilisateurs avaient permis la production d'essence de menthe artificielle en fermenteurs. La technique est intéressante, car elle permet de contrôler la qualité des essences obtenues. Mais la solution est coûteuse, car il faut travailler en milieu stérile et manipuler plusieurs classes d'hormones végétales.
C'est l'agriculture américaine qui l'a emporté sur le marché mondial, par un meilleur rapport qualité-prix : la menthe est cultivée sur de grandes surfaces, fauchée avant floraison et purifiée par des procédés locaux. Face à l'industrie, l'agriculture n'est pas toujours perdante.

C'est souvent l'industrie qui stimule, soutient, encadre et forme les exploitants agricoles. Une firme de volailles ou de charcuterie, par exemple, fait du marketing et de la publicité en direction des consommateurs, mais aussi détermine l'orientation des exploitants auprès de qui elle se fournit : choix des races et des modes d'élevage, contrôle de qualité, fourniture de produits "biologiques", etc.
Par croissance interne ou par le jeu des concentrations, certaines firmes acquièrent une importance mondiale. Elles échappent ainsi aux politiques des pouvoirs locaux ou les contournent : mobilité des profits, mouvements monétaires en fonction des taux de change, non-respect d'embargos (changement de destination des cargos de céréales ou d'autres produits, changements de propriétaires des cargaisons, etc.).
Les grandes firmes ne jouent pas un jeu égal sur les marchés. Le plus fort obtient toujours de meilleures conditions. Les vagues chahutent les petites barques, mais laissent le paquebot indifférent. De même, l'instabilité monétaire favorise le plus riche, qui peut choisir ses moments et se couvrir sur le marché financier, ainsi que le mieux informé, qui a les

L'œuf dur cylindrique, présente des tranches dont l'immense avantage est une dimension constante. ▼

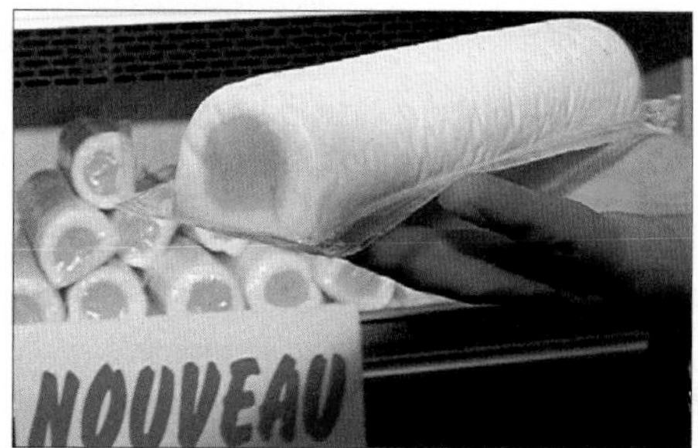

LA MULTIPLICATION DE NOUVEAUX USAGES

La production agricole est de plus en plus sollicitée pour fournir des matières premières à toutes sortes d'industries, alimentaires ou non. Le maïs, par exemple, outre l'alimentation animale et infantile, sert à fabriquer du sucre, et intervient dans la composition de potages, de confiseries, pâtisseries, charcuteries, produits pharmaceutiques ou papiers de luxe.
Les plantes et la photosynthèse peuvent participer à la dépollution. Plus généralement, la biomasse est un des facteurs majeurs de l'équilibre biologique. La stabilisation de la concentration du gaz carbonique dans l'atmosphère exige que l'on produise biologiquement, en le fixant dans les plantes, de trois à quatre gigatonnes de carbone chaque année. Cela suppose en particulier la reforestation de très grands espaces, qui permet de stabiliser, puis de réduire de façon notable la teneur en gaz carbonique de l'atmosphère.
L'emploi équilibré de toutes ces technologies fait peser sur l'exploitant agricole des responsabilités majeures et nécessite de lui donner une formation toujours plus approfondie. L'ouvrier agricole perçu comme simple force de travail à bon marché, quand elle n'est pas payée à coups de trique, est une réalité encore trop fréquente dans les pays pauvres. Elle n'a pas sa place dans le monde de demain. L'agriculteur doit avoir partout un véritable statut social.

moyens de prévoir. Cependant, les structures lourdes peuvent se tromper lourdement dans leurs orientations et réagir avec retard aux innovations : même Unilever et Nestlé en ont fait la dure expérience.

▲ L'aide alimentaire caritative est un pis-aller.

▲ La régularisation des grands fleuves éviterait les drames trop souvent répétés.

Plus fragiles, les entreprises petites et moyennes sont aussi plus souples, plus rapides et exploitent mieux, si elles sont intelligentes, les situations changeantes. Il faut être léger pour bien surfer.

LES "BIDULES" POUR RÉÉQUILIBRER

Les Etats et les entreprises se comportent donc en contre-pouvoirs les uns par rapport aux autres et les victoires des uns ou des autres peuvent changer la physionomie du marché. Mais d'autres structures jouent aussi un rôle croissant. Ce sont les "bidules", associations de tous types et organismes non-gouvernementaux (ONG). Agissant selon d'autres principes que les lois d'airain de l'économie de marché, détachées d'une définition territoriale, ces structures peuvent compenser les lacunes de la régulation politique ou économique.

Les ONG caritatives organisent des transferts humanitaires vers des zones ou des groupes socio-économiques défavorisés. D'autres saisissent l'opinion locale ou mondiale de dangers écologiques ou politiques (Greenpeace, Amnesty International). D'autres encore se voient reconnaître par les Etats une autorité, et parfois même des pouvoirs dans des domaines limités (GATT, ONU). Certaines, comme le groupe de recherches et d'échanges des technologies (GRET) cherchent aussi à promouvoir le transfert de technologie. *"Donne un poisson à un homme, il mangera un jour ; apprends-lui à pêcher, il mangera toute sa vie"*, disait-on. Satisfaire la bonne conscience des donneurs ou exprimer l'indignation des amoureux de la nature ne suffit plus. La prise en charge véritable des problèmes mondiaux suppose qu'on privilégie désormais l'efficacité et en particulier le développement de la culture technique.

▲ L'élevage de crevettes destinées à l'exportation est une diversification accessible avec de faibles investissements.

Ces organismes ne constituent pas la panacée. Ils peuvent aussi sombrer dans l'inefficacité paperassière ou se transformer en pouvoirs

■ ***C'est souvent l'industrie qui stimule, soutient, encadre et forme les exploitants agricoles, mais aussi détermine l'orientation des exploitants auprès de qui elle se fournit : choix des races et des modes d'élevage, contrôle de qualité, etc.***

■ ***Les structures lourdes peuvent se tromper lourdement dans leurs orientations et réagir avec retard aux innovations. Plus fragiles, les entreprises petites et moyennes sont aussi plus souples, plus rapides et exploitent mieux les situations changeantes.***

partisans. Ils constituent cependant un ensemble souple qui complète le jeu plus classique des Etats et des entreprises, un troisième larron avec lequel il faut compter au vingt-et-unième siècle.

DES TECHNOLOGIES QUI PROGRESSENT RAPIDEMENT

Parallèlement à cette évolution économique, les modes de production connaissent, eux aussi, des mutations profondes. La croissance passe en effet par la mécanisation, voire la robotisation des exploitations ; par un recours toujours plus grand à l'artificiel, à la synthèse et au génie biologique ; par une valeur ajoutée toujours plus forte entre la production de base et la consommation finale.

Toutes les ressources de la technique de la fin du vingtième siècle n'ont pas encore été employées. Le satellite permet d'observer l'état des récoltes et de détecter les zones en difficulté. On l'utilise pour repérer les cultures de drogue en Colombie et dans le triangle d'or, mais on peut aussi obtenir grâce à lui une meilleure évaluation des effets de la sécheresse au Sahel.

Dans un premier temps, la robotisation s'est cantonnée aux usines et n'a pas pénétré les campagnes. C'est que l'environnement agricole n'offre pas les protections d'un atelier. Un robot agricole devrait supporter le froid et le chaud, la pluie, le sable, la boue. D'autre part, le sol est de densité variable, les plantes fragiles, leur forme irrégulière. Il a fallu une centaine d'années pour mettre au point la machine à récolter le coton et plusieurs décennies pour la machine à vendanger. Un robot cueilleur de myrtilles en montagne serait encore plus difficile à mettre au point et à maintenir en état de marche.

Cependant les progrès de la robotique dans les années 1990 (palpeurs, caméras et systèmes de reconnaissance de formes) permettent d'envisager une adaptation progressive de ces techniques au milieu agricole. Nombre de travaux agricoles se contentent d'ailleurs d'une précision inférieure à celle des usinages. Les zones de travail peuvent être aménagées, comme elles l'ont d'ailleurs déjà été en partie pour faciliter la mécanisation. Le travail des robots peut être facilité par une bonne préparation du terrain, par exemple avec des balises radio permettant un repérage de précision. C'est encore plus facile dans les serres. Robots cueilleurs de fruits et robots de traite sont donc voués à se multiplier rapidement.

Mais les innovations les plus intéressantes ne sont pas forcément les plus spectaculaires. Beaucoup plus que des progrès de la mécanisation, elles résultent du perfectionnement des techniques biologiques[1]. Au reste, le marché des innovations des machines agricoles s'épuise : elles ne peuvent être mises en œuvre qu'à des coûts importants, dans un contexte d'industrialisation.

Bien entendu, ces deux aspects de la modernisation sont complémentaires et non antago-

L'insémination artificielle, version végétale. ▼

■ ***Il a fallu une centaine d'années pour mettre au point la machine à récolter le coton, et plusieurs décennies pour la machine à vendanger. Il ne faut donc pas s'étonner qu'un robot cueilleur de myrtilles en montagne soit très difficile à mettre au point.***

■ ***Les innovations les plus intéressantes résultent du perfectionnement des techniques biologiques.***

■ ***Le génie génétique représente un des motifs d'optimisme pour les pays en développement : ses coûts de production, en effet, ne sont pas trop élevés.***

[1] *Chantal Ducos et Pierre-Benoît Joly, Les biotechnologies, La Découverte, Paris, 1988.*

nistes : ainsi, la modification génétique des plantes peut simplifier la mécanisation du travail (groupage des récoltes, résistance aux chocs dans les manipulations des fruits). Deux autres raisons pressantes amènent, dans les années 1990, à orienter les efforts de la recherche vers le génie génétique[1]. Celui-ci peut en effet aider à résoudre les problèmes posés par l'utilisation lourde de la fertilisation chimique : nitrates dans les nappes phréatiques, développement d'algues dans les lacs et océans. Dès la diffusion des plantes fixant directement l'azote de l'air, préparées par manipulation génétique, les pollutions agricoles commencent à baisser de façon très significative sur des régions précédemment touchées.

▲ *Les cultures hydroponiques permettent une récolte industrialisée.*

D'autre part, la résistance aux molécules chimiques des insectes (ravageurs en général) et des maladies se fait de plus en plus fréquente, ce qui est au fond logique : après dix à trente ans d'utilisation, le traitement, par son efficacité même, aboutit à la sélection des variétés de parasites qui lui résistent le mieux. Il faut alors trouver une nouvelle molécule insecticide ou médicamenteuse.

Le génie génétique représente un des motifs d'optimisme pour les pays en développement : ses coûts de production, en effet, ne sont pas trop élevés, en sorte que même les agricultures les plus pauvres peuvent profiter de ses innovations. Des phénomènes aussi spectaculaires que la "révolution verte" se reproduisent une fois tous les vingt ans.

LES TRANSFORMATIONS DES ESPACES AGRICOLES

Le monde rural subit des transformations profondes, qui aboutissent à une disparition de la paysannerie traditionnelle. Henri Mendras a montré comment, dans la France de l'après-guerre, les ruraux s'étaient, en trente ans, fondus dans la classe moyenne. La télévision, le téléphone, la mécanisation ont définitivement rompu leur isolement. L'attachement à la nature subsiste, mais il s'exprime autrement. Et surtout au vingt-et-unième siècle, la présence à la campagne n'a plus pour but exclusif, ni même principal, la production agricole. L'époque est à la pluri-activité, dans un contexte de haute technologie. Le vocabulaire de la nature n'est-il pas d'un ordre de grandeur comparable à celui des techniques ?

Dans les pays en voie de développement, l'évolution est d'abord brutale : exploitées par les oligarchies locales, incapables d'affronter la concurrence de produits importés à bon marché (quand il ne s'agit pas d'une aide alimentaire mal dirigée), chassées de leurs territoires traditionnels vers les villes, les populations rurales désertent massivement la campagne[2]. En quelques dizaines d'années, un

[1] *Gérard Paillotin, L'avenir des biotechnologies dans l'agriculture et l'agro-alimentaire, GRET, Paris, 1989.*

[2] *Joseph Klatzmann, Aide alimentaire et développement rural, PUF, Paris, 1988.*

▲ *Le pain industriel, trop fruste, cède la place à de petites boulangeries munies de fours à micro-ondes, délivrant des miches chaudes instantanément.*

milliard de paysans ont ainsi été ruinés (toute la culture manuelle non irriguée et toute la culture attelée légère). Cette population se retrouve dans les villes, alimentant une économie informelle, avec très peu de capital et un faible niveau de productivité.

Dans les pays industrialisés, la disparition des populations paysannes traditionnelles, résultat du progrès technologique et de la concentration économique, va de pair avec une modification profonde du paysage. L'espace rural d'un côté, l'espace industriel et urbain de l'autre, sont désormais séparés d'une manière si tranchée qu'elle confine à la caricature.

En l'an 2100, le territoire mondial, où la distinction entre les pays industrialisés et les autres s'est estompée, apparaît comme divisé entre des espaces urbains concentrant la quasi-totalité de la population, des espaces agricoles peuplés essentiellement de robots, accompagnés seulement de quelques surveillants, et des parcs naturels. Les machines sont devenues énormes, disproportionnées par rapport au corps humain comme aux infrastructures rurales. Les espaces agricoles ne représentent plus qu'une petite partie, la plus fertile, des terres émergées. Tout le reste a pris le statut d'espace protégé, conservatoire de la nature. Enfin, il faut mentionner un élément nouveau, dont l'apparition dans le paysage n'a guère attiré l'attention : il s'agit des immeubles voués aux cultures sans terre (hydroponiques), comportant parfois plusieurs étages de production pour une meilleure efficacité énergétique.

Pour empêcher les campagnes de se muer en déserts, les gouvernements s'efforcent de les transformer en un milieu socio-culturel attirant. Certaines zones rurales françaises, en Normandie ou en Gascogne par exemple, représentent à cet égard des réussites intéressantes dès la fin du vingtième siècle. Les bâtiments d'exploitation abandonnés sont repris par toute une variété d'occupants nouveaux : retraités, petites structures scolaires, centres de congrès et séminaires. Toutes les ressources touristiques et de loisir de la campagne (littoral marin ou plan d'eau, montagne pour la randonnée ou le ski, patrimoine archéologique) sont mises à profit.

■ En l'an 2100, le territoire mondial apparaît comme divisé entre des espaces urbains concentrant la quasi-totalité de la population, des espaces agricoles peuplés essentiellement de robots et des parcs naturels. Les espaces agricoles ne représentent plus qu'une petite partie, la plus fertile, des terres émergées. Tout le reste a pris le statut d'espace protégé, conservatoire de la nature.

Les fonctions urbaines peuvent rester proches, avec un réseau de villes petites ou moyennes, rayonnant jusqu'à une demi-heure de voiture, soit une trentaine de kilomètres. La ville propose son animation culturelle, ses commerces, ses structures administratives, ses services, sa zone d'activités industrielles et tertiaires, et des transports rapides pour les longues distances (autoroute, TGV, avion).

LES INTERMÉDIAIRES INDISPENSABLES VONT DU CHAMP À LA TABLE

■ Si les agriculteurs disparaissent presque totalement, la chaîne qui relie la production agricole au consommateur final continue en sens inverse à prendre de l'importance.

Si les agriculteurs disparaissent presque totalement, la chaîne qui relie la production agricole au consommateur final continue au contraire à prendre de l'importance : le transport et négoce des produits de base, les industries agro-alimentaires, la distribution de détail, la restauration et les services. Pour le blé, par exemple, la première phase est assurée par les coopératives et les négociants. La deuxième comporte les moulins, la biscuiterie, les pâtes alimentaires. C'est une phase de synthèse entre différents produits de base (blé plus beurre pour faire un "petit beurre") et un conditionnement, désormais extrêmement élaboré. La dernière phase regroupe des structures aussi diverses que le petit commerce de proximité, le petit artisanat, la grande surface, la télévente, la restauration traditionnelle ou rapide et les traiteurs. Toute une chaîne d'acteurs s'interpose donc entre le consommateur et le producteur originel. Pour cent francs de produits alimentaires achetés en ville, vingt au plus vont au producteur de base. Et une part encore plus faible si le consommateur final mange au restaurant.

▲ *La restauration rapide de 2020 était imaginée ainsi à la fin du vingtième siècle ...*

Il serait cependant absurde de voir des parasites dans tous ces intermédiaires. Ils apportent en effet une véritable valeur ajoutée : stockage, régularisation des qualités, diversité des produits offerts, facilité d'acquisition, réduction des phases culinaires terminales à leur plus simple expression et, surtout, gestion de la séduction. Le producteur s'occupe d'ajuster le produit au goût du client. En sens contraire, les professionnels du désir, eux, s'occupent d'ajuster le goût du client au produit final. La tendance est marquée dès la fin du vingtième siècle. Les produits surgelés ont une présentation élaborée. La "quatrième gamme" de salades et légumes verts se déploie dans les rayons. La restauration s'étend, non seulement pour les touristes, mais aussi dans le cadre de la vie courante. Les préparations spéciales se multiplient : plats lyophilisés, variétés de yaourts et de crèmes dessert, céréales et spécialités pour le petit déjeuner...

▲ *... avec ses distributeurs automatiques de plats réchauffés.*

Cette importance des phases finales n'est pas le propre des pays industrialisés. Tout un artisanat alimentaire urbain se met en place en Afrique subsaharienne[1]. Les habitants de diverses villes comme Dakar, Lagos, Brazzaville ou Abidjan ont développé spontanément des structures d'approvisionnement (grossistes, transporteurs), une petite industrie de transformation (chikwangue, couscous, poisson fumé, etc.), une petite restauration, un micro-commerce et des prestations de services spécifiques (meuniers, frigorifiques de marché), ainsi qu'un commerce de produits complémentaires comme les feuilles d'emballage ou le charbon de bois.

Si le "fast food" relève à ses débuts des pays industrialisés, le "street food" se généralise partout, en s'adaptant à chaque fois aux productions locales : cacahuètes grillées à Dakar, tournesol à Bucarest, chaouma dans les pays orientaux, tortillas au Mexique.

[1] *Nicolas Bricas et José Muchnikin, Technologies autochtones et artisanat alimentaire urbain : nourrir les villes en Afrique sub-saharienne, L'Harmattan, Paris, 1985.*

Les habitudes alimentaires changent. Le rituel des repas est petit à petit déstructuré, en raison de la multiplication des prises alimentaires quotidiennes. Ce n'est plus l'heure à laquelle on mange qui compte, mais le thème qui lui est associé : alimentation de service ou au contraire de loisir, restauration rapide, de petite faim, de petite fête, de détente, menus forme, restaurants verts, restauration scolaire et d'étude, restauration de voyage (avion, autoroute, etc.).
Le rythme de l'innovation s'accélère à mesure que pénètrent les nouvelles techniques de conservation (surgelés, lyophilisés) et de préparation (micro-ondes, robots ménagers).

■ ***Les habitudes alimentaires changent. Le rituel des repas est petit à petit déstructuré, en raison de la multiplication des prises alimentaires quotidiennes.***

■ ***Les gastronomes de l'an 2100 découvrent chaque jour des saveurs nouvelles dans des mets construits et médiatisés, à forte valeur ajoutée. Plus de la moitié des produits qu'ils consomment était inconnue de leurs grands-parents.***

■ ***Les hommes avaient quitté la terre comme producteurs, la glaise aux pieds. Ils y reviennent comme jardiniers, accompagnés de robots.***

LES PETITS PLATS DE 2100

La science-fiction voyait la diététique future sous la forme d'un mélange de pilules et de bouillies insipides. De quoi faire bien rire les gastronomes de l'an 2100. En effet, ceux-ci découvrent chaque jour des saveurs nouvelles dans des mets construits et médiatisés, à forte valeur ajoutée. Plus de la moitié des produits qu'ils consomment était inconnue de leurs grands-parents.
Ceux-ci auraient d'ailleurs bien du mal à s'y reconnaître : ces mets à l'aspect appétissant, tendres, croquants, croustillants, mais aussi légers, pleins de vitamines et de fibres soigneusement choisies, sont-ils à base de soja, de poisson ou d'algues ? Restructurés, parfumés d'arômes ajoutés ou résultats de cultures nouvelles, les plats s'éloignent des produits de base en gagnant leur saveur et leur goût propres : telle viande savoureuse est une grillade végétale, tel pâté de soja a un goût de charcuterie.
Mais les habitudes alimentaires ne changent pas vite. Au départ, les aliments inconnus suscitent plus la méfiance que le désir. Il n'y a pas de quoi s'en étonner. Avant que Parmentier ait eu l'idée de faire garder militairement ses champs, faisant ainsi valoir le caractère précieux de ce qui y était cultivé, la pomme de terre paraissait, en Europe, tout juste bonne à nourrir les porcs.
Les professions de bouche sont conservatrices et cherchent la qualité vers l'ancien plutôt que vers le nouveau. En voici un exemple : entre la mise sur le marché du mixer et l'apparition en pâtisserie et dans les restaurants de mousses et de cocktails de fruits préparés au moyen de ce matériel, une quinzaine d'années s'est écoulée. Une génération : tel est le délai qui est nécessaire au changement des habitudes.
L'avenir a un atout : réconcilier l'écologie et la diététique avec le plaisir. Algues, levures, bactéries, champignons,... les ingrédients ne manquent pas, qui pourraient avantageusement remplacer la viande, par exemple. Mais ils trouvent diffi-

Le bois de taillis, transformé en usine à Singapour, réapparait sous forme de rouleau de protéines parfumé au crabe et au gingembre. ▼

cilement leur marché, faute de bonnes recettes. L'industrie alimentaire, pour se développer, a besoin de cuisiniers créatifs et convaincants. Aux charmes du produit élaboré se mêle toujours le désir du retour aux sources. Le produit de luxe est à la fois terme d'une longue chaîne technologique et "authentique produit du terroir". Certains vont chercher leurs recettes jusque chez Apicius qui, au temps de la Rome impériale, connaissait de multiples et savoureuses façons d'accommoder le navet. Comme pour la musique, le fin du fin est de retrouver le son original le plus pur possible. Parmi les divers modes d'alimentation, reste donc une certaine part de pèlerinage aux sources, qui amène à cultiver son jardin, à pêcher son poisson et le cuisiner soi-même.

▲ *La cuisine japonaise et chinoise, où se mêlent divers ingrédients "préparés", se diffuse à la surface du globe.*

La faim est le meilleur cuisinier.
Proverbe tchèque.

VERS UNE NOUVELLE HARMONIE

L'attachement à la nature n'a donc pas disparu, mais il s'exprime différemment. La dynamique d'implosion urbaine est, dans le monde entier, irrésistible. Le nouveau système technique permet de satisfaire les besoins alimentaires avec moins de 5% de la population à la campagne. La machine économique chasse par conséquent l'homme de la terre. Mais ce flux est bien vite suivi d'un reflux.

Vers 2010-2020, les mégalopoles sont devenues invivables. Les télécommunications permettent de s'en éloigner sans être isolé. La classe dirigeante, recherchant la qualité de la vie, fuit alors les grandes villes, reflue vers les technopoles et les villes moyennes, ou pratique le nomadisme sans attache particulière.

A la même époque, la prise de conscience de la nécessité de préserver la biosphère devient générale. Les hommes avaient quitté la terre comme producteurs, la glaise aux pieds.

SAUMON DE SEINE, SAUCE PYRAMIDE

Paris, juin 2050. Sous les platanes qui bordent les quais de Seine, un restaurant est très à la mode, car son chef a le sens des traditions. Parmi les spécialités qui font sa renommée, le saumon de Seine, sauce pyramide. Le saumon est pêché à Paris même. La pureté de l'eau qui coule devant la terrasse en garantit la saveur. D'ailleurs un saumon qui a vu Notre-Dame et le ministère des Finances n'a-t-il pas une saveur particulière ? Saveur soigneusement préservée par une cuisson toute simple à l'unilatéral, mais savamment pilotée par le système expert mijoté par le chef, le tout, bien entendu, sous atmosphère contrôlée.

La sauce pyramide ? Hommage à la pyramide du Louvre, c'est le volet avant-gardiste. Garantie purement de synthèse. De petites pyramides pures comme le diamant et liées par une gelée noire comme du caviar d'autrefois. Le goût ? Vif et frais, pour contraster avec la tiède tendreté du saumon. Et les becs fins prendront plaisir à y détecter toutes les connotations que le chef y a savamment intégrées, depuis les herbes nordiques jusqu'aux épices tropicales. Mais qu'ils ne cherchent pas trop dans le passé : ce goût, c'est celui de l'avenir. Bon appétit.

▲ *Les enfants mettent la dernière main à leur hymne à la nature et à ses fruits.* ▶

Ils y reviennent comme jardiniers, accompagnés de robots agricoles. La société agraire, dominante en Europe jusqu'au milieu du vingtième siècle, sacralisait la terre, considérée comme la base de subsistance, indispensable à la survie. Le reflux vers les campagnes de la période 2020-2060 s'inspire de valeurs toutes différentes. Au capitalisme de production succède un capitalisme de séduction. L'espace rural devient un recours, un bain de santé et de nature, un lieu de culture et de jeu, un havre protégé de la surinformation et des agressions. Il s'agit toujours de survie, mais ce n'est plus la nourriture qui manque, c'est la santé et l'équilibre psychique.

A cette époque, se déclenche un effort d'éducation massif destiné à donner à tous les humains une culture technique de base. La base, ce sont les moyens de la survie et, parmi eux, les relations avec la nature. Tirant les leçons de la période précédente, où la population craignait d'être dépendante pour ses besoins alimentaires, on fait des techniques d'autosubsistance une partie essentielle de ces enseignements. L'homme de l'an 2050 sait cultiver. Il sait aussi survivre en mer ou en forêt. Il connaît également la diététique. C'est un consommateur beaucoup plus avisé et exigeant que ses ancêtres.

■ ***L'homme de l'an 2050 sait cultiver. Il sait aussi survivre en mer ou en forêt. Il connaît également la diététique. C'est un consommateur beaucoup plus avisé et exigeant que ses ancêtres.***

Vers le milieu du vingt-et-unième siècle, l'homme pense large et réalise de grands projets. Les zones réchauffées par l'effet de serre, devenues habitables au bord des fleuves de Sibérie et dans le Nord canadien, sont colonisées selon des programmes intégrés agro-urbains, préservant ce seuil de 50% d'autosubsistance, et coordonnés par d'audacieux promoteurs. Ainsi, en 2100, au bout de deux siècles, on a enfin répondu à la suggestion d'Alphonse Allais : *"Mais enfin, pourquoi ne construit-on pas les villes à la campagne ?"* ■

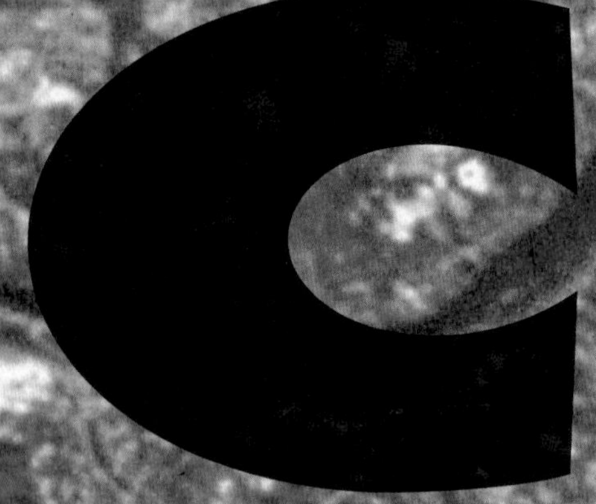

Texcoco : un lac serein à 2 240 mètres d'altitude. Juste au milieu, une île. Sur ce minuscule territoire, la population locale relègue, en 1325, des immigrés venus du Nord : les Mexicas, qui sont l'une des nombreuses tribus aztèques. Deux siècles plus tard, Tenochtitlan compte 200 000 habitants. Elle est alors l'une des plus grandes villes du monde. L'eau est partout. L'agriculture semi-lacustre nourrit la ville dont les canaux d'irrigation et de circulation couvrent bientôt tout le lac.

Cha

La transition urbaine

pitre 12

Les favellas se développent de façon anarchique à Rio de Janeiro. ▶

▲ Les pays industrialisés ont pour modèle urbain une structure normalisée, comme le cœur de New-York en témoigne.

En 1519 les conquistadors rasent la ville. Naît alors Mexico, ambitieuse capitale de la nouvelle Espagne. La seule qui vit le jour loin de la mer ou du méandre d'un fleuve. En 1910, le projet des Espagnols est totalement accompli : les marais sont enfin asséchés, la ville compte 566 000 âmes. L'histoire s'accélère alors : neuf millions d'habitants en 1970, dix-huit millions en 1985 et vingt-huit millions en l'an 2000. Elle progresse sur sa lancée. Chaque matin elle grossit de deux mille personnes !

LES DÉBORDEMENTS URBAINS DEVIENNENT INCONTRÔLABLES

Voici, en images accélérées, le défi du vingt-et-unième siècle : l'explosion urbaine. En 2020, vingt-cinq mégalopoles ont entre sept et vingt-cinq millions d'habitants : Bombay, Shanghai, Rio de Janeiro, Calcutta, Tokyo, Sao Paulo, Delhi, Séoul, Le Caire, Buenos Aires, New York, Los Angeles... 550 villes ont dépassé le million. C'est alors que la planète terre bascule d'une population majoritairement campagnarde à une population majoritairement citadine : 45% de la population mondiale vit dans les villes en l'an 2000, 60% en 2025 et 75 à 80% en 2100[1].

Des villes, des villes, toujours plus ventrues, toujours plus nombreuses. Les plus impressionnantes sont les mégalopoles du Sud qui gonflent inexorablement et dont la pauvreté et le sous-équipement donnent le vertige. N'y a-t-il pas *"une formidable performance d'équilibre"*, s'interroge Philippe Haeringer[2], dans la réunion de dix millions de personnes sur un site construit ?

A grands traits, il est possible de dégager des modèles urbains extrêmement contrastés d'un continent à l'autre, d'une ville à l'autre,

[1] Il s'agit d'extrapolations de l'ONU à partir des tendances actuelles. A titre de comparaison, la France a atteint un taux d'urbanisation de 65% vers 1968 et de 73% en 1975. On constatait en 1982 un arrêt de la croissance urbaine dans notre pays.

[2] Philippe Haeringer, L'évolution des modèles d'urbanisation majoritaires dans les mégapoles du Sud, in Aujourd'hui dans cent ans, Groupe Mégapoles, Paris, 1989. La plupart des citations de ce chapitre, sauf indication contraire, sont également de cet auteur.

▲ *Deux fonctionnements différents du vivant s'affrontent : l'ordre cristallin et le désordre spongieux.*

matrices toujours marquées du sceau de la société locale. Autant de toiles d'araignées singulières, dont le maillon de base ne se rigidifie, ne se caricature et ne se rapetisse que pour mieux résister et s'adapter au gigantisme et à l'énorme pression de la ville.

A Djakarta (dix à quinze millions d'habitants), chaque ménage habite une maisonnette, au toit de tuiles rouges, bâtie sur une parcelle de trente à cinquante mètres carrés et semblable à sa voisine avec ses baies vitrées, sa volière, ses jardinières, donnant sur un étroit chemin dallé. Les voiturettes et les palanches des colporteurs et des artisans rendent les services les plus élémentaires de la vie quotidienne. Les "taxis", aussi légers qu'individuels (cyclopousses, tricycles), desservent les quartiers piétonniers à partir des grands axes. Les Djakartanais, quelle que soit leur origine ethnique, sont organisés en de multiples et efficaces associations de voisinage : "*Postes de surveillance nocturne, bureaux et secrétariat de chefferie ; calicots imprimés diffusant mots d'ordres et informations. La sécurité que confère cette organisation permet cette architecture relativement ouverte, avec baies vitrées, galeries d'étage et terrasses.*" L'Etat apporte un soutien matériel (programmes d'équipement) et une reconnaissance politique (intégration des pouvoirs locaux dans la gestion municipale) à cet urbanisme populaire qui préserve la cohésion sociale.

■ ***Des villes, des villes, toujours plus ventrues, toujours plus nombreuses. Vues d'ici, les plus impressionnantes sont les mégalopoles du Sud qui gonflent inexorablement et dont la pauvreté et le sous-équipement donnent le vertige.***

Abidjan, vu par le satellite Spot, dépasse trois millions d'habitants en 1990. ▼

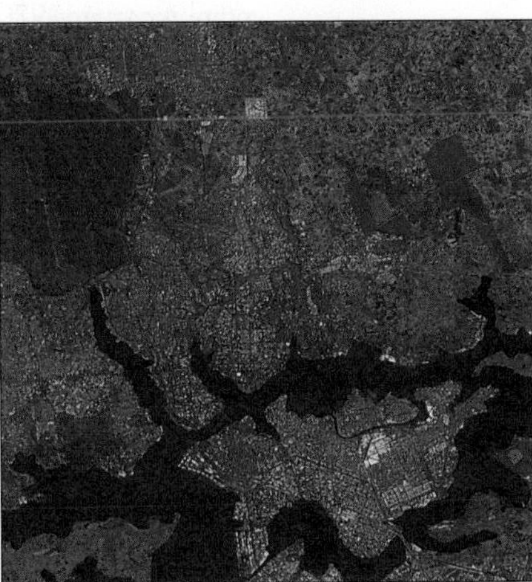

DES OCÉANS DE MAISONS À PERTE DE VUE

L'Afrique tropicale, où le mode de construction horizontal est aussi culturellement ancré qu'en Indonésie, produit des villes où la densité est comparable : 500 habitants à l'hectare, puis 1 000 quand elle s'alourdit. Abidjan (trois millions d'habitants) est formée d'habitats de cours collectives (400 mètres carrés environ) rassemblant cinq à dix ménages locataires, autour d'un espace domestique et du manguier central. C'est une toute autre forme du génie citadin populaire. Le caractère compact et fermé, comme à Accra ou Lagos, permet de mieux résister au vol, risque permanent chez les plus démunis. Les grands axes sont investis par le commerce quotidien : carrefours et abords de marché sont essentiels à la société abidjanaise, piétonne dans son immense majorité. Lorsque la cohésion sociale héritée de l'organisation rurale reste entière, la mobilisation communautaire assure, en l'absence de toute intervention publique, l'aménagement d'une voirie viable comme à Douala (deux millions d'habitants). La ville du Caire, où s'entassent en 1990 douze à quatorze millions d'habitants, excelle dans un autre genre :

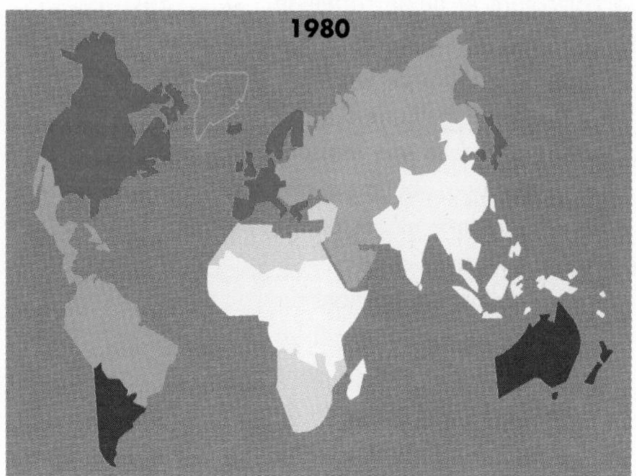

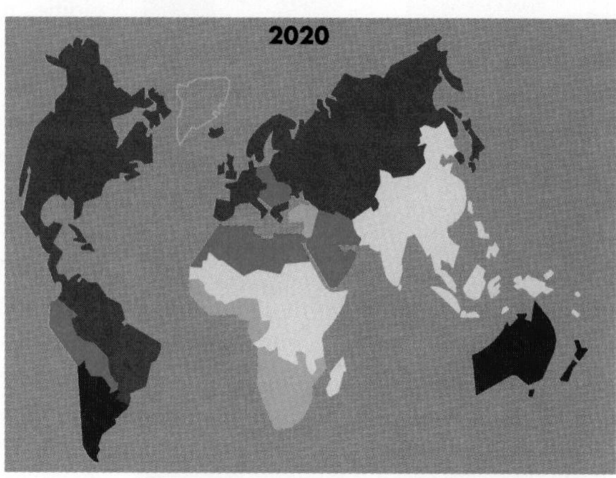

La transition urbaine

pourcentage de la population urbanisée

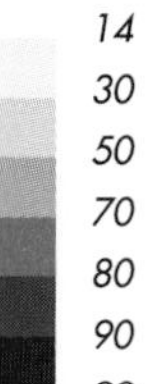

le serré-vertical. L'essentiel de sa croissance, malgré les HLM et les villes nouvelles, est le produit d'une urbanisation populaire plus ou moins illégale. Pas de bidonvilles en périphérie, mais d'emblée des rangs serrés d'immeubles hauts tous identiques, obéissant à des normes "intériorisées". Que ce soit de l'Etat ou de propriétaires privés, tous les Cairotes sont locataires. Ni la colonisation, ni l'automobile n'ont fait évoluer ces ruelles où *"seule semble compter la reproduction d'une fonctionnalité sociale et écologique de la rue, éprouvée depuis des siècles"*. Outre la fonction de réunion (café, hammam, mosquées), le rez-de-chaussée et le sous-sol sont des zones d'emploi dense. A la manière des villes d'Europe de l'époque médiévale ou classique, cette densité réalise une symbiose habitat/travail/religion. Mais sous le choc de l'explosion urbaine, et parce qu'elle s'est fixée les limites de son extension pour protéger les terres agricoles du delta du Nil, la ville du Caire reproduit ses modèles sous des formes de plus en plus compactes, de plus en plus hautes, aboutissant à un engorgement d'une rare intensité des voies de liaison, ainsi qu'à un quasi-ensevelissement des rues et des gens.

La ville du Caire serait-elle *"l'image prémonitoire pour le reste du monde d'un irrépressible empilement urbain dont seuls les pays riches pourraient non pas enrayer, mais aménager la mécanique ?"* Comme à Singapour, où les grands ensembles verticaux privent les habitants de cette ville-Etat d'un contact direct et privatif avec le sol. Ce système, façonné par un urbanisme étatique et ultra-performant, ne laisse au secteur privé que le très haut standing. Singapour est devenue une place internationale implantée sur 600 kilomètres carrés d'espace totalement domestiqué. Les quartiers résidentiels sont reliés au centre par un métro aérien climatisé. *"Le tout s'inscrit dans un écrin paysager d'où tout miasme équatorial a disparu. S'y retrouvent un vrai faux morceau de forêt tropicale, une volière inouïe, la plus grande cascade artificielle du monde, etc."* Le tissu communautaire, l'habitat traditionnel ont été balayés parce que le destin de cette cité est délibérément projeté dans le futur. L'organisation urbaine reste néanmoins populaire, dans la mesure où les habitants adhèrent au "modernisme".

■ ***Architectures ouvertes ou fermées, comme à Djakarta ou Abidjan, architecture verticale comme au Caire, toutes reproduisent une fonctionnalité sociale éprouvée depuis des siècles.***

■ ***A Singapour, le mode d'habitat traditionnel a été balayé parce que le destin de cette ville est délibérément projeté dans le futur.***

■ ***Les villes nouvelles se construisent par tranches successives : les réseaux d'abord, puis l'habitat, les commerces, l'emploi et enfin la recherche scientifique et industrielle.***

"Chaque recoin de la planète a bien sa façon à lui de décliner le verbe construire (une mégalopole) " conclut Philippe Haeringer. Les contraintes d'une grande ville exaspèrent jusqu'à la caricature les traits

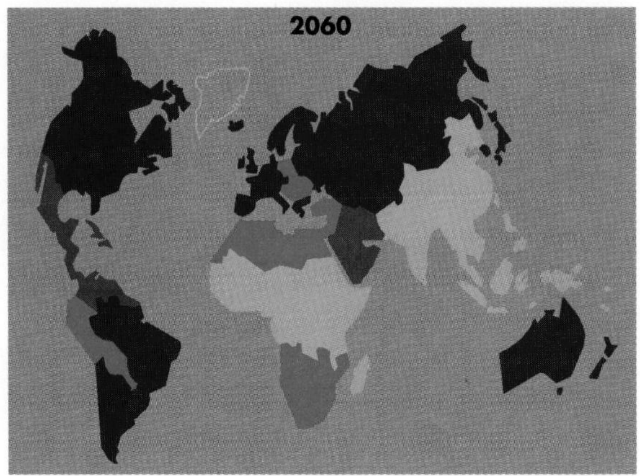

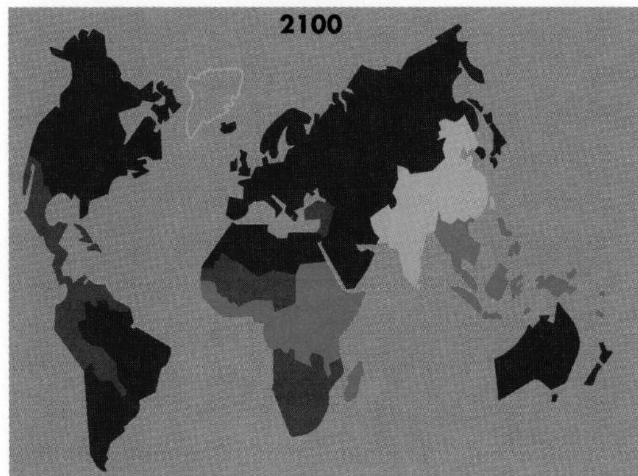

culturels d'une société. Autrement dit, à trente ans de distance, les villes sont encore proches de ce qu'elles étaient en 1990. Ensuite, les évolutions démographiques, technologiques et géopolitiques impriment de plus en plus fortement leurs marques.

LES DISPARITÉS DU DÉVELOPPEMENT

Ainsi les mégalopoles croissent et embellissent, mais, schématiquement, celles du Sud croissent et celles du Nord embellissent. Le processus est bien engagé. La dégradation des villes géantes amène les effendias, ploutocraties et autres nomenklaturas à prendre conscience progressivement des dangers de la situation et des moyens d'y remédier. Leurs idées progressent dans la population et sont enrichies par elle. Il en résulte un reflux vers un réseau de villes moyennes reliées par transports rapides, TGV[1], trains magnétiques, trains en tunnels sous vide[2]. Le développement des télécommunications réduit les trajets : les rendez-vous dans la mégalopole sont regroupés sur deux jours, ce qui permet d'habiter plus commodément à cent kilomètres.
La modernisation, depuis Haussmann, s'est faite par chirurgie. De grandes avenues sont percées, des quartiers entiers ont été expropriés puis reconstruits : place aux réseaux ! La voirie est prioritaire, pour le maintien de l'ordre public, puis vient le "tout à l'égout"[3], le gaz, l'électricité, aujourd'hui le téléphone et le câble, demain l'enlèvement robotisé des ordures ménagères. Dans les villes nouvelles, l'aménageur construit les réseaux d'abord, puis affecte les différentes zones : ici des habitations, là de l'emploi, là encore des espaces verts... A l'intérieur de ce cadre, un second niveau de capitalisme, celui des promoteurs, peut alors se déployer. Suit enfin un troisième niveau, celui des acheteurs. Cette technique d'emboîtement des capitalismes, inaugurée par les villes nouvelles anglaises de l'après-guerre, s'est peu à peu consolidée et enrichie. Au début, les opérations se limitaient à l'habitat pour desserrer Londres. Puis elles sont étendues à l'emploi et l'aménagement urbain, comme à

[1] Train à Grande Vitesse : plus de 300 kilomètres à l'heure.

[2] O'Neill dans "2081, a hopeful view of the human future".

[3] Expression inventée du temps d'Haussmann par l'école hygiéniste.

▲ *Les réseaux sillonnent les villes, comme le transport en commun automatique VAL dans la région lilloise.*

▲ *Silicon Valley, ancêtre des technopoles, ressemble au dessin d'un microprocesseur.*

Newcastle. La fin du vingtième siècle voit la naissance des technopoles : le désenclavement touche non seulement l'habitat et l'emploi, mais aussi la recherche scientifique et industrielle.
Les technopoles sont l'aristocratie des villes[1]. Elles sont nées dans les années 1980, avec la Silicon Valley aux Etats-Unis, Tsukuba au Japon, ou Sophia Antipolis en France. Issues du croisement génétique de descendants de Newton et de Saint Simon, elles concentrent, dans une atmosphère de farniente, des bureaux d'études de firmes internationales, des centres de recherche nationaux ou régionaux et des écoles. Elles irriguent le tissu industriel qui les entoure. Dans les technopoles, on cherche, on invente, on met au point, on essaie (robotique, biotechnologies, agro-alimentaire, énergie, nouveaux matériaux, instrumentation, informatique, communication, espace...). Leur réussite dépend des liens avec un environnement technologique et industriel plus large, là où l'on duplique et on produit. En 1990, il y a déjà, construits ou en projet, une centaine de "*science parks*" aux Etats-Unis, une vingtaine de technopoles au Japon, entre dix et vingt dans chacun des grands pays européens (Allemagne, France, Angleterre, Italie...), quelques-unes aussi dans les nouveaux pays industrialisés : Corée, Taïwan.. Partout dans le monde, les municipalités en rêvent. La nouvelle croissance urbaine est une croissance externe, aménagée, misant

[1] *Technopolis, l'explosion des cités scientifiques. Autrement n°74, Paris, novembre 1985.*

Construite en plastique recyclé et équipée en domotique, cette maison est caractéristique du système technique de la fin du vingtième siècle. ▼

Pour bâtir haut, il faut creuser profond.
Proverbe mongol.

sur la recherche et l'enseignement. Plus que jamais, l'homme peut construire des nouvelles villes ou faire croître et embellir les anciennes. Les coûts du génie civil, de la construction et des transports baissent dans des proportions considérables. Ils sont divisés par deux, trois, dix, ce qui facilite la réalisation de programmes ambitieux. Cet abaissement provient de causes multiples : robotisation, matériaux nouveaux, informatisation des études techniques, préconstruction en usine, industrialisation du déplacement de structures préconstruites, normalisation massive des matériaux et des équipements, procédés d'assemblage plus rapides et demandant moins de compétence.

Ainsi, la technologie et les méthodes d'organisation sont prêtes pour de plus grands desseins. La société de production, issue de la révolution industrielle avait, en Europe, regroupé les hommes autour des grandes manufactures et vidé les campagnes en mécanisant l'agriculture. Le nouveau système technique amène avec lui une société de persuasion : peu de monde pour produire, beaucoup pour persuader l'acheteur d'acheter ou le travailleur de travailler. La cible du travail humain n'est plus tant la matière que l'homme lui-même et l'art de le persuader. Organiser devient une fin en soi. Il y a surpuissance des moyens concrets, mais défaillance des motivations. Les villes pourraient, si on le voulait, s'établir presque n'importe où. Mais le veut-on ? Le vingt-et-unième siècle développe l'art de vouloir, qui s'incarne et s'exhibe dans de grands projets d'aménagement aux résonances mondiales. La tâche ne manque pas : développer le monde et transformer la planète en jardin.

■ ***Les coûts du génie civil, de la construction et des transports baissent dans des proportions considérables, ce qui facilite la réalisation de programmes ambitieux.***

■ ***Le nouveau système technique amène avec lui une société de persuasion : peu de monde pour produire et beaucoup pour persuader l'acheteur d'acheter ou le travailleur de travailler.***

LES LIMITES PHYSIQUES SONT DÉPASSÉES

Au-delà de la culture citadine produisant des organisations urbaines bien différenciées, on décèle déjà dans le monde des indicateurs qui dessinent des villes catastrophes, celles dont le déclin est inéluctable, quelle que soit l'arme du destin : maladie, famine, manque d'eau, guérilla, guerre civile...

En Amérique latine plus qu'ailleurs, la rupture avec les modèles du passé ou les modèles maîtrisés des villes occidentales est consommée. Sous toutes les latitudes et à toutes les époques, l'exode rural conjugué au boom démographique entraîne la spéculation immobilière et,

▲ *Loger des pauvres dans le tiers monde reste sans solution.*

◀ *Moderniser la ville, c'est aussi loger les plus démunis.*

avec une permanence jamais démentie, des conditions de logement effroyables pour les plus démunis ainsi qu'une déstructuration profonde des rapports sociaux.

Les villes d'Europe connurent les taudis, la faim, la maladie, l'illettrisme, dans les brumes de l'alcool... au dix-neuvième siècle, pendant l'avènement de la société industrielle. Il fallut alors prendre des mesures. Les grands programmes d'éducation, de modernisation et d'assainissement des villes qui ont été lancés à cette époque, firent évoluer la physionomie de la société dans son entier.

A chaque crise, ces symptômes ressurgissent de façon plus ou moins aiguë. C'est seulement après la Seconde Guerre mondiale que se développe un mode de construction moderne généralisé des banlieues (planification urbaine, financement par le système bancaire, industrialisation du bâtiment et des travaux publics). En France, la "maison d'urgence" de l'abbé Pierre[1], ancêtre des pavillons préfabriqués, vit le jour en 1955. Totalement industrialisée, des fondations jusqu'aux placards contenant les casseroles, elle était implantée par une grue. Ceci conjointement à la prolifération des "grands ensembles" dont le premier vit le jour à Clamart en 1947[2]. Il s'agissait alors de faire vite. L'addition du coût social de ces diverses banlieues ne sera faite que bien plus tard.

Hormis dans quelques métropoles vitrines, l'habitat des pays du tiers monde, nous l'avons vu, suit encore la classique voie de

L'autoconstruction permet de maîtriser davantage le cadre de vie. ▼

[1] *Conçue et réalisée en six semaines pour les exclus des logements sociaux.*

[2] *P.Guinchat, M.P.Chaulet, L.Gaillardot, Il était une fois l'habitat, éditions du Moniteur, Paris, 1981.*

l'autoconstruction, plus ou moins secondée par le petit artisanat. Il faut dire que le temps et la main d'œuvre à bas prix ne manquent pas. La technologie se paie en argent liquide, même si elle permet des gains de productivité considérables : il faut six heures de travail par mètre carré construit avec la plus haute technologie, quarante si on a recours au petit artisanat, cent pour les méthodes les plus traditionnelles. Mais le prix de revient du mètre carré construit varie de un à huit, du mode le plus traditionnel - qui reste moins cher - à la mise en œuvre la plus sophistiquée.

▲ *Dès l'an 2000, les villes veulent se construire au bord de l'eau.*

Il est possible, sans prendre de grands risques, de parier sur de profondes disparités entre les villes avec une constante cependant : les mégalopoles trient les populations en fonction de leurs revenus et de la stabilité de ceux-ci. Parfois, la force centrifuge se charge de la hiérarchisation : avec la même part de son budget consacrée au logement, un ménage qui habitait à Paris en 1960, s'en éloigne de sept à huit kilomètres dix ans plus tard et se retrouve, RER[1] en plus, à vingt ou quarante kilomètres de la capitale en 1990[2]. Il en est de même dans les pays du tiers monde où la ceinture de bidonvilles s'alourdit chaque jour. Tandis que, dans les mégalopoles en faillite, la population déshéritée se cristallise dans les quartiers délabrés et laissés à l'abandon. *"Il y a 50 000 personnes sans domicile fixe à New York"*, précise David Dinkins, le maire de cette ville, en mai 1990.

La pullulation urbaine renvoie aux limites physiques du développement d'une ville. Le site de Mexico avale un million d'habitants supplémentaires chaque année. En 1990, vingt millions de personnes sont agglutinés sur 12 000 kilomètres carrés.

■ Les villes d'Europe connurent les taudis, la faim, la maladie, l'illettrisme, dans les brumes de l'alcool... au dix-neuvième siècle, pendant l'avènement de la société industrielle.

L'histoire regorge de villes (Babylone, Rome...) qui, à partir d'un certain degré de concentration, ont engendré leur destruction, qu'elles soient devenues la proie des envahisseurs ou celle du désert. Mexico, dont l'activité et l'architecture extravagante fascinent, attire des torrents de vie. Elle a pourtant des allures de suicide collectif, de cancer bubonique, de vol de criquets pèlerins dévorant le moindre arbrisseau, avant de s'éteindre faute de subsistance.

■ A Mexico, trois millions et demi de voitures et cinq cents entreprises hautement polluantes saturent un air raréfié atteignant les records de concentration de gaz toxique. L'eau se raréfie. La mortalité infantile est dix fois plus élevée que dans les villes des autres pays industrialisés. Les limites des ressources ne sont pas loin.

Trois millions et demi de voitures sans compter les bus, les camions et les cinq cents entreprises hautement polluantes saturent un air raréfié, faible en oxygène, atteignant les records de concentration de gaz toxique[3]. Si bien que, par une banale journée de septembre 1985, des dizaines d'oiseaux tombèrent, d'un ciel plombé, sur les promeneurs mexicains du parc de Chapultepec : asphyxie !

L'eau, si féconde à la création de la ville, se raréfie. Les Mexicains ne peuvent ni pomper l'eau des couches profondes sans risquer d'affaisser les argiles lacustres sur lesquelles la ville est fondée, ni aller la chercher dans l'arrière-pays où elle est nécessaire aux agriculteurs. Quant aux précipitations, elles se transforment en pluies acides et noient

[1] *RER : Réseau Express Régional. C'est un système de transport sur rails, intermédiaire entre le train et le métro, et très dense à Paris.*

[2] *Gustave Massiah, L'aventure des villes, in La Recherche, Paris, avril 1990.*

[3] *Jean Marie Pelt, Le tour du monde d'un écologiste, Fayard, Paris, 1990.*

même parfois quelques quartiers sous le ruissellement boueux du cirque déforesté. Les limites des ressources ne sont pas loin...

La ville y répond par une explosion démographique que les chercheurs expliquent comme une réaction profonde de l'instinct vital, une sorte de protestation biologique mue par un inconscient collectif face aux dangers d'hécatombe. Depuis 1985, on enregistre cependant un léger ralentissement de la croissance démographique, qui correspond à une utilisation plus fréquente des divers moyens contraceptifs modernes. Débordée de tous côtés en permanence, la municipalité aménage des jardins sur les ruines laissées par le tremblement de terre de 1985, plante des arbres et tente de réglementer le trafic automobile en instaurant, comme à Athènes, des jours autorisés à la circulation en fonction des plaques d'immatriculation. Faibles remous d'un super-paquebot qui essaye de freiner. Et lorsque la ville ne peut plus digérer, elle exclut.

▲ *Quand jouir d'un jardin ne sera plus un privilège de touriste.*

LA MONTÉE DES SAUVAGES URBAINS (2000-2030)

Quand la violence entre par la porte, la loi et la justice sortent par la cheminée. Proverbe turc.

Les déracinés venus des campagnes s'installent dans des banlieues lépreuses dépourvues de toute infrastructure sanitaire. Les 14 000 tonnes d'ordures quotidiennes crachées par la ville proche sont la seule source de revenus et d'aliments pour nombre d'entre eux. Même s'il arrive que les enfants doivent disputer ces richesses aux rats.

Dans les faubourgs de Mexico, quand le vent souffle sur la vallée du Chalco, traversant des champs de déchets, un concentré de germes et d'excréments sème des gastro-entérites et répand la mort. Dans ces antichambres de l'enfer, la mortalité infantile est dix fois supérieure à celle des pays industrialisés. Si ce n'est l'eau, si ce n'est l'air, ce sera peut-être une forme de choléra ou une autre maladie qui imposera les limites du développement de Mexico.

Cette accélération de la concentration humaine produit une culture urbaine directement façonnée par les contraintes de la mégalopole. Elle permet d'encaisser, en partie, les contrecoups du gigantisme. Elle favorise l'éclosion d'initiatives incessantes dans un combat pour la vie s'inscrivant au quotidien. Elle forge un peuple immense d'exclus galvanisés dans des bains de misère. A une telle échelle, une donnée numérique devient une donnée qualitative.

L'exode rural généralisé vers les mégalopoles, résultat de la misère, du sous-développement, de la sous-organisation, n'est cependant pas une nécessité historique. De très lourds impératifs amènent à promouvoir le maintien dans les campagnes de quantités croissantes d'hommes : les régions veulent disposer d'une certaine autosuffisance alimentaire, une importante reforestation est nécessaire pour diminuer l'effet de serre et l'entretien de la nature demande qu'on y réside. D'un autre côté, la montée de la pauvreté urbaine est source d'un maelström qui pourrait entraîner toute l'humanité dans une régression fatale. La perte du contact avec la campagne environnante et l'anéantissement du savoir-faire ancestral laissent les populations nées dans les banlieues sans réelle identité, sans revenus stables, mais aussi sans statut professionnel. Ceci diffère de la rupture précédente, l'industrialisation, où pour la grande majorité, les populations aux conditions de vie les plus difficiles faisaient partie de la classe ouvrière qui œuvrait pour la prospérité générale.

Ici et là, en réponse à cette désintégration sociale ou à sa menace, se dessine d'ores et déjà une montée des intégrismes. Les religions, les sectes de plus en plus rigides et contraignantes, n'ont de cesse de conquérir cette masse d'exclus, pour laquelle la foi et la pratique d'un culte sont une forme de passage obligé vers la société moderne. Les mégalopoles, pleines comme des œufs, disséminent des masses d'illettrés en nombre toujours croissant (en 1990, il y a environ dix millions de Mexicains aux Etats-Unis, pays qui compte plus de trente millions de pauvres). Et, dans le même temps, les élites, où qu'elles soient, fuient les mégalopoles devenues des succursales de l'enfer. *"Nous ne nous reconnaissons plus dans aucune des valeurs qui règnent à Sao Paulo depuis dix ans. Nous préférons l'exil à sa violence"*, confie un couple de Brésiliens de passage à Paris.

L'affaiblissement du contrôle social, la marginalité, la faim, l'anonymat, l'angoisse se traduisent déjà par la montée de la drogue et de l'insécurité, par l'abandon des jeunes, voire des enfants, par leur famille. Sous toutes les latitudes, ces populations constituent des réservoirs de recrutement inépuisables pour les organisations maffieuses. Tous les grands reportages télévisés ayant pour thèmes la drogue, la guerre, la survie des enfants en bande sur les trottoirs des villes, la prostitution et leur initiation aux crimes les plus violents sont là pour nous en convaincre. A Medellin, carrefour colombien du marché de la drogue, des adolescents sont prêts pour vingt dollars à honorer "un contrat" - à tuer quelqu'un -, avec l'incroyable héroïsme des désespérés qui les précipite sur une cible bardée d'une demi-douzaine de gardes du corps armés jusqu'aux dents.

L'exode, essentiellement d'origine rurale dans un premier temps, prend ensuite la forme d'une migration accélérée des villes les plus

▲ *Toutes les mégalopoles risquent d'être submergées par leurs propres déchets.*

■ ***La montée de la pauvreté urbaine est source d'un maelström qui pourrait entraîner toute l'humanité dans une régression fatale.***

■ ***En réponse à cette désintégration sociale ou à sa menace, se dessine d'ores et déjà une montée des intégrismes. Les religions, les sectes de plus en plus rigides et contraignantes, n'ont de cesse de conquérir cette masse d'exclus, pour laquelle la foi et la pratique d'un culte sont une forme de passage obligé vers la société moderne.***

▲ *Le marché vient de fermer ...*

▲ *La récupération des déchets urbains passe du stade artisanal au stade industriel au cours du vingt-et-unième siècle.*

pauvres vers les villes les plus grasses. Une population de sauvages urbains, sorte de résurgence des populations nomades et guerrières ancestrales, s'organise en société autonome, opposée à la société dominante, où l'individualisme règne en maître. Les systèmes maffieux, omniprésents, sont connectés en réseaux internationaux : rien de plus facile grâce aux progrès des télécommunications et au développement des transports rapides. Il n'est pas de ville, de Moscou à New York, où la police n'ait renoncé à pénétrer certains quartiers aux mains de la pègre locale. Si la police n'y pénètre plus, les services d'entretien de la ville y renoncent aussi, ainsi que tous les représentants d'une société de droit. Très vite les immeubles squattés qui ne sont pas entretenus se dégradent. La ville se nécrose... jusqu'au rachat de blocs d'immeubles squattés par des capitaux étrangers qui, le moment venu, rasent tout et reconstruisent un quartier entièrement neuf pour une clientèle plus fortunée. En 1990, Harlem est partiellement aux mains des Japonais.

■ ***Dans cette contre-société, les chefs aux poches bourrées de narco-dollars soupèsent en parts de marché les pays non saturés en drogue. Ils mettent la main sur des outils industriels sensibles et des pouvoirs municipaux. Un argent explosif circule en grande quantité, mélangé dans les banques et les partis politiques.***

Un fort taux de mortalité limite le nombre des sauvages urbains, qui vivent en prédateurs sur la ville en n'excluant nulle violence. Dans cette contre-société, les chefs aux poches bourrées de narco-dollars soupèsent en parts de marché les pays non saturés en drogue. Ils mettent la main sur des outils industriels sensibles et des pouvoirs municipaux. Un argent explosif circule en grande quantité, mélangé dans les banques et les partis politiques avec l'argent provenant des impôts et des divers rackets.

■ ***Les habitants des mégalopoles fuient vers les villes moyennes, voire vers de petites unités urbaines, bien reliées entre elles par des transports rapides, libérées par des télécommunications performantes.***

Dès que les sauvages urbains apparaissent dans une ville, l'insécurité surgit. Alors, le système immunitaire de la ville sécrète, en urgence, une police omniprésente et des protections de toutes sortes : multiplication des codes, cartes d'accès, reconnaissances visuelles, sonores ou pourquoi pas olfactives, permettant d'accéder à son logement ou à son entreprise ; dématérialisation de l'argent ; systèmes de panne intégrés aux biens de consommation susceptibles d'être volés ; surveillance vidéo de quartiers piétonniers, de transports en commun et d'axes de circulation stratégiques... Organisatrices et pourvoyeuses des sauvages urbains, les entreprises maffieuses savent aussi apparaître salvatrices aux yeux des citoyens paisibles et sans histoires. De la sécurité civile durcie à l'instauration d'une dictature maffieuse, il n'y a pas loin.

LE DÉCLIN DES MÉGALOPOLES (2030-2060)

Mais, tout comme les immenses murs de Jéricho n'ont pas suffi à protéger les cultivateurs enrichis contre les tribus nomades, nos modernes bunkers ne sont pas infaillibles. La société doit s'adapter en profondeur à son environnement social. Les villes n'ont de cesse que d'avoir digéré leurs bidonvilles, leurs slums, leurs favellas, leurs ghettos et leurs despérados essaimés.

Ici et là se dessinent de grands programmes sociaux, un revenu minimum pour tous. Facilité d'accès aux transports en commun et aux réseaux de communication, logement décent, vastes programmes d'éducation (pour lesquels la télévision est un précieux auxiliaire) mis en œuvre précocement auprès des enfants, tout cela facilite le retour d'une population d'exclus à une société policée.

La société de droit tente de reconquérir les territoires urbains incontrôlés, de nettoyer les gangrènes périphériques. Chacun à sa manière, soit en assainissant des quartiers populaires, soit en rénovant ou en détruisant des immeubles délabrés. Les villes nouvelles, conçues d'emblée sur un territoire fini, incluant des zones industrielles, administratives et de loisirs, des eaux vives et des eaux dormantes, des forêts et des jardins, des axes de circulation et de liaison absorbent comme des éponges les débordements urbains des mégalopoles. Sous le contrôle des municipalités, leur propre génie urbain s'exprime au fur et à mesure de la colonisation des territoires par les nouvelles populations.

Les habitants des mégalopoles fuient vers les villes moyennes, voire

Heureusement, il reste des boîtes à travailler ... ▼

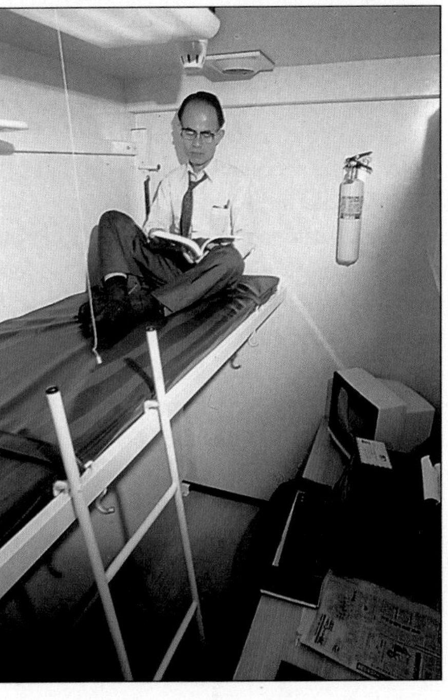

◀ *... ou des boîtes à louer pour le week-end.*

▲ *Dans les villes concentrationnaires, les boîtes à dormir sont individuelles.*

vers de petites unités urbaines, bien reliées entre elles par des transports rapides, libérées par des télécommunications performantes. Reflux d'autant plus net que la nature même du travail change au sein des villes (les industries se sont repliées vers des zones moins denses) et que le prix du foncier, et en conséquence des loyers, dissuade les catégories modestes. Entre 1962 et 1983, Paris a perdu cinq cents mille habitants. A Tokyo, où on enregistrait en 1980 une première baisse de 0,5% de la population, chaque habitant dispose de deux mètres carrés de parc (en moyenne). Ce coin de paradis a doublé en dix ans. Le Parisien a dix mètres carrés, l'habitant de Washington quarante-six et celui de Stockholm quatre-vingts. Ce n'est pas encore la ville à la campagne, mais la nature reprend au bitume quelques territoires.

Bologne, en Italie, est souvent citée comme l'exemple d'une reconquête de la ville par sa municipalité et ses habitants : cette aventure est passée par la suppression de la spéculation foncière, l'arrêt du développement des banlieues, la restauration et l'utilisation des monuments pour des usages contemporains. Cette ville a même réussi à réinstaller une partie de l'habitat social dans le centre historique.

L'évolution de l'emploi laisse une grande souplesse pour la conception des villes. Au Japon, où le prix du terrain atteint des sommets qui assurent la rentabilité d'aménagements gigantesques, le projet Anglade propose de creuser un réseau composé de dizaines de tunnels, longs de quinze kilomètres et disposés sur trois niveaux sous le fond de la mer. Ce réseau abriterait l'ensemble du dispositif industriel de Tokyo et de ses environs, sous forme d'usines totalement automatisées. Sans aller jusqu'à de telles extrémités, la plupart des unités de fabrication industrielle, largement robotisées, peuvent être localisées à distance des agglomérations urbaines, là où les exigences de transport, d'alimentation en eau, en énergie ainsi qu'en matières premières les rendent souhaitables. Les personnels directement liés à l'exploitation de ces unités sont logés dans des agglomérations de petites dimensions suffisamment bien reliées aux grands centres pour les besoins de santé, d'éducation et de culture. Ce type d'habitat en milieu rural existait

■ ***A Tokyo, chaque habitant dispose de deux mètres carrés de parc (en moyenne). Ce coin de paradis a doublé en dix ans. Le Parisien a dix mètres carrés, l'habitant de Washington quarante-six et celui de Stockholm quatre-vingts. Ce n'est pas encore vraiment la ville à la campagne, mais la nature reprend au bitume quelques territoires.***

■ ***La reconquête d'une ville par sa municipalité et ses habitants passe par la suppression de la spéculation foncière, l'arrêt du développement des banlieues sordides, la restauration et l'utilisation des monuments.***

■ ***Le cœur des villes ne peut survivre que si la circulation retrouve sa fluidité. Pour faire sauter ce qui encrasse toutes les artères des grandes villes, tous les moyens sont bons.***

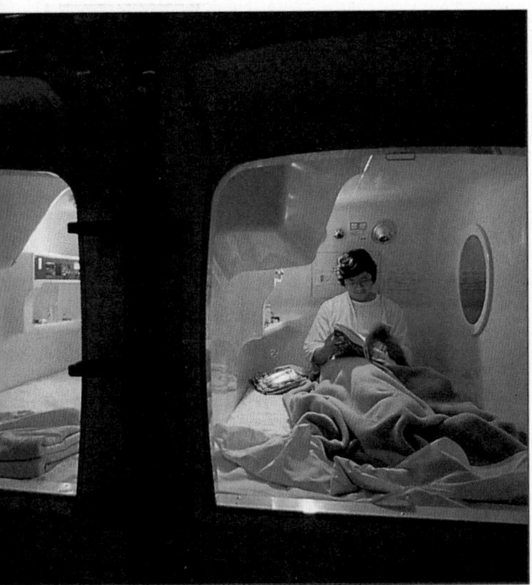

déjà imparfaitement à la fin du vingtième siècle. Il se développe pour abriter un futur groupe social de "gentilshommes campagnards" bien placés dans l'échelle sociale.

Un réseau de petites agglomérations abrite une population d'artisans et de fournisseurs de services. On y rencontre aussi de nombreux retraités s'adonnant au jardinage d'agrément. Des grosses villes se fracturent par pans d'activités entiers.

Quant aux activités tertiaires, utilisant matière grise et communication, elles refluent soit vers le domicile (indépendamment de la densité urbaine qui l'entoure), soit vers de petits centres offrant toutes les possibilités de connexions à une entreprise ou une administration mère. Dès lors des quartiers entiers peuvent être rasés pour laisser place à des parcs, à des aires de jeux, de loisirs et de spectacle. Le cœur des villes anciennes est lui-même transformé en objet culturel, en musée vivant ou en zone commerçante et artisanale.

LES NOUVEAUX MOYENS DE TRANSPORT

A cet éclatement de l'espace et des unités de production, à la modification des hiérarchies urbaines et des liens qu'elles entretiennent en réseau (affinités, complémentarité, dépendance...), correspond une modification des transports.

En 1990, circuler au Caire, à Bombay, à Athènes ou à Manhattan ressemble au parcours du combattant, gaz asphyxiants compris. Le cœur des villes ne peut survivre que si la circulation retrouve sa fluidité. Pour faire sauter ce qui encrasse toutes les artères des grandes villes, tous les moyens sont bons.

Dans les mégalopoles, la tendance est à l'intensification des réseaux de transport en commun, enrichis de places réservées aux poussettes, fauteuils roulants ou bicyclettes, et de services comme la climatisation, la télévision ou le téléphone. Dès la fin du vingtième siècle, les taxis parisiens se sont rués sur les téléphones de voiture. "Trans-affaire", les lignes de bus qui relient les aéroports de Paris au quartier de la

Plus tu demandes
si c'est encore loin,
plus le voyage paraît long.
Proverbe maori.

▲ *Au dessus d'une certaine concentration, l'automobile se plante.*

■ *Le développement important des transports en commun trouve ses limites dans le vieillissement de la population et dans le progrès des télécommunications.*

■ *L'autoroute peut également être améliorée : le pilotage automatique grâce aux radars ou aux ultrasons pour mesurer les distances et agir sur la propulsion ou le freinage permet d'atteindre ce but.*

Défense, en disposent aussi. Les métros conquièrent les espaces urbains les plus denses, qu'ils soient légers et automatiques, comme le VAL à Villeneuve d'Ascq, ou qu'ils utilisent un système de transport par câbles, par monorail aérien ou des rames à sustentation magnétique (Las Vegas, Birmingham, Berlin).

Même les villes américaines, qui étaient traditionnellement plus favorables aux transports automobiles individuels, conviennent de la nécessité de développer les transports en commun[1]. La Californie du sud avait pris, dès 1989, la décision de cesser de construire de nouvelles autoroutes afin de préserver la qualité de l'air. L'automobile est repoussée du cœur des villes par la mise en place de cercles d'accès plus ou moins perméables aux véhicules personnels, aux taxis, aux camions de livraison... et de zones piétonnières. Comme les caddies dans les supermarchés, des micro-voitures électriques sont disponibles au sortir des transports en commun. On peut les louer grâce à un mode de paiement à l'unité consommée, qui utilise des cartes à mémoire comme pour le téléphone. Cette même logique du transport individuel stimule les imaginations les plus folles : ULM circulant au-dessus des villes dans des couloirs aériens matérialisés par des faisceaux lumineux colorés, "deux roues" silencieux alliant la force musculaire à la force motorisée, moyens de transport issus des sports de glisse...

Aux heures de pointe, à Pékin, l'atmosphère est irrespirable, même en l'absence de véhicules polluants. ▼

Le Réseau Express Régional a de beaux jours devant lui pour relier le cœur des villes aux banlieues : la valorisation de l'environnement oblige à économiser le terrain des voies routières. Pour transporter 50 000 personnes à l'heure, un RER n'occupe qu'une emprise de douze mètres de large alors qu'il faudrait soixante voies d'autoroutes pour supporter le même trafic, soit à peu près un kilomètre d'emprise en largeur.

[1] *The Futurist. Down town 2040. n° 2, vol.XXII, mars/avril 1988, Bethesda, Maryland, USA.*

Les véhicules personnels (automobiles, aériens et aquatiques) : nombre d'habitants pour dix véhicules ▶

100 000
1 000
200
50
30
25
20
18
16

Les véhicules personnels

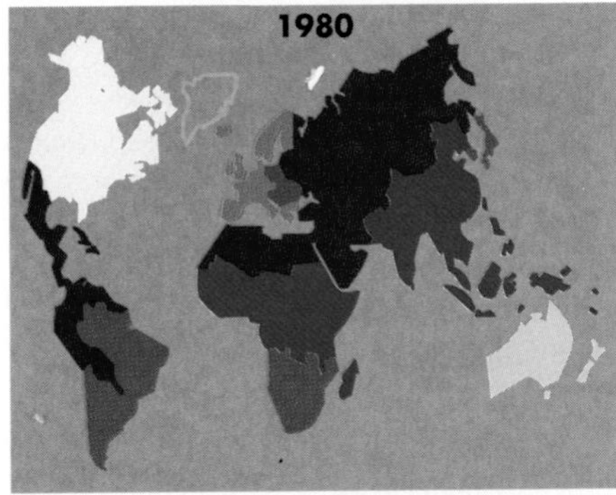

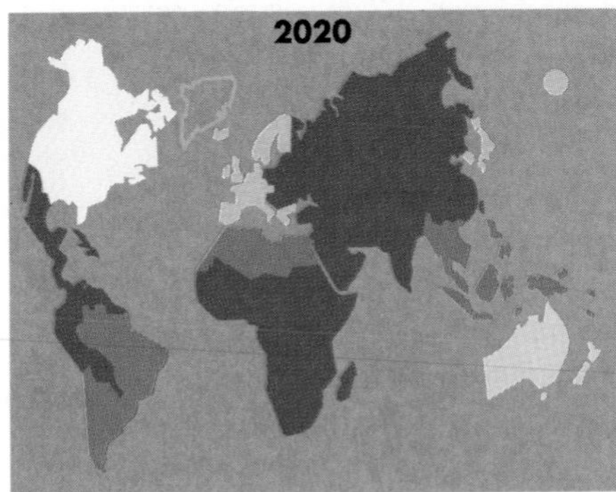

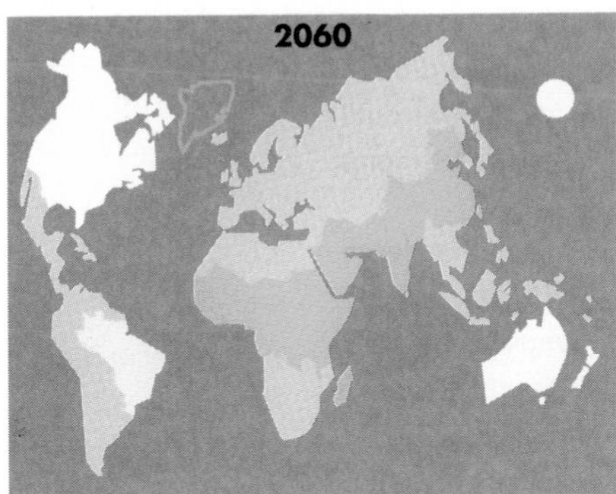

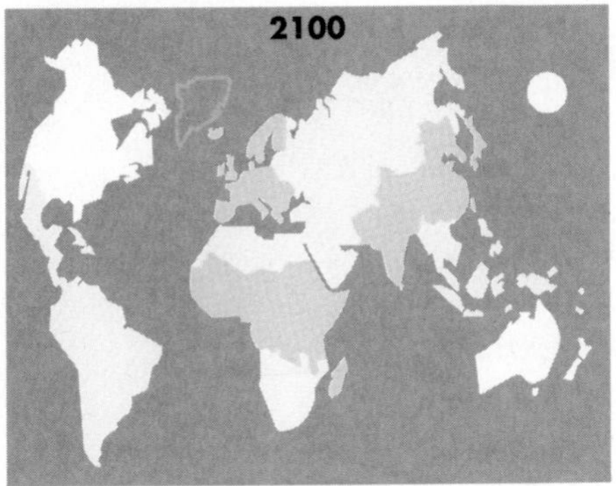

Dès qu'elles sont séparées par moins de mille kilomètres, les métropoles sont reliées entre elles par des transports terrestres de type TGV. Ces derniers permettent d'arriver directement au cœur de la ville, sont insensibles aux conditions atmosphériques, ont des capacités de transport de passagers, comme de fret, supérieures à l'avion. Pour atteindre des vitesses comparables à celles de l'avion, il devient cependant nécessaire de prévoir de lourdes infrastructures au sol. Le ministère des transports des Pays-Bas a ainsi lancé l'étude d'un "*integrated transport system*" où des containers circuleraient à cinq cents kilomètres à l'heure dans des tunnels soumis à un vide partiel, le maintien du vide dans les tubes pouvant être assuré par des sas dans les stations. Une automobile en container pourrait ainsi parcourir environ mille kilomètres en deux heures tout au plus.

▲ *Des micro-véhicules sont en libre service à la sortie des gares.*

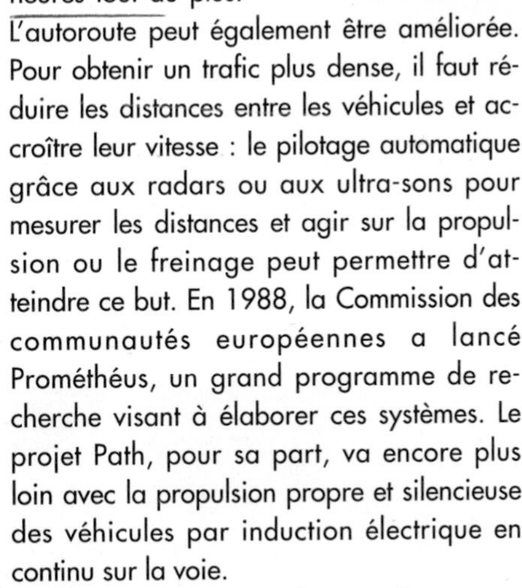

L'autoroute peut également être améliorée. Pour obtenir un trafic plus dense, il faut réduire les distances entre les véhicules et accroître leur vitesse : le pilotage automatique grâce aux radars ou aux ultra-sons pour mesurer les distances et agir sur la propulsion ou le freinage peut permettre d'atteindre ce but. En 1988, la Commission des communautés européennes a lancé Prométhéus, un grand programme de recherche visant à élaborer ces systèmes. Le projet Path, pour sa part, va encore plus loin avec la propulsion propre et silencieuse des véhicules par induction électrique en continu sur la voie.

Les petites villes gardent, bien sûr, les réseaux d'autobus (guidés par fil ou mécaniquement), économiques et très souples d'emploi[1]. Pour réguler le trafic routier, des PC urbains télématiques jouent le rôle de tours de contrôle en donnant des informations susceptibles d'être traitées par de petits ordinateurs de bord. Ainsi le conducteur sélectionne, en fonction du trafic, le chemin le plus rapide.

[1] *Les villes et leurs transports, OCDE, Paris, 1988.*

▲ *Les micro-véhicules urbains évoluent sur rails et sur route.*

Le développement des transports n'est cependant pas illimité. Avec l'accroissement des déplacements liés aux loisirs et à la culture, au rapprochement des familles, aux livraisons à domicile, deux facteurs concourrent à réduire le trafic :

- le vieillissement de la population : entre 1965 et 1990, le développement économique a entraîné un accroissement continu des trafics de voyageurs et de marchandises qui ont été multipliés respectivement par 2,2 et 1,75 dans les pays européens. Le vieillissement des populations occidentales et japonaise (en 2020, sept millions de personnes ont plus de 85 ans aux Etats-Unis) entraîne des modifications dans les types de déplacement : accentuation de la mobilité à grande distance, (tourisme, culture, religion) et diminution des déplacements urbains ;
- le développement des télécommunications supprime un bon nombre des déplacements, hier encore considérés comme indispensables. En 1990, le technicien envoie par fax un croquis d'explication à un atelier de fabrication ; en 2019, grâce au visiophone, il fournit de vive voix le complément d'information, en crayonnant sous les yeux de l'interlocuteur à mille kilomètres de là.

Les téléconférences se répandent aux Etats-Unis. 80% étaient organisées, à l'origine, dans l'enseignement ou la formation, mais d'autres secteurs découvrent des qualités inattendues de ce nouvel outil. Ainsi, les juges instruisent un procès, écoutent prévenus et témoins, sans sortir l'accusé de prison.

Toutefois, contrairement aux anticipations faites au cours de la décennie 1970, on n'assistait pas encore dans les années 1990 à une substitution télécommunications/transports de grande ampleur. La vidéoconférence n'avait pas éliminé les déplacements pour les réunions. Elle

On en trouve également à l'intérieur des grands immeubles … ▼

… où ils sont en libre service. ▼

*Le sage a beau voyager,
il ne change pas
de demeure.
Proverbe chinois.*

ne constituait un substitut praticable que dans un nombre limité de cas, compte tenu de l'éthologie des milieux industriels. A l'inverse des techniciens, les déplacements d'hommes d'affaires se multipliaient à mesure que se planétarisaient les activités commerciales.

▲ *Le réseau aérien de transports individuels vient compléter le réseau souterrain de transport de masse et laisse la rue aux piétons.*

TRAVAIL À DOMICILE

En 1990, le télétravail n'était pas encore développé à grande échelle. Les télécommunications n'étaient pas encore suffisamment performantes. Les premières expériences sont cependant positives car le travail sur ordinateur et l'utilisation de banques de données peuvent s'effectuer à partir de points non différenciés, pourvu que les télécommunications en facilitent la connexion. A Los Angeles par exemple, une expérience d'introduction de télétravail a permis d'accroître de 1,7 jour par semaine le temps passé à domicile. Des entreprises de secrétariat à domicile se créent dans la campagne française dès le début des années 1990. Mais, pour des raisons de cohésion sociale, de partage des cultures d'entreprise, de lutte contre la solitude, le travail ne peut pas s'effectuer exclusivement à la maison. Par ailleurs, cette innovation entraîne une organisation plus précise, à la fois de la vie professionnelle et de la vie privée, et une baisse du temps qui était consacré aux déplacements personnels.

Le développement du télétravail réduit les embarras de circulation dans les grandes villes parce qu'il réduit le nombre des aller-retours pour se rendre à son travail et qu'il permet des horaires décalés. Il rend aussi possible des distances domicile-travail plus grandes : télétravail deux ou trois jours par semaine, train à grande vitesse les autres jours pour rejoindre des métropoles.

■ ***Le développement des télécommunications supprime un bon nombre des déplacements, hier encore considérés comme indispensables.***

■ ***Télécommunications et transports sont appelés à se combiner de façon croissante. Les temps de déplacement ne sont plus des périodes au cours desquelles l'usager est coupé de tout. Il devient possible de téléphoner dans les embouteillages, dans le TGV ou l'avion.***

Par ailleurs, télécommunications et transports sont appelés à se combiner de façon croissante. Les temps de déplacement ne sont plus des périodes au cours desquelles l'usager est coupé de tout. Il devient possible de téléphoner dans les embouteillages, dans le TGV ou l'avion, à condition de disposer :

- d'un numéro d'appel universel permettant de toucher le correspondant où qu'il soit ;
- de procédures d'identification et d'authentification permettant d'imputer les dépenses et d'accéder aux données confidentielles.

Alors, on choisit peut-être d'habiter Bruxelles en fonction de critères affectifs ou financiers, quitte à passer une journée à Paris par semaine pour régler les affaires qui ne peuvent pas l'être par le réseau ou pour entretenir des relations humaines devenues essentielles.

En 1990 déjà, l'INSEE[1] relevait un pourcentage non négligeable de cadres supérieurs de la région Alpes-Côte d'Azur travaillant à Paris, mais ne se déplaçant dans la capitale qu'une fois par semaine ou

▲ *En 2020, l'avion individuel fait toujours rêver, mais n'est pas devenu un moyen de transport très usité.*

▲ *Dès 2040, un réseau de TGV couvre l'Europe et l'Asie, jusqu'en Chine.*

par quinzaine. Le télétravail à temps complet restait cependant encore minoritaire. Avec les professions de conseil et les cadres du tertiaire, les premiers bénéficiaires du télétravail à temps partiel sont les femmes qui ont de jeunes enfants. L'évolution est toutefois rapide et, dès 2020, plus de la moitié du temps de travail des salariés du secteur tertiaire est passé à domicile.

LES VILLES INVISIBLES (2060-2100)

L'écologie urbaine suppose que les grandes décisions, les grands projets, voire les folies, se rapprochent des hommes et de leur vie quotidienne. Le pouvoir municipal prend un nouvel essor.

C'est ce qu'exprime Lewis Mumford[2] lorsqu'il écrit : "*Plus encore que comme un lieu réservé au commerce et aux affaires, nous pouvons concevoir la ville comme un organe essentiel à l'expression d'une forme de personnalité nouvelle : celle du citoyen d'un monde unitaire. Il est impossible désormais de maintenir les anciennes lignes de démarcation qui ont séparé l'homme de la nature, le villageois du citadin, le grec du barbare, le citoyen de l'étranger : à travers le monde entier, on peut se rencontrer, communiquer, comme à l'intérieur d'un village ; et, de ce fait, un lieu d'habitation quelconque doit être conçu, à sa petite échelle, à l'image du monde. La cité ne devrait plus être la matérialisation du caprice d'un tout puissant prince, mais l'expression de la volonté commune de ses citoyens cherchant à perfectionner leurs connaissances, à se gouverner eux-mêmes, à tenir leur place dans le monde.*"

L'individu lui-même est plus prompt à communiquer avec un groupe qui partage avec lui la même passion, "les collectionneurs de rosiers anciens", "les entomologistes cherchant le mille-pattes qui boite", "la secte des adorateurs de la lune rousse", plutôt qu'avec son voisin.

Un quartier, une banlieue, une petite ville, une métropole n'a de cesse, dans cette société du spectacle, que d'imposer son identité, de se forger un caractère, de se spécialiser : villes universitaires,

[1] *in Données sociales, INSEE, Paris, 1990.*

[2] *Lewis Mumford, La cité à travers l'histoire, Seuil, Paris, 1972.*

technopoles, villes de remise en forme, villes de loisirs sportifs, villes de tourisme, villes de jeu... La compétition entre elles est sans merci. Ce qui donne lieu à des réussites éclatantes aussi bien qu'à des décadences douloureuses (villes endettées par des équipements qui ne correspondent pas au goût du jour). Des repreneurs (sortes d'hybrides entre gestionnaires et hommes de spectacle) de villes déchues, de villes nouvelles mal greffées, se spécialisent dans leur reconversion et dans leur réanimation progressive.

L'industrie du tourisme, prise au sens large, occupe une fraction croissante de la population. Elle est en mesure de susciter une dynamique locale : embellissement du cadre de vie, fierté d'appartenance, ouverture sur l'extérieur. Les villes redoublent d'efforts pour attirer les visiteurs. Les grands événements, jeux olympiques ou expositions universelles, sont l'occasion de construire des infrastructures dont la routine bureaucratique n'aurait pas permis le financement en temps ordinaire. La société du spectacle impose ici comme partout ses fonctionnements. Les travaux exceptionnels se cristallisent autour de processus mobilisateurs. Des événements médiatiques ponctuent et rythment la vie de la société tout entière. Ce qui autrefois se limitait aux grandes foires prend maintenant les aspects les plus variés. Le sport, la musique, le cinéma sont autant de prétextes au développement urbain, attirant des foules animées par une même passion. L'esprit a changé. Au lieu de raisonner sur la nécessité des choses et de ne les réaliser que quand on ne peut plus les éviter, on se laisse porter par un enthousiasme et, dans une même vague, les constructions durables sont entraînées par le mouvement d'une activité d'abord éphémère avant d'être pérennisée. Les villes se spécialisent et, par ce moyen, deviennent mondiales. On sait, par delà les frontières, qu'il faut aller à Salzbourg pour écouter du Mozart, à Ouagadougou pour le festival du cinéma africain, à Rio pour le carnaval, à Angoulême pour la bande dessinée. Cette spécialisation dépasse l'événementiel et s'enracine parfois dans une culture technique : Seattle et Toulouse sont les deux capitales rivales de l'industrie aérospatiale, l'une aux Etats-Unis, l'autre en Europe. Ailleurs, la ville affirme une culture ludique : légendaire Las Vegas, où tout est sacrifié au divin hasard, ou bien féerique Disneyland, où la technique est mise industriellement au service du rêve.

La civilisation des loisirs est à son apogée. Loisirs mêlés intimement au travail dans la sphère privée du logement ; loisirs dans la ville aménagée en fonction de cet objectif ; loisirs dans le spectacle d'elle-même que chaque ville offre au tourisme.

▲ *La muraille de Chine, seul grand ouvrage visible des premiers satellites, est fréquentée par les touristes du monde entier.*

■ ***Les villes redoublent d'efforts pour attirer les visiteurs. Les grands événements, jeux olympiques ou expositions universelles, sont l'occasion de construire des infrastructures dont la routine bureaucratique n'aurait pas permis le financement en temps ordinaire.***

■ ***Les villes se spécialisent et, par ce moyen, deviennent mondiales. On sait, par delà les frontières, qu'il faut aller à Salzbourg pour écouter du Mozart, à Ouagadougou pour le festival du cinéma africain, à Rio pour le carnaval, à Angoulême pour la bande dessinée.***

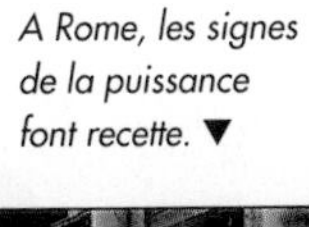

A Rome, les signes de la puissance font recette. ▼

Chacune joue sur sa spécificité, son authenticité. Les plus anciennes mettent en valeur leurs vieux quartiers : les premières favellas de Rio étaient classées "monuments historiques" dès 1987. Celles qui n'ont ni plages ensoleillées, ni criques azurées, ni domaines sportifs jouent la carte du commerce et de la créativité : festivals, congrès, expositions, spectacles, galeries d'art... En fait, une grande mise en scène propre à remplir les hôtels.

▲ *L'artisanat reste un lieu où se déploie la créativité locale. Le tourisme s'en nourrit.*

Encore une fois, la part de nomadisme irréductible du citadin ressurgit dans un curieux mouvement migratoire, inverse de celui du début du siècle. Organisés en réseaux internationaux et vivant au rythme des mêmes pulsations, des groupes hédonistes, religieux, sportifs, écologistes... se retrouvent agglutinés en essaim en un point de la planète. Des véliplanchistes jettent leur dévolu sur une plage bouclée de blancs rouleaux d'écume en Australie ou en Afrique. Connectés aux villes par tous les moyens de télécommunication, ces oiseaux migrateurs continuent à traiter des informations, à concevoir, à gérer leurs affaires... Leur lieu d'élection se développe de façon organisée ou spontanée, donnant naissance à une nouvelle ville ou à une agglomération éphémère. Une secte s'implante au Groenland, un phalanstère moderne surgit au cœur de l'Afrique. Partout, le démon de l'aventure est au rendez-vous. Des botanistes se frottent au désert pour faire reverdir les dunes grâce aux manipulations génétiques d'espèces végétales se suffisant d'une rosée diaphane, des écologistes veulent ressusciter la mer d'Aral, des ingénieurs et des archéologues restaurent des systèmes complexes d'irrigation et de draînage pour rendre la vie à d'antiques cités. Partout, ces nouveaux rêveurs tentent de relever les défis prouvant leur singularité, en se mêlant à la population locale dans la symbiose la plus simple ou par la violence. Et lentement, la prémonition du romancier se réalise : les villes invisibles émergent en pleine lumière[1].

ARCHITECTURE ET VILLE, ETRE VIVANT

Cette volonté nette de se différencier, de marquer les mémoires, est propice - comme par le passé qui a vu naître les pyramides, la tour de Babel, la tour Eiffel, l'Empire State Building - à la surenchère de projets portés par une très haute technologie.

Expression d'un pouvoir financier quand il s'agit de la "Hong Kong et Shangaï Bank Company"[2], d'un pouvoir politique quand il s'agit de l'Arche de la Défense, l'architecture monumentale ponctue la ville de points de repères cristallisant les aspirations d'une société, traduisant les mythes en symboles dans des formes capables de survivre à l'effritement des conditions qui ont présidé à leur création.

[1] Italo Calvino, Les villes invisibles, Col. Point Roman, Seuil, Paris, 1984.

[2] Tour de l'architecte Norman Foster à Hong Kong.

■ ***La part de nomadisme irréductible du citadin ressurgit. Des véliplanchistes jettent leur dévolu sur une plage bouclée de blancs rouleaux d'écume en Australie ou en Afrique. Connectés aux villes par tous les moyens de télécommunication, ces oiseaux migrateurs continuent à traiter des informations, à concevoir, à gérer leurs affaires...***

■ ***Les querelles de style sont dépassées comme est engloutie la charge nostalgique d'un passé béatifié. On accepte que, dans les villes nouvelles, les matériaux et des organisations urbaines modernes se conjuguent avec les emprunts ou les clins d'œil aux styles anciens.***

Les querelles de style sont dépassées comme est engloutie la charge nostalgique d'un passé béatifié. On accepte que, dans les villes nouvelles, les matériaux et des organisations urbaines modernes se conjuguent avec les emprunts ou les clins d'œils aux styles anciens. Ainsi, la ville lacustre de Porto Escondido[1] (prévue pour 200 000 habitants) sur la mer de Cortez au Mexique était l'une des expressions incertaines de la fin du vingtième siècle : style colonial mexicain avec son théâtre à ciel ouvert, pastiche de villages en nids d'aigles couleur de terre, mais aussi organisation performante de l'accueil du tourisme maritime, aérien ou routier.

En revanche, les tours démesurément hautes sont l'archétype du défi technologique. Le projet "Sky city" (Japon), tour d'un kilomètre de hauteur, ville verticale noyée dans un océan de verdure, donne la mesure de ces rêves fous : 35 000 résidents, 100 000 postes de travail et un système de contrôle centralisé pour régir les flux et les échanges (recyclage des eaux, production d'énergie, air conditionné...).

L'architecture du vingtième siècle culminait dans d'immenses tours de bureaux, symboles de puissance des multinationales, objets phalliques portant au-dessus des autres le bureau de leur président. Peu à peu, apparaissent des architectures en forme de matrice, annonçant le siècle de la femme. Ce sont des constructions en géodes, aménagées autour d'un espace intérieur. De grands hôtels (Tokyo, Los Angeles...) et des centres commerciaux (Montréal, La Défense ...) avaient inauguré cette nouvelle disposition des lieux, signifiant non plus le défi, mais l'accueil et le regard intérieur.

Bien qu'on ait commencé à dynamiter, en France et ailleurs, quelques "barres" des années 1960, les logements construits depuis quarante ans représentent encore 80% des habitations en l'an 2050. Lenteur et inertie caractérisent l'évolution de l'habitat.

La ville est un être vivant. Comme au jeu des portraits chinois, on peut la comparer à d'autres formes de vie. L'architecte Doxiadis montre qu'elle a la forme d'un cancer, avec ses métastases. Deleuze et Guattari la verraient plutôt en forme de rhizome, ces linéaments souterrains au long desquels poussent les champignons. On peut

[1] *Architecte : François Spoerry.*

◀ *Aux tours phalliques et dénudées ...*

... succèdent des architectures vertes, aquatiques et féminines. ▼

▲ *Le projet japonais Aéropolis est un immense immeuble de 2001 mètres de haut, construit sur une île artificielle et où plus de cent mille personnes travaillent.*

aussi la voir comme un poumon, qui se remplit le jour et se vide la nuit ; ou encore comme un corail, cet animal dont les parties molles sécrètent en permanence un calcaire rigide et cloisonné et qui ne vit qu'en enfonçant sous lui les squelettes de ses prédécesseurs. Il y a une saine ironie à penser que l'homme, si fier de son intelligence, produit, quand il bétonne, des êtres qui ressemblent aux formes les plus élémentaires et les plus primitives de vie. L'évolution de la techno-nature est loin d'être achevée. La ville est plus "techno" que le village, le quartier de la Défense plus que le Paris de Haussmann ; les terrains artificiels de l'architecte japonais Kikutake encore plus. Viennent ensuite les villes marines et les villes de l'espace[1]. La maturation, l'affinement de la pensée du vingt-et-unième siècle produisent des niveaux d'organisation toujours plus subtils.

Le rôle du parpaing de ciment et de la dalle en béton évolue au cours du vingt-et-unième siècle. Une révolution dans les nouveaux matériaux change, sinon la face du monde, du moins la physionomie des villes, y compris dans les pays pauvres. Des briques légères, auto-adhérentes, s'encastrent comme des jeux de construction pour enfants et peuvent être colorées dans la masse. Des matériaux réunissent des propriétés physico-chimiques tenues précédemment pour incompatibles : rigidité et souplesse, minceur et résistance, légèreté et solidité. Des alliages produisent des qualités particulières à la demande, selon le type d'usage, le climat de la région : isolation acoustique ou thermique, degré de réflexion ou d'absorption de la lumière, d'opacité ou de transparence. Nous voyons alors naître une nouvelle ère du bricolage, des maisons individuelles en kit... ou pas de maison du tout. Une société de nomades apparaît, vivant dans les hôtels, dans les camping-cars, dans des bateaux de plaisance, ou transportant avec soi un équipement ultra-léger suffisant pour se reposer ou dormir en tous lieux.

Le logement se voit investi de nouvelles missions : l'accueil du télétravail, l'enseignement pour les enfants, la multiplication des activités de communication et d'information. La société hyper-industrialisée et de loisirs s'installe au cœur de la sphère privée. Il s'ensuit des modifications de l'organisation des logements jusque dans leur profondeur. Le gros œuvre très efficace, peu coûteux, incluant une préfabrication poussée des éléments porteurs, est dissocié du second œuvre. Des grues

◄ *Dès l'an 2000, les maisons terminées en usine sont livrées par dirigeable.*

[1] *Les villes marines sont décrites dans le chapitre qui traite de l'océan. Les planètes creuses sont décrites dans le chapitre qui traite de l'espace.*

Sur le terrain artificiel de Kikutake, les maisons, jardins et transports sont suspendus à une armature en forme de V renversé. ▶

dirigeables le transportent sur place à sa sortie d'usine. Les éléments techniques, cuisines, salles de bains, plan de travail informatisé, sont des lieux d'expression privilégiés du design, modulables en fonction des besoins, de l'extension de la famille, de sa décomposition ou de sa recomposition. Si leur adaptation en est facilitée, leur entretien ou leur remplacement en sont aussi extrêmement simplifiés. La ville livre la structure des bâtiments. Liberté est offerte aux habitants de s'approprier cette surface en fonction de leurs besoins. La permanence du caractère de la construction peut, malgré les réaménagements perpétuels, se manifester dans la forme générale des immeuble-villas avec de vastes terrasses plantées.

Ainsi, de la même façon que la réflexion sur la façon d'habiter avait permis à Le Corbusier de bouleverser le paysage urbain moderne dans le monde entier, une telle démarche transforme celui que nous connaissions, notamment la rue-corridor, pour nous livrer une ville plus généreuse en espace, en soleil et en verdure.

■ ***Viennent ensuite les villes marines et les villes de l'espace. La maturation, l'affinement de la pensée du vingt-et-unième siècle produisent des niveaux d'organisation toujours plus subtils.***

■ ***Ainsi, de la même façon que la réflexion sur la façon d'habiter avait permis à Le Corbusier de bouleverser le paysage urbain moderne, une démarche nouvelle transforme celui que nous connaissions, notamment la rue-corridor, pour nous livrer une ville plus généreuse en espace, en soleil et en verdure.***

AUTRES ESPACES, NOUVEAUX ESPACES

Si l'on regarde une carte représentant les plus fortes densités urbaines, celles-ci se concentrent en bordure de mer. La logique voudrait qu'à la fin du vingt-et-unième siècle, les villes plongent dans les joies marines. Les îles artificielles japonaises n'en seraient alors que la préfiguration.

Les techniques pétrolières off-shore, le progrès des travaux en mer permettent de construire des installations flottantes ou des îles artificielles. Cette nouvelle conquête résulte de la pression démographique sur les côtes et du développement de l'exploitation raisonnée des milieux marins : aquaculture, activités minières et pétrolières *off shore,* développement intensif du transport maritime.

Ces établissements marins ou lacustres vont de l'habitat individuel

▲ *Circulation souterraine, parcs et machines à communiquer en surface, espaces de travail, de soins et d'isolement : la cité de 2020 refleurit.*

jusqu'au village ou à la petite ville. Reliés aux côtes et aux mégalopoles mondiales, ils entraînent des innovations dans les transports et la logistique : des navires ou barges de types nouveaux accompagnent ces cités. Trois sociétés japonaises associées proposent la barge Del Marina, centre de distribution flottant pour stockage, réfrigération ou conditionnement de 40 000 tonnes de denrées alimentaires. Camions et navires peuvent desservir directement l'ensemble. La stabilité est maintenue par un ballast géré par ordinateur. De nombreux services publics peuvent être assurés ainsi : navires hôpitaux, usines de dessalement d'eau de mer, traitement de déchets. De tels navires facilitent aussi l'équipement d'urgence de nombreuses mégalopoles maritimes ou fluviales en expansion trop rapide.

MORT DES VILLES

Des murs pour cuirasse, un temple comme cœur, trois millénaires avant notre ère, Ourouk, première grande ville que la terre ait portée, rassemble, dans son arche d'alliance défensive contre les bergers nomades, jusqu'à cent cinquante mille âmes. Elle avait un service de postes pour relier toutes les cités de la Mésopotamie, un complexe industriel pour fondre les métaux. Il faudra deux mille ans pour atteindre en Grèce un tel niveau de développement, deux mille cinq cents en Italie, quatre mille cinq cents en Europe, où Berlin n'atteindra la population d'Ourouk qu'au dix-huitième siècle. Discordance des temps : Ourouk étalait sa puissance quand l'Europe sortait à peine de l'âge de pierre.

Mais la puissance se déplace sans cesse. Combien de villes sombrèrent dans la décadence quand elles manquèrent d'eau ? Ourouk fut étouffée par le désert quand le lit de l'Euphrate se déplaça. Eridou, port à l'embouchure du Tigre et de l'Euphrate, fut englaisé dans les terres, si loin du littoral qu'il fut abandonné. Une ville est une alchimie. Elle ne se décrète pas. La splendeur de la ville nouvelle d'Akhet-Aton, née en l'an 1364 avant J.-C. sur les bords du Nil, par la volonté d'un pharaon brouillé avec les prêtres de Memphis, ne survécut pas à son fondateur, Amenophis IV, l'époux de Néfertiti. Une ville ne s'anéantit pas non plus. Babylone ressuscita quatre fois. Elle ne s'éteignit que deux cents ans après sa dernière reconstruction, quand l'heure de sa décadence eut sonné. Troie, elle-même, la prestigieuse, se dressant comme un perpétuel défi, sut renaître dix fois de ses cendres[1].

[1] *Wolf Schneider, De Babylone à Brasilia, Plon, Paris, 1960.*

L'exploitation sous-marine, ainsi que le désir de maintenir les liaisons à l'abri des tempêtes, provoque non seulement le développement de canalisations immergées, mais aussi celui de transports sous-marins de biens et parfois de personnes. Reflets des dirigeables aux enveloppes souples, les vastes containers sous-marins peuvent cheminer sous l'immensité océane, le long de chenaux à balises sonores. Autodirecteurs ou à pilotage assisté par ordinateur, ces modules de transports profitent des grands progrès de la navigation inertielle et de l'acoustique[1].

Longue épopée ! Après l'espace médiéval de "localisation", ensemble hiérarchisé de lieux (profanes et sacrés, protégés ou ouverts, urbains ou campagnards), puis l'espace infini, caractérisé par "l'étendue", dont le règne débute après Galilée, nous avons reconstitué notre espace à partir des "emplacements" et des réseaux qui relient des points et entrecroisent sans fin leurs toiles.

Dernière étape de la perception de l'espace terrestre, à laquelle s'ajoute progressivement un espace d'une autre nature, celui constitué par la mise en orbite de planètes creuses où l'intime et précieuse nature recréée permet aux hommes de sortir de leur monde fini. De là, nous goûtons l'image d'un nuage de lait posé sur un saphir irisé. Une valse lente. Une émotion totale. Belle à couper le souffle, la planète bleue baigne dans le noir infini de l'espace. Autour de nous, la vie est là, toute entière, ni simple, ni tranquille. Elle bruisse doucement. Et cette rumeur-là vient de la ville. ■

■ Dernière étape de la perception de l'espace terrestre, la mise en orbite de planètes creuses permet aux hommes de sortir de leur monde fini.

[1] *Claude Lamure, in Prospective des déséquilibres mondiaux, GRET, Paris, 1990.*

En 2040, les villes se construisent à la campagne ... ▼

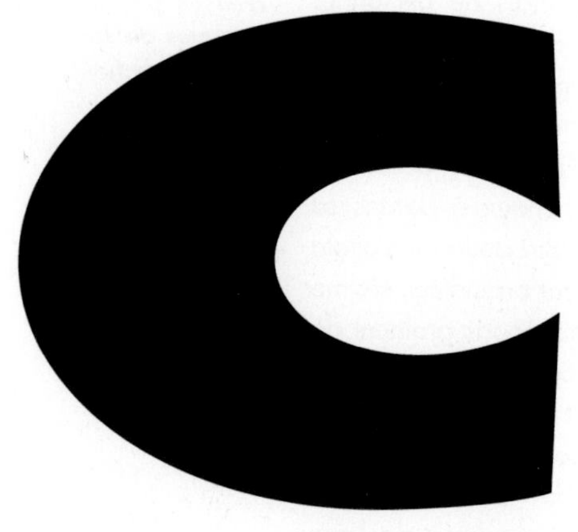

h a

L'année 1989 restera historique à deux titres. C'est d'abord celle où l'économie de marché est devenue planétaire, par suite de l'ouverture des pays de l'Est. C'est aussi celle où cette même économie de marché est apparue clairement incapable de résoudre les problèmes de la planète, notamment la protection des ressources naturelles.

La transition de l'environnement

pitre 13

Dès le début de l'année 1989, la revue *Time* fait de la planète malade son "homme de l'année". L'effet de serre et la destruction de la couche d'ozone rejoignent, dans les préoccupations des citoyens et des gouvernants, les traditionnelles questions de commerce international et d'équilibre politique ou militaire. Simultanément, les lobbies industriels réagissent en bombardant la Maison Blanche de rapports visant à démontrer que les conséquences probables des émissions de gaz carbonique ont été très exagérées. Selon eux, il est urgent d'attendre des observations plus précises pour se prononcer. Y a-t-il ou non lieu de s'alarmer ? L'homme est-il en train de modifier fondamentalement son environnement ? Telles sont les questions que l'on se pose sur toute la planète au moment d'aborder le troisième millénaire.

▲ *Des pas légers sur les fougères.*

Le sculpteur Andy Goldsworthy est anglais. En 1988 et 1989, il est invité par le Centre d'art contemporain de Castres. Il réalise alors ces œuvres éphémères dans les jardins et forêts de la région.

"LE TEMPS DU MONDE FINI COMMENCE"

La raison essentielle du changement d'opinion des années 1980 est la prise de conscience de l'effet planétaire des activités humaines. Avec l'"hypothèse Gaïa", formulée par James Lovelock[1], réapparaît la grande déesse grecque de la Terre. L'écosystème terrestre serait un être vivant immense pour lequel l'homme est un microbe. Aujourd'hui, il a déstabilisé cet écosystème par ses rejets et ses destructions. Et Gaïa réagit avec une puissance qui lui échappe et peut le détruire. Selon cette hypothèse, l'humanité ne constitue pas, dans le grand système de la vie, un élément indispensable. Si nous ne sommes pas capables de maîtriser les effets agressifs dus à notre présence et de nous inscrire en douceur dans notre environnement, nous serons balayés, tels des moustiques, par des réactions d'une immense puissance et d'une implacable rigueur.

L'action de l'homme a été comparable à celle des animaux et des végétaux. Depuis qu'elle est apparue sur la Terre, la vie perturbe son propre milieu. C'est même son principe de base. Tout individu puise l'énergie nécessaire à son fonctionnement en effectuant des prélèvements sur son environnement. La végétation détruit les roches sous-jacentes et rejette dans l'atmosphère une quantité considérable d'oxygène. Les castors abattent des arbres, les éléphants piétinent les jeunes pousses et les poissons-perroquets n'ont aucun respect pour le corail. L'équilibre est global, planétaire puisqu'il n'y a pas d'écosystème isolé. Et l'évolution continue des espèces nous apprend que cet équilibre n'est pas statique mais dynamique, et qu'il est

Les pétales de coquelicot enveloppent la pierre. ▼

[1] *James Lovelock, Gaïa, a new look at life on earth, OUP, Oxford, 1989.*

■ ***L'humanité ne constitue pas, dans le grand système de la vie, un élément indispensable. Si nous ne sommes pas capables de maîtriser les effets agressifs dus à notre présence et de nous inscrire en douceur dans notre environnement, nous serons balayés par des réactions d'une implacable rigueur.***

■ ***Depuis qu'elle est apparue sur la Terre, la vie perturbe son propre milieu. Tout individu puise l'énergie nécessaire à son fonctionnement en effectuant divers prélèvements sur son environnement. Si équilibre il y a, il est planétaire puisqu'il n'y a pas d'écosystème isolé.***

d'un niveau plus complexe que celui étudié par l'écologie de la fin du vingtième siècle.

Comme tout être vivant, l'homme tente de s'entourer d'un maximum de confort. Il reconstitue des sols, des roches, des cavernes, crée des micro-climats, repousse la mer derrière des digues. Il tire de la nature ses ressources alimentaires, en fait un objet de décoration, mais aussi une poubelle. En ceci, il se comporte comme les autres êtres vivants, qui laissent des déchets après leur passage. Même l'oxygène de l'air et les récifs coralliens sont des résidus d'activités vivantes.

La Terre est vaste. Elle a digéré les déchets humains pendant de nombreux siècles. Mais la Terre est ronde et la boucle est en train de se boucler : les perturbations provoquées par l'activité humaine commencent à entraver son fonctionnement. Si ces perturbations épuisent des ressources vitales pour l'homme, alors celui-ci disparaîtra, comme meurt une plante qui a épuisé le sol sur lequel elle pousse ou un carnassier qui a mangé toutes ses proies. La capacité d'anticipation de l'homme lui permet aujourd'hui de prévoir cet épuisement. Modifiera-t-il son comportement pour éviter de disparaître ?

EFFET DE SERRE

Le climat n'a jamais été statique, constatent les paléoclimatologues et les historiens. Dans l'Histoire du climat depuis l'an mil[1], Emmanuel Le Roy-Ladurie recense les nombreux événements climatiques qui ont perturbé ce millénaire, du petit âge glaciaire, formidablement peint par Pieter Brueghel, aux récoltes désastreuses de 1788, qui furent une des causes de la Révolution française.

Des bouleversements à plus long terme se superposent à ces fluctuations sur de courtes durées. Depuis dix mille ans, un climat interglaciaire a permis l'apparition de l'agriculture et de l'élevage, qui ont été les bases de notre civilisation. Et peut-être allons-nous vers l'apogée d'un nouvel âge glaciaire dans soixante mille ans, du moins si l'homme ne modifie pas fondamentalement le climat et existe encore à ce moment-là...

Le temps et la marée ne sont pas à nos ordres. Proverbe allemand.

"Il est clair que nous sommes à l'aube de changements climatiques qui, même s'ils peuvent sembler peu spectaculaires dans un premier temps, marqueront le signal d'une évolution difficile à évaluer et encore plus à maîtriser", souligne le climatologue Jean-François Royer. A l'origine de ce bouleversement, il y a le renforcement du fameux effet de serre, provoqué par les diffusions accrues dans l'atmosphère de gaz carbonique, issu

[1] Emmanuel Le Roy-Ladurie, *Histoire du climat depuis l'an mil*, Flammarion, Paris, 1967.

▲ *Les décharges d'ordures en plein air contribuent à l'effet de serre.*

des combustions d'énergies fossiles (pétrole et charbon), mais aussi de méthane, issu des élevages bovins, des rizières et des décharges d'ordures. Plusieurs autres gaz (CFC, N_2O, ozone) y contribuent également. La composition de l'atmosphère change à une vitesse sans précédent. Sa teneur en gaz carbonique a augmenté d'environ 25% depuis la révolution industrielle et celle du méthane a plus que doublé. Les quantités d'oxyde nitreux s'accroissent tandis que des gaz n'existant pas à l'état naturel, dont les chlorofluorocarbures (les "CFC" des atomiseurs et des réfrigérateurs), se répandent à l'échelle du globe. Les concentrations du méthane, de l'oxyde nitreux et des CFC s'accroissent de 0,2 à 5% par an. Dans la plupart des scénarios de développement économique est envisagé au minimum un doublement de la concentration des gaz à effet de serre au cours du vingt-et-unième siècle[1].

■ La composition de l'atmosphère change à une vitesse sans précédent. Sa teneur en gaz carbonique a augmenté d'environ 25% depuis la révolution industrielle et celle du méthane a plus que doublé.

■ La prévision climatique à long terme s'avère difficile. On s'accorde cependant sur les grandes tendances, qui sont un refroidissement de la stratosphère et un réchauffement de la basse troposphère.

■ En deux siècles, l'homme a provoqué un saut climatique comparable à celui que la Terre a fait naturellement en cinq mille ans.

La montée des eaux touche des populations déshéritées. ▼

Le Soleil éclaire la planète. Les terres et les océans, chauffés par cette énergie, émettent à leur tour, comme une plaque chauffante de cuisinière, de la lumière infrarouge. Or l'atmosphère contient des gaz transparents à la lumière visible, mais opaques à la lumière infra-rouge. Une partie de ce rayonnement réémis par la surface terrestre est donc piégée entre l'atmosphère et la surface terrestre, l'autre s'échappe dans l'espace. Si la teneur des gaz opaques à l'infra-rouge augmente, la proportion de chaleur piégée augmente aussi. C'est le principe de la serre. L'effet de serre est indispensable à la vie : s'il n'existait pas, la température moyenne sur la Terre serait de l'ordre de -18°C, contre +15°C actuellement. Mais son augmentation bouleverse les données climatologiques de la planète dans son ensemble.

La relation quantitative entre l'augmentation de la concentration des gaz à effet de serre et la montée des températures est mal connue.

[1] La Commission mondiale sur l'environnement et le développement a écrit, en 1987, un rapport très complet. Il est publié en français sous le titre "Notre avenir à tous", Editions du Fleuve, Montréal, Québec, Canada, 1988.

Changement de temps, entretien de sot. Proverbe anglais.

En analysant la composition chimique des bulles d'air dans les banquises des pôles, le Laboratoire de glaciologie et de géographie de Grenoble, en collaboration avec l'Institut de recherche arctique et antarctique de Léningrad, a reconstitué le climat au cours des cent soixante mille dernières années. La teneur de l'air en gaz carbonique a varié de 0,020%, au cours des périodes froides, à 0,028%, en périodes chaudes. Or, au cours des cent dernières années, elle est montée à 0,035%. Un changement considérable lorsque l'on sait qu'entre l'ère glaciaire de la préhistoire et notre époque, la température moyenne n'a varié que de huit degrés.

Depuis un siècle, la température moyenne du globe a augmenté d'environ 0,5 degré et le niveau des mers d'une dizaine de centimètres. Ces variations sont cohérentes avec les 25% d'augmentation de la teneur atmosphérique en gaz carbonique, constatés pendant la même période. Sur le très long terme, les corrélations obtenues paraissent impressionnantes. La température dépend, d'une part, de l'éclairement de la terre par le soleil (qui varie suivant les mouvements astronomiques et la variation de l'activité du soleil) et, d'autre part, de la teneur en gaz carbonique de l'atmosphère. Pour ce qui est de la prévision proche, il peut y avoir un décalage de quelques décennies entre les émissions de gaz dans l'atmosphère et la manifestation complète de leur impact.

▲ *La désertification s'accentue. Un cimetière est ensablé au Niger.*

La planète constitue un système complexe dont l'inertie n'est pas exactement connue. La prévision s'avère donc difficile et plusieurs modèles théoriques aboutissent à des conclusions différentes. Tous s'accordent cependant sur les grandes tendances, qui sont un refroidissement de la stratosphère et un réchauffement de la basse troposphère. Le doublement de la teneur de l'atmosphère en gaz carbonique, qui, d'après le scénario énergétique, se produit dans les quarante premières années du vingt-et-unième siècle, provoque un réchauffement général de 1,5 à 5,5°C. Les répercussions sur le cycle hydrologique sont encore plus incertaines et varient d'un modèle à un autre. En tenant compte de l'absorption du gaz carbonique par les océans et de l'inertie thermique de la planète, seulement la moitié de l'effet potentiel total se fait sentir au moment du doublement. Si tel est le cas, le réchauffement climatique réel vers 2030 se situe entre 0,8 et 2,3°C. En deux siècles, l'homme a provoqué un saut climatique comparable à celui que la Terre a fait naturellement, avant les interventions humaines, en cinq mille ans.

Ce rythme pose de sérieux problèmes d'adaptation aux sociétés humaines. Il entraîne également un bouleversement écologique majeur. En effet, les espèces végétales à cycle de vie court peuvent migrer assez facilement vers les zones climatiques qui leur conviennent. En revanche, les formations végétales de longue durée, telles que les forêts, disparaissent assez rapidement des zones où le changement des conditions climatiques leur est devenu défavorable. Leur réimplantation doit être assistée par l'homme, seul animal capable de reconstituer une forêt adulte en une cinquantaine d'années.

▲ *De mémoire d'éléphant, la neige n'avait jamais quitté le haut de ces montagnes.*

▲ *Brins d'herbes sur un radeau flottant au fil de l'eau.*

Mais la conséquence la plus visible du réchauffement est la montée du niveau de la mer. D'ici à 2050, elle atteint de 20 à 165 centimètres, en raison de l'expansion thermique des océans et de la fonte des glaciers. Les îles et les basses terres littorales sont alors inondées et, du fait d'une intrusion accrue d'eau salée, les réserves côtières d'eau douce se réduisent. Des deltas fortement peuplés, au Bangladesh ou en Indonésie, sont lentement envahis par les eaux. La population, qui se chiffre en centaines de millions de personnes, doit s'adapter, en construisant des maisons sur pilotis ou en émigrant.

Le réchauffement de la planète n'est pas homogène. D'après le modèle de la Nasa, le réchauffement serait d'environ deux degrés dans les zones tropicales et équatoriales, et de dix près des cercles polaires. Des surfaces immenses en Sibérie et au Canada deviennent alors habitables pour l'homme.

L'inertie de la planète est telle que, même si tout était fait pour endiguer, dès 1990, les émissions de gaz à effet de serre, la stabilisation n'interviendrait que dans la seconde moitié du vingt-et-unième siècle. Les cinquante prochaines années sont donc, de ce point de vue, très importantes : soit les émanations de gaz carbonique sont réduites et l'homme s'adapte, car la planète se stabilise ; soit l'effet de serre s'accroît et la température moyenne augmente de plus de 5,5°C. Les effets sont alors beaucoup plus importants et la maîtrise de la techno-nature échappe à l'homme.

LA DÉFORESTATION : UN LOURD PASSÉ

Les premières civilisations occidentales - Mésopotamie, Egypte, Grèce - se développent dans des régions luxuriantes et boisées où vivent non seulement les agriculteurs, mais aussi les artisans et commerçants, les guerriers et les prêtres installés dans les cités. Ces régions sont devenues aujourd'hui des zones arides ou désertiques. Est-ce une coïncidence ? Le Middle West américain est-il promis au même sort ? Autrement dit, la désertification résulte-t-elle d'une

■ ***La désertification résulte des actions conjuguées de l'évolution climatique naturelle et de l'intervention humaine.***

■ ***Initialement motivée par l'augmentation des surfaces agricoles, la déforestation prend une nouvelle ampleur avec l'avènement de la société industrielle.***

évolution climatique naturelle ou bien des actions de l'homme ?
La climatologie attribue d'ordinaire aux déserts une origine strictement naturelle. A l'ère primaire, il y a eu une période de désertification massive. Au quaternaire, l'étendue des déserts fluctue en relation directe avec les phases de glaciation, elles-mêmes liées aux variations astrophysiques. Mais la responsabilité de l'homme est elle aussi engagée, dès les tout premiers déboisements qui ont été pratiqués aux débuts de l'agriculture. Il y a quatorze mille ans, l'aire naturelle des premières céréales, ancêtres du blé et de l'orge, couvrait une vaste zone qui va de la Grèce au delta du Nil en passant par la Turquie et la Palestine, mais aussi à l'est par la Syrie, l'Irak et l'Iran. Ces céréales sont récoltées dès 12 000 à 10 000 ans avant Jésus-Christ. Dans les forêts, quelques arbres, les plus jeunes car les moins gros, sont abattus puis brûlés, pour dégager des espaces cultivables. Ainsi, le sol est à la fois libéré et fertilisé par la cendre des végétaux consumés. Il ne reste plus qu'à semer. La faible fertilisation et la repousse des adventices réduisent la durée d'occupation du même champ à un petit nombre de récoltes. Cette première agriculture itinérante colonise donc sans cesse de nouveaux espaces forestiers. Elle commence à être pratiquée vers 7 500 av. J.C., et se développe aux alentours de 6 000 av. J.C au Proche et au Moyen-Orient. Son extension est lente car elle demande beaucoup de main-d'œuvre et ne donne que de faibles productions (et par voie de conséquence peu de nouvelles semences disponibles).
Initialement motivée par l'augmentation des surfaces agricoles, la déforestation prend une nouvelle ampleur avec l'avènement de la société industrielle. Ainsi, la ville idéale d'Arc et Senans, en Bourgogne, est conçue autour de l'exploitation de mines de sel. La forêt voisine doit fournir le bois nécessaire aux chaudières qui évaporent les eaux salées. L'exploitation s'arrête avec la disparition de cette forêt et la ville, inachevée, est abandonnée. Les mines de charbon, les voies de chemin de fer, les sucreries consomment pour leur part des quantités importantes de bois dans tous les pays en cours d'industrialisation, mais aussi dans les colonies. La consommation s'accroît encore avec l'expansion des industries papetières et la mise au point des nouveaux

▲ *L'exploitation du bois à l'ancienne a encore cours à Port au Prince…*

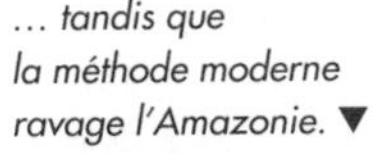

… tandis que la méthode moderne ravage l'Amazonie. ▼

matériaux de construction à base de bois (contreplaqués, lamellés-collés et agglomérés). La déforestation pour faire du bois de feu joue aussi un rôle important dans les zones qui n'ont pas de charbon ou de pé-

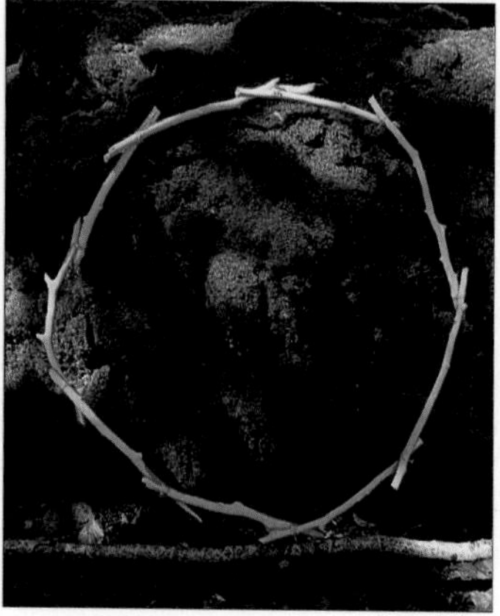

Paul Capron, graphiste, illustrateur et artiste peintre, réalise la plupart de ses œuvres dans les Cévennes et en Bretagne. Les travaux sont effectués en atelier pour la plupart, et placés dans la nature. Certains sont ensuite laissés sur place où ils surprennent le promeneur.

trole. Une fois de plus, c'est dans les pays en voie de développement que la situation est grave. En Ethiopie, les provinces de Wollo et du Tigré, aujourd'hui désertiques, étaient couvertes à 70% de forêts au début du siècle. Elles ne le sont plus qu'à 3%.

Au cours des quarante dernières années, la superficie des forêts tropicales humides a fortement diminué et les technologies lourdes utilisées aujourd'hui en exploitation forestière accélèrent sans cesse la dégradation. Au Brésil, l'extension du réseau routier a multiplié par dix, entre 1970 et 1980, le volume de bois extrait. Le même phénomène se produit en Thaïlande et en Birmanie, où les industriels japonais, sous couvert d'aide au développement, tailladent la forêt de routes qui sont utilisées pour exporter le bois. Les forêts tropicales humides couvrent encore aujourd'hui environ douze millions de kilomètres carrés. Si leur destruction continue au rythme actuel, il n'y en aura plus dans la seconde moitié du siècle prochain. En revanche, d'autres pays réussissent à contrôler leur déforestation. Ainsi, le taux de boisement en France est passé de 18% en 1800 à 27% en 1990. Le Canada et les pays du Nord de l'Europe, gros producteurs de pâte à papier, ont pris des mesures plus récentes, mais très volontaristes.

■ Une fois de plus, c'est dans les pays en voie de développement que la situation est grave. En Ethiopie, les provinces de Wollo et du Tigré, aujourd'hui désertiques, étaient couvertes à 70% de forêts au début du siècle.

LES MÉCANISMES DE LA DÉSERTIFICATION

Forêts et sols, depuis quatre cents millions d'années, contribuent à régénérer l'oxygène de l'atmosphère. Ils permettent le maintien de l'eau sur les continents et des êtres vivants sur les terres émergées. D'après les travaux de Claire Escure, la forêt joue un double rôle dans la formation des climats.

Tout d'abord, la forêt régule les eaux de pluie. Au moment de la chute de pluie, le couvert végétal protège le sol, lui évitant d'être délavé. Le sol de la forêt, composé de la litière des feuilles mortes et de l'humus formé par les végétaux décomposés, se gorge alors d'eau comme une éponge. Il arrive ainsi à stocker 85, voire 95%, des pluies qu'il reçoit. Une partie seulement de ce stock est utilisée par la

■ La forêt joue un double rôle dans la formation des climats. D'une part, au moment de la chute de pluie, le couvert végétal protège le sol, lui évitant d'être délavé. D'autre part, les racines des plantes aspirent une partie de l'eau souterraine et la remontent vers les feuilles qui la diffusent dans l'atmosphère.

■ Quand les eaux de pluies ne sont plus stockées dans le sol et réémises progressivement, elles ruissellent et provoquent des inondations.

végétation. L'autre s'écoule dans les nappes souterraines et va alimenter les sources, les rivières et les fleuves qui, sans la forêt, ne seraient que des torrents irréguliers et souvent destructeurs.
La forêt constitue aussi une gigantesque pompe. Les racines des plantes aspirent une partie de l'eau souterraine et la remontent vers les feuilles qui la diffusent dans l'atmosphère. Cette évapotranspiration produit, après condensation, des précipitations appelées pluies secondaires, qui s'ajoutent aux pluies produites par l'évaporation des océans. Dans l'équilibre actuel du cycle de l'eau, les forêts tropicales fonctionnent pour une large fraction en circuit fermé : entre 55% et 75% des précipitations reçues par la *rain forest* (littéralement, "forêt de la pluie") proviennent du recyclage des eaux de pluie. Réémises dans l'atmosphère, elles se recondensent et retombent sur place.
L'importance du rôle régulateur de la forêt apparaît clairement lorsque le couvert végétal est dégradé ou détruit par les déboisements, le surpâturage ou les incendies. Quand les eaux de pluies ne sont plus stockées dans le sol et réémises progressivement, elles ruissellent et provoquent des inondations. En Inde, à la suite de déboisements massifs dans l'Himalaya pendant les dernières décennies, les trois plus grands fleuves, l'Indus, le Gange et le Brahmapoutre, ont inondé le pays de plus en plus violemment. Entre 1970 et 1980, la

▲ *La latérite stérilise les zones déboisées, provoquant un début de désertification.*

VERS UNE CRISE ÉCOLOGIQUE MAJEURE EN CHINE ?

(d'après l'article de Guillen Fabre, Courrier de l'Est n°2, septembre 1985).

La Chine doit faire face, entre 1990 et 2010, à une crise écologique majeure. Cette crise qui est le résultat de l'accumulation d'erreurs récentes, après plusieurs siècles d'exploitation rationnelle des ressources, est aggravée par la formidable pression démographique : cinq cents millions d'habitants en 1950, 1,3 milliard prévu en l'an 2000. En 1990, quarante millions de Chinois sur un milliard sont sous-alimentés, malgré les progrès récents dus à la "révolution verte".
En trente ans, de 1950 à 1980, vingt millions d'hectares de forêt, soit un quart de la couverture forestière, ont été abattus pour répondre aux besoins en bois de feu de cinq cents millions de paysans, alimenter les hauts fourneaux ruraux lors du "grand bond en avant" et laisser la place aux cultures de céréales (campagne de Mao sur le thème "au grain la priorité"). Pendant cette même période, la diminution des forêts atteint même 30% dans le Sechuan, la plus peuplée des provinces chinoises et 40% dans les provinces côtières du Sud (Canton). En 1980, on prévoyait qu'à ce rythme toute la forêt chinoise aurait disparu dans trente ans. Les conséquences en sont d'autant plus dramatiques que la Chine se situe déjà parmi les derniers pays du monde pour la couverture forestière (12% contre 33% en moyenne) : fréquence des sécheresses et des inondations catastrophiques multipliée par trois, érosion et perte de quatre milliards de tonnes d'humus par an, extension des déserts, ensablement des réservoirs, crise du bois de feu...
Conscientes de ces problèmes, les autorités chinoises se sont lancées dans une politique de reforestation massive. L'objectif était d'accroître la superficie des forêts de 50% d'ici à l'an 2000 : seuls 10 à 30% des arbres plantés dans le cadre du programme de "grande muraille verte", à la lisière des déserts du Nord, ont survécu. On voit mal comment une solution efficace à la déforestation pourrait d'ailleurs être trouvée sans développement massif des énergies de substitution.
La crise n'est pas seulement forestière. 95% des eaux rejetées dans la nature ne sont pas traitées. Les concentrations en mercure sont, dans certaines zones, quatre fois supérieures à celles qui étaient relevées aux pires moments dans la baie de Minamata. A Pékin, en 1983, la pollution atmosphérique était vingt fois plus forte qu'à Paris. Cette situation est identique dans toutes les grandes villes où le chauffage domestique est assuré par du charbon. La stabilisation des pollutions, puis la reconstruction écologique, demandent des moyens actuellement non disponibles dans le pays. Une coopération internationale massive n'est pas possible dans le cadre de la politique d'isolement appliquée par les dirigeants chinois au début des années 1990.

surface exposée à des crues désastreuses a doublé, passant de vingt à quarante millions d'hectares. La Chine déboise depuis des millénaires. En aval des vallées et dans les régions deltaïques, la fréquence et l'intensité des inondations a crû au fil des siècles. Dans le monde, entre 1960 et 1980, le nombre de sinistres pour cause d'inondations liées à la déforestation a triplé. Le déboisement entraîne aussi des sécheresses de plus en plus dures, comme en Haïti, dans les petites Antilles ou en Inde.

L'érosion est aussi la conséquence de la déforestation ou de la dégradation de la couverture végétale. La pluie qui tombe n'est pas amortie par les feuilles, frappe durement la couche fertile, entraînant avec elle des particules qui ne sont plus retenues par les racines. A terme, la roche mère ou le sous-sol stérile sont mis à nu. Dans les régions tropicales, la terre nourricière se transforme en latérite, une cuirasse ayant la consistance de la brique.

Ainsi, dans les zones fragiles, la déforestation massive entame un bref (une dizaine d'années suffisent), mais irréversible processus de destruction à l'échelle des temps humains. Au niveau planétaire, 29% des terres émergées subissent un processus de désertification et 6% sont très gravement atteintes. C'est ainsi que, chaque année, six millions d'hectares se transforment en désert absolu et vingt-et-un cessent d'être cultivables.

LA DÉFORESTATION, PLUS DESTRUCTRICE QUE L'EFFET DE SERRE

Deux effets climatiques de la déforestation doivent être distingués. A l'échelle locale et régionale, elle entraîne l'affaissement des processus de stockage. A l'échelle d'une région et d'un sous-continent, la déforestation entraîne la disparition du processus d'évapotranspiration. La sécheresse au Sahel n'est pas un cas isolé. Dans la partie vénézuélienne du bassin amazonien, la pluviométrie est de 25% plus faible dans les champs installés sur de vastes superficies déboisées que dans ceux situés en pleine forêt. En Haïti, aux Petites Antilles, la corrélation entre déforestation et chute de la pluviométrie est également évidente. Au cours des trois dernières décennies, la fréquence des sécheresses s'est accrue partout dans le monde. Elles affectent aujourd'hui l'ensemble des continents sous toutes les latitudes. Ainsi, en France, celle de 1975-76, connue localement par l'instauration de "l'impôt sécheresse", semble avoir été l'une des plus graves (avec celle de 1921) qui ait touché l'Europe depuis les débuts des enregistrements météorologiques (1820). Les sécheresses continentales ont également des effets sur le fonctionnement

La pêche était autrefois la principale ressource sur les bords de la mer d'Aral ... ▼

La forêt est brûlée par son propre bois. Proverbe arabe.

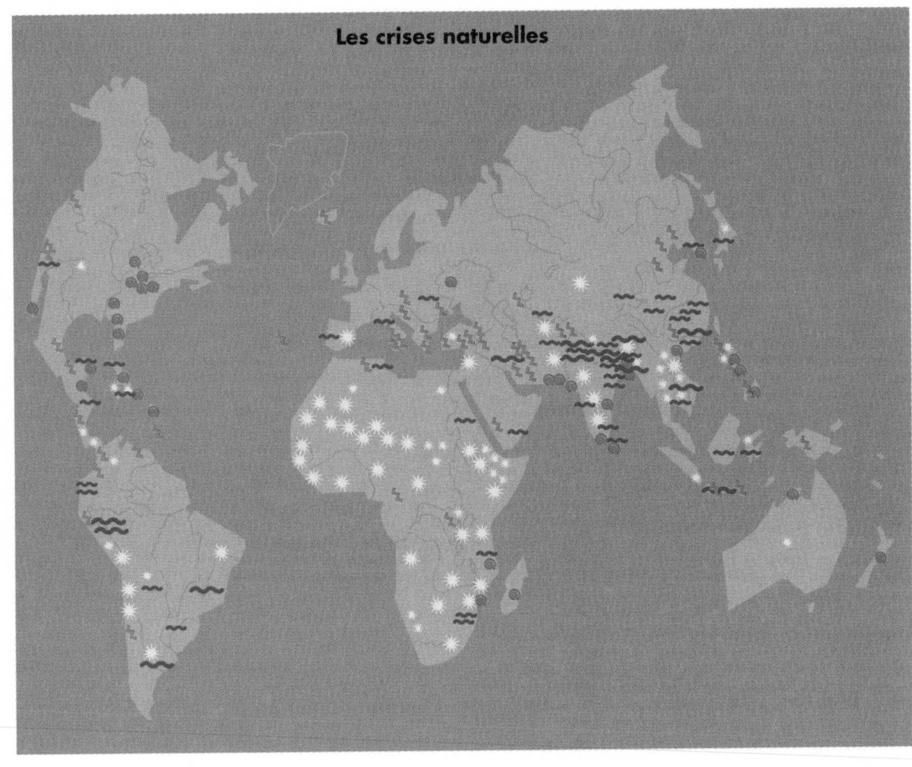

Crises majeures
entre 1965 et 1988

sécheresse une année
sécheresse plusieurs années
inondations une année
inondations plusieurs années
cyclone, typhon, hurricane
volcan ou tremblement de terre

des océans. En 1982-1983, le grand courant "El Niño" qui longe la côte ouest de l'Amérique du Sud, a changé de sens, modifiant fortement climat et zones de pêche sur des surfaces importantes. Quelle est la cause de ces anomalies qui affectent plus du quart de la planète ? Dans le cas d'El Niño, où elles ont été particulièrement importantes, il semble que l'inversion du sens des courants ait été causée par celle du sens des vents. Le sens des vents dépend de l'emplacement des zones de hautes et basses pressions atmosphériques. Or, l'Amazonie émet une telle quantité de vapeur d'eau que le taux d'humidité de l'air au-dessus de la forêt est comparable à celui de l'air situé au-dessus de la masse océanique.

■ ***Dans les zones fragiles, la déforestation massive entame un très bref (une dizaine d'années suffisent), mais irréversible processus de destruction à l'échelle des temps humains.***

■ ***L'Amazonie émet une telle quantité de vapeur d'eau que le taux d'humidité de l'air au-dessus de la forêt est comparable à celui de l'air situé au-dessus de la masse océanique. Sa destruction massive agit brutalement sur la localisation des hautes pressions et donc sur les vents et les courants.***

La déforestation de vastes espaces à la fin des années 1970 et au début des années 1980 avait induit un déficit brutal des quantités émises, provoquant un affaiblissement des hautes pressions et leur délocalisation : celles-ci se sont rapprochées près des côtes. El Niño n'est pas un fait isolé. Il s'inscrit dans une série de modifications climatiques majeures : sur les côtes péruviennes, où les pluies arrivent plus tard et partent plus tôt, l'aridité s'est accrue. En Inde, la mousson arrive plus tard. En 1979, elle n'est même pas arrivée du tout. La corrélation entre la déforestation et ces événements climatiques n'est pas totalement démontrée, mais l'ampleur des interventions humaines sur la planète amène à se poser sérieusement la question. Et,

par conséquent, à se demander si notre planète, Gaïa, n'est pas en train de rééquilibrer le climat par des moyens exceptionnels.

En plus de ses effets climatiques, la déforestation entraîne aussi des effets biologiques qui sont peut-être, à terme, beaucoup plus graves. La forêt tropicale humide ne représente que 6 à 7% de la surface totale des terres émergées. Elle abrite néanmoins une part très importante du nombre total d'espèces vivantes, animales et végétales. Faute de les avoir dénombrées, on ne connaît pas l'exacte richesse biologique de la forêt tropicale. Mais des tests partiels sont cependant révélateurs : sur un seul arbre de la forêt amazonienne, on a identifié autant d'espèces différentes de fourmis qu'il en existe dans tout le Royaume-Uni[1]. L'homme, en détruisant massivement les forêts tropicales, a sur la planète une action comparable aux extinctions massives d'espèces animales pendant les anciennes époques géologiques.

La couche d'ozone en danger

La disparition de la couche d'ozone est un sujet dont on a beaucoup parlé. Ce gaz, dérivé de l'oxygène, forme une couche mince à haute altitude qui absorbe une partie des rayons ultraviolets en provenance du Soleil. Les données des satellites ont montré que la couche d'ozone diminue fortement au printemps, au-dessus de l'Antarctique, depuis le milieu de l'année 1970. Cet amincissement variable s'étend depuis le pôle sud jusqu'à 45° de latitude sud. Dans l'hémisphère nord, des indices de diminution sensible de la couche d'ozone ont aussi été relevés.

La couche d'ozone diminuerait dans la haute stratosphère à cause de l'augmentation de la concentration des CFC, alors qu'elle augmenterait au voisinage du sol, en raison de la croissance de la concentration en méthane. La diminution de la couche d'ozone entraînerait une augmentation de l'intensité du rayonnement ultraviolet, pour autant que celui-ci ne soit pas arrêté près du sol. Cela ne serait pas sans conséquences sur la santé humaine, la productivité des écosystèmes aquatiques et terrestres et le climat. Toute baisse de 1% de l'ozone entraînerait une hausse de 4 à 6% de certains cancers de la peau. Ces calculs font l'objet de vives discussions[2]. Ils s'inscrivent parfois dans le cadre de campagnes médiatiques qui ne sont pas exemptes de visées industrielles à court terme. Ainsi, les premières accusations d'atteinte à la couche d'ozone ont été portées contre le projet d'avion supersonique Concorde par les milieux aéronautiques américains. Ce rappel n'est certes pas un argument suffisant pour

[1] Cet exemple, comme de nombreux autres de ce chapitre, est extrait du remarquable ouvrage de Jean-Claude Duplessy et Pierre Morel, Gros temps sur la planète, Odile Jacob, Paris, 1990.

[2] Gérard Mégie et Haroun Tazieff en débattent dans le dossier "Ces fous qui veulent sauver la planète", Les documents du Nouvel Observateur, Paris, mai 1989.

Dans la maison de la fourmi, la rosée est un déluge. Proverbe persan.

éliminer le problème d'un revers de la main. Il permet tout au plus de montrer que l'argument écologique fait maintenant partie des outils usuels de la désinformation et de la publicité industrielles. Simultanément, il met en évidence les difficultés de positionnement des chercheurs face aux médias. En l'attente de résultats scientifiques complémentaires, la limitation de la dissémination des CFC et du méthane dans l'atmosphère ne peut être que positive. Ces gaz participent à l'augmentation de l'effet de serre en même temps qu'ils menacent la couche d'ozone. Un moratoire permet alors de ne prendre aucun risque pour l'avenir.

■ ***La forêt tropicale abrite une part considérable des espèces vivantes animales et végétales de la planète ; sur un seul arbre de la forêt amazonienne, on a identifié autant d'espèces différentes de fourmis qu'il en existe dans tout le Royaume-Uni.***

■ ***La diminution de la couche d'ozone enveloppant la terre, et ses conséquences, sont l'objet de vives discussions, orchestrées par les médias à des fins économiques.***

■ ***L'argument écologique fait maintenant partie des outils usuels de la désinformation et de la publicité industrielles.***

PLUIES ACIDES ET AUTRES POLLUTIONS INDUSTRIELLES

Les dépôts acides, plus connus sous le nom de pluies acides, constituent le cas de pollution atmosphérique transfrontière le plus médiatisé. Les principaux agents nocifs sont les oxydes de soufre et d'azote ainsi que les hydrocarbures volatils émis dans l'atmosphère par les combustions dans les usines, le chauffage domestique et les moteurs à essence ou diesels. Ces agents sont transportés par les vents et retombent avec les pluies. Les pluies provoquent alors des dommages croissants aux lacs, aux sols, aux végétaux, aux animaux, aux forêts et aux pêcheries. Jusqu'à présent, les pays industriels des moyennes latitudes de l'hémisphère nord sont les plus atteints. Mais ils prennent des mesures drastiques destinées à limiter l'ampleur des dégâts. Le problème des pluies acides, comme celui de la couche d'ozone, est mal connu. Il n'est même pas certain que toutes les pluies acides soient dues à l'activité humaine, car certaines ont été relevées dans des zones situées hors d'atteinte des effluents humains. Par ailleurs, il existe bien d'autres matières, issues de l'activité humaine, dont les effets dévastateurs sont bien connus. Jusqu'ici, des dépôts d'acide sulfurique ont été la cause première de l'acidification des sols et des eaux. Au début du vingt-et-unième siècle, des dépôts de matières azotées, dus aux engrais agricoles, ont une incidence plus grande.
Certains métaux, comme le mercure, le cadmium et le césium, sont déposés à des milliers de kilomètres de leur source d'émission. Il faut

▼ *Avant et…*

… après les pluies acides. ▼

mentionner également les hydrocarbures chlorés qui sont persistants, bioaccumulables et toxiques. La pollution des océans provient principalement des activités effectuées sur terre, après collecte par les rivières et les fleuves. La mer ne fait rien disparaître totalement. Elle stocke les résidus dans les sédiments qui tapissent les fonds. La circulation globale des courants océaniques assure une dispersion mais aussi une généralisation de la pollution : la découverte de DDT dans la graisse des pingouins de l'Antarctique, à des milliers de kilomètres de toute source, en est une des multiples preuves.

Les zones côtières proches des régions industrielles sont bien sûr les plus touchées - la Mer du Nord, par exemple - ainsi que celles des régions très peuplées : Mer de Java, baie de Rio de Janeiro. Les marées noires illustrent tristement les pollutions directes subies par les océans. Ce ne sont malheureusement pas les seules. S'y ajoutent les déversements de routine liés aux transports maritimes, qui représentent l'équivalent de plusieurs marées noires chaque année, et les immersions volontaires : déchets nucléaires mais aussi boues rouges, comme le pratiquait la société Montedison au large de l'Italie, dans les années 1975. Ici ou là, ces déversements continuent encore et viennent s'ajouter aux polluants qui sont transportés par les fleuves et que l'on retrouve près des embouchures.

Des mesures partielles, comme l'interdiction du DDT depuis quinze ans en Europe, en Amérique du Nord et en Australie, sont loin de suffire à endiguer ce type de pollution. Une grande partie de ces matières remonte le long des chaînes alimentaires. En bas de la chaîne, le produit toxique est absorbé par les plantes ou par les micro-organismes. De prédateur en prédateur, il remonte des herbivores aux carnivores, et, parfois, débouche dans l'assiette d'un humain. A chaque étage de la chaîne, le produit toxique se concentre. Il peut avoir provoqué, au passage, des troubles importants. Ainsi, les canards sauvages sont souvent atteints de saturnisme parce qu'ils avalent les plombs de chasse qui n'ont pas touché leur cible et sont retombés au fond de l'eau. La faune marine, coquillages, poissons est malade à cause du méthyl-mercure. Et quand l'homme, comme les pêcheurs de Minamata, est en fin de chaîne alimentaire, il subit de plein fouet le résultat de ces concentrations successives.

▲ *Des nuages toxiques couvrent les villes, comme Nantes, en France.*

Les régions intertropicales sont doublement sensibles à toutes ces pollutions. Elles le sont d'abord à cause de la croissance démographique et économique des pays en voie de développement qui y sont implantés. Dans ces pays, la préoccupation écologique vient en second rang derrière la nécessité de vaincre la misère. La seconde raison de la sensibilité de ces régions est que les écosystèmes intertropicaux sont, semble-t-il, plus fragiles que ceux des pays du Nord.

■ ***La pollution des océans provient principalement des activités effectuées sur terre, après collecte par les rivières et les fleuves. La mer ne fait rien disparaître totalement. La circulation globale des courants océaniques assure une dispersion mais aussi une généralisation de la pollution.***

■ ***Les régions intertropicales sont particulièrement polluées, d'abord parce que la misère relègue l'écologie au second plan, ensuite parce que les écosystèmes intertropicaux semblent plus fragiles que ceux des pays du nord.***

■ ***Les glaces de l'Antarctique représentent 97% de l'eau douce du globe. Si l'on raisonne en flux, et non pas en stock, la proportion de l'eau douce accessible à l'homme reste très faible.***

Il n'y a pas d'eau si brouillée qui ne finisse par devenir claire.
Proverbe néerlandais.

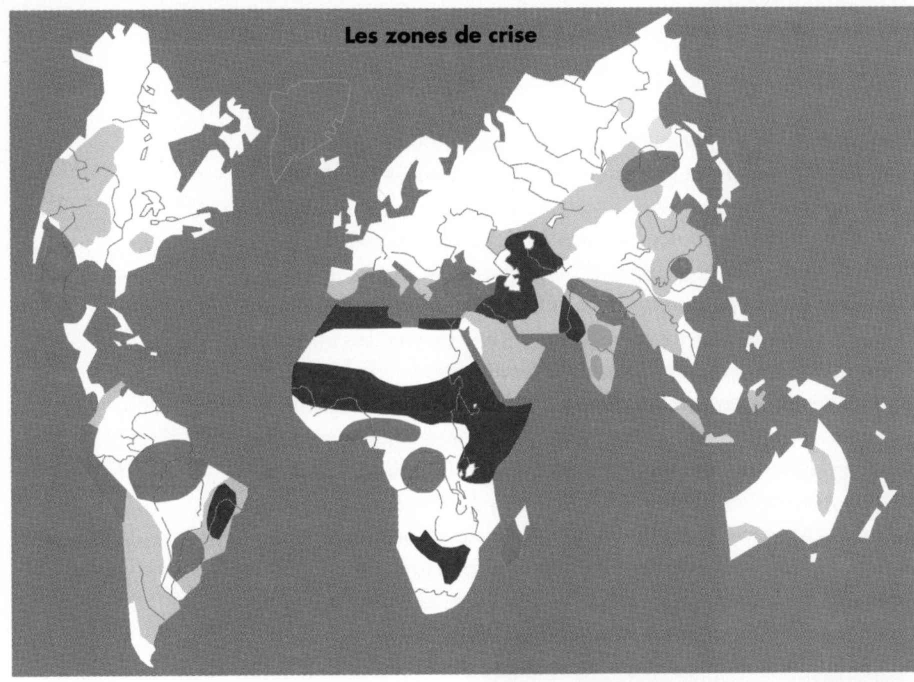

zones affectées par

la désertification, l'érosion des sols et le déboisement

l'érosion des sols et le déboisement

la désertification et l'érosion des sols

la désertification ou l'érosion des sols ou le déboisement

MENACES SUR L'EAU DOUCE

L'eau douce est une richesse rare et menacée. Les glaces de l'Antarctique représentent 97% de l'eau douce du globe, mais ces réserves sont peu accessibles, sauf à remorquer des icebergs jusqu'aux lieux de consommation. Les rivières et les lacs ne représentent que le dix millième des réserves totales. C'est sur cette part infime que l'homme prélève ses besoins. Mais le problème n'est pas tant de puiser dans les stocks que de s'inscrire harmonieusement dans les flux. Si l'on raisonne en flux, et non pas en stock, la proportion de l'eau

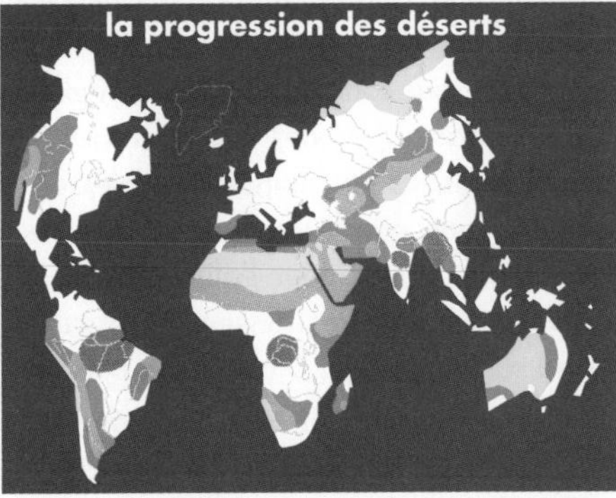

déserts existants en 1980

désertification complète en 2050

désertification complète en 2100

désertification très rapide par surexploitation forestière

pénurie de bois de feu

zones d'exploitation des bois tropicaux

zones d'exploitation des bois du Nord

principaux courants d'exportation

4 millions de tonnes

10

20

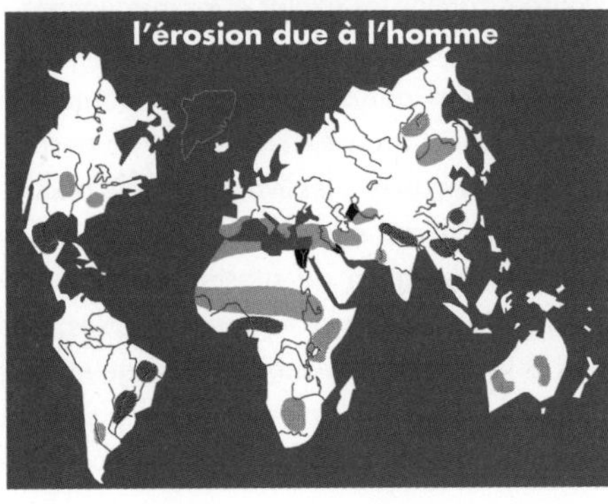

les facteurs de dégradation des sols

labours répétés sur sols fragiles

agricultures sur brûlis

surpâturage

salinité par mauvaise pratique de l'irrigation

douce accessible à l'homme reste très faible. Il tombe trois cents à quatre cents milliards de tonnes de pluie chaque année sur la France et nous en consommons onze.
La répartition des ressources est très inégale. La majorité des pays est alimentée par les précipitations qui renouvellent régulièrement les ressources. Les autres, comme dans le Golfe Persique, doivent puiser dans des nappes souterraines ou dessaler l'eau de mer. Les quantités consommées par habitant dépendent essentiellement du niveau de vie et de l'importance de l'irrigation dans l'agriculture. L'agriculture irriguée accapare en effet plus de 70% de la consommation mondiale. Les surfaces irriguées sont considérables (360 millions d'hectares au total), particulièrement en Asie (Chine, Inde, Pakistan, Iran) mais aussi aux Etats-Unis et en Union soviétique. Le record mondial appartient à la Chine, avec 65% des terres agricoles irriguées.
Malgré les efforts pour augmenter les ressources disponibles, par la construction de barrages ou le pompage d'eaux souterraines, l'eau se raréfie à mesure que la population augmente et que l'industrie et l'agriculture se développent. De graves pénuries se manifestent, notamment dans les pays situés en limite de zones arides. C'est le cas de l'Algérie qui connaît une situation préoccupante avec l'envasement et le bas niveau des lacs réservoirs, l'abaissement des nappes phréatiques sous les plaines agricoles et l'assèchement des cours d'eau. Si bien que le recours au dessalement d'eau de mer pour l'alimentation de grandes villes côtières devient nécessaire, malgré son coût élevé. D'une façon plus générale, l'amélioration de la gestion des eaux est indispensable pour maintenir les approvisionnements en eau potable et contrôler les prélèvements destinés à l'agriculture.
Le problème de l'eau n'est pas seulement quantitatif, mais aussi qualitatif. Des pays industrialisés, comme la Suisse, les Pays-Bas et l'Allemagne, largement pourvus en réserves, doivent lutter activement contre la pollution des eaux en raison notamment de l'intense activité industrielle et agricole du bassin rhénan. Malgré les installations d'épuration, des déchets continuent d'être déversés dans les lacs et les rivières. Ils proviennent de sources localisées comme les égoûts et les installations industrielles (chimie, agro-alimentaire, etc.) ou de sources diffuses comme les eaux de ruissellement chargées d'engrais et de pesticides. Les déchets suivent des chemins variés : lessivage de sols pollués, pollution des nappes phréatiques et des eaux de surface par des produits toxiques mis en décharge, libération de substances chimiques après oxydation des conteneurs, etc. Dans les régions agricoles, l'utilisation massive des engrais et le développement de l'élevage intensif entraînent une importante pollution par les nitrates qui dépasse souvent les normes maximales recommandées par l'Organisation mondiale de la santé.

▲ *Atmosphère, atmosphère, est-ce que j'ai une gueule d'atmosphère ?*

Face à ces problèmes, la première réponse des hommes réside dans le traitement et le recyclage généralisés et systématiques des eaux usées, domestiques, agricoles ou industrielles. Il faut pour cela que le respect de l'eau, qui fait partie intégrante des comportements humains dans les zones arides, soit à son tour intégré dans la culture de l'ensemble des sociétés de la planète. Cette intégration se fait, de gré ou de force, pendant le vingt-et-unième siècle. Des mesures nombreuses sont prises dans toute l'Europe, depuis le début des années 1970. Le lac Léman, la Seine, la Tamise et le Rhin sont les premières voies fluviales traitées.

▲ *Il faut protéger les déchets toxiques des indiscrétions ...*

La reconquête de l'eau a aussi commencé dans le tiers monde. L'Inde, par exemple, a lancé en 1986 le Ganga Action Plan, pour rétablir la "pureté primitive" du fleuve sacré, qui fait vivre deux cents cinquante millions de personnes et constitue 26% de toutes les ressources en eau du sous-continent. Dès 2010, il n'existe plus un seul petit fleuve européen qui ne fasse l'objet d'une surveillance attentive. Tous les rejets directs d'effluents industriels ou domestiques sont interdits dans les pays industrialisés à partir de 2020.

Le droit d'ingérence dans les affaires intérieures d'un Etat, pour raison écologique, est voté par les Nations Unies en juin 2025. Comme le pétrole dans les années 1970 ou l'électricité dans les années 2010, l'eau est en effet devenue l'objet de négociations stratégiques entre Etats, notamment pour ceux qui cohabitent le long des grands fleuves. Les organisations locales et régionales de gestion de l'eau prennent une importance politique et économique croissante. Du syndicat intercommunal, gérant les petites stations d'épuration et les points de stockage, aux agences multinationales, répartissant l'ensemble des ressources d'un bassin fluvial, de nouveaux jeux s'ouvrent avec leurs cortèges de pressions, de corruptions, d'opérations électorales. En Turquie, en Inde, en Israël, les détournements d'eau deviennent le délit le plus fréquent. Les entreprises de traitement des eaux deviennent également des acteurs de premier plan dans le paysage industriel mondial.

L'appropriation par l'homme de ressources en eau actuellement inexploitées constitue la seconde réponse technologique du vingt-et-unième siècle. Il faut puiser dans les glaces polaires ou dessaler l'eau de mer. Plus des deux tiers de l'humanité vivent à moins de quatre-vingts kilomètres d'un rivage. L'eau douce continentale reste, jusqu'en 2050, la source principale d'approvisionnement. C'est avec la colonisation des océans que le dessalement de l'eau de mer, optimisé par le recyclage du produit obtenu, se généralise à la planète.

■ ***L'agriculture et l'industrie sont de grosses consommatrices d'eau douce. Qui plus est, leurs déchets polluent lacs et rivières.***

■ ***Face à ces problèmes, la première réponse des hommes réside dans le traitement et le recyclage généralisés et systématiques des eaux usées, domestiques, agricoles ou industrielles.***

■ ***L'Inde a lancé en 1986 le Ganga Action Plan, pour rétablir la "pureté primitive" du fleuve sacré, qui fait vivre deux cents cinquante millions de personnes et constitue 26% de toutes les ressources en eau du sous-continent.***

RISQUES TECHNOLOGIQUES MAJEURS

Les pays industrialisés, ainsi qu'une très large majorité des pays en voie de développement, sont de plus en plus vulnérables aux risques de défaillances technologiques. La vulnérabilité n'est pas seulement liée à la concentration des activités, à l'urbanisation ou à l'emploi de technologies plus dangereuses : elle est aussi le fruit paradoxal d'une amélioration des performances des systèmes techniques et d'une accoutumance à une sécurité qui devient objectivement de plus en plus grande. Au cours des trente dernières années, la production chimique et la taille des unités industrielles ont été multipliées par dix.

▲ *Les marées noires coûtent de plus en plus cher à leurs auteurs.*

Quant à la consommation d'énergie, elle a quadruplé. Le nombre d'accidents industriels graves a, lui aussi, décuplé. Il est passé de trois à quatre par an, entre 1940 et 1970, à une quinzaine, entre 1970 et 1975, puis à une trentaine depuis cette date. Seule une extraordinaire amélioration de la sécurité a permis de limiter, dans les pays les plus riches, les conséquences de la révolution industrielle. Pour éviter les risques liés au progrès technologique, des dispositifs technologiques encore plus sophistiqués sont conçus. Cette spirale est fort inquiétante pour les pays pauvres, dans lesquels un décalage existe souvent entre l'installation de sites à risque sur leur sol et la maîtrise de la culture technique correspondante.

Sur cette image du satellite Spot, traitée par filtrage, on peut repérer un pétrolier qui effectue un dégazage interdit dans le port de Los Angeles. ▼

Il est impossible de construire des industries à risque nul, tout comme il est impossible de vivre sans risquer d'avoir un accident. D'autre part, les dépenses de sécurité ne sont pas infiniment élastiques et leur rendement est décroissant après un certain seuil. La réduction des risques se traduit souvent par la création, ailleurs, de risques de nature différente. Il y a aussi des limites évidentes à la connaissance de tous les risques. Ainsi, la nocivité réelle de 70% des produits chimiques mis sur le marché est encore ignorée en 1990. Enfin, les contraintes d'une société hypersécuritaire ne sont plus acceptables ni acceptées par le public au-delà d'un certain degré.

■ ***Seule une extraordinaire amélioration de la sécurité a permis de limiter, dans les pays les plus riches, les conséquences de la révolution industrielle. Dans les pays pauvres, un décalage existe souvent entre l'installation de sites à risque sur leur sol et la maîtrise de la culture technique correspondante.***

■ ***S'attaquer à la pollution par les oxydes d'azote et de soufre a des conséquences importantes pour les industries.***

Il y a donc toujours des risques qui échappent aux mesures de prévention les plus efficaces. Cela veut dire que le défi majeur du vingt-et-unième siècle, en ce domaine, consiste à mieux calculer les risques, afin de faire les investissements de sécurité optimaux, puis à savoir gérer, malgré tout, les inévitables accidents. La science du risque (la cyndinique), qui était limitée initialement aux industries de l'armement, prend réellement son envol avec l'industrie nucléaire civile, dans les années 1980. Les recherches sur le risque sont financées, dans un premier temps, par les compagnies d'assurances privées. Cependant, après les accidents qui émaillent la fin du vingtième siècle, une agence internationale des risques technologiques majeurs prend le relais en 2004. Son financement est assuré par une taxe sur les industries à risques. Outre l'organisation de la recherche, cette agence est chargée de réaliser un contrôle régulier et systématique de tous les sites industriels avec pouvoir de fermeture reconnu par une convention internationale. Elle commence, évidemment, par les sites les plus anciens. Pour ce faire, ses agents disposent de droits d'accès analogues à ceux qui ont été élaborés entre l'Union soviétique et les Etats-Unis lorsqu'ils contrôlaient mutuellement leurs armements nucléaires et chimiques, dans les années 1990.

L'essentiel du patrimoine vivant de la planète est dans les pays du Sud. ▼

LES RELATIONS NORD-SUD

Les frontières n'existent pas pour la pollution. Les industriels étaient habitués à construire de grandes cheminées pour faire happer leurs fumées par les vents d'altitude qui les emportaient sur les régions voisines. Depuis longtemps, ces dispositions locales ne suffisent plus. Des mesures à plus grande échelle s'imposent. Mais s'attaquer à la pollution par les oxydes d'azote et de soufre a des conséquences importantes pour les industries du raffinage, l'automobile, l'aviation, le chauffage domestique et les installations industrielles de combustion. On voit facilement les effets indirects sur l'emploi, la stabilité politique, la puissance économique des pays impliqués[1]. Le dossier des effluents industriels rejetés dans le Rhin fait ainsi l'objet de négociations internationales et de manœuvres industrielles dures entre les pays riverains. Des dossiers analogues sont traités entre le Canada et les Etats-Unis, et entre l'Europe, l'Amérique du Nord et le Japon. Au cours du vingt-et-unième siècle, les pays en développement prennent place à leur tour dans ces négociations serrées.

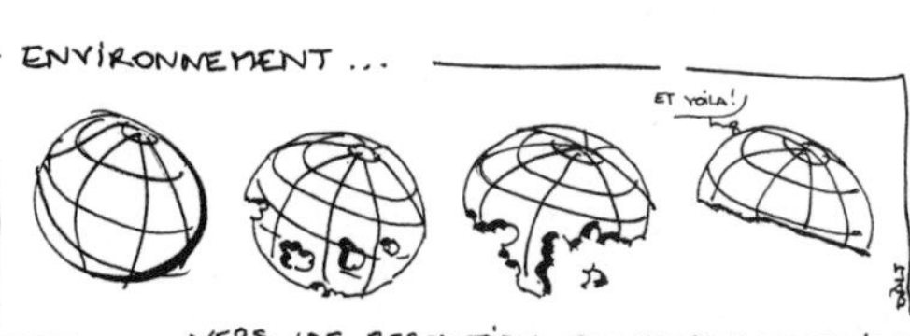

En 1990, les grands pollueurs sont les pays industrialisés. Pendant un siècle et demi d'industrialisation, ils sont à l'origine de 80% de l'accroissement

[1] *Philippe Roqueplo, Pluies acides : menaces sur l'Europe, CPE-Economica, Paris, 1988.*

▲ *En Amazonie, sur l'emplacement de la forêt détruite, on fait paître du bétail dont la viande sert à fabriquer des hamburgers aux Etats-Unis. La dette du Brésil est réduite d'autant mais à quel prix ?*

de la teneur atmosphérique en gaz carbonique. Mais la flambée des cours du pétrole les a incités à réduire assez sévèrement leur consommation en une ou deux décennies. Ainsi, la France a diminué de 40% ses émissions de gaz carbonique depuis 1973. D'une manière générale, l'adoption de technologies plus fines a entraîné, à production égale, une baisse de la consommation d'énergies fossiles et donc de l'émission de gaz carbonique. La "réponse technologique" au problème de l'environnement passe par l'adoption d'énergies propres, comme le solaire, ou de systèmes moteurs qui utilisent non plus des carburants fossiles, mais, par exemple, de l'hydrogène.

Les pays en voie de développement n'ont pas les mêmes priorités que les pays industrialisés : il leur faut d'abord construire un tissu industriel, étendre les réseaux de transport et poursuivre les efforts de modernisation de leur agriculture. Au vingt-et-unième siècle, leurs populations, qui aspirent à un niveau de vie comparable à celui des pays industrialisés, consomment plus et polluent donc davantage. Toutes les autres solutions ont un coût économique plus élevé à court terme. Pendant quelques décennies, ces pays n'ont pas les moyens de maîtriser les conséquences de leur développement. La rapidité de l'évolution qu'ils connaissent les conduit à cumuler l'insécurité industrielle du dix-neuvième siècle et les accidents technologiques du vingtième siècle. Ce n'est toutefois pas une fatalité. L'apport de l'aide internationale permet la mise en place d'un développement durable et répondant aux besoins du pays, tout en préservant l'environnement, comme le montre le Rapport de la Commission mondiale sur l'environnement et le développement.

Le stockage des déchets en provenance des pays industrialisés a failli devenir la spécialité de certains pays pauvres, qui disposent de vastes zones faiblement peuplées. Bien entendu, les services sont rémunérés. Ces pratiques détestables, et heureusement marginales, cessent au début du vingt-et-unième siècle. Non parce que les pollutions résultantes menacent ces pays, mais parce que le retraitement dans les pays d'origine est progressivement devenu moins onéreux (compte tenu des coûts et des risques du transport) et que l'accueil des déchets est considéré comme une atteinte à la dignité nationale. L'orgueil national a quelquefois du bon.

■ ***Le stockage des déchets en provenance des pays industrialisés a failli devenir la spécialité de certains pays pauvres, qui disposent de vastes zones faiblement peuplées.***

■ ***Le progrès des biotechnologies est susceptible de bouleverser totalement les conditions dans lesquelles l'environnement peut être géré dans le futur.***

■ ***Il n'y a plus de grandes forêts naturelles en 2100. Les derniers lambeaux sont alors mis sous surveillance et transformés en parcs naturels. Les surfaces des anciennes forêts sont replantées et méthodiquement exploitées.***

Replanter des essences variées : vers un jardinage planétaire. ▶

LA DIFFICILE ÉMERGENCE DE LA TECHNO-NATURE

L'utilisation de nouvelles technologies est susceptible de bouleverser totalement les conditions dans lesquelles l'environnement peut être géré dans le futur. Les biotechnologies ouvrent des perspectives intéressantes de fixation de l'azote atmosphérique, de valorisation des déchets agro-alimentaires ou encore de restauration des milieux dégradés. D'importants progrès sont également attendus dans les domaines du stockage, du transport et du traitement des déchets industriels.

Mais, même dans les pays industrialisés, le chemin est long avant que la société ne s'adapte aux nouvelles contraintes liées au respect de l'environnement. Il a fallu dix ans à l'Allemagne fédérale pour se rendre compte de la détérioration des forêts par les pluies acides, puis vingt ans pour négocier des solutions. Dès 1985, la machine économique, le "business vert", est déjà en marche. Son action ne se ressent pas réellement avant 2010. La déforestation en zone tropicale s'est poursuivie, malgré les mouvements d'opinion. Il n'y a plus de grandes forêts naturelles en 2100. Les derniers lambeaux sont alors mis sous surveillance et transformés en parcs naturels. Les surfaces des anciennes forêts sont replantées et méthodiquement exploitées. Une part importante de ces surfaces n'est toutefois toujours pas remise en état, car la désertification était trop avancée.

Sans intervention volontariste, la teneur atmosphérique en gaz à effet de serre double entre 1990 et 2030, puis triple avant de se stabiliser enfin vers 2100. Pour enrayer cette évolution, une concertation mondiale doit déboucher sur une limitation volontaire des activités polluantes dans les pays industrialisés, ainsi qu'un développement contrôlé dans les pays en voie

de développement. On peut alors stabiliser la situation avant le doublement de la teneur en gaz à effet de serre. La température augmente toutefois avec un retard d'une vingtaine d'années et la fonte

des glaces polaires entraîne une nette élévation du niveau des mers.
Pour limiter l'effet de serre, une solution technologique est déjà connue en 1990 : au lieu du kérosène, de l'essence et du fuel, il est possible d'utiliser de l'hydrogène comme combustible dans les moteurs de véhicules, terrestres ou aériens. Sa combustion ne donne pas de gaz carbonique, elle dégage seulement de la vapeur d'eau qui va se perdre dans l'énorme masse de l'humidité de l'atmosphère. Ce ne sont que quelques nuages de plus, sans aucun danger.

Le contrôle véritable du climat et des pollutions planétaires est repoussé à la seconde moitié du vingt-et-unième siècle, à cause de l'inertie de la machine industrielle, des difficultés à comprendre scientifiquement les mécanismes météorologiques et de la pression conservatrice des intérêts économiques. A cette époque, les Etats-nations n'ont pas encore prouvé une réelle capacité à transcender leurs intérêts particuliers à court terme au profit de l'intérêt général à long terme. La résurgence violente des micro-nationalismes, phénomène caractéristique de la fin du vingtième siècle, constitue un frein sérieux à la concertation qui continue à faire sentir ses effets durant les premières décennies du vingt-et-unième siècle.

Lorsque l'arbre est tombé, les fourmis le prennent d'assaut.
Proverbe géorgien.

■ ***Le contrôle véritable du climat et des pollutions planétaires est repoussé à la seconde moitié du vingt-et-unième siècle, à cause de l'inertie de la machine industrielle, des difficultés à comprendre scientifiquement les mécanismes météorologiques et de la pression conservatrice des intérêts économiques.***

■ ***Que faire si le Brésil, propriétaire d'un des poumons de la planète, échange l'ensemble de sa dette contre l'arrêt de la destruction de l'Amazonie ?***

En revanche, de moins en moins soumises aux tutelles nationales, les très grandes entreprises disposent alors d'une autonomie de décision considérable, ainsi que des moyens nécessaires pour mettre en chantier des programmes de travaux d'environnement à l'échelle planétaire. Il n'est pas interdit de penser qu'elles envisagent d'en faire bon usage, car la protection de l'environnement est devenue un marché lucratif et porteur de motivations faciles.

Quant aux institutions comme l'ONU, elles trouvent dans ce domaine un terrain magnifique d'extension de leurs activités. Toutefois, les Etats-nations ne sont guère capables, en leur sein, de faire autre chose que de tergiverser sur des textes inapplicables. Leurs négociations sont de plus handicapées par les lourdes arrière-pensées de chaque gouvernement sur les détournements possibles des traités vers un compromis privilégiant leurs propre pays. Cette "arme écologique" n'est pas employée seulement par le Nord contre le Sud, les riches contre les pauvres, mais par tous les Etats contre les autres. Aux yeux des Etats-nations, la protection de l'environnement est devenue, au début des années 1990, une arme de guerre économique. On

l'a vu lors des négociations surréalistes à propos des pots catalytiques en Europe, sous-tendues de sordides calculs sur les habitudes industrielles des principaux groupes automobiles des pays de la Communauté. Celui qui détient une légère avance technologique ou un poids économique plus important peut facilement arguer de la protection de l'environnement pour imposer telle ou telle norme. Il bloque ainsi le développement de ses concurrents. L'arme écologique peut aussi fonctionner à l'envers. Que faire si le Brésil, propriétaire d'un des poumons de la planète, échange l'ensemble de sa dette contre l'arrêt de la destruction de l'Amazonie ? Le chantage à l'écologie n'est pas plus absurde que celui qui met en balance les vies humaines...

▲ *Le jardin exprime l'âme des peuples, ici en Angleterre.*

Dans ce contexte un peu confus, les actions réelles sont menées par des "bidules" internationaux, seuls capables de concevoir une mission portant sur de multiples territoires, de trouver les crédits nécessaires, d'engager les moyens suffisants et de faire marcher le tout. Dès 2013, les plus puissantes des organisations non gouvernementales se sont constituées en lobbies planétaires, disposant d'un vrai pouvoir assis sur une puissance économique. Les vrais défenseurs de l'environnement au vingt-et-unième siècle sont donc, finalement, les grandes entreprises et les bidules, organisations transnationales de régulation.

LA SOLUTION FISCALE

Le début du vingt-et-unième siècle constitue, à la fois, la fin d'une époque de capitalisme sauvage et destructeur de la nature et le commencement d'une époque de capitalisme régulé ou domestique,

▲ *Que ce soit pour le plaisir, dans ce jardin japonais, ...*

■ ***Le fisc fonctionne sur deux principes, la prédation et la redistribution. Plutôt que de taxer des éléments éminemment désirables, tels que la valeur ajoutée, les revenus ou les bénéfices, un système régulateur établit une contribution de chaque agent économique en raison des encombrements, pollutions et diverses gênes, ainsi que des frais qu'il occasionne. C'est en quelque sorte un principe "pollueur-payeur" généralisé.***

instituée par la pression médiatique et les intérêts du "business vert"
instituée par la pression médiatique et les intérêts du "business vert" La mise en place des structures de régulation est déjà préfigurée dans certains pays. En France, chacune des agences de bassin est chargée de la gestion d'un bassin hydrographique. Elle prélève des taxes sur les rejets polluants et les consommations d'eau. Elle utilise le produit de ces taxes pour financer des installations d'épuration ou promouvoir des technologies moins polluantes. En une quinzaine d'années, par l'action de ces agences, des fleuves sont rendus à la vie. Les solutions techniques et les dispositifs institutionnels pour les faire prévaloir existent donc, à l'état de maquette pourrait-on dire. Mais, pour aller plus loin, il faut changer la manière de penser les régulations sociales, et surtout la plus importante d'entre elles, la fiscalité.

Le fisc fonctionne actuellement sur deux principes, la prédation et la redistribution. Il n'a pas beaucoup changé depuis le moyen âge, où le seigneur, tel un prédateur, prenait l'argent où il le trouvait. C'est un jeu de cache-cache entre le contribuable et le percepteur. Après la révolution industrielle, les gouvernements ont aussi demandé au fisc de corriger, dans une certaine mesure, les inégalités sociales, en faisant payer les riches plutôt que les pauvres. Mais ces deux principes laissent sans réponse la principale question, celle de la régulation : comment décourager les activités nuisibles ou coûteuses pour la collectivité et, au contraire, encourager celles qui sont bénéfiques ?

Plutôt que de taxer des éléments éminemment désirables, tels que la valeur ajoutée, les revenus ou les bénéfices, un système régulateur établit une contribution de chaque agent économique en raison des encombrements, pollutions et diverses gênes ainsi que

... ou pour se nourrir, avec cette rizière indonésienne, l'homme essaie de maîtriser la techno-nature. ▼

des frais qu'il occasionne. De la sorte, il décourage les actions nuisibles à la collectivité et à l'environnement, pour encourager celles qui leur sont bénéfiques. Chaque agent économique est alors placé dans un champ de force où son intérêt particulier se rapproche davantage de l'intérêt général. Sa liberté de manœuvre reste intacte, mais il n'a plus intérêt à nuire. On passe donc d'un capitalisme sauvage, fondé sur l'exploitation, à un capitalisme domestique régulé. C'est en quelque sorte un principe "pollueur-payeur" généralisé, depuis l'individu jusqu'à l'échelle internationale. Des organisations fiscales de ce nouveau genre apparaissent comme la condition *sine qua non* de l'efficacité. Lorsqu'on veut vraiment que les choses se fassent, il faut faire en sorte que les agents économiques aient intérêt à les faire. Aucune mesure d'interdiction ne résiste à la pression des lobbies et aux contournements internationaux. Le seul moyen rationnel est de bâtir des circuits de financement tels que les intérêts particuliers s'alignent sur l'intérêt général. Mais on imagine l'ampleur et la durée des négociations nécessaires à une telle révolution. Il faut une trentaine d'années pour qu'elle devienne effective.

Il y a donc bien lieu de s'alarmer, dès aujourd'hui, des dégâts que les activités humaines font subir à la biosphère, plus encore peut-être de la déforestation que de l'effet de serre. Le vingt-et-unième siècle voit inévitablement la construction de régulations d'un nouveau genre, à l'échelle des problèmes posés. Plus tôt elles sont mises en place, moins la transition de l'environnement fera de victimes. ■

Quatrième partie

Les comportements des acteurs

Les comportements ne sont pas immuables. L'homme est "opportuniste" ; il s'adapte aux conditions objectives de survie, déterminées par son environnement. La néoténie, cette mutation génétique qui autrefois détermina peut-être le passage du singe à l'homme, lui donne en héritage la plasticité nécessaire. Les gestes quotidiens, aussi bien que les institutions, se moulent dans le contexte. L'environnement technique et les saturations conditionnent l'évolution de l'humanité. A tel point qu'arrivent une série d'inversions, dues à un élargissement de la conscience, dû lui-même à l'approche des limites. L'ambiance des phases de saturation est radicalement différente de celle des époques d'expansion. Le pouvoir sur soi-même ("l'auto-nomie") devient plus important que le pouvoir sur les autres. La connaissance de soi passait par la connaissance de la nature. Désormais c'est l'inverse. La prescription de Socrate, *"connais-toi toi-même"*, devient un préalable à la connaissance du monde. Et le rapport de force est débordé par la communication. Dans le siècle qui s'ouvre, l'éthologie humaine se transforme donc profondément. Peut-on anticiper ce changement ? Sans doute, car les signes du futur sont déjà sous nos yeux. Les nouveautés sont d'abord minoritaires, en germe. Elles se généralisent le moment venu, quand les conditions deviennent favorables.

Le comportement individuel est le pivot de l'inversion. Aux temps de pénurie, puis de conquête, succèdent des époques de pléthore, où l'autodiscipline est requise. Discipline de la reproduction d'abord, avec la généralisation de la contraception à toute la planète. Au lieu de laisser aller l'inconscient, encore habité du commandement archaïque "croissez et multipliez", s'installe un processus de négociation, de prévention, caractéristique de la techno-nature. Même le corps humain est inclus dans un réseau de prévoyance et de calculs. Chacun détermine l'ingénierie de sa lignée, établit une stratégie.

Cette intériorisation des contraintes extérieures vaut aussi pour la consommation. La fin du vingtième siècle est une époque de laisser-faire et de laisser-aller, où la recherche du confort est acceptée comme un accomplissement. L'image d'un téléspectateur, avachi chaque jour pendant trois heures dans un fauteuil profond et se gavant de sucreries, figure l'accomplissement convoité de la richesse des pays industrialisés. Elle ne choque personne, bien au contraire. Et cependant, aux yeux d'un Martien, cet individu est drogué par l'image, le son, la nourriture, l'absence d'exercice physique. Il est victime d'un vaste complot. Sa faiblesse psychique est exploitée de toutes parts. Son identité est tiraillée par des forces erratiques. Il ne peut presque plus savoir qui il est vraiment.

Dès la fin des années 1970, les comportements individuels sont répertoriés selon des styles de vie. La fiction économique de la "rationalité" des choix, produit par produit, est abandonnée. Les consommateurs, au contraire, tels qu'on peut les observer, essaient de se reconstruire une identité. A un style de vêtement donné correspond un style de musique, une manière de se nourrir, une forme d'organisation des loisirs, une attitude face au travail. Et la société abrite en son sein une collection de styles de vie différents, qui sont autant de tribus avec leur personnalité, leur compétence et leur réseau d'influence.

Toutefois, chacun peut jouer plusieurs rôles, selon le contexte, et pratique de plus en plus la multi-appartenance, à travers l'espace et le temps. Aussi peut-on parler de courants socioculturels évolutifs traversant les individus et les groupes, telles de grandes vagues de l'histoire du quotidien. L'hédonisme est de ceux-là ; les styles de vie également. Leur montée s'étend sur une quinzaine d'années, leur déclin aussi. A l'échelle du vingt-et-unième siècle, un grand mouvement d'ensemble traverse toutes les cultures : l'individuation. A l'inverse de l'individualisme étroit et appropriateur, elle signifie le déploiement des capacités créatrices dans toute leur générosité.

Au début du troisième millénaire, le déclin des Etats-nations permet aux vieux fonds tribaux de réapparaître intacts, avec leur cruauté archaïque, leurs rituels, leurs textes sacrés poussiéreux, leur code de l'honneur et de la vengeance. Les appels à la raison ne peuvent éviter les affrontements, d'autant que les hautes technologies de la mort, autrefois confisquées par les pays occidentaux, sont devenues accessibles à des Etats, des tribus ou des mouvements idéologiques sans cesse plus nombreux. On passe d'une logique de la dissuasion à une logique de la confusion, dans laquelle champs de bataille et méthodes de combat se transforment profondément. Il a fallu deux guerres mondiales à l'Europe pour qu'elle renonce à sa violence tribale et se dise "plus jamais ça". L'élargissement de la conscience se paye du prix du sang. Pendant un temps, la mort héroïque, preuve d'amour au temps de la chevalerie, reste encore inconsciemment une sorte de garantie de la pérennité de la tribu. Si l'on est prêt à mourir pour elle, c'est qu'elle existe. En cette période de dissolution, ressurgit le lien primitif du sang et des larmes, jusqu'à la confrontation aux modernes machines à tuer, faisant éclater l'absurde des violences mécaniques aveugles et sans réplique.

La survie est ailleurs. Au cours de la seconde moitié du vingt-et-unième siècle, après la liquidation des violences tribales et des pouvoirs intégristes et maffieux, l'attachement exclusif au clan ne peut survivre longtemps dans la société de l'information. Aussi se manifeste-t'il sur un autre plan. Les particularismes culturels, la diversité des styles de vie, l'habillement, la cuisine et la musique de toutes les tribus forment une mosaïque répartie sur la planète entière, dans laquelle chacun puise au gré des modes et des goûts. Les temps de diversité sont aussi ceux de la réconciliation, sorte de "Woodstock" culturel où chacun découvre avec émerveillement la philosophie de l'"autre".

Dans les entreprises également, les particularismes cèdent la place à des attitudes plus réalistes, où la négociation permanente intègre les différences. La mise en place du nouveau système technique s'étend sur un siècle. Comme ce fut le cas dans le passé, les anciens savoir-faires traditionnels, appropriés par les travailleurs dans un esprit compagnonnique, doivent laisser place à d'autres modes de production. La conception et la fabrication assistées par ordinateur, la robotisation et la métrologie s'installent là où l'instinct des anciens suffisait. L'acceptation de l'intrusion du signe, du calcul, de la mesure et l'apprentissage de leur maniement peut, même sous la pression de la concurrence, demander une génération. Entre le mode traditionnel de fabrication d'un fromage et le calibrage des protéines du lait par ultrafiltration, seul capable d'assurer une qualité constante et une reproductibilité parfaite, il y a un fossé culturel.

Les stratégies nouvelles s'enracinent dans du savoir-faire technologique. L'image ancienne du monopoly capitaliste, exacerbée par le jeu des "raiders", s'enfle d'abord jusqu'à l'absurde et recycle même de l'argent maffieux. Mais les vraies richesses sont désormais dans le talent. Construire une équipe compétente prend plus de dix ans, et elle peut vous quitter en une journée. Le pouvoir finit par être moins rémunéré que le talent. Cette inversion donne lieu à une profonde mutation idéologique. Le talent en effet procède du seul vrai pouvoir, qui est le pouvoir sur soi-même. Une certaine forme de pouvoir sur les autres, si respectée depuis Machiavel, est désormais prise pour ce qu'elle est : une tentative perverse, et d'ailleurs vouée à l'échec, de combler un manque de reconnaissance et d'expression de son propre savoir-faire technique.

Dans la société du signe, les stratégies des entreprises s'expriment sous de nouvelles formes, dont le franchisage constitue un exemple caractéristique. Il remplace la prise de possession capitaliste par une relation contractuelle portant sur un concept. Le franchiseur est gardien de la conformité. Il s'assure qu'en tous pays le client achètera bien le même hamburger. Le franchisé verse une redevance, mais garde son autonomie financière et ses profits.

Dans le système qui s'annonce, ce n'est pas l'argent qui est rare, ce sont les bons concepts. Le design prend son essor. Autrefois cantonné à l'habillage et à la décoration, il devient une discipline complète de conception des produits.

Après une période de libéralisme effréné, jusque vers 2020, pendant laquelle l'influence des entreprises s'accroît à mesure que celle des Etats décline, se produit également une inversion. D'autres organisations émergent progressivement. Faute de mot approprié, appelons-les des "bidules". Elles s'occupent chacune d'une fonction internationale déterminée, où la nécessité d'un opérateur apparaît évidente. Par exemple, l'Union internationale des télécommunications et Interpol ou, dans des registres différents, Greenpeace et Amnesty.

Les bidules, en général, n'ont pas de limites territoriales. Ils sont à vocation planétaire, mais leur action se limite à un registre précis. Leur territoire est dans un autre espace, celui des fonctions nécessaires à la bonne marche de la société du signe. Il est clair qu'un pouvoir judiciaire international représente le besoin le plus urgent, mais ce n'est pas le plus rapide à mettre en place. Il y a donc des retards, des essais et des erreurs. La première moitié du vingt-et-unième siècle est hésitante. Le regain commence par une métamorphose du système éducatif.

Cette quatrième partie s'inspire fortement de l'éthologie. Elle propose d'imaginer quelques-uns des comportements des acteurs (hommes et institutions) dans un contexte technique totalement nouveau. Que deviennent les jeux sociaux, comment s'expriment l'agressivité des individus et des groupes, l'affirmation d'identité, l'amour ? Et quelles sont les nouvelles formes d'organisation des sociétés humaines ? ■

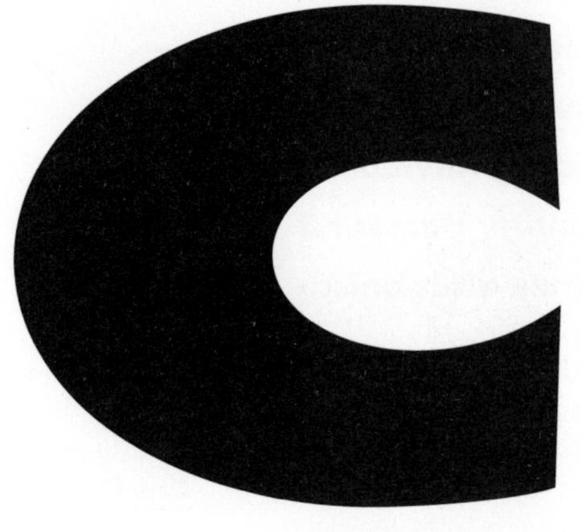

h a

La montée de l'individu avait pris un caractère particulièrement spectaculaire à la fin du vingtième siècle. C'est l'apparition au grand jour d'un mouvement qui se poursuivait depuis des siècles dans les profondeurs de la société occidentale. Semblable à un lent glissement tectonique, il n'est devenu visible que lorsque sont entrées en décomposition les structures de la société holiste, qui l'avaient masqué jusque là.

Les comportements individuels

pitre 14

La société holiste[1], archétype des sociétés traditionnelles, se conçoit elle-même comme un individu collectif, un ensemble organique, dont chaque membre n'existe que solidairement avec les autres, comme partie et non comme tout. Chacun de ses membres accepte docilement que la collectivité lui assigne dès sa naissance sa place et son rôle, lui dicte son comportement, ses croyances et jusqu'à la manière d'accomplir le moindre de ses actes.

▲ *Seul, je joue des cercles éternels.*

La société holiste vit dans la crainte des dieux. Consciente de sa précarité face aux puissances obscures qui règnent sur le monde, se sentant tout juste tolérée, elle veille constamment à ne pas les irriter. Aussi redoute-t-elle plus que tout les improvisations individuelles inconsidérées qui risquent de perturber l'ordre du monde : de là provient son souci d'enfermer les comportements dans des rituels rigides et éprouvés, hérités des lointains ancêtres.

L'autorité qui la gouverne ne peut régner qu'avec l'accord des dieux : elle est mandatée par eux, au moins tacitement. A ce titre, l'autorité dispose sur ses sujets d'un pouvoir absolu, qu'aucun homme ne saurait contester sans mettre en péril l'ordre du monde.

C'est le progrès technique qui, en assurant peu à peu la maîtrise de l'homme sur la nature, va lentement faire refluer la peur atavique qui forme la base de la société holiste. Avec beaucoup d'hésitations, les nouvelles générations découvrent que le monde a changé et que les traditions héritées des ancêtres ne sont plus adaptées. Peu à peu, ils cessent de les pratiquer, jusqu'à ce que, les unes après les autres, elles finissent par sombrer dans l'oubli.

D'une image écrasante, redoutable, imprévisible, de l'univers, surgit lentement, à mesure que l'homme commence à comprendre la nature et à mieux la maîtriser, une vision plus amène, plus transparente. Les brouillards qui masquaient les contours du réel se dissolvent et se révèlent vides de ces dieux terribles dont on les avait peuplés. "*Le monde se désenchante*"[2]. Eglise et Etat se séparent alors, le second n'ayant plus besoin de la première pour intercéder auprès des dieux.

De la même manière que la société s'est enhardie à contester l'autorité divine, l'individu s'aventure à contester celle de la société et de ceux qui la représentent. Insensiblement, il étend son espace de souveraineté personnelle, prend conscience de lui-même, revendique le droit de disposer de sa personne.

S'il est le produit du progrès technique, ce mouvement d'émancipation de l'individu en est tout autant le producteur. C'est à ce titre qu'il devient le principal ressort de l'évolution du monde occidental. Faisant éclater les traditions et les routines, stimulant l'émulation et la compétition, il libère un extraordinaire potentiel d'innovation, un dynamisme incomparable, qui donnent à la société moderne une supériorité technique décisive. Elle en use pour étendre son influence à la

■ ***Dans la société holiste, chacun accepte docilement que la collectivité lui assigne dès sa naissance sa place et son rôle, lui dicte son comportement, ses croyances et jusqu'à la manière d'accomplir le moindre de ses actes.***

■ ***S'il est le produit du progrès technique, le mouvement d'émancipation de l'individu en est tout autant le producteur.***

■ ***Pour le meilleur et pour le pire, la modernité paraît désormais irrésistiblement appelée à conquérir le monde et à façonner l'avenir de l'humanité entière.***

[1] Louis Dumont, Homo hierarchicus, Gallimard, Paris, 1979.

[2] Pour reprendre l'expression de Max Weber.

planète entière. Cela commence par la force avec le colonialisme. Puis cela continue par la séduction, sous la forme du commerce, de la publicité et du spectacle. Dans les années 1990, et notamment à partir de l'ouverture du système communiste, ce mouvement semble bien avoir franchi le seuil de l'irréversibilité. Pour le meilleur et pour le pire, la modernité paraît désormais irrésistiblement appelée à conquérir le monde et à façonner l'avenir de l'humanité entière. Avec elle s'étend le mouvement d'émancipation de l'individu, qui en est le ressort : émancipation de l'homme, et surtout de la femme. Déjà, insensiblement, les paysages techniques s'uniformisent. De Sao Paulo à Djakarta, de Sydney à Moscou, ce sont les mêmes téléviseurs, les mêmes automobiles, les mêmes téléphones, le même béton. La mise en place du nouveau système technique est néanmoins progressive. Elle ne peut dépasser une certaine vitesse, car le choc culturel, trop violent pour les sociétés traditionnelles, fait alors surgir des intégrismes passéistes et agressifs, dont l'action ralentit ce mouvement.

▲ *Les produits blancs pénètrent au cœur de l'Afrique noire.*

Mieux vaut un diable connu que vingt hommes inconnus.
Proverbe d'Amérique latine.

La modernisation prend plusieurs générations. Elle s'appuie en tout premier lieu sur un réseau de communications. Celui qui a été installé en Europe depuis 1850[1] s'étend au monde entier, se ramifie et se perfectionne pendant tout le vingt-et-unième siècle. On peut donc, en simplifiant, voir dans l'évolution de l'Europe entre 1940 et 1990 - avec la multiplicité de ses langues, de ses cultures et de ses particularismes, ses conflits, ses remords et ses fraternisations - une maquette de l'évolution du monde au vingt-et-unième siècle. Elle montre en tous cas comment la diversité, après une période d'affrontements, se résoud en enrichissements mutuels pour toute la planète.

Dans le monde entier, les mêmes vitrines et les mêmes exclus. ▶

[1] De 3500 km en 1849, le réseau télégraphique européen passe à 130 000 km en 1864 et à sept millions en 1913. Des explosions encore plus fortes se sont produites avec l'arrivée du téléphone (vers 1900), de la radio (vers 1920), de la télévision (vers 1950), des réseaux d'ordinateurs professionnels (vers 1970), des réseaux télématiques ouverts au grand public (vers 1980), des satellites de diffusion directe (vers 1995) et du téléphone portable (vers 2005).

▲ *En Europe, le standing a souvent un parfum de passé.*

▲ *Aux Etats-Unis, il s'éclate en une multitude de miroirs.*

REGARD SUR LE PASSÉ EN EUROPE

Selon Alain de Vulpian, la recherche du plaisir envahit l'Europe au cours des années 1950. L'entre-deux-guerres reste encore marqué par l'idéologie du devoir, du sacrifice, du dévouement, de la souffrance. Bien sûr, l'individu prenait du plaisir, mais en cachette et avec remords. La grande affaire de l'immédiat après-guerre est de se débarrasser de la culpabilité, de s'éviter de la peine, d'échapper aux souffrances qu'on avait longtemps crues inhérentes à la condition humaine. Puis, rapidement, pour une proportion croissante de la population occidentale, le plaisir devient boulimique, se change en une course, un impératif frénétique.

La diffusion du désir de standing est, jusqu'aux environs de 1965, parallèle à celle de la quête du plaisir. La recherche de l'estime devient une des motivations dominantes ; pour beaucoup, l'estime de l'entourage devient plus importante encore que la sécurité. Les milieux ruraux eux-mêmes sont atteints : beaucoup d'exploitations sont suréquipées, le modèle de tracteur ayant été choisi en fonction, non pas de la taille de l'exploitation, mais par référence aux tracteurs des voisins.

Les traditions, les conventions, les obligations se défont. Les pesanteurs anciennes qu'exerçait la société sur l'individu se font plus légères. Mais le jeu de la motivation de standing installe dans la société occidentale un petit nombre d'échelles hiérarchiques assez homogènes et claires : échelles de la richesse, du standing, de la modernité. Les principaux codes, qui forment les barreaux des échelles, sont bien visibles et compris à peu près de la même façon par tout le monde. Les individus ne sont donc pas si libérés ; ils se croient obligés de suivre des modèles qui s'imposent à eux et sont, à peu de choses près, les mêmes pour tous : une voiture plus grosse, des vacances plus lointaines, des vêtements toujours plus luxueux.

Dans la plus grande partie du monde industrialisé s'installe ainsi une société individualiste mais de masses, une société démocratique mais hiérarchique, conduite par des modèles venant d'en haut. Cette organisation des comportements continue à dominer la scène jusqu'en

1980 aux Etats-Unis et en France, un peu plus tard en Allemagne ou en Suède. Les premières failles dans ce système étaient cependant déjà perceptibles dix ans auparavant : le plaisir était destiné à rester longtemps encore un puissant ressort, mais le mythe du standing était déjà mort dans la jeunesse en 1968.

■ *Dans la plus grande partie du monde industrialisé s'installe ainsi une société individualiste mais de masses, une société démocratique mais hiérarchique, conduite par des modèles venant d'en haut.*

La recherche de l'expression personnelle et un puissant désir de s'auto-déterminer se répandent, à partir de 1960, dans les populations de presque tous les pays qui sont à la fois démocratiques et industriels. Ce phénomène concerne aussi bien la Suède ou l'Italie que les Etats-Unis ou même le Japon. Les valeurs de liberté (faire ce qu'on a envie de faire, quand on a envie de le faire, ne pas être brimé par les réglementations et les bureaucraties...) étaient davantage porteuses que les valeurs d'égalité. Dans les années 1980, le mouvement a encore été renforcé par le développement de sensibilités aventureuses comme le goût du risque, la recherche d'expériences émotionnelles ou l'envie d'entrer en compétition.

■ *La légitimité croissante des sensations et des émotions, leur exploration de plus en plus approfondie par une proportion plus forte de la population, constituent un autre changement plus porteur d'avenir.*

Dans les pays occidentaux, à partir de 1965 environ, l'expression personnelle revêt une forme contestataire. Elle sape la conformité à la tradition et au devoir, l'autorité hiérarchique et le modèle du standing, qui incitaient tous les consommateurs à courir après les mêmes illusions. Elle déstructure la société de consommation et de production de masse des "Trente Glorieuses" (1945-1975). En 1990, elle n'est plus contestataire ni même volontariste. Les gens les plus en phase avec l'expression personnelle n'en sont plus les militants. Ils s'expriment tout simplement, spontanément, sans avoir à lutter pour le faire.

La légitimité croissante des sensations et des émotions, leur exploration de plus en plus approfondie par une proportion plus forte de la population, constituent un autre changement plus porteur d'avenir. Le visuel avait la primauté sur les autres sens. Les idées claires, le raisonnement linéaire, l'intellectualité, les principes, les idéologies étaient supportés par cette primauté du visuel. Mais, dès 1960, l'émotionnel, le sensuel, l'instinctif, prennent une plus grande place parmi les sensibilités dominantes et dans la vie quotidienne en Occident. C'est la montée du "poly-sensualisme". Le besoin d'ordre et de catégories claires régresse. Et l'on commence à enseigner aux enfants la pratique des autres sens, à les aider à prendre un contact à la fois visuel, tactile, auditif et gustatif avec le monde... A partir de 1980, plus directement en prise sur leurs corps et sur leurs impulsions, les occidentaux deviennent plus réactifs et plus voraces. Ils sont de plus en plus nombreux à chercher à vivre des émotions qui soient riches, variées, renouvelées.

A la fin des années 1980, les enquêtes sur les comportements font apparaître une proportion croissante d'individus, notamment parmi les jeunes, qui allient sans aucun problème des modes d'appréhension du réel que l'on avait l'habitude d'opposer. Cette alliance de l'intelligence et de l'émotion, de la déduction et de l'intuition, confère à ceux qui la vivent naturellement une excellente capacité à piloter leur vie. De nombreuses capacités individuelles, occultées par la chape normative des décennies précédentes, se réactivent alors. En effet, on avait pu craindre pendant les années 1970 que des in-

▼ *De la foule solitaire ...*

◀ *... à la génération "moi-nous"*

dividus, s'approfondissant à la recherche de leur identité et de leur accomplissement, centrés sur leurs sensations et leurs émotions, soient emportés par un mouvement narcissique et que la société se fragmente à l'extrême. C'est tout autrement que les choses se sont passées. En fait, un ensemble de courants a éloigné la société occidentale de la "foule solitaire"[1] des années 1950 et 1960. Les gens sont progressivement sortis de leurs forteresses intérieures. Ils ont essayé de se mettre à la place des autres, devenant plus capables d'empathie[2]. Ils ont souhaité établir, souvent sans en avoir encore les moyens, des liens plus chauds et conviviaux avec leurs semblables. C'est la génération du "moi-je" qui a prévalu dans les années 1970 : je m'affirme, je m'épanouis, je regarde mon nombril.

A partir de 1980, la génération du "moi-nous" prend la relève. Il apparaît une sorte de solidarité, une conscience immédiate du "nous". Elle est plus guidée par l'instinct et le sentiment de former un système avec les autres que par un quelconque sens du devoir ou une exigence idéologique. Elle est dirigée par le sentiment quasi biologique d'être inséré dans un ensemble vivant, mobile, interactif.

La sociabilité se développe : d'une part, sous la forme d'un désir de rencontrer d'autres individus de toutes origines. D'autre part, sous celle d'une capacité à se connecter, à dialoguer, à interagir, à faire réseau. Le courant porte le développement du sens de l'interdépendance et le renouveau d'une certaine responsabilité sociale.

Dans la mesure où le mouvement d'émancipation de l'individu est aussi irréversible que l'évolution historique à laquelle il est lié et aussi inépuisable que les potentialités humaines, dont il est l'actualisation, on peut donc légitimement conjecturer que l'individuation est, au vingt-et-unième siècle, le principal ordonnateur du devenir de l'homme. Ceci aussi bien à l'échelle des grandes choses que des petites, à l'échelle de l'humanité entière comme à celle du comportement privé de chacun de ses représentants. C'est donc d'elle qu'il convient de partir, mais en la distinguant clairement de l'individualisme, qui est un repli sur soi. L'individuation, en effet, est au contraire un mouvement vers l'extérieur, un déploiement des potentialités

[1] *David Riesman, La foule solitaire, Arthaud, Paris, 1964.*

[2] *Faculté de s'identifier à quelqu'un, d'éprouver ses sentiments.*

créatrices dans toute leur générosité. Bien qu'exprimant un point de vue particulier, comme la sonorité d'un chant original s'élevant dans le concert général, elle est à l'opposé du particularisme et de tous les égoïsmes, car elle manifeste une conscience élargie de l'appartenance à l'ensemble de l'espèce humaine.

CHOISIR SES TRIBUS

Les humains, comme la plupart des primates, ont longtemps fonctionné dans des schémas d'appartenance tribale forte et exclusive. Le mouvement d'individuation constitue, de ce point de vue, une évolution considérable. Pour chaque individu, la gestion de son autonomie naissante n'est pas facile car il doit concilier son besoin ancestral d'intégration au groupe avec son nouveau besoin d'indépendance. Il lui faut réussir à être seul avec soi tout en étant ensemble avec les autres, être à la fois tout et partie, être simultanément dans sa bulle et hors d'elle. C'est donc, tout naturellement, dans la multi-appartenance que l'individu du vingt-et-unième siècle trouve la solution de son propre problème et l'expression de sa propre diversité.

L'une des principales raisons de l'étroite subordination de l'homme d'autrefois à son groupe tenait à sa faible mobilité sociale et spatiale : en règle générale, dans les sociétés agraires traditionnelles, chacun naissait et mourait dans sa caste, sans pouvoir en changer ; en outre, l'aire de vie de l'immense majorité de la population ne s'étendait guère au-delà d'une journée de marche autour du village natal. Ainsi, ne pouvant le plus souvent échapper à sa communauté d'origine, force était à l'individu de se soumettre à sa loi. Du reste, il n'en connaissait pas d'autre et, par suite, elle faisait pour lui partie de l'ordre naturel du monde qui l'entourait.

▲ *Choisir ses tribus, à pied, à cheval ou en voiture.*

■ ***L'individuation est, au vingt-et-unième siècle, le principal ordonnateur du devenir de l'homme ; en se distinguant clairement de l'individualisme, qui est un repli sur soi, elle manifeste une conscience élargie de l'appartenance à l'ensemble de l'espèce humaine.***

■ ***C'est dans la multi-appartenance que l'individu du vingt-et-unième siècle réussit à être seul avec lui-même tout en étant ensemble avec les autres.***

L'accroissement de la mobilité sociale, joint au développement des moyens de transport et de communication, a brisé ce carcan : on n'est plus rivé à son sol et à son état, on n'ignore plus ce qui se passe à côté, on peut désormais comparer et choisir sa tribu.

Ou, plus exactement, choisir ses tribus, car l'ancien système de mono-appartenance a vécu : la multiplicité des relations, qui constitue le tissu de la société moderne, met l'individu en contact avec des réalités extrêmement diverses. Il partage son existence entre les multiples réseaux formés par sa famille, son travail, ses engouements, ses préférences, ses convictions, ses croyances. Il est à la fois professeur de physique à l'université et importateur de poupées russes ; buraliste et animateur d'un club de canoë-kayak ; consultant international en veille technologique et organisateur d'une communauté chrétienne charismatique. Autant de réseaux entre lesquels se distribue son

A son propre pas, on va loin. Proverbe corse.

existence et dont aucun ne se recouvre complètement avec les autres, lui donnant autant d'identités parcellaires différentes.

Cette panoplie d'appartenances est évidemment hiérarchisée, mais

▲ *On peut être spéculateur le matin ...*

▲ *... et membre d'une secte charismatique le soir.*

aucune n'est exclusive, aucune n'est en mesure d'emprisonner complètement et définitivement l'individu. Participant d'une pluralité de tribus, il n'est totalement dépendant d'aucune et aucune ne peut lui dicter souverainement sa loi. Renversement majeur : c'est désormais lui qui bâtit - au moins en partie - son système de relations, au lieu de se le voir imposer ; il est au centre de sa vie et non plus à la périphérie ; il a les moyens de la gérer au lieu de la subir.

Sans doute ses liens sociaux perdent-ils parfois en profondeur ce qu'ils gagnent en étendue et, à trop se diversifier, ils peuvent devenir factices. Dans des rapports superficiels avec les autres, on ne trouve alors plus l'enrichissement intérieur. Mais être auprès des autres n'est pas nécessairement un moyen de se fuir. C'est aussi bien un moyen d'élargir son horizon, de multiplier ses expériences et d'être ainsi davantage auprès de soi et de supprimer la solitude.

Il reste qu'au total, l'individu ne trouve plus comme autrefois sa fin dans le groupe, puisqu'aucun groupe ne peut le contenir en entier. N'étant réductible à aucun, il les dépasse tous, il est leur somme individuelle. Il devient ainsi à la fois son propre horizon et sa propre transcendance : il est à lui-même sa propre fin.

En 1990, le tribalisme à l'ancienne manière est loin d'avoir disparu

Il faut tourner le dos au tribalisme. ▶

L'amour comprend toutes les langues. Proverbe roumain.

de la planète. Il continue à susciter périodiquement des flambées de violence inter-ethniques. Il n'a pas disparu des sociétés industrialisées, en particulier dans les zones périphériques des grandes villes, où s'entassent les exclus : les bandes qui y prolifèrent, organisées sur le modèle maffieux, ne sont guère ouvertes à la multi-appartenance et exigent de leurs membres une loyauté exclusive. Elles opposent à la pénétration de l'idée d'autonomie individuelle une résistance opiniâtre, appuyée sur l'intimidation. Mais, ilôts d'archaïsme dans un monde en transformation, elles finissent elles aussi par perdre la cohésion qui faisait l'essentiel de leur force.

■ La manière d'aimer reflète alors vraiment la manière d'être et les humains, dans ce cas comme ailleurs, sont des explorateurs infatigables.

■ L'individu ne trouve plus comme autrefois sa fin dans le groupe, puisqu'aucun groupe ne peut le contenir en entier. N'étant réductible à aucun, il les dépasse tous, il est leur somme individuelle. Il devient ainsi à la fois son propre horizon et sa propre transcendance : il est à lui-même sa propre fin.

AIMER

Alors, aime-t-on encore au vingt-et-unième siècle ? Oui, mais autrement. Chaque époque a ses modèles amoureux : la souffrance du héros romantique, la flamme théâtrale de l'amant latin, l'infinie nostalgie de Tristan et Iseult sont autant de formes différentes, s'intégrant chacune dans leur civilisation. Chaque époque a aussi ses pratiques amoureuses. Il n'y a pas seulement, comme on pouvait le croire à la fin du vingtième siècle européen, un mouvement de balancier allant de la pudeur à la libération, de la fidélité au libertinage, du machisme au féminisme, mais aussi une myriade de nuances[1] et la plus extraordinaire des diversités[2]. La manière d'aimer reflète alors vraiment la manière d'être et les humains, là comme ailleurs, sont des explorateurs infatigables. En matière d'amour, ce ne sont pas tant les actions accomplies qui changent, c'est le sens qu'on leur attribue et aussi les sentiments qui les accompagnent.

▲ *Romantisme début de siècle : le rêve et l'éloignement.*

A la fin du vingtième siècle, l'image traditionnelle de l'amour comme passion dévorante, paroxystique, qui submerge l'individu, s'érode au vent de la liberté. Car la victime de Cupidon cesse de s'appartenir, elle est à l'autre, elle ne peut plus exister que dans son union avec lui. Elle cesse d'être une personne raisonnable et indépendante, elle perd aussi bien son discernement que le contrôle de ses actes, et tout cela entre en contradiction avec l'autonomie de l'individu. Au vingt-et-unième siècle, l'amour n'est plus la relation possessive et exclusive d'autrefois. Chaque partenaire a trop conscience d'être un sujet pour consentir à se laisser traiter en objet, fût-il l'objet aimé. Il refuse de se soumettre à un sentiment qui lui serait extérieur et qui aliénerait sa liberté personnelle. La disparition de l'inégalité des sexes aidant, l'amour cesse d'être un enjeu pour devenir un jeu, qui se joue à égalité entre partenaires et n'a plus pour fin la possession, mais le plaisir partagé avec l'autre et la diversité.

Le vingt-et-unième siècle n'est aucunement celui du remplacement

[1] Roland Barthes, Fragments d'un discours amoureux, Tel Quel, Paris, 1982.

[2] Denis de Rougemont, L'amour et l'Occident, UGE, Paris, 1962.

d'un amour chaud et unique par des amours tièdes et multiples. Bien au contraire, l'intensité des relations ne fait qu'augmenter, car les amants peuvent y consacrer plus de temps. L'amour continue à être le moteur du monde, sa source d'énergie. Mais il ne se laisse plus ensabler dans la routine et la sécurité douillette. L'amour est une création permanente, où les amants relèvent à chaque minute le défi de faire vivre une relation nouvelle, de créer un "nous" à partir de "je" séparés. L'union se fait vers le haut, dans la création (qu'elle soit artistique, technique ou scientifique ou bien encore procréation) et non plus vers le bas, dans la possession.

▲ *L'amour adolescent ne connaît pas encore son nom.*

Sans doute l'individu est-il tenté, pour préserver son autonomie, de refuser l'aventure éperdue. Dans un monde où les relations fusionnelles de toute nature laissent place à des engagements relatifs, l'abandon passionnel se fait plus rare. N'étant plus protégé par personne, ne pouvant compter que sur lui-même, l'individu égocentrique doit se structurer très tôt et édifier un système de défenses efficaces. Tenu d'ouvrir l'œil, d'être constamment maître de lui et en possession de tous ses moyens, il est peu porté à s'abandonner à des élans affectifs incontrôlés qui le mettent en position de faiblesse. S'il apprécie la passion dévastatrice pour sa beauté et les effets qu'elle permet sur la scène et à l'écran, dans la vie il la redoute. Il la tient pour une sorte de virus contre lequel il importe de se prémunir. Il réduit alors ses ambitions à l'amour-contrat, mesuré, balisé, négocié comme un engagement précis de chaque partenaire, avec clauses d'annulation et pénalités de carence. Il remplace l'amour unique par l'amour multiple. Le faible engagement affectif rend alors possible la tolérance. Il réduit ainsi la jalousie et ses funestes conséquences.

L'homme bichonne encore ses fantasmes. ▼

Cette attitude de prudence égoïste existe au vingt-et-unième siècle. Elle fait partie des positions de repli, que l'on peut ranger, même si cela surprend, aux côtés du verrouillage intégriste. L'un et l'autre sont en effet défensifs. Ils établissent des protections, ils épargnent plus qu'ils ne donnent. Ce sont des processus conservateurs et non des comportements créateurs d'avenir.

L'amour est d'un autre niveau et d'une toute autre puissance. Il est appelé à jouer à nouveau son rôle, qui est d'engendrer, sur tous les plans. Face aux agressions psychiques, face aux tentatives de zombification, l'amour est le point de ralliement d'où part la grande Résistance. C'est lui qui donne l'énergie de dire non, c'est lui qui donne la certitude que la création est bien plus forte que la mort. Les Capulet et les Montaigu sont peut-être des familles maffieuses, des groupes racistes, des sectes ou des entreprises rivales, Roméo et Juliette entendent le chant de l'alouette au petit matin. Ils n'ont cure de la puissance ; ils sont dans la Vérité. Et, cette fois, les pouvoirs sont fatigués. Leur amour ne se termine pas dans la mort, il irradie le monde de ses créations.

■ L'union se fait vers le haut, dans la création (qu'elle soit artistique, technique ou scientifique ou bien encore procréation) et non plus vers le bas, dans la possession.

■ *Le jeu-compétition, le jeu-simulacre, le jeu de hasard et le jeu-vertige sont susceptibles de recouvrir à peu près toutes les activités humaines. Tout en effet est jeu et rien ne l'est : le jeu est une attitude face à la vie, un style que l'on décide ou non d'adopter.*

■ *De nos jours, avec des jeux du type de Donjons et dragons, il s'agit de comprendre quelles relations établir avec son environnement, d'apprendre à en utiliser les ressources et à en éviter les pièges. Jeux complexes, souples, qui font appel à l'imagination, à l'invention, à l'aptitude à naviguer dans le savoir.*

JOUER

Jouer est une fonction vitale chez la plupart des mammifères. Le jeu permet l'exploration, l'entraînement. C'est en quelque sorte un travail d'auto-enseignement. Jouer est aussi une manière de se désengager de ses actes, de mettre une distance entre eux et soi. Dans le monde de la mono-appartenance, il ne pouvait être qu'une activité séparée, un moyen d'échapper un temps au personnage unique qu'on était obligé d'être, un moyen de s'évader un moment des astreintes de la réalité vers la liberté de la fiction. Dans un monde de multi-appartenance, en revanche, l'individu n'est rivé de manière rigide à aucun groupe, il ne lui est pas assigné de rôle unique et exclusif. Au contraire, il participe à une multiplicité de réseaux relationnels, au sein desquels il peut assumer, et même parfois afficher, des personnages différents, dont aucun ne le recouvre en totalité.

Quatre figures[1], le jeu-compétition, le jeu-simulacre, le jeu de hasard et le jeu-vertige, sont susceptibles de recouvrir à peu près toutes les activités humaines. Tout en effet est jeu et rien ne l'est : le jeu est une attitude face à la vie, un style que l'on décide ou non d'adopter. Aussi est-il à l'image de la société qui l'a produit : dans le jeu de go chinois et japonais, on cherche à encercler l'adversaire, alors que dans le jeu d'échecs à l'occidentale, on cherche à le tuer. L'âme des peuples s'exprime dans leurs jeux.

Avec la fin de la société industrielle, une nouvelle génération de jeux fait son apparition, qui est à l'image des nouvelles mentalités. Le modèle en est Donjons et dragons. Leur objet est l'adaptation à un certain environnement : il s'agit de comprendre quelles relations établir avec lui, d'apprendre à en utiliser les ressources et à en éviter les pièges. Jeux complexes, souples, qui font appel à l'imagination, à l'invention, à l'aptitude à naviguer dans le savoir. Ils demandent au joueur une implication si forte qu'elle efface la frontière entre réalité et fiction. Ayant ainsi la possibilité de vivre simultanément plusieurs vies, sans être jamais entièrement engagé dans aucune, l'individu établit entre chacune d'elles et lui une distance : cette distance, précisément, qui crée le jeu, qui permet de relativiser, de sortir de soi, de vagabonder d'un rôle à un autre.

[1] *Roger Caillois, Les jeux et les hommes, Gallimard, Paris, 1967.*

Quand les tensions psychologiques deviennent trop fortes, il a ainsi la possibilité de leur échapper, d'emprunter d'autres itinéraires et de retrouver par là son équilibre. L'ouverture que lui offre le jeu l'aide à

▲ Jeu de compétition.

▲ Jeu de hasard.

dédramatiser ses problèmes, à relativiser ses difficultés, à s'évader hors de la prison de son angoisse. Elle le détache de lui-même et lui apporte cet équilibre qui lui rend la vie supportable.

Huizinga[1] fait observer que *"sans un certain maintien de l'attitude ludique, aucune culture n'est possible"*. Le désir de gagner est si fort qu'il peut mener les peuples à la guerre. A mesure qu'une civilisation mûrit, les affrontements se subliment en jeux : le tournoi remplace le champ de bataille. La place du sport et des autres jeux dans la société du spectacle est une éclatante illustration des capacités de sublimation humaines. Aux affrontements guerriers ont succédé les compétitions sportives, tout aussi génératrices d'émotions, et la concurrence entre les entreprises. Partout, le jeu élève la civilisation. Il permet de décharger les pulsions du primate que nous sommes et d'en canaliser l'énergie vers le perfectionnement de nos talents.

Au jeu d'échecs, les fous sont les plus près du roi.
Proverbe français.

C'est pourquoi le jeu connaît une fortune sans précédent, une extraordinaire diversité de formes. Il est bien plus qu'une distraction, il répond à un besoin fondamental, il devient une manière d'être, une philosophie de la vie, présente partout, jusqu'au cœur des tâches traditionnellement considérées comme les plus sérieuses. Il incarne l'esprit même de l'époque. Réaction de défense contre la froideur de la technicité et la férocité de la compétition, c'est lui qui, en mettant de la joie de vivre et de la poésie dans les rouages rigoureux et indifférents de ce monde calculateur, le rend vivable. A travers lui l'homme retrouve la dimension métaphysique. Par sa futilité même, il suggère que la véritable réalité, les véritables enjeux de l'existence, se trouvent ailleurs : en créant une distance entre l'homme et le monde sensible, il ouvre sur les interrogations fondamentales et la recherche spirituelle.

■ A mesure qu'une civilisation mûrit, les affrontements se subliment en jeux : aux affrontements guerriers ont succédé les compétitions sportives, tout aussi génératrices d'émotions, et la concurrence entre les entreprises.

■ A travers le jeu, l'homme retrouve la dimension métaphysique : en créant une distance entre l'homme et le monde sensible, il ouvre sur les interrogations fondamentales et la recherche spirituelle.

CONSOMMER

A partir du moment où la survie matérielle de chacun est assurée, la consommation de nourriture, d'objets quotidiens, de meubles, d'habitations, de moyens de transports, d'objets ludiques est profondé-

■ Ce qui fait désormais le succès d'un objet, c'est moins sa valeur d'usage que sa valeur de signe. Ce qui compte, c'est le style.

[1] Johan Huizinga, Homo Ludens : essai sur la fonction sociale du jeu, Gallimard, Paris, 1988.

ment transformée. Il ne s'agit plus de consommation "sérieuse", visant à satisfaire des besoins vitaux et ayant pour enjeu l'entretien de l'intégrité physique ou mentale. La consommation dont nous parlons

▲ *Jeu de simulacre.*

▲ *Jeu de vertige.*

ici a pour principal enjeu le plaisir qui s'exerce grâce à une profusion d'objets, de formes et de couleurs. Consommation ne signifie pas tant boulimie que choix.

Au vingt-et-unième siècle, l'esprit consumériste est plus présent que jamais : on exige des produits que leur qualité soit irréprochable, leur efficacité garantie et leur prix raisonnable. Les consommateurs forment désormais un pouvoir organisé, qui utilise largement les réseaux de télécommunication pour informer et s'informer sur toute la planète. Leur arme favorite est le boycott, qui se pratique aussi bien au niveau mondial qu'à l'échelle du quartier, aussi bien contre une multinationale que contre un boutiquier.

La consommation, quand à elle, devient de moins en moins utilitaire. Ce qui fait désormais le succès d'un objet, c'est moins sa valeur d'usage que sa valeur de signe.

La satisfaction du besoin immédiat est en effet devenue seconde par rapport à la manière de le satisfaire. Ce qui compte, c'est le style. Dans le foisonnement des objets, les choix sont dictés par des considérations d'appartenance aussi bien que de distinction. Arborer tel vêtement, c'est se rattacher à tel courant, à tel groupe, à tel milieu. La consommation est un langage riche de multiples codes, de clins d'œil, de messages. Elle est devenue un moyen de communiquer par signaux, d'afficher son humeur, ses désirs, ses opinions. Les signaux sont hiérarchisés : les uns destinés au plus grand nombre, d'autres aux initiés, d'autres aux intimes.

A cela, la multi-appartenance ajoute ses effets propres : en passant d'un personnage à l'autre, d'un monde à l'autre, d'un groupe à l'autre, on se plaît à provoquer, à intriguer, à interpeller, à mystifier. Mais ce langage devient si complexe qu'il exige tout un apprentissage : il faut se garder d'afficher le mauvais signal au mauvais moment et au mauvais endroit. Les appartenances se mélangent et se confondent, chacun joue à s'avancer masqué dans un monde rempli de faux-semblants et d'imprévus.

Depuis le milieu du vingtième siècle, les produits ne sont plus pensés en fonction d'un type de besoin, mais bien en fonction d'un type

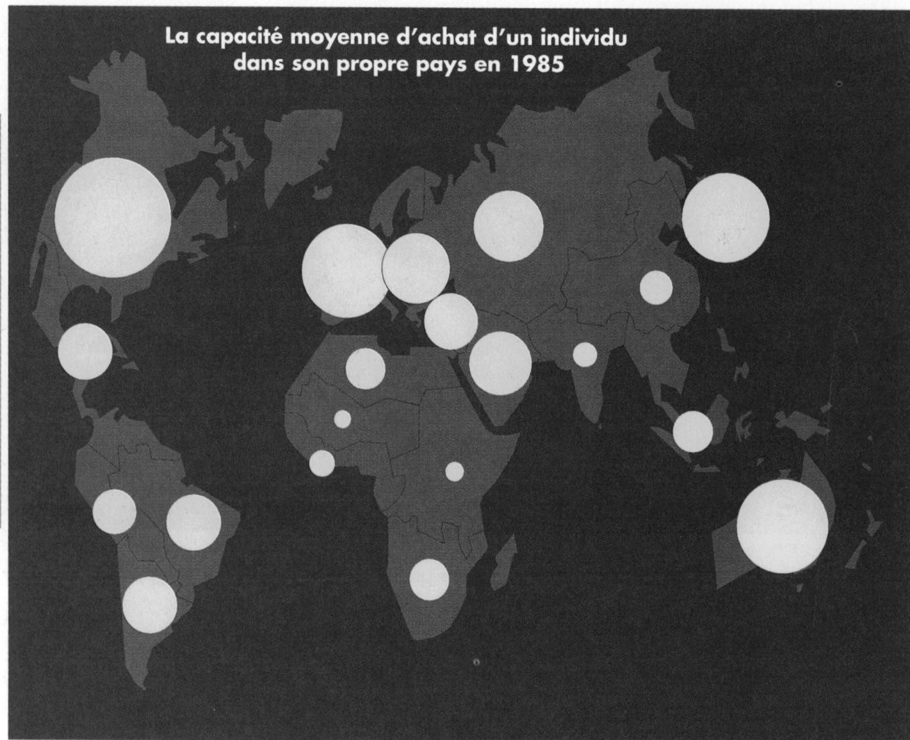

P.I.B. par habitant en dollars corrigés du pouvoir d'achat

300

1 000

3 000

10 000

13 000

▲ *Le produit intérieur brut par habitant est ici exprimé en pouvoir d'achat local (le panier de la ménagère) et non pas en monnaie (marché international des changes).*

d'acheteur : de son profil psychologique, de son mode de vie, de ses centres d'intérêts. En utilisant les multiples sources d'information directe et indirecte disponibles, les agences de marketing arrivent à définir des catégories très fines et à connaître leurs réactions avec une grande précision. Cette segmentation de la société n'a pas d'autre but que d'aider à vendre plus. Elle se préoccupe donc moins de cohérence et de rationalité scientifique que de pragmatisme.

Mais en même temps que l'appartenance, l'individu affirme sa différence. L'informatisation et les progrès de la technologie ont permis de généraliser le sur-mesure. La production en série ne crée plus que des produits semi-finis, que le client adapte et complète à sa guise, ou des modules qu'il peut assembler et combiner. L'homme joue avec une infinité de matériaux, de formes, de couleurs, crée ses propres objets, les transforme à son goût. Le design, la recherche esthétique, prennent une importance croissante. L'individu a le culte de l'objet unique, à la fois pratique et surprenant, et sur lequel il aime pouvoir apposer sa propre marque.

D'ailleurs, le commerce en vient de plus en plus à proposer non des objets, mais des projets d'objets. Les vitrines exposent des images holographiques[1] sur lesquelles l'acheteur intervient lui-même à l'aide de programmes d'aide à la création, qui autorisent toutes sortes de modifications et de détournements. A l'aide d'une carte holographique reproduisant l'image de son corps, il peut par exemple dessiner exactement le vêtement qu'il souhaite acheter, l'essayer en simulation et lui apporter les retouches nécessaires. Meubles, voitures, maisons sont produits à la demande, tendance que les distributeurs encouragent, car elle leur permet de résoudre le problème des stocks.

[1] Un hologramme est une image en relief : l'objet photographié semble véritablement être devant l'observateur.

Mange à ton goût mais habille-toi selon le goût des autres.
Proverbe persan.

Le goût du jeu, du changement de personnalité, le besoin de s'afficher, l'amour de la parure, en même temps que le développement de la communication et des échanges internationaux, font exploser les modes et les styles. Le formalisme vestimentaire est ébranlé jusque dans ses citadelles les plus solides : des présidents de conseils d'administration siègent en boubou africain et des bariolages faciaux apparaissent même à la conférence de rédaction du *Time*. Le bon ton se dilue dans la débâcle générale des interdits et des tabous.

■ En même temps que l'appartenance, l'individu affirme sa différence. L'informatisation et les progrès de la technologie ont permis de généraliser le sur-mesure.

■ Au sein de la société d'individuation, les relations sont beaucoup plus librement choisies, mais il faut les construire. Or elles ne s'établissent pas aussi spontanément que par le passé.

Il y a toujours des clients chez les commerçants qui savent conjuguer raffinement, qualité et diversité. ▶

COMMUNIQUER

La solitude est une hantise pour les uns, une chance pour les autres. En assumant la compagnie de lui-même, l'homme mène une recherche intérieure qui structure et renforce les résistances aux aliénations. Mais seules les âmes fortes trouvent l'énergie nécessaire. Les autres n'y résistent pas. Elles sombrent ou se raccrochent à des fonctionnements répétitifs, voire obsessionnels.
Au sein de la société communautaire, les relations avec les autres étaient données, voire imposées. Au début du vingtième siècle, une grande partie de la population passait encore sa vie au sein du même groupe, de l'école primaire au cimetière. L'urbanisation, les mélanges scolaires, les migrations professionnelles, les vacances ont fait exploser les relations qui étaient imposées par l'immobilité géographique. Au sein de la société d'individuation, les relations sont beaucoup plus librement choisies, mais il faut les construire. Or elles ne s'établissent pas aussi spontanément que par le passé. En effet, si chacun veut se lier avec ses semblables, il entend rester maître non seulement de ses choix, mais de leur place et de leur durée. Sa préférence va donc aux relations multiples, mais limitées, circonscrites, distanciées, qui n'empiètent pas sur son indépendance et dont il peut au besoin se dégager facilement.
La communication est ainsi souvent factice : soit on écoute tout le temps (radio ou télévision), soit on est écouté tout le temps (chez le psychothérapeute). La forte demande de contacts engendrée par cette situation provoque le développement d'un marché florissant, pris en main par des professionnels de la communication : spécialistes des relations

publiques, animateurs, psychologues, conseillers en relations.... Des agences spécialisées organisent à la demande toutes sortes de rencontres, depuis la soirée au concert jusqu'aux vacances collectives, en passant par le renforcement de la solidarité dans l'entreprise. Elles proposent également des services d'expertise psychologique comme l'étude des profils de compatibilité. Le thème de la relation a en effet suscité de nombreuses recherches associant les diverses disciplines de la psychologie, de l'éthologie, de la neurobiologie...

▲ *Ça va chez vous ? Si vous ça va, moi ça va aussi.*

▲ *La télévision contribue fortement à la diversification des loisirs.*

Les progrès des techniques de communication ont également permis la mise en place de réseaux et de banques de contacts qui fonctionnent à travers le monde entier. Ces réseaux ont redonné une vigueur nouvelle au système associatif, qu'ils ont complètement transformé. La vie associative se déroule pour partie à distance et à domicile, ce qui démultiplie son efficacité : les manifestations n'ont plus lieu seulement dans la rue, mais aussi sur les réseaux de télécommunication, en occupant les terminaux, en intervenant directement dans les programmes télévisés de la société du spectacle.

Cette médiatisation des relations permet à chacun de multiplier ses liens et ses interlocuteurs et, du même coup, de se multiplier lui-même, d'endosser des rôles et des personnages différents. Elle permet aussi de maintenir l'autre à distance, d'éviter l'envahissement. Car, dans la promiscuité des grands centres urbains, il est nécessaire de maintenir son territoire privé et son jardin secret. On dialogue avec le monde entier et en même temps on ignore son voisin de palier, mieux, on l'évite : pathologie de la relation.

Avec les murs d'images télématiques, communiquer et jouer en temps réel avec des correspondants éloignés est devenu possible. ▼

En autorisant l'anonymat, ce développement de la relation médiatisée a aussi provoqué une flambée de la télé-délinquance : piratages, escroqueries, abus de confiance, hold-ups de banques d'informations, télé-exhibitionnistes qui se connectent sur les réseaux scolaires... Pour y faire face, il a fallu mettre en place des systèmes qui soient capables de retrouver la trace de l'émetteur à partir de

Le minitel donne accès à tout et au reste. ▶

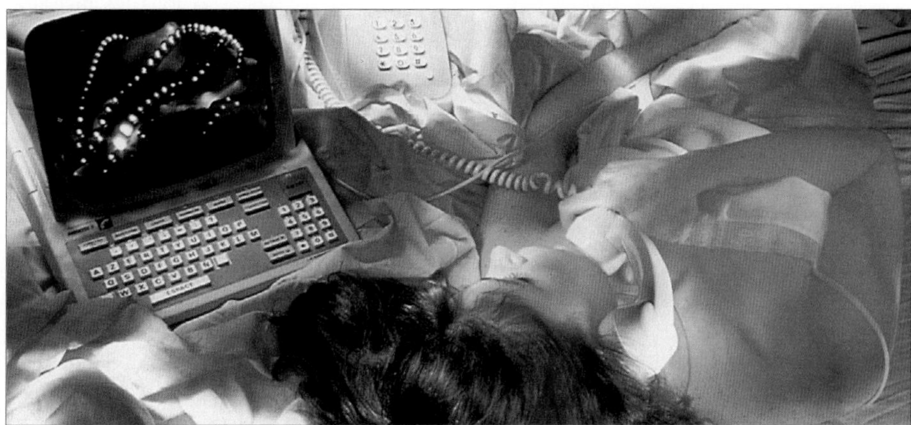

l'"empreinte" des messages reçus. Mais la police des communications est vite débordée par la quantité des plaintes où les fantasmes et la réalité se mêlent sans retenue.

Ce développement quantitatif des relations a parfois pour prix un certain appauvrissement qualitatif. Sans doute sont-elles plus simples et moins protocolaires que par le passé, mais elles sont aussi plus faciles à établir et à rompre. La principale recherche porte donc sur l'enrichissement des relations. Ce qu'il y a de plus rare est aussi le plus précieux. L'attention aux autres, la bienveillance deviennent les attitudes les plus appréciées, les valeurs les plus recherchées.

TRAVAILLER

Si le souci de soi remplit désormais chez la plupart des hommes l'espace laissé vide par les dieux, ce n'est pas sans conséquences. Etant devenu à lui-même sa propre fin, l'individu est appelé à chercher en lui, et non plus hors de lui, le sens de sa vie : dans la réalisation et l'épanouissement de ses potentialités et de ses talents.

Un des lieux de cet accomplissement est le travail, au sens le plus large du terme. La société du vingt-et-unième siècle est tout sauf oisive. Dans la mesure où il devient un enjeu fondamental de l'existence, le critère d'une vie réussie, le travail y prend même une importance encore plus grande que par le passé : il n'est plus d'abord un moyen d'avoir, mais un moyen d'être.

Cette valorisation du travail se vit toutefois sur des registres différents. Pour les uns, le lieu de l'auto-accomplissement se trouve dans les institutions : entreprises,

Ah, garder toute ma vie le plaisir de travailler ! ▼

■ **La vie associative se déroule pour partie à distance et à domicile, ce qui démultiplie son efficacité : les manifestations n'ont plus lieu seulement dans la rue, mais aussi sur les réseaux de télécommunication, en occupant les terminaux, en intervenant directement dans les programmes télévisés.**

■ **Ce qu'il y a de plus rare est aussi le plus précieux. L'attention aux autres, la bienveillance deviennent les attitudes les plus appréciées, les valeurs les plus recherchées.**

services publics ou privés. Pour les autres, il se trouve au dehors. Tout dépend de la position occupée, de la nature du travail exercé, des choix philosophiques, moraux et personnels que l'individu fait.

▲ L'homme peut construire un monde où le travail morne et répétitif n'existe plus.

A tous les niveaux, apparaît une demande croissante d'autonomie et de responsabilité. Ayant constaté que la motivation des salariés est un puissant facteur de productivité, les responsables s'efforcent de promouvoir la "culture d'entreprise", tout en décentralisant les activités, en assouplissant les formalismes, en favorisant l'initiative individuelle. La participation aux décisions est élargie, les hiérarchies se font moins rigides : les nouvelles mentalités, en effet, ne s'accommodent plus du modèle ancien, fondé sur le commandement autoritaire et unilatéral de type militaire, qui, devenu de moins en moins efficace, doit céder la place à des modèles interactifs.

Mais l'individuation du travail a aussi pour conséquence une aggravation de la compétition. La sélection pour les emplois est sévère, les critères de compétence se font plus stricts. En outre, les technologies évoluent à un rythme accéléré : la formation permanente occupe une place de plus en plus importante. Cela exige des salariés, à tous les niveaux, un effort personnel soutenu : il ne suffit plus d'avoir un emploi, il faut se maintenir au niveau pour le conserver. En dépit de combats d'arrière-garde, les anciens statuts professionnels protégés sont voués à la disparition au cours du vingt-et-unième siècle.

Cette remise en cause permanente, qu'imposent la mobilité de la technologie et la compétition, provoque des dégâts humains importants. La tension, le sentiment d'insécurité font monter la courbe des troubles psychologiques et des maladies nerveuses. Le fossé tend à se creuser entre ceux qui sont capables de s'adapter et ceux que l'impitoyable sélection rejette hors de l'orbite professionnelle. L'accomplissement personnel, ce n'est pas seulement une carrière gratifiante et un salaire élevé, c'est aussi le sentiment d'appartenir à cette élite de professionnels sortis vainqueurs de la compétition.

La tâche est dure, quand elle ne plaît pas. Proverbe arabe.

La mise sous tension élitiste, que les institutions pratiquent avec acharnement, entre progressivement en contradiction avec le besoin d'autonomie et de reconnaissance individuelle. Se développe alors toute une zone de réseaux plus ou moins marginaux, plus ou moins informels : un monde de semi-professionnels, de travailleurs à temps partiel, d'indépendants, d'intermittents, parfois hautement qualifiés. Certains vivent en symbiose avec le système : ils fournissent aux entreprises des travaux à façon, sous-traitent des services artisanaux ou très spécialisés. Ces activités professionnelles individuelles sont facilitées par la très grande diversification de la demande de sous-

■ ***La mise sous tension élitiste, que les institutions pratiquent avec acharnement, entre progressivement en contradiction avec le besoin d'autonomie et de reconnaissance individuelle. Se développe alors un monde de semi-professionnels, de travailleurs à temps partiel, d'indépendants, d'intermittents, parfois hautement qualifiés.***

■ ***Capable de s'adapter à toutes les circonstances, le secteur informel est un lieu d'innovation, d'expérimentation, d'imagination, de création, un moyen également de prendre des raccourcis par rapport aux circuits officiels. C'est un partenaire précieux pour les entreprises légalement installées, particulièrement dans le tiers monde.***

traitance, par les progrès de la technologie légère, des communications et de l'informatisation, ainsi que par le développement du travail à distance. D'autres, exclus du système professionnel principal,

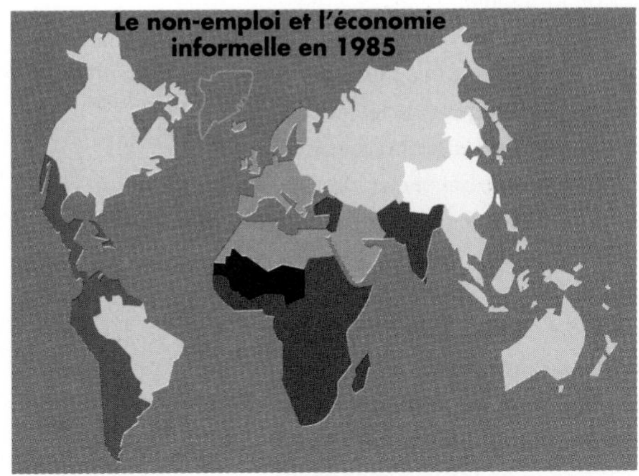

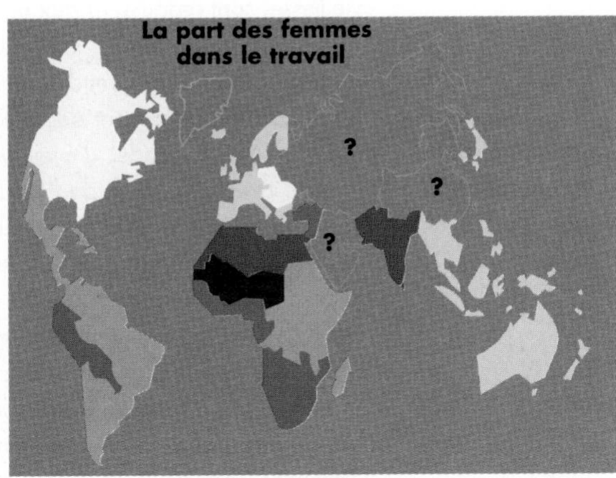

nombre de personnes ne travaillant pas (ou n'étant pas déclarées au Bureau International du Travail) pour cent personnes en âge de travailler (15-64 ans)

15
20 à 32
38 à 51
66 à 69
80 à 93
99

sont progressivement déqualifiés. Ils ne pratiquent le travail qu'à titre strictement alimentaire, vivent d'emplois provisoires et de petits trafics, s'investissent ailleurs, dans les loisirs, les voyages...

Parallèlement au travail institutionnel se développe ainsi un espace de travail informel, à demi souterrain, qui investit largement certains domaines de l'artisanat et des services. Exempt des pesanteurs et du formalisme des institutions, sachant tirer parti de tout, capable de s'adapter à toutes les circonstances, le secteur informel est un lieu d'innovation, d'expérimentation, d'imagination, de création, un moyen également de prendre des raccourcis par rapport aux circuits officiels. C'est un partenaire précieux pour les entreprises légalement installées. En outre, il permet aux exclus, aux marginaux, aux non-conformistes, de trouver un mode d'insertion sociale.

Dans les pays industrialisés, son développement est cependant contenu et freiné par la législation sociale et diverses résistances corporatistes. Il n'en va pas de même pour le tiers monde et c'est un moyen pour celui-ci de s'insérer dans les circuits économiques mondiaux. Les petites entreprises familiales d'Afrique et du Moyen-Orient rachètent des matériels occidentaux obsolètes, les bricolent, les adaptent, les détournent de manière parfois étonnante. Grâce à leur ingéniosité, à leur souplesse, à leurs réseaux de relations, elles sont capables, à l'aide d'équipements rudimentaires, de produire à la demande n'importe quelle pièce détachée, de copier n'importe quel mécanisme à des prix imbattables. Aussi investissent-elles bientôt le marché de la sous-traitance et le secteur des productions à l'unité et en petite quantités, tout ce qui demande, en plus du savoir-faire technique, un talent d'improvisation et de bricolage.

nombre de femmes travaillant (déclarées au Bureau International du Travail) pour cent hommes travaillant

70 à 79
61 à 66
47 à 51
20 à 30
15 à 19
8

Ces deux cartes ont été élaborées à partir des données officielles fournies par les Etats au B.I.T. Elles sont donc affectées par la diversité et la qualité des instruments de mesure nationaux. En particulier, les "petits boulots", très fréquents dans les pays du tiers monde, et le travail domestique apparaissent ici comme du non-emploi.

NAÎTRE, VIEILLIR, MOURIR

Dans la société productiviste de la seconde moitié du vingtième siècle, tout s'organise autour de l'adulte. Le jeune cadre dynamique occidental semble être le centre du monde. Parce qu'il est le détenteur du pouvoir d'achat, c'est lui que les vendeurs courtisent, c'est pour lui que sont dessinés les immeubles, les automobiles, les téléviseurs, les téléphones, les magnétoscopes... Les deux extrémités de la vie, l'enfance et la vieillesse, sont repoussées aux marges de la société.

C'est à la fin des années 1980 que commence l'inversion de ce courant en Europe. On se rend compte que *"Le bébé est une personne"*[1], les municipalités ouvrent des crèches, les écoles maternelles perfectionnent leurs méthodes d'éveil, les publicités s'adressent à lui directement. La socialisation de l'enfant commence à bénéficier des travaux de la science et du marketing. C'est dans ces années que les parents se désengagent de plus en plus des projets de réussite sociale pour mieux s'occuper de leurs enfants. Faisant cela, ils bénéficient aussi, pour leur évolution personnelle, de l'enseignement que leur apporte la vitalité, l'amour et la créativité des enfants.

Si le vingt-et-unième siècle est le siècle de la femme, celui où elle se libère enfin d'une oppression millénaire, c'est aussi le siècle de l'enfant. L'attention portée à la vie sous toutes ses formes donne une importance accrue à celui qui vient de naître et commence à prendre connaissance du monde. Le secret de l'être est tapi dans cette conscience qui lentement s'éveille. Plus les adultes ont à se transformer eux-mêmes, plus ils voient dans l'enfance la référence de ce qu'ils ont à faire.

Pendant des siècles, les personnes âgées étaient associées à la sagesse, au savoir. On leur demandait conseil, on les écoutait, on les respectait. Leur autorité sur leur descendance était très forte. Très fréquemment d'ailleurs, elles habitaient sous le même toit que leurs enfants jusqu'à la mort. Dès la fin de la Seconde Guerre mondiale, leur situation bascule : priorité est donnée aux jeunes. Les personnes âgées sont alors perçues comme retardataires, conservatrices. La vieillesse est associée à la déchéance physique, à la non-productivité. Il s'établit une certaine ségrégation à l'égard des personnes âgées qui sont mentalement et concrètement mises à l'écart : maisons de retraite, asiles... Le respect des anciens s'en trouve consécutivement amoindri. D'une période où les jeunes imitaient ou s'inspiraient des vieux, la société entre dans une époque où les vieux qui veulent rester "dans le coup" copient les jeunes.

L'accouchement dans l'eau : ça baigne dès le début. L'entrée en scène se diversifie. ▼

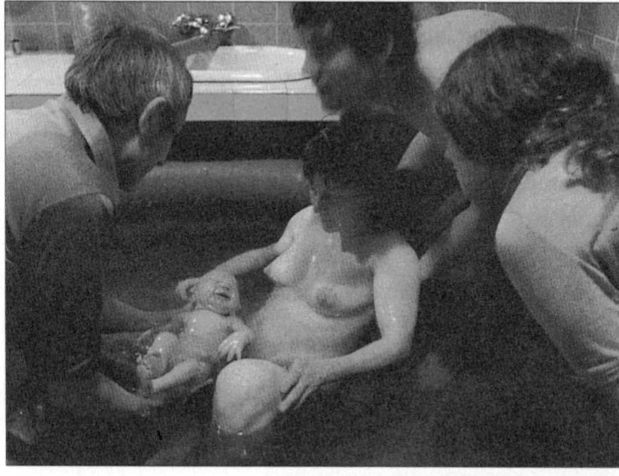

Pendant les années 1980, de nombreux éléments suggèrent que la société occidentale a entamé, de ce côté aussi, un mouvement de rééquilibrage. La retraite qui représentait pour beaucoup la fin d'une carrière, la disparition d'un pilier central de la vie, est de plus en plus perçue comme le début d'une nouvelle vie, qui sera tout aussi attractive que la précédente. L'homme arrive à la retraite avec encore de nombreuses années à vivre en pleine possession de ses moyens physiques et intellectuels. Les personnes âgées sont alors fortement imprégnées de vitalité, d'ouverture au changement.

[1] *Série télévisée sur la conscience du nourrisson.*

■ ***Si le vingt-et-unième siècle est le siècle de la femme, c'est aussi le siècle de l'enfant. L'attention portée à la vie sous toutes ses formes donne une importance accrue à celui qui vient de naître et commence à prendre connaissance du monde. Le secret de l'être est tapi dans cette conscience qui lentement s'éveille.***

■ ***La proportion des personnes âgées qui conservent une certaine activité s'accroît sensiblement au cours du vingt-et-unième siècle. La plupart se tourne vers les secteurs de l'éducation, du social, de la culture, des loisirs, des voyages et de la politique locale ou internationale.***

La frontière entre études, travail, retraite, se dilue : depuis les années 1970, les personnes âgées retournent de plus en plus souvent à l'université. Vers 1985, les entreprises, notamment aux Etats-Unis et en Suède, cherchent à retenir leurs cadres au-delà de l'âge légal de la retraite. Certains pensent à l'importation du modèle japonais de retraite douce pouvant s'échelonner progressivement jusqu'à soixante-quinze ans. En fonction de leur situation personnelle, les personnes âgées choisissent entre repos et activité, entre travail rémunéré, bénévolat et formation, entre continuité par rapport au passé professionnel et rupture-innovation... La proportion des personnes âgées conservant une certaine activité s'accroît sensiblement au vingt-et-unième siècle. La plupart se tourne vers les secteurs de l'éducation, du social, de la culture, des loisirs, des voyages et de la politique locale ou internationale.

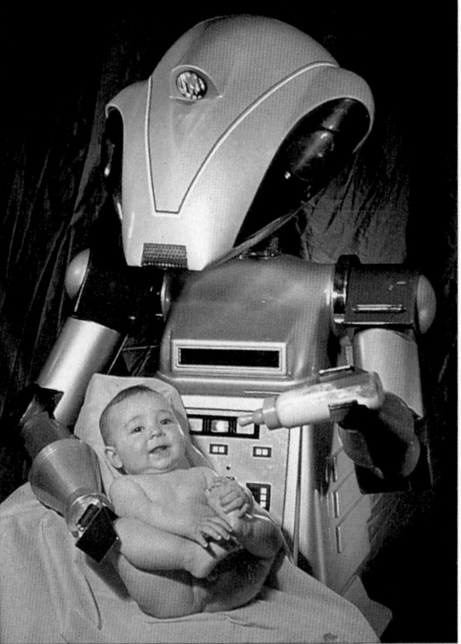

▲ *Même les robots commencent à s'occuper des enfants.*

Quels que soient les choix des uns et des autres, une partie croissante des personnes âgées joue le rôle de défricheurs des nouvelles voies de l'autonomie. En meilleure forme, économiquement à l'aise, libérés des contraintes du travail et des enfants, ces nouveaux vieux explorent de nouvelles façons de vivre.

Le vingtième siècle (tout comme le précédent) était celui de la mort-tabou. C'est la mort refoulée innommable. Les individus préfèrent ne pas y penser, ne pas la regarder, ne pas l'anticiper. C'est la mort que l'on s'efforce de repousser au plus tard possible au travers d'un effort médical prodigieux, dont le paroxysme négatif est l'acharnement thérapeutique. Le progrès des technologies médicales permet de conserver en vie pendant de nombreuses années des individus aux capacités fortement dégradées. Il a été plus rapide que la maturation morale de la société et des individus à l'égard de la mort.

A la fin du vingtième siècle, en Occident, des évolutions suggèrent que l'on se trouve à l'aube d'un réajustement des valeurs individuelles et sociales. Des associations se créent. Les médias font largement écho au combat d'individus contre leur maintien en vie coûte que coûte. Cette amplification médiatique de résistances individuelles crée, via l'émotion qu'elle déclenche, une chaîne de solidarité instinctive. Chacun se sent en résonance avec la lutte de cet individu qu'il ne connaît pas en personne, mais qui souffre et émeut. Progressivement, par ce biais, un réel débat sur l'euthanasie s'amorce.

La mode s'accommode de la mort comme de la vie. ▼

Un vieux puits a la meilleure eau. Proverbe alsacien.

Un nouvel humanisme émerge ("*ne pas prolonger inutilement les souffrances d'un individu*") qui remet en cause les valeurs

▲ *L'amour n'a pas d'âge, ni de couleur.*

Lors des funérailles d'un membre d'un gang de Los Angeles, le décorum estompe ◀ *le souvenir de la violence.*

jusqu'alors communément en vigueur ("*tant qu'il y a de la vie, il y a de l'espoir*", "*il faut respecter la vie à tout prix*"). La mort douce, "en cachette", avec l'aide d'un médecin en accord tacite ou explicite avec la famille, progresse de façon discrète, mais soutenue.

La volonté d'une mort maîtrisée dans la dignité se diffuse dans les décennies à venir. Il devient courant et admis de gérer sa mort de son vivant en collaboration avec son entourage et les professionnels concernés. Les individus prennent les décisions nécessaires pour réussir leur fin par une mort digne, en pleine conscience, dans un cadre propice et sans souffrance physique.

La mort n'est alors plus perçue comme une absurdité mais comme une étape-clef chargée de sens, un acte suprême de vie. La façon de mourir achèvera de donner son sens à la vie d'un individu.

Glissement vers un nouvel humanisme : le débat sur la mort décidée s'amplifie. La prise de conscience progressive des effets pervers de l'acharnement thérapeutique, encore largement individuelle et intériorisée, débouche sur un débat public planétaire.

ORDRE ET DÉSORDRE

La cause profonde du mouvement d'individuation est sans doute la surinformation, ou, comme dit Alvin Toffler[1], l'hyperchoix. Face à la multitude des possibles, l'individu doit se choisir un style de vie, définir ses centres d'intérêt, réduire l'incertitude. Cette cause n'a aucune raison de s'éteindre. Bien au contraire, elle s'amplifie. L'individuation reste donc l'axe central de l'évolution sociale. En conséquence, l'espace de la souveraineté privée continue de s'étendre et de s'approfondir, et ceci au détriment de l'espace public.

[1] *Alvin Toffler, Le choc du futur, Gallimard, Paris, 1979.*

■ *La mort n'est plus perçue comme une absurdité mais comme une étape-clef chargée de sens, un acte suprême de vie. Glissement vers un nouvel humanisme : le débat sur la mort décidée s'amplifie. La prise de conscience progressive des effets pervers de l'acharnement thérapeutique, encore largement individuelle et intériorisée, débouche sur un débat public planétaire.*

■ *Mieux formé, mieux informé, relié à ses semblables par une multiplicité de réseaux, le citoyen entend participer directement à la gestion des affaires collectives.*

■ *Le référendum d'initiative populaire devient une pratique courante, d'autant que les terminaux installés à domicile permettent maintenant des consultations immédiates.*

Ce mouvement de fond éloigne de plus en plus l'homme de la société holiste originelle. Il en résulte un allègement continu du poids de la tribu sur l'individu. Les interdits, les tabous, les contraintes extérieures s'assouplissent. Le vingt-et-unième siècle se présente comme un monde pluraliste et ouvert, dans lequel les valeurs deviennent relatives et les critères instables. Il n'y a plus de sacré, il n'y a plus d'absolu, tout devient négociable, tout est affaire de convention et de contrat. Et dès lors, tout est permis, tout est toléré, dans les seules limites du respect du contrat passé avec autrui. Mais si l'individu s'éloigne de la société holiste, c'est pour mieux y retourner dans un second temps. L'Occident rejoint alors le Tiers Monde en affirmant à juste titre qu'au-delà de l'appartenance à des tribus particulières, il y a une appartenance plus générale à l'espèce humaine qui doit prévaloir : le respect des droits de l'homme et de ceux de la planète.

Le Catalan fait sortir le pain des pierres. Proverbe …catalan.

Le rôle de l'autorité politique est désormais de gérer correctement les services publics. Mieux formé, mieux informé, relié à ses semblables par une multiplicité de réseaux, le citoyen entend participer directement à la gestion des affaires collectives. Que ce soit à propos des affaires de son entreprise, de sa collectivité locale, de son pays ou du monde, il veut avoir son mot à dire, il exige d'être consulté. Le développement des réseaux d'information interactive et des technologies de communication font du référendum d'initiative populaire une pratique courante, d'autant que les terminaux installés à domicile permettent maintenant des consultations immédiates lorsque le besoin s'en fait sentir. A tous les niveaux, la société civile se gère de plus en plus elle-même, réduisant d'autant l'intervention autoritaire des bureaux, des administrations, des institutions : ceux-ci doivent se contenter de coordonner les initiatives des citoyens, de mettre en forme et d'exécuter leurs décisions.

▲ Hyperchoix de nounours.

Mais cette extension de l'aire de responsabilité et d'initiative des individus n'est pas sans conséquences sur leur manière d'être. Dans la société holiste, chacun était déchargé par le système du poids de ses responsabilités personnelles. Si son espace d'initiative propre était étroitement circonscrit, il y disposait en revanche d'une très grande licence et, sous condition de ne pas transgresser les interdits, il pouvait se laisser aller quasi-librement à sa fantaisie.

Dans la société d'individuation, les charges autrefois assumées par la communauté ont été transférées sur l'individu. A lui désormais de se fixer ses propres règles, d'édicter ses propres interdits et de se les imposer, à lui de conclure ses propres contrats avec le monde qui l'entoure et de s'obliger à les respecter. Le voici tenu d'organiser lui-même sa vie, de mesurer les conséquences de ses actes, de prévoir, de calculer. N'ayant personne sur qui se décharger, il lui faut gérer seul sa liberté et les contraintes qui l'accompagnent comme son ombre portée.

Il n'a plus cette disponibilité, cette irresponsabilité qui "simplifiaient" la vie de l'homme de la société holiste. Il lui faut donc être toujours raisonnable et sensé, avoir toujours le sens de la mesure, savoir distinguer de lui-même entre ce qui est possible et ce qui ne l'est pas. Sans cesse, il réfrène ses pulsions, contrôle ses élans, maîtrise sa spontanéité. Il emprisonne son inconscient dans une armature solide qui le maintiendra efficacement sous l'empire de sa raison. Jusqu'où est-ce possible ? Soit les barrages qu'il édifie sont trop rigides et il risque l'effondrement dans la pathologie, soit ils ne le sont pas assez et il risque l'explosion sauvage. Quel est le prix à payer pour cette autodomestication ? Ne s'ampute-t-il pas d'une dimension vitale pour son équilibre ? En donnant la haute main à la raison sur la sensibilité et l'affectivité, ne sacrifie-t-il pas l'essentiel à l'accessoire, n'étrangle-t-il pas la vie même ? Et à quoi cela lui sert-il, dès lors, d'avoir une liberté d'expression totale et des moyens illimités, si sa sensibilité est devenue muette, s'il n'a plus rien d'autre à exprimer que le vide qui l'habite ?

▲ *La soumission à l'autorité ne concerne plus que les moutons.*

Aussi, plutôt que de choisir la répression, l'individu laisse à l'irrationnel un espace où vagabonder. Exutoire qui pourra prendre parfois des formes violentes, encore que passagères. Comme tous les animaux, l'homme a besoin d'extérioriser de temps à autre ses pulsions, de se vider de ses tensions, de donner libre cours à sa déraison. Il lui faut alors retrouver momentanément une tribu et se fondre en elle, se nier en elle, rejetant un moment les règles qui corsettent sa vie. Se forment ainsi de temps à autre, à l'occasion des grands rassemblements, en particulier des grandes rencontres sportives, des bandes hurlantes qui déferlent à travers les villes, saccageant tout sur leur passage. Puis, la crise d'animalité passée, chacun redevient le sage employé de bureau qu'il était la veille. Parfois aussi, un tireur fou ouvre le feu au hasard dans la foule. Dans un monde trop civilisé, de telles explosions de violence sont vraisemblablement la rançon des contraintes internes que chacun doit s'imposer à lui-même.

Les bureaucrates en vacances s'exercent à exploser sauvagement. ▼

Mais ce lieu du compromis peut heureusement aussi être celui du jeu, qui lui permet de mettre de la distance entre lui-même et son ou ses personnages, entre lui-même et la réalité, qui réintroduit la vie là où elle risquait d'être étouffée. Cette prise de recul lui permet, en outre, de voir le monde en perspective, d'en relativiser les propor-

■ ***Dans un monde trop civilisé, des explosions de violence sont vraisemblablement la rançon des contraintes internes que chacun doit s'imposer à lui-même. Ce lieu du compromis peut heureusement aussi être celui du jeu, qui lui permet de mettre de la distance entre lui-même et la réalité.***

■ ***En faisant sa place à la déraison, la société moderne retrouve la tradition immémoriale des anciennes sociétés, qui voyaient dans la folie l'expression obscure de la sagesse.***

Il n'est si sage qui ne foloie.
Proverbe français.

tions, de mieux distinguer ce qui est important de ce qui ne l'est pas. Elle sert ainsi de prélude à d'autres interrogations, plus fondamentales, qui esquissent l'étape suivante de sa libération. En faisant sa place à la déraison, la société moderne retrouve la tradition immémoriale des anciennes sociétés, qui voyaient dans la folie une obscure expression de la sagesse. ■

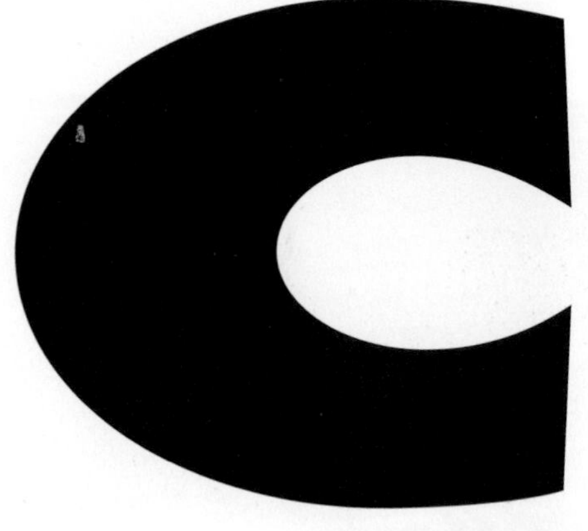

h a

Avec les nouveaux réseaux d'information, les entreprises développent des personnalités autonomes qui s'expriment dans leurs images publicitaires et aussi dans les "cultures d'entreprise", à l'élaboration desquelles les employés sont invités à participer. Ces entités industrielles et tertiaires, organisations multiformes, ont acquis, pour certaines, des pouvoirs supérieurs à ceux des Etats. Elles jouent désormais un rôle primordial dans l'évolution de l'homme sur la planète.

Stratégies des entreprises

pitre 15

Trois grandes mutations touchent les entreprises. La première est le passage de l'entreprise qui fabrique des produits à l'entreprise qui maîtrise des technologies. La deuxième est le passage de l'entreprise qui produit en masse, et pendant longtemps, des objets tous identiques, à l'entreprise qui s'adapte sans cesse à de nouvelles technologies et à de nouveaux marchés. La troisième est le passage de l'entreprise lieu de travail et d'exploitation des salariés à l'entreprise lieu de vie et de développement personnel de ses employés. Ces trois mutations découlent des nouveaux modes et des nouvelles possibilités de circulation de l'information.

Le savoir-faire est de plus en plus précis. ▼

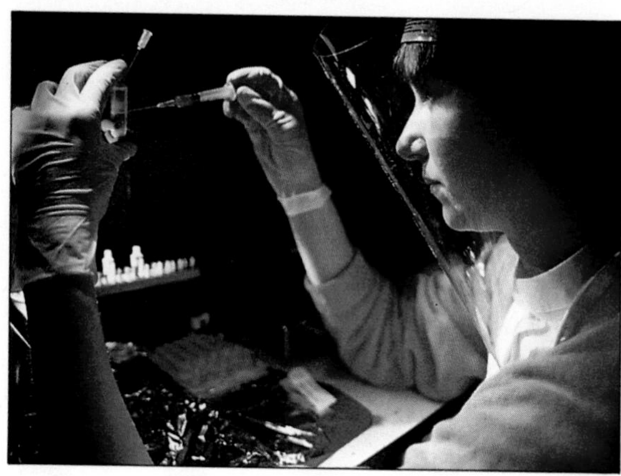

LES SAVOIR-FAIRE SONT AU CŒUR DE L'ENTREPRISE

1975 : la situation est grave pour les fournisseurs du Pentagone. L'industrie aérospatiale est entrée depuis plusieurs années dans une crise profonde et durable née de la conjonction de la fin du programme de conquête de la Lune, de celle de la guerre du Viet-Nam et d'une importante récession du marché aéronautique civil. En quatre ans, la production a chuté de plus de 30% et les traditionnels profits se sont transformés en lourdes pertes.

C'est dans ces circonstances que Harry J. Gray, président depuis quelques mois de la société United Aircraft, annonce à sa secrétaire qu'il a décidé de changer le nom de l'entreprise. Il la rebaptise United Technologies. Celle-ci n'y voit d'abord qu'une opération publicitaire, en accord avec la personnalité d'un homme venu du journalisme, origine inhabituelle pour le patron d'un grand fournisseur du Pentagone[1]. Mais la raison de cette décision est beaucoup plus profonde. H.J.Gray veut montrer ainsi sa volonté de réorienter toute l'activité de son entreprise, du matériel à la compétence technique, du produit manufacturé à l'intelligence. L'entreprise ne se définit plus par sa production, mais par ses savoir-concevoir et ses savoir-produire. Elle entre désormais dans l'ère de "la révolution de l'intelligence".

■ Les nouvelles entités industrielles ont acquis, pour certaines, des pouvoirs supérieurs à ceux des Etats et jouent désormais un rôle primordial dans l'évolution de l'espèce humaine sur la planète.

■ La réflexion repose sur le constat que les technologies émergentes se situent au recoupement de domaines jusqu'alors distincts : optoélectronique, mécatronique, robotique, matériaux composites...

Et c'est bien à partir du laboratoire central de recherches, véritable cœur technologique, comptant alors plus de mille ingénieurs et techniciens, que se redéploie la stratégie de United Technologies. Les trois grandes compétences de ce laboratoire, thermodynamique, électronique et systèmes, servent de base à la restructuration autour de trois divisions : énergie, industrie et systèmes. *"Notre métier est de gérer la technologie"* devient le slogan

[1] Avec lequel United Aircraft réalise plus des trois quarts de son chiffre d'affaires.

de l'entreprise. United Technologies s'engage alors dans une expansion rapide et déploie ses capacités d'innovation dans tous les secteurs, de la robotique à l'automobile en passant par les turbines industrielles. C'est le succès. En dix ans, pendant que les dépenses de recherche sont multipliées par quatre, le chiffre d'affaires l'est par 6,4 et les profits par 8,8 ! L'épopée s'arrête en 1987 avec le départ d'H.J.Gray et le retour du groupe à une orientation plus traditionnelle, recentrée sur l'armement.

UNE PRISE DE CONSCIENCE MONDIALE VOIT LE JOUR

Quelques hommes politiques comprennent également le rôle déterminant que joue la maîtrise technologique dans la bataille économique internationale : *"L'époque des années 1950-1960, où les Etats Unis d'Amérique gouvernaient le monde par leurs capacités d'interventions financières et militaires, est terminée. Le moyen par lequel nous pouvons agir désormais, c'est notre capacité technologique"* devait alors déclarer Henry Kissinger à la communauté scientifique[1], qu'il charge de reprendre le flambeau que l'armée américaine avait laissé s'éteindre dans les rizières du Viet-Nam.

▲ *La maîtrise de la technologie permet de faire face en temps réel à un afflux d'informations codées.*

Dans le même temps, cette graine a aussi germé de l'autre côté du Pacifique. Au Japon, la fin des années 1970 est marquée par une vaste réflexion collective sur la révolution technologique en cours. L'impulsion est venue du MITI[2]. Des universités aux entreprises[3], tout le monde est concerné. La réflexion repose sur le constat que les technologies émergentes se situent au recoupement de domaines jusqu'alors distincts. Elles se nomment optoélectronique, mécatronique, robotique, matériaux composites, céramiques. Non seulement elles vont permettre de réaliser des produits nouveaux, mais elles vont également transformer radicalement les produits disponibles. C'est sur elles qu'il faut asseoir la spécialisation des entreprises qui fourniront tous les composants, systèmes et produits futurs.
La mutation stratégique des groupes japonais intervient à partir de cette période. Elle est globale et touche la plupart des grandes entreprises. Les sociétés Nec, Mitsubishi Electric Corporation, Toshiba, Toray se positionnent alors sur ces technologies de base qui, bien maîtrisées, se traduisent par un flot de produits destinés aux marchés les plus divers. Les produits destinés au grand public, des automobiles aux chaînes stéréo en passant par les appareils photo, sont tout d'abord privilégiés, car souvent délaissés par les industriels étrangers, trop fascinés par leurs propres marchés d'Etat et les biens d'équipement lourds.

[1] Henry Kissinger, On science making the linkage with diplomacy, Science, 4 mai 1974.

[2] Ministère de l'Industrie et du Commerce extérieur, plaque tournante de la politique industrielle japonaise.

[3] Institut de recherche sur l'industrie, Le développement des technologies de pointe : analyse de leur efficacité économique, Tokyo, 1980. T. Noguchi, Hautes technologies et stratégies industrielles au Japon, Colloque des économistes de langue française, Strasbourg, 1983.

En Europe, la réflexion est plus diversifiée qu'au Japon. L'Allemagne fédérale, riche de sa tradition industrielle, se sent très tôt concernée par ces technologies (avant même les Japonais), avec notamment

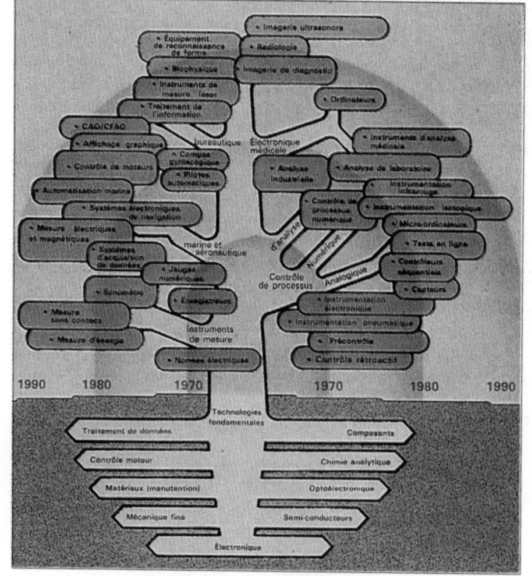

Les entreprises se voient ▶ comme des êtres vivants. Un exemple : l'arbre stratégique de la Compagnie YEW et son évolution dans le temps.

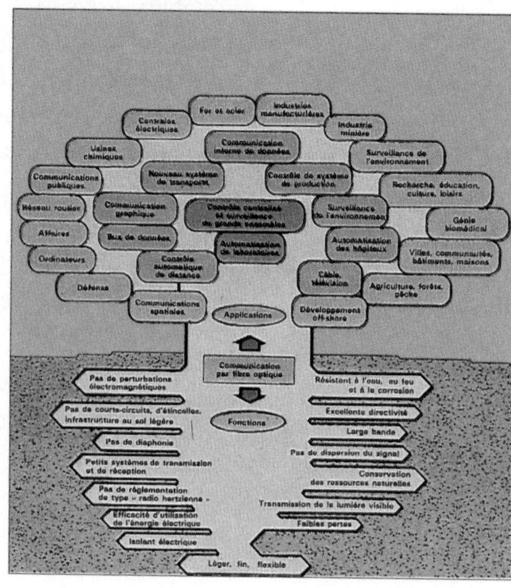

▲ Développement et applications des fibres optiques, d'après la Communications Industries Association of Japan. (dessin Pierre Bon).

Siemens et les grands chimistes. Daimler Benz suit le mouvement. Au nord, les grands groupes suédois, Volvo, Saab, Ericsson, Electrolux jouent également un rôle pionnier. Le mouvement s'étend progressivement aux autres pays. En France, notamment, la prise de conscience est rapide et assez générale dans les grandes entreprises, telles que Saint Gobain, Péchiney ou Rhône Poulenc, mais moins évidente, voire à contre-courant, au niveau des pouvoirs publics : les politiques industrielles, et notamment les nationalisations de 1982, se font encore avec comme objectif de consolider des leaders nationaux qui sont définis en termes de produits et de marchés. Dans le monde entier, les entreprises découvrent peu à peu l'essentiel : la maîtrise du savoir technique, c'est-à-dire la transition du "faire" au "savoir-faire" et même au "savoir faire faire". Si elle ne détient pas cette maîtrise, l'entreprise est extraordinairement fragile face aux concurrents qui vont la grignoter progressivement ou la déstabiliser brutalement par un flot continu d'innovations. Le terme de "compétences technologiques", employé pour définir ce nouveau cœur stratégique de l'entreprise, n'inclut pas seulement la maîtrise des technologies proprement dites, mais également tous les éléments du savoir : savoir concevoir, savoir produire et savoir vendre.

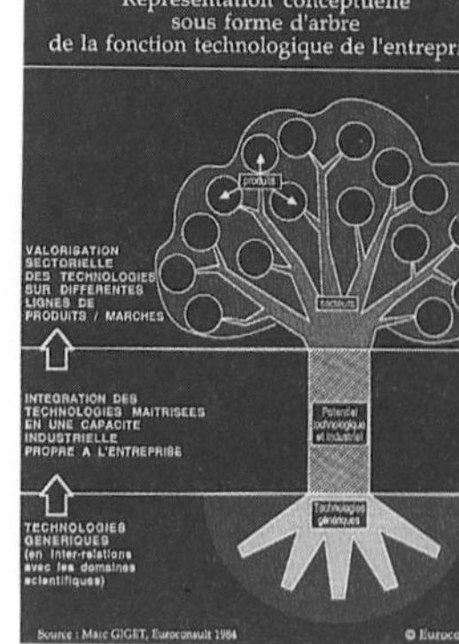

L'ARBRE DE LA MAÎTRISE TECHNOLOGIQUE

Dans les stratégies traditionnelles des entreprises, l'enjeu se définissait simplement : il fallait élargir les parts de marché tout en améliorant la rentabilité, les deux allant souvent de pair. Les technologies n'étaient que des moyens au service de cette finalité. Le discours portait alors sur les "contraintes de la modernisation". La nouvelle approche se situe à l'opposé. Les technologies sont les racines à partir desquelles l'arbre se construit. Elles sont qualifiées de génériques en ce sens qu'elles sont très proches des disciplines scientifiques et

Il ne faut pas faire confiance à un médecin maigre ni à un coiffeur chauve.
Proverbe polonais.

non finalisées : biochimie, microbiologie, génétique, thermodynamique, optique... L'image des racines illustre bien les deux fonctions assumées à ce niveau : succion des connaissances de la communauté scientifique, où la firme doit être solidement implantée, et maintien de l'assise scientifique et technologique propre de l'entreprise.
Si l'on se situe au niveau du tronc de l'arbre, les compétences industrielles permettent ensuite à l'entreprise d'exister en tant que producteur. Sans cette fonction industrielle, il ne peut y avoir de transfert des connaissances scientifiques situées en amont, vers la satisfaction des besoins du marché.
Le feuillage représente les différents couples produits-marchés sur lesquels intervient l'entreprise. Ils évoluent en même temps que la demande. Certains régressent sur les produits en déclin et d'autres se développent là où la demande est forte.
En se repositionnant sur la maîtrise de la connaissance, les entreprises ont découvert le véritable facteur décisif, ou plus exactement, l'ont redécouvert. Les grands groupes, au début des années 1990, ont en effet plus de cent ans : 104 ans pour Daimler Benz, 124 ans pour Nestlé, BASF, Bayer et Hœchst, 133 ans pour Rhône Poulenc et 143 ans pour Siemens. A l'époque de la création de ces entreprises, les technologies nouvelles s'appelaient l'électricité, la chimie fine, la photographie, la radio, la télégraphie, la téléphonie, la phonographie, la thermomécanique. Chacune a donné naissance à de nombreuses entreprises ayant pour stratégie de les transformer en produits de masse. Ces grands groupes ont survécu à l'effacement de leur spécialisation initiale pour se redéployer à partir d'un savoir-faire compagnonnique[1] et de l'incorporation des nouvelles connaissances.
En s'appuyant sur la connaissance, la science et le renouvellement technologique, les grandes entreprises jouent la carte du long terme. Même si le rythme de l'innovation devait se ralentir, comme cela a été le cas après les révolutions technologiques du passé, de nombreuses entreprises de la fin du vingt-et-unième siècle sont déjà bien placées dans les classements économiques de 1990.

■ Le terme de "compétences technologiques", employé pour définir le nouveau cœur stratégique de l'entreprise, n'inclut pas seulement la maîtrise des technologies, mais également tous les autres éléments du savoir : savoir concevoir, savoir produire et savoir vendre.

■ Les grands groupes, au début des années 1990, ont plus de cent ans. Ils ont survécu à l'effacement de leur spécialisation initiale pour se redéployer à partir d'un savoir-faire compagnonnique et de l'incorporation des nouvelles connaissances.

■ En suivant les modèles mis au point au Japon, un nombre grandissant d'entreprises structure la production selon une méthode qui se résume à trois instructions : zéro stock, zéro délai et zéro défaut.

SAVOIR PRODUIRE

En suivant les modèles d'organisation mis au point au Japon, un nombre grandissant d'entreprises structure la production selon une méthode qui se résume à trois instructions : zéro stock, zéro délai, zéro défaut. Bien entendu, cette méthode doit être adaptée à chaque type de production, voire à chaque culture industrielle. Mais, dans tous les cas, pour réduire les stocks, les délais et les défauts, il est nécessaire de disposer de moyens de communication puissants[2] et fiables, afin de relier toutes les parties du système de production, depuis les fournisseurs jusqu'aux réseaux de vente, en passant par les machines de production. L'installation de ces moyens de communication se fait par étapes, souvent en séparant, pour commencer, les trois grandes fonctions de conception, fabrication et vente.
Ainsi, une usine, même automatisée, n'est encore dans les années 1990 qu'un puzzle complexe d'éléments hétérogènes : réseaux

[1] Il faut toujours se souvenir que l'industrie s'est construite sur les débris des corporations, et qu'elle a hérité des connaissances pratiques des compagnons.

[2] Taïchi Ohno, L'esprit Toyota, Masson, Paris, 1989.

informatiques, servo-commandes, systèmes de vision, robots, ordinateurs... Le problème est de normaliser les communications pour que toutes ces machines puissent dialoguer. Tel est l'objectif du projet MAP (*Manufacturing automation protocol*), lancé, dès 1980, par le géant de l'automobile, General Motors. Cette entreprise propose une large collaboration entre industriels pour élaborer une norme internationale qui permettrait la communication entre tous les systèmes et appareillages informatisés, qu'il s'agisse de robots manipulateurs ou de machines-outils. De son côté Boeing développe le standard TOP (*Technical and office protocol*) plus orienté vers la bureautique, la messagerie et le transfert de données entre les bureaux des études et des méthodes, les services commerciaux et la gestion.

▲ *L'industrie était encore tournée vers l'effort de guerre au milieu du vingtième siècle.*

Pour diminuer stocks, délais et défauts, le problème de la communication n'est pas seulement interne à l'entreprise. Le développement des réseaux touche également la structure industrielle dans son ensemble. Il affecte les relations entre les entreprises, leurs sous-traitants, ainsi que leurs réseaux de distribution. Dès 1984, Général Motors lance un ultimatum à ses fournisseurs en leur donnant le choix : ne plus recevoir de commandes ou s'adapter avant 1987 à l'EDI (Echanges de documents informatiques), système normatif de transmission électronique des commandes qui apporte une meilleure souplesse et réduit les stocks.

Les exemples se multiplient dans l'automobile, poussée par la mondialisation des marchés, où la concurrence est exacerbée. Mais tous les secteurs sont touchés, même les plus traditionnels. Ainsi, dans le textile, Benetton s'est imposé en assurant, depuis Trévise, la supervision de l'approvisionnement de quelque 4500 boutiques disséminées dans le monde entier. Pour réaliser ce tour de force, l'entreprise a mis en place un système de distribution très élaboré qui repose sur deux piliers principaux :

- une informatique pour recevoir les commandes, mais aussi pour savoir où en est la production, quel est l'état des stocks, et suivre, étape par étape, les expéditions ou la facturation de chacun des 75 agents qui supervisent les 4500 détaillants ;
- un gigantesque entrepôt automatisé où converge l'ensemble de la production des usines Benetton et de ses sous-traitants. Là, des robots, pilotés à distance, lisent le code-barre imprimé sur les cartons, puis les rangent ou les sélectionnent pour les expédier.

Au Japon, le MITI lance le projet IMS (*Intelligent manufacturing system*), qui nécessite des investissements de cinquante milliards de yens étalés sur dix ans : il vise à standardiser les systèmes d'exploitation afin de permettre aux différents robots et ordinateurs d'échanger leurs informations et de s'intégrer dans des réseaux communs ;

ce concept va au-delà des projets existants[1] dans la mesure où il vise à intégrer dans un réseau unique la conception, la production, la gestion et le marketing dans l'entreprise. Le gouvernement japonais

Conception et fabrication par ordinateur permettent d'adapter instantanément le produit au goût du client. ▶

voudrait associer au projet les gouvernements américains et européens ainsi que des entreprises privées et des universitaires.

■ ***Selon une stratégie véritablement "révolutionnaire", des réseaux de communication intègrent les désirs de la clientèle directement dans le processus de production.***

■ ***Le projet IMS vise à permettre aux différents robots et ordinateurs d'échanger leurs informations et de s'intégrer dans les réseaux communs.***

■ ***A l'horizon 2100, très peu de produits complexes échappent à la règle de la "télé-prescription".***

SAVOIR VENDRE ET LIVRER VITE

Au-delà des performances de production, les réseaux de communication modifient profondément les relations entre les entreprises et les consommateurs. Ils offrent en effet, pour la première fois, la possibilité d'intégrer les désirs de la clientèle directement dans le processus de production. Dès 1989, Toyota offre à ses clients japonais le choix parmi 20 000 combinaisons d'options possibles. De la sorte, l'entreprise réussit à associer une production mensuelle de 150 000 à 200 000 voitures avec une personnalisation très grande des produits. Cette stratégie "révolutionnaire" repose sur un vaste réseau informatique reliant les unités de production, le réseau de vente et les sous-traitants. Le réseau permet de transmettre les commandes et de donner en temps réel le délai de livraison, qui n'excède jamais douze jours (il est en général beaucoup plus bref). Outre des délais de livraison réduits, ce réseau diminue les stocks et accélère leur vitesse de rotation. Il permet également de s'adapter aux changements d'avis du client : 35% des acheteurs demandent à modifier leur commande après l'avoir signée. En dix minutes, le réseau permet de savoir s'il est possible d'accepter cette demande.

Ces réseaux de communication rendent possible le traitement d'un nombre croissant de relations tout en tenant compte d'une multiplicité de paramètres. Ils permettent également de regrouper l'offre au client de gammes complètes de produits et services. Ainsi, l'achat d'un billet d'avion peut s'accompagner d'une réservation d'hôtel, d'une prise d'assurances, d'une location de voitures. L'adaptation à l'acheteur des produits et des services proposés s'accroît encore avec la généralisation et la normalisation des fichiers d'information personnalisés.

A l'horizon 2100, très peu de produits complexes échappent à la règle de la "télé-prescription". Les commandes sont passées sans

[1] Tels que le "computer integrated manufacturing" (CIM) américain.

délai depuis le domicile du consommateur qui définit ses propres spécifications, de la nature du produit jusqu'au type d'emballage, en biodégradable ou en recyclable par exemple, la présentation (à

l'unité, par six, par douze, etc.), sans oublier l'adresse de livraison, ainsi que les moyens d'acheminement ou de paiement. Chaque commande est analysée et les informations, une fois triées, sont réparties vers la chaîne de production ou les services de conditionnement, d'expédition ou de facturation. Le lieu de traitement des commandes peut être à des milliers de kilomètres du lieu de production, car rien n'oblige à regrouper en un même lieu les comptables et les robots. Les instructions qui correspondent à chaque commande sont envoyées au centre de production le plus proche du domicile de l'acheteur, ce qui permet d'optimiser les délais et les coûts de distribution.

■ ***Les commandes sont passées directement depuis le domicile du consommateur qui définit ses propres spécifications, de la nature du produit au type d'emballage et à la présentation, sans oublier les moyens d'acheminement ou de paiement.***

L'ENTREPRISE NEURONALE, UNE MUTATION PHILOSOPHIQUE

L'amélioration des communications est devenue un besoin vital pour les entreprises, aussi des moyens toujours plus importants lui sont-ils affectés : entre 1985 et 1988, alors que les autres investissements restent stationnaires, ceux qui sont destinés à installer des réseaux de communication croissent de 60%. Ainsi se joue l'une des plus importantes mutations que l'industrie et la "philosophie" des entreprises aient connues depuis un siècle. Cette ère nouvelle, inaugurée dans les années 1970, met définitivement un terme au modèle dit du machinisme, esquissé dès le siècle des Lumières par Adam Smith[1], puis précisé par Saint-Simon, Taylor et Ford. Ainsi, les entreprises passent d'une production de masse de produits à cycle de vie long, organisée comme une grande machine, à un modèle dit "réactif", à savoir mobile et vivant. La compétition entre les firmes, autrefois centrée sur le prix puis sur la différenciation, se déplace progressivement autour d'un impératif : savoir réagir. L'épuisement des anciennes normes de concurrence laisse alors la place à une bataille beaucoup plus subtile, fondée sur la capacité de reconfigurer très rapidement les ressources et de répondre aux exigences des consommateurs avec des délais de plus en plus courts. Dans les entreprises

■ ***Le réseau de Mitsui Shosha, par exemple, est une véritable pieuvre informationnelle enserrant dans ses tentacules la planète entière, où sont réparties ses cent vingt succursales.***

■ ***Chaque compagnie a sa personnalité. Un cerveau a besoin de rêver, sous peine de tomber dans la folie. Les entreprises rêvent-elles assez ?***

[1] *Recherche sur la nature et les causes de la richesse des nations*, Zeller, Paris, 1984.

de la fin du vingtième siècle, comme ailleurs, le temps se contracte. Les entreprises s'identifiaient jusqu'alors au fonctionnement de leur corps, la production. Elles se définissent désormais en premier lieu

par leur système nerveux, fondé sur l'informatique et les télécommunications. Les entreprises deviennent "neuro-mimétiques". Elles étendent leur réseau informationnel sur le monde entier, système de perception plus ou moins fin, plus ou moins réactif, plus ou moins spécialisé. Celui de Mitsui Shosha, par exemple, est une véritable pieuvre informationnelle enserrant dans ses tentacules la planète entière, où sont réparties ses cent vingt succursales. Ce réseau est comparable à celui des plus grandes agences de presse.

Telle forêt, tel gibier. Proverbe géorgien.

Chaque compagnie a sa personnalité. Mais la construction neuronale obéit à des règles : dans un cerveau, aucun neurone ne commande tous les autres. Pas de chef, et cependant ça marche ! Parallèlement un cerveau a besoin de rêver, sous peine de tomber dans la folie. Les entreprises rêvent-elles assez ?

Si les entreprises sont des êtres vivants, sont-elles douées d'une conscience ? Le langage courant le laisse supposer : personne n'est étonné d'entendre "IBM pense que..." ou "Mitsubishi a réfléchi à...", ou même "Rhône Poulenc n'aime pas les lessives sans phosphate". Prêter sans hésiter à ces personnes morales une personnalité, des sentiments et des capacités semblables à celles des personnes physiques est possible. Et cependant, rien ne le prouve. Ont-elles seulement une identité ? La question, souvent posée pendant la décennie 1980, à propos de cas particuliers, n'a pas toujours reçu de réponse claire. Cette personnification des entreprises pose non seulement un problème philosophique, mais aussi une série de questions pratiques. Minsky[1] a exploré comment, en connectant des composants inintelligents, aux réactions purement mécaniques, on pouvait espérer composer un être intelligent.

Mais la question inverse peut également être posée : en connectant, dans une même institution, des individus intelligents, le résultat est un être collectif qui, souvent, est moins intelligent que ses composants. Une entreprise, même composée d'excellents cerveaux, peut, faute d'une organisation et d'un entraînement cognitif approprié, avoir collectivement un niveau d'intelligence qui ne dépasse pas celui d'un mongolien. Evidemment, dans ce cas, la concurrence, pour autant

Marvin Minsky, La société de l'esprit, Interéditions Paris, 1988.

qu'elle existe, l'élimine tôt ou tard du circuit. Pour les dirigeants, il reste donc cette question, désormais incontournable : comment organiser efficacement le flux des connaissances et des informations à l'intérieur et hors des entreprises ?

LA BATAILLE DES IMAGES SE DÉROULE SUR TOUS LES FRONTS

Tout comme les animaux cherchent à se fondre dans le paysage pour échapper à leur prédateurs, mais aussi à se distinguer pour séduire le partenaire sexuel, les entreprises donnent d'elles-même des images destinées à faire fuir ou à attirer. La publicité sur les produits vendus est le plus visible de ces étalages, mais il en existe bien d'autres, destinés aux différents partenaires : actionnaires, clients et, dans certains cas, pouvoirs publics. La rentabilité des secteurs réglementés ou concédés, comme par exemple les services publics municipaux (eaux, transports en commun...), peut être profondément affectée par la perception que les autorités ont de la situation relative des entreprises : ainsi en est-il de la délicate balance entre bénéfices et production originale dans l'audiovisuel, entre gains de productivité et bénéfices dans les secteurs où un monopole, même limité, existe.

Les entreprises ne se contentent donc plus de dominer la seule sphère matérielle. Elles tentent d'investir le champ du mental. De ce fait, les marques occupent une place de plus en plus importante dans l'économie. De façon honnête ou artificielle, elles influent sur la valeur qu'un éventuel acheteur attribue au produit. La valeur d'une marque correspond au surplus de valeur que le client est prêt à payer, contredisant ce que les économistes traditionnels considéraient comme un truisme : les consommateurs sont rationnels et sont capables d'estimer la vraie valeur des produits. La théorie économique[1] classique supposait en effet l'information parfaite. Au vingt-et-unième siècle, ce n'est plus le cas ; l'information est en permanence imparfaite et elle constitue même le champ de bataille principal des acteurs.

Dans les faits, les marques inspirent confiance au consommateur et le fidélisent. Elles sont particulièrement importantes pour tous les biens de grande consommation (alimentation, entretien, électro-ménager, automobile...), mais aussi pour les achats d'équipements des entreprises quand l'expertise technique interne n'est pas disponible (ordinateurs par exemple). Ainsi en 1988, Nestlé a consacré 4,5 milliards de dollars au

L'entreprise Mc Donald a une même image sur toute la planète et jusque dans l'empire des signes japonais ▼

[1] *Gérard Debreu, Théorie de la valeur économique, analyse axiomatique de l'équilibre économique, Dunod, Paris, 1984.*

■ *Les entreprises ne se contentent plus de dominer la seule sphère matérielle. Elles tentent d'investir le champ du mental. De ce fait, les marques occupent une place de plus en plus importante dans l'économie. Elles inspirent confiance au consommateur et le fidélisent.*

■ *Il est plus aisé de maintenir des marques au sommet que d'en établir de nouvelles. La multiplication des messages publicitaires rend de plus en plus difficile, à un nouveau venu, la pénétration d'un espace mental déjà saturé.*

■ *La diversité des cultures (et des inconscients collectifs) rend très difficile la mondialisation d'une marque. "Think global, act local" semble être le principe directeur.*

rachat de Rowntree en Grande-Bretagne, soit cinq fois sa valeur théorique, en raison de l'importance qu'il attribuait à des marques comme Kit Kat ou After Eight. Il est en effet plus aisé de maintenir des marques au sommet que d'en établir de nouvelles : 90% des nouveaux produits échouent, alors que les marques à succès perdurent ; Gillette est l'un des leaders du marché des rasoirs depuis plus de soixante ans. D'autre part, les campagnes publicitaires nécessaires pour établir une marque sont de plus en plus coûteuses : une seule campagne nationale aux Etats-Unis revient à 60 millions de dollars, 30 au Japon, 20 en Grande-Bretagne. La multiplication des messages publicitaires rend de plus en plus difficile, à un nouveau venu, la pénétration d'un espace mental déjà bien saturé.

▲ *Pour l'entreprise d'autrefois, l'identité était accrochée à un produit particulier.*

Etablir une marque n'est pas seulement destiné à diffuser un produit identique sur tous les marchés. Il s'agit, avant tout, de donner une image globale de cette marque pour diffuser des produits adaptés à chaque marché. Prenons deux exemples : à des créneaux très spécifiques, aux marques globales, comme Rolls-Royce ou Chanel, correspondent des produits identiques aux quatre coins du monde. En revanche, dans les secteurs de grande consommation, ce n'est pas le cas. Ainsi, le shampooing Timotei d'Unilever existe sur les marchés de plusieurs continents ; il cache cependant des formules différentes par grande région du monde parce que le type de cheveu diffère ; l'image est globale, pas le produit.

Des études montrent d'ailleurs combien il est difficile de prétendre à une image globale tant au niveau international que national. Landor Associates a effectué un sondage au Japon, aux Etats-Unis et en Europe afin d'établir la liste des cinquante plus grandes marques pour chacun de ces marchés. Coca-Cola est la seule à figurer sur les trois continents... La diversité des cultures (et des inconscients collectifs) rend très difficile la mondialisation d'une marque. Même dans un pays donné, les publicitaires considèrent aujourd'hui que le marché ne peut pas toujours être approché de façon globale, d'où une segmentation des cibles et l'utilisation de supports publicitaires *ad hoc* pour chacune d'entre elles : ainsi aux Etats-Unis, certaines campagnes publicitaires s'adressent seulement aux dix neuf millions d'hispaniques (moins de 10% de la population totale). "*Think global, act local*" semble être le principe directeur.

Au-delà de la nécessité toujours plus grande de fragmenter les cibles, tous les spécialistes des produits de grande consommation savent que dès qu'une idée simple et apparemment fondée est installée dans l'esprit du consommateur, elle devient quasiment indéracinable. Telle est la base d'un grand nombre de stratégies de ventes qui visent *a priori* à établir la renommée de certaines marques.

■ ***Dès qu'une idée simple et apparemment fondée est installée dans l'esprit du consommateur, elle devient quasiment indéracinable.***

■ ***les entreprises lancées dans la course à la technologie ont besoin d'investir beaucoup. Elles n'ont d'autre alternative que la croissance, interne ou externe. La croissance appelle la croissance. Les entreprises deviennent planétaires.***

■ ***Si les entreprises planétaires sont capables de fournir près de 70% des produits consommés chaque jour dans le monde, chiffre qui monte après 2050, l'innovation est le fruit d'entreprises petites ou moyennes, qui compensent la faiblesse de leurs structures par le dynamisme de leur créativité.***

GROSSIR POUR VIVRE OU BIEN VIVRE POUR GROSSIR

Parallèlement aux révolutions touchant les méthodes de productivité, les entreprises lancées dans la course à la technologie ont besoin d'investir beaucoup. Elles n'ont d'autre alternative que la croissance, interne ou externe.

En 1990, Siemens rachète le groupe français Intertechnique et l'allemand Nixdorf. L'entreprise se retrouve alors avec plus de 350 000 salariés. A la même date, IBM, le géant de l'informatique, emploie plus de 450 000 personnes et General Motors près de... 900 000. La croissance appelle la croissance. Les entreprises deviennent planétaires. Et, couple inséparable, ce sont les réseaux de communication qui permettent cette mondialisation. En retour la mondialisation appelle une extension des réseaux. La poule et l'œuf...

Deux raisons principales expliquent cette mondialisation des économies d'entreprise : l'effritement des marges, dû à la standardisation des moyens de production, et la nécessité d'amortir des systèmes de production et d'information de plus en plus lourds. Vers 2020, la modernisation du réseau de communication de l'un des géants mondiaux de l'automobile nécessite des investissements estimés à trois fois le budget annuel de la France. Se créent ainsi de véritables "nations économiques" indépendantes, disposant de leurs propres trésoreries, de leurs propres codes symboliques, de leurs propres lois, voire de leurs propres troupes de défense. Ainsi, en 1990, IBM, qui détient 40% du marché mondial de l'informatique, pèse plus de 55 milliards de dollars. General Motors vaut, pour sa part, 130 milliards, soit le PNB de la Belgique, ou encore trois fois celui de la Grèce.

Contrepartie de ce gigantisme, si les entreprises planétaires sont capables de fournir près de 70% des produits consommés chaque jour dans le monde, chiffre qui monte à 90% après 2050, l'innovation est plutôt le fruit d'entreprises petites ou moyennes, qui com-

Suite à la création de la monnaie mondiale, les anciennes pièces sont devenues des objets de collection. ▼

pensent la faiblesse de leurs structures par le dynamisme de leur créativité, à l'image des deux bricoleurs "iconoclastes" qui, en 1977, inventèrent l'ordinateur Apple dans un garage.

UN NOUVEL ORDRE FINANCIER MONDIAL

Au vingt-et-unième siècle, la stratégie et l'environnement des entreprises passe d'une économie de guerre à une économie de "concertation". Les années 1980-2000 marquent en effet le point culminant des batailles économiques. Le vocabulaire stratégique et commercial utilisé à cette époque est révélateur : on parle de "lancer des offensives", "d'établir des têtes de pont", de "*task force*", "d'étrangler les concurrents", ou encore "de guerre de tranchées". Les entreprises ont pour armes le *dumping*, les OPA et OPE, le *lobbying* et elles s'affrontent pour des parts de marché, des portions de capital ou des procédés technologiques. La télévision, via le parrainage d'émissions, devient le champ de bataille le plus subtil de ces "méga-combats". Les marques se disputent la météo, les émissions littéraires, les jeux et surtout le très convoité journal de vingt heures. Il s'agit, ni plus ni moins, de s'assurer la maîtrise affective des consommateurs.

En parallèle, avec l'appui des médias qui ont su préparer un terrain favorable et grâce à l'apport de l'informatique, les marchés financiers décollent, les bourses s'enflamment et l'univers financier international est saisi par la concurrence : *"L'introduction massive de l'informatique crée un véritable réseau financier mondial fonctionnant en continu sur l'ensemble des places boursières de la planète. La popularisation des marchés boursiers dans les économies occidentales crée une véritable spéculation de masse. Les entreprises aussi sont contraintes d'entrer dans le cycle quotidien de la spéculation banalisée, sous le prétexte obligé d'optimiser leur trésorerie. La spéculation généralisée et la liquidité du marché font apparaître les nouvelles limites de l'opérativité technologique : les systèmes experts boursiers accentuent par leur automaticité les mouvements à la hausse et à la baisse. C'est le jeu des anticipations rationnelles : craignant une baisse, les spéculateurs vendent et accélèrent ainsi la baisse ; inversement, espérant une hausse, ils achètent, accélérant la hausse"*, note alors Bernard Nadoulek[1]. La fin des années 1980 est ainsi marquée par des secousses financières de forte amplitude qui, après des faillites nombreuses et parfois retentissantes, conduisent les autorités boursières des plus importantes places financières à limiter l'utilisation des logiciels qui vendent et achètent automatiquement de grands volumes de titres.

La sphère financière mondiale ne dort plus, connectée en permanence et en temps réel, en tous points de la planète. ▼

Même les plus grands groupes industriels peuvent être attaqués par les *raiders*. L'occasion de se

[1] *Bernard Nadoulek, L'intelligence stratégique, Etude CPE N° 100, ADITECH, Paris, 1988.*

En Chine, l'apparition de la publicité a été le signe d'un début d'ouverture. ▶

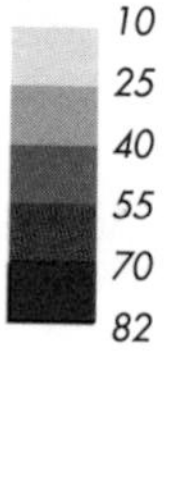

mettre définitivement à l'abri leur est fournie par la crise boursière de 2013. Pour soutenir le marché, les autorités de contrôle, comme elles avaient commencé à le faire en 1987, autorisent et même encouragent les entreprises à racheter leurs propres actions.

DÉMOCRATIE, QUAND TU NOUS TIENS...

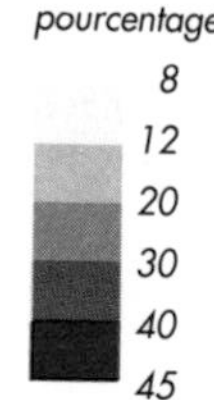

Cette pratique, jugée jusqu'à présent condamnable, est en la circonstance salvatrice. Certaines firmes arrivent rapidement à posséder leur minorité de blocage, d'autres deviennent même majoritaires. L'ancien cadre capitaliste devient désuet. L'entreprise se possède elle-même. Elle devient, au sens originel du terme, autonome. Mais alors, qui est juridiquement responsable ? Elle doit se doter d'une constitution, précisant comment se répartissent les pouvoirs et les responsabilités. Montesquieu inspire la plupart de ces systèmes. Trois pouvoirs, législatif, exécutif et judiciaire, sont plus fonctionnels qu'un seul, inévitablement monarchique, et plus près aussi de la réalité des flux de la connaissance, telle qu'elle se présente dans les systèmes neuronaux. Le judiciaire avec son information montante, conflictuelle, se résoud par arbitrage. L'exécutif, au contraire descendant, projette dans le concret l'ordre du mental. Le législatif définit les règles nécessaires à la cohérence, tout en ménageant la place pour la nouveauté. Ce n'est pas un hasard si, depuis la révolution industrielle, l'innovation a surgi dans les pays où la séparation des pouvoirs est, même approximativement, respectée. Ce qui a permis, à l'extérieur, le développement du capitalisme, doit maintenant être décliné, selon un principe fractal, à l'intérieur.

■ Ce n'est pas un hasard si l'innovation a surgi dans les pays où la séparation des pouvoirs est, même approximativement, respectée.

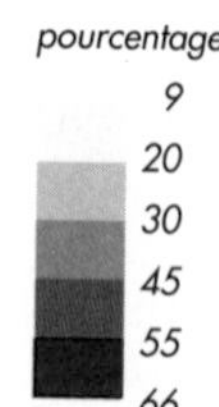

Dès lors qu'elles ont une constitution, les entreprises se trouvent sur un pied d'égalité avec les Etats. Elles sont même plus légitimes qu'eux car, font observer leurs avocats, si l'entreprise ne prouve pas en permanence son utilité sur le marché, elle disparaît, tandis que les administrations, devenues inutiles, peuvent encombrer le terrain encore longtemps avant d'être inquiétées. Aucun bulletin de vote

■ Les entreprises sont plus légitimes que les Etats, car si elles ne prouvent pas leur utilité sur le marché, elles disparaissent alors que des administrations devenues inutiles peuvent perdurer.

n'est plus efficace que le billet avec lequel le consommateur achète ! Dès le début du troisième millénaire, ces entités s'appartenant à elles-mêmes demandent à être reconnues juridiquement et diplomatiquement. Ne pouvant, pour l'instant, se localiser sur les terres émergées, les entreprises-Etats installent des sièges sociaux fictifs dans les eaux internationales. A côté des Nations Unies se constituent les Entreprises Unies, forum économique mondial où se prennent des décisions bien plus importantes.

Plus les économies sont développées, plus le secteur tertiaire est important. Au vingt-et-unième siècle, le tertiaire fournit partout la majorité des emplois, particulièrement dans les loisirs, l'éducation et le commerce. ▼

LA VRAIE-FAUSSE MONNAIE CONTRE LA MONNAIE MONDIALE

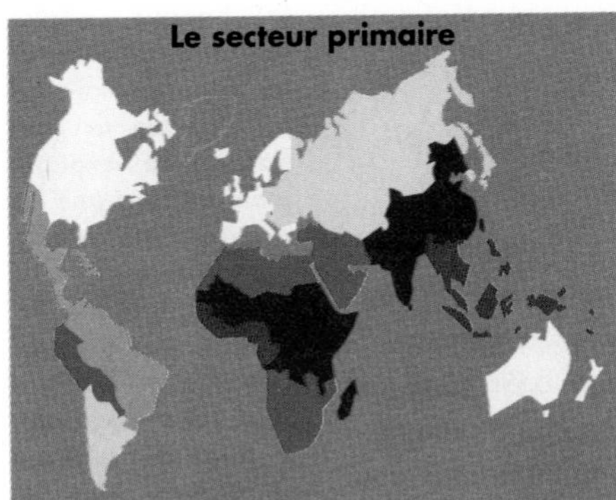

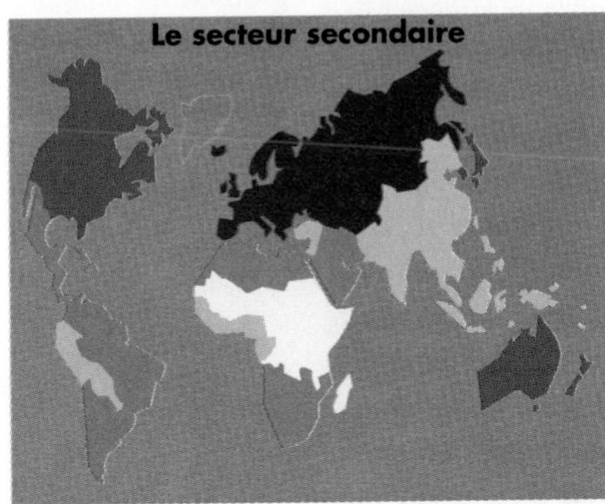

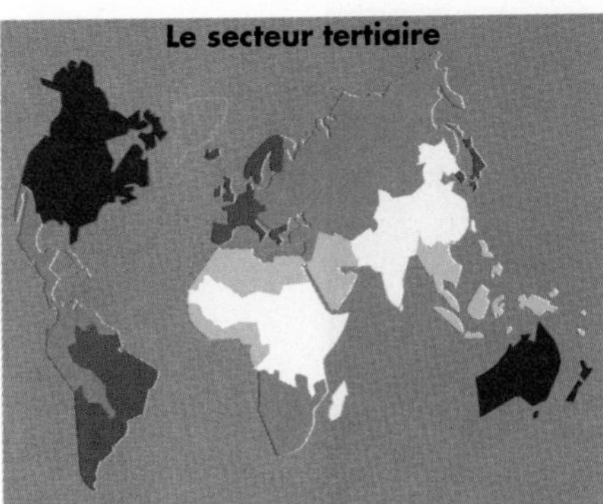

La population active : répartition par secteur d'activité en 1980

Les entreprises accélèrent alors une pratique initialisée au début du vingt-et-unième siècle, à savoir l'émission de leur propre monnaie. Cela avait commencé par les grandes chaînes de distribution. La déréglementation des banques et des assurances mettait tout le monde en concurrence. Pour fidéliser leurs clients, les hypermarchés et les réseaux de télévente avaient d'abord offert des cartes de paiement, puis des services financiers, des assurances, l'organisation de voyages, le paiement à l'étranger et, de fil en aiguille, tout un système de financement couvrant les besoins de la vie courante. Les multinationales comprirent vite l'intérêt de gérer la trésorerie de leurs propres salariés. Leur taille, leurs besoins en liquidité et la nécessaire optimisation des circuits financiers (facturation, paiements, achats de matières premières ou semi-finies) les amènent alors à créer des moyens de paiement autonomes, en circuit tout d'abord fermé (employés, fournisseurs, clients). Ainsi, elles sont indépendantes des aléas des inflations et déflations orchestrées par les instances politiques des Etats-nations.

Vers 2020 apparaissent le "Dollar IBM", le "Yen Mitsubishi" et "l'ECUAP". A cette époque, la monnaie électronique, circulant autour du globe à la vitesse de la lumière et émise par une foule d'opérateurs incontrôlables, déborde la monnaie scripturale comme autrefois les assignats de Law avaient débordé les pièces d'or. Des hyperinflations apparaissent ici et là, dans les pays les plus mal gérés, telles des bulles annonciatrices du grand bouillonnement. Celui-ci ne se fait pas attendre. En 2024 la sphère financière, ayant une fois de plus décollé de la sphère industrielle, provoque une hyperinflation mondiale. A contre-cœur, les grands opérateurs financiers, par l'accord dit du Lac majeur, consentent à calmer les eaux folles de la spéculation et restaurent un ordre que le public exige : une monnaie mondiale est instituée, contrôlée par une Haute autorité, émanation paritaire des banques privées et des banques nationales. La question monétaire se pose alors en des termes nouveaux. L'argent ne manque plus, puisque cette autorité peut en émettre en cas de besoin. Suite à cette prise de conscience mondiale, les grands programmes planétaires sont alors financés : espace, reforestation, recherche écologique et médicale... Mais il faut aussi mettre au point une logistique puissante, sorte de pieuvre informatique branchée sur un système de type SWIFT, pour réguler les différents émetteurs de monnaie, publics et privés. Le secret bancaire, même suisse, n'y résiste pas.

■ ***Vers 2020, la monnaie électronique, circulant autour du globe à la vitesse de la lumière et émise par une foule d'opérateurs incontrôlables, déborde la monnaie scripturale comme autrefois les assignats de Law avaient débordé les pièces d'or.***

■ ***A la fin du vingtième siècle, on pensait encore que le modèle de la banque anglo-saxonne s'imposerait au monde. Mais les ressorts de la confiance et de l'engagement ne sont pas les mêmes d'une civilisation à l'autre.***

■ ***Toute une génération d'intermédiaires financiers apparaît, inspirée des tontines en Afrique, des familles chinoises, des groupes islamiques, de la maffia sicilienne et des groupements spiritualistes en Inde.***

LA BANQUE SOCIOLOGIQUE PERMET LE DÉVELOPPEMENT

Les marchés financiers se multiplient. La Chine, l'Europe de l'Est, l'Inde construisent des systèmes boursiers informatisés dès leur création. Ce sont des dispositifs étagés : au sommet, les très grands opérateurs, présents sur tous les marchés du monde ; puis une couche d'entreprises moyennes, plus vulnérables, mais rapidement internationalisées grâce à l'interconnexion des places financières ; enfin, les nouveaux venus sur un second marché, recherchant des financements de croissance.
Mais en même temps que se constitue cette pyramide mondiale, les métiers et les opérateurs financiers se diversifient et s'adaptent aux différentes cultures locales. A la fin du vingtième siècle, on pensait encore que le modèle de la banque anglo-saxonne s'imposerait au monde. C'était méconnaître les spécificités des différents peuples. Finance en effet rime avec confiance. Et les ressorts de la confiance et de l'engagement ne sont pas les mêmes d'une civilisation à l'autre. Au Bangla Desh, la Grameen Bank, au lieu de s'inspirer des normes étrangères, a ancré son fonctionnement dans la sociologie locale. Elle prête des sommes très faibles (de quoi acheter un cyclo-pousse ou une petite machine à décortiquer le riz) directement aux

Basée sur la confiance, la banque sociologique finance entreprises et artisans indiens. ▶

futurs artisans. Ceux-ci sont sélectionnés par des enquêteurs locaux et une organisation mutualiste des remboursements les engage à tenir leurs engagements. Résultat : en comparaison des 40% de pertes que subissent les banques occidentales qui prêtent aux effendis du tiers monde, la Grameen Bank en a moins de 2%.

Dès les débuts du vingt-et-unième siècle, la nécessité de trouver de nouvelles couches d'entrepreneurs s'impose au système capitaliste. Les régions industrialisées ont une démographie vieillissante et des enseignements qui émoussent le goût du risque. Le développement des pays neufs ne peut reposer, comme autrefois celui des Etats-Unis, sur des colons natifs des contrées industrialisées. Les nouvelles entreprises sont dirigées par des émigrés revenus au pays ou par des personnalités locales. Après la Grameen Bank, se construit toute une génération d'intermédiaires financiers, inspirés des tontines en Afrique, des familles chinoises, des groupes islamiques, de la maffia sicilienne et des groupements spiritualistes en Inde. Cette génération est connue sous le nom de "banque sociologique". Ces intermédiaires réussissent progressivement à gagner la confiance à la fois de la population locale et du réseau mondial. Par leur canal, l'argent des riches commence enfin à alimenter d'une manière saine le développement des entreprises des pays pauvres.

POURQUOI L'ÉCONOMIE DE MARCHÉ EST-ELLE CONQUÉRANTE ?

En 1989, le monde entier a été surpris par le fait que l'Europe de l'Est, fermement ancrée sur des positions doctrinales depuis plus de quarante ans, se tourne soudain vers l'économie de marché, cassant délibérément ses rigidités bureaucratiques. Ce mouvement, sans doute lié aux circonstances, s'inscrit dans une évolution plus générale. La Chine, depuis 1978, avait amorcé une évolution dans ce sens ; la Yougoslavie aussi, depuis la mort de Tito. La disparition des vieux leaders politiques (Brejnev, Mao, Tito) fournit aussi l'occasion d'un renouvellement des générations.

Mais le phénomène ne s'arrête pas aux pays de l'Est. S'y ajoute toute la déréglementation des pays occidentaux. Les transports, les télécommunications, les marchés financiers ont été, pendant les années 1980, réouverts à la concurrence, tandis que l'Europe décidait d'achever l'unification de son grand marché pour 1993. De cette grande vague, les pays de l'Est ne sont qu'une partie, politiquement plus visible mais économiquement moins sensible, en tout cas dans un premier temps.

La cause sous-jacente est l'évolution du système technique. La multiplication des communications

L'économie de marché est l'héritière de longues traditions. ▼

rend inévitables la mise en concurrence et la multiplicité des choix, jusqu'au niveau du consommateur. Aux structures en étoile (radio, télévision), porteuses de pouvoir centralisé, succèdent les structures

■ *La cause sous-jacente de la "libération" à l'Est et de la déréglementation à l'Ouest est l'évolution du système technique.*

■ *L'économie de marché est conquérante parce qu'elle représente la faculté de choisir. C'est un écosystème, avec ses prédateurs, ses concurrences, ses niches. Elle conquiert car elle intègre les lois de la vie, jusqu'à l'acceptation de la mort.*

Joie et bonne humeur sont des traits marquants du marché moderne... ▶

en réseau, support de communication de la société civile. Partout les formes étatiques déclinent et les formes entrepreneuriales émergent. L'économie de marché est conquérante parce qu'elle représente la faculté de choisir. C'est un écosystème, avec ses prédateurs, ses concurrences, ses niches. Elle conquiert parce qu'elle intègre les lois de la vie, jusqu'à l'acceptation de la mort. Sa vigueur est partout la conséquence directe, implacable, de sa capacité d'élaguer les branches mortes. Elle le fait, non par des décisions autoritaires, charismatiques ou régaliennes, mais par le fonctionnement quotidien, neutre, d'une logique comptable. Ce que Michel Foucault appelait une microphysique du pouvoir.

■ *Le vingt-et-unième siècle est celui de la construction mondiale d'une économie de marché régulée par un ensemble de systèmes fiscaux et parafiscaux, alimentant diverses organisations mondiales de régulation, les "bidules", qui agissent pour que les intérêts des entreprises coïncident avec l'intérêt général.*

Celui qui craint la mort perd la vie.
Proverbe roumain.

Ce n'est pas une raison suffisante pour faire de l'économie de marché un dogme. Ce n'est qu'un outil d'élagage, incapable de résoudre les grands problèmes du siècle : l'écologie et l'exclusion, qu'elle aurait même plutôt tendance à aggraver. Le vingt-et-unième siècle est celui de la construction mondiale d'une économie de marché régulée par un ensemble de systèmes fiscaux et parafiscaux, alimentant des organisations mondiales de régulation, les "bidules", qui agissent pour que les intérêts des entreprises coïncident avec l'intérêt général. Les formes préhistoriques de cette économie de marché régulée, qu'il s'agisse du capitalisme sauvage, séparant la sphère de la production de la sphère financière, ou des économies planifiées, sombrant tout aussi profondément dans l'irréalité, sont progressivement éliminées non par des idéologies, mais par la simple vie quotidienne des hommes sur la planète.

LA MAÎTRISE DU SOCIAL ET LA RÉGULATION DES PASSIONS

De tels bouleversements des principes fondamentaux de l'entreprise ne sont pas sans provoquer des mutations aussi radicales, voire de graves troubles, dans la gestion des relations humaines. Si les structures du machinisme entretiennent une opacité sur les comportements, chacun possédant un domaine bien délimité qu'il protège des regards extérieurs, la nouvelle organisation induit des transformations dans la gestion des conflits.

Antoine Riboud écrit[1] : *"Les investissements de plus en plus sophistiqués ne peuvent fonctionner qu'à la condition d'être maîtrisés par les hommes, ce qui suppose quatre étapes intégrées et cohérentes : l'information, la négociation, la mise en place d'une organisation qualifiante et le développement des moyens de formation adaptés qui permettent à chaque homme de comprendre et de maîtriser le changement."* Selon Michel Berry[2], la nouvelle gestion sociale doit se définir autour de six principes fondamentaux : planifier, décloisonner, communiquer, impliquer, négocier et revaloriser.

L'entreprise Streit, sous-traitante de l'industrie automobile, met en application ces nouveaux concepts. Pour Roland Streit, le changement de machines, la réalisation de nouveaux investissements constituent des opérations secondaires et relativement faciles. En revanche, selon lui, ce qui est délicat, c'est la préparation des relations et des compétences nécessaires pour utiliser les nouveaux équipements à bon escient. Le degré d'implication du personnel intervient lors des choix matériels accompagnant un nouveau projet. Pour le responsable de cette entreprise moyenne, l'implication du personnel doit passer par une bonne compréhension du projet industriel. Ainsi, les opérateurs participent effectivement à la définition des prix de revient.

L'information concernant les devis passés et la façon dont ils ont été calculés est disponible pour tous. L'ouvrier est considéré comme un professionnel, responsable de son poste de travail, ayant une mission à réaliser. Les chefs d'équipe exercent une fonction de gestionnaire d'entreprise ayant pour responsabilité les relations avec une clientèle, les fichiers de commandes et l'organisation de la charge de travail. Les cadres, quant à eux, doivent consacrer l'essentiel de leur temps à préparer l'avenir, organiser la concertation élaborer des solutions et déléguer la mise en application.

La redéfinition de l'approche syndicale est confrontée à l'émergence des entreprises de taille planétaire. ▼

Cet exemple montre que l'accent mis sur le relationnel, en tant que fondement de transformation et de solidarité au sein de l'entreprise, tend à faire disparaître les distinctions entre variables économiques et variables sociales. Désormais il est important de tenir compte des traditions, des valeurs et des attentes spécifiques de tous les acteurs qui constituent une entreprise. Les mutations tendent à promouvoir davantage de participation et d'initiative des salariés. Pragmatisme, association, concertation et réflexion deviennent les maîtres mots de la stratégie sociale.

Dans ce contexte, le modèle participatif se développe pleinement en harmonie avec un allègement des structures hiérarchiques et un élargissement des tâches confiées à l'ensemble du personnel. Il correspond alors à une élévation importante des niveaux de

[1] *Antoine Riboud, Modernisation, mode d'emploi, rapport au Premier ministre, Union générale d'éditions, Paris, 1987.*

[2] *Intervention au colloque de L'AFCET, en octobre 1988.*

Le modèle participatif correspond à une élévation importante des niveaux de formation demandés aux employés et à une modification de leur attitude au travail.

L'entreprise s'affirme comme un foyer de production identitaire dans lequel l'homme recherche des repères sociaux - qu'il ne trouve plus ailleurs - et s'efforce de donner à sa vie un sens que les institutions et les idéologies anciennes ne lui fournissent plus.

formation demandés aux acteurs de l'entreprise et à une modification de leur attitude face au travail.

De nouvelles compétences émergent alors : stabilité et continuité, qui représentaient autrefois la norme, font place à un processus de changement continu. Les cadres, autrefois "récompensés" pour leur rigueur et leur constance, se voient au contraire promus pour leur esprit d'innovation, leur remise en cause de l'existant, leur aptitude à "casser" les méthodes de gestion et de travail traditionnelles.

En effet, dans cet état de "révolution permanente", la formation devient un élément indispensable pour toute entreprise qui désire se maintenir sur l'échiquier mondial. En 1988, par exemple, les usines japonaises implantées aux Etats-Unis consacrent plus de 40 000 dollars à la formation de chacun de leurs chefs d'équipe. De même, Ford a affecté 34 millions de dollars à la création de centres d'enseignement et de formation pour ses 22 usines britanniques.

Dans les petites entreprises, des coopérations sont organisées. Ainsi, les quatre principaux employeurs britanniques d'analystes-programmeurs ont mis en œuvre, en 1988, un système de formation sur le lieu de travail qui s'étend à l'ensemble de la branche d'activité. En Suède, il existe depuis fort longtemps des programmes organisés conjointement par des grandes et des petites entreprises.

Cette profonde mutation de la gestion des ressources humaines passe par une réorganisation tout aussi profonde des formes de pouvoir, de communication de savoir, et par la régulation des passions, évoquée par Patrick Viveret[1]. Les ressources humaines et leur mise en œuvre délimitent en effet, dès les années 1980, la réussite de l'entreprise. Il s'agit de changer des mentalités forgées par des habitudes pluriséculaires. Pendant des millénaires, la prospérité a été fondée sur des relations de domination : la détention de la terre, puis celle du capital. Désormais, l'esprit domine la matière. La persuasion prend nécessairement le pas sur la contrainte. Initié depuis plusieurs siècles, un lent mouvement de libération se poursuit. La transition effectuée au moyen âge s'accompagne d'un changement de statut du travailleur : le passage de l'esclavage au servage. Le machinisme, après avoir exploité le prolétariat de manière inhumaine, provoque l'émergence de lois sociales, dès la seconde moitié du dix-neuvième siècle, et les amplifie tout au long du vingtième. La nouvelle forme de capitalisme, quel que soit le nom qu'on lui donne (capitalisme de la séduction, domestication de l'homme par l'homme, néo-paternalisme industriel ou zombification

Tu vois, de nos jours la sophistication mécanique exige une maîtrise et une immédiateté du savoir-faire. ▼

[1] *Patrick Viveret, L'évaluation des politiques et des actions publiques : rapport au Premier ministre, Documentation française, Paris, 1990.*

des masses...) commence, comme toujours, par être abusive. Dans certains cas, elle mène au suicide, à l'asile, à la drogue ou au crime, des milliers d'âmes errantes. Puis, devant l'ampleur des dégâts, elle modère son action, construit des protections, ménage de nouveaux espaces de respiration. L'homme retrouve sa place.

LA CULTURE D'ENTREPRISE

Les animations des entreprises modernes rayonnent de gaité et de dynamisme. ▶

Face à ces évolutions, l'entreprise joue le changement. Elle ne peut aborder le troisième millénaire sur la base des schémas hérités du machinisme. En effet, elle doit se repenser à partir d'un nouveau paradigme scientifique et d'un nouveau paradigme culturel. En conséquence, les entrepreneurs découvrent les vertus de "l'animation", une démarche nouvelle qui s'inscrit dans un mouvement où l'entreprise s'affirme comme un foyer de "production identitaire", dans lequel l'homme recherche des repères sociaux - qu'il ne trouve plus ailleurs - et s'efforce de donner à sa vie un sens que les institutions et les idéologies anciennes ne lui fournissent plus. Les moyens de ce nouveau mode de gouvernement humain sont, entre autres, le développement d'une culture d'entreprise, faite de rites, de mythes, de symboles, de valeurs partagées et destinée à rassembler et mobiliser l'ensemble des salariés au service d'une même communauté, pour focaliser l'énergie de tous vers un projet commun.

Les hommes dans l'entreprise n'attendent plus seulement un salaire en contrepartie de leur temps de travail, mais la reconnaissance de leur différence, de leur personnalité propre, des compétences particulières, des performances individuelles, d'un projet personnel et des contraintes liées à leur vie privée. Le slogan "ne pas perdre sa vie à la gagner" s'impose, le travail étant désormais considéré comme un moyen d'expression, comme une façon de réaliser sa vocation, comme un accomplissement revendiqué par chacun.

Dans ce contexte, il devient nécessaire de s'attacher particulièrement aux motivations des salariés. Pour Stanislas De Gozdawa, *"la motivation se situe au-delà de la logique et du rationnel ; elle n'est pas de l'ordre du raisonnement, mais du désir et de l'existentiel."* C'est la mobilisation pour l'individu de toutes les formes qui constituent sa pulsion de vie et qui le poussent à s'affirmer en tant qu'être, notamment dans ses relations avec les autres hommes. Cela suppose l'interaction de certains facteurs : un but à atteindre, une difficulté à vaincre, une liberté d'action, un soutien affectif et le sentiment d'accomplissement. Motiver les acteurs devient le but.

■ ***Les hommes dans l'entreprise n'attendent plus seulement un salaire en contrepartie de leur temps de travail, mais la reconnaissance de leur différence, de leur personnalité propre. La motivation se situe au-delà de la logique et du rationnel ; elle n'est pas de l'ordre du raisonnement, mais de celui du désir et de l'existentiel.***

■ ***En adhérant à une entreprise et à sa stratégie, les nouveaux cadres s'attachent en fait à sa philosophie.***

■ ***Au-delà d'une autonomie de travail, d'une demande de réflexion sur l'organisation du travail et d'un intéressement aux résultats collectifs, une adhésion à des valeurs est demandée au personnel.***

HUMANISME INDUSTRIEL

La conception des "projets d'entreprise" se généralise. Les premiers exemples apparaissent aux Etats-Unis. Des entreprises comme Hewlett-Packard ou Digital Equipment passent avec leur salariés un véritable contrat de confiance qui tient lieu à la fois de morale sociale et professionnelle : *"s'unir pour faire avancer le monde"*, *" tout mettre en œuvre pour sacrifier à notre impératif de participer à la croissance des nations"*, *"privilégier la richesse des relations"*, *"respecter les autres"* et *"aimer le travail bien fait"* sont quelques-unes des règles que l'on peut retrouver dans ces projets. Des règles qui apparaissent bien comme une nouvelle morale de vie, voire comme les bases de nouveaux dogmes d'organisation de la société humaine, *"participez au développement de l'humanité"* remplaçant l'ancien *"aimez-vous les uns les autres"*. En adhérant à une entreprise et à sa stratégie, les nouveaux cadres s'attachent en fait à sa philosophie morale et existentielle. Et malheur à l'entreprise dépourvue d'une charte suffisamment attractive pour que chacun s'y reconnaisse et ressente un sentiment d'appartenance. Ne pouvant recruter, ses jours sont comptés.

▲ *La concertation et la communication interpersonnelle sont des clés de voute de l'entreprise du vingt-et-unième siècle.*

Avec ce nouvel état d'esprit, les objectifs et les bilans financiers ne sont plus présentés comme de simples paramètres économiques, mais comme des jalons qui délimitent la marche vers un autre monde. Quant à l'individu, il est protégé par l'invitation à une démarche de solidarité (le sens de la communauté) et valorisé par une offre de liberté (soyez autonomes).

Un nouveau style de management commence alors à être pratiqué. Les responsables deviennent des animateurs afin de stimuler à la fois la motivation collective de l'équipe et la motivation individuelle.

Les motivations jouent un grand rôle. Au-delà d'une autonomie de travail, d'une demande de réflexion sur l'organisation du travail et d'un intéressement aux résultats, une adhésion à des "valeurs" est demandée. Ces valeurs portent essentiellement sur l'implication dans un travail collectif qui déborde du strict champ de l'entreprise pour s'insérer dans le tissu régional. Désormais, l'entreprise qui sait à la fois faire partager ses objectifs à l'ensemble de son personnel, susciter des possibilités de réussite individuelle, créer une ambiance conviviale et un sentiment de bien-être au travail, tout en maintenant un équilibre entre le travail et le non-travail, peut s'imposer sur l'échiquier mondial. Un tel programme ne saurait entrer dans le cadre d'un modèle unique. Il lui faut offrir aux uns la sécurité qu'en priorité ils attendent d'elle, aux autres les possibilités de création, d'évolution, d'innovation, d'autonomie et de réussite. Une organisation pyramidale, fondée sur des principes d'organisation administrative, ne peut offrir une telle diversité. Le modèle "écologique", de plus en plus, se substitue au modèle militariste et mécaniste issu du machinisme.

Les anciennes pyramides hiérarchiques sont maintenant inversées. ▶

L'ENTREPRISE-SECTE CÔTOIE L'ENTREPRISE MAFFIEUSE

Cette primauté de l'homme, qui commence à émerger vers 1990, explose vers l'an 2000. Elle s'accompagne également (voire logiquement) de l'introduction de l'irrationnel dans l'entreprise. Gourous, voyance, spiritisme, numérologie deviennent des instruments de management et parfois de motivation. Il s'agit d'abord d'améliorer les techniques de gestion et d'animation, mais également, et plus confusément, d'élaborer l'âme de l'entreprise. Ainsi, vers 1988, pendant que les cadres d'Apple se ressourcent en Californie *"dans une hutte d'indiens en passant la soirée à enfermer du tabac dans deux cents petits sacs de tissu selon un cérémonial indien"*[1], le PDG d'Absorba, 700 millions de chiffres d'affaires et 2 000 salariés, "réénergise" sa société en faisant appel à un gourou. Dans la même veine, Bob Aubrey, conseil en motivation américain et professeur d'aïkido, organise des stages où, après deux jours, les cadres marchent sur des braises.

"Hors du bien-être, point de salut", explique Caroline Brun. *"Pour participer à la croissance économique, il faut en premier lieu atteindre le nirvana. S'épanouir. Se révéler. Pour parvenir ainsi à mettre le corps et l'esprit à l'unisson de l'univers, les techniques les plus inventives sont les bienvenues. Outre-Atlantique, les ateliers et stages de développe-*

[1] *Caroline Brun, L'irrationnel dans l'entreprise, Balland, Paris, 1989.*

ment de la personnalité sont monnaie courante. On y fait couramment de la relaxation collective avec d'étranges "lunettes cosmiques", du "heavy fœtal", dérivation des caissons d'isolation sensorielle, ou de la

▲ On notera une absence de conversations stériles.

▲ L'hyperchoix est à portée de la main.

visualisation positive. On branche son walkman sur la musique aquatique et cosmique du japonais Kitaro (plus de trois millions d'albums vendus dans le monde en quatre ans) ou sur quelque "zip-zap" subliminal censé revitaliser les neurones."

Dans cette montée de l'irrationnel, le meilleur et le pire se côtoient. Le meilleur, c'est le ressourcement, qui réactualise les plus profondes spiritualités, met en communication les traditions et le futur, l'extrême pointe de la technique et la sensibilité humaine. Le pire est constitué du scénario déjà en germe à la fin du vingtième siècle : un glissement insensible de la gestion des motivations vers la secte. Un certain nombre d'énergumènes, encore habités du projet démoniaque d'asservir leurs semblables, utilisent ces techniques ancestrales, amplifiées et démultipliées par les techniques modernes, pour contrôler les psychismes et zombifier leur environnement. Le *Wall Street Journal* s'intéresse déjà à ces entreprises *"dont le personnel est aussi dévoué que les membres d'une secte"*. Elles sont en expansion. En 2020, un bon tiers de l'industrie mondiale est organisée sur ce modèle. Certaines parmi ces entreprises sont issues de courants soi-disant scientistes, d'autres, plus prosaïquement, ne sont que l'expression économique de l'importance de l'argent de la drogue et des maffias. En face, la résistance commence seulement à prendre forme.

LA LIBÉRATION

■ *Dans cette montée de l'irrationnel, le meilleur et le pire se côtoient. Le meilleur, c'est le ressourcement, qui réactualise les plus profondes spiritualités, met en communication les traditions et le futur, le pire, c'est un glissement insensible vers la secte.*

Après quelques décennies de tâtonnement, les pratiques extra-rationnelles et maffieuses se stabilisent. La connaissance accrue des mécanismes parapsychologiques et les recherches sur les capacités du cerveau humain permettent l'institutionalisation des "cercles de la connaissance humaine" dans l'entreprise. Succédant aux départements des ressources humaines apparus dans les années 1980, les cercles de connaissances prennent leur plein essor vers 2040-2045.

Dans les années 2060, le pouvoir dans l'entreprise est transféré des financiers aux "philosophes". Partout, au sein des groupes mon-

Hier, la main de fer, demain, la main de l'homme ! ▶

diaux, apparaissent des "comités des sages". Les gestionnaires deviennent les détenteurs du savoir humain, les dépositaires des ressources humaines. En 2080, ces comités déterminent pleinement et sereinement les stratégies des entreprises. L'entreprise, automatisée à 90%, est devenue davantage un lieu de vie qu'un simple outil de production. Sa stratégie est intimement liée à des notions d'épanouissement de l'homme, d'acquisition de connaissances et de bien-être, de développement régional. Chaque année, les sages se réunissent pour définir les axes stratégiques.

En 2065, le thème retenu dans une grande entreprise internationale est celui de la liberté, thème qui succède à la connaissance de soi. Pour marquer leur attachement à la culture, les comités de sages choisissent pour lieu de conseil des symboles traditionnels de culture et de sagesse. Ainsi, le conclave de la Liberté se tient dans le grand amphithéâtre de la Sorbonne, à Paris. Derrière cette réorganisation en profondeur des ressources et des stratégies des entreprises, une idée forte : la formation permanente ou plus exactement, la réactualisation permanente des connaissances, seul rempart pour garantir l'homme des luttes d'influences pour le contrôle des psychismes, très en vogue vers 2083. Et vers les années 2090, les entreprises, qui se comptent en millions dans l'ancien tiers monde, héritières à part entière des racines qui permirent, deux siècles auparavant, à la démocratie de trouver ses sources, sont devenues les jalons essentiels de l'avènement de la société de libération. ■

L'oiseau qui vole n'a pas de maître. Proverbe occitan.

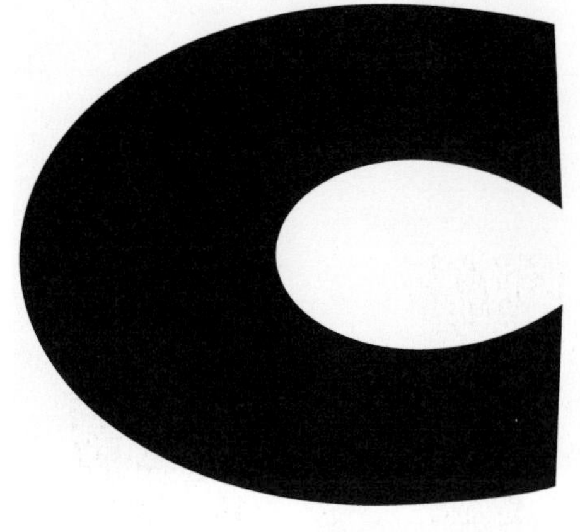

h a

Des faubourgs de la civilisation du spectacle aux marches méridionales des empires centraux, la danse archaïque des guerriers bariolés a repris de plus belle autour des nouveaux totems de la technologie meurtrière. Après cinquante années d'une régulation nucléaire hypocrite, jamais transgressée mais souvent contournée, le début du troisième millénaire voit ressurgir toute une violence occultée, qui rend une large autonomie aux stratégies et aux gesticulations militaires.

La transition militaire et l'ordre public

pitre 16

Une journée comme les autres en cette année 2020. Dans une banlieue désertée de ce qui fut Los Angeles, la grande cité de la réussite californienne et du génie hollywoodien, un petit groupe de jeunes

▲ *Il n'est pas encore temps de jeter les masques...*

vêtus de manière hétéroclite, mais arborant tous le même foulard coloré, s'entraîne au maniement des armes électroniques légères. Ils viennent de dévaliser une réserve de matériel de la garde nationale de l'Etat de Californie. Dans les regards de chacun de ces jeunes hommes se mélangent la flamme brûlante de l'hallucinogène qu'ils consomment quotidiennement et la lueur d'excitation qu'allume la perspective de leur nouvelle invulnérabilité. Une sorte de transe rituelle les agite tandis que leur chef et ses quelques lieutenants fixent déjà les objectifs d'assaut du lendemain. Ils vont enfin pouvoir expérimenter, contre la bande rivale et les derniers représentants de l'ordre, leur nouveau système de communication portable, ainsi que les armes à gaz asphyxiant et à faisceau laser qu'ils ont volées.

Au même moment, à plusieurs milliers de kilomètres à l'Est, les troupes d'élite du premier Groupement mobile opérationnel de la République de Russie, accourues pour dégager les forces internationales des Nations Unies bloquées dans les faubourgs de Bakou, sont décimées à leur tour par une attaque massive des groupes paramilitaires azéris. Les survivants sont finalement évacués à la nuit tombée par les hélicoptères du Croissant rouge iranien. A leur arrivée sur les lieux, les observateurs internationaux acquièrent rapidement la conviction que les assaillants ont utilisé des missiles sol-sol à courte portée et à charge chimique. Les services de renseignements américains soupçonnaient les arsenaux dissidents du nord de la Chine d'avoir fabriqué et distribué ces missiles en grande quantité dans la région. Depuis plusieurs mois, ils avaient alerté leurs homologues russes à propos de ces armes dont la technologie, mise au point en Prusse orientale par la plus grande entreprise de chimie militaire allemande, aurait été dérobée un an auparavant par un groupe de terro-

Sans guerre, pas de paix.
Proverbe mongo (africain).

ristes baltes manipulés par un réseau de trafiquants à la solde du gouvernement ségrégationniste nord-soudanais...
Avec la fin psychologique et technologique de l'ère Hiroshima, la violence est redevenue pour un temps le moyen d'expression principal d'une société transnationale éclatée qui a perdu toute intelligibilité stratégique. Les progrès féroces des nouvelles technologies de la mort et de la domination physique et mentale multiplient à l'infini les modes et les lieux d'affrontement. La conscience morale et civique internationale, qui s'affirme cependant en contrepoint, s'exprime alors avec force pour obtenir l'instauration d'un nouvel ordre public international, mettant les technologies militaires les plus modernes au service de la paix et de la survie de l'humanité.

■ ***Avec la fin psychologique et technologique de l'ère Hiroshima, la violence est redevenue pour un temps le moyen d'expression principal d'une société transnationale éclatée qui a perdu toute intelligibilité stratégique. Les progrès féroces des nouvelles technologies de la mort et de la domination physique et mentale multiplient à l'infini les modes et les lieux d'affrontement.***

■ ***La conscience morale et civique internationale s'exprime avec force pour obtenir l'instauration d'un nouvel ordre public, mettant les technologies militaires les plus modernes au service de la paix et de la survie de l'humanité.***

■ ***L'arme nucléaire est disséminée à travers le monde. L'interdit nucléaire est alors progressivement remis en cause et les conflits deviennent de plus en plus hétérogènes.***

L'ANNÉE DERNIERE À HIROSHIMA

Après la fin de la Seconde Guerre mondiale, le développement des arsenaux nucléaires, à l'Ouest comme à l'Est, avait eu deux conséquences majeures. Un "équilibre de la terreur" rendait impossible tout affrontement direct entre les deux blocs adverses. Et parallèlement, tout conflit local ou régional était soumis indirectement au contrôle des superpuissances et intégré, à un niveau ou à un autre, à la rivalité politico-militaire dominante Est-Ouest.
C'est cette forme de structuration forcée de l'espace stratégique mondial qui se trouve fondamentalement perturbée à la fin du vingtième siècle. Le déséquilibre est provoqué par l'ouverture des pays de l'Est, qui renoncent à faire bloc, par la moindre ingérence des Etats-Unis dans les régions du monde où ils n'ont que faire, ainsi que par le réarmement du Japon et la puissance croissante de l'Europe. Il n'y a plus deux partenaires autour de la table, mais au moins quatre. On ne joue plus aux échecs, mais au poker. En dessous de ces quatre grandes puissances, dont la volonté d'hégémonie tend à s'affaisser, apparaissent d'autres acteurs plus combatifs, poussés par des intégrismes religieux ou des tendances tribalistes. Ils ont maintenant accès à l'arme nucléaire, dont la technique est disséminée à travers le monde. L'interdit nucléaire est alors progressivement remis en cause et les conflits deviennent consécutivement de plus en plus hétérogènes par suite de l'irruption de ces acteurs.

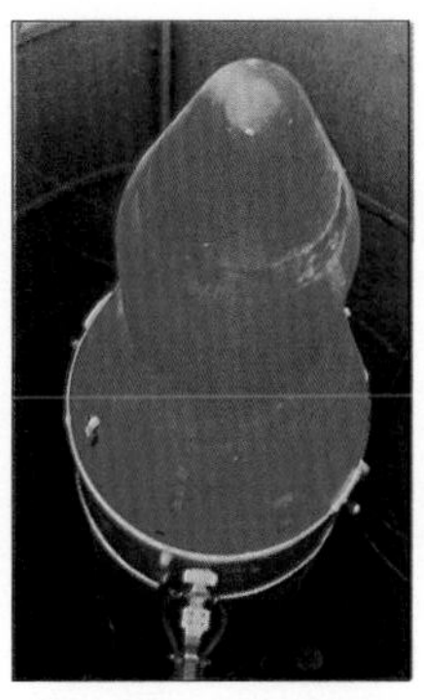

▲ *Le symbolisme sexuel des engins nucléaires étant devenu indécent, il fallut les remplacer par des missiles plus discrets.* ▼

Il est vrai qu'à bien y regarder (comme la Nouvelle Ecole d'histoire va le faire à partir des année 2010, en profitant du recul du temps), l'équilibre de la terreur nucléaire, même aux temps de sa splendeur, n'a jamais réussi à faire disparaître la guerre de la surface du globe. Bien au contraire, la rivalité planétaire entre l'Est et l'Ouest a été souvent un facteur inflammatoire pour de nombreuses régions du monde.

Le commerce des armes, florissant et exhibitionniste, favorise la dissémination. ▶

En Extrême-Orient, Afrique, Moyen-Orient, Amérique centrale, régions jusqu'alors seulement menacées par quelques conflits locaux limités, les deux superpuissances et leurs alliés se sont combattus indirectement à coups d'armements conventionnels, faute de pouvoir le faire directement à coups de bombes atomiques.

Jusqu'au début du nouveau siècle, une frayeur sacrée continue à frapper de stupeur et d'inhibition tous les dirigeants internationaux et leur interdit d'envisager tout recours même limité à l'arme atomique. C'est la technologie qui fait à nouveau avancer l'histoire lorsque l'armement nucléaire miniaturisé devient tout à la fois plus maniable dans son usage militaire et moins dissuasif dans son usage politique. Les historiens font alors observer qu'il y avait eu trois fois moins de morts sous "la bombe" que dans le bombardement conventionnel de Dresde en 1945. L'interdit engendré par Hiroshima devient de l'histoire ancienne et l'arme nucléaire entre à nouveau sur le ring.

Jusqu'au début des années 2000, deux modes d'action font de la bombe un engin terrifiant : d'une part, les sous-marins nucléaires disposent d'une autonomie en plongée de plusieurs mois et peuvent donc surgir n'importe où à l'improviste pour lancer leurs missiles atomiques; d'autre part, l'impossibilité de garantir que les systèmes de détection et de contre-attaque peuvent parer à cent pour cent une agression, dite saturante, de plusieurs milliers de missiles. Mais un jour (dont la date a été gardée confidentielle pour raison de secret militaire), les recherches poussées en acoustique et en océanographie permettent une détection relativement efficace des sous-marins lanceurs d'engins. C'est aussi vers la même période (entre 2005 et 2015) que les premiers systèmes antimissiles installés dans l'espace commencent à faire douter sérieusement du caractère imparable d'une frappe massive. Immédiatement, beaucoup perçoivent là une grande chance pour libérer à terme l'humanité de la peur nucléaire. Mais, dans l'intervalle, c'est plutôt une déstabilisation dangereuse de l'équilibre de la dissuasion qui en résulte. Car pendant que la menace de la représaille stratégique perd son caractère dissuasif, la panoplie nucléaire continue de se diversifier dans d'autres directions militairement significatives.

■ ***La technologie fait à nouveau avancer l'histoire lorsque l'armement nucléaire miniaturisé devient tout à la fois plus maniable dans son usage militaire et moins dissuasif dans son usage politique.***

■ ***Nulle part, à l'Est comme à l'Ouest, les recherches sur ces systèmes d'armes nucléaires ne sont abandonnées, ces engins étant devenus depuis une vingtaine d'années le jouet valorisant de certaines castes militaro-industrielles.***

C'est le cas des missiles sol-sol ou air-sol à moyenne portée, de l'artillerie et des munitions nucléaires à radiations renforcées, appelées "armes du champ de bataille" et destinées à résister nucléairement à une attaque conventionnelle.

▲ *Autrefois, les missiles intercontinentaux, sortis une fois par an de leurs silos pour les défilés officiels établissaient dans l'esprit des contribuables de tous les pays la primeur du lobby militaire industriel.*

Ces armes se caractérisent par un pouvoir de destruction suffisamment ciblé et limité pour pouvoir être mis en œuvre sur le terrain. Deux facteurs ralentissent le déploiement de ces nouvelles générations d'armes tactiques : d'une part, avec l'éclatement du pacte de Varsovie dans les années 1990, l'URSS rapatrie sur son territoire des engins qui étaient positionnés dans des pays rapidement devenus moins "frères". Symétriquement, les Etats d'Europe de l'Ouest, souhaitant s'autonomiser par rapport aux Etats-Unis dans la construction d'une Europe de la défense, limitent les implantations d'armes américaines sur leurs territoires.
D'autre part, le bloc socialiste dans son ensemble réaffecte les crédits destinés aux militaires vers le développement de l'économie et l'accroissement du niveau de vie des populations ; les accords de limitation des armements nucléaires, qui sont passés entre les deux blocs, s'inscrivent dans cette logique de diminution des dépenses. Malgré cela, nulle part, à l'Est comme à l'Ouest, les recherches sur ces systèmes d'armes nucléaires ne sont abandonnées, ces engins étant devenus depuis une vingtaine d'années le jouet valorisant de certaines castes militaro-industrielles.

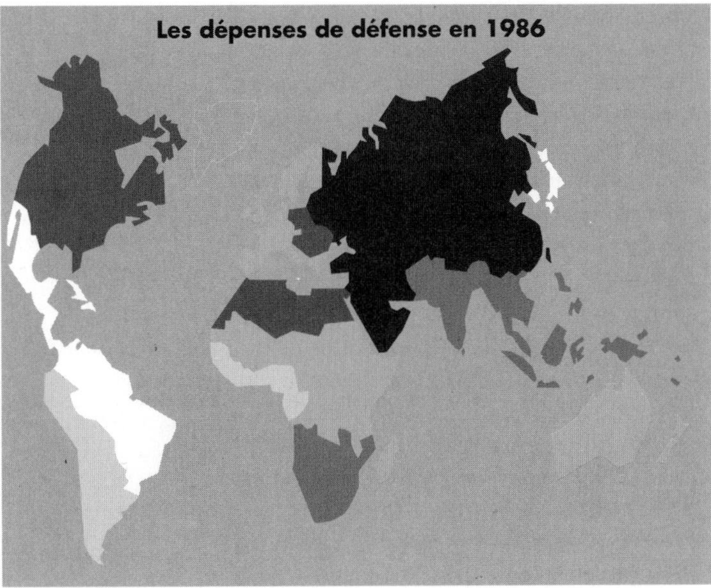

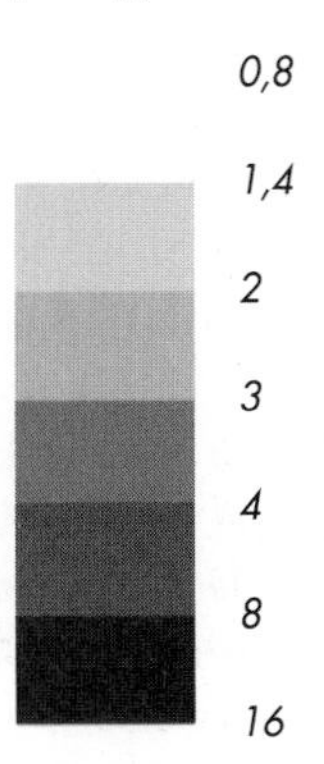

◀ *En Europe de l'est, en URSS et en Chine, les dépense de défense couvrent également la production du matériel militaire, contrairement à ce qui se passe dans le reste du monde.*

▲ Certains aiment toujours jouer avec le feu.

Or, de nombreux pays du Sud, exclus durant longtemps du partage de la science atomique ont, dans la même période, choisi délibérément et sans scrupules particuliers la voie de la prolifération nucléaire. L'essor technologique et industriel du Brésil, de l'Inde, du Pakistan, de Taiwan, de l'Afrique du Sud, de l'Irak ou d'Israël a permis à ces Etats régionalement puissants et stratégiquement assez agressifs d'être désormais en possession d'une capacité nucléaire autonome, proportionnelle à leurs ambitions et à leurs environnements militaires locaux.
Peu animés de visées territoriales classiques, ces pays sont traversés de conflits raciaux ou religieux. C'est le cas du Moyen-Orient, - Churchill l'aurait qualifié de bas ventre du monde - hypersensible et vital à la fois. Que le feu destructeur plane au-dessus de cette région n'est pas nouveau. Pendant des millénaires déjà, ces arpents déserts ont été dévastés par les conflits. Mais vitrifier les lieux saints dépasse l'entendement. Ce serait réactiver le martyr des vieux textes sacrés et briser définitivement l'un des nœuds de l'histoire spirituelle de l'humanité. Hélas, lorsque les braises de la haine sont bien attisées et que le cynisme et l'inconscience des dirigeants débordent leur intelligence, le feu de la matière écrase la flamme de l'esprit.
Signe de cette régression technique et symbolique de l'armement nucléaire, un phénomène de substitution inconscient commence à jouer dans la période 1985-1990. Il vise à catalyser, autour de nouvelles peurs, la répulsion sacrée qui avait fait pendant quarante ans le "succès" psychologique et politique de la régulation nucléaire. A l'heure où les premiers craquements se font entendre dans la forteresse soviétique, c'est la menace chimique libyenne, le canon géant de l'Irak, puis l'occupation du Koweit, qui font les gros titres. Ce sont là les premiers symptômes du fait que la régulation nucléaire ne "fonctionne" plus suffisamment à elle seule et qu'elle doit être relayée par des terreurs dissuasives complémentaires. La grande anarchie conflictuelle qui marque la fin du vingtième siècle a de quoi faire peur à l'humanité entière.

DE LA DISSUASION À LA CONFUSION

Avec le reflux de la bipolarisation nucléaire et l'ouverture du camp socialiste, la carte mondiale de la violence et des conflits armés perd une grande partie de son intelligibilité. Aussi hétérogènes dans leurs causes que dans leurs modalités, les conflits semblent apparaître de manière aléatoire, et ce en tous points de la planète. La gestion de la confusion devient la forme la plus sophistiquée des stratégies qui succèdent à celle de la dissuasion nucléaire.

■ *De nombreux pays du Sud, exclus durant longtemps du partage de la science atomique ont, dans la même période, choisi délibérément et sans scrupules particuliers la voie de la prolifération nucléaire.*

■ *La gestion de la confusion devient la forme la plus sophistiquée des stratégies qui succèdent à celle de la dissuasion nucléaire.*

■ *les Etats-nations sont également soumis aux agressions provocatrices de nombreux acteurs transnationaux aussi puissants qu'insaisissables (firmes multinationales, institutions financières, organisations internationales, relais d'opinion, pouvoirs mafieux).*

Depuis la Seconde Guerre mondiale, l'habitude de classer toutes les formes de la violence internationale en quelques catégories aussi simples qu'exclusives est bien ancrée : s'opposent les conflits locaux et régionaux aux (rares et hypothétiques) conflits centraux (c'est-à-dire mettant directement en présence les deux grands : les crises de Cuba et de Berlin). Les guérillas se distinguent aussi aisément des conflits conventionnels, et *a fortiori* des conflits nucléaires (encore plus hypothétiques). Enfin, suite aux premières retombées de la décolonisation, on envisage d'opposer d'éventuels conflits Nord/Sud aux traditionnels affrontements Est-Ouest.

Pourtant force est de constater que durant toutes ces années les sources de violence collective ou politique échappent déjà souvent à de tels archétypes réducteurs : conflits politico-ethniques au Biafra ou au Liban, émeutes raciales dans le sous-continent indien, violences terroristes à visée nationaliste (Irlande, Pays Basque) ou idéologique (RAF, Brigades rouges, CCC, Action directe) en Europe... En réalité, derrière le nivellement apparent imposé par le primat nucléaire des deux grandes puissances, les forces ancestrales qui animent les sociétés et soulèvent les passions homicides continuent leur œuvre : antagonismes ethniques et culturels, ambitions dominatrices de minorités agissantes, accaparement des sources de richesse, rivalités sociales et économiques...

A côté du vide stratégique laissé par le reflux de la régulation nucléaire bipolaire, le second facteur qui favorise la multiplication de ces conflits limités et hétérogènes est le recul irrésistible des Etats-nations sur la scène internationale. La majorité d'entre eux, après de nombreuses années de pouvoirs totalitaires, ne disposent pas de la solidité institutionnelle qui permet de vivre sereinement la vague néo-libérale. Il n'est jamais facile de permettre à des couches plus larges de la population de s'exprimer tout en ne sombrant pas dans l'anarchie. La variété des modes de fonctionnement des démocraties européennes en est la preuve. Affaiblis de l'intérieur, les Etats-nations sont également soumis aux agressions provocatrices de nombreux acteurs transnationaux aussi puissants qu'insaisissables (firmes multinationales, institutions financières, organisations internationales, relais d'opinion, pouvoirs mafieux, etc.). Ils ont alors de plus en plus de difficulté à réagir face au double mouvement de la mondialisation des échanges et du repliement social sur les communautés de base. Ils ne peuvent enrayer une chute considérable de leur légitimité, qui les prive d'une partie de leurs moyens d'action face aux formes multiples de violence.

▲ *Violence et confusion : qui a tiré sur qui et pourquoi ? Nul ne sait...*

La perte apparente d'intelligibilité des conflits oblige à un regard nouveau, prélude à une réorganisation des grilles de raisonnement stratégiques. Si la réalité technique et sociale a changé, la violence a toujours les mêmes causes éthologiques : la frustration et la cupidité.

A la fin du vingtième siècle, les individus et les communautés, qui ne sont pas reconnus dans leurs droits et estiment ne pas avoir leur place au soleil, constituent le principal gisement de violence, éventuellement exploité par des organisations cupides et manœuvrières. Mais l'expression des identités non reconnues ne trouve pas nécessairement son aboutissement dans un Etat-nation, comme le pensait Hegel. Aussi bien le peuple juif que la communauté islamique ne pourraient se satisfaire d'être regroupés dans un espace géographique délimité. Et les diasporas, hier exceptionnelles, sont devenues la norme. La Chine (dans le sud-est asiatique et en Californie), l'Inde (à Madagascar et en Afrique de l'Est), le Japon (au Brésil), les Azéris, les Arméniens et les ethnies d'Afrique ont tous leurs diasporas. Les peuples sont mondiaux. Les affrontements entre eux le sont aussi.

▲ *Les passions homicides tribales, ethniques et religieuses restent actives sur toute la planète.*

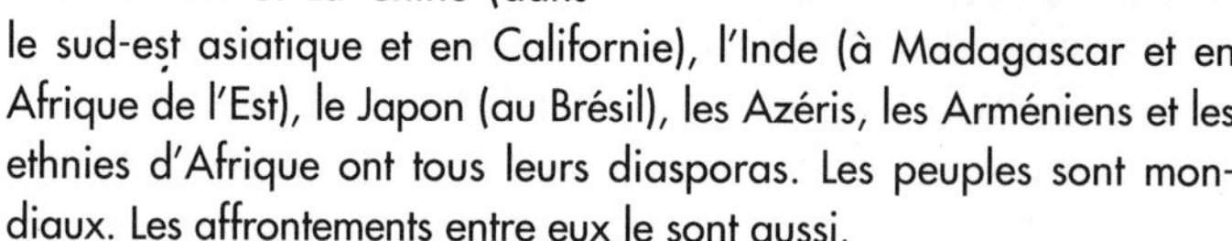

Dès lors, la notion classique de guerre, étroitement liée à celle d'Etat de droit, perd une grande partie de sa pertinence. Le passage du temps de paix au conflit armé devient aussi difficile à identifier (et aussi peu signifiant), que la distinction classique entre guerre civile et conflit international. La violence est tout autant à l'intérieur d'un pays ou au cœur de la ville (Beyrouth, mais aussi les guerres des gangs juvéniles à Los Angeles ou à Bogota), que de part et d'autre d'une frontière. En réalité, la violence, armée ou non, réinvestit les sociétés traditionnelles qui sont profondément déséquilibrées par l'irruption brutale de la modernité, alors qu'une violence ritualisée était souvent le fondement de l'ordre social. La violence pénètre aussi dans les sociétés hyperindustrialisées qui redécouvrent, au-delà du primat absolu de la réussite individuelle et de l'argent, les réflexes premiers de la lutte pour la survie. De part et d'autre de la frontière Nord-Sud, montent les marques du sous-développement. Elles sont plus apparentes au Sud, occultées mais croissantes dans les sociétés du Nord : extrême pauvreté, drogue, analphabétisme. Elles engendrent les mêmes désespérances et les mêmes réactions de violence viscérales. Les jeunes "sauvages urbains", dans ces années-là, prennent, les armes à la main, le contrôle absolu d'un grand nombre de zones suburbaines progressivement abandonnées par la police. Nouvelle forme de guérilla urbaine, cet affrontement commence par des micro-escarmouches, des pierres dans les pare-brises, des petits lar-

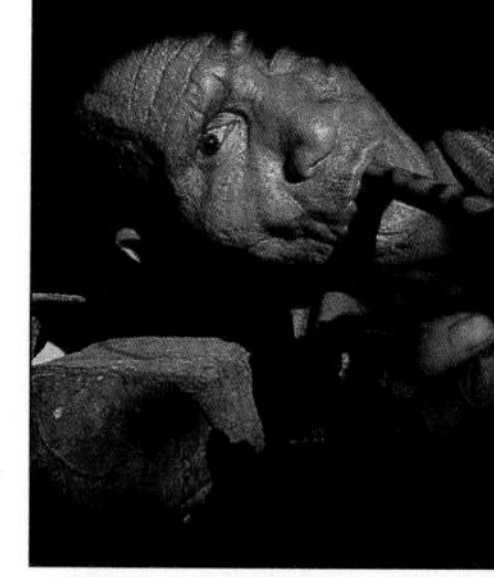

▲ *A la fin du dix-neuvième siècle, les occidentaux avaient mis la Chine à genoux grâce au trafic de l'opium.*

Frustration et cupidité : la drogue est une cause de violence de plus en plus importante. ▼

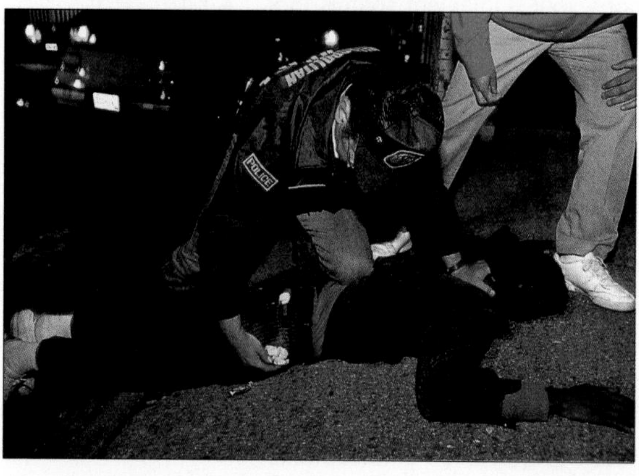

cins. Mais surtout, des communautés ethniques, religieuses ou d'intérêt, organisent de nouveaux ordres sociaux urbains d'où sont exclus les pouvoirs de la municipalité ou de l'Etat (justice, police, enseignement, santé, etc.). Les sauvages urbains ne sont que des formes très visibles de regroupements qui reconstituent, en fait, des noyaux tribaux ancestraux. Exclu de la société, comme le lépreux de l'antiquité, le sauvage urbain reconstruit ses lieux de référence sociale et affective. Et les sociétés nouvelles qui apparaissent sont trempées dans la violence imposée par leur milieu. A cause de la saturation de l'environnement où elles évoluent (le bidonville : pas assez d'espace ; le chômage : pas assez de ressources), mais aussi de l'appétence due au spectacle que les nantis donnent aux exclus à chaque coin de rue, le seul mode de survie possible est la prédation primaire.

▲ *Les munitions ont été fabriquées très efficacement en grande série. Il faut bien les vendre...*

▲ *Les sauvages urbains reconstituent comme ils peuvent des références sociales et affectives.*

Au niveau des Etats, le déclin du rôle stratégique des grandes puissances nucléaires coïncide également avec l'émergence d'acteurs nouveaux, en rupture avec les règles traditionnelles de la vie internationale. Ces acteurs sont, autour des années 2000, surtout d'inspiration tribale ou religieuse, comme si la marée de l'ordre ancien se retirant, apparaissaient les rochers des anciennes ethnies qui, se sentant menacées dans leur identité par le monde moderne, deviennent agressives. Il faut attendre la seconde moitié du vingt-et-unième siècle pour que, par suite du mélange urbain, d'une éducation

■ ***Les diasporas, hier exceptionnelles, sont devenues la norme. La Chine, l'Inde, le Japon, les Azéris, les Arméniens et les ethnies d'Afrique ont tous leurs diasporas. Les peuples sont mondiaux. Les affrontements entre eux le sont aussi.***

■ ***La violence, armée ou non, réinvestit les sociétés traditionnelles qui sont profondément déséquilibrées par l'irruption brutale de la modernité, alors qu'une violence ritualisée était souvent le fondement de l'ordre social.***

Dites-le avec des fleurs ! ▶

commune et de la constitution d'une tribu planétaire, les esprits tribaux particuliers se dissolvent dans une conscience de l'espèce. L'élargissement de la conscience, l'histoire le montre, peut s'accompagner de violences d'une ampleur considérable. Il a fallu les deux guerres mondiales pour liquider les particularismes tribaux européens. Des millions de morts, avant que chacun se dise "plus jamais ça". Depuis, d'autres lieux du monde ont subi des saignées comparables : l'Irak et l'Iran par exemple. Le prix à payer est d'autant plus lourd que les peuples concernés ont reçu une éducation sectaire et fanatique en décalage par rapport au monde moderne.

Au début du vingt-et-unième siècle, on assiste donc au retour d'un "état de nature" violent et instable. La plupart des paramètres favorise une conflictualité hétérogène et anarchique entre 1995 et 2020. Et ce d'autant plus que les progrès rapides des technologies avancées donnent aux armes une capacité d'action et une souplesse d'utilisation accrues. La guerre "à la carte" devient possible.

■ ***L'élargissement de la conscience, l'histoire le montre, peut s'accompagner de violences d'une ampleur considérable.***

■ ***La maîtrise de la nanoseconde par la révolution microélectronique bouleverse les mécanismes habituels de l'action et de la réaction sur le terrain, elle permet alors de conduire la bataille en temps réel.***

■ ***Grâce aux énormes puissances disponibles sous de faibles volumes, les lasers militaires sont capables de produire à distance des destructions instantanées et ponctuelles (c'est le vieux rêve des "rayons de la mort").***

CONFLITS "À LA CARTE" ET GUERRES "PROPRES"

Après cinquante ans d'un menu quasi obligatoire (conflit local, guérilla révolutionnaire ou conflit mondial), la carte de la gastronomie militaire s'est bien enrichie au début du troisième millénaire. A la diversité et à l'incohérence politico-stratégique des conflits répond, en effet, une diversité technique de moyens d'action.

Ainsi l'irruption des matériaux composites modifie en profondeur les structures et les performances de tous les engins, vecteurs et équipements militaires aéronautiques, spatiaux, navals et terrestres. Des missiles balistiques aux mines antipersonnelles indétectables, en passant par les navires en structures composites amagnétiques, ces matériaux sont omniprésents. Les avantages qu'ils apportent sont multiples : poids, signature radar, faible entretien, tolérance aux environnements sévères, vitesse, résistance aux chocs... Ils transforment toute la doctrine d'emploi des systèmes d'armes.

Schtroumpfs revêtus d'une combinaison antibioschtroumfique. A vos souhaits ! ▼

De même, la maîtrise de la nanoseconde par la révolution microélectronique bouleverse les mécanismes habituels de l'action et de la réaction sur le terrain d'opérations. Télécommunications, détection, traitement de l'information, intelligence artificielle, robotique : tous les systèmes d'armes sont concernés. Le sigle C3i (commandement - contrôle - communication - intelligence) symbolise cette révolution intervenue dans les procédures d'information et de prise de décision militaires. Elle permet de conduire la bataille en temps réel, de réaliser l'ubiquité et la quasi-instantanéité des actions et des réactions.

Dans le domaine énergétique, des sauts qualitatifs importants sont également réalisés grâce aux ultimes retombées de l'énergie nucléaire et de l'exploitation de nouvelles sources d'énergie. Les centrales nucléaires embarquées ont considérablement augmenté l'autonomie des sous-marins, mais aussi des satellites d'observation et de combat. Grâce aux énormes puissances disponibles sous de faibles volumes, les lasers militaires sont capables de produire à distance des destructions instantanées et ponctuelles (c'est le vieux rêve des "rayons de la mort"). La précision est telle qu'au lieu de tuer l'ennemi, on préfère le dissuader en lui coupant au laser un bout d'oreille pendant qu'il parle en public...

▲ *La violence n'est extra-lucide que dans l'amplification de la vue.*

Techniquement et géographiquement, les armements modernes sont donc devenus capables d'agir dans les trois dimensions de l'espace et la quatrième dimension du temps et de l'information. Pour chacun de ces types d'affrontements, la panoplie est large et elle offre les équipements appropriés, susceptibles de communiquer entre eux et de s'intégrer dans un système global.

De même qu'il est opportun de choisir son terrain, l'évolution technique et stratégique de la fin du vingtième siècle rend également possible le choix de l'étendue spatiale et temporelle du conflit. Le conflit limité, qui n'était à l'époque du nucléaire triomphant que le succédané d'un véritable affrontement, a gagné ses lettres de noblesse et mis en valeur ses indéniables qualités : dégâts limités, marge de manœuvre politique parallèle, test en grandeur réelle pour les équipements et les concepts tactiques... Une vallée, une région, une ville même peuvent être le terrain d'un affrontement calibré (et dont la durée peut elle aussi être dosée en fonction des quantités de matériels et de munitions des belligérants). On retrouve ici une forme moderne du "jugement de Dieu" médiéval , qui limitait à un tournoi entre deux champions ce qui aurait pu être conflit entre deux cités. Par le biais des conflits limités, la guerre moderne redevient accessible aux clans et aux milices privées, d'origine ethno-idéologique (comme au Liban ou au Cambodge) ou simplement maffieuse (comme en Colombie ou dans les montagnes du sud de l'Italie).

La ritualisation du conflit, sa transformation en jeu-spectacle amène le tournoi des chefs à remplacer la tuerie des peuples. ▼

Paradoxalement, l'un des avantages de cette forme de conflit calibré est aussi qu'il rend bien plus facile l'engagement direct des grandes puissances militaires sur le terrain, celles-ci prenant garde à ne pas s'enliser dans des situations de type "algéro-vietnamoafghanes". Les conflits réapparaissent autour des années 1980-1990 pour de courtes périodes et sur des théâtres d'opération limités (Tchad, Liban, Grenade, Panama, Azerbaïdjan[1]). Leur caractère localisé ne les

▲ Les dictatures modernes les plus grossières...

▲ Les B52 terminent dans ce cimetière le chemin de croix qu'ils ont tracé.

empêche pas de tirer profit de toutes les ressources de la technologie. En effet, les armes légères sont également devenues des systèmes complexes de haut niveau (missile sol-air à courte portée, équipement de liaison et de détection miniaturisé, hélicoptère léger, voire armes atomiques miniatures...). La prolifération de ces conflits limités et diversifiés s'avère favorable au test des équipements (et par là contribue à lever certains blocages technologiques). Cette prolifération présente également l'avantage de nourrir un important marché de remplacement qui compense, pour les industriels de l'armement, les baisses de crédits sur les grands équipements.

Mais le raffinement suprême, dans cette nouvelle donne, est sans nul doute le développement rapide, à partir de l'an 2000, des "guerres propres". Profitant des ressources nouvelles et conjuguées des technologies de l'information et des sciences du vivant, de nouvelles formes d'affrontements voient en effet le jour : ainsi ces quelques précurseurs japonais qui, en 1985, avaient déjà réussi à paralyser entièrement le métro de Tokyo durant une journée (avec les conséquences matérielles et sociales que cela représente) par le seul sabotage d'un câble de transmission. Le blocage d'une entreprise, d'une ville, d'une région, d'un Etat devient une arme fréquente de chantage et de violence indirecte. Les réseaux de communication, les infrastructures de transports, les services de transfert de fonds, mais aussi les systèmes météorologiques, les usines de médicaments ou encore les stations d'épuration d'eau sont ainsi des cibles de premier plan. Apparaît en plein jour la convergence entre sécurité civile et sécurité militaire. Ce phénomène était d'ailleurs latent depuis longtemps : depuis la fin du dix-neuvième siècle, le pourcentage de

...envoient les enfants au combat. ▼

[1] Le cas des îles Malouines doit être mis à part. Il est lié à la dissuasion : c'est l'établissement de la "crédibilité du doigt" britannique, et par extension, européen.

■ ***Le raffinement suprême, dans cette nouvelle donne, est sans nul doute le développement rapide, à partir de l'an 2000, des "guerres propres". Le blocage d'une entreprise, d'une ville, d'une région, d'un Etat devient une arme fréquente de chantage et de violence indirecte.***

■ ***Ainsi une nouvelle échelle de la dissuasion s'établit progressivement, fondée sur l'exploitation de la vulnérabilité des systèmes d'information complexes.***

Qui terre a, guerre a.
Proverbe français.

morts civils dans les conflits inter-Etats n'a cessé de croître. Après avoir mangé de la chair à canon, le monstre dévore femmes et enfants.

L'objectif de ces nouvelles guerres propres n'est plus l'appropriation tangible des choses, ni même la domination physique des corps. C'est plutôt le contrôle des flux d'information et la soumission des esprits. De la surenchère médiatique entourant une OPA sauvage à l'affrontement (détection, écoute, brouillage, leurrage) des systèmes C3i des grandes puissances mondiales, la règle du jeu est là : sans violence physique, sans dégâts matériels onéreux, sans même avoir besoin de se rencontrer dans un même lieu, l'un des belligérants est *ipso facto* contraint à l'abandon en raison de la défaillance ou de la moindre performance de son système de communication, d'information et de commandement. Et ainsi une nouvelle échelle de la dissuasion s'établit progressivement, fondée non plus sur le "pouvoir égalisateur de l'atome", mais sur l'exploitation de la vulnérabilité des systèmes d'information complexes.

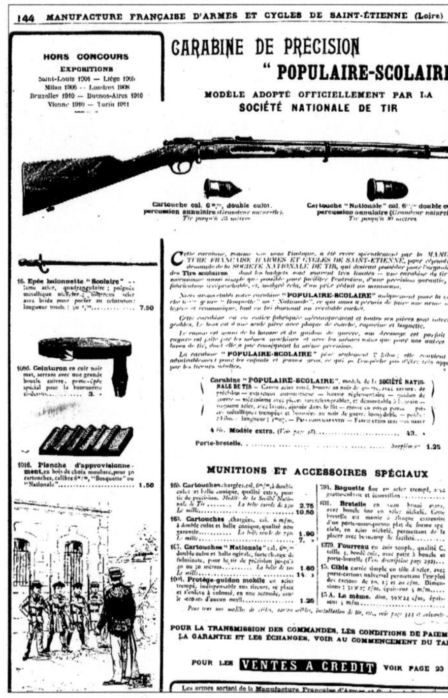

144 MANUFACTURE FRANÇAISE D'ARMES ET CYCLES DE SAINT-ÉTIENNE (Loire)

HORS CONCOURS
EXPOSITIONS
Saint-Louis 1904 — Liège 1905
Milan 1906 — Londres 1908
Bruxelles 1910 — Buenos-Aires 1910
Vienne 1910 — Turin 1911

CARABINE DE PRÉCISION
" POPULAIRE-SCOLAIRE
MODÈLE ADOPTÉ OFFICIELLEMENT PAR LA SOCIÉTÉ NATIONALE DE TIR

Cartouche cal. 6 m/m, double culot, percussion annulaire (Grandeur naturelle).

Cartouche "Nationale" cal. 6 m/m double culot, percussion annulaire (Grandeur naturelle).

16. Epée baïonnette "Scolaire" ... 7.50

1080. Ceinturon en cuir noir mat, serrant avec une grande boucle cuivre, porte-épée spécial pour la baïonnette ci-dessus ... 3. »

1016. Planche d'approvisionnement, en bois de choix mouluré, pour 50 cartouches, calibre 6 m/m, "Bosquette" ou "Nationale" ... 1.50

Carabine "POPULAIRE-SCOLAIRE", modèle de la SOCIÉTÉ NATIONALE DE TIR

Modèle extra. ... 42. »

Porte-bretelle. ... Supplément 1.25

MUNITIONS ET ACCESSOIRES SPÉCIAUX

165. Cartouches chargées ... 2.75 ... 10.50

163. Cartouches chargées ... 1.90 ... 7. »

167. Cartouches "Nationale" ... 1.60 ... 14. »

Protège-guidon mobile ... 1.25

791. Baguette

631. Bretelle

1379. Fourreau

15. Cible

15 A. La même.

POUR LA TRANSMISSION DES COMMANDES, LES CONDITIONS DE PAIEM[ENT] LA GARANTIE ET LES ÉCHANGES, VOIR AU COMMENCEMENT DU TA[RIF]

POUR LES VENTES A CREDIT VOIR PAGE 23

▲ *Familiariser les enfants avec les armes dès l'école a toujours été une marque des nations dites civilisées.*

Avec le changement du système technique, les enjeux ont évolué. Dans une société agraire, la base de la survie, le territoire social, c'est la terre. Transmise aux descendants, elle est l'enjeu des batailles. L'homme lui est attaché comme à une mère nourricière et sacrée qu'il ne peut quitter sans se perdre. La civilisation industrielle change les conditions de la survie. Pour fonctionner, l'industrie a besoin d'énergie, de matières premières, de travail et de débouchés. Il lui faut aussi maîtriser son capital. Chacun de ces facteurs est l'objet d'affrontements : l'appropriation de ressources pétrolières et minières ; les conflits sociaux, grèves et lock-outs ; les batailles commerciales et règlementaires pour le partage des marchés ; les batailles boursières enfin, avec leurs pirates et leurs corsaires, les "raiders". Les déploiements d'agressivité ne manquent pas. Mais très peu impliquent la violence physique. D'une manière générale, le commerce, dès le niveau de la boutique, est demandeur d'ordre public. Il redoute la violence physique et n'y recourt que par exception. Son fonctionnement normal est de séduire, non de persuader par la menace.

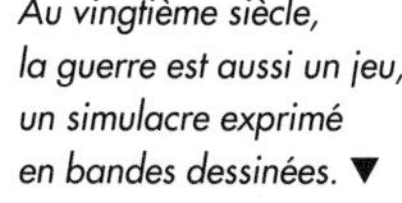

Au vingtième siècle, la guerre est aussi un jeu, un simulacre exprimé en bandes dessinées. ▼

Dans le nouveau système technique, le territoire c'est l'esprit des hommes. Des moyens immenses sont déjà mobilisés par l'industrie et les classes dirigeantes en vue de l'investir : la publicité pour les lessives ou les hommes politiques, ainsi que toutes les formes de fascination et d'accoutumance. Dans cette perspective, la drogue apparaît, non comme un accident, mais comme un aboutissement, une extrapolation du système contemporain poussée jusqu'à l'absurde. Les conflits changent alors

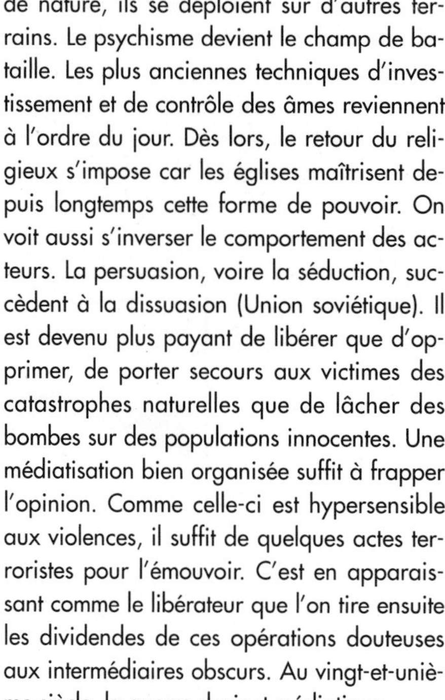

de nature, ils se déploient sur d'autres terrains. Le psychisme devient le champ de bataille. Les plus anciennes techniques d'investissement et de contrôle des âmes reviennent à l'ordre du jour. Dès lors, le retour du religieux s'impose car les églises maîtrisent depuis longtemps cette forme de pouvoir. On voit aussi s'inverser le comportement des acteurs. La persuasion, voire la séduction, succèdent à la dissuasion (Union soviétique). Il est devenu plus payant de libérer que d'opprimer, de porter secours aux victimes des catastrophes naturelles que de lâcher des bombes sur des populations innocentes. Une médiatisation bien organisée suffit à frapper l'opinion. Comme celle-ci est hypersensible aux violences, il suffit de quelques actes terroristes pour l'émouvoir. C'est en apparaissant comme le libérateur que l'on tire ensuite les dividendes de ces opérations douteuses aux intermédiaires obscurs. Au vingt-et-unième siècle, la guerre devient médiatique.

▲ *On entre dans la vie en retard d'une guerre.*

■ ***Dans le nouveau système technique, le territoire c'est l'esprit des hommes. Dès lors, le retour du religieux s'impose en effet les églises maîtrisent depuis longtemps cette forme de pouvoir.***

■ ***Un service, non plus militaire, mais civique, est institué progressivement entre 2010 et 2030, à la suite des troubles de l'ordre public dans les grandes villes. Il renforce la résistance de la population aux différentes formes de drogue et de désinformation, et généralise la pratique des arts martiaux.***

Il faut alors s'interroger plus profondément sur la nature du métier militaire, revenir à son sens originel. La société agraire du moyen-âge était organisée en trois classes, *aratores, bellatores, oratores* (les paysans, les guerriers et les moines). Autour de la fonction guerrière s'était bâti un idéal chevaleresque qui donnait sens à la vie. Les romans de l'époque décrivent le chemin initiatique de celui qui est prêt à mourir pour que l'essentiel du vivant soit préservé. Au Japon, l'éthique du samouraï répondait à la même époque, de la même manière, à la même question philosophique[1]. De tels idéaux ont toujours leur place, mais les modalités de leur exercice évoluent. Dans la société médiatique, le guerrier doit se positionner dans sa fonction originelle, qui est de dissuader (l'ennemi d'attaquer) ou de persuader (l'ennemi qu'il est vaincu). Le reste est au niveau des moyens. Et même si l'enjeu reste toujours la vie, ni la destruction, ni l'appropriation des territoires ne sont désormais indispensables.

L'homme des débuts du troisième millénaire est soumis à des agressions psychiques, telles que la publicité, la drogue et la désinformation, avant même d'être soumis à des agressions physiques. Le territoire à défendre, c'est donc d'abord l'identité des individus et leur santé mentale. Les traditionnelles professions militaires se réorganisent, faute de quoi elles sont écrasées par la désinformation, la propagande, la médiatisation et les publicités. Autant que de défense, il faut parler alors d'esprit d'autodéfense : il n'est pas possible, dans les démocraties, de mettre un défenseur de l'esprit derrière chaque citoyen. Un service, non plus militaire mais civique, est institué progressivement entre 2010 et 2030, à la suite des troubles de l'ordre public dans les grandes villes. Il renforce la résistance de la population aux différentes formes de drogue et de désinformation et généralise la pratique des arts martiaux.

[1] *Yukio Mishima, Le Japon moderne et l'éthique samouraï : la voie du Hagakuré, Gallimard, Paris, 1985.*

L'usage croissant des nouvelles violences indirectes contribue donc aussi, à sa manière, à faire du début du troisième millénaire une période de transition conflictuelle très vive. Une "libanisation" générali-

▲ Retrouver l'esprit des guerriers d'autrefois.

▲ Couper l'ennemi de ses bases, l'encercler puis l'étouffer ou le tuer.

sée de la surface du monde devient alors la menace essentielle. Face à la perte du monopole militaire, à la diffusion très large dans la société de moyens de violence indirecte, à la diversification des causes, des lieux et des modalités de conflit, un nouvel ordre public reste à reconstruire.

LES TECHNOLOGIES DE LA GUERRE AU SERVICE DE L'ORDRE PUBLIC

La dérégulation de la violence sociale et politique qui marque le début du vingt-et-unième siècle appelle bientôt une réaction organisée en vue de rétablir le "monopole de la violence légitime". Dans ce contexte, les systèmes militaires les plus avancés, qui ont tant contribué à la contagion de la violence durant cette période, sont amenés à jouer un rôle aussi important qu'inattendu.

Tout d'abord, la progression vertigineuse des capacités techniques et opérationnelles des équipements de défense ne s'est pas poursuivie sans difficultés au-delà des années 1990-1995. C'est à cette époque que plusieurs faiblesses structurelles du système de production militaro-industriel se sont révélées au grand jour et ont favorisé, voire imposé, un changement de cap.

La violence avance masquée. ▼

Financièrement tout d'abord, le développement et la production d'armements aussi performants que novateurs coûtent inexorablement plus cher d'année en année. Or c'est dans les années 1980 que les premières analyses économiques ont mis en lumière la diminution des retombées industrielles des efforts de recherche militaire[1]. Ce n'est pas un hasard si les deux vaincus de

[1] François Chesnais, *Compétitivité internationale et dépenses militaires*, CPE/Economica, Paris, 1990.

la Seconde Guerre mondiale, l'Allemagne et le Japon, étaient, cinquante ans après, les deux vainqueurs de la compétition économique. Ils ont consacré leurs forces vives et leur combativité à l'industrie civile. Dès lors, dans tous les pays industrialisés et militarisés, une tension constante a affecté la répartition des dépenses budgétaires entre les emplois civils, jugés plus productifs, et les développements militaires, toujours plus chers et sans cesse moins diffusants. Le quasi-abandon, au seuil de l'an 2000, des développements américains (pourtant très avancés) en matière d'avion "furtif" constitue sans doute le premier résultat de cette nouvelle logique.

Celui qui sait vaincre n'entreprend pas la guerre.
Proverbe chinois.

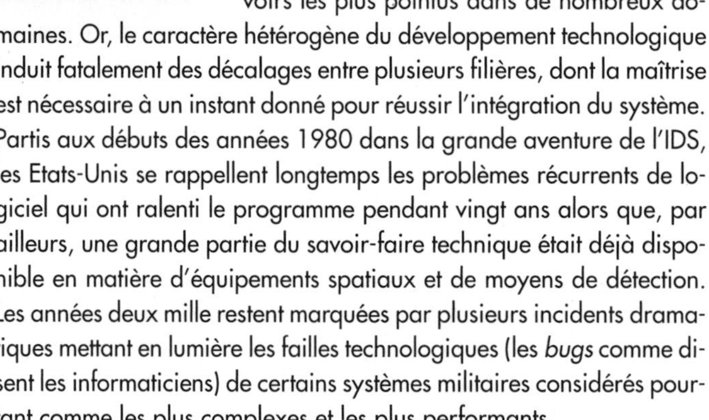

▲ *Coûteux, les armements anciens sont remisés sans avoir eu à combattre. (manœuvre de l'Otan en RFA avec missiles Hawk).*

A cette contrainte budgétaire et économique se superposent progressivement des blocages technologiques transitoires. Les équipements militaires font en effet partie des systèmes techniques les plus exigeants en termes de performances et de fiabilité de fonctionnement. Ils font, par conséquent, appel aux savoirs les plus pointus dans de nombreux domaines. Or, le caractère hétérogène du développement technologique induit fatalement des décalages entre plusieurs filières, dont la maîtrise est nécessaire à un instant donné pour réussir l'intégration du système. Partis aux débuts des années 1980 dans la grande aventure de l'IDS, les Etats-Unis se rappellent longtemps les problèmes récurrents de logiciel qui ont ralenti le programme pendant vingt ans alors que, par ailleurs, une grande partie du savoir-faire technique était déjà disponible en matière d'équipements spatiaux et de moyens de détection. Les années deux mille restent marquées par plusieurs incidents dramatiques mettant en lumière les failles technologiques (les *bugs* comme disent les informaticiens) de certains systèmes militaires considérés pourtant comme les plus complexes et les plus performants.

Dernier élément perturbant dans cette période de transition, l'homme lui-même a de plus en plus de mal à s'intégrer de manière efficace au sein des systèmes d'armes. Ainsi faut-il prévoir dans les avions de combat de la fin du siècle des sièges fortement inclinés (à la limite de la position couchée) pour compenser les effets de l'accélération dans certaines phases de vol. Mais alors d'autres problèmes apparaissent en raison de cette nouvelle position du pilote, notamment en matière de visibilité, qu'il faut également compenser par de nouvelles innovations coûteuses.

La sécurité civile sauve des vies à l'aide d'hélicoptères militaires. ▼

La compression des temps de réaction, les contraintes physiologiques croissantes, la miniaturisation des équipements : voilà autant d'évolutions qui compliquent l'intégration de l'homme au système. Or,

▲ Les forces armées portent secours aux victimes des catastrophes naturelles ou provoquées par l'homme.

▲ L'armement devient individuel et portatif.

comme de nombreuses expériences d'automatisation le montrent au cours de cette même période, l'homme demeure le meilleur maître de l'exploitation en temps réel des opportunités opérationnelles. L'industrie militaire engage donc des recherches accrues en matière d'ergonomie, d'intelligence artificielle, de robotique, de théorie des automates, d'imagerie et de synthèse vocale. Les résultats sont inégaux, mais certains de ces travaux entraînent d'importantes retombées dans divers domaines économiques civils.

Les robots guerriers télécommandés ne se développent pas avant 2015. A cette date, les missiles de croisière sont remplacés par des engins plus autonomes et capables de soutenir un véritable combat aérien avec des adversaires habités. Ils peuvent être lâchés à un millier de kilomètres de leur cible, et effectuer ce qu'on appelle une frappe micro-chirurgicale, à un mètre près. Les systèmes de détection par satellite ont également progressé. Ils donnent des images du sol qui distinguent des objets d'une taille inférieure au mètre. A cette époque troublée, une telle précision trouve son débouché, non plus dans les grands conflits, mais dans les opérations de maintien de l'ordre. On cherche alors à atteindre une personne ou un petit groupe, noyé dans la jungle urbaine. Il ne s'agit plus de tuer, mais de neutraliser et capturer. Des armes spéciales sont développées à cet effet. La balle de fusil, ou de revolver, est remplacée par un train de micro-ondes inhibant momentanément les fonctions motrices du cerveau.

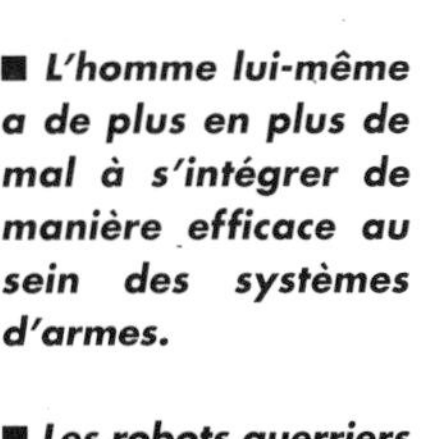

■ **L'homme lui-même a de plus en plus de mal à s'intégrer de manière efficace au sein des systèmes d'armes.**

■ **Les robots guerriers télécommandés ne se développent pas avant 2015. A cette date, des engins peuvent être lâchés à un millier de kilomètres de leur cible et effectuer ce qu'on appelle une frappe micro-chirurgicale, à un mètre près. La balle de fusil, ou de revolver, est remplacée par un train de micro-ondes inhibant momentanément les fonctions motrices du cerveau.**

▲ Les images satellite servent aussi bien à la télésurveillance civile que militaire.

A tous les facteurs techniques et économiques qui ralentissent le progrès technologique militaire, il convient d'ajouter les difficultés conjoncturelles qu'entraîne, pour l'industrie mondiale de l'armement, la fin de la tension frontale Est-Ouest. Même si l'essor des conflits locaux permet à l'industrie de l'armement de soutenir son chiffre d'affaires et de continuer ses développements, la désuétude qui affecte progressivement à partir de 1990 l'Otan et le pacte de Varsovie, a des effets importants. Il en résulte une période d'adaptation et de reconfiguration de l'offre et de la demande qui dure une quinzaine d'années. L'évolution se fait selon plusieurs directions : priorité aux systèmes légers et mobiles sur les systèmes fixes et centraux ; priorité aux technologies ouvertes permettant l'utilisation optimale des produits standards disponibles dans le civil ; priorité à la commodité d'utilisation et de mise en œuvre sur la capacité théorique du système.

▲ *La lance à eau pour pompiers est dérivée d'un ancien lance-flammes.*

Pour mieux se préparer à la crise naissante, les industries militaires favorisent, dès le milieu des années 1980 mais surtout à partir de 2000, la reconversion de certaines technologies vers des produits de sécurité civile. Les importants efforts d'innovation menés initialement à des fins militaires entrent donc au service des nouvelles tâches d'ordre public qu'il devient urgent d'accomplir entre 2020 et 2050. Deux dimensions essentielles des systèmes d'armes modernes sont particulièrement exploitées : la mobilité et la capacité de surveillance et de communication. La réquisition organisée de matériel militaire pour monter des opérations humanitaires est d'abord lancée à une échelle modeste. Ainsi, la bioforce de l'armée française intervient en Afrique et les détachements militaires de la sécurité civile sont envoyés sur les lieux de tremblements de terre au Mexique, en Arménie ou en Iran. La synergie entre activités de sécurité civile et militaire commence à devenir permanente et organisée à partir de 1995.

La vocation de surveillance et d'alerte humanitaire s'intègre d'autant mieux dans la mission des unités militaires qu'une part importante de l'effort de défense des grandes puissances est reconvertie à la suite des accords Est-Ouest conclus après 1990. Cette reconversion est faite au profit de la surveillance des accords de désarmement et de non-prolifération, ce qui nécessite des systèmes sophistiqués de veille à base de satellites et de stations de détection.

■ ***Les importants efforts d'innovation menés initialement à des fins militaires entrent donc au service des nouvelles tâches d'ordre public qu'il devient urgent d'accomplir entre 2020 et 2050.***

■ ***Deux dimensions essentielles propres aux systèmes d'armes modernes sont particulièrement exploitées : la mobilité et la capacité de surveillance et de communication.***

L'organisation des structures de commandement et d'encadrement militaires démontre sa pertinence lorsqu'il s'agit de prendre en charge la réaction collective à des événements catastrophiques de grande ampleur. Chacun sait déjà que la notion même de "sécurité civile" est en elle-même erronée, tant la part militaire est grande dans le recrutement, l'encadrement et les méthodes des unités spécialisées dans le traitement "à chaud" des catastrophes naturelles ou accidentelles. Une attention plus grande de l'opinion mondiale aux risques technologiques et naturels majeurs amène logiquement les instances nationales ou internationales à utiliser de manière plus efficace les

Si nous ne luttons pas, nous sommes égaux, mais si nous luttons, l'un de nous sera battu. Proverbe maori.

appareils militaires au service d'une "sécurité civile mondiale" à grande échelle et aux pouvoirs étendus.
Enfin, la décennie 1990 débute sur des événements symboliques im-

La délinquance en col blanc échappe encore à la vigilance des forces de sécurité. ▶

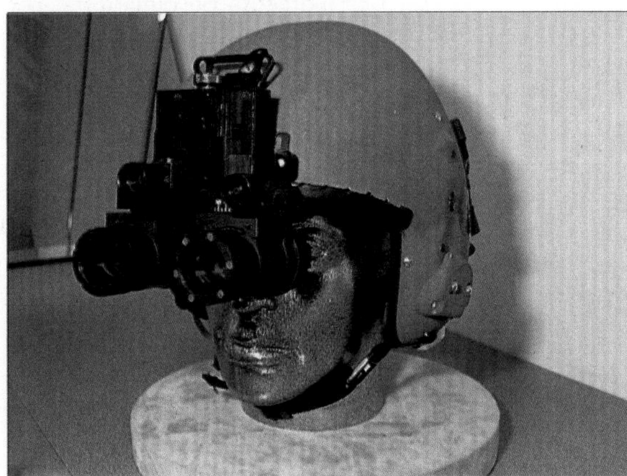

▲ A partir de la fin du vingtième siècle, les jumelles pour voir la nuit deviennent indispensables aux opérations de maintien de l'ordre dans les mégalopoles livrées aux sauvages urbains.

portants. L'intervention directe et indirecte des Etats-Unis dans la lutte armée contre les pouvoirs de la drogue en Amérique latine (Panama, Colombie) et la coalition contre l'Irak lors de l'invasion du Koweit sont les signes d'une transition importante. Une frontière jusque-là difficilement franchissable est abolie entre police et force armée, entre maintien de l'ordre et guerre. Nécessité semblant faire loi, l'opinion mondiale accepte qu'une logique du temps de crise s'instaure pour lutter contre la montée hégémonique du pouvoir maffieux, au risque de malmener quelques principes juridiques traditionnels. Les Etats sont menacés dans leur légitimité par les groupes d'intérêts économiques, les délinquants en col blanc, les minorités violentes ou le crime organisé. Pour maintenir l'ordre et gérer les situations de crise, les Etats ont donc tendance à compter de plus en plus sur leurs "forces de sécurité" personnelles. A partir de 2015 cette appellation est devenue presque générale sous l'influence du Japon et de ses "forces d'autodéfense".
Certes, une telle évolution n'est pas exempte de dérapages. La période 2000-2030 voit en plusieurs endroits de la planète certaines dictatures militaro-technocratiques accaparer le pouvoir. Mais c'est sans doute le prix à payer pour voir se concrétiser l'aspiration ancienne et jamais réalisée jusqu'alors de "forces internationales" et de "soldats de la paix", mettant leurs structures et leurs moyens au service d'un nouvel ordre public international et concernant la terre entière.
Après les excès tragiques et violents qui caractérisent cette période troublée et le développement anarchique des luttes pour la maîtrise de l'information et la soumission des esprits, la conscience civique internationale trouve, vers 2060, le moyen de mettre la technologie de son côté et d'en faire le gardien le plus sûr de la paix civile mondiale. A cette époque, les différentes ethnies se sont mélangées dans les villes, ont suivi les mêmes enseignements et les agressivités tribales et religieuses du début du siècle se sont calmées.
Mais, la montée en puissance des entreprises leur donne maintenant la dimension nécessaire pour soutenir de véritables conflits armés. Il arrive que l'une d'elles se substitue, ici ou là, au système d'ordre pu-

blic défaillant et fasse main basse sur une île ou une cité. Toutefois, les très grandes entreprises planétaires sont réticentes devant ces comportements, qui sont plutôt le fait de firmes moyennes à tendance maffieuse ou autoritaire. Les opérations de boycott international organisées par les usagers (le premier fut consécutif à la marée noire de l'Exxon Valdes) ont en effet appris aux grands qu'un minimum de civisme planétaire est indispensable pour conserver leur clientèle. Les moyens en recherche et développement de ces entreprises planétaires dépassent largement ceux de nombreux Etats. Elles maîtrisent, directement ou par l'intermédiaire de leurs filiales, de larges pans des technologies militaires. Les responsabilités qui en découlent les conduisent à se doter d'organisations, qui leur permettent de mieux contrôler l'adéquation entre leurs équipes dirigeantes et les chartes constitutionnelles qu'elles se sont données.

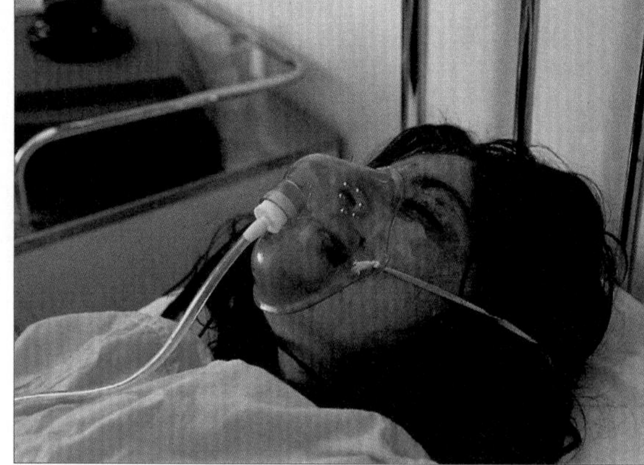

▲ *En 2020, un géant de la chimie européenne qui avait fourni des gaz de combat est l'objet d'un boycott massif des consommateurs.*

Initialement, ces chartes n'étaient que des statuts de droits commerciaux et les dirigeants devaient, avant tout, savoir faire des bénéfices. Il importait peu que les moyens mis en œuvre provoquent pollutions, troubles sociaux, conflits entre Etats. Mais lorsque ces chartes ont commencé à intégrer des concepts plus larges (droit à l'expression des salariés, organisation juridique et pénale, prise en compte d'intérêts environnementaux planétaires, etc.), les dirigeants se sont trouvés investis de missions allant bien au-delà du simple et traditionnel accroissement des dividendes.

Apparaissent alors dans les entreprises des cultures et des comportements militaires diversifiés, qui sont fortement régulés par les mécanismes de l'économie de marché. Quelques tentatives d'instauration

◀ *Les armes de collection sont encore utilisées pour le tir au pigeon.*

■ Après 2060, l'ouverture vers l'espace diminue fortement les raisons de se battre, y compris industriellement, sur terre. Il vaut mieux investir pour conquérir un terrain nouveau et infini.

■ La collectivité planétaire n'a plus alors qu'à maintenir une surveillance constante et une bonne information du public.

de pouvoirs totalitaires militaro-industriels, en dehors de l'habituel champ des Etats-nations, ont lieu. Elles sont rapidement jugulées par des coalitions commerciales et financières entre les autres entreprises planétaires. Après 2060, l'ouverture vers l'espace diminue fortement les raisons de se battre, y compris industriellement, sur terre. Il vaut mieux investir pour conquérir un terrain nouveau et infini, que pour arracher quelques lambeaux d'un marché limité.

Mieux vaut paix que victoire.
Proverbe français.

La collectivité planétaire n'a plus alors qu'à maintenir une surveillance constante et une bonne information du public. Les satellites de télédétection (surveillance de l'océan, lutte antipollution, suivi de l'agriculture, prévention des catastrophes naturelles, etc.), les réseaux de communication des grandes agences de presse et aussi, en cas d'urgence, les premiers systèmes autonomes antimissiles (les "cailloux futés"[1] que les Américains avaient développés pour leur propre programme IDS) sont largement mis à contribution. Les complexes militaro-industriels ont trouvé ici un débouché intermédiaire

En 2080, les enfants ont du mal à reconstituer avec précision les engins de guerre du début du siècle. ▶

entre leurs anciennes compétences meurtrières et leurs futurs savoir-faires utilisés dans la conquête de l'espace plus lointain. La transition militaire s'achève dans une nouvelle perspective : le maintien de l'ordre public et l'utilisation pacifique du potentiel technologique. ■

[1] Il s'agit de satellites capables de détecter une menace et d'y répondre sans intervention humaine.

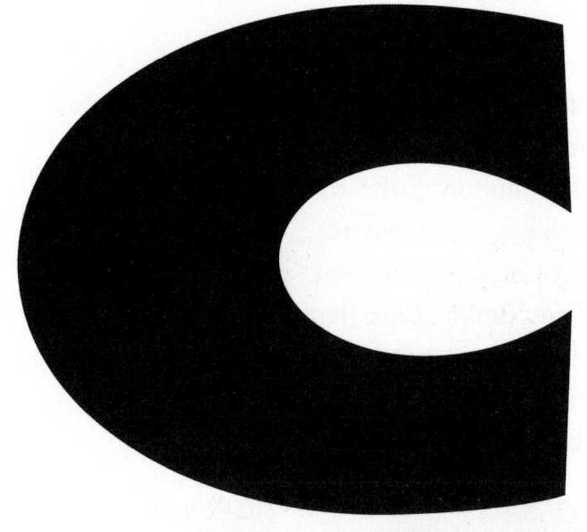

h a

Durant plusieurs siècles marqués par des conflits, la logique juridique et militaire de l'Etat-nation chercha à se substituer aux logiques ancestrales des liens religieux, tribaux et familiaux. Le vingtième siècle apparaissait comme celui de l'apogée du pouvoir des Etats. Au vingt-et-unième, ils s'effacent devant de nouveaux êtres sociaux, qui permettent aux humains de franchir les étapes suivantes de leur évolution.

Nouvelles organisations des sociétés humaines

pitre 17

A l'intérieur comme à l'extérieur, les Etats modernes ont fini par vaincre et par réduire en tutelle tous les corps intermédiaires qui leur disputaient encore le monopole du pouvoir social et politique. Les deux conflits mondiaux tout comme les progrès rapides de l'économie industrielle ont porté leur emprise sur la société à des niveaux encore jamais atteints. Concernant l'emprise intérieure, le critère fiscal est éloquent : dans les années 1970-1980, tous les prélèvements obligatoires confondus (y compris les cotisations sociales) dépassent souvent 40% du revenu national. Avant 1914, le prélèvement fiscal n'atteignait pas 5% et, au lendemain du second conflit mondial, l'économiste australien Colin Clark avait fixé à 25% le seuil maximal admissible de la ponction étatique !

▲ *Chaque jardin exprime une vision particulière de l'ordre du monde. Parc de Sheffield (Grande Bretagne).*

▲ *Villa Giosti à Vérone (Italie).*

Au niveau international, le modèle étatique domine également sans partage, à tel point qu'un observateur aussi avisé que Raymond Aron pourra confondre, avec une certaine logique, relations internationales et relations inter-étatiques. Héritière directe du congrès de Vienne qui organisa en Europe le "concert des nations" et de la colonisation généralisée des espaces extra-européens au cours du dix-neuvième siècle, la société internationale du vingtième siècle est, en effet, dominée par la relation centrale et conflictuelle de quelques Etats perpétuellement en compétition, mais s'autorisant mutuellement à exploiter chacun leur zone d'influence. Et la création des Nations Unies à la conférence de San Francisco n'est elle-même qu'un nouvel avatar de cette cogestion des grandes puissances : les cinq membres du Conseil de sécurité se sont réservé, dès l'origine, un droit de regard et de veto sur les grands dossiers internationaux.

Pourtant, les trente dernières années du vingtième siècle annoncent la remise en cause interne et externe de ce modèle étatique dominant. L'apparition sur la scène internationale de nouveaux Etats issus de la décolonisation est l'un des premiers éléments perturbateurs. Certes, les jeunes nations du Sud sont investies par le droit international des mêmes prérogatives juridiques que les autres Etats. Cependant elles sont fondamentalement opposées au modèle ancien qu'incarnaient les puissances traditionnelles, et elles vont, en conséquence, bouleverser profondément les mœurs diplomatiques classiques.

Plus profondément, les Etats résistent mal au processus d'internationalisation et de globalisation qui domine les sociétés humaines à partir de 1960. Sous le double effet du rétrécissement de l'espace et du temps, les enjeux sociaux, politiques et économiques deviennent progressivement mondiaux. En conséquence, les conditions

▲ *Jardin des mousses à Kyoto (Japon).*

▲ *Etang aux nymphéas de Claude Monet à Giverny (France).*

d'exercice du pouvoir sont bouleversées et les Etats sont progressivement dessaisis d'une large part de leurs prérogatives au profit de nouveaux acteurs collectifs. Le vingt-et-unième siècle s'ouvre alors sur une alternative décisive : destructuration sociale planétaire ou mise en place d'un nouvel ordre public mondial ?

MULTINATIONALES ET VILLAGE PLANÉTAIRE

Dans la décennie 1960-1970, l'attention des économistes et des responsables politiques est vivement attirée par un phénomène apparu progressivement depuis la fin de la Seconde Guerre mondiale. Il s'agit du poids économique grandissant qu'acquièrent les firmes américaines dans le monde, au fur et à mesure de leur internationalisation. Ouverture de filiales commerciales directes sur tous les continents, transfert d'unités de production dans des pays à main d'œuvre bon marché ou à proximité des sources de matières premières, gestion mondiale des approvisionnements et des ventes, le modèle de management des "multinationales" impressionne autant qu'il surprend. Pendant que les uns y admirent un aboutissement du "défi américain", d'autres commencent à voir dans ces grands trusts internationaux le bras séculier d'un capitalisme sans scrupules et d'une nouvelle forme de colonialisme économique. D'un côté comme de l'autre, le phénomène dérange et inquiète. Il est comme le signe avant-coureur d'une géopolitique sans politiciens.

■ ***La société internationale du vingtième siècle est, en effet, dominée par la relation centrale et conflictuelle de quelques Etats perpétuellement en compétition.***

■ ***Les Etats sont progressivement dessaisis d'une large part de leurs prérogatives au profit de nouveaux acteurs collectifs.***

En même temps que les grandes compagnies américaines étendent leurs implantations mondiales, le temps et l'espace changent de dimension. Les progrès de l'aéronautique permettent

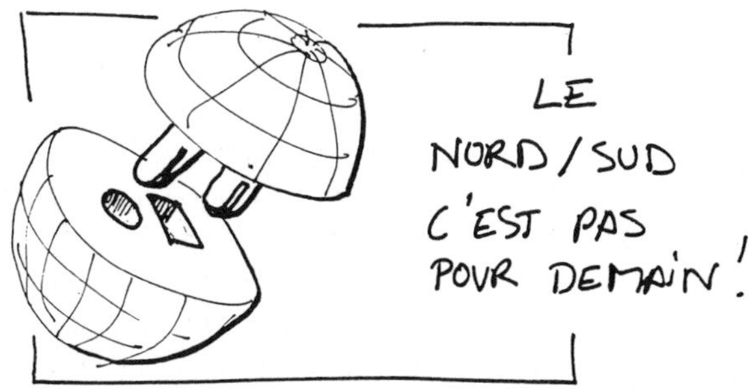

l'établissement quotidien de liaisons aériennes transatlantiques sans escales tandis qu'Intelsat lance, en 1965, son premier satellite de télécommunications. La télévision, bien qu'à peine sortie de l'enfance, s'internationalise aussi avec les premiers programmes en Eurovision et Mondovision, qui sont rythmés par les accents triomphants des musiques royales de Marc-Antoine Charpentier. Dans ce "village planétaire" en construction, les voies de communication qui rapprochent les hommes contribuent aussi à renforcer la position des entreprises multinationales, celles-ci étant souvent à l'origine de leur ouverture ainsi que leurs plus gros usagers. Les premiers réseaux internationaux de transmission de données furent conçus entre 1956 et 1962 par quelques grandes firmes américaines (IBM, General Electric, etc.) et, en 1984, on estimait encore à 70% la part des échanges intra-firmes dans le total général des flux transfrontières de données !

Pour les Etats, l'émergence de ces pouvoirs économiques d'un nouveau genre constitue un véritable défi à leurs prétentions réglementaires et interventionnistes. Cependant, ils n'en comprennent pas immédiatement les implications. Dans un premier temps, l'origine américaine de la grande majorité des entreprises "multinationales" permet d'accréditer l'existence (partiellement fondée dans certains cas) d'une simple manœuvre de l'impérialisme économique de l'oncle Sam. Mais progressivement le mouvement s'étend aux compagnies britanniques, hollandaises, suisses, allemandes, françaises ou japonaises. Il faut bien alors chausser de nouvelles lunettes et ne plus voir seulement dans les multinationales des unités de parachutistes expédiées par leurs Etats d'origine.

MULTINATIONALES...

La décennie 1975-1985 voit se réaliser l'interconnexion généralisée des places financières, tant au niveau des informations de cotation (au travers de l'agence Reuter), que des transferts de fonds (grâce au réseau international Swift). Avec la fin officielle des parités fixes et du système de Bretton-Woods, les banques centrales perdent un peu plus le contrôle des mouvements financiers, tandis qu'à Londres et à Luxembourg les marchés libres de l'eurodollar (puis des eurodevises) s'affranchissent de toutes contraintes nationales. Pour les Etats, il est temps de se rendre à l'évidence : l'apparition des firmes multinationales comme la mondialisation des transports et des télécommunications ne sont pas seulement des accidents concomitants. Ils constituent les premiers signes de la planétarisation de la vie sociale, économique et culturelle. La fin du vingtième siècle se lève alors sur des Etats affaiblis, qui ont perdu le monopole de la gestion et de la représentation des enjeux collectifs.

■ ***Dans ce "village planétaire" en construction, les voies de communication qui rapprochent les hommes contribuent aussi à renforcer la position des entreprises multinationales.***

■ ***La fin du vingtième siècle se lève alors sur des Etats affaiblis, qui ont perdu le monopole de la gestion et de la représentation des enjeux collectifs.***

N'abandonne jamais la route pour le raccourci. Proverbe catalan.

Le sport, au-delà des Etats nations. Chaque époque exprime la compétition olympique à sa manière, qui devance l'histoire :

1912, des hommes nus agitent des drapeaux. 1924, le javelot planétaire. 1964, la course des races. 1980, l'Union soviétique en nounours ébloui.

FIN DE SIÈCLE SUR DES ÉTATS FATIGUÉS

A la veille du vingt-et-unième siècle, les relations internationales ont imperceptiblement, mais profondément, changé de visage. Tout autant (voire plus) que les résultats d'une conférence diplomatique, ce sont la sortie d'un livre scandaleux à San Francisco, l'ouverture d'une exposition de prestige à Amsterdam ou l'annonce de la commercialisation d'un nouveau composant électronique à Tokyo qui deviennent sans délai des événements internationaux majeurs, aussi bien à Paris et à Londres qu'à Bangalore ou à Sao Paulo. Et lorsque la révolution gronde dans une dictature d'Europe centrale, ce sont les dépêches d'agence et les bandes vidéo des journalistes qui renseignent les chancelleries affolées et impuissantes. Mieux encore, quand l'opinion occidentale cherche, malgré la discrétion hypocrite des diplomates, à manifester sa réprobation de la répression politique en Chine, ce sont tous les télécopieurs chinois qui sont submergés de fax protestataires envoyés directement par des centaines de citoyens européens en colère.

Malgré ses fonctionnaires, ses militaires, sa banque centrale et ses moyens de contrôle, l'Etat moderne a de plus en plus de mal à réguler et à organiser les relations extérieures. Elles lui échappent d'autant plus que l'évolution des mœurs et les progrès de la technologie mettent de plus en plus les citoyens au contact direct de la vie internationale et des enjeux collectifs mondiaux. Face à la réactivité hypersensible des systèmes d'information, il est comme un dinosaure, encombré d'un corps immense, qui ne saurait plus où donner de la tête.

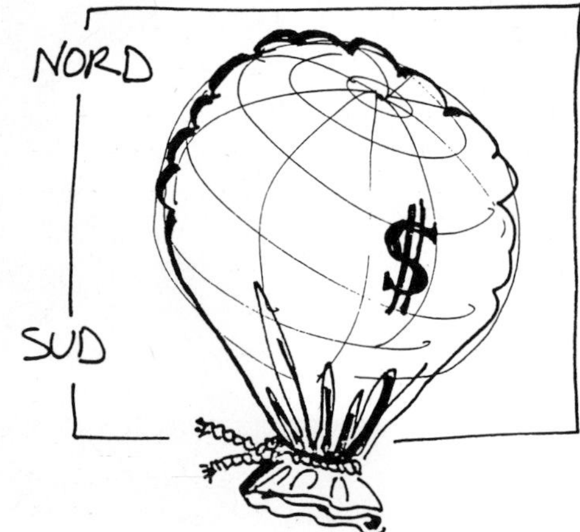

LES FINANCES INTERNATIONALE DÉFIENT LES L DE LA PESANTEUR

Mais les Etats sont aussi soumis en interne à la contestation et à la perte progressive de leur légitimité. Si l'on regarde de près les 40% de prélèvements obligatoires, la moitié au moins n'est plus le fait de l'état régalien, mais d'organisations possédant leurs propres règles, telles la sécurité sociale. D'un côté, un mouvement général vers la décentralisation des responsabilités et une plus grande autonomie locale dessaisit les pouvoirs centraux d'une partie de leurs prérogatives politiques et réglementaires. De l'autre côté, la critique des inerties bureaucratiques, de l'échec des réformes administratives et du manque de résultat des politiques économiques et industrielles technocratiques devient, à partir de 1980, l'objet d'un consensus quasi général qui entraîne un discrédit profond de toutes les formes étatiques. Et si le mouvement de privatisation, qui se développe dans tous les pays industrialisés (Royaume Uni, RFA, France, mais aussi URSS et pays de l'Est à partir de 1990), se fonde, à l'origine, sur des considérations exclusivement économiques (ouverture à la concurrence, lutte contre les effets pervers des monopoles), il exprime plus profondément une perte de confiance de l'opinion pour toute forme d'administration publique. Aux Etats-Unis, mais aussi au Royaume Uni ou en France, des expériences pilotes se proposent de retirer à la tutelle étatique la gestion de tâches que l'on considérait pourtant de toute éternité comme faisant partie des compétences exclusives des Etats : les prisons privées, les polices municipales ou vigiles privés, les services postaux parallèles apparaissent. Il ne s'agit plus seulement de trouver des substituts plus économiques à l'action publique, mais bien de nier à l'Etat le droit souverain à s'accaparer le monopole de certaines fonctions d'intérêt collectif.

■ *L'évolution des mœurs et les progrès de la technologie mettent de plus en plus les citoyens au contact direct de la vie internationale et des enjeux collectifs mondiaux.*

■ *Il n'est pas une seule des prérogatives anciennes de l'exécutif qui ne soit battue en brèche dès avant l'an 2000. Même ce que l'on considérait comme le cœur du régalien, à savoir l'armée, la police, la monnaie et l'impôt, commence à lui échapper.*

Cette remise en cause de la légitimité même des Etats-nations n'est pas due au hasard. Elle s'explique très logiquement par la mutation profonde, en quarante ans, des conditions d'exercice du pouvoir dans les sociétés modernes. A bien y réfléchir, la conception unitaire et régalienne de l'Etat apparaît comme un vestige archaïque, héritage de la monarchie héréditaire de droit divin. Au Siècle des Lumières, la distinction des trois pouvoirs (le législatif, l'exécutif et le judiciaire) avait été clairement affirmée. Mais il n'a jamais été dit que ces trois pouvoirs devaient avoir la même compétence géographique, limitée au périmètre d'un Etat-nation. Les usagers du vingtième siècle préféraient sans doute qu'il en soit autrement, comme le

Il n'est pas d'anguille, si petite soit-elle, qui n'espère devenir une baleine.
Proverbe allemand.

montraient les difficultés juridiques des enfants de parents divorcés, l'un algérien, l'autre français ; en témoignait également la complexité médiévale des systèmes d'arbitrage industriels internationaux.

▲ *Le canal de Panama marque une des premières initiatives mondialistes, due aux Saint-Simoniens du dix-neuvième siècle.*

Les conditions de lieu ont toujours été essentielles pour l'assise du pouvoir exécutif, qui [...]'exerce avant tout sur un terri[...] [...]éographiquement délimité [...]istrativement quadrillé [...]nts de l'autorité cen[...] [...]port à ce modèle [...], la fin du vingtième siècle a vu se disperser les lieux de pouvoir : l'internationalisation croissante des échanges matériels et immatériels a favorisé l'émergence d'une sphère d'activité transnationale "off shore", qui échappe totalement au contrôle des autorités nationales, notamment en matière financière et de transmission de données informatiques. En même temps, dans la société civile, un retour aux préoccupations locales et communautaires se traduit partout par un dessaisissement inéluctable des prérogatives étatiques au profit de différentes institutions décentralisées ou spécialisées. La structure ternaire du droit public - Etat (personne publique souveraine), collectivités locales (personnes publiques limitées géographiquement), établissements publics (personnes publiques limitées fonctionnellement) - se rééquilibre du même coup au profit de ces deux dernières catégories.

Il n'est pas une seule des prérogatives anciennes de l'exécutif qui ne soit battue en brèche dès avant l'an 2000. Même ce que l'on considérait comme le cœur du régalien, à savoir l'armée, la police, la monnaie et l'impôt, commence à lui échapper. L'armée, parce que se constituent des forces internationales d'intervention, et que les accord de coopération militaires se multiplient (l'exemple franco-allemand est caractéristique). La police, parce que le crime étant organisé en réseaux supranationaux, Interpol prend de plus en plus d'importance par rapport aux polices locales. Ce phénomène se produit également à l'échelle des continents. Dès les années 1980, il était prévu de créer pour l'Europe naissante une police fédérale qui, comme le FBI aux Etats-Unis, pourrait intervenir dans tous les Etats. La monnaie, parce que même les grandes monnaies se regroupent entre elles pour se réguler, et que les marchés des changes, tout autour de la planète, ont le dernier mot. L'impôt, parce que la fiscalité locale et para-étatique est en

Aide alimentaire de l'armée dans les villages du Triangle d'or (triangle de la drogue) en Thaïlande. ▼

augmentation constante, et que, là aussi, l'internationalisation est en marche, du côté des recettes fiscales comme des dépenses budgétaires. Ainsi, le budget de la Commission des Communautés européennes est alimenté par les taxes nationales et, dès avant 1992, nombreux sont les secteurs des économies nationales qui dépendent plus des financements de Bruxelles que de ceux de leur capitale.

■ ***Les structures locales, les organes spécialisés et les organismes privés ont l'avantage sur les administrations aussi bien en termes de délais de réaction que de décision.***

■ ***De nombreux affrontements internationaux majeurs se traitent au sein des organismes de normalisation internationale, où les représentants des autorités publiques se trouvent facilement mis en position de faiblesse par les intérêts des grandes compagnies et des groupes de pression transnationaux.***

▲ *Centre de formation interpol-jeunesse en 2020.*

Entre le réseau toujours plus dense des pouvoirs locaux ou fonctionnels et l'insaisissable sphère transnationale, les Etats et leurs territoires bordés de frontières apparaissent de moins en moins en harmonie structurelle avec les nouvelles conditions géographiques d'exercice du pouvoir. Il y a décalage dans l'espace, mais aussi décalage dans le temps. L'action publique, par essence, demande des délais : délais de collecte de l'information sur le terrain, de remontée de cette information vers le centre, de routage de cette information vers le décideur habilité, d'arbitrage entre différents intérêts publics divergents et d'exécution matérielle de la décision arrêtée. A partir de 1970, le contraste entre cette durée incompressible et la quasi-instantanéité des moyens d'information (médias) et de transmission des décisions (télécommunications professionnelles) devient l'un des motifs majeurs du discrédit des institutions publiques dans l'opinion et parmi les cadres du secteur privé.

Pour beaucoup d'activités humaines et sociales, l'unité de référence devient la journée, voire l'heure, alors qu'elle était naguère de l'ordre de la semaine ou du mois. Pour faire face à cette évolution des technologies et des comportements, les administrations publiques investissent lourdement dans des équipements informatiques et télématiques. Elles ne parviennent cependant pas à transformer de manière radicale le *modus operandi* de l'action publique : courrier écrit, transmission par la voie hiérarchique, délais de passage à la signature... Là aussi les structures locales, les organes spécialisés et les organismes privés ont l'avantage en termes de délais de réaction et de décision. La télévision, qui fait connaître au monde entier un incident local avant même que les services administratifs en aient été officiellement saisis, et la télécopie, qui permet de recevoir un document avant que l'original ait pu être transmis par la voie postale, ont ainsi contribué puissamment au contournement, puis à la marginalisation des services administratifs étatiques. La bureaucratie est soluble dans la télématique.

Quant aux modalités d'action, elles ont également évolué de manière significative durant le dernier quart du vingtième siècle. Alors que la logique étatique classique - fort inspirée de l'art militaire - supposait ternationale - dominées par les impératifs économiques - privilégient le contrôle des flux et la capacité d'influence sur le comportement des acteurs. Des stratégies directes et offensives, on passe à des stratégies indirectes difficiles à identifier et encore plus difficiles à réglementer. On ne joue pas au même jeu, ni sur le même échiquier. Face aux OPA sauvages dirigées en sous-main par des investisseurs puissants et invisibles, face à la manipulation discrète de l'information par des groupes d'influence, face à la montée de la corruption locale et nationale, face à des actes de terrorisme dont les auteurs demeurent masqués, les Etats sont de plus en plus impuissants. De même, de nombreux affrontements internationaux majeurs se traitent moins autour des tables de conférence diplomatique qu'au sein des organismes de normalisation internationale, terrain de prédilection des régulations non contraignantes, où les représentants des autorités publiques se trouvent facilement mis en position de faiblesse par les intérêts des grandes compagnies et des groupes de pression transnationaux.

▲ *L'informatique pénètre partout. Elle transfigure l'usine et bouleverse la démocratie.*

En moins de vingt ans, les principaux Etats du monde perdent simultanément du terrain dans plusieurs domaines essentiels. Les finances, les télécommunications et les transports internationaux sont rapidement et sauvagement déréglementés, parfois même au détriment d'intérêts collectifs majeurs, dont les Etats se portaient jusqu'ici garants (comme la sécurité et la couverture territoriale des transports, ou la gratuité et la neutralité de certains services publics). Des batailles sociales de grande ampleur comme la lutte contre la drogue, le crime organisé ou l'illettrisme se soldent aussi par un constat d'échec. Enfin, plusieurs grandes crises - comme, par exemple, la mutation soudaine du pouvoir communiste en Europe de l'Est - illustrent clairement l'incapacité des appareils gouvernementaux, tant à l'Est qu'à l'Ouest, à anticiper, analyser et exploiter une évolution sociale ou politique de grande ampleur. Désormais, les règles du jeu ont changé. Dans une société complexe et mondialisée, de nouveaux acteurs collectifs tentent de prendre la place que n'arrivent plus tout à fait à occuper les Etats, fatigués par la traversée du vingtième siècle et de ses terribles épreuves.

Les jeux olympiques de 1936 avaient été l'occasion d'un déploiement de propagande hitlérienne ; les nazis passent, les olympiades restent. ▼

BERLIN·1936 1-16 AUG.
OLYMPISCHE SPIELE

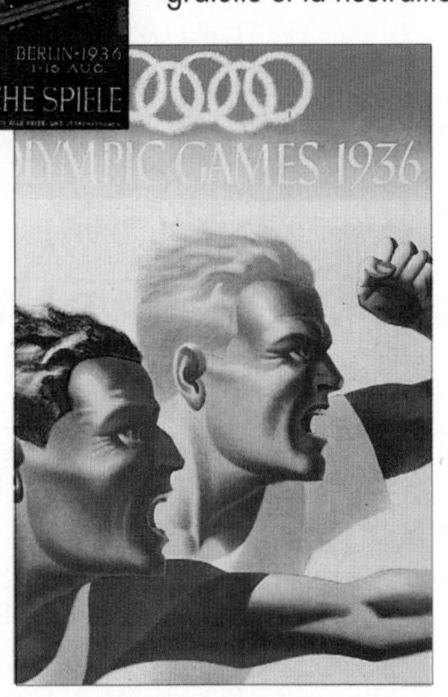

▲ *Les grands équipements portuaires sont construits par des entreprises, pour des entreprises, dans l'ombre et la discrétion.*

NOUVEAUX ACTEURS À LA RECHERCHE DE NOUVELLES RÈGLES

Fais-moi caïd, je te ferai pacha.
Proverbe arabe.

Dans l'espace redevenu progressivement libre, la société civile installe de nouveaux centres de pouvoir plus adaptés aux conditions modernes de la compétition et dotés des moyens d'y faire face. Entre 1990 et 2010, on assiste partout à la reconnaissance tacite du rôle social, économique et politique de nouveaux acteurs collectifs.

Au premier rang de ceux-ci figurent les entreprises privées[1], ou tout au moins celles qui ont su se donner une stature locale ou internationale suffisante pour jouir d'une influence significative sur leur environnement. Ce sont ces entreprises aux stratégies conquérantes très affutées qui, profitant des fameuses "trente glorieuses", ont été les premières à contester à l'Etat sa position hégémonique dans le gouvernement de la société. Elles ont pour elles un accès direct, et sans scrupules particuliers, à la richesse économique et financière. Tandis qu'une administration doit rendre des comptes à ses contribuables sur l'utilisation des deniers publics, l'entreprise privée mobilise rapidement et sans préalable les profits qu'elle a capitalisés. Cette puissance financière, acquise par la bonne gestion de son activité, l'entreprise l'utilise naturellement pour accroître son influence et son emprise sur les choses : animation de groupes de pression, financement de structures politiques inféodées, soutien financier à des opérations extra-économiques (sportives, culturelles, humanitaires, etc.) susceptibles de rallier l'opinion... Et dans la conduite des projets complexes, ses méthodes de gestion se révèlent d'une grande efficacité.

Qui plus est, le concept même d'entreprise privée est par nature universel et

[1] *Bernard Cassen, Un nouveau maître à penser : l'entreprise, in Manières de voir n° 1, Le Monde Diplomatique, Paris, 1987.*

Entre 1990 et 2010, on assiste partout à la reconnaissance tacite du rôle social, économique et politique de nouveaux acteurs collectifs, au premier rang desquels figurent les entreprises privées.

Face aux projets étatiques soupçonnés de mauvaise gestion, de bureaucratie, voire de corruption, l'appel aux capitaux et à l'initiative privée pour remplir des missions d'intérêt général, devient la règle de référence.

transnational, ce qui lui donne une avance considérable sur les efforts difficiles des Etats en matière de coopération internationale : un accord international de distribution ou un contrat créant une "joint venture" sont conclus plus vite qu'un traité de coopération diplomatique. Très naturellement, les préjugés idéologiques et moraux qui avaient encore cours dans les années 1960-1970 concernant le profit et l'entreprise privée reculent. Celle-ci devient même la structure de référence pour la promotion et la gestion de plusieurs grands projets internationaux d'équipement, que ce soit pour creuser le tunnel sous la Manche, irriguer l'Afrique, réguler les fleuves du sous-continent indien ou revitaliser l'environnement en Europe de l'Est. Face aux projets étatiques soupçonnés de mauvaise gestion, de bureaucratie, voire de corruption, l'appel aux capitaux et à l'initiative privée, pour remplir des missions d'intérêt général, devient la règle de référence, créant ainsi une sorte de concession de service public international étendue.

Mais à côté des centres de profit que sont les entreprises, la société de la fin du vingtième siècle sécrète aussi un nombre croissant d'organismes spécialisés, chargés de prendre en charge et de gérer une fonction sociale spécifique. Un établissement pour maîtriser la pollution des eaux dans le bassin d'un grand fleuve, un autre pour organiser la construction d'une ville nouvelle, un troisième pour réaliser une autoroute... Cette tendance au "démembrement de l'Etat", que l'on observait déjà au travers de la création de nombreux établissements publics locaux et de la concession à des sociétés d'économie mixte de projets d'intérêt collectif (stations d'épuration, tunnels, hôpitaux, etc.), devient la règle et non plus l'exception. En effet, contrairement à la pratique antérieure, la société civile ne tolère l'intervention de l'Etat qu'en dernier recours, après qu'il ait été prouvé qu'aucune solution privée ou coopérative n'était possible.

INTERPOL S'ÉQUIPE...

L'ÉTAT EST MORT, VIVENT LES BIDULES !

Ainsi voit-on se développer à tous les niveaux une "adhocratie" monofonctionnelle, sur le modèle de celle qui était apparue dans la seconde moitié du vingtième siècle. Etaient apparues alors les institutions spécialisées du système de l'ONU (Unesco, Onudi, Ompi, Cnuced, OMS[1] etc.), ainsi qu'Interpol pour la coordination policière, Intelsat pour les télécommunications par satellite ou l'Iso pour la normalisation. La création de ces institutions (que nous appelons "bidules" faute d'une dénomination appropriée et reconnue) répondait implicitement au principe de "subsidiarité" selon lequel une compétence n'est attribuée à une organisation internationale qu'en cas de défaillance des Etats eux-mêmes. C'est selon ce principe, par exemple, que fut créée dès 1865 l'Union internationale des télécommunications

[1] Chargées respectivement de l'éducation, des sciences et de la culture, du développement industriel, des brevets, du développement des pays non industrialisés, de la santé.

(UIT, d'abord dénommée "Union internationale des télégraphes") pour faire face à l'impérieuse nécessité de normaliser les connexions entre les différents réseaux nationaux. Le même principe inspira,

▲ *Médecins sans frontières est financé par la Sécurité Sociale Mondiale après 2024.*

▲ *Des bidules distribuent l'aide alimentaire offerte par la CEE.*

près de cent ans plus tard, la création des communautés européennes chargées spécifiquement de gérer l'harmonisation douanière entre membres ainsi que quelques politiques communes (dont l'agriculture ou la pêche).

Mais à partir des années 1990, l'adhocratie ne se limite plus à certaines tâches internationales, qui ne pouvaient être, par nature, remplies par un seul Etat. De même que, dans ces années-là, la CEE sort de son rôle d'institution spécialisée pour s'imposer comme l'autorité de référence en matière de commerce et de développement économique en Europe, on assiste progressivement à une vaste redistribution des cartes : une grande partie des activités interventionnistes, jadis dévolues à l'Etat, est reprise en compte par une pluralité d'organismes spécialisés et autonomes. Leur financement cesse alors d'être assuré par les recettes fiscales ou par des subventions en provenance des Etats. Il s'effectue directement par des contributions perçues auprès du consommateur final, court-circuitant ainsi le système fiscal traditionnel et le sacro-saint principe de la non-affectation des ressources budgétaires publiques. Dans de nombreux domaines, de nouveaux systèmes de financement apparaissent. Ils sont inspirés de l'idée émise par l'économiste allemand Von Wiesäcker. Il proposait que les actions de protection de l'environnement soient financées au moyen d'une taxe payée par les entreprises, en proportion du degré de pollution dont elles sont responsables. De l'impôt unique prélevé sur les bénéfices ou le revenu, on en vient dans bien des domaines à des prélèvements spécifiques affectés à des actions déterminées et calculés en fonction du niveau de nuisance sociale.

La modernité, c'est la désacralisation. Après délibération, toute action doit se justifier au nom de l'intérêt général. La conception régalienne de l'Etat, selon laquelle il peut imposer (le mot est lourd de sens) un prélèvement fiscal sans en justifier la logique, simplement parce qu'il prend l'argent où il peut

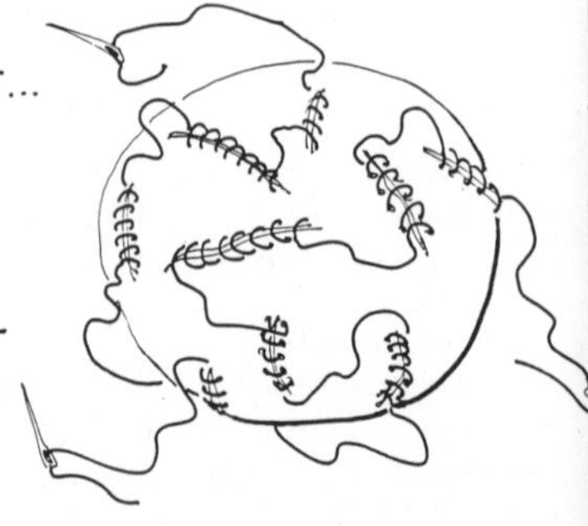

■ ***Une grande partie des activités interventionnistes, jadis dévolues à l'Etat, est reprise en compte par une pluralité d'organismes spécialisés et autonomes. Leur financement s'effectue directement par des contributions perçues auprès du consommateur final, court-circuitant le système fiscal traditionnel.***

■ ***La modernité, c'est la désacralisation. Après délibération, toute action doit se justifier au nom de l'intérêt général. La conception régalienne de l'Etat, selon laquelle il peut imposer (le mot est lourd de sens) un prélèvement fiscal sans en justifier la logique, est désormais dépassée.***

le saisir, est désormais dépassée. La taxe à la valeur ajoutée était, lors de sa création, considérée comme un progrès parce qu'elle se justifiait par une certaine forme de neutralité économique. Le temps a passé et l'argument n'est plus suffisant. C'est l'ensemble de la fiscalité qui est remis en chantier. Frappant moins ce qui est désirable (la valeur ajoutée, les revenus et les bénéfices), elle porte davantage au vingt-et-unième siècle sur les dommages et les coûts que les acteurs économiques imposent à leurs contemporains : pollutions, consommations de ressources rares, occupations de l'espace, encombrements divers. De la sorte, la pression fiscale est fondée sur une rationalité, puisque les intérêts particuliers (des entreprises et des individus) s'orientent (statistiquement) dans le sens de l'intérêt général. Elle alimente, non plus un budget unique, mais un ensemble d'organisations fonctionnelles, chargées chacune de régler une question définie. Le modèle des Agences de bassin françaises, qui prélèvent des taxes sur la pollution et la consommation d'eau et recyclent l'argent dans des investissements réduisant cette pollution et cette consommation, sert ici de référence.

Selon la même règle de spécialisation des acteurs, les groupements d'intérêt monocauses prennent une importance considérable dans la société pluraliste du vingt-et-unième siècle. Se constituant de manière quasi spontanée autour d'un projet particulier ou de la défense d'un intérêt catégoriel, ces nouveaux groupes de pression, peu structurés mais très médiatisés, deviennent des "décisionnels négatifs" avec lesquels les autres acteurs doivent composer. Représentant une minorité non susceptible de conquérir démocratiquement le pouvoir politique, ces réseaux, ces clubs, ces associations ou ces mouvements possèdent, en effet, un pouvoir de perturbation suffisant pour bloquer le processus social (par la grève, la désobéissance civique, le lobbying, le chantage, etc.) et forcent leurs interlocuteurs à la négociation. Les médias, toujours friands de situations conflictuelles pour attirer et retenir l'audience, sont longtemps les plus efficaces soutiens de ces acteurs collectifs aussi incontournables que difficiles à appréhender.

▲ *Greenpeace est un bidule très actif en matière d'environnement.*

Parmi eux figurent au premier plan les mouvements de consommateurs, de protection de l'environnement et de défense des libertés. A la fin du vingtième siècle, une certaine liberté d'affectation de ses impôts est accordée au contribuable, qui peut ainsi en verser une partie à l'organisme de son choix, pour autant que celui-ci soit d'utilité publique et agisse effectivement dans le sens des grandes finalités votées. Il se crée de la sorte plusieurs quasi-marchés internationaux, animés d'une saine concurrence ; ces marchés sont importants notamment pour la surveillance des produits de consommation courante, la recherche médicale, la protection de la nature et la recherche technique destinée aux entreprises.

▲ *La musique est sans frontières. Jessye Norman.*

▲ *Kiri Te Karawa.*

Font partie aussi de ces mouvements des organisations dont les fondements sont religieux ou idéologiques. Avec la montée en puissance du pouvoir des Etats, les églises avaient fortement perdu de leur influence. Peu d'entre elles, comme au seizième siècle, entretenaient encore des armées capables de faire vraiment peur. Leurs moyens financiers directs avaient été progressivement amoindris par le fait que les impôts qu'elles levaient sur les croyants avaient perdu leur caractère obligatoire au profit des impôts étatiques. Le quadrillage de leur zone d'influence par le bas clergé s'était progressivement effiloché. Les idéologies de masse (en particulier, le marxisme et ses dérivés) avaient fourni des substituts éthiques efficaces aux populations. L'effondrement des idéologies marxisantes qui fut la conséquence de la transformation des Etats à économies planifiées, a réouvert, dès la fin des années 1980, un espace idéologique dans lequel diverses églises se sont engouffrées. Dans les pays dotés d'une économie de marché, les églises se sont lentement adaptées à leur environnement. Elles ont créé des entreprises pour engendrer de nouvelles ressources financières, des chaînes de télévision pour remplacer les prêtres moins nombreux. Dans de nombreux pays, elles ont réussi à maintenir ou à obtenir des avantages matériels très importants (exonérations fiscales sur les revenus, prise en charge des frais d'entretien des immeubles, etc.), qui leur permettent de dégager des sommes considérables affectées au prosélytisme. Dès la fin du vingtième siècle, le pouvoir des églises ainsi réorganisées se renforce. Elles jouent à nouveau un rôle politique majeur, déclenchant ou soutenant des coups d'Etat, pratiquant le lobbying électoral[1] ou prenant ouvertement le pouvoir. De nouvelles églises se créent en s'ins-

▲ *Su Kee Suh.*

[1] *Ingrid Carlander, Apothéose de la religion-spectacle, in Manières de voir n°3, Le Monde Diplomatique, Paris, novembre 1988.*

crivant dans les statuts institutionnels avantageux qui ont été acquis par les anciennes églises. On assiste alors au spectacle intéressant de tentatives de démarquages juridiques et idéologiques entre les acteurs anciens et nouveaux. Toutes les ressources de la société du spectacle sont mises en œuvre, du conditionnement massif des esprits faibles à la désinformation par l'intermédiaire des grands médias, en passant par les votes parlementaires de lois antisectes. Cette nouvelle guerre des religions ne se calme qu'après 2020. Les églises sont alors placées dans le même cadre juridique et fiscal que les entreprises culturelles et les partis politiques, ce qui inclut l'obligation stricte de transparence financière et la disparition des ressources qui ne sont pas volontairement et directement apportées par les croyants.

▲ *Les Eglises, considérées comme des entreprises culturelles, sont assujetties à la transparence financière.*

POUVOIRS MAFFIEUX

Par ailleurs, profitant de l'éclatement progressif de l'édifice des anciennes prérogatives étatiques, différentes structures parasitaires prennent un essor considérable à la fin du vingtième siècle. Cette époque est, en effet, marquée par un développement considérable de la "criminalité en col blanc".

Suite au repli progressif des compétences étatiques devant les institutions autonomes et les instances supranationales (telles que la CEE), le crime organisé investit dans des moyens informatiques sophistiqués, dans la connaissance des mécanismes financiers et dans l'utilisation détournée des réglementations économiques (subventions, taxes, aides de toute sorte). A l'ouverture du marché unique européen le 1er janvier 1993, on peut déjà évaluer le profit de cette nouvelle délinquance à près de 5% du PIB des Etats européens. Certains experts estiment alors que près de 10% du budget de la Communauté européenne est détourné plus ou moins frauduleusement ! Par ailleurs, l'incapacité croissante de nombreux Etats à remplir leurs devoirs les plus élémentaires (école, santé, transport, sécurité, etc.) redonne un rôle social de substitution à des pouvoirs parallèles, qui se retrouvent chargés de l'encadrement des populations sur les territoires passés sous leur contrôle. L'exemple de la Sicile (avec les familles maffieuses) ou du Liban (avec les milices) se développe

▲ *L'aide alimentaire au Liban est étroitement surveillée.*

■ ***L'effondrement des idéologies marxisantes a réouvert un espace idéologique dans lequel diverses églises se sont engouffrées.***

■ ***Les églises jouent à nouveau un rôle politique majeur, déclenchant ou soutenant des coups d'Etat, pratiquant le lobbying électoral ou prenant ouvertement le pouvoir.***

dans beaucoup d'autres régions désertées par les représentants des Etats et où les pouvoirs illégaux deviennent le substitut d'un système de santé et de protection sociale défaillant.

Certains exemples internationaux, comme ceux du Liban à partir de la guerre civile de 1975 ou de la Colombie à partir de la fin des années 1980, ont illustré très tôt le lien quasi automatique entre le recul de l'emprise étatique et l'émergence au grand jour de pouvoirs "maffieux" organisés. Ces derniers sont capables à la fois de réaliser des profits énormes, de prendre en charge la gestion locale d'une région tout entière, voire même d'utiliser à des fins privées la violence policière ou militaire. Les décennies qui suivent sont donc celles d'une montée en puissance de ces pouvoirs parasitaires s'organisant à la fois sur une base locale et au niveau international. Par la menace perturbatrice qu'ils font peser sur la paix civile, par l'emprise qu'ils peuvent prendre sur les responsables politiques et économiques, mais aussi par leur rôle indispensable de drainage d'une part importante de la richesse mondiale, les maffias deviennent ainsi progressivement l'une des composantes de la nouvelle géographie du pouvoir qui se dessine au début du vingt-et-unième siècle, avec tous les dangers de déstructuration que cela implique.

■ ***Certains exemples internationaux, comme ceux du Liban à partir de la guerre civile de 1975 ou de la Colombie à partir de la fin des années 1980, ont illustré très tôt le lien quasi automatique entre le recul de l'emprise étatique et l'émergence au grand jour de pouvoirs "maffieux" organisés.***

■ ***Au citoyen du monde qui entre dans un nouveau millénaire, il manque donc une nouvelle structure qui lui serve de point de repère.***

■ ***L'individu n'a plus en face de lui d'interlocuteur crédible et cohérent. Il est l'enjeu d'une lutte d'influence permanente, le pion dans le jeu des nouveaux pouvoirs parcellaires, qui se partagent le contrôle de la vie sociale.***

DÉSTRUCTURATION SOCIALE OU ORDRE PUBLIC MONDIAL ?

Vers 2010, plusieurs phénomènes préoccupants mettent en lumière les fragilités structurelles de cette nouvelle situation créée par le recul de l'emprise des Etats sur la société civile mondiale : contagion de situations de violences urbaines non maîtrisées, apparition d'une catastrophe écologique majeure due à la concurrence sauvage de groupes industriels internationaux, déclenchement de conflits armés menés par de nouveaux "seigneurs de la guerre" à la fois chefs de tribus, managers internationaux et parrains de maffias... D'où prise de conscience collective des dangers qui guettent la société planétaire du vingt-et-unième siècle.

De cette période charnière surgit l'urgente nécessité de substituer aux ordres publics anciens, disparus dans les tourmentes du vingt-et-unième siècle naissant, un nouvel ordre public mondial. Faute d'un tel sursaut, le risque d'une déstructuration sociale géante et planétaire serait devenu majeur. En effet, avec la remise en cause des cadres nationaux et de l'utilité sociale des Etats au profit d'acteurs autonomes monofonctionnels, c'est la notion d'intérêt collectif qui disparaît momentanément de la surface du globe. Si performants que soient les nouveaux acteurs collectifs, aucun d'entre eux n'a la légitimité suffisante pour effectuer les arbitrages entre les intérêts particuliers divergents qu'exige la vie en société. L'apparition de ces nouveaux acteurs, plus proches des réalités quotidiennes et plus performants, c'est aussi la disparition momentanée de cette neutralité idéale qu'aucun des Etats du monde n'a jamais réussi à incarner convenablement, mais qui demeurait officiellement leur seule raison d'être.

En 2012, une action symbolique, menée par quelque 250 000 ad-

Quand les baleines se battent, les crevettes ont le dos brisé.
Proverbe coréen.

hérents d'une association internationale de consommateurs, illustre bien l'ambiguïté de la situation. Après concertation, tous se connectent en même temps sur quelques centaines de services d'information interactifs choisis parmi les plus utiles (horaires de transport, informations boursières, réservations de voyage, télésurveillance, etc.) afin d'en saturer momentanément le fonctionnement. Par ce geste d'un grand retentissement (et qui fut l'objet d'une vaste polémique), ils entendaient protester contre la disparition insidieuse des services d'information gratuits (l'ancien guichet devant lequel chacun faisait la queue ou le simple panneau d'affichage) au profit de services télématiques plus performants, plus faciles à interroger, mais presque tous payants (au moins en ce qui concerne le coût de la connexion). Cette mercantilisation généralisée de services jadis gratuits est nécessaire aux "adhocraties" pour se procurer de manière indolore les compléments de revenus indispensables à leurs actions d'intérêt collectif. Mais elle fait disparaître la gratuité apparente du service public (compensée, en réalité, par l'impôt), qui rassure le citoyen dans sa vie quotidienne.

▲ *Une manifestation de colère des usagers sature en 2012 les ordinateurs les plus puissants.*

Au citoyen du monde qui entre dans un nouveau millénaire, il manque donc une nouvelle structure qui lui serve de point de repère. Entre les pouvoirs économiques qui utilisent sa force de travail et lui assurent sa sécurité économique, les groupes d'opinion qui prétendent défendre ses intérêts et les agences autonomes qui assurent chacune une tâche collective indispensable, le citoyen de 2010 n'a plus en face de lui d'interlocuteur crédible et cohérent. Il est l'enjeu d'une lutte d'influence permanente, le pion dans le jeu des nouveaux pouvoirs parcellaires, qui se partagent le contrôle de la vie sociale.

Après plus de vingt ans d'érosion continue des anciens systèmes de régulation étatiques, le risque de déstructuration sociale est donc devenu maximum dans cette période. Et c'est sans doute le caractère aigu et dramatique de ce danger d'implosion de la société humaine qui fait émerger une nouvelle conscience civique internationale et promouvoir un nouvel ordre public mondial. On avait vu les premiers signes d'apparition de cette conscience civique internationale dès le milieu des années 1980, lorsque l'attention et l'affectivité du public mondial s'étaient mobilisées sur des causes politico-humanitaires à grand spectacle. La lutte pour les droits de l'homme dans des pays lointains, l'envoi de missions humanitaires d'urgence aux quatre coins du globe n'étaient encore, pour partie, que des jeux médiatiques largement récupérés à des fins éco-

nomiques ou électorales. Mais déjà, ces réactions étaient l'annonce de la possible émergence d'une conscience planétaire.
Cette conscience civique mondiale, qui prélude à la mise en place d'un nouvel ordre public, peut donc compter sur les médias internationaux pour relayer sur toute la planète son message. Mais la conclusion logique de sa démarche est difficile à mettre en œuvre. Il s'agit ni plus ni moins de constituer au niveau planétaire des outils régulateurs analogues à ceux que les Etats utilisaient jadis pour assurer sur leurs territoires respectifs le minimum de stabilité sociale et politique nécessaire au bien-être de tous. Pouvoir de réglementation, de justice et de police, voilà ce qui manquait aux organisations internationales du vingtième siècle pour édicter et faire appliquer une loi internationale respectueuse du droit des gens et des intérêts communs de l'humanité. Sur ce point les Etats-nations n'ont pas su coopérer, se mettant ainsi en position de faiblesse dangereuse vis-à-vis des autres centres de pouvoirs qui se développaient autour d'eux.

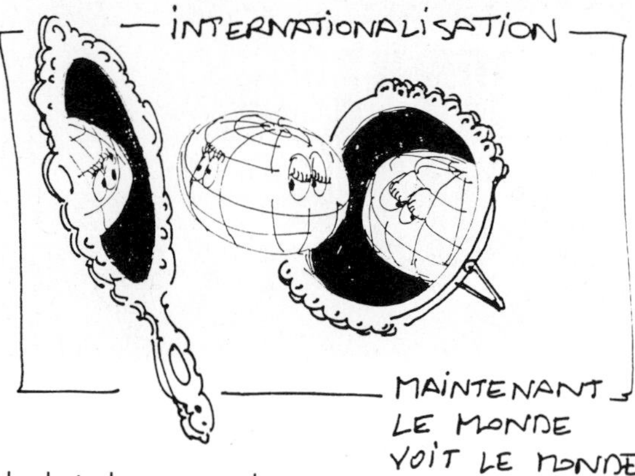

A partir de 2040, l'urgence est à la mise en place de nouvelles structures destinées à reprendre, sur de nouvelles bases, les anciennes prérogatives abandonnées progressivement par les Etats-nations. Il ne faut pas se cacher que les risques et les difficultés sont immenses. Mais l'attente de l'opinion internationale, profondément révoltée par une série d'événements brutaux et inacceptables, va dans ce sens. C'est à partir de quelques grands enjeux planétaires que le mouvement vers le nouvel ordre public international peut démarrer : programmes planétaires de surveillance de l'environnement, de lutte unifiée contre la délinquance financière mondiale, de condamnation judiciaire internationale des crimes contre la liberté civique et les droits de l'homme... De même, le début de l'exploitation intensive des nouvelles frontières naturelles, comme le fond des océans ou l'espace extra-atmosphérique, sont une bonne occasion pour décider d'un statut nouveau et exemplaire de "patrimoine commun de l'humanité" ; il est possible d'y expérimenter de nouveaux outils de contrôle et de régulation de l'activité humaine et sociale.

L'Antarctique fut le premier patrimoine commun de l'humanité. ▼

■ ***A partir de 2040, l'urgence est à la mise en place de nouvelles structures destinées à reprendre, sur de nouvelles bases, les anciennes prérogatives abandonnées progressivement par les Etats-nations. Il ne faut pas se cacher que les risques et les difficultés sont immenses.***

■ ***Dès qu'émerge une conscience planétaire, des institutions se constituent pour la manifester. Mais le mouvement de leur création n'est plus de "droit divin". C'est une émanation des besoins des hommes et des femmes, qui se construit fonctionnellement, par essais et erreurs.***

La cour de justice internationale de la Haye voit ses arbitrages ◀ respectés.

QUE JUSTICE SOIT FAITE

La profonde métamorphose institutionnelle du début du troisième millénaire trouve aussi son origine dans l'élargissement de la conscience des peuples. La télévision, la radio, le téléphone ont pénétré dans les lieux les plus reculés, les voyages sont à la portée de la majorité de la population. Les humains ne sont plus, comme par le passé, confinés dans des représentations toutes faites. Ils ne dépendent plus d'esprits tribaux particularistes. Or, à chaque niveau de conscience correspond un registre institutionnel. Dans le cas d'une conscience familiale, les institutions s'organisent autour de la famille (y compris dans les maffias) ; avec une conscience villageoise, elles s'organisent autour de la cité (comme dans la Grèce antique) ; une conscience "entrepreneuriale" s'organise autour de l'entreprise (comme à Venise pendant la Renaissance) ; une conscience nationale s'organise autour de l'Etat-nation (comme au vingtième siècle). Dès qu'émerge une conscience planétaire, des institutions se constituent pour la manifester. Mais le mouvement de leur création, conformément à l'esprit de l'époque, n'est plus de "droit divin". Il procède, non pas de haut en bas, mais de bas en haut. C'est une émanation des besoins des hommes et des femmes, qui se construit fonctionnellement, par essais et erreurs.

La nature est sans frontière et les parcs naturels fleurissent de par le monde. ▼

La logique de construction est celle du vivant : ce n'est pas une pyramide d'institutions, rigoureusement organisée, qui se crée au début du vingt-et-unième siècle, mais une sorte de grand écosystème institutionnel, comprenant une diversité d'espèces, dans lequel les différentes formes juridiques prennent peu à peu leur place au soleil. Des logiques locales provoquent la naissance de chacun des nouveaux êtres sociaux. S'ils se développent, ils sont confrontés à des logiques d'un niveau supérieur qui peuvent les détruire, les renforcer ou les limiter. Le processus d'organisation, parti de la bande de primates, passé par les cités grecques et les Etats-nations, continue à se développer parallèlement à celui des échanges commerciaux et des moyens de communication.

■ ***Au centre de tout cela se joue une partie essentielle : la mise en place d'un pouvoir judiciaire international capable de faire respecter une règle commune au nom de la survie de l'espèce et du maintien de la paix universelle.***

Au centre de tout cela se joue une partie essentielle : la mise en place d'un pouvoir judiciaire international capable de faire respecter une règle commune au nom de la survie de l'espèce et du maintien de la paix universelle. Cette justice planétaire, plusieurs fois envisagée durant le vingtième siècle mais toujours repoussée par le jeu corrosif des souverainetés nationales, ne peut pas prendre la forme des justices étatiques anciennes. Elle doit plutôt s'inspirer de ces nouvelles formes de régulation souple qui ont prospéré à la fin du vingtième siècle. En 2005, les compagnies pétrolières signent une charte reconnaissant l'autorité d'une cour d'arbitrage international en matière de dommages écologiques. Cette cour, qui établit le principe de la réparation en nature, sous contrôle international, des dégâts provoqués, constitue le premier succès de la nouvelle école juridique du "droit naturel pla-

Dans le jardin planétaire vivent de nombreuses variétés. Les institutions suivent la logique du vivant. ▼

nétaire". La dégradation rapide de l'ancien ordre politique et juridique de la fin du vingtième siècle laisse donc le champ libre à une nouvelle étape de l'aventure humaine : devant la menace d'une société plané-

De nouveaux acteurs collectifs orchestrent le développement du vingt-et-unième siècle. ▶

taire s'atomisant progressivement et retombant dans un morcellement féodal, la conscience civique mondiale s'éveille. Elle profite des progrès de la technologie et de la communication et œuvre à la constitution d'un ordre public planétaire capable de gérer pour le compte de tous les intérêts collectifs de l'humanité. Ce sursaut social et juridique se produit en même temps que le sursaut de la culture et de l'éducation qui, dans les années 2020-2050, devient la priorité de l'action internationale. ■

Cinquième partie

Nouveaux horizons

Soumise à la pression de l'approche des limites et voyant germer en elle la montée d'une conscience planétaire, l'espèce humaine se crée de nouveaux horizons. Après une période de liquidation des pulsions anciennes, où s'exacerbent les attachements tribaux, les intolérances intégristes, les pouvoirs maffieux, l'accumulation et l'appropriation névrotique de l'argent, vient, dans la seconde moitié du siècle, une grande époque de construction. Les énergies s'affrontaient tant que les fondements étaient divergents. Une éducation et une information communes, dans son style sinon dans son contenu, créent une base minimale, tout en préservant la diversité. On retrouve le goût des grands projets. La mesure de l'homme est dans sa démesure. Il s'était illustré dans l'atrocité avec les génocides du vingtième siècle, il s'accomplit avec autant d'efficacité dans les réalisations grandioses du troisième millénaire.

A chaque niveau de conscience correspond le déploiement d'un "faire" et d'un niveau d'organisation. S'il y a une conscience mondialiste, il y aura donc nécessairement des institutions mondiales et des grands projets planétaires. Ils seront marqués du sceau de l'époque, la techno-nature et la recherche de l'essence du vivant. Ce seront donc des projets de jardinier : aménager partout les conditions d'expression de la vie.

Le vingtième siècle commence avec Freud : c'est le siècle du désir et des pulsions. Le vingt-et-unième est celui de l'esprit. Il intègre la technique, le désir et la raison. Mais il commence par la frustration, l'humiliation des pauvres, le déracinement des sauvages urbains, et aussi la déraison, celle de la réactivation des guerres tribales, le désarroi et la drogue. C'est seulement dans sa seconde partie que sa grandeur apparaît. Après le grand tournant éducatif des années 2020, en réaction à une situation dégradée, émiettée dans des particularismes, le souffle des grands desseins renaît dans trois registres fondamentaux :

- l'aménagement de l'espace terrestre, marin et interplanétaire ;
- la structuration du social, par l'éducation et de nouvelles formes institutionnelles ;
- l'exploration de l'esprit : transformation profonde des sciences et des religions, regain de la spiritualité.

Transformer la Terre - et ses environs - en jardin, voilà l'idée directrice du nouvel âge. La techno-nature s'était épanouie spontanément depuis dix mille ans. La technique poussait aux hommes comme les organes poussent aux animaux. Elle est désormais guidée par une conscience et s'exprime comme un art. On construit des cathédrales écologiques, des villégiatures en orbite. La nature réapparaît au cœur des villes, où s'installe même une agriculture sur terrain artificiel.

Mais l'expression la plus caractéristique est le développement des villes marines. De tous temps, la population s'est massée au bord de l'eau. Les cités lacustres datent de la préhistoire. Le peuplement côtier s'est accru au vingtième siècle sous la pression du tourisme. Et voici que, à l'aube du troisième millénaire, les derniers obstacles gênant la construction sur l'eau sont levés : les communications par satellite sont aussi faciles que sur terre ; l'autonomie alimentaire est rendue possible par l'aquaculture et l'agriculture hydroponique ; l'autonomie énergétique aussi, par l'utilisation de l'énergie du soleil, du vent et de la houle. Les projets d'aménagement, terrestres ou marins, sont tous à la jonction de la terre et de l'eau. On perce des isthmes par de nouveaux canaux, on fait pénétrer les voies d'eau dans les villes, on développe l'irrigation dans le tiers monde et, dans un même élan, on installe sur mer des cités ultra-modernes.

Ces chantiers ont valeur de symbole. La navigation dans la complexité, l'autonomie, la liberté de mouvement font partie des valeurs montantes. Les grands projets démontrent la faculté de mobiliser les énergies dans un registre pacifique. Les grands programmes du vingtième siècle avaient tous une inspiration militaire. Seule la peur était capable de mobiliser les moyens financiers nécessaires. A cet égard, le "bip bip" du Spoutnik annonça une nouvelle ère. Celle où la compétition se manifeste par une surenchère (un potlatch) dans l'art de construire, plus que dans la faculté de détruire. Le débarquement Apollo sur la Lune était pacifique. C'était aussi une victoire, qui a remonté le moral des Etats-Unis pour vingt ans. Inversement, la guerre du Viêt-nam fut pour eux un processus autodestructeur. Car, dans le contexte du nouvel âge, toute oppression est opprimante pour celui qui l'exerce. On se détruit soi-même en faisant souffrir des innocents.

Le projet social, qui sous-tend les réalisations et définit l'articulation humaine des fonctionnements, a pour centre l'enseignement. On pourrait le caractériser par la devise "Liberté, Egalité, Fraternité", au fronton de la France depuis la Révolution, et maintenant devenue mondiale. Ces trois mots, en effet, en disent beaucoup plus qu'on ne leur a fait dire.

Pour l'éducation, bien des pays pauvres ont établi des enseignements qui, au lieu de diffuser la culture technique dans le peuple, sélectionnent et éduquent une élite ressemblant aux fractions les plus désincarnées de la classe dirigeante des pays riches. Ces effendias prédatrices, inégalitaires et fratricides, sont évidemment en contradiction avec la grande devise ternaire. Elles entravent la liberté par des interdits et des formalités, renforcent les inégalités et les privilèges, détruisent la fraternité par l'appropriation des richesses et la manipulation des conflits. Elles engendrent aussi des désastres économiques (Argentine, Soudan...). L'abolition de leurs privilèges est la grande question socio-politique du siècle. Elle ne trouve son dénouement qu'après une crise, où les classes dirigeantes sont obligées de renverser leur stratégie : non plus la confiscation, mais le partage du savoir.

Pour mieux comprendre l'évolution, rappelons-nous un des mécanismes fondamentaux de l'innovation : soumis à de très fortes pressions, l'esprit s'échappe en créant. La cocotte-minute est à la dimension de l'époque. L'approche des saturations est planétaire. La pression monte. Les créations sont porteuses de sens au niveau de l'espèce humaine.

Il y a, parmi elles, des échappatoires : créer des villes nouvelles, puis des villes marines, pour échapper à la pression urbaine des mégalopoles, à leur développement cancéreux ; relever le défi d'habiter en tous lieux, dans le froid comme dans le chaud, sur l'eau comme sous l'eau, sous terre comme dans l'espace, parce qu'il faut redémontrer sa capacité de survie. L'homme moderne, amolli par le confort, ayant perdu la connaissance traditionnelle de la nature, est incapable de survivre dans le milieu naturel de ses ancêtres. Combien de temps une tribu de bureaucrates tiendrait-elle à la lisière d'une forêt tropicale ? Alors, l'homme doit prouver qu'il est encore capable d'occuper le terrain, avec des moyens nouveaux.

La techno-nature paraissait à l'époque de Rousseau un mouvement réversible. On se demandait si l'on ne ferait pas mieux de revenir au "bon sauvage" d'autrefois. Elle est maintenant devenue une condition de survie, aussi nécessaire que les mains et les pieds, pour les trois-quarts de l'humanité. L'avenir se construit avec elle et non contre elle.

D'où une attention, une vigilance concernant les savoir-faires à tous les niveaux, du plus élémentaire au plus global. D'un côté, l'éducation (et l'ex-service militaire) réapprend aux jeunes à survivre en milieu hostile, d'un autre on met sous contrôle des écosystèmes complets, pouvant être transportés en tous lieux, y compris dans l'espace. Les cathédrales du troisième millénaire sont les grandes planètes creuses artificielles, habitées par des écosystèmes complets et contrôlés. Elles sont d'abord localisées aux points de Lagrange, puis envoyées vers d'autres systèmes stellaires. L'autonomie se décline à plusieurs niveaux. Au moyen âge, les cisterciens avaient voulu s'installer "au désert" (dans des lieux inexploités), afin de prouver que leur savoir-faire était capable de maîtriser la nature. Demain, cette démonstration d'autonomie et d'exploration prend toutes les formes possibles, de l'individu à la planète, en passant par diverses formes de collectivités installées dans des "milieux artificiels".

Diverses catastrophes naturelles parsemaient l'actualité du vingtième siècle. Celle du vingt-et-unième est faite de risques technologiques, ces ratés de la techno-nature encore mal maîtrisée. Avec Tchernobyl, les centrales nucléaires n'ont pas dit leur dernier mot et l'Exxon Valdes n'est pas la dernière marée noire. Des accidents plus sournois, comme les pluies acides, nécessitent d'autres vigilances.

Mais rien ne peut renverser le cours du temps. Les satisfactions que procure l'accomplissement de la vie sous toutes ses formes allègent les difficultés et transfigurent les péripéties en autant de combats victorieux. En l'espèce, les plus grandes victoires sont celles que l'humanité remporte sur elle-même, en se retenant de polluer et en apportant tous les soins et la vigilance nécessaires à la propreté et à la santé de la Nature.

Parmi toutes les explorations, la plus extraordinaire est celle de l'esprit. Les siècles précédents considéraient que les textes sacrés étaient intangibles. La nature humaine était immuable, les émotions incontrôlables. Le romantisme avait échappé à la raison classique. Les liens d'amour ou de sang étaient imprégnés d'absolu. L'appartenance au clan, à la tribu ou à la nation pouvait exiger le sacrifice de la vie. Tout cela est remis en cause car, après la matière, l'âme et l'esprit deviennent des lieux d'exploration des possibles. Seul le champ de la science était légitime pour mener l'expérimentation, le raisonnement, et reculer les frontières de la pensée par l'exercice du doute. C'est maintenant autorisé pour tous les hommes, dans toutes les circonstances de la vie. Ainsi, les relations personnelles, le travail, les différentes formes d'attachement ou d'appartenance, de passion ou d'indifférence entrent dans la sphère d'une démarche cognitive où, au lieu de s'occuper des autres ou de se laisser occuper par eux, chacun tire d'abord l'enseignement de son propre parcours. Bien plus qu'une généralisation de la science, il s'agit d'un aboutissement. En effet, les scientifiques du dix-neuvième siècle, lorsqu'ils avaient supplanté l'autorité spirituelle des Eglises[1], en avaient reproduit la forme, sinon le fond, en constituant des cléricatures scientistes. La dissolution générale des autorités aidant, l'an 2000 connaît d'abord une montée des ésotérismes et des parasciences. Celles-ci participent de l'exploitation générale de la faiblesse psychique, mais retrouvent aussi le sens ancien de l'Enseignement et de la Connaissance. Plus tard, à la conception d'une vérité extérieure, élaborée par une institution, succède celle d'une vérité intérieure, portée par chacun d'entre nous.

La démarche scientifique devient quotidienne et partagée par tous. C'est l'un des trois aspects de la Connaissance. La combinaison d'une spiritualité retrouvée et des sciences cognitives permet alors l'éclosion des mille fleurs de l'esprit. ■

[1] Saint-Simon : l'ancien pouvoir spirituel était l'Eglise, l'ancien pouvoir temporel la Noblesse, caste de guerriers devenue inutile. Le nouveau pouvoir temporel, c'est l'Industrie, et le nouveau pouvoir spirituel, c'est la Science.

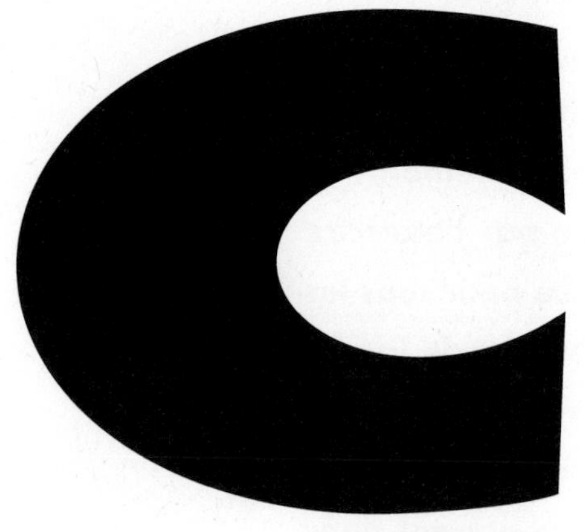

L'océan est un milieu exemplaire. Sur ce territoire immense, plus des deux tiers de la planète, les peuples du monde entier se rencontrent, se battent et se concurrencent depuis des millénaires. Ses potentialités sont incalculables et inexploitées par l'humanité, sinon pour se déplacer et se nourrir de cette forme de cueillette qu'est la pêche. L'océan apparaît à la fois fragile devant les dégâts que l'homme peut lui infliger, complexe dans ses équilibres et très influent sur le climat mondial.

Les océans et l'Antarctique

pitre 18

L'océan mondial et l'Antarctique sont les premiers territoires officiellement considérés comme "patrimoine commun de l'humanité", notion impliquant un partage équitable entre les nations et l'émergence d'une

responsabilité planétaire. L'aquaculture, la récolte des nodules polymétalliques, les effets secondaires de l'activité humaine sur l'équilibre de l'océan, et de celui-ci sur l'atmosphère sont autant de domaines dont la compréhension marque le vingt-et-unième siècle. L'engorgement des côtes, comme au Japon, pousse aussi l'homme "à sauter à l'eau" et à installer des cités sur l'océan, pour y vivre et y travailler. L'enjeu est technologique, culturel et politique. En 2100 l'océan est donc tout à la fois un ensemble de richesses, un nouvel environnement et un territoire géré à l'échelle de la planète.

UN FONCTIONNEMENT MAL CONNU

Les océanographes ont beaucoup à faire pour comprendre les mécanismes subtils et gigantesques qui sont à l'œuvre dans l'océan. Celui-ci n'est pas seulement une grande flaque d'eau de quelque 1,3 milliard de kilomètres cubes. Comme pour l'atmosphère, des mouvements horizontaux (les courants) et verticaux (échanges d'eau entre le fond et la surface) le parcourent. L'énergie solaire fait se mouvoir toute cette masse, en chauffant plus l'équateur que les pôles. Globalement, l'eau, en surface, se déplace du premier vers les seconds. A quelques endroits du globe, sous de hautes latitudes et dans certaines conditions, les masses d'eau refroidies plongent au fond (ce sont les zones de "*down-welling*") et retournent vers les basses latitudes pour refaire surface à certains endroits particuliers (les zones d'"*up-welling*"). Ce ballet aquatique transporte de la chaleur et l'échange avec l'atmosphère.

Pour se protéger contre la montée du niveau des océans, la première réponse de l'homme fut une ligne Maginot. ▼

■ L'énergie solaire fait se mouvoir toute cette masse, en chauffant plus l'équateur que les pôles. Globalement, l'eau, en surface, se déplace du premier vers les seconds.

■ Le climat résulte d'interactions de très grande ampleur entre l'océan et l'atmosphère. L'une des ces interactions est l'absorption par l'océan du gaz carbonique contenu dans l'atmosphère.

Dans les zones d'*up-welling*, remontent des eaux de fonds très chargées en substances minérales, un véritable engrais provoquant en surface des poussées planctoniques et, partant, une augmentation

parfois considérable des populations de poissons. Les pêcheurs le savent bien. Reste à le prévoir.

▲ *Le temps d'une marée, à côté du Mont Saint Michel, pendant qu'est creusée une spirale dans les sables, le ciel change, versatile comme l'océan.*

L'OCÉAN INFLUE SUR LE CLIMAT

Le climat résulte d'interactions de très grande ampleur entre l'atmosphère et l'océan. L'une des ces interactions est l'absorption par l'océan du gaz carbonique contenu dans l'atmosphère. Près des trois quarts de la quantité totale de carbone existant sur la Terre sont contenus dans l'océan. Le maintien des équilibres est nettement plus subtil que dans le cas de l'atmosphère, car la vie s'en mêle, par l'intermédiaire de la photosynthèse dans les algues, la production de particules organiques ou l'incorporation dans les squelettes carbonatés du plancton. L'océan pourrait ainsi fort discrètement absorber près de la moitié du gaz carbonique résultant des activités humaines, ce qui limiterait l'accroissement de l'effet de serre. Sept milliards de tonnes de carbone sont libérées chaque année par l'homme dans l'atmosphère sous forme de gaz carbonique. Cinq milliards proviennent de la combustion des hydrocarbures et du charbon. Un peu moins de deux milliards résultent de la déforestation. Or, ne se retrouvent en excès dans l'atmosphère que quatre milliards de tonnes : le seul réservoir capable d'absorber les trois milliards manquants est l'océan, mais les mécanismes qui réalisent cette absorption sont très mal connus.

L'océan est sensible aux variations atmosphériques, ce qui a parfois des conséquences catastrophiques : le courant chaud El Niño en est l'exemple même. Lorsque les vents alizés deviennent trop faibles, des masses d'eau chaude accumulées dans la région du Pacifique occidental s'écoulent vers l'est, limitant le développement des remontées d'eau profonde fertile qui ont normalement lieu le long de la côte d'Amérique du sud. Des années d'El Niño plus fort qu'à l'ordinaire, jointes à une surexploitation des stocks d'anchoveta (variété d'anchois) du Pérou, ont entraîné un effondrement durable de cette pêcherie. En même temps, des masses d'air chaud et chargé d'humidité s'accumulent sur les chaînes de montagnes côtières, provoquant des pluies torrentielles et des inondations catastrophiques. Cette interaction complexe entre atmosphère et océan est très peu connue. En revanche l'océan semble avoir une inertie bien plus grande que l'atmosphère : les substances y restent un temps très long, entre cinq cents et mille ans, avant d'être relâchées dans l'air, alors que l'atmosphère redépose dans l'année ce qu'elle a absorbé.

L'une des conséquences les plus importantes de l'augmentation, par effet de serre, de la température atmosphérique est, comme nous l'avons vu dans un chapitre précédent, que les glaces polaires fondent. Les effets d'une élévation du niveau des océans de l'ordre d'un mètre en un demi-siècle sont majeurs : les plaines littorales basses ne représentent que 3% de la surface de la planète, mais ces terres riches, très peuplées, fournissent à elles seules le quart des surfaces céréalières mondiales ; tous les ports du monde sont touchés. Les travaux de surélévation des digues et des terre-pleins qui seraient nécessaires sont planifiables : pour les experts américains, la protection des zones littorales submersibles exige, pour chaque mètre de côte, entre mille et dix mille mètres cubes de matériaux à déplacer pour stabiliser et consolider la ligne de rivage. Equiper toutes les côtes du monde de digues suffisantes est une entreprise gigantesque. Même si une organisation internationale (ou "bidule") particulièrement efficace prend les choses en main, les travaux de protection contre la montée des eaux ne peuvent pas être réalisés partout, et de nombreuses régions se trouvent submergées. En fait, la seule solution est de s'adapter à cette nouvelle situation. Elle n'a d'ailleurs pas que des aspects négatifs. Sous nos latitudes tempérées, le phénomène se traduit généralement par une extension des zones humides et exploitables : ainsi, dans le delta du Pô, la transformation de zones de culture céréalière en pêcheries fixes est envisagée.

Une augmentation de la température de l'atmosphère n'a pas pour seul effet l'élévation de la surface des océans ; elle provoque aussi un échauffement de un à deux degrés des couches superficielles. Une telle modification a des conséquences directes sur les écosystèmes, qui ne se font sentir que graduellement, et de manière très différenciée selon les cas. Des écosystèmes entiers, comme les récifs coralliens ou les mangroves, disposent ainsi de nouvelles zones d'expansion. L'huître plate se reproduit régulièrement sur les côtes nord de Bretagne, voire jusqu'aux côtes anglaises.

■ ***L'océan semble avoir une inertie bien plus grande que l'atmosphère : les substances y restent entre cinq cents et mille ans avant d'être relâchées dans l'air, alors que l'atmosphère redépose dans l'année ce qu'elle a absorbé.***

■ ***Aussi catastrophiques et coûteuses qu'elles puissent apparaître au moment où elles se produisent, les marées noires ne laissent guère de traces une dizaine d'années après. Ces événements spectaculaires sont bien moins dangereux que le rejet permanent des résidus de fonds de cuves que pratiquent de nombreux pétroliers en haute mer.***

■ **Les effets d'une élévation du niveau des océans de l'ordre d'un mètre en un demi-siècle sont majeurs.**

L'HOMME PERTURBATEUR

Un verre d'eau douce ne dessale pas l'eau de mer. Proverbe malais.

Après les eaux douces et l'atmosphère, l'activité humaine commence à modifier l'océan. Les effets sont encore peu marqués, ce qui s'explique à la fois par le volume et l'inertie du milieu marin. On leur porte donc un intérêt moindre qu'à d'autres conséquences plus apparentes des activités humaines sur notre environnement. La première alerte en matière de pollution marine s'est produite au Japon, au cours des années 1950 : des rejets industriels de sels de mercure dans une baie fermée produisaient chez les consommateurs de poissons, après concentration à travers la chaîne alimentaire, de terribles symptômes, connus sous le nom de maladie de Minamata.

▲ *Les marées noires suscitent l'indignation, mais l'océan les efface en quelques années.*

▲ *Les rejets industriels incontrôlés sont les plus dangereux à long terme.*

Une centaine de cas mortels ont été relevés, ainsi que de très nombreuses malformations majeures chez les nouveaux-nés.

Avec les pollutions par métaux lourds, les nations industrialisées ont subi les effets des pollutions accidentelles par des hydrocarbures. Cependant, aussi catastrophiques et coûteuses qu'elles puissent apparaître au moment où elles se produisent, les marées noires ne laissent guère de traces après une dizaine d'années. Ces événements spectaculaires sont bien moins dangereux que le rejet permanent des résidus de fonds de cuves que pratiquent de nombreux pétroliers en haute mer. Le volume de ces rejets atteint en effet plus de 1,5 million de tonnes par an[1]. D'autres rejets représentent aussi un risque réel pour l'océan : effluents industriels, pesticides et herbicides apportés par les fleuves ou entraînés par les vents, et substances radioactives. Le DDT, par exemple, a été interdit dans toutes les nations industrialisées mais continue à être utilisé par beaucoup de pays. L'océan en contient un million et demi de tonnes.

L'évolution des concentrations en éléments d'origine humaine dans l'eau de mer, les sédiments et les organismes vivants, pose des problèmes sérieux. Selon l'origine des rejets, ponctuels (l'industrie ou la vie domestique) ou bien diffus (les estuaires, les circulations souterraines et l'atmosphère), la situation est très différente. Si une législation efficace peut contrôler les rejets ponctuels, les rejets diffus sont beaucoup plus difficiles à éviter.

Les rejets les plus dangereux à long terme sont d'origines domestique et agricole. En particulier, les sels azotés et phosphorés (contenus dans les engrais et les lessives), favorables aux végétaux terrestres mais aussi aux algues. En quantité excessive dans l'eau de mer, ils provoquent des proliférations d'algues microscopiques, consommatrices d'oxygène, dont le surnombre asphyxie littéralement le milieu : c'est l'eutrophisation. Ce phénomène, d'abord remarqué en eau douce, se répand dans le milieu marin. Directement liée à l'utilisation d'engrais en agriculture et au développement de la consommation, l'eutrophisation est particulièrement perceptible dans les zones côtières des mers épicontinentales des pays industrialisés.

[1] *OCDE, Les transports maritimes, Paris, 1985.*

Sur les côtes françaises de l'Atlantique et de la Manche, les concentrations en azote et en phosphore ont été multipliées par 2,5 au cours des vingt dernières années. Chaque été sur les côtes, de grandes algues vertes ou des micro-algues souvent toxiques prolifèrent hors de tout contrôle. Dans des mers peu profondes et mal ventilées comme la mer Baltique, les pollutions de toutes natures, minérales et organiques, et l'eutrophisation qui en résulte, ont fait complètement disparaître l'oxygène en-dessous de quatre-vingts mètres. Certains experts estiment que la Méditerranée occidentale, la mer Noire et la mer intérieure du Japon pourraient bientôt se trouver également atteintes en profondeur.

■ Patrimoine partagé par une bonne partie de l'humanité, l'océan ne peut être bien géré que par des organisations supranationales.

■ A l'exception des mammifères, des reptiles marins, de quelques groupes de poissons, dont les sélaciens (requins et raies), les espèces marines répondent aux agressions incessantes par une fécondité extraordinaire, sans commune mesure avec celle des animaux terrestres ou d'eau douce.

La prise de conscience actuelle suscitée par la pollution chronique en azote des eaux souterraines s'étend à l'océan. Un effort est fait pour ramener à des taux admissibles les engrais azotés et phosphorés utilisés par l'agriculture. Cependant, compte tenu des temps de réponse de l'océan et de nombreux facteurs inconnus; les effets de ces mesures ne se font pas sentir avant de nombreuses décennies. La situation s'aggrave donc au cours de la première moitié du vingt-et-unième siècle, avec des conséquences économiques directes sur l'exploitation de la frange côtière, notamment pour la culture des mollusques.

Comme pour l'atmosphère, les pollutions ne connaissent pas les frontières. Patrimoine partagé par une bonne partie de l'humanité, l'océan ne peut être bien géré que par des organisations supranationales. Cette évolution a été entamée très tôt. C'est par exemple au cours de la conférence des Nations Unies sur l'environnement planétaire (Stockholm, 1972) que l'on a réellement pris conscience de la dimension finie de l'océan, stockant pour de très longues durées les molécules stables et dangereuses. Cette conférence a conduit, sur le plan international, à la création du Programme des Nations Unies pour l'Environnement (PNUE), et à la Convention de Londres sur le droit de la mer[1]. Hélas, plusieurs grandes puissances, dont les Etats-Unis, ne semblaient pas encore prêtes, à la fin du vingtième siècle, à reconnaître pleinement cette convention, pourtant déjà signée par 159 nations. Sa mise en application en est retardée d'autant. L'océan apparaît donc comme un efficace secréteur de "bidules", chargés de résoudre les problèmes planétaires.

LA PÊCHE RESTE UNE CUEILLETTE

L'océan a longtemps été considéré comme une source illimitée de nourriture. Le début du vingtième siècle marque la prise de conscience de sa fragilité. Et il faut attendre 1946 et la première conférence internationale sur la pêche pour voir apparaître le terme de surexploitation des mers, alors que l'extermination des baleines, par exemple, durait depuis soixante ans. Après avoir connu, jusqu'au début des années 1970, une phase d'expansion et de développement industriel, les pêches mondiales se sont stabilisées à un niveau compris entre soixante-cinq et soixante-dix millions de tonnes. Même avec une gestion optimale des stocks, le total capturable annuel ne peut guère dépasser quatre-vingt-dix à cent millions de tonnes. Les

[1] *Notre avenir à tous, Commission mondiale sur l'environnement et le développement, Editions du Fleuve, Québec, Canada, 1989.*

captures n'augmentent donc que très peu au cours du vingt-et-unième siècle, si sophistiquées que soient les méthodes de pêche.

Il n'y a guère de risque non plus de voir disparaître certaines espèces rares. De ce point de vue, les situations à terre et en mer sont très différentes. Les sardines ne sont pas les éléphants. A l'exception des mammifères et des reptiles marins ainsi que de quelques groupes de poissons, dont les sélaciens (requins et raies), les espèces marines répondent aux agressions incessantes par une fécondité extraordinaire, sans commune mesure avec celle des animaux terrestres ou d'eau douce. La morue, par exemple, pond chaque année un million d'œufs par kilo de poids corporel ! Bien entendu, ce nombre prodigieux d'œufs est rapidement régulé par une série de processus physiques (température, caractéristiques chimiques de l'eau) et biologiques (prédation, recherche de nourriture). Comme les activités de pêches ne sont plus rentables en dessous d'un certain volume de capture, l'interruption de la pêche intervient avant de mettre l'espèce en danger. Des observations historiques classiques (interruption de la pêche en mer du Nord au cours des deux dernières guerres mondiales) confirment la capacité des stocks exploités à retrouver en quelques années une taille beaucoup plus importante qu'auparavant. Le rendement optimal d'un stock déterminé est obtenu lorsque la biomasse de ce stock représente environ la moitié de la valeur qu'elle prendrait dans le cas d'un stock non exploité.

▲ *Tel est pris qui croyait prendre.*

L'une des façons d'augmenter notablement les prises consisterait à exploiter des espèces nouvelles, mais ce n'est pas si facile. Le cas du krill, sorte de grosse crevette habituée des eaux froides de l'océan Antarctique, est particulièrement révélateur. Proies favorites des grandes baleines, qui les avalent par milliers, ces animaux ont vu leurs populations augmenter considérablement après la grande hécatombe des années 1930 dont furent victimes les cétacés. Au début des années 1970, les experts avaient calculé qu'une quantité de 120 à 140 millions de tonnes de krill pouvait être capturée chaque année, soit plus du double du total des pêches mondiales. Après de nombreuses campagnes de prospection, les estimations s'élevèrent jusqu'à cinq cents millions de tonnes. Malheureusement, la quantité réellement disponible est beaucoup plus faible car le krill, dispersé en pleine eau dans des mers difficiles, est peu accessible aux engins de pêche. En outre, pour des raisons de composition biochimique, ce produit se conserve mal et l'exploitation demeure déficitaire. L'URSS a fait de grands efforts en matière de pêche au krill, sans dépasser un total annuel de quatre cent cinquante tonnes. D'autre part, les baleines décimées par la grande chasse ont été remplacées par des oiseaux de mer (pour environ cent quinze millions de tonnes de krill) et des poissons (pour environ cent millions de tonnes) qui consomment ainsi une grande partie de l'excédent. Certains stocks océaniques ne sont pas encore exploités à leur optimum (céphalopodes, thons du Pacifique sud), mais ils ne représentent qu'une très faible part des captures mondiales qui, pour 80%, s'effectuent sur les plateaux continentaux. Bien d'autres animaux, notamment certains poissons de fond, pourraient être pêchés mais, jusqu'à présent, les techniques n'existent pas et les stocks sont très mal évalués.

▲ *Le volume des pêches industrielles atteint son maximum.*

La pêche prend deux formes de plus en plus distinctes. D'un côté, une pêche industrielle de haute mer faisant intervenir des moyens technologiques lourds : flottes de bateaux coordonnés, recherche des bancs de poissons par radar et satellites, filets géants, traitement de la pêche en mer. De l'autre, une pêche côtière artisanale ou de loisir avec des moyens légers, qui trouve ses débouchés dans la consommation locale ou de luxe. Les modes de consommation évoluent rapidement : d'une part, avec l'amélioration des réseaux de distribution, le choix offert au consommateur s'accroît régulièrement ; d'autre part, les produits pêchés sont mieux "valorisés". En témoigne le développement rapide des préparations surgelées et des préparations à base de protéines de poisson reconstituées, telles le surimi japonais. Comme dans le cas des productions animales terrestres, les industries agro-alimentaires prennent une importance accrue et la matière première subit des transformations de plus en plus nombreuses avant d'aller sur les tables.

L'AQUACULTURE SE DÉVELOPPE

Passer de la pêche - qui ressemble à une cueillette - à l'aquaculture, analogue maritime de l'agriculture, semble relever d'une logique inéluctable. Pourtant l'aquaculture a progressé à un rythme inférieur aux perspectives envisagées dans les années 1970. Une production mondiale de quinze millions de tonnes en 1990 et vingt millions en 2000 était prévue. Le décollage fut plus laborieux que prévu, avec seulement douze millions de tonnes en 1990. L'aquaculture, technique très jeune, n'a pas encore trouvé ses marques. L'humanité a mis très longtemps à dénicher les bonnes espèces de mammifères et de volailles domestiques parmi toutes celles qui étaient à sa disposition. Les aquaculteurs ont rapidement jeté leur dévolu sur quelques espèces : truites, saumons, huîtres, moules, palourdes, daurades, bars, grandes crevettes... Mais il existe de nombreuses espèces à élever (ou à programmer génétiquement). Une autre raison au retard : les animaux marins sont extrêmement délicats à élever, particulièrement au cours de leur première

■ ***La pêche prend deux formes de plus en plus distinctes. D'un côté une pêche industrielle de haute mer faisant intervenir des moyens technologiques lourds, de l'autre, une pêche côtière artisanale ou de loisir.***

■ ***L'humanité a mis très longtemps à dénicher les bonnes espèces de mammifères et de volailles domestiques parmi toutes celles qui étaient à sa disposition. Les aquaculteurs ont rapidement jeté leur dévolu sur quelques espèces, mais de nombreuses espèces sont délicates à élever.***

jeunesse. Ils se nourrissent alors de plancton et de petits organismes dont les dimensions doivent suivre leur croissance. Il est toujours difficile de reproduire fidèlement cette complexité en élevage.

En l'an 2000 le potentiel de l'aquaculture est très important : vingt millions de tonnes, en tenant compte des surfaces disponibles facilement aménageables, car il s'agit pour l'essentiel d'aquaculture dans les bassins construits à terre. La question se pose de manière différente avec l'utilisation de la frange côtière et des premières dizaines de mètres de profondeur. Les technologies de confinement sont très lourdes et ne supportent pas les conditions météorologiques difficiles. L'aquaculture en mer ouverte est limitée à celle des coquillages, espèces peu ou pas mobiles, dont la nourriture est fournie par la production marine naturelle. En Europe, les espaces naturels côtiers sont très protégés et une extension à grande échelle de cette exploitation est peu probable. Au Japon, en revanche, il n'y a guère de restrictions à l'utilisation de la frange côtière, et de vastes élevages en mer ouverte peuvent y prendre place. Dans ce pays, la pêche côtière est pratiquée par des artisans propriétaires de leur bateau et employant au maximum deux hommes. C'est une activité très importante, puisqu'elle emploie 80% des pêcheurs japonais et fournit le quart de la production totale. Des récifs artificiels ont pour fonction essentielle de concentrer les espèces exploitées et de les protéger contre l'emploi des chaluts par petite profondeur. Ces récifs couvrent actuellement sur le littoral japonais plus de deux cent mille hectares de fonds marins et occupent un volume de plusieurs millions de mètres cubes...

▲ Dans les fermes marines sont élevés saumons, mollusques et crustacés.

Le poisson plongeait, j'ai déclenché la photographie et puis... ▼

Puisqu'il est envisageable de coloniser la frange côtière, il est tentant de penser plus loin et de transformer les peuplements marins du plateau continental pour les rendre conformes à nos besoins. Cette zone borde à peu près tous les continents et descend doucement jusqu'à deux cents mètres de profondeur. S'y trouvent des populations animales et végétales inféodées à la côte et qui ne risquent guère de s'évader. Limiter le nombre des espèces et les contrôler, comme dans les fermes terrestres, n'est pas envisageable. Le milieu marin est tellement riche et optimisé que les modifications artificielles ne permettent pas d'en tirer un bénéfice supérieur à celui qu'offre la seule production naturelle. De nombreuses tentatives ont eu lieu, notamment

L'eau trouble est le garni du pêcheur.
Proverbe français.

toutes celles consistant à déverser, et cela sans résultat visible, des quantités importantes d'alevins d'une espèce déterminée. D'après les exemples fournis par la pisciculture chinoise en eau douce, le rendement baisse rapidement avec l'accroissement de la surface d'élevage : cinq cents kilogrammes par hectare et par an pour des surfaces de quelques milliers de mètres carrés, mais moins de dix kilogrammes pour des surfaces de plusieurs milliers d'hectares. De nombreux arguments fondés sur l'analyse du réseau trophique en milieu marin conduisent à penser qu'il en serait de même en mer.

En 2100, les produits de l'aquaculture ont cependant dépassé ceux de la pêche. L'essentiel de l'activité est le fait de "l'aquaculture de production", qui consiste à produire des aliments assimilables par l'homme à partir d'une matière vivante qui ne l'est pas. L'exemple le plus caractéristique est celui de la culture de grandes algues marines à des fins de consommation. L'élevage des mollusques filtreurs en fait partie également. Ces animaux fournissent, compte tenu de leur biologie, des rendements exceptionnels, et occupent une place de premier plan dans la conquête de l'espace marin. Les techniques d'élevage en eau profonde se développent rapidement, permettant l'utilisation de surfaces importantes du littoral sans entraver les activités de surface (navigation). L'aquaculture de transformation, elle, ne représente guère plus du dixième de la production aquacole totale. Elle consiste à produire, à partir d'organismes éventuellement assimilables par l'homme, des produits à haute valeur économique, crustacés ou poissons recherchés comme le bar ou la daurade. Ceux-ci représentent pour les régions peu développées une intéressante monnaie d'échange à l'exportation.

■ ***En 2100, les produits de l'aquaculture ont dépassé ceux de la pêche.***

■ ***L'épuisement progressif des gisements terrestres de pétrole reporte l'extraction sur les sites sous-marins, qui deviennent majoritaires.***

■ ***Quant au vent, à la houle et à la marée, ils sont utilisés surtout dans les cités marines, combinés avec des moyens de stockage (gaz comprimé, hydrogène...), qui permettent d'en régulariser la disponibilité.***

DE LARGES RESSOURCES ÉNERGÉTIQUES

La première ressource énergétique de l'océan reste le pétrole. Dans les années 1980 déjà, le quart de la production mondiale venait de l'océan. L'épuisement progressif des gisements terrestres reporte l'extraction sur les sites sous-marins, qui deviennent majoritaires. Dans les années 2000, pour un baril produit à terre, un est extrait près

Les plateformes d'extraction travaillent jour et nuit pour pomper avant qu'il n'y ait plus de pétrole... ▼

…es côtes par moins de deux cents mètres de fonds, et un second en eau plus profonde ou en région polaire. Les fonds bordant les continents recèlent environ cinquante millions de kilomètres carrés de zones potentiellement pétrolifères. A titre de comparaison, les zones terrestres exploitables représentent à peine plus, avec soixante-cinq millions de kilomètres carrés.

▲ *Les usines marémotrices étaient les ancêtres des barrages souples autour des cités marines.*

Avec le vent, la houle et les marées, les énergies renouvelables disponibles sur les océans sont extrêmement importantes. Mais elles présentent des caractéristiques qui en rendent l'exploitation peu rentable : ce sont des énergies faiblement concentrées et fortement variables. Elles sont donc utilisées surtout dans les cités marines, combinées avec des moyens de stockage complémentaires (gaz comprimé, hydrogène...), qui permettent d'en régulariser la disponibilité.

Près des côtes, l'énergie des marées est déjà bien connue, et compétitive avec l'énergie électro-nucléaire dans certains cas. Malheureusement, il n'existe dans le monde qu'un petit nombre de sites susceptibles de recevoir un équipement marémoteur. Les contraintes de préservation des sites naturels constituent aussi un handicap important : on peut rappeler l'abandon du projet d'usine marémotrice de la baie du mont Saint-Michel, dans les années 1970. Il y avait un gros risque d'envasement du site.

L'énergie des vagues et de la houle a fait l'objet de nombreux et timides essais, qui n'ont pas encore démontré leur faisabilité à grande échelle. Seules quelques bouées portant des signaux lumineux et tirant l'énergie électrique de ce principe témoignent des efforts entrepris, ce qui est bien maigre. Les possibilités sont pourtant considérables. Tous les marins connaissent la puissance de la houle. Comme les structures rigides ne résistent pas aux tempêtes, des systèmes souples sont mis au point dès 2020 ; ils captent l'énergie en évitant de trop résister à la puissance de l'océan.

Reste l'énergie thermique des mers, qui consiste à exploiter la différence de température entre la surface et une profondeur de huit cents mètres environ. Cette différence peut atteindre une quinzaine de degrés dans les eaux tropicales. Depuis l'invention de la technique par Georges Claude, de nombreux essais de centrales à terre ont été pratiqués par plusieurs pays (France, Etats-Unis, Japon). Des projets à objectifs multiples (notamment la production d'eau douce et l'aquaculture) ont été également étudiés. Des centrales flottantes ont été conçues, ce qui simplifie le problème du pompage, mais introduit une contrainte supplémentaire, car il faut prévoir de stocker l'énergie produite sous forme de gaz liquéfié.

L'énergie issue des mers constitue en 2100 une des ressources pour l'équilibre énergétique de la planète. Des centrales de petite puissance ont été fabriquées pour l'alimentation en électricité et en eau douce de certains territoires insulaires et des cités marines.

■ ***Des gisements de minerais sont exploités sur les plateaux continentaux et dans les anciens lits des rivières sous-marines. Mais les gisements de nodules polymétalliques de l'océan profond ne rivalisent avec les gisements terrestres qu'au milieu du vingt-et-unième siècle.***

■ ***Presqu'un tiers de l'humanité vit à moins d'une dizaine de kilomètres d'un rivage. L'instinct pousse l'homme vers le milieu où est née la vie.***

■ ***Le sentiment de villégiature et la recherche des loisirs sont les premiers moteurs de la migration. Les moyens de communication et de télécommunication justifient de moins en moins la concentration des activités dans de vastes conurbations.***

LES RESSOURCES MINÉRALES

Traditionnellement sur les plateaux continentaux, dans les zones de dépôts alluviaux (anciens lits de rivières sous-marines), sont exploités des gisements de minerais. L'exemple le plus connu est celui des gisements d'étain (cassitérite) d'Indonésie et de Malaisie, exploités sous quelques mètres de profondeur d'eau. En Europe, on drague des granulats pour les travaux publics et des graviers calcaires biogènes, utilisés en agriculture et en traitement des eaux (maerl). Il existe également des exploitations marines de diamants (Angola) ou de phosphates. L'importance de ces gisements est bien connue et n'est pas notablement modifiée au début du vingt-et-unième siècle. Il n'en est pas de même pour les gisements de nodules polymétalliques de l'océan profond. Ces boules de trois à dix centimètres de diamètre, qui parsèment certains grands fonds entre 3500 et 5500 mètres, contiennent surtout des oxydes de fer et de manganèse et sont riches en nickel, cobalt, cuivre et molybdène. Découverts en 1874, ils n'ont commencé à intéresser les Etats et les industriels que vers 1965. Au moins deux régions de l'océan profond contiennent des nodules riches en métaux intéressants, l'une dans le Pacifique oriental nord, l'autre dans l'océan Indien. Dans ces zones, la concentration en nodules dépasse cinq kilos au mètre carré, et les teneurs sont au moins de 1,3 % en nickel, 1,1% en cuivre et 0,25% en cobalt. Au cours des années 1970-1990, pas moins de sept consortiums multinationaux représentant une quarantaine de sociétés minières des Etats-Unis, du Canada, de l'Europe occidentale, du Japon et de l'URSS se sont constitués pour étudier l'exploitation industrielle des nodules. Ils ont tout d'abord échoué. Les engins, trop rigides et complexes, inventés par les mineurs, ont eu le mal de mer. De nouvelles techniques de ramassage ont été étudiées, et les nodules ne rivalisent avec les minerais terrestres qu'au milieu du vingt-et-unième siècle.

UN ATTRAIT IRRÉPRESSIBLE

L'homme est manifestement un être "thalassotrope", attiré par la mer. Vue de l'espace, la cause est entendue : la population humaine actuelle apparaît concentrée sur les bords des océans. Presqu'un tiers de l'humanité vit à moins d'une dizaine de kilomètres d'un rivage et la moitié environ à moins de cinquante kilomètres. La côte et ses environs forment certes un endroit riche, humide et fertile, mais il y a sans doute également une attirance moins rationnelle vers la mer. L'instinct pousse l'homme vers le milieu où est née la vie. Dans les pays riches, les migrations volontaires, pendant les vacances, conduisent le plus souvent vers l'océan.

Il y a aussi dans l'air l'idée de rapprocher les activités de travail et de loisir. Le phénomène des "technopoles" est clairement démonstratif de ce mouvement. Les plus grandes se sont implantées près des

▲ *Contrairement aux autres primates, le singe nu n'est pas gêné par sa fourrure pour nager.*

▲ *Depuis l'empire romain, les bains sont un lieu d'échange social.*

régions touristiques maritimes, depuis la Silicon Valley en Californie, jusqu'à Sophia Antipolis en France. S'y combinent la recherche, l'industrie de pointe et les pâtés de sable ou la planche à voile. Pour l'instant, c'est surtout le tertiaire qui déménage, accompagné d'industries nouvelles plutôt légères, électronique et informatique en tête. Ce mouvement vers la mer requiert la conjonction des facilités géographiques et de la proximité d'activités à haut rendement. La géographie désigne trois zones manifestement privilégiées : la Californie, la Méditerranée et le sud-est asiatique. Dans ce grand mouvement vers la mer, le Japon mérite une mention particulière. Son territoire est composé à 71% de montagnes accidentées. Pour loger sa population de cent vingt millions d'habitants, ce pays ne dispose guère en 1990 que de 80500 kilomètres carrés, soit près de mille cinq cents habitants au kilomètre carré. Les grandes agglomérations urbaines étaient situées sur le littoral ou dans les plaines côtières. L'aménagement des côtes est donc, pour ce pays, une contrainte impérieuse. D'autres Etats sont également dans ce cas. Pays-Bas, Egypte et Bangladesh inventent de nouvelles façons d'habiter les côtes, avec la montée du niveau de la mer de la première moitié du vingt-et-unième siècle.

SAUTONS À L'EAU

Ce mouvement vers la côte ne peut que se prolonger par une colonisation océane. *"La ligne de rivage, frontière physique dans le passé, devient l'une des articulations de l'avenir"* souligne Gilbert Barnabé. Les raisons ne manquent pas et les cités marines fleurissent au vingt-et-unième siècle. La concentration d'activités lucratives drainant des populations à hauts revenus, parallèlement à la surpopulation et à une montée drastique du prix des terrains, incite à construire sur la mer, d'abord près des côtes, et ensuite au large. Le sentiment de villégiature et la recherche des loisirs sont les premiers moteurs de la migration. L'homme retourne à l'eau pour y barboter.

▲ *Les méduses artificielles font la joie des enfants au bord de l'eau.*

D'autres forces provoquent le mouvement. Les problèmes de pollution sont loin d'être résolus dans les grandes villes de la première moitié du vingt-et-unième siècle. Les sauvages urbains et les heures de transport quotidien incitent ceux qui en ont les moyens à s'éloigner des mégalopoles. Les nouvelles organisations des entreprises leur en donnent la possibilité réelle. Les moyens de communication et de télécommunication justifient de moins en moins la concentration des activités dans de vastes conurbations. Les multinationales, aux activités réparties sur toute la planète, les grandes entreprises du tertiaire, n'ont plus besoin de regrouper tous leurs salariés dans les grandes villes. Quel que soit son lieu d'implantation, une multinationale gère sans problème son activité planétaire. Un exemple assez évocateur est celui de Hong Kong, dont les habitants ont tissé des liens avec la planète entière tout en sachant que leur territoire actuel n'est peut-être que provisoire et qu'il faudra le cas échéant lever l'ancre...

La situation peut même, pour les plus grandes entreprises planétaires, constituer un avantage. Que se passe-t-il, en effet, si une entreprise décide d'installer son siège social hors des eaux territoriales et se proclame Etat indépendant ? En pleine mer, elle échappe à toute législation. Quel pays peut lever sur elle un impôt quelconque ? Quel droit du travail vient entraver ses décisions ? Juridiquement, le vide est total, donc l'opportunité est grande. Les plus puissantes des multinationales sont tentées...

■ ***Signe des temps : la navigation est une thérapie pour les jeunes drogués. Pour le plaisir, mais aussi pour la santé, physique et surtout mentale, l'homme du troisième millénaire est un navigateur.***

■ ***Que se passe-t-il, en effet, si une entreprise décide d'installer son siège social hors des eaux territoriales et se proclame Etat indépendant ?***

TOUS À LA BARRE

Avant de s'installer au large, l'homme aménage les côtes. Le yachting, au milieu du vingtième siècle, était encore un loisir de privilégié, comme l'automobile à ses débuts. En 1990, 60 millions de bateaux de plaisance jaugent, au total, 15 millions de tonnes[1]. C'est déjà un marché de masse, mais qui s'adresse encore aux peuples les plus riches. Des aménagements portuaires ont été opérés ici et là, selon l'inspiration des au-

Les cités marines du vingtième siècle utilisaient encore des moyens de locomotion rustiques comparés à l'aquacar. ▼

[1] *Philippe Masson, Marines et océans : Ressources, échanges, stratégies, Notre Siècle-Imprimerie Nationale, Paris, 1982.*

torités locales : la Turquie a réalisé de grands investissements, mais pas la Grèce sur la rive d'en face. Par rapport aux immenses potentialités, l'aménagement des côtes reste embryonnaire. Même en Méditerranée, mer la plus fréquentée des plaisanciers, le site naturel extraordinaire de la Yougoslavie, avec ses centaines d'îles, est pratiquement inexploité. En France, où il y a le plus de bateaux par habitant, la capacité d'accueil peut être encore accrue sur les côtes bretonnes, rendues encore plus attractives par le réchauffement climatique. Dans le monde, seule la Floride et la mer des Caraïbes ont des aménagements importants.

L'architecte Spoerry[1] a démontré, avec les sites de Port Grimaud en France et Port-Liberté aux Etats-Unis, en face de New-York, comment on pouvait construire des villes les pieds dans l'eau, où la circulation suit, comme à Venise, les canaux et les trottoirs. La qualité de vie de ces sites est de plus en plus appréciée du public. La vue de l'eau repose. Le rythme calme de la navigation éloigne du stress des mégalopoles, en obligeant à se confronter à des lois aussi dures que limpides : les vagues, le vent... Signe des temps : la navigation est une thérapie pour les jeunes drogués. Pour le plaisir, mais aussi pour la santé, physique et surtout mentale, l'homme du troisième millénaire est un navigateur.

LES CITÉS MARINES APPARAISSENT

Se déplacer sur l'eau pollue peu et reste très économique. ▶

Japon et Pays-Bas entreprennent les premières grandes réalisations du vingt-et-unième siècle. Ces deux pays, en effet, réunissent une ancienne tradition de confrontation à la mer, une grande densité de population et des moyens financiers. La construction d'îles artificielles a commencé dès le début du dix-neuvième siècle pour la défense de la baie de Tokyo contre la mer. Cette zone fait l'objet en 1990 d'une nouvelle extension de quelque cinq cents hectares gagnés sur la mer, par remblai, aménagement de zones portuaires condamnées et construction de deux îles artificielles, dont l'une occupe près de deux cents hectares. Aux Pays-Bas, la conquête des terres sur la mer est séculaire. Au vingt-et-unième siècle, les îles de la Frise sont reliées au continent et

[1] François Spoerry, L'architecture douce de Port-Grimaud à Port-Liberté, Robert Laffont, Paris, 1989.

l'assèchement de la baie d'Amsterdam s'achève. Ces deux pays donnent ensuite l'exemple à l'ensemble du sud-est asiatique et, en particulier l'isthme de Kra et toute l'Indonésie.

▲ *Les premières cités marines étaient des jouets de milliardaires.*

▲ *L'Australie, bien que ne manquant pas d'espace, part à la conquête de l'océan.*

A partir d'une certaine dimension (de l'ordre de quelques kilomètres carrés), ces îles artificielles, pour des raisons techniques et économiques, sont bâties sur des structures flottantes. De telles structures peuvent être implantées par des profondeurs de quelques dizaines de mètres, et situées à quelques dizaines de kilomètres des côtes. L'architecte japonais Kikutake, promoteur de ce concept, fait remarquer judicieusement que ces constructions, lorsqu'elles auront vieilli ou ne répondront plus aux attentes de leurs habitants, seront tout simplement coulées sur place et fourniront à la faune et la flore marines de magnifiques récifs artificiels sous-marins. Pour mieux s'adapter aux mouvements de la surface de la mer, l'idéal est une structure souple. Après les montres molles de Salvador Dali, voici venir les villes molles du troisième millénaire. La périphérie subit les assauts des vagues et du vent, dont l'énergie est récupérée progressivement. La cité est de plus en plus calme vers son centre. On invente aussi un socle dont la partie basse épouse les ondulations marines sans que le reste bouge. Toute une gamme de nouveaux matériaux et de nouvelles technologies, capillaires et spongieuses, trouvent à cette occasion d'immenses débouchés.

Qui craint le danger ne doit pas aller sur la mer.
Proverbe français.

La vie dans ces cités marines pose nombre de problèmes mais à la fin du vingt-et-unième siècle, la plupart des difficultés se trouvent résolues. L'isolement est rompu grâce aux communications par satellite. L'hélicoptère donne accès par tous les temps. Outre les cargos, le dirigeable transporte les charges lourdes quand il fait beau. L'aquaculture et le dessalement de l'eau de mer permettent l'autosuffisance alimentaire, voire l'exportation de produits élaborés sur place. Les éoliennes et l'énergie solaire,. puis la houle, produisent l'électricité, dont les surplus sont stockés sous forme d'hydrogène, réutilisé ensuite comme carburant. La plongée sous-marine est devenue une pratique courante. Les sports nautiques attirent déjà des centaines de millions de vacanciers, marché immense, clientèle disponible pour l'aventure, à condition qu'on lui offre un cadre, des commodités et une originalité qu'elle ne trouve pas à terre. Les premières cités réussies sont de véritables chefs-d'œuvre où l'art est omniprésent : la

géométrie, la décoration, l'ambiance, mais aussi l'art de vivre sous toutes ses formes.
La cité marine présente des configurations inédites. Contrairement aux tours terrestres, il est plus chic de vivre à l'étage le plus bas, c'est-à-dire sous la surface de la mer. Les transports sont en général de petites dimensions, depuis les *vaporetti* à hydrogène jusqu'aux véhicules individuels électriques et automatiques. L'ancien jet-ski est devenu le scooter des mers, et, caréné et élargi, la voiture des mers. Le réseau de circulation a été étudié lors de la conception de la cité et amélioré par retouches successives. Les premières de ces villes marines sont destinées à des séjours plutôt luxueux. Les solutions techniques sophistiquées et coûteuses, mais ayant un caractère ludique, s'en trouvent justifiées. Grâce à l'immense effort de vulgarisation, mené entre autres par des précurseurs comme le commandant Cousteau, une culture marine planétaire, faite de respect et de savoir, s'étend à toute la planète. Des technopoles se créent, associées à des sortes de Disney World flottants dont les gadgets multiples et inattendus fascinent longtemps leurs habitants, leur faisant oublier que tout ne tourne pas très rond sur le reste de la planète. L'architecte Rougerie, concepteur des aquaboulevards, est reconnu comme l'un des grands précurseurs. Toutefois, après une génération, les techniques maîtrisées coûtent moins cher et les thalassopoles accueillent, à côté de loisirs populaires, toutes sortes d'activités : des fabriques, de la recherche, des établissements de soin et de santé. La population marine de la fin du vingt-et-unième siècle se compte en centaines de millions.

L'ANTARCTIQUE, CONTINENT VIERGE

Isolé au milieu d'un vaste océan, soumis à des conditions climatiques aux limites des possibilités de la vie terrestre, le continent Antarctique, comme l'océan et l'espace, ne peut être habité par l'homme qu'au prix d'un environnement technologique complexe, une techno-nature transportable. Comme l'océan et l'espace, il recèle des richesses tentantes. Le continent Antarctique apparaît comme le bout du monde, mais son influence s'exerce sur toute la planète. La calotte glaciaire qui le recouvre occupe quatorze millions de kilomètres carrés et son volume représente environ trente millions de kilomètres cubes, soit 90% de toutes les glaces terrestres (la fonte complète de la calotte glaciaire antarctique entraînerait une montée du niveau des mers d'une soixantaine de mètres). L'épaisseur moyenne de l'inlandsis (la couche de glace) est de 2200 mètres et sa plus grande épaisseur atteint 4800 mètres. La calotte glaciaire s'écoule lentement du centre du continent vers l'océan : le continent Antarctique évacue ainsi chaque année 2300 kilomètres cubes de glaces, principalement sous forme d'icebergs, à peu près l'équivalent des précipitations reçues par la planète entière.
C'est en 1840-1841 que trois expéditions, dont celle du Français Jules Dumont d'Urville, découvrent plusieurs secteurs côtiers de l'Antarctique. Difficilement accessible, apparemment vierge,

■ Les îles artificielles, lorsqu'elles auront vieilli seront coulées sur place et fourniront à la faune et à la flore marines de magnifiques récifs artificiels sous-marins.

■ Après une génération, les thalassopoles accueillent, à côté de loisirs populaires, toutes sortes d'activités. La population marine de la fin du vingt-et-unième siècle se compte en centaines de millions.

■ La fonte complète de la calotte glaciaire antarctique entraînerait une montée du niveau des mers d'une soixantaine de mètres.

l'Antarctique, à cette époque, n'intéresse guère les nations du monde, et se trouve d'emblée considéré comme un continent hors norme, sans statut international reconnu. Entreprise à la fin du dix-

▲ *Le tourisme se développe jusque dans l'Antarctique.*

neuvième siècle, la conquête du pôle Sud se termine le 17 décembre 1911 avec la victoire du norvégien Amundsen sur son concurrent malheureux Scott. Pendant la première moitié du vingtième siècle, plusieurs nations revendiquent des territoires en Antarctique : l'Argentine, l'Australie, le Chili, la France, la Norvège, la Nouvelle-Zélande et le Royaume-Uni. Les Etats-Unis et l'Union soviétique se réservent la possibilité de revendications futures. Des problèmes juridiques de grande ampleur se posent : qui a la propriété de ce territoire et de ce qu'il contient ?

L'AVENIR EST NÉGOCIÉ

En 1959, un traité est signé, qui donne à l'Antarctique un statut particulier. Ce continent, plus vaste que les Etats-Unis et le Mexique réunis, est réservé aux seules utilisations pacifiques. A l'échéance de trente ans, le traité de l'Antarctique n'expire pas mais son fonctionnement peut être revu à la demande d'une des parties contractantes. En 1990, une intense activité de préparation à la révision du traité est en cours. En effet, il n'existe pas encore d'accord général pour donner à cette région le statut de patrimoine commun international. Et cet accord se heurte à de nombreux obstacles, en particulier celui de l'exploitation des richesses du continent. La nécessité d'établir une convention réglementant les activités minières en Antarctique a été évoquée pour la première fois par la Nouvelle-Zélande. Après les chocs pétroliers des années 1970, l'exploitation des ressources minières de l'Antarctique n'est plus considérée comme une hypothèse absurde. Une convention, adoptée le 2 juin 1988 à Wellington vise à préserver l'environnement et à éviter les conflits d'intérêt entre les nations susceptibles d'exploiter les ressources minérales du continent. A la fin du vingtième siècle, très peu de données existent sur les potentialités pétrolières de l'Antarctique. Pour ce qui est des autres ressources minières du continent Antarctique, aucune évaluation complète n'a été faite ; seuls, quelques indices sont disponibles.

En dehors de la fréquentation des bases scientifiques ou para-scientifiques permanentes (ce qui représente entre mille personnes en hiver et quatre mille en été), il faut signaler le développement du tou-

▲ Conquêtes de l'espace et de l'océan sont intimement liées.

▲ T'as de beaux yeux, tu sais ?

risme, actuellement concentré sur la péninsule subantarctique. Plus de cinq mille touristes ont découvert l'Antarctique en 1988, phénomène qui contrevient à l'esprit du traité, et qui pose de nombreux problèmes de servitudes sur le continent.

Le continent Antarctique peut-il présenter une réelle importance militaire, notamment pour ce qui concerne le contrôle des grandes routes maritimes du pétrole ? Cela paraît peu probable. Néanmoins, l'intérêt stratégique que portent certaines nations au continent est largement avéré par le caractère superficiel, voire factice, de l'activité scientifique qui se déroule dans leurs bases nationales.

Si l'Antarctique cristallise les convoitises des nations industrialisées, il est aussi un symbole de l'écologie. Il s'agit de préserver le seul continent encore vierge, ou presque, des agressions que fait subir à la nature la société moderne. Les écologistes exercent de fortes pressions pour appliquer à l'Antarctique les contraintes d'un protectionnisme total. Dans un réflexe passéiste, voire intégriste, ils demandent le maintien de l'ancienne nature, et non la construction d'une techno-nature. L'opinion mondiale est fortement sensibilisée à la fin du vingtième siècle. Pour autant, est-il réaliste d'envisager un continent Antarctique totalement protégé en l'an 2100 ? Cela est d'autant moins évident que les techniques d'exploitation des ressources minières et pétrolières évoluent au cours du vingt-et-unième siècle.

■ ***Une convention, adoptée le 2 juin 1988 à Wellington vise à préserver l'environnement et à éviter les conflits d'intérêt entre les nations susceptibles d'exploiter les ressources minérales du continent.***

■ ***L'avenir du continent Antarctique, à échéance centenaire, est le résultat d'un conflit profond entre les intérêts stratégiques d'un certain nombre de pays et les objectifs scientifiques, relayés de manière plus ou moins directe par l'opinion mondiale à travers les préoccupations des écologistes.***

Ainsi, l'avenir du continent Antarctique, à échéance centenaire, est le résultat d'un conflit profond entre les intérêts stratégiques nationaux d'un certain nombre de pays (dans lesquels les préoccupations économiques pèsent davantage que les préoccupations militaires) et les objectifs scientifiques, relayés de manière plus ou moins directe par l'opinion mondiale à travers les préoccupations des écologistes (évolution de la couche d'ozone stratosphérique, de la teneur en gaz à effet de serre). Le contrôle strict de la fréquentation touristique souhaité par certains chercheurs est évidemment un contre-sens. Quel prétexte pourrait empêcher la visite du patrimoine commun de l'humanité ? C'est au contraire le développement touristique qui permet à l'Antarctique, dès la fin du vingtième siècle, de consolider son

Ce sont les fous qui troublent l'eau et ce sont les sages qui pêchent.
Proverbe français.

statut. Là comme ailleurs, le futile précède l'utile. Des parcs de loisir sont aménagés. On peut faire connaissance de manchots domestiqués, naviguer entre les icebergs, visiter les glaces formées il y a cent mille ans. La techno-nature arrive sur le continent. Dans un premier temps, les scientifiques rechignent, arguant de la fragilité écologique. Mais ils y voient ensuite leur avantage, quand une partie des recettes touristiques est recyclée pour entretenir la nature et financer leurs travaux. Dès 2020, les cinq mille touristes annuels sont devenus un million. La vogue du froid ne se dément pas tout au long du siècle. C'est, encore une fois, à une organisation internationale ad hoc (un bidule, le Groupement Local pour un Antarctique Sauvé), que revient la gestion du continent Antarctique, bastion avancé d'où l'homme peut suivre l'évolution des conséquences de ses actions sur la planète.

■ En Antarctique comme ailleurs, le futile précède l'utile : des parcs de loisir sont aménagés. Une partie des recettes touristiques est recyclée pour entretenir la nature et financer des travaux scientifiques.

■ C'est la première fois que des nations conquérantes s'arrêtent à la porte d'un vaste territoire libre de tout occupant et décident de réfléchir ensemble sur son devenir .

LES HOMMES SE CONCERTENT POUR GÉRER LA PLANÈTE

L'exploitation des ressources océaniques se déroule de manière moins conflictuelle que la conquête des territoires terrestres, jalonnée de massacres. La reconnaissance du fait que les fonds marins appartiennent à toute l'humanité en témoigne. Bien sûr, derrière ces belles paroles se cache une certaine hypocrisie, car l'ampleur des investissements nécessaires à la mise en valeur des océans conduit à douter que les Mongols et les Népalais en tirent profit avant longtemps. Mais le progrès est certain. Le cas de l'Antarctique est tout à fait similaire et plus significatif encore. C'est la première fois que des nations conquérantes s'arrêtent à la porte d'un vaste territoire libre de tout occupant et décident de réfléchir ensemble sur son devenir. Il est clair que nous n'en sommes pas encore aux discussions entre visionnaires pacifistes seulement soucieux de l'avenir de la planète et dénués de toute arrière-pensée nationaliste ou belliqueuse. Les enjeux stratégiques, économiques et militaires sont très présents, et il y a bien conflit entre les candidats. Mais celui-ci comme aujourd'hui, ne dégénère pas en affrontement armé, et ne déclenche que des joutes oratoires, des compromis diplomatiques, des campagnes médiatiques. Pour la première fois également interviennent des préoccupations humanitaires et écologistes. Même si elles sont aussi des prétextes, il faut les voir comme les éléments positifs d'un nouveau rapport à la territorialité, que l'on rencontre aussi dans l'espace. L'homme fait un premier pas vers la gestion raisonnée de la planète. ■

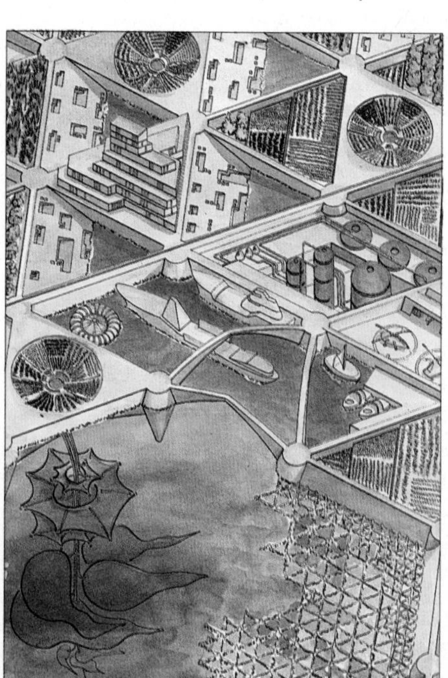

Cette cité marine est autonome avec son agriculture hydroponique, ses éoliennes et ses filets d'aquaculture. ▶

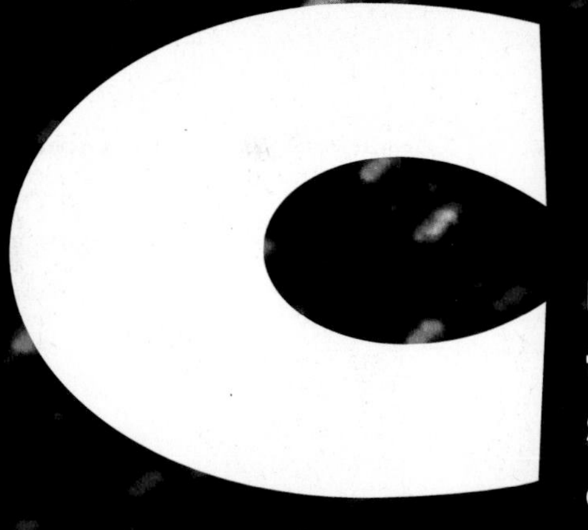

Le premier satellite artificiel, Spoutnik, avait quitté l'atmosphère terrestre le 4 octobre 1957, il y a trente-trois ans. Imaginer la nature et l'importance des activités spatiales à l'horizon 2100, c'est donc se projeter dans le temps trois fois plus loin seulement. Cette mesure doit être en permanence présente à l'esprit de qui se préoccupe de l'avenir de l'espace.

L'espace : des missiles aux planètes creuses

pitre 19

Au dix-neuvième siècle, seuls quelques esprits visionnaires envisageaient sereinement les voyages spatiaux. Nous sommes devant le même laps de temps face à l'horizon 2100. Les idées ont gagné en clarté, puisque les voyages et la vie dans l'espace sont désormais possibles, mais les possibilités envisageables sont innombrables, de l'exploration du système solaire par des sondes automatiques pilotées par une intelligence artificielle à la colonisation de l'orbite terrestre, de l'espace proche, de la Lune ou de Mars. N'a-t-on pas envisagé d'enrichir l'atmosphère martienne en oxygène pour y vivre en bras de chemise et sans masque pour respirer ?

Le choix parmi tous ces possibles s'effectue en naviguant entre deux écueils que l'écrivain et scientifique Arthur Clarke a soulignés : le risque de surestimer les développements à court et moyen terme et celui de sous-estimer les réalisations à long terme. Les pronostiqueurs se sont heurtés au premier écueil dans les années 1960, après la "course à la Lune", moment unique d'euphorie, quand les Etats-Unis dépensaient 0,5% de leur PNB pour l'astronautique. En 1969, la Nasa a présenté son plan post-Apollo, prévoyant pour les années 1970 et 1980 la poursuite des missions lunaires, la construction d'une navette et d'une station spatiale, l'envoi d'hommes vers Mars... Par la suite, le développement de la navette américaine semblait annoncer des voyages orbitaux et plus lointains à coûts réduits. En 1972, Richard Nixon met fin à l'euphorie, en expliquant que l'espace devait trouver une place "juste", c'est-à-dire plus réduite. L'évolution a dès lors été beaucoup plus lente. Visiblement, la société industrielle s'enthousiasme moins pour l'espace que les possibilités technologiques ne le permettraient. Par comparaison avec l'aventure des années 1960, l'exploration spatiale est devenue plus timorée. Mais, avec les satellites de télécommunications, le cosmos est entré dans la sphère économique en devenant rentable. Ou, plus exactement, l'industrie humaine a clairement décollé de sa planète et s'est propagée au-dessus de l'atmosphère, jusqu'à l'orbite géostationnaire. Des perspectives plus ambitieuses s'ouvrent,

▲ A la fin du vingtième siècle, les images prises depuis l'espace aident aux prévisions météorologiques.

La surveillance de la Terre se développe : ainsi, cette vue du Golfe d'Oman, entre Oman, Emirats Arabes Unis et Iran. ▼

les Etats-Unis ayant annoncé leur intention de débarquer sur Mars en 2019, cinquante ans après avoir mis le pied sur la Lune.

La périodicité de quinze ans de l'astronautique

Les idées sur les voyages spatiaux remontent à un passé lointain, mais il a fallu attendre le dix-neuvième siècle pour qu'elles quittent le domaine de la pure imagination et deviennent vraisemblables : vers 1880, un modeste professeur de physique de Kalouga (près de Moscou), Constantin Tsiolkovsky, constate que les fusées permettraient de propulser un engin dans le vide cosmique (ce dont les scientifiques auraient pu s'apercevoir un ou deux siècles plus tôt !). Il ne se contente pas de cette idée et élabore les concepts de fusées à plusieurs étages, de stations orbitales, de vaisseaux interplanétaires, etc. Mais le premier événement astronautique tangible est le lancement en 1926, par l'ingénieur américain Robert Goddard, de la première fusée à propergols liquides.

▲ *Depuis Copernic, l'idée de voyage spatial a fait du chemin.*

■ ***A la fin du siècle dernier, seuls quelques visionnaires envisageaient sereinement les voyages spatiaux, qui paraissaient aux autres une pure vue de l'esprit.***

■ ***Des perspectives plus ambitieuses s'ouvrent, les Etats-Unis ayant annoncé leur intention de débarquer sur Mars en 2019, cinquante ans après avoir mis le pied sur la Lune.***

Ce mode de propulsion devait se révéler une technologie clé de la conquête spatiale. La première fusée est un instrument d'exploration pure. A partir de ce moment apparaît une étonnante périodicité de quinze ans, associée à des évolutions dans les priorités stratégiques des différents acteurs.

De 1926 à 1941, la propulsion à propergols liquides se développe aux Etats-Unis, en Union soviétique et en Allemagne. Aux Etats-Unis (en dépit du génie de Robert Goddard) et en URSS (malgré les qualités de Serguei Korolev et de Valentin Glouchko), les travaux restent à petite échelle, l'enthousiasme des pionniers en constituant le moteur essentiel. La situation est tout à fait différente en Allemagne : les militaires du Troisième Reich se rendent compte que les fusées peuvent devenir des armes. Le développement passe immédiatement au stade industriel avec la construction du V1 (un missile de quinze tonnes pouvant frapper une cible à trois cents kilomètres avec une tonne d'explosifs), sous la direction d'un jeune ingénieur extrêmement brillant, Werner Von Braun. La deuxième fusée, le V2, est un outil de destruction. Elle vole pour la première fois en 1942. Quatre mille exemplaires de cette fusée seront fabriqués et feront des ravages en Europe, mais ils ne changeront pas le cours de la guerre.

La percée allemande donne des idées aux deux super-puissances.

Lors du dépeçage de l'Allemagne vaincue, les Etats-Unis s'attribuent Von Braun pour en faire le directeur de la Nasa, tandis que la course aux missiles balistiques commence. La guerre froide, jusqu'en 1957, inaugure le développement parallèle des missiles à longue portée en Union soviétique et aux Etats-Unis.

Avec une bombe H dans la soute d'une fusée, les Soviétiques desserrent l'étau militaire américain et atteignent la parité stratégique avec les Etats-Unis. Cette fusée, la R 7, vole pour la première fois en août 1957. Moins de deux mois plus tard, elle met en orbite le premier satellite artificiel de la Terre : Spoutnik 1. Les Etats-Unis ont aussi entrepris, mais avec un sentiment d'urgence moindre, la construction de missiles. Le président Dwight Eisenhower décide toutefois de confier la satellisation du premier engin spatial américain à une petite fusée largement civile, la Vanguard, plutôt qu'à un missile militaire. L'espace, estime-t-il, doit rester purement pacifique... Cette belle pensée coûte aux Etats-Unis la gloire d'inaugurer l'ère spatiale !

LA COURSE À L'HOMME DANS L'ESPACE

Les préoccupations stratégiques de la période précédente sont devancées par la recherche du prestige. En dépit d'une technologie sommaire, les Soviétiques exploitent remarquablement pendant quelques années l'avance dont ils disposaient et ils réalisent le premier voyage d'un homme dans le cosmos. Le cosmonaute Youri Gagarine effectue une révolution autour du globe le 12 avril 1961, à bord de son Vostok 1.

L'impact mondial de ces expériences est énorme. Pour les Etats-Unis, c'est une gifle monumentale, un Pearl Harbor idéologique. La supré-

Le singe nu doit être hermétiquement vêtu pour se promener dans l'espace. ▼

■ ***Le premier voyage d'un homme dans le cosmos : Youri Gagarine effectue une révolution autour du globe le 12 avril 1961, à bord de son Vostok 1.***

■ ***En réponse à ce Pearl Habour idéologique, l'astronaute Neil Armstrong foule le sol sélène le 20 juillet 1969.***

■ ***Comme aux Etats-Unis, les programmes grandioses des années 1960 ont jeté les bases à long terme du développement de l'industrie spatiale soviétique.***

matie géostratégique et technologique américaine est entamée devant le monde entier. Le nouveau président des Etats-Unis, John Kennedy, répond de la manière spectaculaire que l'on sait : en en-

▲ *Les années 1990 voient le développement des petites navettes, Hermès, Bourane et Challenger.*

▲ *L'espace n'est pas encore franchement embouteillé, mais des satellites peuvent se croiser.*

gageant le 25 mai 1961 son pays à envoyer un homme sur la Lune et à le ramener sain et sauf sur terre avant la fin de la décennie. Ce fantastique pari, sorte d'acte fondateur de l'astronautique américaine, est tenu : l'astronaute Neil Armstrong foule le sol sélène le 20 juillet 1969. La signification historique ne doit pas masquer l'importance concrète des réalisations américaines de l'époque : le programme Apollo de conquête de la Lune fut, pour les Etats-Unis, l'occasion de mettre sur pied un grand secteur industriel spatial et de construire d'énormes infrastructures, qui restent encore aujourd'hui l'armature d'un programme spatial aux motivations et aux objectifs tout à fait différents.

L'Union soviétique tente de suivre les Etats-Unis dans la course à la Lune : elle construit aussi une fusée géante et un vaisseau pouvant déposer un cosmonaute sur le sol lunaire. Mais elle a présumé de ses capacités technologiques et doit enfouir tous ces projets grandioses dans les poubelles de son histoire secrète après le débarquement des deux astronautes Armstrong et Aldrin sur la Lune. Cela étant, comme aux Etats-Unis, les programmes grandioses des années 1960 ont jeté les bases à long terme du développement de l'industrie spatiale soviétique.

CROISSANCE DES APPLICATIONS MILITAIRES ET CIVILES

En décembre 1972, le dernier Américain envoyé dans le cadre du programme Apollo sur la Lune revient sur Terre. La troisième période de l'astronautique est terminée. Une autre commence, avec la navette spatiale, capable d'effectuer des aller-retours entre la surface de la Terre et des orbites dites basses. Cet objectif constitue, pour l'Amérique victorieuse de la Lune, la marque d'une ambition spatiale considérablement réduite : le but affiché n'est plus une exploration spectaculaire de l'espace, mais la mise au point d'un véhicule permettant un accès moins onéreux à l'espace proche.

Les Soviétiques, de leur côté, se consacrent à la mise en œuvre de stations orbitales de petit gabarit (environ vingt tonnes), à la fois lieux de séjour et laboratoires : les stations Saliout. Ils apprennent ainsi à maîtriser les vols de longue durée (jusqu'à un an) et les opérations liées au service de stations spatiales au moyen de vaisseaux de transport de cosmonautes (Soyouz) et de véhicules de ravitaillement (Progress). Dans le même temps, eux aussi construisent un avion spatial (Bourane), ressemblant à la navette de la Nasa, et une fusée géante (Energia) capable de mettre en orbite plus de cent tonnes de charge utile. Energia est lancée pour la première fois avec succès en mai 1987 et la navette spatiale Bourane effectue une mission automatique réussie un an et demi plus tard.

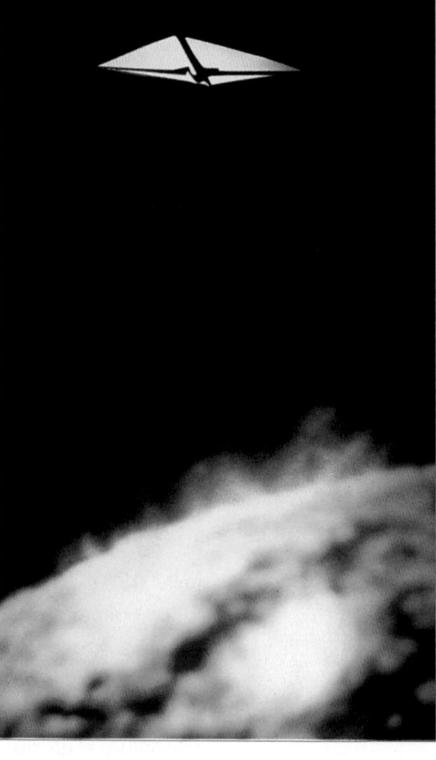

▲ *Les satellites peuvent aussi être artistiques, comme le projet Arsat imaginé par Pierre Comte.*

Ce souci d'économie va de pair avec l'accent porté sur les activités militaires et industrielles dans l'espace : en 1972, la Nasa met justement en orbite le premier satellite de télédétection, Landsat 1. Le budget spatial militaire, essentiellement consacré à la réalisation et à l'exploitation de satellites automatiques, se met à croître rapidement : en 1982, il dépasse les dépenses de la Nasa et, en 1987, il est deux fois plus élevé. Un grand programme technologique visant à utiliser des moyens spatiaux pour une défense antibalistique a été en outre engagé par le président Ronald Reagan en 1983 : c'est l'IDS (Initiative de défense stratégique). Derrière ces manœuvres apparaît un mouvement plus profond : les applications civiles connaissent une croissance explosive. Sur l'orbite géostationnaire, où les satellites restent à la verticale d'un point fixe de l'équateur, à 36 000 km d'altitude, il y a en 1990 plusieurs centaines d'objets, principalement des satellites de télécommunications. On assiste en quelque sorte à la naissance d'un anneau artificiel autour du globe...

La propulsion par fusées à étages, ici Ariane V, imaginée entre les deux guerres, reste à la fin du vingtième siècle, la base de la conquête spatiale. ▼

De nombreux Etats se lancent dans les activités spatiales : l'Europe, le Japon, la Chine, l'Inde commencent à fabriquer leurs satellites. Au tout début de cette période, l'Europe prend des décisions importantes : création de l'Agence spatiale européenne, construction des fusées Ariane, engagement de programmes de télécommunications et de météorologie, participation au programme de navette de la Nasa avec la réalisation d'un laboratoire installé dans la soute de cette navette (le Spacelab). Tous ces projets sont menés à bien et complétés par des programmes d'application nationaux (le satellite Spot en France par exemple)

Dans les années 1950 et 1960, c'est en grande partie pour impressionner leurs propres peuples, leurs alliés et le monde entier que l'Union soviétique et les Etats-Unis, en pleine guerre froide, se sont engagés à coups de milliards de roubles et de dollars dans la course

■ ***Les applications civiles connaissent une croissance explosive. Sur l'orbite géostationnaire, à 36 000 km d'altitude, il y a en 1990 plusieurs centaines d'objets, provenant de nombreux pays, principalement des satellites de télécommunications. On assiste à la naissance d'un anneau artificiel autour du globe...***

■ ***Le coût d'un satellite reste de l'ordre de cinq cent mille francs le kilogramme et les assurances sont hors de prix.***

La terre est dure,
le ciel est loin.
Proverbe afghan.

à l'espace. Si l'espace est un instrument de prestige, c'est parce qu'il impressionne l'individu. L'inconscient collectif associe la conquête de l'espace aux meilleures capacités d'un pays : niveau scientifico-technique, esprit d'entreprise, capacité de se projeter dans l'avenir. L'explication de cet engouement irrationnel se trouve sans doute aux sources de notre culture occidentale, dans les mythes fondateurs, dont témoignent l'intérêt ancien pour l'astrologie puis l'astronomie. Les flèches des cathédrales s'élancent déjà vers le ciel et traduisent une aspiration vers ce qui est grand, beau, lointain.

En remplaçant les lanceurs jetables par une navette récupérable et en installant des bases fixes en orbite, les Américains pensaient s'affranchir du principal frein à l'essor de l'astronautique : vaincre la pesanteur terrestre est extrêmement coûteux et les développements industriels restent donc rares. L'idée était de créer un "cercle vertueux" : en abaissant les coûts, les opportunités commerciales augmentent, les financements tombent plus facilement, les opérations se multiplient et les prix de revient diminuent.

Cette stratégie a échoué dans les années 1980. La navette n'est finalement que partiellement réutilisable et sa fiabilité mise en doute après l'accident de Challenger en 1986. D'où un retour aux solutions conventionnelles et onéreuses. En 1990, un tir d'Ariane 4 revient à environ quatre cents millions de francs pour deux mille cinq cents kilogrammes de charge utile en orbite géostationnaire (soit cent soixante mille francs le kilogramme). Conséquence directe de ce prix élevé, il n'est pas rentable d'expédier des hommes dans l'espace pour réparer un satellite en panne. Ces engins doivent donc être construits pour une fiabilité maximale, sans compromis possible. Dans ces conditions, le coût d'un satellite reste de l'ordre de cinq cent mille francs le kilogramme et les assurances sont hors de prix. Par ailleurs, si l'on veut satelliser des équipages humains, il faut concevoir de coûteux systèmes de sécurité. En Union soviétique, le problème est le même, à ceci près que les Soviétiques n'ont jamais

Les premières stations spatiales permanentes s'alimentent directement en énergie solaire. ▶

▲ *Les clichés du satellite Spot offrent une nouvelle vision de la terre. Au dessus de la Thaïlande, les rizières au nord et au centre apparaissent en rouge ; les parcelles partiellement inondées au sud apparaissent en bleu.*

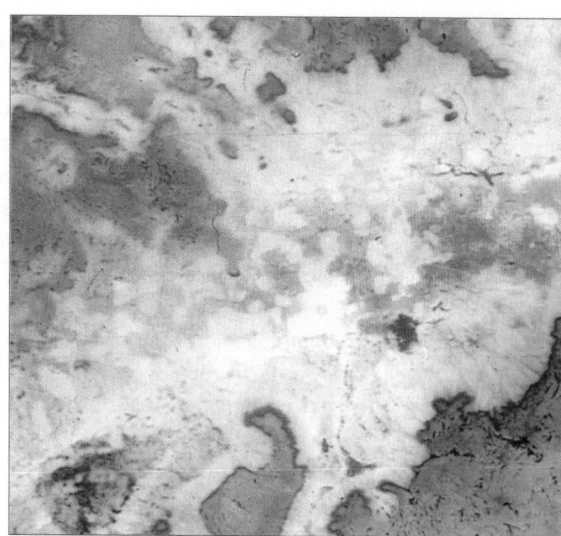

▲ *Baleyara au Niger est une vallée fossile. En vert, la latérite couverte d'arbustes. Au fond de la vallée, des graminées (en rouge) et des cultures de petit mil (en jaune).*

renoncé à leur anciennes fusées conventionnelles. Mais ils ne trouvent pas de véritables utilisations économiquement rentables à leur énorme système de transport Energia-Bourane.

LE CHANGEMENT DANS LA CONTINUITÉ (1987-2002)

Aucune rupture technologique ne marque la quatrième période de l'exploration spatiale. De champ d'exploration, l'espace proche devient champ d'action. On ne découvre plus, on travaille. Tous les développements technologiques consistent à transformer en routine ce qui restait, jusqu'alors, une aventure. Les fusées conventionnelles continuent à satelliser les engins automatiques et les navettes transportent les hommes. Les services offerts par l'espace aux activités hu-

L'ESPACE, MOTEUR DU PROGRÈS TECHNOLOGIQUE

Quel est exactement l'effet des grands programmes de haute technologie ? Les économistes ne sont pas d'accord sur cette question. Après une période de vives critiques, surtout ciblées en direction des programmes militaires en déclin, la nouvelle école d'économistes des années 2000 réaffirme l'intérêt de voir grand. L'économie est comme un système vivant, disent-ils, s'inspirant de René Passet. En l'absence de défi, elle tend à s'affaisser. Les grands programmes introduisent un objectif commun. Ils orientent dans le même sens des énergies qui autrement s'annuleraient dans de stériles confrontations. L'aménagement de la planète, l'océan, l'espace sont de ce point de vue les activités les plus prometteuses, couvrant toute la palette des technologies : matériaux, électronique, informatique, robotique, thermique, aérodynamique... Le secteur spatial a donc une influence très positive. Les technologies de pointe, nécessaires pour les satellites et les lanceurs, se propagent dans le monde industriel car elles accroissent la compétitivité des entreprises. L'image de modernité et de dynamisme associée à l'espace a un impact favorable sur les exportations de produits de haute technologie. Les jeunes sont passionnés par le côté mythique de l'espace et cela se traduit par une attirance croissante pour les études scientifiques et techniques, et donc par une meilleure qualité du personnel technique recruté par les entreprises. La difficulté des programmes spatiaux nécessite la mise au point de méthodes de gestion très performantes. L'existence de grands objectifs nationaux (ou multi-nationaux) favorise la cohésion politique et sociale, élément important par exemple pour l'avenir de l'Europe.

▲ *A Perth, en Australie, la forêt artificielle présente un réseau de routes et de chemins d'exploitations. Les jeunes arbres sont en rouge vif, les anciens en sombre et les coupes rases en bleu.*

▲ *Les méandres des eaux claires du rio Paraguay apparaissent bleu sombre. Son affluent, chargé en sédiments apparaît bleu clair.*
Bras morts, forêts et marécages parsèment l'image.

maines se multiplient : radiolocalisation, messagerie, télévision dite à haute définition, télédétection, surveillance des accords de désarmement... L'espace gagne en maturité ce qu'il perd en panache.
Les différents monopoles américano-soviétiques s'érodent l'un après l'autre. Plusieurs pays construisent leurs propres fusées, beaucoup conçoivent et exploitent leurs satellites. Le dernier bastion, l'envoi d'hommes dans l'espace, tombe à la fin de cette période. L'Europe termine la construction de la navette Hermès, lancée par la fusée Ariane-5. Les Japonais suivent peu de temps après.
Les Etats-Unis et l'Union soviétique consacrent leurs énergies à l'assemblage en orbite de grandes stations orbitales, d'une masse de plusieurs centaines de tonnes avec des équipages d'une dizaine de personnes et une puissance électrique disponible se chiffrant en dizaines ou en centaines de kilowatts. En Union soviétique, Mir 2 apparaît vers 1995, tandis qu'aux Etats-Unis commence l'assemblage de la station orbitale de Freedom, auquel participent l'Esa (l'Agence spatiale européenne), le Japon et le Canada.
Ces belles réalisations contribuent encore au prestige des nations. L'espace reste un domaine où la technologie est maîtresse et où les promenades coûtent fort cher. De son côté, le lobby militaro-industriel y joue sa survie. Des pans entiers de l'industrie en Europe, en Union soviétique et aux Etats-Unis opèrent cette reconversion facile qui va du militaire au civil. Les scientifiques y trouvent leur compte, en récupérant de magnifiques laboratoires spatiaux. En priorité, ils s'efforcent de comprendre les effets de l'apesanteur sur le comportement des êtres vivants et de rechercher de nouveaux phénomènes physico-chimiques. L'espoir est bien sûr de découvrir des procédés qui ne

Les liaisons entre Terre et Lune sont adaptées aux divers problèmes de gravité. ▼

■ ***De champ d'exploration, l'espace proche devient champ d'action. On ne découvre plus, on travaille.***

■ ***Le secteur spatial a une influence très positive. Les technologies de pointe, nécessaires pour les satellites et les lanceurs, se propagent dans le monde industriel.***

peuvent être exploités que dans le cosmos, justifiant par leur valeur ajoutée les coûts élevés du transport et du travail en orbite. La recherche scientifique trouve également une nouvelle activité avec l'étude de l'environnement terrestre. En particulier, il faut surveiller l'évolution du climat, quand monte l'angoisse devant les pollutions, le lent réchauffement de l'atmosphère et la dégradation de la couche d'ozone. L'observation du sol par les nations les plus riches les conduit à accumuler un nouveau trésor, matière première de l'ère nouvelle : la maîtrise des télécommunications spatiales et des informations pratiques à destination des météorologistes, agriculteurs, compagnies aériennes, maritimes, pêcheurs (repérage des bancs de poissons), gouvernements (attribution des aides individualisées après un sinistre ou en cas de sécheresse)...

LES TÉLÉCOMMUNICATIONS

Première application de l'espace, les télécommunications sont déjà la base de l'occupation spatiale. Cet intérêt repose essentiellement sur la position exceptionnelle de l'orbite géostationnaire. A trente-six mille kilomètres au-dessus de l'équateur, un satellite fait le tour de la Terre en vingt-quatre heures et paraît donc immobile à un observateur au sol. Les caméras et antennes d'un tel satellite couvrent quasiment la moitié de la surface de la planète.

MON AMI ROBOT

Techniquement, cette époque inaugure le début d'une cohabitation nouvelle, entre l'homme et les robots. Les engins automatiques se multiplient dans l'espace circum-terrestre, tandis que l'homme y travaille aussi. L'intermédiaire entre le satellite autonome et le vol habité est le robot spatial télécommandé, comme le télescope Hubble. Les observations sont conduites de manière automatique et leurs résultats transmis par radio aux astronomes restés sur Terre. La télé-science progresse. Mais en cas de problème, ou bien pour modifier l'équipement de bord en fonction du progrès des techniques, l'homme doit intervenir. Cette complémentarité homme-robot est appelée à caractériser durablement l'astronautique : les capacités des robots ne cessent d'augmenter, mais la complexité croissante des opérations spatiales nécessite des interventions faisant de plus en plus appel aux capacités spécifiques de l'être humain (dextérité, jugement, intuition, etc.).

Les télescopes au sol ont atteint leurs limites. Il faut aller observer le cosmos depuis l'espace. ▼

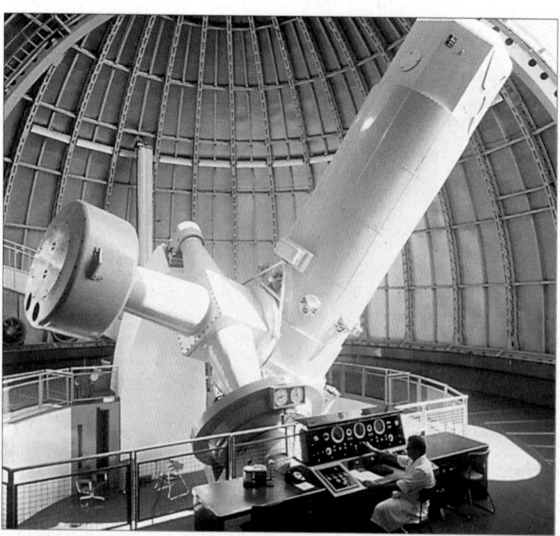

Au télescope Hubble viennent s'ajouter d'autres observatoires lourds : le GRO (Gamma Ray Telescope) et l'AXAF (Advanced X-Rays Facility) de la Nasa, un radio-télescope soviétique, etc. La renaissance des sciences spatiales apparaît dans la reprise des expériences d'exploration des planètes

Pensant que le ciel allait s'écrouler, il a planté un poteau fourchu. Proverbe éthiopien.

au moyen de sondes automatiques : Magellan (satellite radar de Vénus parti en 1989), Galileo (sonde américaine d'étude de Jupiter lancée en 1989), Mars Observer (satellite de Mars envoyé par la Nasa en 1994), Mars 94 (expérience soviétique d'étude de la surface de Mars), Cassini (sonde euro-américaine visant Saturne et son satellite Titan en 1996) sont la preuve du renouveau de l'exploration planétaire. Cette série d'études culmine par une expérience de prélèvement et de retour sur Terre d'échantillons de sol martien.

LA CLEF DE L'ESPACE : L'AVION TRANS-ATMOSPHÉRIQUE

Les navettes américaines, soviétiques et européennes de la fin du vingtième siècle ne sont que des fusées améliorées : poussées par des moteurs à grande consommation, elles ne profitent du support de l'atmosphère qu'au retour, lorsqu'elles se transforment en planeurs (de très mauvaise qualité). Depuis longtemps, la solution est imaginée : un avion trans-atmosphérique muni de propulseurs aérobies, c'est-à-dire consommant de l'oxygène atmosphérique comme les réacteurs classiques, ce qui évite d'en emporter à bord. Il décolle d'un aérodrome et monte jusqu'à la frontière atmosphère-cosmos, à quatre-vingts kilomètres, à une vitesse très élevée : Mach 25 (vingt-cinq fois celle du son). Complètement réutilisable, il effectue des aller-retours Terre-orbite basse et son cycle d'utilisation est semblable à celui d'un avion. Mais il se situe à la limite de la technologie des années 2000 dans pratiquement tous les domaines : propulsion (mise au point de statoréacteurs à combustion supersonique), aérodynamique, protection thermique, matériaux, etc. La véritable navette, à l'évidence, c'est lui. En 2002, l'accès à l'espace reste cher. L'objectif premier de ce début de siècle est d'abaisser définitivement et énergiquement le prix du billet pour l'espace. L'avion spatial divise par 40 le coût de la mise en orbite : une centaine de milliers de francs pour un individu de 70 kilos. Certains touristes sont prêts à payer ce prix. La complexité du projet est énorme, ce qui explique que ces lanceurs réutilisables économiques ne soient mis en service que vers 2010-2015, laissant largement le temps à l'Europe et au Japon de rattraper leur retard par rapport aux Etats-Unis.

▲ *La science-fiction imaginait déjà les véhicules interplanétaires en forme d'avion survolant la lune. Derrière, la terre éclipse le soleil.*

■ ***On espère découvrir des procédés qui ne peuvent être exploités que dans le cosmos, justifiant par leur valeur ajoutée les coûts élevés du transport et du travail en orbite.***

■ ***L'observation du sol terrestre par les nations les plus riches les conduit à accumuler un nouveau trésor, matière première de l'ère nouvelle : la maîtrise des télécommunications spatiales et des informations pratiques à destination des météorologistes, agriculteurs, pêcheurs, gouvernements.***

■ ***La complémentarité homme-robot est appelée à caractériser durablement l'astronautique : la complexité croissante des opérations spatiales nécessite des interventions faisant de plus en plus appel aux capacités spécifiques de l'être humain.***

Après l'avion spatial, la mutation technologique principale concerne les opérations dans le cosmos : le remorqueur spatial, basé dans l'espace près d'une station orbitale, devient enfin réalité et réduit les coûts du transport vers l'orbite géostationnaire. Loin de la Terre, une technologie propulsive originale commence sa carrière : l'association d'une source d'énergie nucléaire, compacte et puissante, et de moteurs électriques éjectant à grande vitesse un faisceau de particules, neutres ou chargées. Clé de l'exploration du système solaire lointain, elle permet des voyages beaucoup plus courts vers Jupiter, Saturne, Uranus, Neptune ou même Pluton.

▲ *Le montage d'un satellite requiert d'importantes précautions et une atmosphère stérile.*

LA TERRE SOUS SURVEILLANCE

Au fil des années, les satellites prennent du poids, se multiplient et deviennent autonomes. Leurs missions concernent d'abord la surveillance de la planète et les télécommunications. Les satellites d'observation sont parfois de grandes plate-formes polaires, c'est-à-dire survolant alternativement les pôles Nord et Sud, porteuses d'instruments multiples. Ce sont aussi des réseaux de petits satellites interconnectés, qui mesurent avec une grande répétitivité certains paramètres atmosphériques, marins ou terrestres, ainsi que des satellites géostationnaires. Conçus selon une structure modulaire, ces satellites se prêtent bien à l'entretien et justifient des interventions en orbite (dépannages, réglages, modernisation), qui deviennent beaucoup moins coûteuses grâce aux avions spatiaux, aux remorqueurs orbitaux et aux stations ateliers.

Les satellites deviennent résistants aux pannes et exécutent une grande partie du travail tout seuls. Comme les navire-usines qui effectuent le plus gros du travail avant de toucher terre, les satellites intelligents traitent l'information avant de l'envoyer vers les stations du sol, qui ne reçoivent plus que les données importantes ; leur travail s'en trouve par suite considérablement simplifié.

Les stations spatiales sont des relais indispensables pour les trajets interorbitaux effectués au moyen de remorqueurs spatiaux - des gares de triage en quelque sorte. Elles sont aussi le lieu privilégié de la plupart des interventions sur des engins spatiaux et l'endroit où se trouve développée

Le principal marché de l'espace reste celui des télécommunications, avec des satellites comme Intelsat. ▼

■ Loin de la Terre, une technologie propulsive originale commence sa carrière : l'association d'une source d'énergie nucléaire, compacte et puissante, et de moteurs électriques éjectant à grande vitesse un faisceau de particules, neutres ou chargées.

■ Le rôle moins visible des satellites est la surveillance de la planète. On prend l'habitude de ces yeux de l'espace et on n'accepte plus qu'un promeneur puisse se perdre en montagne, ni qu'un feu de forêt puisse se répandre par surprise.

la complémentarité entre les astronautes et les moyens robotiques. Sur Terre et pour le commun des mortels, le déploiement de ces constellations de satellites a des conséquences essentielles en matière

▲ *Dans le sud-est de la France, la forêt brûle chaque année. Les feux récents sont en bleu sombre, les feux anciens en bleu clair, et la végétation préservée en rouge.*

▲ *La déforestation gagne la Rift Valley au Kenya : les agriculteurs recherchent de nouvelles terres et déboisent (en rose clair le long des vallées).*

de télécommunications, prolongeant les développements des années 1980 : programmes multiples de télévision à haute définition, communications avec les mobiles, liaisons à la carte pour des entreprises. Le rôle moins visible de ces satellites est la surveillance de la planète. Caméras braquées vers la Terre, ces vigiles ont l'œil à tout : navigation aérienne, routière, marine, activité volcanique, palpitations de l'atmosphère, humeurs des océans, pollutions accidentelles. On prend l'habitude de ces yeux de l'espace et on n'accepte plus qu'un promeneur puisse se perdre en montagne, qu'un feu de forêt puisse se répandre par surprise ou que l'ordinateur de bord de l'automobile ou de l'avion ne sache pas exactement où il se trouve. Les rassemblements de populations, les avions des transporteurs de drogue, les mouvements d'armées sont désormais repérables.

Protégés par cette veille continue qui se tisse au-dessus de la planète, les états industrialisés tendent vers le "zéro risque", qu'il soit militaire, écologique ou de quelque autre nature. C'est aussi, logiquement, le moment du retour de l'IDS, mais cette fois-ci dirigée contre des pays ou des groupes considérés comme terroristes. L'objectif n'est plus de se prémunir contre une attaque d'une grande puissance nucléaire, mais de se défendre contre des missiles balistiques, peu nombreux et de technologie sommaire. De même, en prévoyant les récoltes plusieurs mois à l'avance, grâce aux observations spatiales, les pays industrialisés disposent d'une "arme de la faim" sans cesse plus puissante contre les pays qui ne sont pas autosuffisants sur le plan alimentaire. Les grandes puissances ne se défendent plus les unes contre les autres, mais ensemble contre le reste du monde. Au début du troisième millénaire, l'espace est devenu à la fois stratégique et économique.

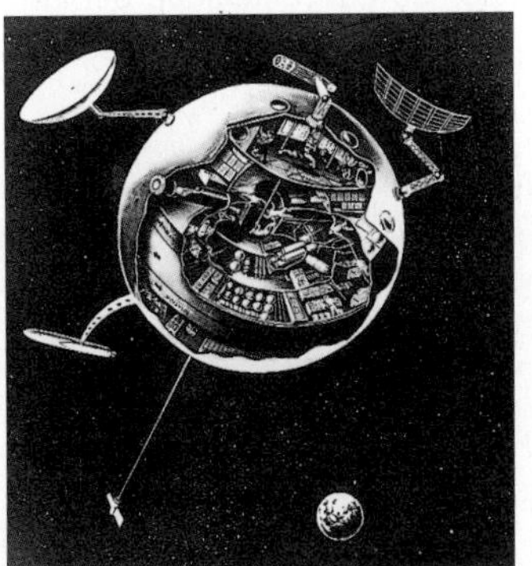

En 1958, l'homme rêvait de satellites artificiels avec 50 personnes à bord sur ◀ *l'orbite géostationnaire.*

Voyager 1 approche de Jupiter. Des flux de plasma relient la planète à son satellite Io. ▶

▲ La mission franco-soviétique ARAGAT 2 glisse au dessus de la terre.

ET LA SCIENCE ARRIVA

Les stations orbitales sont aussi des bases de recherches technologiques. Apparaissent en orbite des ateliers ou des mini-usines pour des produits à très forte valeur ajoutée, dont beaucoup sont impossibles à fabriquer ailleurs que dans l'espace. Même avec une réduction d'un facteur dix du prix du transport Terre-orbite basse, ces productions spatiales restent limitées en masse et en volume, mais la plus-value de ces produits est élevée et cette industrie représente déjà un chiffre d'affaires considérable. Les sciences spatiales bénéficient pleinement des avancées technologiques : très grands miroirs légers et parfaits, association de plusieurs télescopes, expéditions vers les planètes lointaines de sondes à propulsion électro-nucléaire, etc.

C'est le retour au premier plan d'une autre des motivations fondamentales de l'astronautique qui caractérise vraiment la période 2002-2017 : la volonté exploratrice. La collaboration internationale est forte

LES MATÉRIAUX EXTRATERRESTRES

Sur la Lune, sur les planètes et leurs satellites naturels, sur les astéroïdes ou dans les noyaux cométaires, les astronautes du vingt-et-unième siècle trouvent de nombreux matériaux intéressants. On trouve au sein des roches lunaires de l'oxygène qui peut servir à la production de propergols pour les engins spatiaux. Beaucoup d'autres matières sont à la disposition des mineurs extraterrestres. Mais la difficulté est grande : sur la Lune, il n'y a pas de filons où les minerais seraient fortement concentrés, et il n'est pas du tout certain que l'on puisse en trouver sur Mars. Le phénomène de formation de filons métallifères est en effet très lié aux caractéristiques de la géologie terrestre, et en particulier au volcanisme (ou plus généralement à la dynamique des plaques) et à la présence d'eau. Or, ces facteurs ne se sont pas manifestés sur la Lune et n'ont probablement existé que d'une manière très limitée sur Mars. La situation est différente sur certains astéroïdes, qui constituent de bonnes sources de matières premières.

■ Pour préparer le voyage vers Mars, il faut franchir un pas technologique : la mise au point de systèmes de maintien de la vie en cycle écologique clos.

■ Cette maîtrise de "l'indépendance écologique" est une évolution fondamentale qui annonce la possibilité pour l'homme de se détacher un jour de son écosystème originel et de créer des biosphères artificielles complètement autonomes.

et l'Europe y participe plus encore qu'on ne l'imaginait auparavant. La première grande réalisation est l'établissement d'une base lunaire, principalement dédiée à la recherche astronomique. Mais on cherche aussi les possibilités d'extraction de matériaux ou de substances utiles aux activités spatiales, par exemple l'oxygène nécessaire à la fabrication des propergols pour les remorqueurs spatiaux. Le voyage vers Mars intervient à la fin de la période, vers 2017, précédé d'une mission préparatoire en direction de Phobos, un des deux petits satellites naturels de la planète rouge. Le voyage est long, au minimum un an aller-retour, dangereux à cause des radiations, et nécessite des investissements colossaux. Il faut investir environ cinq cents milliards de dollars pour le débarquement sur Mars. L'objectif est d'installer une base automatique permanente, visitée ensuite périodiquement (tous les deux ans au maximum pour des raisons de mécanique céleste).

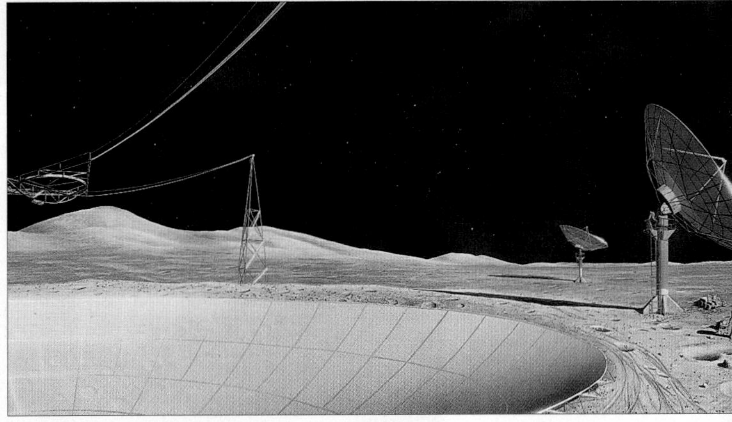

▲ *Protégé des émissions radio en provenance de la terre, l'observatoire radio astronomique est implanté sur la face cachée de la lune.*

EMBARQUER LA NATURE

Pour préparer ce voyage vers Mars, il faut franchir un pas technologique : la mise au point de systèmes de maintien de la vie en cycle écologique clos. Faute de tels systèmes, d'ailleurs aussi très utiles pour les stations orbitales, la masse à transporter pour assurer les fonctions vitales des équipages (air, eau, nourriture) deviendrait rapidement prohibitive. Durant cette période, on en est encore au stade expérimental. On apprend à utiliser les plantes, les micro-organismes et à réguler savamment les circulations d'eau et d'air. La fermeture du cycle écologique n'est que partielle : les produits les plus simples et les plus lourds sont les seuls recyclés. Le fonctionnement laisse encore à désirer. L'effet de ces écosystèmes est, pour l'instant, d'espacer les ravitaillements. Mais la direction est prise. Cette maîtrise de "l'indépendance écologique" est une évolution très importante, fondamentale même, qui annonce la possibilité pour l'homme de se détacher un jour de son écosystème originel et de créer des biosphères artificielles complètement autonomes.

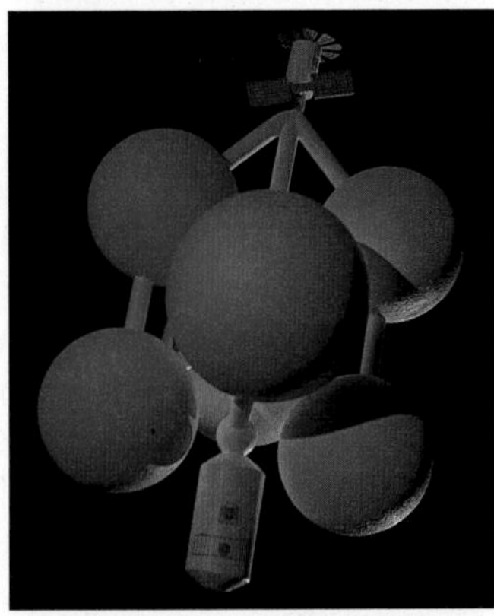

Les sphères du programme Symbiose Biospace sont destinées à abriter des serres agronomiques ◀

Les véhicules lunaires sont bien sûr pressurisés. ▶

L'ARGENT DE L'ESPACE

Le développement de ces activités, des avions trans-atmosphériques aux voyages interplanétaires, représente un investissement gigantesque : l'ensemble des budgets spatiaux américains investis pendant ces quinze années dépasse mille cinq cents milliards de dollars. Au niveau mondial, à la fin de cette période, environ cinq cents milliards de dollars par an sont dépensés. Dans un tel contexte, il n'y a plus de place pour des partenaires dont les budgets seraient trop faibles. L'Europe et le Japon acceptent ce défi et entreprennent l'effort nécessaire pour se rapprocher peu à peu du niveau des Etats-Unis. Quant aux autres pays, ils ne sont pas des grandes puissances spatiales au vingt-et-unième siècle. Cela ne doit surprendre personne : au vingtième siècle, déjà, la plupart des nations avaient renoncé à être des grandes puissances stratégiques.

Les cinq cents milliards par an ne se répartissent toujours pas équitablement. Les Etats-Unis et le Canada en fournissent environ deux cents à eux seuls, l'Europe et le Japon la moitié, le solde étant fourni par l'Union soviétique et le reste du monde. Pour les Etats-Unis, cette somme représente à peu près 2% d'un PIB atteignant alors dix mille milliards de dollars et 1% pour l'Europe. Pour atteindre ces chiffres, les budgets spatiaux américains ont dû croître en moyenne de 5% par an et les investissements européens de 10%. Inscrits dans un contexte de réduction des dépenses militaires traditionnelles, dont l'espace prend économiquement la place, ces efforts ne sont finalement pas démesurés. En outre, dans un contexte de répartition internationale du travail qui ne cesse de progresser, les engins et les ser-

■ **Dans un contexte de réduction des dépenses militaires traditionnelles, l'espace prend le relais des investissements militaires.**

■ **Cette période est une charnière essentielle de l'histoire spatiale. En 2017, l'industrie de l'espace a atteint une grande maturité.**

■ **Le tourisme spatial fait son entrée dans le catalogue des loisirs. Pour d'autres, l'espace est un lieu de travail. Cent personnes travaillaient en orbite en 2017, cinq à dix fois plus quinze ans plus tard.**

vices spatiaux, à valeur ajoutée extrêmement forte, constituent des créneaux privilégiés pour les grandes puissances technologiques.
Marquée par de profondes mutations, cette période est une charnière essentielle, la plus importante sans doute, de l'histoire spatiale. En 2017, l'industrie de l'espace a atteint une grande maturité. Les grandes lignes sont tracées, ouvertes sur des possibilités qu'il faut désormais exploiter et développer.

APPRENDRE À VIVRE DANS L'ESPACE (2017-2032)

L'heure est à la consolidation et à la valorisation des systèmes développés avant 2017. La première tâche est la mise au point d'une seconde génération d'avions trans-atmosphériques et de remorqueurs spatiaux. Il faut en effet accroître les capacités de transport de fret et de personnel. Mais l'objectif est surtout de réduire encore sensiblement, par effet d'échelle, les coûts de transport, de la Terre à la Lune, en passant par les orbites basses et géostationnaires. Le prix pour emmener un passager en orbite basse ne dépasse pas alors quelques centaines de milliers de francs. Ces chiffres restent encore très élevés, mais ils ouvrent l'espace à des activités nouvelles. Le tourisme spatial fait son entrée dans le catalogue des loisirs. Une fraction non négligeable de la population des pays industrialisés a les moyens de se payer cette aventure unique.

▲ *L'extraction de l'oxygène du sol lunaire s'industrialise après 2050.*

Pour d'autres, l'espace est un lieu de travail. La croissance des stations spatiales se poursuit et des ateliers exploitent les conditions de la microgravité. Cent personnes travaillaient en orbite en 2017, cinq à dix fois plus quinze ans plus tard. Les conditions de vie et d'exploitation ressemblent à celles des stations de pompage *off-shore* de l'industrie pétrolière de la fin du vingtième siècle.
Loin de la Terre, les bases lunaires et martiennes passent du stade de l'occupation semi-permanente à celui d'installations habitées de

L'ÉNERGIE SOLAIRE

Dans l'espace, l'énergie solaire n'est jamais réduite comme sur la Terre par les caprices d'une atmosphère. Si l'on choisit convenablement son emplacement, elle n'est jamais interrompue par un cycle jour-nuit. En orbite terrestre, il suffit d'une surface de dix kilomètres carrés pour collecter une puissance équivalente à celle d'une tranche nucléaire. Avec des systèmes de conversion avancés, l'électricité solaire spatiale n'est pas sensiblement plus chère que l'électricité terrestre. Si les générateurs sont fabriqués à partir de matériaux extraterrestres, il y a même là un cercle vertueux : des générateurs économiques réduisent les coûts d'extraction des matériaux extraterrestres, qui servent à réaliser des générateurs encore moins coûteux.

façon continue. Les équipes qui vivent sur la Lune vers 2032 comprennent quelques dizaines de personnes et y séjournent six mois comme dans les stations spatiales. Les séjours martiens doivent durer deux ans, à cause de la durée du voyage.

Ces habitats commencent à devenir confortables. Les hommes acceptent d'aller travailler dans l'espace, mais refusent d'y séjourner dans ces monceaux de ferraille qu'étaient les vaisseaux et les stations des époques précédentes. Dans le même temps, il devient impossible de ravitailler en permanence ces bases en air, en eau et en nourriture. Plantes, arbres, insectes pollinisateurs, micro-organismes sont implantés dans les bases spatiales. Les cycles écologiques se ferment et apportent une relative autarcie à ces bases avancées de l'humanité. Le cordon ombilical avec la planète mère n'est pas loin d'être coupé. Le nombre et la taille des stations, ainsi que les activités qui s'y déroulent, sont modestes et cette libération reste discrète.

Sur la Lune, Mars et Phobos, on commence par peaufiner les techniques d'extraction d'oxygène à partir des oxydes contenus dans les roches, afin d'approvisionner les vaisseaux spatiaux en carburant. Phobos présente en outre un avantage supplémentaire puisque son sol recèle de l'eau, et que l'on peut donc en extraire de l'hydrogène, complémentaire de l'oxygène pour la combustion.

Il faut ensuite aller plus loin que la simple production de propergols et extraire du sol des planètes le maximum de matériaux intéressants, les métaux notamment. Ces matériaux sont réservés au développement de l'industrie spatiale, car leur envoi sur la Terre serait trop coûteux, pour un certain temps du moins.

Le développement de cette industrie isolée dans le cosmos fait bien sûr largement appel à la robotique, qui atteint un niveau de performances étonnant. En gros, les machines se débrouillent à peu près seules. On songe déjà aux "machines de Von Neumann" qui s'auto-répliqueraient en utilisant les matériaux trouvés sur place. L'installation d'un parc initial conduirait à la mise en place progressive et automatique d'un énorme réseau de ces machines, sans intervention humaine ni investissements supplémentaires.

▲ *Le lever de terre comme le voient les habitants des planètes creuses.*

Devant ces écosystèmes clos, cette activité industrielle spatiale qui s'auto-alimente en partie, ces robots qui ne demandent plus rien à personne, une évidence apparaît : l'occupation humaine dans l'espace a fait un pas vers son indépendance. En 2032, cette idée est encore prospective. Les activités spatiales sont toujours essentiellement orbitales et tournées vers la Terre. D'ailleurs, le développement et la mise en place de telles installations représente un effort considérable, qui ne peut être justifié que par l'utilisation économique des richesses de l'espace au profit de l'ensemble de l'humanité.

A mesure que gonfle la sphère d'occupation humaine autour du globe, la conscience planétaire, paradoxalement, se solidifie. La Terre, vue de l'orbite terrestre, apparaît petite et fragile. L'humanité dans son ensemble voit la vie comme la percevaient déjà les premiers astronautes :

une occupation ténue d'une fine pellicule à la surface de la planète. Au sol, l'homme sent la planète sous ses pieds sans la voir. En regardant le ciel, il faut faire un effort pour ne pas s'imaginer au centre du monde. Depuis l'espace, l'homme, au contraire, considère sa planète vue d'en haut. Ce renversement mythique prend une grande importance dans les modes de pensée des sociétés humaines et contribue à l'instauration de comportements plus sereins.
Le niveau de développement atteint par l'astronautique vers 2032 est très élevé : le budget global des programmes spatiaux s'évalue à environ mille milliards de dollars par an. De nouveau, comme en 2002, l'industrie spatiale se retrouve devant une limite. Les innovations de la période précédente ont été exploitées au maximum et il est difficile d'aller plus loin sans une nouvelle mutation technologique. Reste à libérer les activités spatiales d'une contrainte essentielle : leur dépendance de la Terre...

L'ESPACE STIMULE LES JEUNES ?

L'AUTO-INDUSTRIALISATION DU COSMOS

A cette époque, tous les équipements évoluant dans l'espace sont encore construits sur Terre ou à partir de matériels produits sur cette planète. Il faut donc les transporter sur orbite basse, puis de là, le cas échéant, sur la Lune ou sur Mars. Même avec des systèmes de transport évolués, cette opération reste onéreuse. Son coût reflète une réalité physique inévitable : l'énergie considérable qu'il faut communiquer à un objet pour s'arracher à l'attraction d'une planète massive comme la Terre.
En outre, le trafic dans l'atmosphère, pour ne pas trop perturber l'environnement, est limité. Le volume d'activité correspond à un flux de l'ordre de dix à vingt mille tonnes par an vers l'orbite basse. Pour aller de l'avant, l'astronautique doit recourir aux ressources extraterrestres. En termes d'énergie, il revient vingt fois moins cher de transporter un kilogramme sur l'orbite géostationnaire depuis la Lune que depuis la Terre... Et un avantage comparable existe si l'on exploite des astéroïdes évoluant sur une orbite proche de la Terre.

■ ***Le développement de cette industrie isolée dans le cosmos fait largement appel à la robotique, qui atteint un niveau de performances étonnant. En gros, les machines se débrouillent à peu près seules.***

HABITER L'ESPACE (2032-2047)

En 2032, l'homme a les moyens de bâtir une industrie et des colonies dans l'espace. Pourquoi ne le ferait-il pas ? Les richesses de l'espace proche deviennent évidentes. L'orbite terrestre et la Lune sont de plus en plus fréquentées. Les cercles vertueux commencent enfin à se mettre en place. Une fois les activités extraterrestres suffisantes, elles peuvent s'auto-entretenir. Ainsi en est-il des déplacements. Effectuer des trajets de quelques dizaines ou centaines de milliers de kilomètres ne présente pas de grandes difficultés et ne coûte pas grand-chose, quand on est libéré du voisinage immédiat de la Terre. Pour transporter un volumineux conteneur d'une orbite géostationnaire vers la Lune, il suffit d'une quantité d'énergie très faible si l'on ne cherche pas une vitesse importante.

■ ***Depuis la terre, l'homme s'imagine au centre du monde. Dans l'espace, il considère sa planète d'en haut - renversement mythique essentiel qui fait de l'homme l'égal des dieux.***

Les points de Lagrange commencent à focaliser les intérêts financiers des investisseurs spatiaux. Ces secteurs de l'espace sont des endroits bien commodes où une station spatiale peut être stabilisée avec une faible dépense d'énergie. On commence à y installer des relais, chargés de récupérer et de traiter les minerais extraits du sol lunaire. Notre satellite n'opposant qu'une faible pesanteur et aucune atmosphère n'offrant de résistance, il est inutile de prévoir de lourds lanceurs pour arracher une cargaison de la surface. Un accélérateur électromagnétique de quelques kilomètres de long suffit pour expédier des conteneurs vers l'espace.

▲ *L'intérieur de la planète creuse, avec les baies transparentes laissant passer la lumière.*

L'utilisation des matériaux extraterrestres pour la fabrication des équipements spatiaux donne un second souffle à l'expansion humaine dans l'espace. Elle réduit en effet notablement le prix de toutes les opérations spatiales et fait donc croître le volume de celles-ci beaucoup plus vite que les budgets spatiaux. La productivité du spatial fait un bond en avant, conduisant à la création d'un véritable secteur économique du cosmos. Des entreprises industrielles appartenant au secteur privé fabriquent par exemple d'énormes satellites de télécommunications dans le cosmos et en vendent les services sur Terre.

La population de l'orbite basse atteint dix mille personnes et celle de la Lune quelques milliers. Les habitats de l'espace deviennent vastes. Il est enfin rentable d'apporter un maximum de confort aux populations. C'est la recherche d'une gravité artificielle proche de celle de notre planète qui conduit aux premières stations en forme de sphères, d'anneaux et de cylindres, véritables planètes creuses. Leur rotation y provoque une force centrifuge simulant une pesanteur et les habitants vivent sous la surface, les pieds tournés vers l'espace. Dans les années 1970, le physicien G. K. O'Neill avait expliqué les avantages décisifs des habitats de l'espace par rapport aux bases planétaires ou lunaires. Toujours orientée vers le Soleil, une telle "île de l'espace" reçoit un rayonnement solaire important et constant, contrairement à

■ L'utilisation des matériaux extraterrestres pour la fabrication des équipements spatiaux donne un second souffle à l'expansion humaine dans l'espace.

■ C'est la recherche d'une gravité artificielle proche de celle de notre planète qui conduit aux premières stations en forme de sphères, d'anneaux et de cylindres, véritables planètes creuses.

■ Après l'indépendance écologique, l'autonomie économique prend forme pour ces cités extraterrestres, bientôt suivie par l'autonomie culturelle.

LES POINTS DE LAGRANGE

Dans les années 1770, l'astronome Louis Lagrange avait déterminé que deux corps célestes proches l'un de l'autre, tels que la Terre et la Lune, attiraient un troisième corps, beaucoup plus léger qu'eux, de façon très particulière. Placé sur un des cinq "points de Lagrange", ce corps, par exemple une station spatiale, resterait en théorie immobile par rapport au système Terre-Lune (la seul influence perturbatrice étant celle du soleil).

L'un de ces points, L1, se trouve entre la Terre et la Lune. Le deuxième, L2, se situe de l'autre côté de la Lune par rapport à la Terre. Trois autres sont situés sur la même trajectoire que la Lune, l'un étant en avance sur celle-ci de 60° (L4), le deuxième en retard du même angle (L5) et le troisième, L3 occupe la position de l'orbite lunaire diamétralement opposée à la Lune.

Une région de stabilité existe autour de chacun des deux points L4 et L5. Pour y rester, les stations pourraient tourner autour de leur point de Lagrange.

une station terrestre, ce qui assure un approvisionnement énergétique généreux. A l'intérieur, le climat est entièrement contrôlé pour correspondre, par exemple, à un idéal pour des productions agricoles, à moins que celles-ci ne soient déportées dans des structures annexes. La pesanteur est elle aussi librement choisie et adaptée aux productions industrielles. A l'intérieur, arbres et aménagements naturels évoquent l'environnement terrestre. Devenues totalement autonomes, ces bases ne coûtent pratiquement plus rien à l'économie terrestre. Une partie de leur activité consiste à fournir les vaisseaux spatiaux en oxygène liquide, prélevé au sein des roches lunaires. Les matériaux de la Lune et des astéroïdes commencent à être exploités en tant que source de métal pour la construction d'autres stations spatiales. Le tourisme se développe, en commençant comme d'habitude par intéresser les seules classes aisées. Le complexe industriel Terre-Lune-points de Lagrange se met en place. Après l'indépendance écologique, l'autonomie économique et bientôt politique prend forme pour ces nouvelles cités extraterrestres.

Les astéroïdes fournissent les matériaux nécessaires à la construction des planètes creuses. ▼

Une population particulière commence à apparaître : les hommes de l'espace. Passant le plus clair de leur temps hors de la Terre, ils ne se sentent plus tout à fait chez eux lorsqu'ils rejoignent le plancher des vaches. Les meilleurs ont d'autant moins envie de regagner la planète mère qu'ils sont très recherchés. Sur les bases et dans les stations, isolées et complexes, les responsables ont besoin de fins connaisseurs du milieu spatial. Pour reprogrammer les automates, régler les écosystèmes, inventer des solutions nouvelles, il devient évident qu'il vaut mieux faire appel à des baroudeurs de l'espace qu'à des rampants de la planète mère. Cette évolution marque le début d'une autre indépendance, culturelle celle-là.

LA SPATIO-CULTURE (2047-2062)

L'espace devient une banlieue de la Terre. Une population nombreuse, variée, grandissante, entreprenante y vit. Les cités spatiales développent pour leur propre compte une activité économique fébrile. Ces colons, pleins d'initiatives, viennent marcher sur les plate-bandes des industriels terrestres en proposant, dans l'espace, une multitude de services à bas prix. Leurs économies tournent rond et les capitaux ne regagnent plus guère la planète mère. Sur la Terre, on s'empêtre encore dans de nombreux problèmes sociologiques et politiques.

■ ***Là-haut, on recommence à zéro, tout est possible. Au Far West a succédé le Far Space.***

■ ***La surface de Mars n'est-elle pas comparable à la superficie des terres émergées sur notre planète ? L'exploration approfondie de Mars est l'affaire d'une génération.***

LA VOLONTÉ EXPLORATRICE

Viking, Pioneer, Voyager : les noms des sondes spatiales sont évocateurs. La volonté exploratrice de notre espèce dépasse de beaucoup le phénomène spatial. Plusieurs centaines de fois millénaire, elle constitue un trait culturel essentiel qui a poussé l'homme hors de son berceau vers tous les endroits habitables de la planète, des atolls perdus au milieu d'un océan démesuré aux glaces de l'Arctique. Elle contribue à l'évidence au succès médiatique des voyages spatiaux. La "télé-exploration" par des robots de plus en plus évolués n'est pas d'une nature différente ; pourtant, il est clair que l'exploration directe par l'homme suscite le plus grand intérêt du public et de ceux qui financent les activités spatiales. Ce n'est pas un hasard si les projets prestigieux des années 1960 ont été l'envoi d'un homme dans l'espace, puis le voyage d'astronautes sur la Lune. Après une phase de relatif effacement, la volonté exploratrice réapparaît au premier plan des grands projets mis en avant dans les années 1990 aux Etats-Unis et, dans une moindre mesure, en Union soviétique : installation de bases sur la Lune et vols humains vers la planète Mars. L'Europe, loin derrière, en vient elle aussi aux programmes spatiaux habités avec le développement de l'avion spatial Hermès.

Ces mondes nouveaux, eux, semblent prometteurs. Là-haut, on recommence à zéro, tout est possible. Au Far West a succédé le Far Space. L'activité économique est suffisante pour permettre des constructions redoublées de stations spatiales installées aux points de Lagrange. Mais la demande d'émigration est plus forte que l'offre. Les places sont chères. Des passagers clandestins arrivent même à déjouer la surveillance. "Là-haut", les problèmes ne manquent pourtant pas et les statuts juridiques et politiques sont longs à mettre en place. C'est la dernière autonomie à gagner.

Les anneaux de Saturne représentent une des dernières étapes, avant l'envol vers les étoiles proches. ▶

Guidée par les hommes, l'exploitation minière sur Mars est entièrement ◀ robotisée.

MARS, TERRE D'AVENTURE

Sur la lointaine Mars, la situation est différente. On y est moins industriel et commerçant qu'aventurier. La population ne dépasse pas quelques centaines de personnes, se vouant essentiellement à l'exploration de ce monde gigantesque : la surface de Mars n'est-elle pas comparable à la superficie des terres émergées sur notre planète ? L'exploration approfondie de Mars est l'affaire d'une génération. Pendant ce temps, l'industrialisation de la planète ne concerne que les besoins locaux : construction d'habitations et de véhicules, production d'air, de nourriture et de propergols pour les navettes Mars-orbite martienne (les vaisseaux Mars-Terre se ravitaillent sur Phobos). La possibilité de réaliser ces activités sur place accélère fortement le rythme d'exploration de la planète rouge. Celle-ci devient

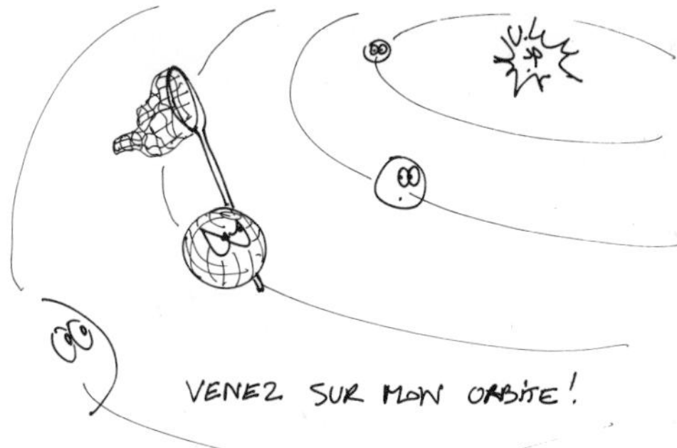

LES MOTIVATIONS DE L'ASTRONAUTIQUE

L'homme est né sur la Terre et reste intégralement dépendant d'un écosystème complexe. L'espace est un lieu pour lequel aucun de ses organes n'a été conçu, si ce n'est le cerveau.

Contrairement à l'alpiniste, que la conquête de l'inutile n'effraie pas non plus mais qui se débrouille tout seul, l'astronaute doit déployer une organisation phénoménale, parmi les plus complexes dont l'humanité soit capable, pour des expéditions hasardeuses. Handicapé par l'apesanteur et par sa combinaison invalidante, il ressemble à un gros bébé dans une piscine et paraît réussir un exploit lorsqu'il manipule un tournevis. Au vu de ces images, on peut, objectivement, se demander ce que l'homme va faire dans cette galère. Pourtant, il y va.

La plupart des nations montrent même une inclination particulière pour l'espace, si l'on en juge d'après le nombre de celles qui cherchent à tout prix à expédier des objets divers hors de l'atmosphère : Europe, Japon, Inde, Chine, Brésil... Les motivations expliquant cette activité ne manquent pas. Mais aucune d'entre elles ne suffit.

le fer de lance de la poursuite de l'exploration du système solaire. En ce milieu du vingt-et-unième siècle, l'exploration des régions plus lointaines du système solaire, qui était le fait de véhicules inhabités

Le vaisseau interplanétaire Daedalus a été conçu par la British ◀ Interplanetary Society.

dans les périodes précédentes, reprend avec des vaisseaux pilotés à propulsion ionique, puis à anti-matière. L'homme se réserve cette fonction d'explorateur et cantonne la robotique au rôle de subalterne et d'intendance. Un œil électronique ne communiquera jamais qu'une partie de la sensation de l'astronaute contemplant pour la première fois le spectacle grandiose des anneaux de Saturne vus depuis Titan. Les buts de ces missions exploratoires sont les satellites de Jupiter et de Saturne (et en particulier Titan), les petits corps de la ceinture des astéroïdes, les noyaux cométaires. Ces missions ont des objectifs scientifiques mais également des buts appliqués car économiques : tous ces objets célestes sont potentiellement des sources de matières premières disponibles pour l'occupation et l'industrialisation de l'espace lointain.

HOMO CAELASTIS (2062-2100)

Les colonies spatiales se développent considérablement. On parle de planètes artificielles pour désigner ces stations spatiales, généralement des cylindres de plusieurs kilomètres de diamètre, où la vie s'organise tranquillement. En fin de période, les richesses du complexe industriel de l'espace représentent une fraction significative de celles de la planète mère, avec laquelle une réelle concurrence s'instaure. Les matériaux de la Lune, de Mars et des astéroïdes sont ex-

■ ***Des négociations doivent avoir lieu pour équilibrer les concurrences avec l'économie terrestre ; en effet, les innovations en matière d'environnement et de modes de vie dépassent de loin ce qu'il est possible de faire sur la Terre.***

■ ***A la fin du siècle, ces populations de l'espace, cet Homo caelestis (homme du ciel) qui parfois n'a jamais mis les pieds sur la Terre, sont mûrs pour songer aux grands voyages sans retour, à destination des autres systèmes planétaires autour des étoiles proches.***

ploités avec de bons rendements et offrent tout ce que l'on trouve sur la Terre. L'indépendance pratique de ces colonies est largement engagée et des négociations doivent avoir lieu pour équilibrer les concurrences avec l'économie terrestre. Tout coûte moins cher dans l'espace, des déplacements à l'extraction de la matière. Les télécommunications spatiales, indispensables entre les multiples planètes artificielles, la Terre, la Lune, Mars et les vaisseaux spatiaux, sont entre les mains des colons de l'espace, ainsi que les technologies de pointe concernant la construction et la propulsion des remorqueurs et des transporteurs commerciaux.

Les innovations en matière d'environnement et de modes de vie dépassent de loin ce qu'il est possible de faire sur la Terre, fragilisée et si complexe. L'humanité commence vraiment à s'adapter à la vie dans l'espace, non seulement techniquement, mais culturellement. A la fin du siècle, ces populations de l'espace, ces *Homo caelastis* (hommes du ciel), dont certains n'ont jamais mis les pieds sur la Terre, sont mûrs pour songer aux grands voyages sans retour, à destination des autres systèmes planétaires autour des étoiles proches. ■

En 2100, des hommes naissent et meurent dans l'espace qui est devenu leur patrie. ▶

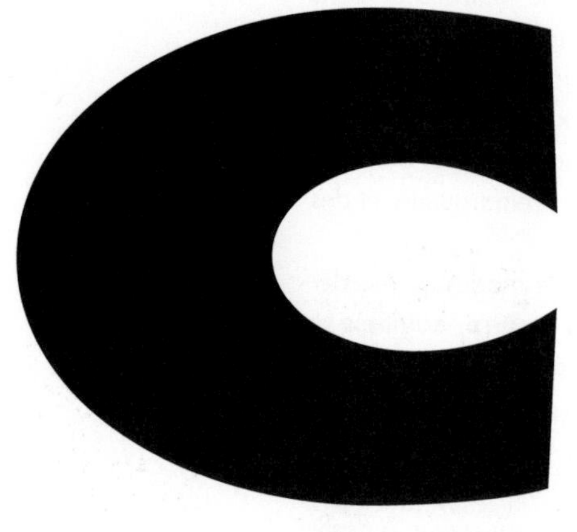

h a

Transformer le système éducatif est l'un des plus redoutables défis que le vingt-et-unième siècle ait à relever. D'autant plus que, dans tous les pays ou presque, le retard s'est accumulé. Car trop souvent en effet, l'école a privilégié la continuité et non le changement, perpétuant religieusement les méthodes et les traditions héritées du passé. Elle s'est ainsi érigée en une sorte de forteresse immobile au milieu d'un monde qui évolue de plus en plus rapidement.

Le grand enjeu : l'éducation

p i t r e 20

▲ La salle de classe occidentale, normalisée à la fin du dix-neuvième siècle...

▲ ... a été transférée, avec les moyens du bord aux pays du tiers monde.

On ne peut certes prétendre que jamais l'esprit de mouvement n'a soufflé sur l'école, mais il l'a fait le plus souvent de manière velléitaire ou brouillonne, créant plus de confusion que de nouveauté. Etait absente une vision globale des changements en train de se produire, des mutations à opérer. Prisonnière de ses rigidités et de ses pesanteurs, l'école s'est ainsi peu à peu coupée de la vie qui bouillonnait autour d'elle et ce splendide isolement a fini par la mettre dans l'incapacité de répondre correctement aux demandes de la société.

La gravité de la crise est variable selon les pays. Mais elle n'en épargne aucun. Que ce soit dans le monde industrialisé ou dans les pays du tiers monde, qui ont souvent repris à leur compte les modèles laissés par l'ancien colonisateur, nulle part on n'a vraiment trouvé de remède. Si bien qu'à la fin du vingtième siècle, il ne s'agit plus d'opérer quelques remaniements partiels ou quelques réorientations de détail : c'est toute l'institution qu'il faut repenser.

■ ***L'enseignement gratuit et obligatoire donnait à chaque famille populaire l'espoir de voir l'un des siens s'élever dans la hiérarchie sociale.***

Ce qui distingue l'homme des autres primates, c'est la plasticité de ses comportements, due à sa néoténie[1]. D'où un poids accru de l'acquis par rapport à l'inné et le rôle central des processus d'enseignement, qui sont les définisseurs des sociétés. On comprend dès lors que, de tous temps, la place, les méthodes et les finalités de l'enseignement aient fait l'objet de débats passionnés comme de critiques acerbes. Dès l'Antiquité, Sénèque se demandait si l'école romaine travaillait pour la société ou pour elle-même. Mais à la fin du vingtième siècle, avec les bouleversements qui affectent les fondements mêmes de la civilisation moderne, le problème change brusquement d'échelle.

■ ***Coulée dans le moule de la société industrielle, conçue à la fois pour répondre à ses besoins techniques et pour assurer la reproduction de ses rapports sociaux, l'école véhiculait ses normes et ses valeurs.***

L'école moderne doit l'essentiel de ses structures et de son organisation au dix-neuvième siècle.

A la fin du vingtième siècle, l'enseignement commence de plus en plus tôt, par les activités d'éveil dans la crèche. ▼

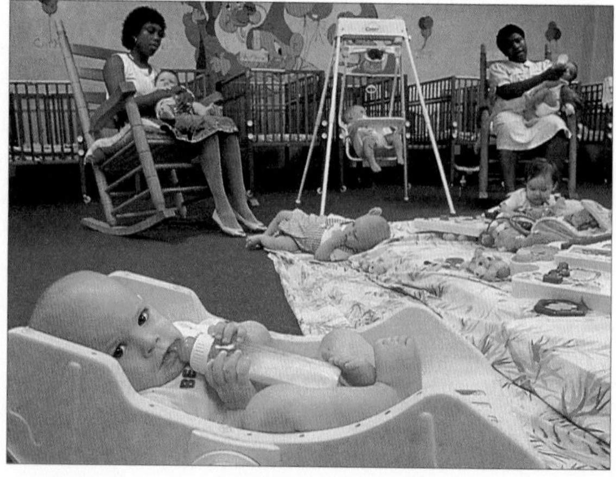

[1] Cf. chapitre 3.

▲ *L'école de la société industrielle pratiquait un encadrement précoce des enfants du prolétariat.*

L'irruption de la société industrielle, en déchirant le tissu social du monde agraire traditionnel et en poussant les paysans vers les fabriques, a eu pour effet de créer une masse ouvrière qui ne trouvait à s'insérer que difficilement dans les structures de l'ordre existant. Placée en situation de marginalisation et d'exclusion, la classe laborieuse se révélait dangereuse[1]. Pour préserver les institutions, il devenait nécessaire de reconstituer autour d'elles un consensus idéologique : en d'autres termes, il fallait inculquer dès leur plus jeune âge aux enfants des milieux populaires les valeurs des élites dominantes. En outre, sur un plan plus pratique, le développement industriel rendait nécessaire l'élargissement du recrutement de techniciens et d'ouvriers qualifiés capables de lire un plan, de calculer des cotes ou de piloter des machines complexes.

▲ *L'éviction des enseignements religieux est symbolisée par Jules Ferry chassant un curé.*

LE SYSTÈME SCOLAIRE VIEILLIT MAL

Les uns après les autres, les pays industrialisés mirent donc en place un système d'enseignement gratuit et obligatoire. Outre sa fonction globale d'intégration sociale, celui-ci avait l'avantage d'apporter une figure de justice en promettant d'assurer la promotion des enfants les plus aptes. Cela donnait ainsi à chaque famille populaire l'espoir de voir l'un des siens s'élever au-dessus de son niveau.

Coulée dans le moule de la société industrielle, conçue à la fois pour répondre à ses besoins techniques et pour assurer la reproduction de ses rapports sociaux, l'école véhiculait ses normes et ses valeurs : un sens de la solidarité nationale souvent poussé jusqu'au chauvinisme ; un respect des institutions et des élites civiles et militaires qui les peuplaient ; une foi dans le progrès et dans la science. Plus profondément,

[1] *Jacques Donzelot, La police des familles, Editions de Minuit, Paris, 1977.*

Jean sait ce que Jeannot a appris.
Proverbe lituanien.

elle œuvrait à la diffusion de son mode de pensée : goût de la précision et de l'exactitude, mais aussi rigidité intellectuelle et amour du formalisme, raisonnement linéaire et mécaniste. Bref, elle privilégiait nettement les qualités d'ordre et de méthode au détriment des facultés créatrices qui, on le sait depuis, ne font pas fonctionner les mêmes zones cérébrales[1].

▲ *Les traditions se perpétuent, symbolisées par le poids des papiers.*

Même s'il lui a apporté d'importants correctifs et des perfectionnements substantiels, notamment dans le domaine de la formation scientifique et technique, le vingtième siècle n'a pas fondamentalement modifié ce modèle. En sorte que, moyennant quelques menues adaptations, celui-ci a pu survivre et continuer ainsi à transmettre les valeurs qui étaient les siennes.

Mais son succès est allé en décroissant. Car, fière de ses réussites et convaincue de son excellence, l'école n'a pas prêté suffisamment attention aux changements qui se produisaient autour d'elle et dont les échos se répercutaient pourtant à l'intérieur des salles de classe. Par exemple, l'accroissement de la demande d'éducation, due à la dynamique du développement, a eu pour effet de gonfler démesurément les effectifs de l'enseignement secondaire et du supérieur[2]. Restés longtemps élitaires, lycées et universités ont dus se convertir à leur tour à l'enseignement de masse. Banalisée, la fonction enseignante s'est trouvée du même coup dévalorisée. En même temps qu'il perdait son rang de notable, le professeur a perdu aussi une part de son autorité pédagogique : il a alors eu tendance à se raidir dans une attitude défensive, tant face au pouvoir que face à ses élèves. Attitude qui conduisait de plus en plus à l'immobilisme, au refus de l'innovation, à la routine.

Gagnée par une inertie que les tentatives de réforme décidées d'en haut étaient impuissantes à vaincre, au moment même où autour d'elle le mouvement s'accélérait partout, la machine scolaire s'est progressivement coupée de la société, elle a eu de plus en plus tendance à se replier sur elle-même. S'est ainsi amorcée une spirale

[1] Répartition des rôles entre le cerveau gauche et le cerveau droit.

[2] Jacques Lesourne, Education et société : les défis de l'an 2000, La Découverte, Paris, 1988.

ORIGINE DE CERTAINES TRADITIONS

L'heure de cours (qu'elle soit de 60 ou de 45 minutes) apparaît aux contemporains comme une unité d'enseignement inamovible. Or, son invention, vraisemblablement due aux jésuites, ne remonte, semble-t-il, qu'au dix-septième siècle. L'Université du moyen âge, en tout cas, l'ignorait : les cours s'y poursuivaient de trivium en quadrivium jusqu'à épuisement du sujet. Les examens écrits, eux, sont beaucoup plus anciens, puisqu'ils ont été inventés au début de notre ère dans la Chine impériale pour le recrutement des fonctionnaires. Il se pourrait même que la règle qui voulait, du moins en France, que le maître porte ses annotations à l'encre rouge en marge des copies soit elle aussi d'origine chinoise. Extraordinaire pérennité des traditions en matière d'enseignement !

■ ***Fière de ses réussites et convaincue de son excellence, l'école n'a pas prêté suffisamment attention aux changements qui se produisaient autour d'elle.***

■ ***Elle privilégiait nettement les qualités d'ordre et de méthode au détriment des facultés créatrices qui, on le sait, ne font pas fonctionner les mêmes zones cérébrales.***

■ ***Avec l'augmentation du taux de scolarisation, l'illettrisme s'est substitué à l'analphabétisme.***

descendante où l'école ne cessait de perdre de son efficacité à mesure qu'elle perdait de son dynamisme, et réciproquement. Tant et si bien que, de fausses mises à jour en refus d'adaptation, elle a fini par se retrouver confrontée à la nécessité non plus d'une réforme, mais d'une véritable révolution. A la fin du vingtième siècle, il ne s'agit plus de changer simplement son organisation et son statut dans la société, mais également sa conception même de l'enseignement et jusqu'à son mode de pensée. Les résultats sont là, accablants : les pays industrialisés croyaient avoir définitivement résolu le problème de l'analphabétisme. On vivait sur l'idée rassurante que le taux de scolarisation progressait et que le niveau général d'instruction ne cessait de s'élever. C'était vrai dans l'ensemble, mais cela dissimulait des déséquilibres graves.

Quand surgit le feu du dehors, ◀ l'école est évacuée.

Diverses enquêtes sociologiques concordantes révèlent en effet que l'analphabétisme n'a pas disparu dans les pays industrialisés. Il a simplement pris une forme nouvelle, l'illettrisme. On découvre avec effarement que 20 à 25% de la population adulte, bien que dûment

L'analphabétisme et l'illetrisme des adultes

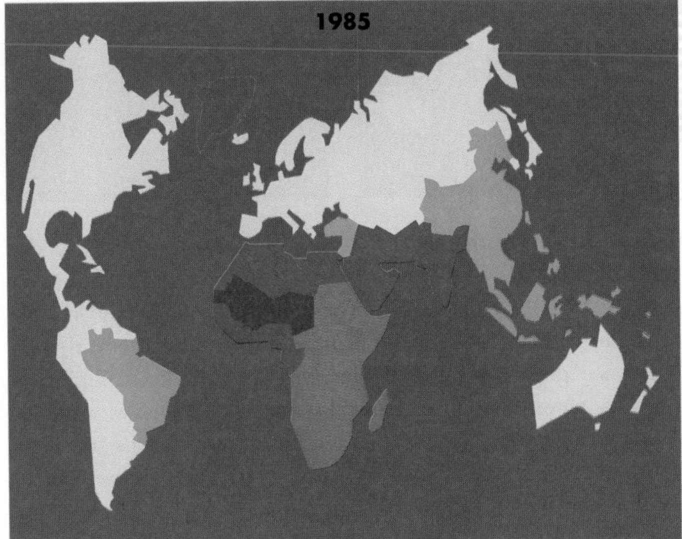

pourcentage des adultes ne sachant pas lire ou ne comprenant pas ce qu'ils lisent

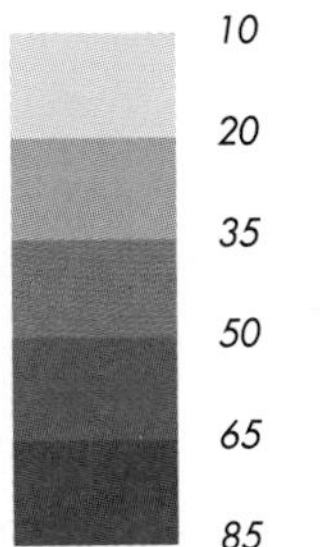

scolarisée en son temps, a oublié à peu près complètement ce qu'elle avait plus ou moins laborieusement appris à l'école et ne sait pratiquement plus lire ni écrire.

Quant à ceux qui sont censés le savoir encore, le tableau n'est guère plus encourageant : une étude commandée par le gouvernement américain à la fin des années 1980 révèle qu'au terme de leurs douze années de scolarité, 40% des jeunes sont incapables de lire un article ordinaire du *New York Times*, qui n'est pourtant pas un bastion de l'intellectualisme. Pire : toujours d'après la même étude, ces jeunes ne sont en général pas en mesure de lire et de com-

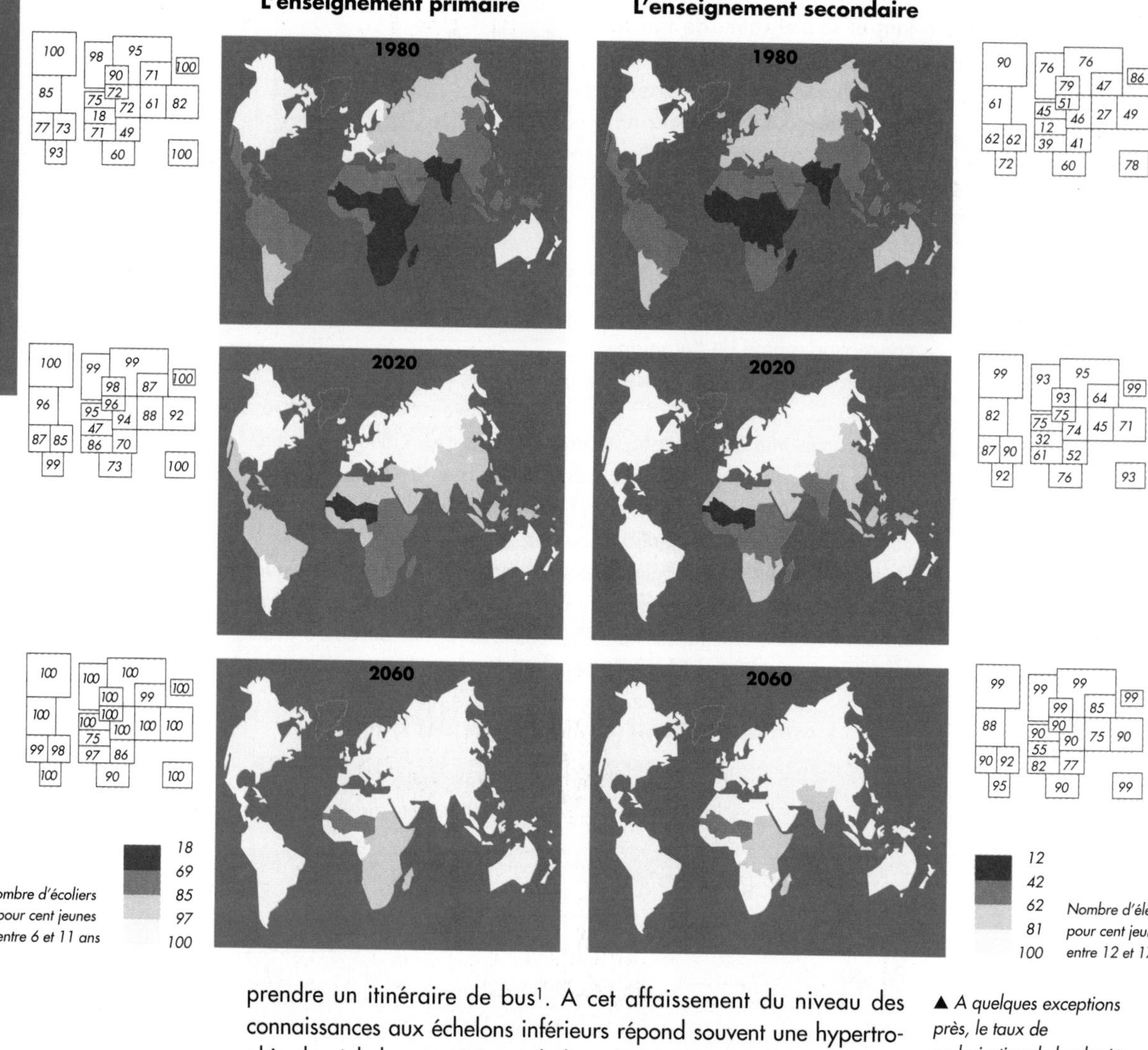

prendre un itinéraire de bus[1]. A cet affaissement du niveau des connaissances aux échelons inférieurs répond souvent une hypertrophie des échelons supérieurs de l'enseignement. Aux Etats-Unis par exemple, alors qu'à la base l'illettrisme gagnait du terrain, cinq jeunes sur dix entraient en 1986 dans l'enseignement supérieur. Dans les autres pays industrialisés, la proportion est moitié moindre. A l'accumulation de l'ignorance d'un côté correspond une suréducation de l'autre, et la conjonction de ces deux phénomènes menace de casser en deux l'ensemble du corps social.

Mais c'est à la périphérie du monde occidental que le déséquilibre est le plus marqué : en Equateur par exemple, alors qu'en 1984 17,6% des enfants ne sont pas scolarisés (sans parler de l'illettrisme, qui existe là aussi), un tiers de chaque classe d'âge entre à l'université. Au Vénézuela, la proportion d'étudiants en 1985 dépasse un sur quatre, pour un taux de non-scolarisation de 13,1%. En Argentine, elle s'élève jusqu'à 38,7% en 1986 (pour un taux de non-scolarisation il est vrai beaucoup moindre : 4,5%).

▲ *A quelques exceptions près, le taux de scolarisation de la planète devient correct après 2040 et il permet la réappropriation de la culture technique par l'ensemble des hommes.*

[1] *Cité par Marvin J. Cetron dans The Futurist, Vol. XXII, n° 6, nov-déc. 1988.*

■ A l'accumulation de l'ignorance d'un côté correspond une suréducation de l'autre, et la conjonction de ces deux phénomènes menace de casser en deux l'ensemble du corps social.

■ A la périphérie du monde occidental, une classe moyenne sous-employée par rapport à sa formation est disponible pour toutes les "aventures".

A l'évidence, cette production de lettrés excède considérablement les offres d'emploi des pays en question. Cela a pour effet que seule une minorité de jeunes diplômés trouve à s'employer dans sa spécialité. Cette minorité, évidemment, se recrute de préférence parmi les enfants des classes privilégiées. La majorité, issue de la classe moyenne, doit se contenter d'emplois sous-qualifiés par rapport à sa formation et fortement sous-rémunérés. Il se crée de la sorte une "lumpen-intelligentsia" jeune et d'autant plus frustrée qu'elle est plus nombreuse. Elle est donc disponible pour toutes les aventures politiques, voire criminelles.

L'enseignement supérieur

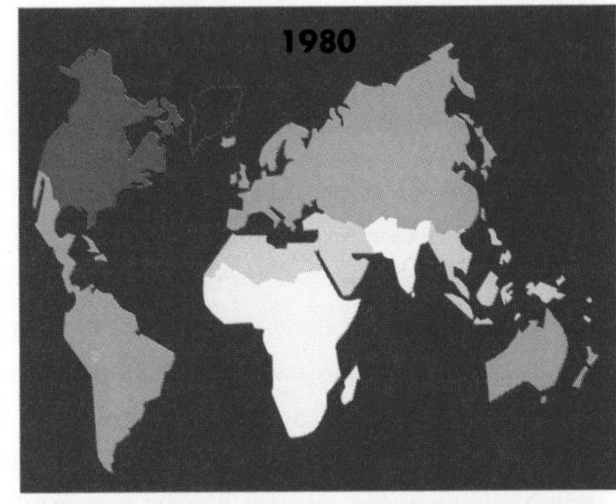

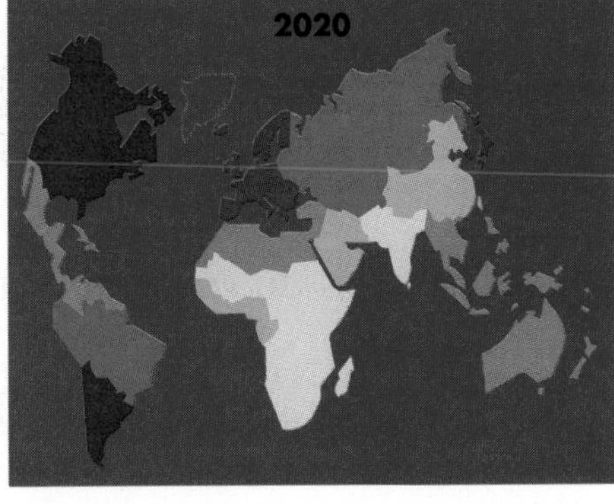

L'enseignement supérieur restait un privilège à la fin du vingt-et-unième siècle. La société d'enseignements de 2050 y remédie. ▶

L'EFFENDIA PARALYSE LA SOCIÉTÉ

Ce prolétariat intellectuel ne va pas tarder à chercher à prendre les commandes, soit par la force, soit en s'insinuant progressivement dans les allées du pouvoir. Dans les deux cas, il procède à une redistribution générale des richesses nationales à son profit, notamment en gonflant artificiellement les effectifs improductifs du secteur public au détriment des secteurs productifs.

C'est le phénomène décrit par Yves Lecerf et Edouard Parker sous le nom d'effendia[1] : les "effendis", les lettrés en surnombre, se constituent en classe dominante. Pour s'assurer le niveau de vie auquel ils estiment que leur instruction leur donne droit selon les standards

[1] *Yves Lecerf, Edouard Parker, Les dictatures d'intelligentsias, PUF, Paris, 1987.*

internationaux, ils font main basse sur les richesses du pays, en sacrifiant ses capacités d'investissement à leurs besoins de consommation et de prestige. Se comportant ouvertement en classe parasitaire

▲ L'effendi passe comme une ombre...

...et l'économie se noie. ▲

et bloquant les efforts de développement, l'effendia se trouve alors confrontée à des mouvements de contestation qu'elle réprime durement, ce qui bloque du même coup toute évolution de type démocratique. Les tristes expériences faites par un certain nombre de pays du tiers monde - mais aussi, à une échelle moindre et avec des conséquences moins graves, par certains pays industrialisés - montrent qu'à partir des meilleures intentions, le développement de l'enseignement supérieur, quand il n'est pas maîtrisé, peut aussi avoir ses effets pervers. En tout cas il ne doit pas être envisagé en termes strictement quantitatifs et linéaires, sans tenir compte de ses interactions avec l'ensemble du corps social et des perturbations qu'il est susceptible d'apporter dans l'équilibre de son environnement.

LA SOCIÉTÉ FABRIQUE DES EXCLUS

Toute une frange de la société se trouve exclue de l'éducation, ce qui a pour conséquence de l'exclure également de la plupart des emplois. Marginalisée, vouée à une survie précaire dans des ghettos suburbains qui glissent peu à peu hors du contrôle des autorités, elle reste à l'écart du mouvement général et ne trouve guère d'autres exutoires que la drogue ou la délinquance. Elle se venge de sa situation en faisant régner un climat d'insécurité de plus en plus pesant.

Agressions, pillages, actes de violence gratuite se multiplient. Les pouvoirs maffieux et les extrémismes politiques ou religieux prennent le contrôle de villes entières, s'insinuent dans les rouages de l'économie et de la politique, corrompant peu à peu le système. Certaines mégalopoles, notamment dans l'hémisphère sud, deviennent pratiquement ingouvernables et sombrent alors lentement dans un état de délabrement et d'anarchie indescriptible.

Dans le tiers monde, le problème est entretenu et aggravé par une démographie galopante, que les états les plus pauvres ne parviennent toujours pas à maîtriser. Chassés par les famines endémiques, les excédents de population viennent s'accumuler dans les villes, où la situa-

■ ***Dans certains pays du tiers monde et, à une moindre échelle, dans certains pays industrialisés, le lettré fait main basse sur les richesses communes.***

■ ***Les enfants des banlieues du tiers monde déferlent sur un système éducatif qui n'est pas prêt à les recevoir. Alors, les mouvements intégristes s'intéressent à ces "sauvages urbains".***

Celui qui ne donne pas un métier à son fils le fait voleur.
Proverbe juif.

tion n'est guère meilleure, mais où, du moins, l'avenir semble moins bloqué que sur le lopin de terre. De là, ils s'efforcent de pénétrer sur le territoire des pays industrialisés, qui, en dépit de mesures de contrôle renforcées, ne parviennent pas à contenir leur flot. Faute de qualification, ils y vivent le plus souvent d'expédients, généralement illégaux, contribuant ainsi à renforcer le monde de la marginalité.
Les mégalopoles continuent d'augmenter, alimentées par le dépeuplement des campagnes : les enfants des banlieues du tiers monde déferlent sur un système éducatif qui n'est pas prêt à les recevoir. Le savoir-faire agricole traditionnel de leurs parents ne leur est plus transmis. Ils sont, dans les villes, revenus à l'état de nature, comme dans une jungle inconnue où il leur faut survivre.

L'INTÉGRISME TROUVE UN TERRAIN PROPICE

Mais si l'école officielle accorde toutes ses faveurs à l'effendia, d'autres acteurs s'intéressent à ces sauvages urbains. Ce sont les mouvements intégristes. Ceux-ci, indignés par la modernité, où ils voient l'œuvre du démon, n'imaginent de solution que dans le maintien des traditions. Dès lors, ils s'adressent naturellement aux exclus et tentent de leur enseigner, dès le plus jeune âge, la foi qui est la leur, tout en y ajoutant quelques connaissances pratiques pour qu'ils puissent mieux se débrouiller. De la sorte, ils espèrent perpétuer leur système dans les

▲ *Les enseignements religieux se présentent comme un rempart contre la corruption du monde moderne dans l'Islam, ...*

▲ *... dans le judaïsme ...*

... et dans la chrétienté. ▲

générations futures et peut-être arriver à vaincre les forces du mal. On voit donc, dès le début du vingt-et-unième siècle, se multiplier les écoles confessionnelles intégristes, islamiques, chrétiennes, hindouistes, juives... suivant le mouvement qu'avaient lancé les Hezbollah au Liban. Certaines de ces écoles, qui s'organisent en divers réseaux internationaux, préparent à la lutte organisée contre la société marchande, *"où l'on vend tout, y compris son sang et son âme"*.

UN PROGRAMME ÉDUCATIF MONDIAL

Pendant la première moitié du vingt-et-unième siècle, la tension monte, la misère des exclus s'accroît, mais les plus résistants d'entre eux deviennent combatifs et aguerris, alors que les enfants de l'effendia sont plus ou moins amollis par le confort. Il suffit alors d'un événement dramatique et médiatisé pour déclencher une inversion de stratégie, semblable à celle de la seconde moitié du dix-neuvième siècle en Europe. Au lieu de repousser les exclus, d'essayer de les tenir à distance, on fait ce qu'il faut pour les inclure, en utilisant tous les moyens pédagogiques de la technique moderne.

▲ *Les enseignements manuels réapparaissent.*

Cette inversion est nécessairement mondiale, même si sa progression prend une dizaine d'années. En effet, c'est dans le tiers et le quart monde que cette situation a ses racines les plus fortes. Et cet ensemble représente, à la fin des années 2010, plus de 80% de la population de la planète. De vastes programmes d'éducation sont mis au point, associés à de nouveaux programmes de développement, permettant la reprise en main des populations flottantes. D'autre part, l'éducation des femmes progresse à la surface du globe et se révèle un puissant frein à la natalité, ce qui ralentit de la sorte la montée de la démographie.

L'enseignement redevient normatif et musclé, obligatoire jusqu'à dix-huit ans. Comme l'avaient fait les enseignants des années 1870-1900, on cherche à transformer l'enfant sauvage en homme domestique, en lui imposant des comportements prédéfinis. C'est d'autant plus facile que les automates pédagogues contextuels, descendants du vivarium d'Alan Kay[1], sont d'une efficacité sans commune mesure avec celle de la vieille salle de classe, équipée de ses pupitres, ses encriers, son tableau noir et ses cartes.

Cette période normative impose à une génération entière le système culturel des besoins de l'époque. Une culture technique et écologique

[1] *Cf. chapitre 9*

Mouettes noires, par les élèves de l'école du Bois de la Garenne à Voisin le Bretonneux (France). ▼

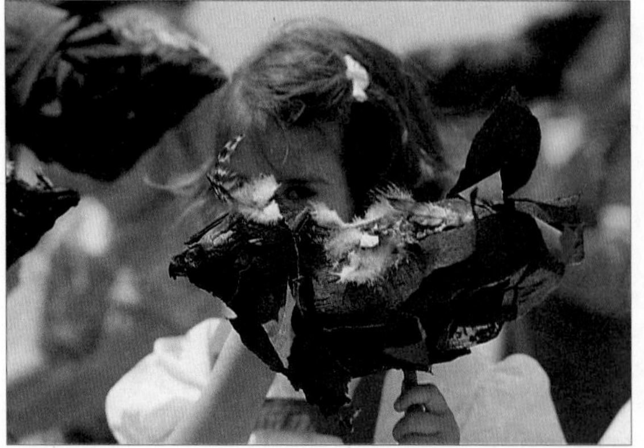

se diffuse et permet la réalisation des grands travaux planétaires et la maîtrise de la relation avec la biosphère. Les citadins avaient oublié le nom des plantes et les mœurs des insectes, le travail du bois et la réparation des moteurs, la survie en forêt et la manière de s'orienter en mer, le secours aux blessés et la diététique. On leur inculque toutes ces connaissances pratiques et bien d'autres, car seuls des enseignements plus efficaces que ceux des intégristes peuvent convaincre, intéresser et retenir les sauvages urbains.
Pendant la seconde moitié du vingt-et-unième siècle, les individus, davantage maîtres d'eux-mêmes, réagissent ensuite fortement contre les normes qui leur ont été imposées. C'est alors seulement que s'opère, à l'échelle mondiale, la libération des potentiels créateurs dans une ambiance qui, en 2083, rappelle le mouvement de l'année 1968 et ses diverses variantes dans les pays industrialisés.

■ On peut aussi, par un puissant mouvement d'inversion, essayer d'intégrer ces populations flottantes dans de vastes programmes d'éducation.

■ Une culture technique et écologique se diffuse et permet la réalisation des grands travaux planétaires, la maîtrise de la relation avec la biosphère.

■ Pendant la seconde moitié du vingt-et-unième siècle, les individus réagissent fortement contre les normes qui leur ont été imposées. C'est alors seulement que s'opère, à l'échelle mondiale, la libération des potentiels créateurs.

LE DÉFI TECHNOLOGIQUE

A partir de la fin du vingtième siècle, les mutations technologiques se trouvent encore accélérées par le goût de plus en plus marqué pour l'autonomie individuelle. Ce phénomène provoque la création de nombreuses petites entreprises sources d'innovation, non seulement dans les pays industrialisés, mais aussi à la périphérie. La recherche et la créativité deviennent les atouts majeurs des entreprises dans la lutte concurrentielle : des budgets croissants leur sont consacrés ; toute innovation est guettée ; on consomme d'énormes quantités de littérature scientifique et technique ; les "chasseurs de têtes" sillonnent le monde entier, en quête d'esprits inventifs et originaux. De nouveaux champs d'activité et de recherche s'ouvrent, de nouvelles disciplines apparaissent, ainsi que de nouvelles techniques de production, toujours plus sophistiquées. Le savoir explose dans toutes les directions, provoquant un énorme accroissement des offres d'emplois qualifiés. Partout on a besoin de spécialistes et de techniciens, manifestant la plus haute compétence. Au-dessous d'un minimum de connaissances, se placer sur le marché du travail est très difficile. La main-d'œuvre immigrée notamment, dépourvue de formation, a désormais de très grosses difficultés à s'employer : les entreprises, qui faisaient appel à elle et qui ont cru pouvoir maintenir ainsi des méthodes de production archaïques, sont

désormais submergées et disparaissent alors les unes après les autres. Cette prodigieuse explosion des connaissances pose des problèmes nouveaux à l'enseignement. Au dix-huitième siècle, envisager de rassembler toutes les connaissances de l'époque dans une encyclopédie était encore possible. Au vingt-et-unième siècle, il en faudrait quelques milliers. L'accumulation des connaissances est devenue telle que même dans des branches relativement étroites et spécialisées, les spécialistes les plus avertis ne peuvent se tenir au courant de tout ce qui paraît chaque jour de par le monde.

La bougie donne plus de lumière quand on la mouche. Proverbe persan.

▲ *L'informatique du vingt-et-unième siècle devient un puissant outil de navigation dans le savoir.*

Il ne s'agit donc plus d'apprendre les données factuelles, devenues beaucoup trop abondantes, mais d'acquérir les bases méthodologiques qui permettent de les trouver, d'apprendre à s'orienter, à naviguer dans ce savoir qui prend les proportions d'un océan. Les industries de l'information, avec leurs immenses banques de données, interconnectées à travers toute la planète, offrent les moyens de cette navigation. Mais encore faut-il avoir les instruments intellectuels qui permettent de faire le point, de trouver sa route et d'arriver à bon port. Or, la navigation dans le savoir n'est pas un savoir, mais bien un savoir-faire.
De plus, cette accélération des mutations technologiques et épistémologiques entraîne aussi une accélération de l'obsolescence des savoirs.

APPRENDRE LES MÉTHODES ET NON LES DONNÉES

Dès la fin du vingtième siècle, la moitié des connaissances d'un ingénieur était périmée au bout d'environ cinq ans. L'intégration des nouvelles données est ainsi devenue un problème majeur aussi bien pour les entreprises que pour les individus. Il faut constamment se tenir informé des dernières percées scientifiques, être à l'affût des innovations qui surgissent dans le monde entier, être le premier à les mettre en pratique. En conséquence, la demande d'information technique et scientifique s'accroît alors dans des proportions gigantesques. Il en est de même pour la demande d'information juridique, économique, politique, sociologique, ainsi que pour l'analyse de conjoncture et la prospective.
Un autre problème qui ne cesse de prendre de l'ampleur est celui de la souplesse. Le bouillonnement informationnel provoque une avalanche de remises en cause dans le savoir établi. Il faut être capable de s'adapter, de modifier ses orientations, de réviser ses points de vue, mais aussi de tenir ferme une position face à une tentative de désinformation. L'entreprise doit s'habituer à évaluer en permanence non seulement sa situation financière, comme l'impose la comptabilité tra-

ditionnelle, mais aussi son capital en savoir-faire et en savoir-produire, pour changer de méthodes opportunément. L'individu doit apprendre à remettre en permanence en cause sa formation initiale et même parfois à changer totalement de spécialité ou de profession.

La calligraphie reste un exercice manuel très formateur. ▶

Tout ceci exige une autre conception de l'apprentissage : il ne peut plus être limité à une période déterminée de la vie, après laquelle chacun était censé posséder définitivement tout le savoir qui lui était a priori nécessaire. Désormais l'apprentissage est permanent, il fait partie de l'exercice même de la profession. Un acquis technique se dévalorise en quelques années, parfois quelques mois : il faut sans cesse se maintenir à flot, se tenir au courant des évolutions. La formation devient une fonction vitale aussi bien pour les entreprises que pour les individus. Non seulement elle est intégrée au temps de travail, mais elle en occupe une part croissante. Elle n'est plus épisodique comme à l'époque héroïque du "recyclage", mais elle est devenue quotidienne et continue. Elle n'a plus besoin d'être imposée d'en haut, par l'entreprise ou l'Etat : elle est ressentie comme un besoin par les individus eux-mêmes.

Dans cette évolution, le prestige du diplôme a beaucoup souffert. On est jugé non sur ses titres mais sur ses compétences réelles, non sur ses connaissances théoriques mais sur son sens des réalités. Et aussi sur sa capacité à s'adapter, à apprendre, à se perfectionner. La promotion dans la carrière professionnelle se fait de manière plus informelle, au jour le jour, dans la pratique.

■ ***Il s'agit d'apprendre à naviguer dans ce savoir qui prend les proportions d'un océan.***

■ ***Ressentie comme un besoin par les intéressés, la formation continue devient quotidienne.***

■ ***Dans cette évolution, le prestige du diplôme a beaucoup souffert. On est jugé non sur ses titres mais sur ses compétences réelles, non sur ses connaissances théoriques mais sur son sens des réalités.***

LES MÉDIAS ENTRENT DANS LA DANSE

La télévision sert aussi à diffuser les coutumes et religions. ▼

Un autre aspect de cette révolution de l'éducation est l'explosion de l'usage des médias. Le temps passé devant la télévision s'est stabilisé autour de deux heures par jour en moyenne. Mais les choix se sont considérablement élargis. En raison d'une part de la mondialisation des réseaux de transmission : n'importe quel point du globe capte désormais pratiquement n'importe quelle émission en n'importe quelle langue ; en raison, d'autre part, de la multiplication

des chaînes privées ou locales, permise par l'abaissement considérable du coût des matériels de diffusion et de réception.
C'est donc une énorme masse d'information qui est ainsi diffusée à chaque instant du jour ou de la nuit, traitant de tous les sujets, sur tous les registres. Certes, audience oblige, la plus grande partie des émissions n'a pas d'autre but que de distraire. Mais la mondialisation du réseau a entraîné certaines productions de qualité qui trouvent une audience internationale et leur assurent la rentabilité qu'elles ne pouvaient trouver à l'échelle nationale.

▲ *Contrôler l'image de la télévision ? Oui, parfois, par le jeu.*

Elevées depuis leur plus jeune âge devant la télévision, les nouvelles générations n'éprouvent plus la fascination des premiers publics. Elles ont appris à s'en servir, à varier leurs choix, à se montrer plus exigeantes, poussant à l'amélioration de la qualité des programmes. La télévision est ainsi devenue un extraordinaire instrument d'ouverture sur le monde, qui diffuse toutes sortes de connaissances, suscite des débats, des interrogations, familiarise le public avec des valeurs culturelles autrefois réservées aux seules élites. Même si certains continuent à dénoncer en elle un moyen de mise en condition du spectateur, elle n'en fonctionne pas moins comme un remarquable outil d'éducation et d'enrichissement culturel, accessible par tout un chacun.
Mais, en raison même de son foisonnement, le savoir qu'elle véhicule est un savoir désorganisé et sans cohérence, un *patchwork* d'informations hétéroclites où tout se mêle. D'autant qu'elle continue à privilégier l'événementiel, le spectaculaire, et traite sur le même plan les faits les plus insignifiants et les plus graves[1]. Ceci, ajouté à la rapidité de succession des images, chacune d'entre elles faisant oublier la précédente, crée un déferlement désordonné où le réel se confond constamment avec la fiction. Dans cet univers mouvant, tout se résout alors parfois dans une confusion généralisée.

LE CHANGEMENT CULTUREL ATTEINT LA PLANÈTE

Dès le dernier quart du vingtième siècle, un certain nombre d'indices pointe vers un tournant culturel majeur, en train de s'opérer dans l'ensemble de la société occidentale. Même s'il émerge parfois ici et là sous des formes spectaculaires, le phénomène n'est pas lié à un événement précis. Il s'agit plutôt d'un processus continu, qui chemine en profondeur dans les esprits, érodant et démantelant peu à peu les assises culturelles de la société industrielle.

[1] *Claude Julien, Sang et spectacle, dans Manières de voir n°3, le Monde diplomatique, Paris, 1988.*

■ ***Elevées depuis leur plus jeune âge devant la télévision, les nouvelles générations n'éprouvent plus la fascination des premiers publics. Elles ont appris à s'en servir, à varier leurs choix, à se montrer plus exigeantes.***

■ ***La télévision continue à privilégier l'événementiel, le spectaculaire et traite sur le même plan les faits les plus insignifiants et les plus graves.***

Bien que dynamique et moderniste, la société industrielle reste, surtout en Europe, encore très largement imprégnée de l'héritage du passé. C'est une société fortement hiérarchisée, conquérante, à l'horizon intellectuel relativement étroit. Sa vision du monde est rationaliste, mais d'un rationalisme essentiellement linéaire, mécaniste, dont le fonctionnement est proche parent de celui de la machine - d'où notamment les illusions de l'époque sur la possibilité de créer facilement une intelligence artificielle. Peut-être est-ce la survivance de l'archaïque sentiment de précarité de l'homme, elle est obsédée de domination, qu'il s'agisse de domination sur les hommes ou sur la nature. Un monde où les rapports de pouvoir tiennent une telle place est nécessairement un monde fortement hiérarchisé et fortement cloisonné, friand de distinctions. En fait, sa vie et sa pensée se nourrissent du même goût pour le formalisme.

Deux guerres mondiales, l'expérience de deux systèmes de pouvoir paroxystiques, le nazisme et le communisme, ébranlent profondément la foi en son discours. Mais c'est seulement à la fin des années 1960 que la crise des valeurs dominantes surgit soudain au grand jour, à travers une série d'explosions qui secouent la jeunesse étudiante de presque tous les pays industrialisés. Que la fracture se soit produite à l'université, au cœur même de l'institution chargée de la transmission de ces valeurs, n'est certes pas un effet du hasard.

Cette révolte s'opère en deux temps. Le premier est essentiellement négatif : il s'agit de rompre l'anneau de la hiérarchie et du formalisme. C'est l'époque du radicalisme, de la contestation agressive. Sa cible privilégiée : le pouvoir. Pouvoir du maître, pouvoir de l'autorité, pouvoir du père, pouvoir du mâle, pouvoir de la communauté. La nouvelle génération entend affirmer l'indépendance de l'individu, son droit de disposer de son destin. C'est le temps du "moi, je", du rejet du "nous". Certains observateurs prédisent déjà l'avènement d'une société atomisée, émiettée, anomique[1], où le lien social aura été dissocié, où les solidarités auront disparu pour faire place à la lutte de chacun contre tous.

[1] *Qui n'a pas de loi.*

Mais peu à peu, les fièvres contestataires se calment. Ayant réussi sa percée, conquis le droit à l'existence, le nouvel individu songe maintenant à le gérer. Il n'a plus à s'affirmer, à faire ses preuves. A demander l'impossible, il a pris la mesure du possible. Et voici que le lien social, un temps menacé, commence à se recomposer sur d'autres bases, qui privilégient la relation horizontale entre égaux sur la relation verticale de supérieur à subordonné. A un univers de liens rares succède un univers de liens nombreux, de multi-appartenance, de sociabilité éclectique, d'engagements partiels et révocables. Une nouvelle cohérence sociale commence à émerger, fondée sur un système de réseaux qui s'entrecroisent et au sein desquels l'autonomie individuelle n'est plus contradictoire avec le rapport à l'autre. Une nouvelle relation du moi et du nous se négocie, désormais moins conflictuelle que complémentaire.

▲ *Le lien social se recompose sur d'autres bases.*

ETRE DISPONIBLE : L'ENJEU POUR TOUT INDIVIDU

Cette réorganisation des rapports qui commence à se dessiner va avoir un impact profond sur la manière dont chacun se perçoit et sur son mode de pensée même. De plus en plus, l'individu a conscience d'être non pas un donné définitif et fermé sur lui-même, mais le produit de ses relations avec son environnement, ouvert à ses influences. Son rapport avec la nature change : il ne s'exprime plus en termes de domination, mais de symbiose. Sa sensibilité est devenue écologique : c'est d'ailleurs l'écologie qui lui a appris l'interdépendance des systèmes et l'a habitué à penser en termes de complexité, de cohérence et de globalité.

En conséquence, il ne peut plus se satisfaire de l'ancien mode de pensée mécaniste et linéaire : sa vision des choses est à l'image du monde complexe et changeant qu'il perçoit. Il n'a plus d'idées définitivement arrêtées sur tout, il est disponible, capable de réviser ses jugements, d'accepter des points de vue différents du sien : il

▲ *Voulez-vous jouer avec moi ?*

manifeste dans le domaine intellectuel la même plasticité que dans le domaine relationnel. En matière de connaissance, il a dépassé l'engouement exclusif de ses pères pour les systèmes formels : au raisonnement logique, il ne craint pas d'associer des démarches purement analogiques, intuitives, sans s'émouvoir outre mesure de ses apparentes contradictions. Alors que la pensée de l'homme de la société industrielle de la fin du deuxième millénaire se modelait sur le mécanique, la sienne se modèle plutôt sur le biologique, sur l'exemple du vivant.

▲ *L'obéissance passive devient moins pratiquée qu'autrefois.*

Et de la même manière qu'il s'accommode de plus en plus mal du formalisme intellectuel, il supporte de plus en plus difficilement le formalisme relationnel, et en particulier le formalisme de l'autorité. La passion du pouvoir, qui animait l'homme de la société industrielle, le fait d'autant plus sourire que le pouvoir n'est plus ce qu'il était : les rapports de type autoritaire sont devenus impraticables. Tout au plus le supérieur peut-il inciter son subordonné à faire ce qu'il attend de lui, et ce, à la condition de lui accorder la part d'initiative qu'il réclame. L'obéissance soumise d'autrefois est devenue un comportement incompréhensible.

C'est donc un nouvel individu qui commence à prendre forme, profondément différent de son ancêtre de la société industrielle. Différent parce qu'adapté à la vie dans un monde en constante transformation, où rien n'est plus absolu, ni définitivement stable. Un monde qui n'est plus le monde simple d'autrefois, assis sur des vérités marmoréennes, mais un ensemble fluide et extraordinairement complexe, fait d'interactions multiples, d'entrecroisements de causes et d'effets, où tout est en résonance avec tout. Et pourtant, cette constante incertitude, cette confrontation permanente avec des vérités relatives et changeantes, qui auraient rendu ses pères fous d'angoisse, n'inquiète plus l'homme : il est armé pour y vivre, il sait s'y repérer, s'y orienter. Il y prend même plaisir, s'en nourrit et l'utilise pour progresser.

▲ *Les "murs de Berlin" ne sont pas encore tous tombés.*

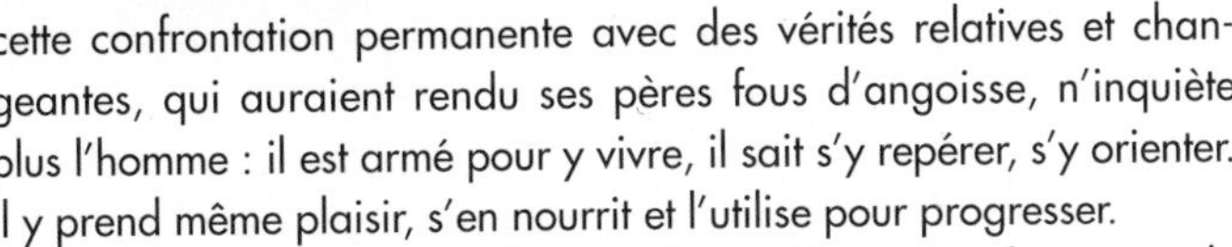

Beaucoup mieux informé du monde qui l'entoure, disposant de beaucoup plus de références, il possède une capacité de jugement critique beaucoup plus grande et se montre beaucoup plus exigeant sur le contenu du savoir qui lui est prodigué. Aussi va-t-il mettre l'enseignement qu'il reçoit à rude épreuve et ceci de façon soutenue au cours de la deuxième moitié du vingt-et-unième siècle.

■ ***A un univers de liens rares succède un univers de liens divers, de multi-appartenance, de sociabilité éclectique, d'engagements partiels et révocables.***

■ ***L'individu manifeste dans le domaine intellectuel la même plasticité que dans le domaine relationnel. Au raisonnement logique, il ne craint pas d'associer des démarches qui sont purement analogiques, intuitives, sans s'émouvoir outre mesure de ses apparentes contradictions. Le pouvoir n'est plus ce qu'il était : les rapports de type autoritaire sont devenus impraticables.***

Quantitativement, la demande d'éducation s'est enflée dans des proportions fantastiques. L'extraordinaire accroissement de la place que tient l'information dans tous les domaines de la vie exige des hommes capables de la gérer, de la manipuler, de l'utiliser. C'est à l'école, aux écoles, qu'il appartient de les former. Et non seulement de les former, mais de les réactualiser, car apprendre n'est plus une activité limitée dans le temps, c'est devenu une activité quotidienne, qui concerne tous les âges de la vie, toutes les catégories sociales. Aussi l'enseignement prend-il une place qu'il n'a jamais eue.

LES RÉPONSES DU PÉDAGOGUE ÉVOLUENT

A partir de la demande du secteur professionnel, entreprises et administrations, le marché de l'éducation explose. Les organismes spécialisés dans la formation pour adultes ouvrent la voie. La formation est en effet devenue une chose sérieuse et se satisfaire des enseignements plus ou moins fictifs du passé n'est plus possible. Des chaînes d'écoles privées lancent des programmes de recherche en sciences cognitives ; elles mettent au point des systèmes d'éducation en continu faisant appel aux techniques les plus sophistiquées, appuyées sur des batteries de matériels pédagogiques ultra-modernes.
Suivre des cours ne suffit plus. Il faut aussi apprendre soi-même, chez soi, à l'aide de matériels d'auto-enseignement perfectionnés : des logiciels réglables, qui s'adaptent aux performances de l'utilisateur et lui permettent de progresser à son rythme. Les diverses écoles rivalisent d'ingéniosité pour mettre au point les méthodes les plus attrayantes, qui font appel au jeu, à la construction d'images. Les méthodes de simulation informatisées se substituent de plus en plus à l'enseignement abstrait : elles mettent le candidat devant des situations concrètes qu'il lui faut gérer en vraie grandeur. Elles sont utilisées également dans l'orientation professionnelle, pour tester non seulement les aptitudes, mais aussi l'émotivité ou les capacités relationnelles... Certaines chaînes de télévision développent des réseaux de télé-enseignement à domicile.
Qualitativement, les méthodes de l'enseignement se transforment également. Il faut être efficace et rentable. N'étant pas bloquées par les traditions et les routines administratives, les nouvelles écoles s'efforcent d'innover. Elles utilisent quantités de méthodes inédites, faisant appel à l'ensemble des capacités du cerveau humain et non plus seulement à la pensée analytique et à la logique formelle. La sensibilité, l'émotion sont mobilisées, mais aussi les res-

Autonomie et mouvement se conjuguent dans la classe de l'an 2015. ▼

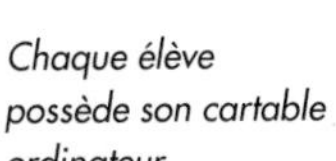

Chaque élève possède son cartable ordinateur. ▶

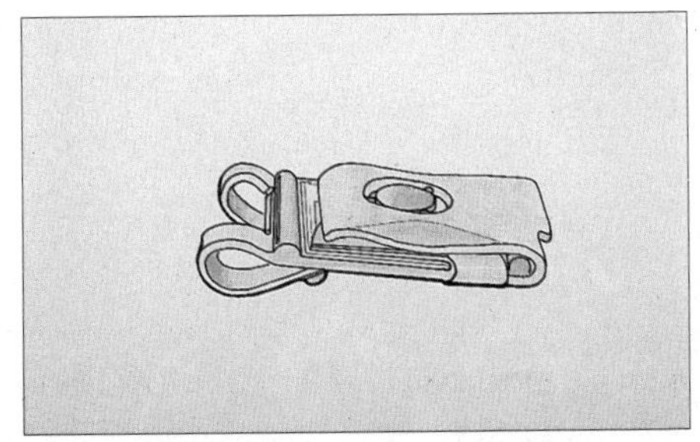

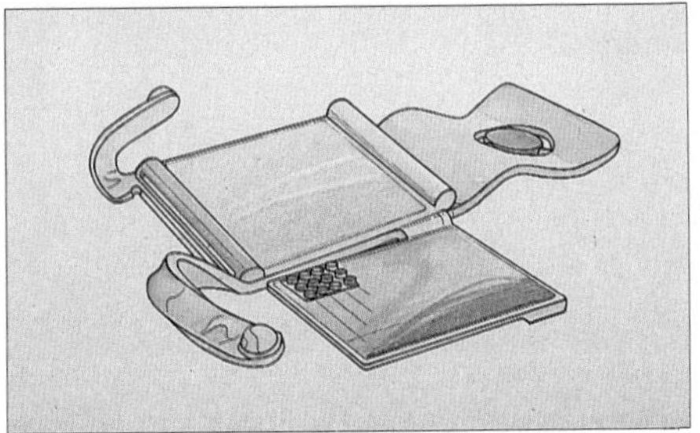

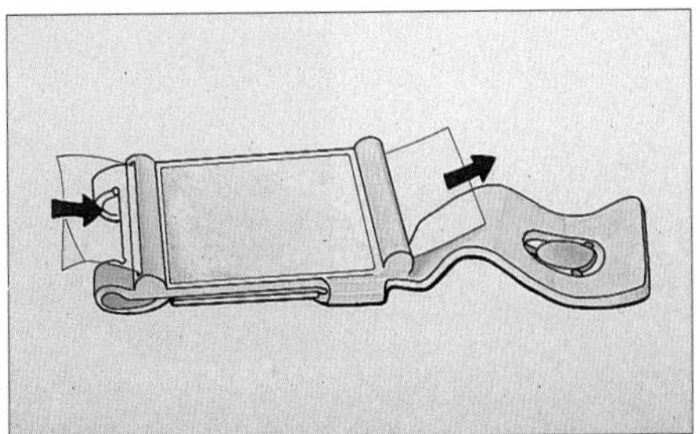

sources de l'inconscient. L'hypnose, la suggestion, combinées à des exercices de relaxation et de méditation, sont utilisées d'abord pour l'apprentissage des langues étrangères et la mémorisation, puis, dans un deuxième temps, pour la mobilisation des capacités intuitives.

Certaines écoles se font une spécialité du développement des perceptions fines, à l'aide de techniques inspirées des traditions orientales. D'autres s'appliquent, à partir des théories dérivées des recherches sur la reconnaissance des formes, à développer la sensibilité aux systèmes de cohérence, à l'appréhension immédiate des relations d'équilibre. Certains laboratoires tentent de percer les mystères des pratiques chamaniques dont ils espèrent tirer des méthodes d'enseignement révolutionnaires.

En marge des écoles et des organismes professionnels se développent par ailleurs des réseaux d'entraide éducative, rattachés à la sphère de l'éducation. Utilisant les réseaux de communication à distance et parfois les médias, des groupes d'amateurs d'astronomie ou de gastronomie, d'horticulture ou de puériculture, de plongée sous-marine ou de modèles réduits d'avions, échangent des informations, des recettes, des problèmes, se transmettent mutuellement leurs connaissances. Les retraités prennent une part active à ces échanges, qui leur permettent de faire partager leur expérience. D'autres réseaux, plus professionnels, structurés, équipés et appuyés par les entreprises, organisent des voyages d'initiation technique qui entraînent leurs participants à travers le monde entier pour des années, à l'image de l'ancien compagnonnage.

Les méthodes d'enseignement connaissent ainsi un bouleversement complet. Car il s'agit moins de transmettre des connaissances factuelles que de former les esprits, d'apprendre aux élèves à trouver eux-mêmes ce dont ils ont besoin. Les examens, par exemple, se déroulent maintenant partout avec libre accès à la documentation, pour tester l'aptitude des candidats à s'orienter, à trouver la bonne filière, la bonne information, à établir des relations pertinentes, à

■ ***Le marché de l'éducation explose. Des chaînes d'écoles privées lancent des programmes de recherche en sciences cognitives ; elles mettent au point des systèmes d'éducation en continu faisant appel aux techniques les plus sophistiquées.***

■ ***Les méthodes de simulation informatisées mettent le candidat devant des situations concrètes qu'il lui faut gérer en vraie grandeur.***

■ ***Des réseaux, plus professionnels et appuyés par les entreprises, organisent des voyages d'initiation technique qui entraînent leurs participants à travers le monde entier pour des années, à l'image de l'ancien compagnonnage.***

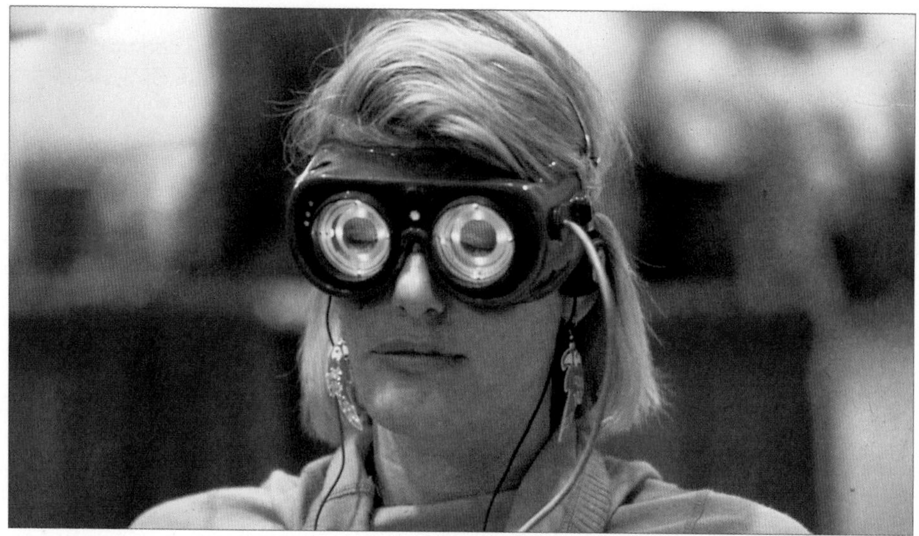

▲ *Les machines organisent un univers d'illusion et de suggestion.*

découvrir des raccourcis élégants. L'enseignement des langues, qui était négligé, revient à l'honneur, mais sur des bases nouvelles : il sert de modèle d'apprentissage à la complexité, à la perception des ensembles, à la hiérarchisation de l'information.

Le but n'est plus de fournir des réponses préétablies, mais d'apprendre à en créer de nouvelles. C'est un enseignement fondé non sur l'imitation des modèles, mais sur leur invention, non sur la passivité et la docilité, mais sur l'initiative et la créativité. Un enseignement adapté à la fois à la mouvance et à la complexité, les deux caractères majeurs de la modernité. Il s'efforce de donner des repères, des grilles, des méthodes d'investigation et de hiérarchisation des informations, plutôt que des analyses clés en main... que les élèves n'accepteraient du reste pas, car leur niveau d'information et leur esprit d'autonomie ne s'accommodent plus des solutions toutes faites.

Ce bouillonnement de l'inventivité pédagogique reste toutefois pour l'essentiel le fait du secteur privé, du moins dans un premier temps. Il correspond d'ailleurs à l'esprit de l'époque, à la montée de la société civile, au développement de l'initiative individuelle, au succès des modèles auto-régulés par rapport aux institutions hiérarchisées et formalistes qui prévalaient jusqu'alors.

Au bout du jeu voit-on qui a gagné.
Proverbe français.

D'abord porté par le marché de l'entreprise et les besoins de formation des adultes, l'enseignement privé étend bientôt son périmètre

95 100 100 100 100 83 100 69 82 67 62 90 49 95 95 71 74 100 90 100

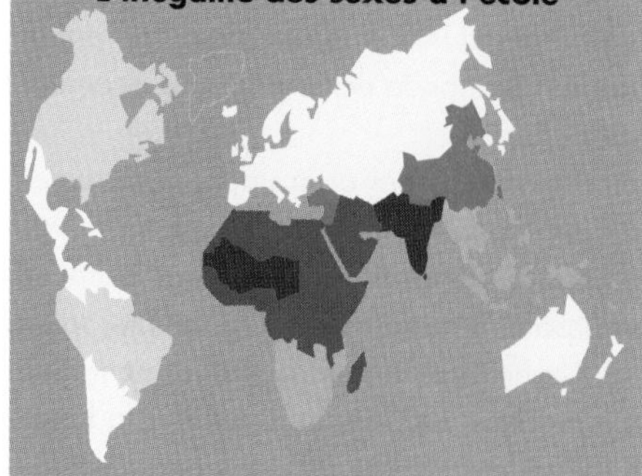

nombre de filles scolarisées pour cent garçons scolarisés (primaire + secondaire) en 1980

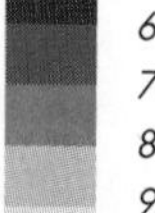

■ ***Le but n'est plus de fournir des réponses préétablies ; il faut apprendre à en créer de nouvelles. C'est un enseignement fondé non sur l'imitation des modèles, mais sur leur invention.***

■ ***Certaines entreprises toutefois, au premier rang desquelles les entreprises asiatiques, ont compris que l'intelligence et la créativité humaines étaient le facteur de développement décisif.***

aux enfants. Il pallie aux carences de l'école publique, dont il devient un complément nécessaire, à l'exemple du Japon où, dès la fin du vingtième siècle, 40 à 60% des écoliers suivaient des cours du soir. Mais son inconvénient est de coûter cher : il opère par là comme facteur de ségrégation sociale. Certaines entreprises toutefois, au premier rang desquelles les entreprises asiatiques, ont compris que l'intelligence et la créativité humaines étaient le facteur de développement décisif. Aussi expérimentent-elles un système de prospection précoce. Les agents parcourent le monde entier pour repérer dès l'école primaire les sujets les plus remarquables, auxquels on offre de prendre en charge leur formation en échange d'un engagement de travail d'une certaine durée. Mais ce type d'initiatives a beau se multiplier, il ne suffit évidemment pas à résoudre le problème de l'inégalité devant le savoir. Si dynamique et novateur qu'il soit, l'enseignement privé a donc ses limites. Il est tenu par la loi de la rentabilité, qui le contraint à privilégier les formations les plus rentables et à n'accueillir que la population solvable. Quels que soient les

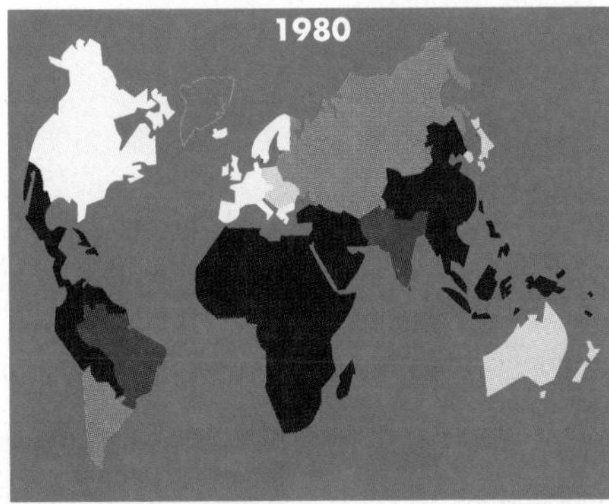

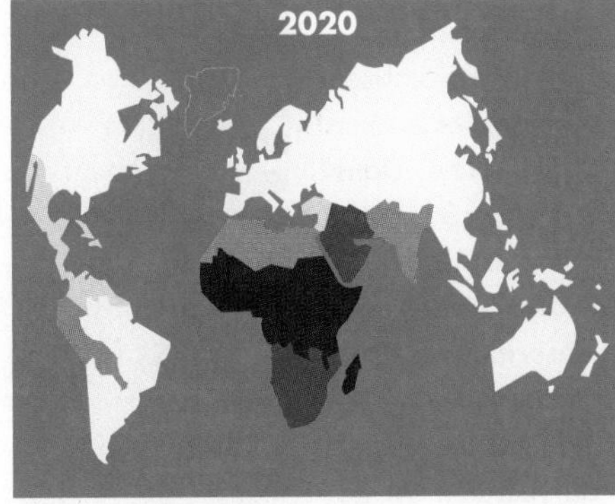

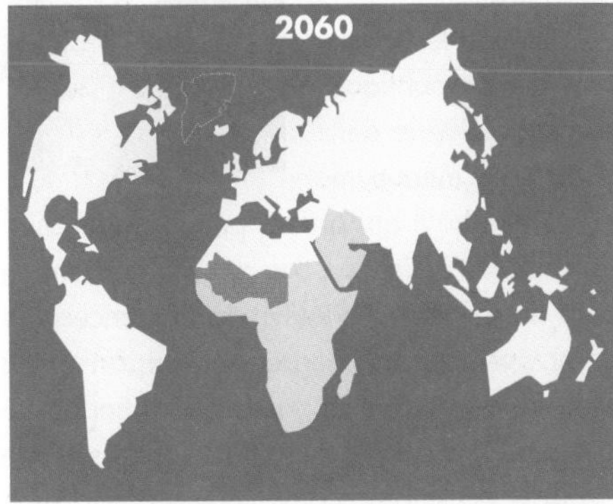

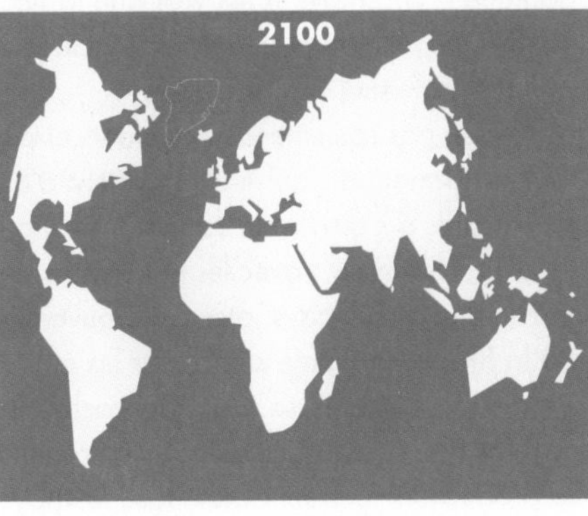

Du fait de leur démographie galopante les pays en développement ne disposent pas d'un nombre suffisant de maîtres pour éduquer les jeunes avant la moitié du vingt-et-unième siècle. ▶

Le manque d'enseignants

rapport de la génération des 5-9 ans sur celle des 35-39 ans

0,8
1,2
1,5
2
2,5
3

palliatifs mis en place (systèmes de bourses, de donations, de subventions diverses), il n'est pas en mesure d'assurer la formation de l'ensemble de la population et d'empêcher ainsi la concentration du capital culturel dans les couches favorisées.

L'ÉVOLUTION DE L'ÉCOLE POUR TOUS

Ces tâches, seule l'école publique a pour objectif de les remplir. Or elle est à peu près partout en crise. Avant toute chose, il faut donc la rénover, la débarrasser de ses pesanteurs et de ses archaïsmes, lui redonner le dynamisme et l'efficacité perdus. Dans tous les pays, la réforme de l'enseignement public n'est plus un thème de discours, mais une nécessité vitale. Les divers pouvoirs politiques se décident enfin à bousculer les divers obstacles qui empêchaient l'évolution nécessaire.

Les enfants surdoués font l'objet d'une prospection précoce par les sociétés multinationales. ▼

Des crédits sont débloqués pour revaloriser les rémunérations des enseignants et arrêter la fuite du personnel le plus qualifié. Dans les pays industrialisés, on s'efforce de démanteler les bastions bureaucratiques et d'instituer le principe d'autonomie des établissements. Ceux-ci ont désormais le droit de se gérer en grande partie eux-mêmes, de décider de leurs programmes, leurs méthodes d'enseignement, du recrutement de leur personnel et de sa rémunération.

Cette transformation du statut et des conditions de fonctionnement de l'école publique lui donne un nouvel essor. Elle relève le défi du secteur privé. A son tour elle innove, à son tour elle invente. C'est à elle qu'il appartient par exemple d'intervenir pour apprendre à chacun l'utilisation des médias. Sortant de son attitude frileuse, cessant de voir dans la télévision un concurrent, elle n'hésite plus à coopérer avec elle, à intégrer son apport à son enseignement. Elle apprend aux enfants à regarder, à distinguer le réel du fictif. Cela exige un vaste travail d'adaptation, fondé sur une analyse approfondie du rôle et de la place des médias dans la société, une réflexion pédagogique d'ensemble. Il est vrai que la nouvelle génération d'enseignants a été, elle aussi, élevée devant la télévision et n'a pas à son égard les préventions de ses aînés.

L'enseignement public ne s'adresse pas seulement aux enfants et aux jeunes. Il organise lui aussi des formations, qui lui permettent d'accueillir des adultes. Ce qui l'amène à s'ouvrir sur la vie professionnelle, à établir des relations avec l'extérieur : avec les entreprises, les associations, les établissements des autres pays, etc. Cette ouverture n'est pas un alibi, comme à la fin du vingtième siècle, car les modes de fonctionnement concrets des enseignants se sont rapprochés de ceux du reste de la société. Des structures intermédiaires entre lieux d'enseignement et lieux de production se créent dans tous les pays,

■ On s'efforce de démanteler les bastions bureaucratiques et d'instituer le principe d'autonomie des établissements.

■ L'école publique, cessant de voir dans la télévision un concurrent n'hésite plus à coopérer avec elle. Elle apprend aux enfants à regarder, à distinguer le réel du fictif.

■ Le nouveau système technique, parce qu'il doit traiter en permanence un flot d'informations bien plus important, ne supporte pas les organisations trop centralisées.

à l'image de ces puissantes filières d'apprentissage qui firent la puissance de la culture technique en Allemagne fédérale dans la seconde moitié du vingtième siècle[1]. L'école sort ainsi de son isolement et prend dans la société la place centrale qui lui revient.

Les dépenses d'Etat : défense/éducation

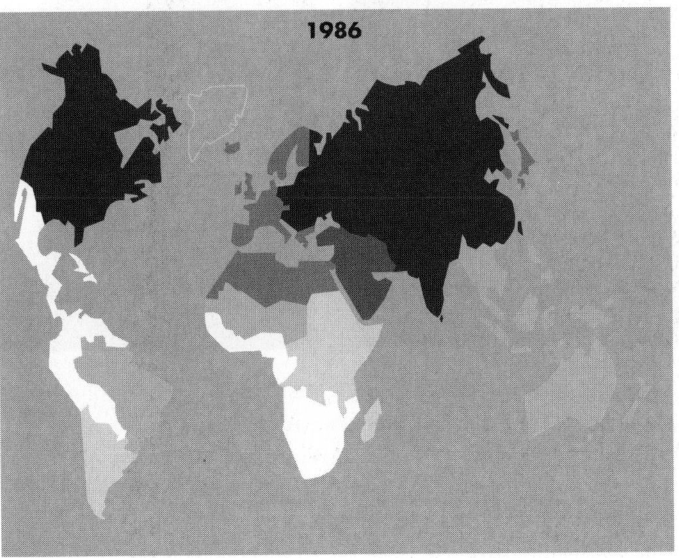

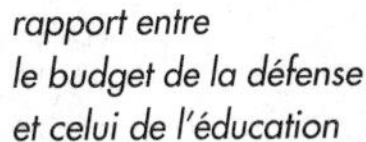

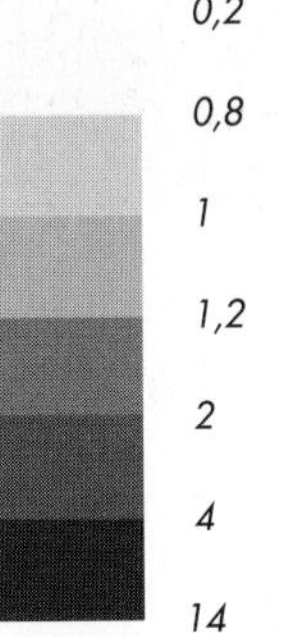

▲ En URSS et en Chine, les dépenses sont estimées. Aux Etats-Unis, l'enseignement privé, très important, n'est pas pris en compte.

UN NOUVEAU MODÈLE CULTUREL

La société industrielle a modelé insensiblement l'enseignement selon ses besoins. Dès ses débuts, il inculquait le respect des vertus nécessaires au fonctionnement des machines : la discipline, la précision, le maniement de la rationalité et de l'objectivité dans le langage, le respect des horaires, le soin et la propreté. Il fustigeait aussi les vices gênants pour la production : l'alcoolisme et tous les comportements dionysiaques qui risquaient de troubler l'ordre.

L'attachement à la famille, à l'entreprise, à la patrie était exalté, tandis que les comportements exploratoires, loisirs, voyages, plaisirs même, étaient considérés comme suspects. Plus encore, cet enseignement produisait une structure sociale qui convenait exactement aux besoins de l'industrie de l'époque. Une petite élite, sélectionnée par des concours portant sur les sciences, était gardienne de la raison.

En dessous, au niveau de l'exécution, on trouvait toute une pyramide de techniciens auxquels avait été inculquée la plus stricte des disciplines[2], puis des masses d'ouvriers, connaissant juste le nécessaire dans leur spécialité, dûment encadrés par les précédents. Ceux qui pensent d'un côté, ceux qui font de l'autre. Il faut se rappeler en effet que l'industrie s'était bâtie sur les débris des corporations et que, à ses débuts, les compagnons, détenteurs du savoir-faire, tenaient la dragée haute aux patrons[3] qu'ils appelaient les "singes".

Les besoins du vingt-et-unième siècle ne sont plus les mêmes. Tout d'abord, le nouveau système technique, parce qu'il doit traiter en permanence un flot d'informations bien plus important, ne supporte pas les organisations trop centralisées. Il est fait de petites unités

[1] Eric Meyer, Apprentissage, les leçons de l'Allemagne, dans l'Entreprise n° 19, janvier 1987.

[2] Claude Grignon, L'ordre des choses, Editions de Minuit, Paris, 1970.

[3] Jacques Marseille, Une Famille d'ouvriers de 1770 à nos jours, Hachette-Jeunesse, Paris, 1981.

autonomes, articulées entre elles. Pour le faire fonctionner, les super-élites sévèrement sélectionnées sont moins nécessaires que des collectivités plus nombreuses d'individus calmes, autonomes, méthodiques et fiables, possédant de solides qualités professionnelles et capables de bien communiquer entre eux.

▲ Les super-élites sélectionnées par de grands concours sont une espèce qui se raréfie...

▲ ...et les professionnels, plus modestes et communicants, se répandent.

Dès la fin du vingtième siècle, un tassement des grands concours, soupçonnés d'alimenter une effendia parasitaire, et une revalorisation des formations plus concrètes à caractère technique se manifestent, comme on pouvait le constater en Allemagne ou au Japon. L'arrogance des super-élites est battue en brèche. Partout sont préférés des comportements plus modestes mais plus efficaces.

La norme de la thèse doctorale, réalisée en trois ans à la fin des études supérieures, s'impose dans le monde entier comme symbole d'une formation par la recherche. Le plus souvent menée en relation avec les milieux professionnels, elle garantit un approfondissement thématique des connaissances, une capacité à suivre une démarche de recherche et la prise en compte de la demande sociale dans l'orientation des travaux. La théorisation à outrance qui avait fait jaillir autrefois des milliers de thèses, que ne lisaient parfois même pas tous les membres des jurys, est violemment réprimée.

La norme internationale de la thèse (PhD) s'impose partout, car elle manifeste un savoir-faire de recherche. ▼

Cette évolution est grandement favorisée par le fait que l'accès et le maintien aux fonctions d'enseignement et de recherche ne sont plus fondés sur un diplôme obtenu dans les jeunes années, mais sur des contrats régulièrement renégociés. De nouveaux équilibres, comportant plusieurs variantes, sont installés entre la rente à vie, qui stérilise de trop nombreux chercheurs, et le contrat court, qui oriente vers des travaux à débouché rapide, mais ceci au détriment des recherches fondamentales.

■ ***La technique, au lieu d'être enseignée de manière parcellaire et spécialisée, ce qui permettait à l'industrie ancienne de diviser pour régner, est donc désormais élevée au rang d'une culture.***

■ ***La planète peut effectivement nourrir douze milliards d'humains, mais certainement pas douze milliards d'analphabètes cornaqués par quelques millions d'effendis.***

La communauté se réunit pour apprendre. ▶

DÉMOCRATISATION DE L'ENSEIGNEMENT

L'enseignement au vingt-et-unième siècle entre en lutte contre toutes les formes de drogue, comme celui du dix-neuvième avait lutté contre l'alcoolisme, malgré la puissance des producteurs d'alcool de l'époque. Mais, au-delà de la santé physique et mentale, nécessaire à la fiabilité de l'économie, les masses humaines ne peuvent plus être laissées, comme par le passé, dans l'ignorance des choses pratiques. En effet, elles ne sont plus seulement productrices mais aussi consommatrices. Et les entreprises ont besoin de consommateurs avisés, qui savent choisir en connaissance de cause. Comment pourraient-elles faire apprécier le raffinement de leurs produits à des acheteurs ignorants et incapables de s'en servir ?

La technique, au lieu d'être enseignée de manière parcellaire et spécialisée, ce qui permettait à l'industrie ancienne de diviser pour régner, est donc désormais élevée au rang d'une culture. Elle est nécessaire, à la fois pour bien consommer et bien produire dans un nouveau système fait de petites unités autonomes. Dès lors, elle doit s'étendre à l'espèce tout entière, comme autrefois le projet d'apprendre à lire, écrire et compter s'adressait à tous sans exception. Car, la planète peut effectivement nourrir douze milliards d'humains, mais certainement pas douze milliards d'analphabètes cornaqués par quelques millions d'effendis. Une culture technique minimale est nécessaire à tous les niveaux : celle qui permet à une petite collectivité humaine de survivre partout et de maîtriser son environnement. Les expériences comme Biosphère II[1], le développement des cités marines, les planètes creuses artificielles avec un écosystème embarqué

"Le chemin qui monte est le même que celui qui descend." ▼

[1] Biosphère II est un écosystème complet et autonome, fonctionnant en Arizona, en 1990, avec, à l'intérieur, quatre hommes et quatre femmes.

sont autant de configurations tests de cette culture. Les humains sont aussi amenés à créer de toutes pièces de nouvelles villes autonomes dans les zones réchauffées par l'effet de serre. Là, les connaissances pratiques sont impérativement nécessaires à tous.

▲ Redécouvrir la nature et les jardins devient un des buts de l'école.

Tout se joue désormais en termes de création, y compris dans le domaine éthique. Succédant au développement des intégrismes, l'effondrement des grandes religions et idéologies a laissé un immense vide. L'éducation scientifique est impuissante à produire du sens. Il faut retrouver de nouvelles valeurs : faute de les recevoir comme autrefois de l'extérieur, de la transcendance, la société doit les chercher en elle, les créer. C'est l'idée de contrat social qui va désormais devenir formatrice de valeurs : l'idée d'équilibre des rapports entre les individus, de respect de l'espace de l'autre comme condition du respect de son propre espace.

L'école s'applique à remettre en honneur les disciplines humanistes et écologiques, à développer tout ce qui dans son enseignement est porteur de sens : au centre, se trouvent les sciences cognitives, avec leurs différentes composantes, l'informatique, la neurophysiologie, et aussi l'histoire des idées et des religions, la philosophie, la littérature, l'art et les sciences naturelles. Et c'est pourquoi elle sort également du vieil ethnocentrisme occidental et élargit son horizon aux autres cultures, aux autres civilisations.

Les jeunes que cette nouvelle école forme ne sont pas nécessairement angéliques. Ils ont une conscience très aiguë de leur individualité, de leurs droits, de leurs devoirs, de leur espace propre. Mais ils sont moins égocentriques que leurs parents : ils ont conscience de former un système avec les autres et s'ils ont avec eux des rapports de concurrence, ils s'en savent aussi solidaires. S'ils les ressentent comme différents, ils les perçoivent aussi comme semblables. L'individuation se traduit par une résurgence de l'esprit et des méthodes des compagnons, revendiquant une personnalisation du talent, en opposition avec la standardisation excessive et la compétition acharnée de l'époque industrielle précédente.

Ils pratiquent maintenant tout naturellement ce qui, pour leur parents habitués à raisonner en termes mécanistes et linéaires, relevait de l'exploit : appréhender simultanément une chose sous deux angles contradictoires. Habitués dès l'enfance par les médias au débat d'idées,

■ Les jeunes que cette nouvelle école forme ne sont pas nécessairement angéliques. Ils ont une conscience très aiguë de leur individualité, de leurs droits, de leurs devoirs, de leur espace propre. Mais ils sont moins égocentriques que leurs parents : ils ont conscience de former un système avec les autres et s'ils ont avec eux des rapports de concurrence, ils s'en savent aussi solidaires.

■ Il s'agit d'établir avec l'environnement le même type de rapports que ceux qu'on entend établir avec les autres individus : des rapports de reconnaissance et d'enrichissement mutuel.

L'enseignement de la danse et des arts culmine à la fin du vingt-et-unième siècle. ▼

Apprendre à voir est une question intemporelle.▶

à la confrontation de points de vue différents, ils savent qu'une vérité n'est jamais absolue. Leur culture systémique leur a également appris qu'un système peut changer de polarité, dès lors qu'on change de niveau dans la hiérarchie de l'organisation. Bref, les nécessités de la survie leur ont donné un mode de pensée beaucoup plus souple, beaucoup plus complexe, beaucoup plus large.

La nécessaire clarté de leur pensée s'exprime alors dans la pertinence de leurs créations. Le design devient une discipline majeure. Le designer, attentif à l'usage du produit, remplace pour le public l'ingénieur, qui s'intéressait surtout à son fonctionnement et se concentre désormais sur les grands projets industriels planétaires. D'une manière plus générale, les arts, au lieu d'être réservés aux professionnels, sont pratiqués par tous. Le fétichisme de l'art, caractéristique de la mentalité du vingtième siècle, laisse place à une intégration dans le quotidien. Chacun, pour son propre équilibre, a besoin de créer.

Ce mode de pensée nouveau est en fait l'expression d'un autre rapport avec le monde. L'individu a conscience de former un système avec son environnement. Il ne le perçoit plus comme une réalité extérieure, étrangère, qu'il s'agissait de vaincre et de dominer à l'âge industriel, mais comme un prolongement de son être. Dès lors, le détruire, c'est se détruire lui-même. Ici aussi, l'idée centrale est celle de création. Il faut établir avec l'environnement le même type de rapports que ceux qu'on entend établir avec les autres individus : des rapports de reconnaissance et d'enrichissement mutuel.

L'individu conçoit la liberté de l'autre non plus seulement comme la limite de la sienne, mais comme sa condition. Il ne s'efforce plus, comme aux temps arrogants de la société industrielle, d'étendre sans cesse l'espace de sa propre liberté au détriment de la nature et de ses semblables, mais de constituer avec eux un système de transformation aux termes duquel la liberté de chacun devient aussi nécessaire à son vis-à-vis que sa propre liberté. En vérité, c'est le triomphe de ce qu'on pourrait appeler le modèle écologique. ■

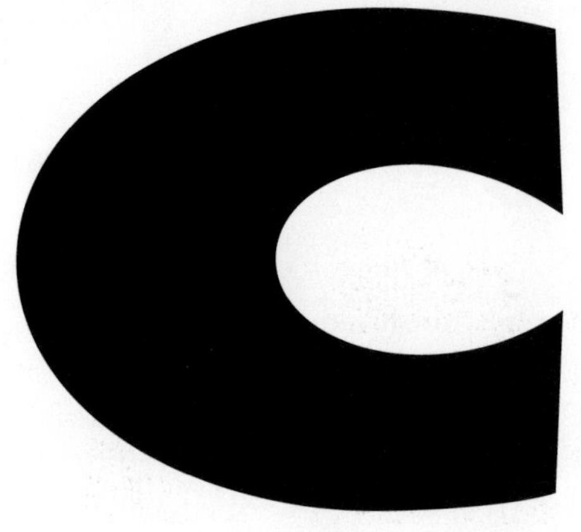

h a

Au vingt-et-unième siècle, l'exploitation à grande échelle de la faiblesse psychique est, dans un premier temps, favorable à toutes les formes de sectes. Après la tentative passagère du siècle des Lumières, serions-nous en train de replonger dans une époque d'obscurantisme ? Les Etats, les Eglises et les entreprises feront-ils reposer leur pouvoir sur des croyances inculquées par tous les moyens que procure la technique, en profitant du désarroi, de la misère affective et de la pauvreté ?

La connaissance : vers la grande richesse

pitre 21

"Le vingt-et-unième siècle sera religieux ou ne sera pas", disait André Malraux. Les signes d'un retour au religieux sont plus que manifestes. Ce retour est cependant suivi d'un retournement. Depuis

▲ *La secte de Rajneeshpuram salue les Etats-Unis.*

▲ *Les médiums Thaï prennent aussi des postures divinatoires.*

l'espace, les cosmonautes disent l'émotion de voir la mince et fragile pellicule de vie qui couvre notre planète. Ils donnent un sens spirituel à leur émerveillement. Alors que, depuis des millénaires, l'Homme se tourne vers le ciel dans l'espoir d'y trouver la raison de sa vie, le cosmonaute se penche au contraire vers la Terre et dit : ceci est notre maison, elle est fragile, il faut en prendre soin.

Au lieu de chercher les clefs de la connaissance dans un au-dehors pollué par diverses d'influences erratiques et perverses, l'Homme du troisième millénaire commence par vérifier au-dedans les capacités et les fonctionnements de l'instrument qui lui sert à connaître : lui-même. C'est en anticipant ce mouvement que nous posons la question de la connaissance, non pas en partant des connaissances considérées comme établies et indiscutables, mais à partir du mouvement quotidien de prise de connaissance. Comment l'ouvrier prend-il connaissance de la nouvelle machine qu'il doit conduire ? Comment l'agriculteur connaît-il l'état de ses plantations ? Que sait la femme du déroulement de sa grossesse ? Comment l'enfant apprend-il les choses de la vie ? Que savons-nous de ce que nous mangeons tous les jours ? Bien peu, mais pourquoi si peu ? Par là, nous touchons la réalité concrète et mouvante de la connaissance ainsi que ses conséquences : aliénation ou maîtrise ? Innovation ou blocage ?

Si les hommes ne peuvent vivre sans dieux, les dieux ne peuvent manifester leur pouvoir sans les hommes. Proverbe chinois.

Lorsque les hommes se groupent pour vivre et agir ensemble, ils forment des tribus nomades, des entreprises, des administrations, des Etats, des civilisations. Dans chacune de ces institutions, de la plus petite à la plus grande, se construisent en permanence les règles qui définissent les comportements, les façons de parler et d'apprendre. Le plus souvent, ces règles ne sont pas explicitées. Nous n'accumulons et ne créons pas n'importe quelle connaissance : selon qu'une information est présentée de telle ou telle manière, par telle ou telle personne, selon les circonstances aussi, elle est ou non acceptée. Nous filtrons en permanence les informations qui nous parviennent au travers du tamis des règles que nous connaissons. Et même si le tamis se modifie en permanence, les informations acquises se moulent comme dans des formes pré-établies. Ce qui suit ne présente

Les planches d'anatomie montrent le progrès dans la connaissance du corps. Celle-ci est extraite de l'Encyclopédie de Diderot et d'Alembert. ▼

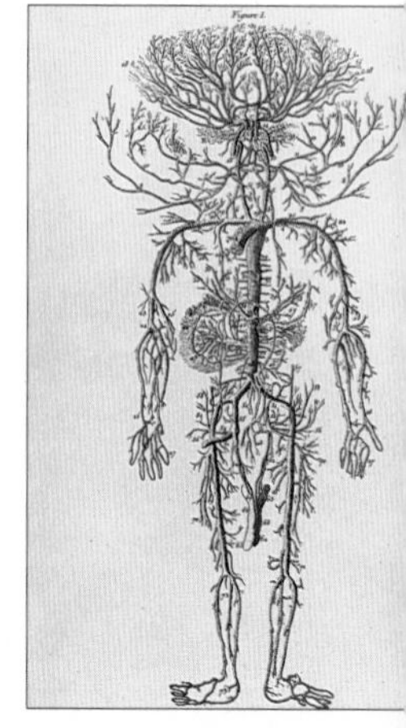

[1] *L'une des figures du tarot géomantique*

qu'une des lectures possibles de petits faits pris dans cinq pays du monde. Dans le regard porté ici sur la connaissance, il y a un élément fondamental : le respect de la connaissance de l'autre.

LA CONNAISSANCE AU JAPON : L'EFFICACITÉ DU VIDE

■ ***Alors que, depuis des millénaires, l'Homme se tourne vers le ciel dans l'espoir d'y trouver la raison de sa vie, le cosmonaute se penche au contraire vers la Terre et dit : ceci est notre maison, elle est fragile, il faut en prendre soin.***

■ ***Nous filtrons en permanence les informations qui nous parviennent au travers du tamis des règles que nous connaissons. Et même si le tamis se modifie en permanence, les informations acquises se moulent comme dans des formes préétablies.***

■ ***Les Japonais affirment que l'homme est la véritable richesse ; qu'il est respectable en tant qu'homme ; qu'il ne doit pas être traité comme un objet ; qu'on ne doit pas tricher avec lui ; et enfin, que l'industrie doit être le lieu de son expression et de son enseignement.***

"C'est un piètre atelier que celui où les ouvriers et la maîtrise sont considérés comme une partie des machines et assignés à un travail défini par des normes. Ce qui constitue l'être humain, c'est son aptitude à penser. Un atelier devrait devenir un endroit où les gens peuvent penser et utiliser leur sagesse. Il faut se souvenir que :

- *les gens sont toujours motivés pour penser.*
- *les gens savent utiliser leur sagesse.*
- *il faut donc leur donner l'occasion de le faire.*

Chacun, ouvrier, contremaître, nouveau venu sans expérience, tous ont accumulé de la sagesse. Les responsables à tous les niveaux doivent reconnaître combien cette aptitude est grande."

Cette citation est extraite du manuel des cercles de qualité, répandu dans des milliers d'entreprises. Les Japonais prônent un nouvel humanisme industriel, au moment où l'automatisation rend sa place à l'intelligence et remplace le travail répétitif. Ils affirment que l'homme est la véritable richesse ; qu'il est respectable en tant qu'homme ; qu'il ne doit pas être traité comme un objet ; qu'on ne doit pas tricher avec lui ; et enfin, que l'industrie doit être le lieu même de son expression et de son enseignement. Ces affirmations généreuses (qui ne sont peut-être que réalistes) se traduisent à chaque instant dans la pratique : ainsi les industriels européens ont été surpris du comportement de leurs partenaires nippons. Pensant, comme à l'accoutumée, régler plus rapidement les affaires en s'adressant au sommet, ils demandent à voir le président. Celui-ci, interprétant leur demande comme une courtoisie, les accueille cordialement, mais renvoie pour étude aux subordonnés compétents dès qu'ils abordent un point précis. Car, au Japon, on ne décide pas entre dirigeants sur un coin de table. Ce serait une incorrection, un affront de ne pas consulter les exécutants. Les Européens s'étonnent donc du temps pris par leurs partenaires pour réfléchir mais, disent-ils, une fois la décision prise, "*l'exécution tombe comme un coup de sabre*", parce que tous l'ont préparée. Cependant, que survienne un imprévu ou le moindre changement de programme, et la partie japonaise s'adaptera difficilement, devra tout réétudier avec la même minutie.

▲ *Après la mort de l'empereur Hiro Hito, la secte bouddhiste Nichiren se recueille.*

Au Japon, la volonté pédagogique des entreprises se prolonge sans retenue et elle va parfois jusqu'à l'endoctrinement par la diffusion de mots d'ordre internes et un usage varié, subtil, insistant de la pression sociale. *"Le contrôle de la qualité*, dit un ingénieur japonais, *résulte d'une lente imprégnation de l'entreprise tout entière par la connaissance de son travail. Après la guerre, les produits japonais étaient bon marché, mais médiocres. Maintenant, ils sont toujours bon marché, mais de bonne qualité. Pendant les années 1950, le Japon a compris que la qualité devait concerner l'ensemble de l'entreprise, du manœuvre au président ; qu'il fallait donc que tous parlent le même langage, celui des sept outils statistiques du contrôle qualité ; qu'il fallait construire une méthode de développement personnel, de régulation et d'animation interne, qui enseigne les méthodes et maintienne sous tension la recherche de qualité."*

▲ *Grand Bouddha dans la position de méditation, Sukhotaï parle.*

Le cercle de qualité est un groupe d'auto-formation, comprenant une dizaine de membres. Comparés au gigantisme de l'industrie japonaise, ces cercles paraissent bien petits. Néanmoins, les industriels leur attribuent une grande part des améliorations obtenues depuis vingt ans. Simple, modeste, efficace, loin des rodomontades et des restructurations, le progrès japonais s'est construit dans les détails.

On cite aussi des cas d'acharnement : une fabrication était arrivée à un taux de rebut si bas qu'il n'était évidemment plus économique de chercher à le réduire encore. Mais le cercle de qualité a quand même voulu connaître la cause de la dernière imperfection. Il y est arrivé : certaines pièces d'alliage se fendaient en tombant dans un

■ ***Les Japonais ont compris qu'il fallait construire une méthode de développement personnel, de régulation et d'animation interne, qui enseigne les méthodes et maintienne sous tension la recherche de qualité.***

■ ***Ils ont fait un effort massif dans l'enseignement secondaire. Il en résulte que dans les usines, les gens comprennent ce qu'ils font. Du haut en bas de la hiérarchie, c'est la même classe moyenne, avec la même culture, le même langage.***

■ ***Le shintoïsme, d'inspiration chamanique, peuple de dieux divers la nature et les lieux. Le bouddhisme, importé de Chine, régit les rapports avec l'au-delà.***

LES CERCLES DE QUALITÉ JAPONAIS

Les "cercles" de qualité sont des groupes d'une dizaine de personnes, du niveau ouvrier et maîtrise. Ils se réunissent deux heures tous les quinze jours pour s'entre-éduquer en perfectionnant leur façon de travailler. Au niveau national, il y a un journal du contrôle de qualité, des prix, un symposium rassemblant plus de trente mille participants. Inventés pour améliorer la qualité des produits industriels, les cercles ont fait tache d'huile. Les techniques de créativité sont enseignées ici jusqu'au niveau des ouvriers alors qu'elles sont en Occident réservées à l'encadrement. On y traite de productivité (35%), de réduction des coûts (27%), de nouvelles technologies (9%), et seulement pour 20% de qualité. Les trois-quarts des participants, toujours volontaires, en attendent d'abord une amélioration de la vie au travail : ne plus être un objet, utiliser son cerveau... En 1985, plus de cent mille cercles étaient recensés. Même dans une entreprise moyenne, il n'est pas rare d'en trouver plusieurs dizaines. Chez Toshiba, il y en a près de cinq mille. Il n'était évidemment pas possible d'avoir un animateur extérieur par cercle. Alors, des manuels ont été édités et un système d'enseignement par correspondance regroupe cent mille élèves en permanence. On croit souvent que le cercle de qualité, c'est tout le contrôle-qualité au Japon. C'est inexact, les cercles sont nécessaires pour détecter les problèmes. Mais ils n'en résolvent que 15% contre 85% par le management et les ingénieurs.

bac de stockage. Et ce défaut a été supprimé. D'où une perfection de la réalisation, mais aussi une connaissance parfaite, qui est la démarche scientifique même, celle de la découverte de Neptune par Leverrier à partir des anomalies de l'orbite d'Uranus.

▲ *Les moines Shinto vivent dans leur temple.*

L'Occident a fait comme si la recherche scientifique était l'unique cause du progrès technique. Mais pour que ce soit vrai, il faudrait que nous donnions au mot recherche, comme au Japon, un sens qui déborde celui de la corporation des chercheurs. Jusqu'à une date récente, ce pays faisait peu de recherche. Pendant plusieurs décennies, il a acheté à l'étranger plus de brevets qu'il n'en exportait. Il a réalisé ses exploits en assimilant mieux et plus vite les idées nées ailleurs. Ce sont en quelque sorte des exploits de réceptivité, une recherche sur le terrain, où tous, du président au manœuvre, peuvent être chercheurs. Le cas japonais illustre des théories modernes de l'innovation, qui soulignent l'importance de la culture technique dans l'industrie moyenne. Or cette culture, cette faculté d'absorption sont, au Japon, exceptionnelles. Un ingénieur japonais à qui des Européens demandaient ce qu'il faudrait faire pour rattraper le Japon répondit : *"C'est très simple, nous avons fait un effort massif dans l'enseignement secondaire. Il en résulte que dans les usines, les gens comprennent ce qu'ils font. Cela ne semble pas toujours être le cas chez vous."* La quasi-totalité de la population japonaise arrivant sur le marché du travail a suivi un enseignement secondaire jusqu'à dix-huit ans. En Europe, moins de la moitié. La visite des entreprises japonaises le confirme. Du haut en bas de la hiérarchie, c'est la même classe moyenne, avec la même culture, le même langage.

Les Japonais pratiquent simultanément deux religions, le shintoïsme et le bouddhisme. Le shintoïsme, d'inspiration chamanique, peuple de dieux divers la nature et les lieux. On parle du Mont Fuji comme d'une personne, car il est habité. Les esprits des morts restent parmi nous. La cité est protégée par des gardiens irascibles. Le Shinto exprime une intégration sociale. Il prédispose à l'attachement que les Japonais, moins soucieux de classe sociale que d'appartenance institutionnelle, éprouvent pour leur travail. Des processions de cadres viennent au temple shinto faire des vœux pour la prospérité de leur entreprise. Il induit une relation polycentrique et ritualisée où l'esprit de chaque entreprise trouve sa place parmi la foule des dieux pugnaces qui habitent la nature. Le bouddhisme, importé de Chine, régit les rapports avec l'au-delà. Les enterrements sont célébrés selon ses rites. Bouddha veut dire "l'éveillé" : ses disciples cherchent l'éveil, qui est perception de la non-pérennité des choses, du vertige de l'ignorance fondamentale par l'exercice de la méditation et de l'harmonie. Le directeur d'un centre de productivité raconte à des industriels européens en visite : *"Un paysan vint trouver un maître Zen et lui dit : moi qui travaille la terre, je ne peux aller comme toi étudier les textes sacrés ; comment alors pourrai-je atteindre la Vérité ? Le maître répondit : il n'y a pas de différence entre nous, car tout travail peut mener à la Vérité, le tien comme le mien. Chez nous, conclut le directeur, l'attachement au travail a une dimension religieuse. C'est en étant présent et concentré sur ce que l'on fait que l'on peut atteindre la Vérité."* Si l'idéal du Zen est d'atteindre l'éveil par l'écoute silencieuse du monde, on comprend aussi que plus on s'élève dans la hiérarchie, plus on se tait. Alors qu'en Occident, où les religions sont messianiques, plus on monte, plus on parle. Il n'y a pas d'orateurs au Japon et les dirigeants ne sont pas "brillants", comme on dit en Occident. "*Tout est vide*", disait Bouddha : là où nos psychanalystes cherchent la personnalité intime, le moi profond, le Japonais ne voit que le vide. Pour lui, l'homme est le lieu de convergence de forces qui lui sont extérieures. D'où cette extraordinaire aptitude à se penser en tant que rouage d'une machine, cette surprenante intégration sociale. D'où aussi ce pragmatisme, cette réticence face aux théories, car tout discours porte l'illusion, sauf s'il désigne l'indicible vacuité.

Ainsi, en Occident et en Orient, deux modèles opposés de comportement se projettent dans la vie quotidienne et imprègnent malgré eux les acteurs :

Messianique : la parole (Occident)

Bouddhiste : l'écoute (Orient)

La confrontation de ces deux modèles dégage, non pas une opposition, mais une extraordinaire complémentarité. L'un expire, l'autre inspire. Leur association évoque le souffle de l'esprit.

■ La confrontation de ces deux modèles dégage, non pas une opposition, mais une extraordinaire complémentarité. L'un expire, l'autre inspire. Leur association évoque le souffle de l'esprit.

■ Le dragon est le symbole du pouvoir : serpent enflammé, dont les yeux, les crocs et les pattes agressives transmettent un message étrange.

■ Dans la cité interdite, résidence pékinoise de l'Empereur, la puissance du dragon est tapie. Elle accompagne, pendant toute la dynastie Ming, la mise en place d'une organisation parfaite de l'empire céleste.

LA CONNAISSANCE EN CHINE : L'EMPIRE DES FLEURS

Du fond du temps, le Bouddha hilare contemple les hommes. ▼

De chaque côté du large escalier de l'immense palais, des lions griffus à la crinière enflammée montent la garde. Au milieu, un plan incliné formé d'une seule pierre de deux cents tonnes sur laquelle un dragon est sculpté en bas relief. Le plan incliné était réservé au palanquin portant l'empereur. Le dragon est le symbole du pouvoir : serpent enflammé, dont les yeux, les crocs et les pattes agressives transmettent un message étrange. On sent l'animal à faire peur. C'est aussi une manifestation de vie (le serpent) et d'inspiration (les flammes). C'est une sorte de rêve venu de la nuit des temps, qui est tout à la fois une menace et un spectacle.

Dans un étang, il n'y a pas de place pour deux dragons. Proverbe chinois.

Dans la cité interdite, résidence pékinoise de l'Empereur, la puissance du dragon est tapie. Elle accompagne, pendant toute la dynastie Ming, la mise en place d'une organisation parfaite de l'empire céleste. Dans le palais principal, il y a un hall majestueux, dit de l'harmonie. On y fêtait les anniversaires, le nouvel an lunaire, les solstices. Chaque année, c'est ici qu'avait lieu la proclamation des lauréats aux examens impériaux, dont les épreuves s'étaient déroulées dans le palais voisin, dit de l'harmonie réservée. Tout était en ordre : le rythme des saisons, qui gouverne les récoltes, était honoré et la bureaucratie perpétuée. Un peu plus loin, dans le temple de Confucius, qui fut l'inspirateur de la philosophie bureaucratique, la liste des lauréats depuis la fin du treizième siècle est encore conservée. Les bases philosophiques, qui étaient déjà posées il y a vingt-cinq siècles, ont été périodiquement réactivées. Face à une telle continuité, les concours de recrutement européens paraissent manquer d'expérience et de cette sorte de patine qu'apporte la patiente et modeste perpétuation du pouvoir.

CONFUCÉENS ET TAOISTES

Les deux pôles de la philosophie chinoise sont le taoïsme et le confucianisme, respectivement Yin et Yang. Pour Confucius, le monde serait voué à un irrémédiable chaos si quelques hommes vertueux n'étaient là pour l'en préserver. Il faut donc agir. Respecter les rites, non seulement en effectuant les gestes convenables, mais en y croyant. Organiser la vie de la cité avec dévouement. Les taoïstes s'esclaffent ; pour eux, rien n'est indispensable. Tout est vide. Ils concluent à la préservation de l'harmonie par un travail intérieur. La seule recommandation possible est le "non agir". Dès le cinquième siècle avant J.-C., les deux doctrines sont présentes : le "dirigisme" confucéen d'une part, le "libéralisme" taoïste d'autre part. Ils sont en opposition, mais pas incompatibles. Aux plus belles époques, on trouve des empereurs taoïstes servis par une bureaucratie confucéenne. Le doute et la retenue au sommet limitaient alors les ardeurs de l'appareil.

Symétriquement, un autre palais servait exclusivement aux arts divinatoires. Le Yi King[1], inventé par le premier empereur mythique Fo Hi, est la principale technique de divination chinoise. "*On ne sait pas pourquoi, mais ça marche encore*", dit d'un air confus le prospectiviste du Premier ministre chinois. La scène se passe en 1987. Le Yi King, étrange pour un esprit occidental contemporain, mérite d'être décrit. Le consultant doit d'abord formuler clairement sa question. Elle doit être importante à ses yeux, et aussi incertaine : il ne s'agit pas de poser un problème

L'empereur restait cantonné dans la cité interdite. ▼

[1] *Richard Wilhem et Etienne Perrot, Yi King, le livre des transformations, Librairie de Médicis, Paris, 1971.*

dont on a la solution, mais au contraire une question sur laquelle on bute, où les raisonnements et les informations disponibles ne permettent pas de trancher. Une fois la question élaborée, on tire au sort, avec un rituel approprié, une combinaison de traits qui forment un dessin. Le livre du Yi King contient soixante-quatre textes, associés chacun à un dessin. C'est la lecture du texte désigné par le dessin tiré au sort qui donne une clef d'interprétation de la situation que l'on a en face de soi. De la sorte on a, non pas résolu le problème, mais fait évoluer le regard qu'on portait sur lui. Le Yi King utilise un langage intermédiaire, ni abstrait ni concret, ni flou ni précis, mais néanmoins efficace. C'est le langage de l'intention, une forme poétique reliant les profondeurs de l'âme aux événements. Les idéogrammes du texte, qui expriment à la fois un son et une idée avec toutes ses métaphores associées, rajoutent encore une diversité aux interprétations possibles. Par rapport aux descriptions occidentales, faites d'articulations logiques et d'enchaînements indiscutables, le texte chinois est comme un hologramme où chaque icône particulière réfracte la totalité de l'ensemble.

▲ *Dans le palais d'été, on se promène au bord de l'eau.*

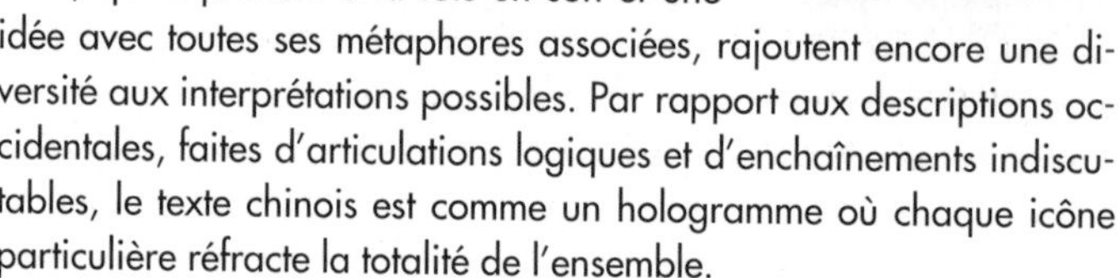

Quand la Chine veut se retrouver, il lui suffit de se pencher sur son passé. C'est ce qui se produit pendant les années 1980. A la télévision chinoise, un feuilleton télévisé fidèlement adapté d'un roman ancien, "*Le rêve du pavillon rouge*", remporte un succès considérable. C'est l'histoire d'un garçon qui se déguise en fille pour se rapprocher de sa bien-aimée, en trompant la vigilance des duègnes. L'intrigue sentimentale se passe dans un décor qui ressemble au palais impérial, tout imprégné d'ambitieuse irréalité, avec un pavillon pour voir le soleil se lever, un autre pour contempler son coucher, un

TIRAGE DU YI KING POUR "2100, RÉCIT DU PROCHAIN SIÈCLE"

Un tirage du Yi King a été effectué pendant la rédaction de cet ouvrage. La question posée était la suivante : comment procéder pour le lancement éditorial du livre ? L'hexagramme tiré au sort fut le numéro 40 sans traits, c'est-à-dire dans sa version de base. Cette figure a pour nom Hiai, La Libération. Trigramme du haut : Tchen, l'éveilleur, le tonnerre. Trigramme du bas : K'an, l'insondable, l'eau. Le commentaire associé à cette figure est le suivant : Le mouvement sort ici du danger. L'obstacle est écarté, les difficultés sont conçues comme étant en cours de solution. La libération n'est pas encore achevée, elle ne fait juste que commencer, et ses différents stades sont représentés dans l'hexagramme (le tonnerre éveilleur et l'eau insondable). Il s'agit d'une époque où les tensions et les complications commencent à se résoudre. En de tels moments, il importe de faire retour le plus vite possible aux conditions habituelles. De pareilles époques de revirement sont très importantes. Tout comme une pluie libératrice met fin à la tension de l'atmosphère et fait éclore tous les bourgeons, le temps où l'on est libéré d'une charge accablante exerce sur la vie un effet de délivrance et de stimulation.

Il convient de ne pas vouloir pénétrer plus loin qu'il est nécessaire. Dès que la libération est obtenue, revenir à l'ordre de la vie est source de fortune. S'il demeure encore des restes qu'il faille achever de traiter, il importe d'en finir au plus vite afin de faire table nette et de ne laisser s'introduire aucun retard.

■ Le livre du Yi King utilise un langage intermédiaire, ni abstrait ni concret, ni flou ni précis, mais néanmoins efficace. C'est le langage de l'intention, une forme poétique reliant les profondeurs de l'âme aux événements.

■ Indiscutablement, l'économie de marché progresse en Chine, mais à deux vitesses. Il y a d'une part les produits "internationaux" : télévisions, réfrigérateurs ; d'autre part, les produits courants d'origine chinoise vendus très bon marché.

troisième pour regarder la Lune et un théâtre pour l'exclusive distraction de la dernière des impératrices, Tseu Hi. Le décor du feuilleton a été conservé et ouvert au public. Des millions de touristes chinois le visitent. Ils regardent d'un œil attendri les lieux de leur intrigue favorite et les photos des scènes les plus émouvantes. Le peuple chinois, doux et sentimental, aime le mélodrame.

Tous les occidentaux se posent la même question : est-ce que la "modernisation", lancée du sommet de l'Etat, est irréversible ? Peut-il y avoir un retour de la bureaucratie, qu'une décennie d'aggiornamento et le soulèvement de la place Tien An Men (1989) n'ont certainement pas fait disparaître ? Un début de réponse est contenu dans le feuilleton. Le passé est toujours là.

Indiscutablement, l'économie de marché progresse en Chine, mais à deux vitesses. Il y a d'une part les produits "internationaux" : télévisions, réfrigérateurs, radio-cassettes, automobiles. Rarement fabriqués sur place, ils sont importés du Japon ou de Hong Kong, vendus à leur prix international et payés en monnaie convertible[1]. D'autre part, les produits courants d'origine chinoise sont vendus très bon marché : le salaire du manœuvre non qualifié, comme le prix du kilo de riz, sont quinze à vingt fois moins élevés qu'en Europe. En outre, certains services, tels que le logement, sont pratiquement exclus du circuit monétaire et répartis d'autorité, avec des loyers très bas, sans rapport avec le coût de la construction. Une partie des travaux d'intérêt public est effectuée par le biais d'un système peu rémunéré, dont le principe rappelle celui des corvées paysannes de l'ancien temps : une sorte d'impôt prélevé sous forme de travail plutôt que sous forme monétaire. L'économie de marché existe, mais tout n'est pas encore dans le circuit.

▲ *Un gouverneur poète avait fait construire ce lac artificiel à Hang Zou.*

En Chine, le pouvoir est félin. Dans une de ses formules faites pour être répétées, Paul Valéry disait : *"Le pouvoir sans abus perd le charme."* Ici, s'il ne donnait pas un coup de griffe de temps en temps, le pouvoir ne serait plus lui-même. Cet animal imprévisible, le dragon, sorte de quintessence de la vitalité, entre périodiquement en éruption, tel un volcan. C'est sa manière d'être à lui. S'il n'abusait pas, il ne serait pas vraiment. La population l'accepte. Il est inscrit dans les mentalités pour des raisons concrètes : la Chine est une société agricole dense. Chaque mètre carré de terrain est irrigué, cultivé avec le plus grand soin. Les paysans craignent les dévastations des soldats en campagne. La grande muraille protège l'Empire des cavaliers venus du Nord. A l'échelle des millénaires, l'histoire de la Chine oscille entre des périodes guerrières, ressenties comme anarchiques (les royaumes combattants, les seigneurs de la guerre) et des périodes où la "bureaucratie céleste[2]" maintient l'ordre nécessaire à l'agriculture. En contrepartie, il n'y a jamais eu d'accumulation du

[1] Il y a deux monnaies en Chine : le yuan ordinaire et les Fec convertibles, avec deux séries de billets. Souvent, les commerçants rendent la monnaie en yuans, au détriment du client.

[2] Etienne Balazs, La bureaucratie céleste, Gallimard, Paris, 1988.

capital en Chine. Lorsque certains s'enrichissaient trop, les serviteurs de l'empire trouvaient toujours d'excellents prétextes pour confisquer les excédents. Pour montrer la puissance de ces résurgences du passé, certains rappellent que le propre fils de l'impératrice Tseu Hi mena en 1898 une tentative d'ouverture, la réforme dite des cent jours. Il s'agissait de sortir le pays de son isolement en ouvrant des ports francs, comme avait commencé à le faire le Japon. Finalement, le réflexe isolationniste a prévalu. L'étranger, pour un Chinois, a toujours quelque chose d'impur et de barbare : il ne sait même pas lire les idéogrammes. Malgré tout, le mouvement actuel porte en lui une composante irréversible : l'étranger n'est plus vraiment, cette fois-ci, un étranger. Chassés par le maoïsme et la révolution culturelle, tels les protestants français à la révocation de l'Edit de Nantes, les plus entreprenants des Chinois ont développé, et avec quel succès, Hong Kong, Singapour et Taïwan. Tous ont gardé des liens familiaux et un réseau de relations qui pénètre au plus profond du pays. Parmi les quinze millions de touristes étrangers, plus de dix sont des "Chinois de l'extérieur". Ils rapportent des appareils électroménagers, font rentrer des automobiles, informent leurs parents de ce qui se passe à l'étranger. Après s'être équipés en télévision, il faudra bien que les Chinois, s'ils veulent avoir des entreprises autonomes et des banques, s'équipent en téléphone. Ils n'ont que quatre millions de lignes, il en faudrait cinq cents pour atteindre les niveaux d'équipement européens. A n'en pas douter, le marché du siècle : deux milliards d'oreilles ! C'est alors seulement que la Chine s'éveillera[1].
Hong Kong, l'une des plus grandes places financières du monde, fera de nouveau partie de la Chine en 1997. Ce sera sans doute le

▲ *Tseu Hi, actrice devenue impératrice, fit édifier le bateau en pierre du palais d'été, en lieu et place d'une flotte militaire.*

■ *Finalement, le réflexe isolationniste a prévalu. L'étranger, pour un Chinois, a toujours quelque chose d'impur et de barbare : il ne sait même pas lire les idéogrammes.*

■ *Les Chinois n'ont que quatre millions de lignes de téléphone, il en faudrait cinq cents pour atteindre les niveaux d'équipement européens. Le marché du siècle : deux milliards d'oreilles ! C'est alors seulement que la Chine s'éveillera.*

[1] *Alain Peyrefitte, Quand la Chine s'éveillera...le monde tremblera, Fayard, Paris, 1989.*

LE FENG SHUI

C'est pour de sérieuses raisons que la Hang Seng Bank, une des plus puissantes de Hong Kong, a décidé d'investir 10 millions de dollars HK (1 FF = 1,2 HKS) dans des passages pour piétons qui auraient dû être construits par la municipalité. Cette somme va servir à réaliser deux nouvelles passerelles et à en démolir une autre mal orientée. Courants d'airs, nuisances sonores, pollutions ? Pas du tout, il s'agit d'énergies. *"Il vaut mieux relier l'immeuble, où se trouve notre siège social, par deux passerelles latérales plutôt que de conserver le passage central qui "bombarde" de front tout le bâtiment"*, déclare un porte-parole de la banque, en ajoutant un peu paradoxalement que le feng shui n'a en rien influencé cet investissement. Le feng shui, c'est justement l'art qui consiste à canaliser les énergies pour harmoniser l'espace de vie. Une véritable science de l'environnement que la plupart des habitants de Hong Kong prennent au sérieux, même s'ils ne veulent pas toujours le reconnaître. Car les fondements de cette "science" ne paraissent pas toujours très rationnels... Comme on le sait, ne prêter aucune attention particulière aux morts peut entraîner des effets néfastes. Aussi l'une des entrées principales du bâtiment de la radio est-elle condamnée depuis des années. Car à cet endroit précis, sous les fondations du bâtiment, se trouvait un cimetière datant de la Seconde Guerre mondiale. Pour apaiser les mauvais esprits, mieux vaut respecter et préserver la nature. Les consultants du feng shui gagnent, paraît-il, beaucoup d'argent.

signal attendu. La diaspora chinoise, moderne, compétente, parfaitement informée et communicante, reprendra le contrôle de l'empire du milieu. En 1986, la Hong Kong and Shangaï Banking Corporation, quatorzième banque mondiale, inaugurait son nouveau siège social de cent mille mètres carrés, conçu par l'architecte Foster autour de l'informatique et des réseaux de communication. *"Cet immeuble a été construit pour durer une cinquantaine d'années"* dit le président de la banque, ce qui sous-entend : *"nous passerons 1997 sans encombre, dans la sérénité."* Grâce au système interbancaire Swift, cette banque peut offrir une gamme complète de services, et surtout permettre des transactions internationales en temps réel. Elle opère dans cinquante-cinq pays. Ses avoirs consolidés équivalent au total du commerce extérieur chinois. Les dépliants destinés aux investisseurs étrangers sur les opportunités en Chine continentale ont été édités, non par le gouvernement, mais par cette banque. Bien qu'elle ne soit pas encore dirigée par un Chinois, elle recrute ses cadres localement. Un système de formation interne produit en série de nouveaux mandarins, passés au moule de la banque. A l'entrée du nouveau siège social, de part et d'autre de la porte, se tiennent deux lions. Lors de l'inauguration, un dragon symbolique est venu danser sur les marches. Le nouvel ordre de l'empire céleste est là, transposé de l'ancien. Il attend son heure. Les idéologies, quelles qu'elles soient, sont comme des nuages dans le ciel : elles ne font que passer.

L'étranger a de gros yeux, mais il ne voit pas. Proverbe baoulé.

LA CONNAISSANCE EN INDE : LES AVATARS DE L'UN ET DU MULTIPLE

Dans l'ashram[1] où vécut Gandhi, se trouve un petit homme en blanc qu'on dit philosophe. Il a commencé sa vie comme chercheur, avec un doctorat en chimie-physique passé aux Etats-Unis. Membre du mouvement de la persuasion, il parcourt la campagne indienne depuis dix-sept ans pour tenter de convaincre les riches de donner leurs terres aux pauvres. Comme on est en Inde, il y parvient. "Peu de philosophes européens ont parlé de technologie ; qu'en est-il des Indiens ?" Il répond : *"Pour ce qui est de Gandhi, héritier de la tradition, sa position est simple : il pense que la technologie doit être au service de*

◀ *Les brahmanes sont en principe des hommes de connaissance, séparés du pouvoir temporel, vivant parfois dans le dénuement.*

[1] En Inde, les ashram sont des communautés dans lesquelles vivent les sages et leurs étudiants. On peut venir les consulter de l'extérieur.

l'homme et non l'inverse." A elle seule, cette phrase remet en cause bien des pratiques ayant cours à travers le monde. De son enseignement ressortent trois choses importantes qui sont une seule et même :

" - il faut être vrai,
- il faut pratiquer l'amour,
- il faut être non violent,
Si ce n'est pas tout à fait ce qui se passe, c'est parce que certains se sont laissés aller à leur cupidité."

▲ *Raffinement et complexité s'expriment dans les légendes indiennes.*

Un Européen comprend ces trois commandements, mais ne voit pas en quoi on peut affirmer également qu'ils ne sont qu'un. Pour le voir il faut, comme disent les philosophes, sortir de la platitude. Ces trois commandements s'enracinent dans une métaphysique : la non-violence n'est pas l'interdit de la violence, mais son dépassement. Celui qui l'a atteinte n'a plus peur, ni de sa souffrance, ni de sa propre mort. De même, être vrai est un dépassement de la rationalité, l'amour un dépassement de son enveloppe charnelle. Et tout cela est une seule et même chose qui annule l'égoïsme et l'acharnement. C'est une fusion dans le grand Soi.

La religion qui a modelé la sensibilité indienne est un festival de l'imaginaire, un théâtre permanent où les dieux représentent des états d'âme. Le cinéma indien déborde de sentimentalité. Les sentiments prennent du temps : là où un voyage suffirait pour traiter une affaire en Europe, il en faut trois en Inde. La musique et la danse expriment, avec un raffinement extrême, les mouvements de l'affectivité. C'est bien cela qui captive les Indiens. A tout instant, les dieux eux-mêmes peuvent venir les habiter. Les passions deviennent alors irrésistibles. La plus haute spiritualité côtoie la plus aveugle des superstitions[1]. L'unité de l'être est enseignée par les grands sages, la multiplicité des particularismes est pratiquée par la classe moyenne. L'entraînement de l'imaginaire ouvre la porte aux spéculations les plus abstraites de la science moderne. Les Indiens ont aussi des prix Nobel. Mais cela ne fait pas pour autant disparaître le système des castes, ni les innombrables particularismes enracinés dans des clivages magico-religieux. Le comportement des chercheurs s'en ressent. Par exemple, les centres techniques des matériaux de construction ne tissent pas de liens entre eux. Ils s'ignorent même et c'est une vexation de parler de l'un dans la maison de l'autre. Un chercheur montre une analyse de

▲ *Procession au Ladakh.*

■ **L'entraînement de l'imaginaire ouvre la porte aux spéculations les plus abstraites de la science moderne. Les Indiens ont aussi des prix Nobel. Mais cela ne fait pas pour autant disparaître le système des castes, ni les innombrables particularismes enracinés dans des clivages magico-religieux.**

■ **Chez les jeunes formés à l'occidentale apparaissent des résistances à la tradition, un comportement volontairement froid et professionnel. Des minorités actives, les Parsi de Bombay, de religion zoroastrienne, et les Marwari de Calcutta ont fondé des empires industriels.**

[1] *Voir les deux films de Satyajit Ray : Deva et L'ennemi du peuple.*

Qui ne sait pas être fou n'est pas sage.
Proverbe français.

contrainte par laser. A la question : "Savez-vous que l'on peut utiliser le laser pour mesurer la granulométrie du ciment ?" il répond : "*Ici nous étudions l'ingénierie des structures du bâtiment, pas les matériaux de construction*" (affirmation d'ailleurs inexacte, car le laboratoire étudie des bétons à base de résines). "Et que se passe-t-il si vous avez une idée en dehors de ce champ de travail ? - *J'en réfère à mon chef* - Et alors ? - *Il me dira sans doute de rester dans mon domaine, à moins qu'il y ait une demande extérieure*", répond le chercheur d'un air dubitatif. Le cloisonnement des connaissances scientifiques et leur confiscation par des clans, phénomènes dont nous déplorons les ravages en Europe, atteignent ici le stade de la stérilisation. Chacun doit tout réinventer et les travaux servent davantage à enluminer les idées fixes de quelques potentats qu'à explorer efficacement des champs vraiment nouveaux.

A l'opposé de cette étroitesse, l'Inde s'inspire aussi de la vision des sages. Le travail de Gandhi et de ses compagnons (Kumarappa, Vinoba) fut de réaffirmer l'unité humaine par delà les clivages. Ils défendaient les intouchables. Le soir, avant le dîner, leurs disciples organisent encore une prière, faite de la succession des rituels des grandes religions : hindouiste, bouddhiste, chrétienne, islamique et zoroastrienne, suivis d'une lecture d'un passage des mémoires de Gandhi. A la fin du dîner, chacun lave son bol, signe que nul ne doit se permettre de se décharger sur d'autres de sa saleté. A quelques kilomètres, à Wardha, centre géométrique de l'Inde, ils ont fondé un laboratoire de recherche, le Centre pour la Science dans les Villages. Ils tiennent en effet la Science en haute estime, à cause de l'honnêteté intellectuelle que sa pratique nécessite. Ils veulent, par l'intermédiaire de ce centre de recherche, la mettre au service des plus pauvres. Ces chercheurs aux pieds nus ont mis au point de petites machines textiles à main, des fours à chaux villageois, des fermenteurs à biogaz : plus de cent mille installations et de multiples autres produits pour les villages. Car, pour être soi-même (être vrai), il faut pouvoir se contenter de ce que l'on sait produire. Une compagnie d'Etat[1] soutient le développement de ce centre et commercialise ses produits. Elle donne du travail à plus de trois millions d'artisans. Une politique économique autarcique s'élabore ici, qui interdit les importations de biens de consommation et soumet à autorisations celles d'équipements. Elle favorise également les petites entreprises, car l'homme y maîtrise mieux la technologie que dans les grandes.

▲ *La pûja est l'adoration de l'image.*

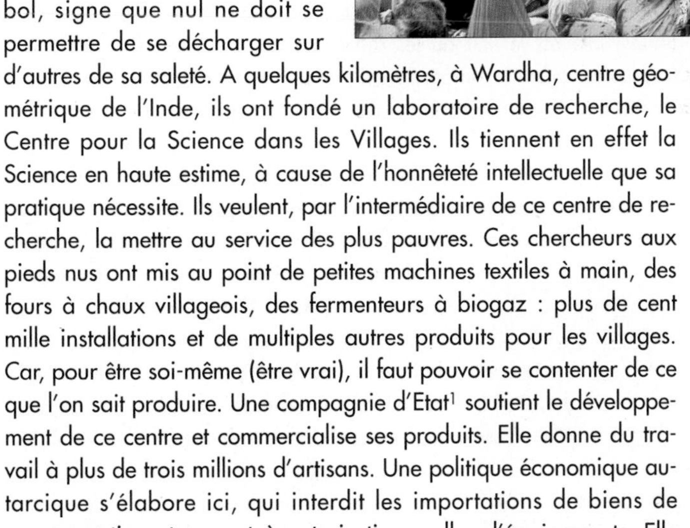

Sans doute, l'Inde aux mille visages n'est-elle pas seulement cela. Chez les jeunes formés à l'occidentale apparaissent des résistances à la tradition, un comportement volontairement froid et professionnel. Des minorités actives, comme les Parsi de Bombay, de religion

[1] *Khadi Village Industries Company.*

Les bas-reliefs des temples de Khajuraho présentent le panthéon indien. ▶

zoroastrienne, et les Marwari de Calcutta, ont fondé des empires industriels : Tata et Birla ont la dimension de grands groupes européens. Tata opère dans la sidérurgie, la chimie, la mécanique lourde, la construction et dans bien d'autres secteurs encore. En fait, l'Inde, à cause de sa politique d'autarcie, fabrique tous les produits industriels. Mais l'autarcie a causé un retard technologique d'une vingtaine d'années. Cela ne veut nullement dire que les Indiens ne sont pas capables d'assimiler la technologie actuelle, mais seulement que, par erreur, ils ont assimilé celle d'il y a vingt ans. Leur commerce extérieur s'en ressent : le matériel vieillot qu'ils fabriquent n'est plus celui du marché international, d'où la faiblesse de leur monnaie. Le poids de l'Inde dépasse toutefois ce que montrent les statistiques. Elle est le lieu où les difficultés des pays en développement (explosion urbaine, intégrité culturelle...) se présentent avec le plus d'ampleur. C'est également, avec ses dix-sept langues officielles et un tiers d'illettrés, le dépositaire d'une philosophie non occidentale du développement. L'Inde, héritière de pensées millénaires, traversée d'influences étrangères, garde, au-delà des apparences de changement, une personnalité immuable. Elle est entrée dans l'âge industriel sans précipitation, préférant l'authenticité à la richesse. Elle a assimilé la science sans l'ériger en dogme, consciente de la relativité des pensées humaines. Le statut de la connaissance en Inde s'exprime par ses milliers de divinités. L'Inde est un pays de sectes et de territoires abstraits, où seuls les grands sages, dont on vient boire les paroles, accèdent dans le dénuement à l'unité de la connaissance. Tel est Vinoba le lettré (il parle neuf langues). A la question "est-ce que la persuasion suffira pour transformer la technologie lourde en technologie villageoise ?", il répond ces mots lourds de sens : "*La persuasion, plus l'enseignement.*"

Le Yogi atteint le détachement et la connaissance de soi par une démarche de purification. ▼

L'Inde est le pays du yoga. Yoga veut dire "lien". C'est l'ensemble des disciplines qui relient le corps, l'âme et l'esprit. *"On n'obtient rien sans effort"* enseignait le fondateur Patanjali, montrant les voies qui permettent à l'homme de se réapproprier son être à travers la maîtrise de son corps. En novembre 1982, Vinoba eut un accident cardiaque. Indira Gandhi, alors Premier ministre, vint le prier de se laisser soigner. *"Il me faut,* répondit-il, *atteindre le dernier état du samadhi. Pour cela je dois quitter mon corps avant que mon corps ne me quitte."* Il avait 87 ans.

LA CONNAISSANCE AU BRÉSIL : LA SAMBA DU BUSINESS

Le Brésil est à la fois un pays industrialisé et un pays en voie de développement. Il joue sur les deux tableaux : l'astuce, le sens des affaires et un chauvinisme qui deviendrait volontiers dominateur, se combinent aux revendications des pays sous-développés. Derrière cette double attitude des dirigeants brésiliens se cache une unique obsession : l'économie brésilienne est un géant qui s'éveille. Il prend progressivement conscience de sa puissance, mais se sent habité par des forces qui lui sont étrangères. Une croissance impressionnante, le "miracle brésilien", est poussée en avant par l'inflation. Les ressources naturelles sont immenses. Des cadres d'entreprises replets et affairés, indiscernables de ceux qui grouillent dans tous les aéroports du monde, travaillent plus de douze heures par jour : les signes de la puissance sont là.

La machine a entamé son festin : l'Etat de Parana, au sud de Sao Paulo était, dans les années 1960, couvert aux neuf dixièmes de forêts ; dans les années 1980, la forêt ne couvre plus que 6% du territoire et l'on commence à replanter. A l'allure actuelle, l'immense Amazonie sera dévorée en quelques décennies : la plus grande réserve biologique de la planète est rongée par l'agro-business.

▲ Au Brésil, lié aux transes chamaniques, le syncrétisme a aussi une base chrétienne.

Le développement brésilien se fait à partir de technologies achetées sur le marché international et importées dans des entreprises dont le pays conserve la majorité du capital. Par ailleurs, la recherche technique brésilienne, déjà bien équipée, s'accroît sans cesse. Dans le chaudron brésilien, les ingrédients sont variés et goûtus : des hommes jeunes, compétents, formés dans tous les pays du monde ; un système de financement mixte qui garantit la diversité et le réalisme ; une volonté nationale de réappropriation de la technique et d'indépendance qui débouche sur de grands projets cohérents ; quelques réalisations, suffisantes pour démontrer une compétitivité naissante. On peut contempler, en comparaison, une recherche européenne au recrutement

■ *Le Brésil est à la fois un pays industrialisé et un pays en voie de développement. l'économie brésilienne est un géant qui s'éveille. Une croissance impressionnante, le "miracle brésilien", est poussée en avant par l'inflation. Les ressources naturelles sont immenses.*

■ *Dans le chaudron brésilien, les ingrédients sont variés et goûtus : des hommes jeunes ; un système de financement mixte ; une volonté nationale de réappropriation de la technique et d'indépendance.*

▲ Au Sénégal, on peut être initié au Casamana.

bloqué, vieillissante, divisée, enserrée dans sa techno-structure bureaucratique. Tout laisse penser que dans les prochaines décennies, la créativité technique se déplacera vers des pays comme le Brésil.

La technologie a été conçue ailleurs, par d'autres et pour d'autres. L'assimiler au plus vite pour mieux s'en libérer, voilà ce que recommande l'instinct, réflexe viscéral où l'identité est en jeu. En réponse aux pillages coloniaux du passé, on peut s'attendre à ce que le Brésil cherche à prendre sans donner. Etablir des relations durables de partenariat n'est pas son problème. Il veut capturer la technologie pour la brasilianiser. Le directeur du Centre National de Recherche dit en substance : le nombre de chercheurs croît de 15% par an ; ils sont jeunes et tendent à reproduire ce qu'ils ont appris à l'étranger. Concernant l'industrie, la principale difficulté est que celle-ci ne pose pas de questions : soit ce sont des multinationales qui ont leurs ressources scientifiques ailleurs ; soit ce sont de petites entreprises faibles qui n'entendent rien à la recherche. D'où l'impression que la technologie continue à échapper au Brésil, qu'il est habité par les forces qui lui sont extérieures. Il ne s'agit pas d'un constat résigné, mais du point de départ d'une politique, dont la volonté se manifeste dans tous les secteurs.

■ *Quel que soit le poids de la science, l'accès à la connaissance, inavoué mais évident, se réfère aux expériences extatiques de la macumba, le vaudou brésilien. Cette religion populaire, qui prend ses racines dans le fonds chamanique, utilise la transe pour accéder à la connaissance. Le rythme appelle les esprits, qui descendent "chevaucher" les danseurs. Ils entrent alors en communication directe avec le surnaturel.*

Car ce pays est d'un dynamisme irrésistible. Il avance au rythme ondoyant mais implacable de ses sambas. La réalité n'est ici qu'un théâtre d'ombres, derrière lequel on sent à tout moment la présence du rythme vital. Un industriel parle de son banquier comme d'un sorcier, qui aurait des pouvoirs mystérieux. Quel que soit le poids de la science, l'accès à la connaissance, inavoué mais évident, se réfère aux expériences extatiques de la macumba, le vaudou brésilien. Cette religion populaire, qui prend ses racines dans le fonds chamanique[1], utilise la transe pour accéder à la connaissance. Le rythme appelle les esprits, qui descendent "chevaucher" les danseurs. Ils entrent alors en communication directe avec le surnaturel ; des sacrifices d'animaux accompagnent la cérémonie. La possession se manifeste par des phénomènes pouvant aller jusqu'à des pertes permanentes de contrôle psychique. L'essentiel du culte est l'accès direct à l'essence de la vie. "*L'espoir fait vivre,* dit un proverbe haïtien, *le vaudou encore plus.*" L'expérience sensible de cette distance que procure l'extase[2] est un accès à la connaissance qui nous vient du

La musique est ce qui rapproche. Proverbe chinois.

En Thaïlande, l'exorcisme est pratiqué par un prêtre bouddhiste. ▼

[1]Mircéa Eliade, Le chamanisme et les techniques archaïques de l'extase, Payot, Paris, 1988.

[2]ex-statis, étymologiquement se tenir en dehors de soi-même.

fond des âges : le plus direct et le plus dangereux aussi, mais peut-être le plus authentique. La musique et le rythme, langages de l'âme, apparaissent aussi substantiels que le discours. Grâce à la musique, la transe, en tant que processus d'accès à la connaissance, a franchi toutes les frontières dans la seconde moitié du vingtième siècle. Aux yeux de nos petits-enfants, la date importante entre 1945 et 2000 sera peut-être celle de Woodstock. Ils étaient des centaines de milliers à chanter la liberté et l'unité de l'espèce humaine. Après avoir ébranlé toutes les nations industrialisées, ces chants, tels des trompettes de Jéricho, ont fait tomber des murs quelques années plus tard : le mur de Berlin, puis celui de l'apartheid.

LA CONNAISSANCE EN CALIFORNIE : SILICON BABEL

"La vallée est un village. Il appartient à ses habitants, pas aux compagnies", dit Jean Deléage, l'un des rares Français qui travaille dans le capital risque[1]. *"Quand on vient me trouver pour lancer une affaire, je demande pour chaque membre de l'équipe fondatrice les noms de dix personnes capables de me renseigner sur ses capacités ; je téléphone méthodiquement à toutes et j'ai toujours une réponse, même s'il s'agit de personnalités très occupées. A la fin de la communication, je demande : pouvez-vous me donner le numéro de quelqu'un qui ne serait pas du même avis que vous sur l'intéressé ? En général, on me répond et je peux de la sorte obtenir un portrait contrasté. Le reste des informations dont j'ai besoin est plus technique : en trois semaines, le dossier est bouclé."* Ainsi, le village donne son opinion sur les villageois. On est ou non connu dans la vallée, on y a plus ou moins bonne réputation. Cette opinion a du poids. C'est l'endroit du monde où l'on peut "lever" vingt millions de dollars sur une idée technologique, avec pour seule garantie sa compétence. Mais ici, les critères selon lesquels cette réputation s'établit ne sont pas tout à fait les mêmes qu'ailleurs. Les légendes que l'on raconte sur Silicon Valley ne servent que d'ornement à une valeur qui ici prime toutes les autres : le professionnalisme.

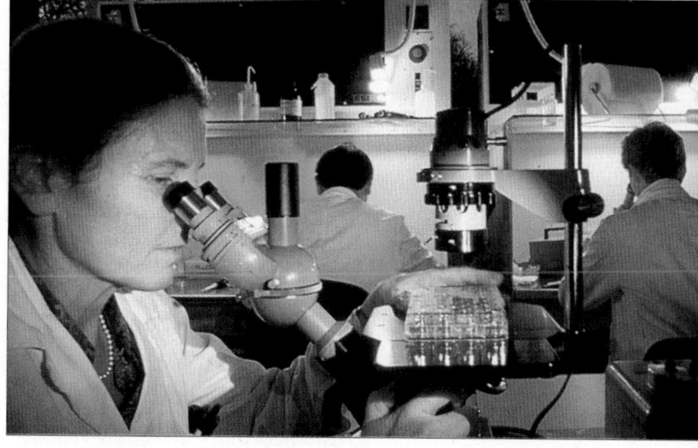

▲ *Le culte de l'infiniment précis marque Silicon Valley.*

C'est une tour de Babel. Plus du tiers des nouveaux entrepreneurs sont des étrangers, venant de toutes les parties du monde : des Chinois, des Polonais, des Italiens, des Anglais, des Latino-Américains. Peu importe leur race, leur religion, leur langue dès lors que ce sont de bons professionnels. Car cette tour de Babel a un langage commun : la technologie. On ne parle pas politique, race, religion ni sexualité mais *wafer*[2], *chip* et *CAD-CAM*[3]. Le professionnalisme, c'est d'abord un talent technologique, la maîtrise d'un métier.

[1] Sur les 7,2 milliards de dollars investis en 1986 dans le capital-risque aux Etats-Unis, un tiers l'est en Californie, dont plus de la moitié dans le comté de Santa Clara (Silicon Valley).

[2] Tranche de monocristal de silicium à partie de laquelle on fabrique les "chips" ou puces électroniques.

[3] Computer aided design et computer aided manufacturing : systèmes de conception et de fabrication assistés par ordinateur.

Lorsqu'on visite les entreprises, il se manifeste, y compris dans les plus petites, par un accueil méthodique : chaque visiteur a droit à un dossier de présentation. L'exposé introductif d'une demi-heure est illustré de diapositives. La démonstration du matériel est au point. Dans leur grande majorité, les habitants de la vallée ont acquis leur professionnalisme en travaillant dans une grande entreprise. C'est la voie royale : après avoir obtenu son doctorat à Stanford, on passe une dizaine d'années dans une multinationale, aussi près que possible de son cœur technologique. Après quoi on s'installe à son compte avec une bande d'amis pour fabriquer des produits concurrents. Le passage dans une grande entreprise, pour les hommes de talent, a pour but principal de se préparer à créer sa propre affaire. C'est reconnu, presque évident : ce qui peut arriver de mieux à une grande structure, c'est de faire des petits. Il ne s'agit pas, comme en Europe, de manger les enfants (les petites entreprises), mais de les engendrer par essaimage. Le passage dans un grand groupe est nécessaire, car il permet au créateur de prendre la mesure des difficultés de l'industrialisation d'une nouveauté technique, de mieux maîtriser le temps nécessaire pour les résoudre.

VOYAGER 2 : UN COUP AU BUT OU LA PRÉCISION DE LA SCIENCE

Voyager 2, une sonde de 800 kilogrammes, a mis douze ans pour parcourir une distance de 4,5 milliards de kilomètres et passer à 5 000 kilomètres de Neptune le 25 août 1989 à 5h55. Si l'on considère l'exploit de Voyager 2 comme un coup au but tiré à une distance de cinq milliards de kilomètres, l'incertitude est de l'ordre de un millionième. On sait faire beaucoup mieux : l'incertitude de la définition du mètre est de 10^{-10}, donc dix mille fois plus précise. La mesure de la distance Terre-Lune est, pour sa part, précise à quelques centimètres près. C'est celle du temps mis par une impulsion laser pour aller et revenir (environ deux secondes). La longueur du parcours de la Terre à Neptune est déterminée à 500 mètres près. Cette précision de la mesure des distances est due au rattachement à la mesure du temps qui, à son tour, est définie avec une précision dix mille fois meilleure. La seconde est la durée de 9 192 631 770 périodes de la radiation lumineuse émise lors d'une transition entre deux niveaux fins d'excitation de l'atome de césium. Elle est définie avec une incertitude relative de 10^{-14}, soit une seconde pour dix mille siècles. Dans l'avenir, les distances pourront être définies avec la même précision. Au vingt-et-unième siècle, on réduit l'incertitude sur le temps à 10^{-16}. Les différences de marche entre des horloges placées à des altitudes terrestres différentes deviennent alors perceptibles, ce qui ouvre des applications en géodésie. On estime que les incertitudes relatives aux unités fondamentales pourraient encore être divisées par 10 ou 100 d'ici à l'an 2 000, notamment par la découverte de principes physiques nouveaux. La masse serait rattachée à la mole (unité de quantité de matière) par l'intermédiaire du nombre d'Avogadro. L'incertitude liée à sa détermination serait alors meilleure que 10^{-9}.

■ La plupart des habitants de la vallée ont acquis leur professionnalisme en travaillant dans une grande entreprise. Après quoi ils s'installent à leur compte avec une bande d'amis pour fabriquer des produits concurrents : ce qui peut arriver de mieux à une grande structure, c'est de faire des petits. Il ne s'agit pas, comme en Europe de manger les enfants (les petites entreprises), mais de les engendrer par essaimage.

On opère en électronique avec des gants de chirurgien. ▼

Silicon Valley est un vivier qui fonctionne selon un modèle biologique, par essais et erreurs. Déposer son bilan est considéré comme un accident regrettable mais n'entame pas nécessairement la crédibilité de l'entrepreneur. C'est peut-être une nécessaire phase d'apprentissage. En revanche, plusieurs échecs répétés sont condamnables, car ils montrent une incapacité à tirer les leçons de l'expérience. Les Etats-Unis, et plus particulièrement la Californie, sont un immense lieu d'exercice de la méthode expérimentale. Tout est possible pour qui sait tirer les leçons de l'expérience, mais tant pis pour ceux qui n'ont pas compris. *"Le plus impressionnant ici,* dit un jeune ingénieur français qui travaille en Californie, *c'est la méthode. Les gens s'occupent de ce qu'ils savent faire, ils ne mettent pas leurs pieds ailleurs. Les échecs servent à apprendre. Quand il se passe quelque chose d'imprévu, on cherche d'abord à savoir pourquoi. On en profite pour se perfectionner. En cela, cette méthode contraste avec celle qui consiste, quand les choses ne marchent pas, à sacrifier un responsable, le bouc émissaire, sans chercher à comprendre."*

VOYAGER 2 : LA MÉTROLOGIE EN AMONT DE LA SCIENCE

Sur Neptune, ont été emmenés :
- deux caméras pour prendre des photos numérisées ;
- un spectromètre et un radiomètre à infrarouge pour mesurer la température, reconnaître certaines combinaisons chimiques et mesurer la quantité de lumière solaire que reflète la planète ;
- un spectromètre ultraviolet pour repérer des types d'atomes et indiquer la présence de processus physiques particuliers ;
- un polarimètre pour étudier la réflexion ou l'absorption de la lumière par la surface des satellites, par les particules contenues dans les anneaux, et pour donner la texture, voire la composition précise d'un sol ou d'une brume atmosphérique.
En outre, les instruments suivants observent les ondes, les particules et les champs des objets célestes :
- les antennes de radioastronomie détectent les signaux radio des planètes, de leurs magnétosphères, leurs plasmas (gaz d'atomes ionisés) ;
- les magnétomètres mesurent les champs magnétiques du sol et des planètes. Trois détecteurs repèrent les particules chargées de très basse énergie ;
- l'instrumentation pour le rayonnement cosmique enregistre les particules les plus énergétiques, ce qui permet une meilleure compréhension de l'évolution des astres.

A Silicon Valley, ce ne sont pas les ingénieurs qui vont vers les usines, mais l'inverse. Tout est fait pour retenir les bons techniciens. Les rémunérations sont sans doute plus élevées, mais ce n'est pas tout. Les petites entreprises offrent presque systématiquement des actions à leurs salariés. Les grandes organisent l'intrapreneuriat,

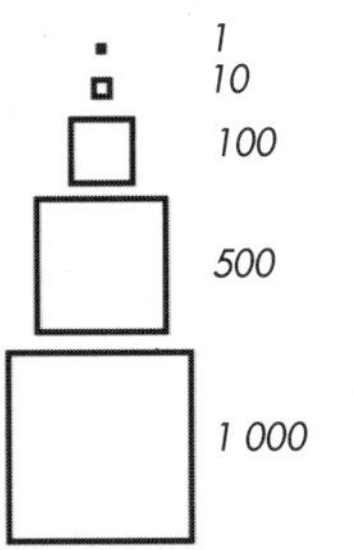

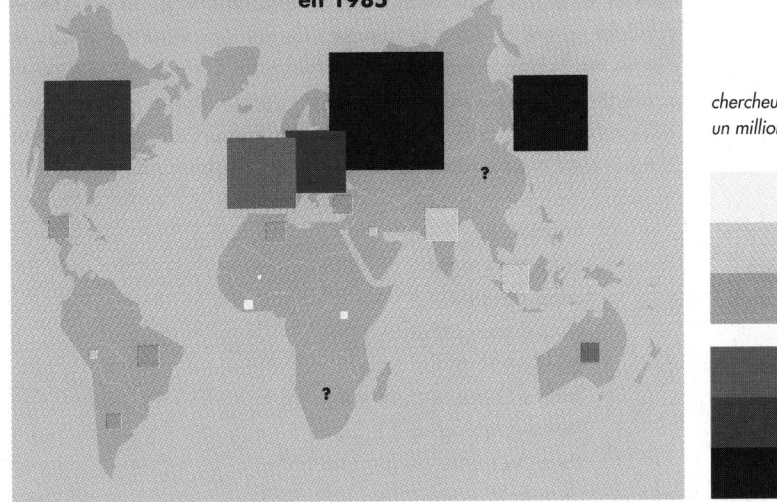

c'est-à-dire qu'elles donnent l'occasion d'entreprendre dans l'entreprise, en étant rémunéré selon les résultats. Certaines construisent des terrains de sport, des piscines sur les lieux de travail et toutes sortes d'animations qui en font des organismes intermédiaires entre une fabrique et le Club Méditerranée. "*Business is fun*", aiment à dire les habitants du village, cherchant à transmettre leur joie de créer.

▲ *Le confessionnal des robots est transparent.*

Les consultants en développement industriel expliquent que l'entreprise est en réalité un être vivant, un lieu où la vie doit prendre un sens. Les compagnies efficaces, disent-ils, sont celles qui ont une philosophie, une vision du monde qui donne un sens au travail et permet de vivre le changement. Si cette philosophie est assez forte, chacun peut situer son action, sans même avoir reçu d'instruction particulière. Ainsi voit-on sur les murs de l'entrée ou dans les bureaux des affiches qui énoncent la "philosophie" de la compagnie. Ce qui frappe aux Etats-Unis, c'est la variété des philosophies d'entreprise. Elle découle de l'immense liberté expérimentale : pourvu qu'elle gagne de l'argent, l'entreprise peut reposer sur n'importe quelle base idéologique. De Disney[1] à Apple en passant par General Motors[2], la diversité est grande ; elle fait parfois froid dans le dos de l'Européen : du projet d'entreprise au lavage de cerveau dans la plus grande tradition des sectes, il n'y a pas très loin.

En fait, Silicon Valley tout entière est imprégnée d'une seule et même philosophie de la connaissance à base de professionnalisme. C'est, en quelque sorte, une rationalité relativiste. Elle consiste à dire ceci : nul d'entre nous (y compris le Président) n'a accès à une vérité absolue, mais chacun d'entre nous accède à une vérité relative, s'il est compétent dans sa spécialité. Ces vérités relatives sont ce qu'il y a de plus précieux. La rationalité consiste à les reconnaître comme telles et à faire en sorte qu'elles interagissent et s'entraident. Du jeu de cette communication sort l'être collectif "entreprise". C'est elle qui permet, en s'appuyant sur la méthode expérimentale, de réaliser des produits, d'entrer dans le concret. Ce qui se passe n'est pas de l'ordre de la découverte ou de la révélation. C'est plutôt une calme imprégnation de toute une société par cette rationalité relativiste, une redescente de la vérité au niveau de la communication quotidienne. Témoin cette affiche, dans un atelier de circuits imprimés :

Je sais
que vous croyez
avoir compris
ce que vous pensez
que j'ai dit, mais
je ne suis pas sûr que vous
réalisiez que ce que
vous avez entendu n'est pas
ce que j'ai voulu dire.

[1]*Yves Eudes, La société Disney : un modèle de communication totale, in Manière de voir n°3, Le Monde Diplomatique, Paris, 1988.*

[2]*Philippe Messine, Les saturniens : quand les patrons réinventent la société, La Découverte, Paris, 1987.*

■ ***Certaines entreprises construisent des terrain de sport, des piscines sur les lieux de travail et toutes sortes d'animations qui en font des organismes intermédiaires entre une fabrique et le Club Méditerranée. "Business is fun", aiment à dire les habitants du village, cherchant à transmettre leur joie de créer.***

■ ***Les compagnies efficaces, disent-ils, sont celles qui ont une philosophie, une vision du monde qui donne un sens au travail et permet de vivre le changement. Du projet d'entreprise au lavage de cerveau dans la plus grande tradition des sectes, il n'y a pas très loin.***

■ ***Toutes les cultures ont quelque chose à apporter, bien qu'aucune ne détienne à elle seule les clefs du futur. Trois grandes approches de la connaissance, plus ou moins développées selon les régions du monde, se rejoignent dès le début du troisième millénaire.***

Aux débuts du néolithique, à Gatal Huyük en Turquie, la fécondité avait sa déesse. ▶

▲ Datant de 3500 avant J.-C., à Locmariaquer en France, la pierre dite de la Grande Déesse serait l'une des plus anciennes figurations religieuses.

LA GRANDE RICHESSE

Jusqu'au milieu du vingtième siècle, les cultures se mesuraient entre elles, chacune cherchant à établir sa supériorité absolue sur toutes les autres. Les Européens traitaient les Chinois en inférieurs et ceux-ci pensaient que les Européens étaient des barbares. Les quelques voix qui plaidaient pour une reconnaissance mutuelle paraissaient émaner de personnages excentriques et amoureux d'exotisme naïf.

A la fin du vingtième siècle, le développement des échanges a obligé les uns et les autres à mieux se connaître et aussi à reconnaître leurs qualités respectives. Les quelques faits glanés dans cinq grands pays autour de la planète montrent l'extraordinaire diversité des approches et les possibilités d'enrichissement mutuel. Toutes les cultures ont quelque chose à apporter aux autres, bien qu'aucune ne détienne à elle seule les clefs du futur.

Il en résulte trois grandes approches de la connaissance, plus ou moins développées selon les régions du monde, qui se rejoignent dès le début du troisième millénaire.

La première est celle de la science. C'est une exploration de la matière, au moyen d'instruments de mesure de plus en plus fins. A partir de cette exploration, une théorie est élaborée, puis on recherche des faits qui la contredisent, après quoi on bâtit une autre théorie tenant compte de ces faits, puis on en cherche d'autres pour contredire la nouvelle théorie, et ainsi de suite.

Qui manie le miel s'en lèche les doigts.
Proverbe français.

La deuxième est celle de la transe. Que ce soit par la danse, par la méditation ou par d'autres voies, le sujet atteint des états de conscience qui le mettent en relation directe avec l'intimité des êtres et des choses. Le souvenir d'anciennes pratiques chamaniques est réactualisé dans de nouvelles formes de communion autour de musiques

CO-NAISSANCE.

populaires, de danses, d'activités sportives individuelles ou collectives. Plus largement, cette approche de la connaissance s'exprime dans le registre des fonctionnements amoureux, où les individus sont en résonance (avec l'être aimé, l'équipe de football, le mouvement des vagues ou la nature).

▲ *Le fonds religieux est uni : les symboles cosmiques des Kilims d'Asie centrale rejoignent ceux des Indiens d'Amérique.*

La troisième est celle du langage des symboles et des signes. Présente presque uniquement dans l'art en Occident, elle est permanente dans les idéogrammes chinois, qui évoquent à la fois un son, une idée, un graphisme et toute une généalogie de sens et d'analogies. Ce qui est dit alors n'est pas démontrable au sens de la Science, mais seulement plus ou moins "efficace"[1] dans la communication. "*L'art ne reproduit pas le visible, il rend visible*", disait Paul Klee.

A la fin du vingtième siècle, les Occidentaux se considèrent comme les maîtres de la raison scientifique, les Africains et les Brésiliens comme les maîtres du rythme, les Chinois et les Japonais comme les maîtres des signes. Mais ces trois fonctionnements de la connaissance sont déjà présents partout et s'interpénètrent. Au vingt-et-unième siècle, ils se rejoignent en une totalité trifonctionnelle, au sens de Dumézil[2]. Le système cognitif planétaire peut alors se résumer en trois mots : la Science, l'Amour et l'Art. Cela sous réserve de les comprendre, non pas comme des activités institutionnelles, mais plutôt comme des pratiques quotidiennes de tous les hommes. Il appa-

[1] *Marcel Granet, La civilisation chinoise : la vie publique et la vie privée, Albin Michel, Paris, 1979.*

[2] *Georges Dumézil, Les Dieux souverains des Indo-européens, Gallimard, Paris, 1977.*

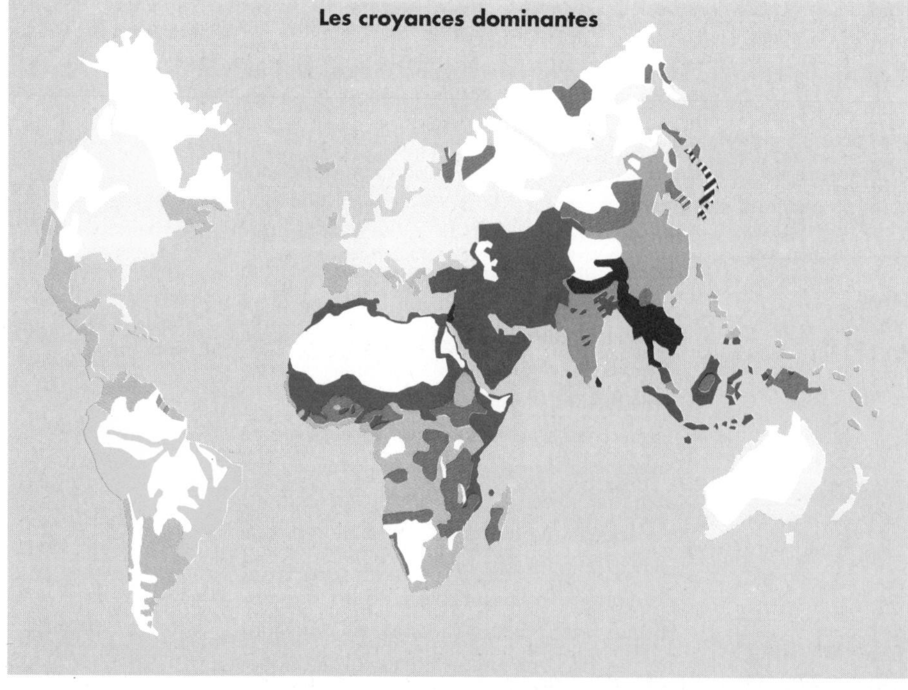

raît alors que la science instituée n'a pas le monopole de la démarche scientifique, ni les églises le monopole de l'amour, ni les artistes professionnels le monopole de l'art.

▲ *Le Dieu de l'Islam est abstrait.*

LE CAS DE L'ISLAM

Voyons maintenant le mouvement inverse, de haut en bas, de la théorie vers la pratique. Max Weber défendait la thèse que le protestantisme était plus favorable à la prospérité économique que le catholicisme, parce que les protestants voyaient dans le succès de leurs affaires le signe d'une faveur divine, tandis que les catholiques y trouvaient surtout des raisons de culpabiliser. Aujourd'hui, nombreux sont les commentateurs qui croient que l'Islam engendre inévitablement la pauvreté, par suite de son fatalisme et de son désintérêt pour les choses concrètes. Il est vrai que les pays islamiques, mis à part ceux que le pétrole a dotés d'une richesse qu'ils n'ont pas eu à produire, ne semblent pas doués pour la prospérité telle qu'elle est définie en Occident, c'est-à-dire reposant sur le développement industriel. Mais les choses ne sont pas si simples. Les débuts de l'Islam, entre le septième et le dixième siècle, se sont accompagnés de progrès considérables des sciences et des techniques, qui s'expliquent par la nature profonde du message coranique. Le Dieu de l'Islam est abstrait. On ne peut le représenter sous forme humaine ou animale. La décoration islamique aime la symétrie et la répétition. C'est aussi ce que cherchaient dans la Nature les penseurs des premiers siècles de l'Hégire. D'où des progrès remarquables en médecine, l'invention de l'algèbre... Dès le dixième siècle, Bagdad compte plus d'un million d'habitants, alors que les villes européennes, telles que Paris, n'atteindront trois cents mille qu'au quatorzième. La société musulmane de l'époque est beaucoup plus riche et raffinée que celle de l'Europe. C'est grâce à elle que l'Occident redécouvre la philosophie grecque, oubliée depuis la fin de l'empire romain. Une abondante littérature technique circule, profitant des apports des civilisations sous tutelle, à l'Est comme à l'Ouest. Des jardins magnifiques s'épanouissent dans le Sud de l'Espagne. Comme la Chine, l'Islam était donc bien mieux placé que l'Europe pour donner naissance à la technique moderne. Mais sa pensée, qui fourmillait de curiosité et d'initiative, s'est comme figée pendant le douzième siècle. L'intransigeance

Qui a une bonne tête ne manque pas de chapeaux.
Proverbe français.

■ ***A la fin du vingtième siècle, les Occidentaux se considèrent comme les maîtres de la raison scientifique, les Africains et les Brésiliens comme les maîtres du rythme, les Chinois et les Japonais comme les maîtres des signes. Mais ces trois fonctionnements de la connaissance sont déjà présents partout et s'interpénètrent.***

■ ***Le système cognitif planétaire peut alors se résumer en trois mots : la Science, l'Amour et l'Art. Cela sous réserve de les comprendre, non pas comme des activités institutionnelles, mais comme des pratiques quotidiennes de tous les hommes.***

de l'anti-philosophe Al-Ghazali (1058-1111), vitupérant au nom de la foi contre la liberté de pensée, a raison des hommes d'ouverture : Avicenne en Perse, Al-Farabi, Averroès en Espagne ... Pour les traditionnalistes, la perfection, sur tous les plans, a été atteinte. Depuis, on ne peut que reproduire et tenter de s'approcher des modèles du passé. Ce qui est nouveau ne peut exister sans respecter ce qui est déjà, et, d'une certaine manière, avoir déjà été. L'innovation est désignée par le mot "bidda", qui signifie aussi blasphème. L'enseignement coranique apprend à lire et à écrire dans le Coran, sacralisé, non dans un but d'évolution, mais de psalmodie, de répétition. Dans l'Islam - et aussi dans quelques autres civilisations - le temps s'est arrêté. Le texte sacré fonctionne alors comme pré-texte à une sorte d'hypnose sociale qui peut perdurer plusieurs siècles. C'est ce que les philosophes appellent la fermeture de l'"ijtihad". Les modernistes, malgré le poids de la tradition, font observer que la notion d'"ijtihad" a toujours subsisté, même discrètement, et qu'elle constitue l'ouverture irréductible à l'innovation, figurant dans le Coran. Le mot désigne en effet le cheminement que le croyant poursuit par lui-même pour se perfectionner et se rapprocher de son Dieu. Ainsi, il peut gérer son rapport avec la transcendance et exercer ses capacités créatrices. Tout n'est pas déjà déterminé, l'univers reste ouvert à l'action des individus, l'innovation est possible. L'approche linguistique permet d'éclairer ce débat. La "jihad", guerre sainte, signifie en fait l'effort et le combat, puis, par extension, la guerre contre l'"autre", l'infidèle incarnant le mal. "Ijtihad" est le même mot, auquel a été rajouté le radical "ij", signifiant le retour sur soi, la réflexivité. Il s'agit donc, en quelque sorte, d'une guerre sainte avec soi-même, d'un "chemin de la perfection". Dès lors, le fond de la controverse apparaît clairement. Le présent est-il porteur de transformations profondes, comme autrefois les temps prophétiques, ou ne peut-il s'animer que de souvenirs, de répétition nostalgique du passé ? Dans le second cas, le croyant ne peut que se durcir au-dedans et, si l'on touche au souvenir, partir en guerre sainte. Dans le premier, il déclare non plus la "jihad" mais bien l'"ijtihad", l'enseignement du futur.

■ *Au douzième siècle. Ibn Arabi et Averroès pour l'Islam, Maïmonide pour le judaïsme et Abélard à Paris pour la chrétienté disaient tous d'une même voix : non à la cléricature, pas de "doctrina sacra" ; la connaissance est l'affaire de tous les hommes, sans exception. Ce vent de liberté d'esprit s'accompagne d'un extraordinaire bond en avant de la technologie.*

▲ Livre de médecine islamique du dixième siècle montrant la réduction d'une luxation du genou.

Le chemin de la perfection mène au monde de demain. ▼

DÉSTABILISATION DES CONNAISSANCES

Au moyen âge comme au siècle des Lumières, la transformation du système technique européen s'est accompagnée d'une déstabilisation des fonctionnements de la connaissance. Tout change à la fois, le concret et la pensée. Les scénarios de ces deux époques présentent bien des similitudes. La classe dirigeante est atteinte d'irréalité. Elle vit dans les fantasmes du passé. Au moyen âge, la chevalerie rêve de combats héroïques et violents, alors qu'il faut installer une agriculture paisible. Au siècle des Lumières, la noblesse s'épuise en jeux de cour, alors qu'il faut développer le commerce et l'industrie. De nos jours, la classe dirigeante, l'effendia, est progressivement devenue irréaliste. Elle veut accumuler des pouvoirs et de l'argent, alors qu'il s'agit de développer la techno-nature en harmonie avec la planète. Dans tous les pays, elle tente de masquer son inefficacité en produisant un discours surabondant, qui relève de la pornographie : il montre les choses, sans y donner accès. L'efficacité, qui pourrait être déployée grâce aux immenses connaissances accumulées par tous les hommes, est minée par des débats byzantins, inhibée par le respect des chasses gardées, territoires abstraits complètement irréels.

▲ *La foi en l'avenir est comme la proue d'un bateau qui s'avance dans l'océan des connaissances (Eglise de Ronchamp, conçue par Le Corbusier).*

Au moyen âge comme au siècle des Lumières, la philosophie et la liberté de pensée surgissent, portées par des minorités actives et impertinentes. Les docteurs de la foi du vingtième siècle pourraient, avec profit, relire les magnifiques textes écrits à Cordoue au douzième siècle. Ibn Arabi et Averroès pour l'Islam, Maïmonide pour le judaïsme et Abélard à Paris pour la chrétienté disaient tous d'une même voix : non à la cléricature, pas de "*doctrina sacra*" ; la connaissance est l'affaire de tous les hommes, sans exception. Chacun doit suivre son propre chemin. Le mouvement philosophique du siècle des Lumières tiendra le même discours. Dans les deux cas, sous des formes différentes, on se tourne vers la technique : non plus le savoir, mais le savoir-faire. Ce vent de liberté d'esprit s'accompagne d'un extraordinaire bond en avant de la technologie. Dans les classes dirigeantes crispées sur des comportements archaïques et prédateurs, se lève en effet une minorité traîtresse et libertaire, qui restitue au peuple les connaissances pratiques qui lui avaient été confisquées.

VERS UNE CONFLAGRATION DE L'ESPRIT

Quand l'archer est né, il ne tenait pas d'arc. Proverbe africain.

Pour importantes qu'elles soient, les transformations du vingt-et-unième siècle ne paraissent qu'effleurer la métaphysique. Beaucoup seront tentés de croire qu'elles laissent intacte l'essence de la civilisation ; telle n'est pas notre opinion. Les conditions sont maintenant réunies pour une conflagration de l'esprit. Les sciences, les arts et les religions en sortiront méconnaissables. Des comportements qui se perpétuent depuis des siècles peuvent-ils être remis en cause par

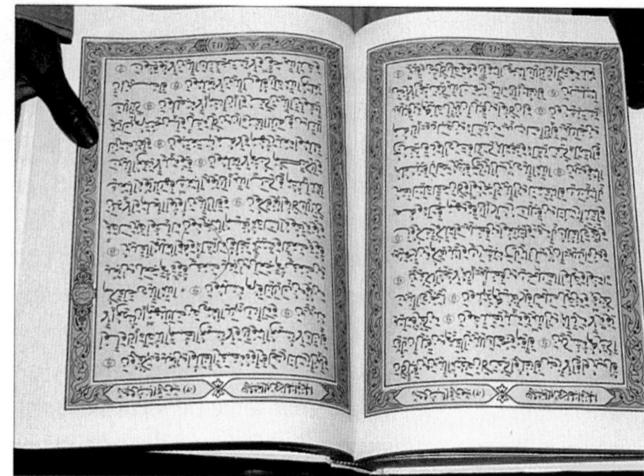

▲ *Désacraliser les textes écrits en d'autres temps, en d'autres lieux, à d'autres fins, sur d'autres matériaux …*

quelques connexions téléphoniques supplémentaires ? Oui, car la révolution technologique du début du troisième millénaire a une ampleur comparable aux précédentes et s'accompagne aussi nécessairement d'un souffle irrésistible de liberté d'esprit. Son ampleur est peut-être même plus grande encore parce que, cette fois, la communication et la mémoire sont directement touchées par la mutation technologique. Le vingt-et-unième siècle ressemble au sixième siècle avant J.-C., pendant lequel tout a basculé dans le monde entier : Bouddha en Inde, Confucius et Lao Tseu en Chine, Héraclite, Parménide et Thalès en Grèce. A l'époque, ils firent table rase des anciennes superstitions. Ils affirmèrent que l'homme pouvait accéder à la transcendance et penser par lui-même. L'extraordinaire libération de l'espace mental ouverte par la technique moderne semble mener inévitablement à la même affirmation. Mais cela ne se passe certainement pas sans conflit. Les intégrismes qui se lèvent à la fin du vingtième siècle procèdent en effet du même mouvement : ce sont des réactions de défense et de peur face au "choc du futur". De nouveau, ils engagent un combat désespéré pour arrêter le temps. Ils imposent des formes de relations humaines (racisme, subordination, sexisme) qui dénient toute légitimité à l'accès personnel à la connaissance. Ils jouent le passé contre le présent, la fixité contre l'innovation. A terme, ils ne peuvent que perdre. Cette tension entre le passé et l'avenir, entre la répétition et la création, chacun la retrouve dans sa vie personnelle. On peut choisir la routine, les habitudes, s'engoncer chaque jour plus profondément dans un personnage social. On peut aussi choisir de vivre, de rendre chaque instant créateur, et se comporter comme si on devait mourir dans la minute qui vient. "*Carpe Diem*"[1] disent les poètes. Chaque moment est une aurore. Il contient en germe l'avenir. Et chacun a le droit d'y introduire les plus osées des nouveautés, celles qui n'étaient pas programmées.

■ **La révolution technologique du début du troisième millénaire est d'une ampleur incomparable parce que, cette fois, la communication et la mémoire sont directement touchées par la mutation technologique.**

■ **Le vingt-et-unième siècle remplace les religions par des gnoses, c'est-à-dire de libres accès à la connaissance, où chacun fait son chemin spirituel.**

Le modèle relativiste qu'Einstein a proposé pour l'univers physique, s'accompagne désormais d'une compréhension relativiste de la vie, de la pensée et de la Nature. La fin de l'absolutisme, inaugurée par Montesquieu, s'étend à tous les processus cognitifs. Les résultats de

[1] *Le cercle des poètes disparus, film de Robin Williams, 1990.*

la Science ne sont que des paradigmes[1], des commodités provisoirement acceptables, exprimées à chaque génération dans un style[2] différent. Après la disparition, à la fin du vingtième siècle, des derniers

pouvoirs absolutistes, le vingt-et-unième voit la fin des religions, dernières croyances absolutistes. C'est la condition du renouveau de la spiritualité. Plus précisément, il remplace les religions par des gnoses. Les religions sont portées par une cléricature, qui s'interpose entre l'individu et la connaissance, et lui explique ce qu'il faut penser. La gnose est en quelque sorte un accès en libre service à la connaissance, où chacun invente son chemin spirituel. Les dieux tutélaires des tribus étant bien rangés aux côtés des religions universelles dans le musée des folklores de la foi, il reste, en première ligne, l'être humain. Son appartenance à l'espèce humaine et à la biosphère suffisent à cadrer le contexte spirituel du troisième millénaire. Seuls sont sacrés la Nature et l'individu (tous les individus, ce qui implique le respect des droits de l'homme). Pourquoi ces deux sacralisations ? Parce que l'être humain appartient à la biosphère, sans laquelle il ne peut survivre, et parce que chaque être humain est médiateur de la connaissance, porteur d'une parcelle de l'Esprit. Les dieux sont intérieurs. Et personne ne peut donc se réclamer d'un Dieu extérieur pour porter atteinte à l'Homme ou à la Nature. Désacraliser les vieux textes sacrés, écrits en d'autres temps, en d'autres lieux, à d'autres fins, est un préalable pour se mettre en rapport, à nouveau, avec l'Esprit : faire le ménage pour laisser apparaître le futur. ■

[1] *Thomas Kuhn, La structure des révolutions scientifiques, Flammarion, Paris, 1983.*

[2] *Gilles-Gaston Granger, Essai d'une philosophie du style, Odile Jacob, Paris, 1988.*

… pour que puisse s'exercer le regard du Créateur. ▶

Conclusion

La montée de la liberté

Pendant les années 1980, un espace mondial de télécommunication s'est ouvert. Par ce canal, l'économie de marché s'est lancée à la conquête de la planète. Un extraordinaire vent de libération a soufflé sur le monde : chutes de dictatures en Amérique latine, en Haïti, aux Philippines, ouverture de l'Europe de l'Est, recul de l'apartheid. Tous ces événements politiques sont des manifestations d'un mouvement plus profond des sociétés humaines.

Le mode de vie urbain et son système technique gagnent l'ensemble du monde. De Stockholm à Madagascar, de Pékin à Mexico, on voit les mêmes automobiles, les mêmes téléviseurs, les mêmes tours de bureaux. Malgré la diversité croissante et la personnalisation des objets, un système technique unique s'installe sur toute la planète. Les langues, les cultures et les croyances diffèrent, mais la vie concrète s'uniformise lentement. Et le réseau de télécommunication, infrastructure du nouvel âge, sert partout de support au développement des relations personnelles et des échanges, court-circuitant les hiérarchies. Les jeunes se donnent rendez-vous, les entreprises mettent en concurrence leurs fournisseurs, les particuliers choisissent leur logement et organisent leurs vacances, l'économie informelle se développe, apportant un peu de prospérité jusque chez les déshérités. Cette liberté concrète et quotidienne renforce l'exigence de qualité et de professionnalisme en même temps qu'elle stimule la diversification. Elle décuple aussi les performances économiques.

Mais ce n'est que la partie visible de l'iceberg. L'efficacité se paye par une normalisation des comportements qui ne va pas sans souffrance. La richesse extérieure est trop souvent acquise au prix d'un appauvrissement intérieur. La concurrence exclut aussi les acteurs les moins efficaces. Des millions d'enfants de l'exode rural du tiers monde viennent grossir les banlieues des mégalopoles. Déracinés, souvent illettrés, ils inventent de nouveaux modes de survie. Pour eux, la ville est comme une jungle. Revenus à l'état de nature, ils sont des sauvages urbains.

La nouvelle communication suscite néanmoins la création de richesses nouvelles. Mais, d'un autre côté, elle permet aussi de nouveaux modes d'exploitation de l'homme par l'homme. Le capitalisme du milieu du dix-neuvième siècle exploitait la faiblesse économique. Le "médiatisme", dès la fin du vingtième siècle, exploite la faiblesse psychique : conditionnement des désirs, perte d'identité, systèmes terroristes et maffieux... Dans ce contexte, la drogue, sous toutes ses formes, n'est pas une bavure, mais un aboutissement. Et, en réaction aux dégâts humains de la société moderne, se lèvent les intégrismes, dont la seule référence est le passé. *"no future !"* clament les nouveaux nihilistes.

Malgré de spectaculaires démonstrations de performances, nous

▲ *Dans biosphère 2, l'homme s'exerce à maîtriser un écosystème complet et isolé.*

voyons donc s'amonceler les nuages. Les progrès des systèmes aliénants semblent irrésistibles. Le déploiement planétaire de l'économie de marché ne remédie en rien à cette situation, pas plus qu'elle ne règle les problèmes de protection de l'environnement et de respect des droits de l'homme. A plus d'un titre, le monde euphorique de la fin du vingtième siècle est donc un monde en profond déséquilibre, qui ne peut pas plus longtemps se décharger de ses vieux déchets, qu'ils soient physiques ou psychiques, sur les générations futures.

Les limites du libéralisme triomphant apparaissent à mesure que l'ordre public est troublé. Aucun système vivant ne se laisse dégrader jusqu'à être menacé dans sa survie. Lorsqu'il perçoit que les limites de sécurité sont atteintes, il réagit. Après le ciel d'orage, viennent les éclairs et la pluie.

Bien que l'on ne puisse prévoir les circonstances détaillées, il est possible de décrire un scénario vraisemblable, par analogie avec l'Europe du milieu du dix-neuvième siècle. A l'époque, le prolétariat urbain s'étant multiplié jusqu'à devenir menaçant, la classe dirigeante fait ce qu'il faut pour éliminer la cause du danger. Elle structure les villes, en rasant les quartiers insalubres au profit d'avenues larges et claires, faciles à contrôler par les forces de l'ordre ; elle structure aussi les esprits, apprend à lire, écrire, compter, et inculque la morale bourgeoise aux masses illettrées.

De même, d'ici à 2020, les tendances actuelles s'inversent. De grands programmes d'enseignement et d'urbanisme sont mis en place, mobilisant toutes les ressources de la technique moderne. Ils se déploient là où la classe dirigeante se sent en danger. Car, pour les besoins collectifs, seul l'argent de la peur ne manque pas.

Au début du vingt-et-unième siècle, la démographie des pays du Nord est vieillissante, et celle des pays du Sud, au contraire, dans la force de l'âge. L'Inde et la Chine ont réduit leur natalité, mais l'Afrique et le Moyen-Orient restent encore très prolifiques, au-delà de leurs moyens techniques. Les énormes villes du tiers monde sont des agglomérations inhabitables, manquant d'hygiène, d'électricité, de nourriture et de transports en commun. Le réchauffement de la planète par effet de serre accentue les désertifications au Sud, déjà amplifiées par l'exploitation sauvage des dernières grandes forêts naturelles. En revanche, des zones peu peuplées aujourd'hui, au Canada et en Sibérie, deviennent plus hospitalières. Il y a donc migration du sud vers le nord et mélange des populations.

Les ressources naturelles permettent de nourrir bien plus de douze milliards d'humains munis d'une culture technique moderne, mais certainement pas douze milliards d'illettrés. Les populations riches et instruites étant moins prolifiques que celles qui sont pauvres et ignorantes, le partage du savoir, et surtout des savoir-faire, apparaît donc à long terme comme la seule alternative possible aux violences et aux maladies qui se répandent dans toutes les sociétés humaines.

Le défi du futur est bien de mettre la technique au service de l'homme et non l'inverse. A cet égard, tout semble possible. Les organisations de la société industrielle étaient autoritaires, centralisées, tayloriennes. A mesure que s'installe le nouveau système technique, elles inventent un nouvel humanisme, une société de création où la décentralisation, l'autonomie, l'intelligence, la négociation, le traitement de la complexité concilient l'efficacité et l'épanouissement du potentiel humain.

La structure des communications y est pour beaucoup. La télévision était un média centralisé, exaltant les comportements prophétiques, voire messianiques. Les télévangélistes ont plus d'auditeurs en un soir que le Christ en eut pendant toute sa vie. Le téléphone, qui a été inventé avant la télévision, mais mis en place après, est au contraire décentralisé. Il favorise la communication intime, les relations personnelles, les réseaux de particuliers, la gestion par petits groupes à l'échelle humaine sur toute la planète.

Tout au long du vingt-et-unième siècle, la construction de réseaux de type téléphonique entièrement numérisés et la multiplication des sources d'information dans le monde entier dissout les frontières, renforce le poids de la société civile et diminue celui des pouvoirs centraux quels qu'ils soient. La parole est à celui qui la prend et l'initiative vient de partout, même si la fonctionnalité et la nécessaire normalisation suscitent parfois d'importantes concentrations, sortes de nouveaux pouvoirs captant la gestion technique des réseaux, comme l'agence Reuter pour les informations boursières ou le système Swift pour les transferts de fonds entre banques.

Les Etats-nations déclinent. Entre l'individu et l'espèce humaine tout entière se constituent de nouveaux êtres intermédiaires, de nouvelles formes d'organisations vivantes. Ce sont d'abord les entreprises, mais aussi les associations et toutes sortes de "bidules" et d'organisations transfrontières. Tous sont dotés d'un embryon de système nerveux et de conscience. Soumis sans restriction à une pression concurrentielle de sélection, ils manifestent une vitalité très supérieure aux anciennes

structures statiques et ossifiées du vingtième siècle.
Dans le même temps, le réseau, vu globalement, ressemble aux connexions entre les neurones d'un gigantesque cerveau, qui se renforcent ou se relâchent selon l'attention, l'éveil ou le rêve. Il est déjà le support d'une conscience planétaire en émergence. On peut en saisir les premières manifestations dans les travaux du Club de Rome, puis dans ceux de James Lovelock réactivant le mythe de la Terre mère, Gaïa, considérée scientifiquement comme un être vivant. Après eux, les études, officielles ou non, sur les *"sustainable futures"* - les futurs raisonnables et réalistes - se sont multipliées.

Prise dans son ensemble, et sans détailler région par région, l'évolution de notre monde d'ici 2100 comprend approximativement trois périodes de quarante ans :

1980-2020. La société du spectacle : les médias règnent. On cherche par tous les moyens à capter l'attention fugitive du public, à lui procurer des sensations. L'information ouvre largement la conscience sur le monde, mais elle est elle-même conditionnée par le besoin de persuader. La publicité et la désinformation l'envahissent. Les sophistes ont la parole. Le monde sait qu'il lui arrive des choses, mais il ne sait plus très bien quoi. Chassées de leurs terres par la concurrence des agricultures industrialisées, d'énormes masses humaines viennent silencieusement grossir les banlieues des grandes villes de tous les pays. L'exclusion, la pauvreté, les désordres s'accroissent et se répandent partout.

2020-2060. La société d'enseignements : par peur, et en réaction contre l'insouciance de la période précédente, on cherche à mettre fin à l'illettrisme, à la drogue et aux sectarismes, en éduquant les déshérités. Les moyens techniques offrent des possibilités inconnues de l'école d'autrefois. Ce sont de véritables conditionnements qui sont inculqués par des simulateurs à intelligence artificielle. Le besoin d'ordre se manifeste partout simultanément. Des grands programmes mondiaux d'aménagement, d'urbanisme et de reforestation sont lancés. On construit des villes marines et on se prépare à envoyer dans l'espace des planètes creuses artificielles. L'assiette de la fiscalité est changée pour mettre aussi de l'ordre dans l'environnement. A chacun de payer selon les dégâts qu'il crée ou suscite.

2060-2100. La société de libération : en réaction contre le caractère normatif et presque étouffant de la période précédente, les humains cherchent à libérer leur potentiel créateur. Toute l'espèce humaine est éduquée jusqu'à dix-huit ans et acquiert une culture technique. Le développement des grands projets s'est déployé sur toute la planète. L'aménagement touristique de la Terre est entrepris. Le principe de plaisir est le moteur des plus grandes réalisations. Les activités artistiques se répandent dans toute la population. Le respect et l'épanouissement de la vie sous toutes ses formes sont la préoccupation majeure. Les valeurs féminines dominent. C'est le siècle de la femme. La conscience est élargie. Les humains se sentent responsables de la biosphère Gaïa.

L'ampleur de ces perspectives réactualise les grands débats philosophiques. Aux trois questions fondamentales de la métaphysique (Qui sommes-nous ? D'où venons-nous ? Où allons-nous ?), le philosophe Allan Watts ajoutait une quatrième : qui va faire la vaisselle ? Question à la fois pertinente et impertinente, et plus profonde qu'il n'y paraît. L'évolution future peut en effet être comprise comme le mouvement d'une relation entre un monde intérieur plus ou moins ordonné, et un monde extérieur, lui aussi plus ou moins ordonné. Bien faire le ménage et la vaisselle manifeste au dehors l'ordre intérieur de celui qui le fait. C'est la preuve concrète de la dignité à laquelle l'individu prétend, la démonstration qu'il ne se paye pas de mots. Examinons maintenant, à la lumière de cette exigence, la situation au niveau de l'humanité tout entière. Il y a dix-mille ans, l'une des cent-quatre-vingts-treize espèces de primates, la seule qui soit dépourvue de poils, le "singe nu", qui s'est par la suite abusivement donné le nom d'*Homo Sapiens*, s'ébattait dans la savane. Chasseur-cueilleur, l'Homme invente l'agriculture. Ce faisant, il organise la nature, construit la première techno-nature. Le champ est un espace ordonné, une nature domestiquée, projection de son mental.

Les animaux d'élevage, souvent bien différents de leurs ancêtres sauvages, sont aussi un morceau de nature dans la maison de l'homme, et ils vivent sous sa loi.

En remplaçant la nature par une techno-nature, l'homme introduit donc un ordre issu de son imagination, qu'il maintient au cours du temps (en faisant la vaisselle, au sens large). Ce processus, extraordinairement "rentable", va s'amplifier et se déployer. Il est encore à l'œuvre de nos jours. Les derniers chasseur-cueilleurs sont expulsés de leurs territoires en Amazonie, en Afrique et en Asie du Sud-Est, par les multinationales de l'exploitation minière, du hamburger et du contreplaqué, de la même façon que l'affrontement des cow-boys (éleveurs) et des indiens (chasseurs) en Amérique du Nord avait réduit ces derniers à vivre dans des réserves.

Au-delà de l'agriculture et l'élevage, toute la technique est une extériorisation d'un ordre intérieur. Les insectes s'inventent des pinces, des griffes et des antennes. Nous créons des milliers d'outils différents, qui souvent ressemblent à leurs organes. La forme ne trompe pas : il s'agit bien du même processus créateur qui, pour l'homme, s'incarne à l'extérieur de son corps.

La techno-nature atteint maintenant la planète entière. Les dernières grandes forêts naturelles sont remplacées par des espaces agricoles ou mises en réserve comme parcs naturels, c'est-à-dire sous contrôle, avant 2100. Il ne reste plus que l'océan, dernier espace de chasse et de cueillette. L'aquaculture, la limitation des pêches et la surveillance par satellite le domestiquent à son tour. La progression de la techno-nature se fait sentir dans tous les domaines. La ville est plus artificielle que le village, la mégalopole que la ville, la cité marine encore plus, et la planète creuse, espace habitable construit dans le vide, meublé d'un écosystème autonome, est comme un accomplissement de cette évolution technicienne. De même, le robot est plus "techno" que la machine-outil, l'ordinateur plus que le boulier. Et les manipulations génétiques font pénétrer la technique au cœur même du vivant. La conception d'êtres vivants artificiels, incarnations de nos fantasmes, nous renvoie à nous-mêmes. La technique n'était qu'un outil. Elle devient un miroir grossissant, impitoyable comme tous les miroirs. L'espèce humaine aborde le troisième millénaire avec les pouvoirs d'un démiurge et les instincts d'un primate. C'est une époque à haut risque.

Le stade suivant de l'hominisation se présente à l'approche des limites, lors de la rencontre des saturations, des pollutions et des pénuries. Car l'ordre que l'Homme a projeté à l'extérieur crée aussi des désordres dans la biosphère : les déchets, les pollutions, l'effet de serre. Il en crée tout autant dans l'espèce humaine : exclusion,

exclusion, exploitation de la faiblesse psychique. L'ordre conquérant se retrouve alors devant les conséquences destructrices de sa conquête comme devant un miroir qui lui renvoie l'image des insuffisances qu'il voulait cacher. Il se retrouve suffisant et insuffisant, obligé de se remettre en cause pour survivre.

L'ordre intérieur cachait lui aussi un désordre, une démesure, une sorte d'ébriété. Un mouvement dans l'autre sens doit s'accomplir. L'Homme doit intérioriser les contraintes et les lois de la Nature, puis s'autodiscipliner en conséquence. Il quitte le statut de prédateur, d'exploitant des richesses de la Terre, pour devenir un gardien de la vie. Après avoir été "maître et possesseur de la Nature", comme disait Descartes, il devient maître et possesseur de lui-même, et jardinier du monde. Transformer la planète - et soi-même - en jardin, et déployer la techno-nature jusque dans les étoiles, tel est donc l'enjeu qui se présente au Nouvel Age. Non seulement par nécessité, car la survie de l'espèce en dépend, mais aussi parce que c'est l'accomplissement de l'hominisation, qui est notre libération et notre raison d'être.

Au vingt-et-unième siècle, face à cet immense défi, la conscience de l'espèce humaine résiste d'abord, puis s'élargit. Elle résiste dans un premier temps, cherchant refuge dans d'anciennes croyances et des appartenances tribales. Les intégrismes et les racismes montent, pendant que des organisations maffieuses récupèrent les déviants et exploitent la peur. Elle résiste aussi parce qu'elle est prise dans une formidable contradiction : d'un côté, la montée de la liberté, moteur irrésistible des métamorphoses techniques et sociales depuis deux siècles ; de l'autre, la domestication de l'homme par l'homme, qui fait partie de la construction de la techno-nature. Comment admettre, en effet, et comment assumer que la liberté et la domestication coexistent, alors qu'elles semblent si radicalement opposées ? Comment ne pas être méfiant aussi, devant tout ce qui pourrait servir de prétexte aux manipulateurs des psychismes ? Seuls d'autres niveaux de conscience permettent de dépasser cette contradiction. Alors, et alors seulement, les esprits tribaux se dissolvent. La violence se transforme en langage. Aux batailles de sang succèdent les batailles de mots. L'interconnexion du monde se poursuit à son rythme séculaire. L'émotion se transmet en temps réel. Une âme planétaire commence à vibrer, par delà toutes sortes de frontières.

Quel enseignement tirer de cette prospective pour l'immédiat ? De nos jours, s'accrocher aux frontières, aux objets, aux valeurs, aux croyances et aux tribus du passé est le plus périlleux. Nous sommes parvenus au dernier stade de l'*Homo Faber*, celui d'*Homo Faber Coca-colensis*. L'enjeu du vingt-et-unième siècle est de devenir enfin *Homo Sapiens Ludens*, espèce régulée par sa sagesse et sa prévoyance dans tous ses comportements essentiels : reproduction, santé, harmonie avec la Nature, respect de la vie, connaissance de soi et du monde.

Plus tôt la conscience s'élargira, et mieux seront assumées les inévitables transitions vers une société plus éduquée, équilibrée et sobre. On ne s'oriente bien que par rapport au futur. ■

Synthèse prospective

	1900 – 1940	1940 – 1980
Population	Domination européenne sur un monde colonisé	2,4 milliards (1940) · Croissance démographique du "Sud" · 5 milliards (1980)
	Transition démographique des pays industrialisés	
Santé	Allongement de l'espérance de vie dans les pays riches	Diminution de la mortalité infantile des pays pauvres
Urbanisation	Réseau des capitales des pays riches, ville-lumières	Constitution des mégalopoles du tiers-monde, bidonvilles
Agriculture, environnement	Marchés locaux	Marché mondial : industrialisation, surproduction, émigration vers les villes
Industrie	Taylorisme	Délocalisation des fabrications Automatisation
Transports	Chemin de fer	Aviation Automobile Navigation de plaisance
Energie, matières premières	Charbon, mines	Pétrole, électrification au Nord
Communication	Téléphone pour les notables Radio pour le peuple	Téléphone pour tous : Europe, USA, Japon Télévision mondiale
Finance	Etalon-or	Etalon dollar, banques de taille nationale
Conflits	Exacerbation des Etats-nations, deux guerres "mondiales" Blindés et aviation	Hiroshima (1940) · Révolutions internes, conflits Est-Ouest par procuration Dissuasion nucléaire
Education	Enseignement primaire laïque : Europe, USA, Japon	Recherche institutionnalisée Fabrication d'effendis en masse Déficit de la culture technique
Religions	Christianisme des colonisateurs	Scientisme dominant Poussée de l'Islam
Cultures	Mondialisation de la culture européenne	L'anglais, langue internationale des échanges Musique populaire
Ambiance générale	Société de production	Société de consommation

2100, récit du prochain siècle

1980 — 2020 — 2060 — 2100

5 milliards — 8 milliards — 10,5 milliards — 12 milliards

1980–2020	2020–2060	2060–2100
Migrations Sud-Nord, baisse générale de la fécondité, montée en puissance des ex-colonisés	Contrôle généralisé des naissances	Choix génétique de la reproduction
Acharnement thérapeutique, diffusion du système de santé occidental dans le monde entier	Contrôle individuel de la santé (diététique, sport, médecines douces) Maladies mentales	Réincarnation artificielle Organes biocompatibles de remplacement ou d'adaptation (branchies…)
Urbanisme de contrôle social : remplacement des bidonvilles par des HLM en béton, immeubles de bureau "intelligents"	Croissance des villes moyennes Déclin des mégalopoles, habitat transportable par dirigeable Villes artificielles sur les océans	Population en migration permanente détachée d'un territoire particulier, villes vertes, cathédrales écologiques
Premières campagnes de reboisement Diversification qualitative : petits produits à la ferme, recherche des hautes valeurs ajoutées	Police écologique mondiale Reconquête de la terre Aménagements touristiques, agriculture hors-sol (hydroponique)	L'art des jardins, au niveau planétaire, océans compris (aquaculture…).
Tertiarisation, petites entreprises, technopoles	Design, industrie artistique et culturelle	Recyclabilité maximale, essor des bio-industries
Transports équipés en télécom. Saturation des villes Nouveaux transports en commun, TGV, dirigeable (grue volante)	Délocalisation complète du travail de bureau Tourisme dans l'espace, scooters aériens	Planètes creuses artificielles aux points de Lagrange, préparation de la sortie du système solaire
Passage à l'hydrogène Nucléaire + économies d'énergie	Tout électrique mondial, diversité des sources, développement du solaire	Energies totalement renouvelables, exploitation minière de la Lune et des planètes proches (astéroïdes)
Téléphone cellulaire et RNIS : Europe, USA, Japon, Dragons d'Asie Téléphone usuel : Eur. Est, Amér. Sud Débuts TV haute définition	Visiophone pour tous Ambiances interactives, diversification des outils communicants	Multimédia portatif (télépathie artificielle), concrétisation des rêves
Système tripolaire : ECU, Yen, Dollar; crises, interconnexion financière mondiale "Décollements" de la sphère financière	Emission de monnaies par certaines entreprises, monnaie mondiale unifiée, banques "sociologiques" (Grameen)	Les monnaies "privées" deviennent plus importantes que la monnaie publique : système "hanséatique" "Recollements" de la sphère financière
Conflits religieux (libanisation), guerre médiatique (terrorisme) Montée des pouvoirs maffieux	Conflits d'accès au savoir, piratages et batailles informatiques	Luttes d'influence pour le contrôle des psychismes
Utilisation limitée des armes chimiques, bactériologiques, nucléaires tactiques		Police mondiale, les entreprises sont plus puissantes que les Etats
Passage aux nouveaux médias : télématique, CD-ROM, CD-I… Lutte contre l'illettrisme	Privatisation : marché des outils interactifs d'enseignement, encadrement de la population par des machines à suggestionner	Education permanente et ludique visant l'éthique et l'autocontrôle psychique Culture technique généralisée
Syncrétismes, nouveaux prophètes Développement des sciences cognitives	Les trois connaissances : Rationalité, Transe et Créativité	Logiques du vivant : élargissement de la conscience
Renaissance des cultures et langues locales Vidéo populaire	Multiplication des systèmes de traduction inter-culturels	Création d'êtres quasi-vivants artificiels Création artistique permanente à portée de tous
Société du spectacle	Société des enseignements	Société de libération

L'arbre de la techno-nature

La technique est un produit de la Nature par le canal de l'espèce humaine. Elle garde souvent dans ses formes une ressemblance avec les organes des animaux ou des plantes car les concepteurs de produits s'en sont inspirés. Ainsi, l'essuie glace ressemble à une paupière, le velcro imite les fructifications de la bardane et l'on a accru les performances de certains engins sous-marins en les revêtant d'une peau dont la texture est voisine de celle des dauphins. Ici, nous prenons le parti de représenter la techno-nature comme un arbre, symbole du nouvel âge.

A la base, il y a dix mille ans, vivait une société tribale de chasseurs cueilleurs en équilibre avec le milieu naturel. L'Homme était alors un primate parmi d'autres, dont la trace dans le paysage n'était guère plus visible que celle des autres mammifères.

Puis il invente l'agriculture et commence alors à organiser le monde végétal selon sa rationalité et ses besoins. Il le place sous sa dépendance, le contraint à respecter un ordre, et en même temps le protège des agressions. Il fait de même pour les animaux domestiques et d'élevage, obligés par lui de se plier à des règles et, en contrepartie, nourris et soignés.

Depuis, la techno-nature n'a fait que croître et embellir. Elle couvre maintenant la majeure partie des terres émergées, commence à s'étendre aux océans, et pénètre aussi les fonctions que l'on croyait réservées aux êtres humains eux-mêmes. Les organes artificiels se multiplient : non seulement les dents et les lunettes, prothèses si répandues qu'on ne les remarque plus, mais aussi des bouts d'os ou d'artères, des valvules cardiaques, des reins et bientôt des coeurs. L'intelligence elle-même, à laquelle nous attachons tant de valeur, est maintenant, et sera de plus en plus, assistée de prothèses informatiques, branchées directement sur des instruments de mesure qui exploreront des espaces inaccessibles à notre perception directe. De telle sorte que, après avoir interposé des machines entre la réalité et nos sens, il va falloir faire reconstruire par ces machines des paysages artificiels qui parlent plus directement à notre sensibilité. ■

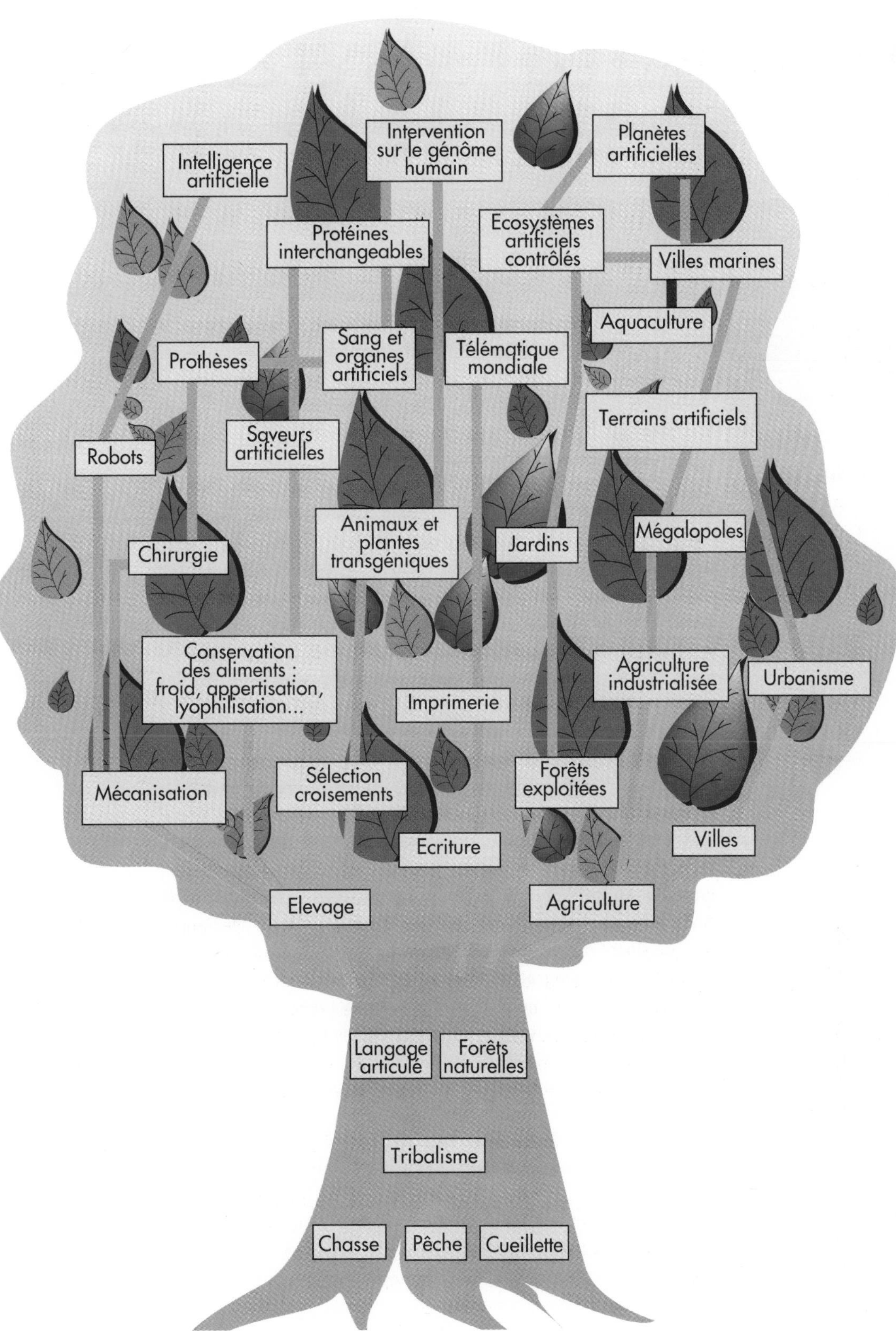
Intervention sur le génôme humain
Planètes artificielles
Intelligence artificielle
Protéines interchangeables
Ecosystèmes artificiels contrôlés
Villes marines
Aquaculture
Prothèses
Sang et organes artificiels
Télématique mondiale
Terrains artificiels
Robots
Saveurs artificielles
Animaux et plantes transgéniques
Jardins
Mégalopoles
Chirurgie
Conservation des aliments : froid, appertisation, lyophilisation...
Agriculture industrialisée
Urbanisme
Imprimerie
Mécanisation
Sélection croisements
Forêts exploitées
Ecriture
Villes
Elevage
Agriculture
Langage articulé
Forêts naturelles
Tribalisme
Chasse
Pêche
Cueillette

Recommandations

Lors de l'élaboration de ce livre, nous avons utilisé les données disponibles, telles que les organismes internationaux les proposent, assorties de compléments puisés dans les travaux de recherche les plus pertinents. Par rapport aux informations qui seraient nécessaires à l'élaboration d'une véritable conscience planétaire, ces éléments d'observation sont encore bien lacunaires. Aussi, il nous semble utile de signaler ici quelques compléments tout à fait indispensables à un suivi convenable de l'évolution du monde.

Malgré les efforts remarquables du Worldwatch Institute, le système planétaire de vigilance concernant l'état de la Nature et les pollutions est encore très en dessous du nécessaire. Les images envoyées par les satellites, si bien utilisées par la météorologie et les militaires, pourraient aussi contribuer plus amplement à faire un point périodique de l'état concret de la planète, du point de vue des récoltes, des déforestations, des sécheresses, des pollutions, de l'urbanisme...

Les statistiques démographiques existent. Elles valent ce que valent les recensements des différents pays, lesquels ne sont pas toujours assez précis ni suffisamment objectifs. Il est nécessaire de les perfectionner et d'uniformiser leurs méthodes. La connaissance des populations est en effet la base indispensable de toute prospective. Les migrations sont mal suivies. La population est systématiquement recensée sur son lieu de "résidence principale", terme qui a de moins en moins de sens à mesure que le nomadisme se développe, non seulement à l'occasion des vacances des citadins ou des afflux temporaires d'immigrés, mais aussi par l'effet de toute l'évolution des modes de vie. Les natalités sont mieux observées que les mortalités. Il n'y a pas de comparaison internationale pertinente des différentes causes de mortalité dans le monde et de leur évolution. Les comparaisons des systèmes de santé sont encore plus défaillantes, d'autant que les techniques médicales et les politiques de santé varient considérablement selon les pays. Par exemple, les principes des médecines chinoises et indiennes sont très différents de ceux qui prévalent en Europe, même si on trouve certains hôpitaux à l'européenne en Inde et en Chine. Là aussi, l'élaboration de descriptions comparatives et chiffrées (quant à l'intensité des soins, leur caractère plus ou moins capitalistique, les différences dans les pharmacopées et les résultats obtenus) représenteraient un grand progrès.

Pour ce qui est des grandeurs économiques, on trouve à l'OCDE et aux Nations Unies tout ce qu'il faut en matière de grands agrégats comptés en monnaie, PNB en tête. Il manque néanmoins deux familles de données essentielles pour analyser le changement économique : la démographie des entreprises (natalité, mortalité, pyramide des âge) et la démographie des produits (innovation, retrait du marché et diversité). Sans doute, des données exprimées en quantités physiques existent pour un certain nombre de productions et d'équipements faisant habituellement l'objet d'études de marché. L'énergie, le nombre d'automobiles, de téléviseurs, de téléphones, de machines à laver et de réfrigérateurs par habitant, ainsi que les tonnages d'acier, de ciment, de céréales, de viande et d'oléoprotéagineux. Mais il est déjà plus difficile d'obtenir des comparaisons portant sur la vie quotidienne concrète (la manière dont les gens utilisent leur temps, par exemple), ainsi que les données sur ce qui n'est pas ou peu commercialisé (les déchets...).

Sauf dans quelques domaines spécialisés, les mesures sont quasi inexistantes en ce qui concerne les mouvements d'information. Dans le nouveau système technique, en effet, il est essentiel de mesurer les quantités d'information échangées, comme on mesure les quantités de monnaie. Les flux de signes ainsi que les industries culturelles, qui sont la sève du nouveau système technique, ne sont pas encore observés avec toute l'attention qu'ils méritent.

De même, les comparaisons des systèmes éducatifs ne sont pas opérationnelles. Pour identifier les formations qui fabriquent les effendis, il faudrait pouvoir porter un diagnostic comparatif sur les cultures techniques délivrées par les systèmes d'enseignement, ce qui n'est actuellement pas possible. Les pays anglo-saxons ne distinguent pas l'enseignement technique du reste. L'Allemagne a un système particulier, combiné avec l'apprentissage... La comparaison n'est certes pas facile, mais elle est indispensable.

En ce qui concerne les recherches scientifiques, il nous semble que des disciplines qui seraient les plus utiles pour la compréhension du monde futur sont trop souvent négligées au profit du prolongement des domaines du passé. Citons en particulier l'éthologie, les relations technique-société dans les différentes cultures, l'analyse des civilisations, des langues, des croyances, des systèmes de connaissance, l'histoire des entreprises et des techniques, l'ethnographie des organisations, l'étude des processus innovateurs. Dans la société de production, la Science s'organisait autour de la physique (la *phusis* des grecs, avec ses différentes déclinaisons, chimie et biologie comprises). Dans le nouveau système technique, elle s'articule autour des sciences cognitives. C'est une nouvelle manière de regarder le monde qui s'annonce. ■

Les images du futur

L'élaboration des cartes de cet ouvrage

UN DÉCOUPAGE DE LA PLANÈTE EN VINGT ZONES

Le regroupement de l'ensemble des pays de la planète en vingt zones - plus une qui couvre l'océan et l'espace, habités au vingt-et-unième siècle - peut paraître surprenant et peut-être arbitraire. Il a été rendu nécessaire par les contraintes suivantes :

- La qualité et la diversité des informations disponibles varient considérablement d'un pays à l'autre. De nombreuses données, et souvent les plus intéressantes, n'auraient pu être utilisées sans un tel regroupement qui permet de pallier les manques et pondérer les imprécisions.
- L'exercice de prospective à l'horizon 2100 n'était réalisable et n'avait de sens que sur un nombre limité d'unités géographiques aussi cohérentes que possible. A cette seule condition des grandes tendances pouvaient être dégagées et des scénarios vraisemblables imaginés.

Les dix-sept indicateurs - plus un, la population - qui sont listés ci-dessous ont été analysés exhaustivement de manière à faire apparaître à la fois les contrastes séparant les grands ensembles et les nuances des situations locales.

Dans la perspective d'une vision à très long terme, les indicateurs ont d'abord été choisis pour décrire l'état du monde sur une brève période du passé proche, centrée sur l'année 1980, ce qui permet une information plus étoffée et plus fiable que pour une période plus récente. Les phénomènes d'évolution ont, d'autre part, été analysés entre les années 1965 et 1980.

LES INDICATEURS UTILISÉS DANS LE DÉCOUPAGE RÉGIONAL DU MONDE

(Les chiffres entre parenthèses se réfèrent aux lignes du tableau de la page suivante)

Démographie :
Population totale 1981 (en milliers)
Taux d'urbanisation 1980 (en pourcentage de la population totale) (10)
Taux d'urbanisation 2020 (en pourcentage de la population totale) (6)
Taux d'accroissement annuel de la population totale 1965-1981 (4)
Taux d'accroissement annuel de la population urbaine 1965-1981 (3)
Espérance de vie à la naissance 1981 (12)
Mortalité infantile 1981 (2)
Age médian 1980 (15)
Age médian 2020 (7)

Santé, éducation :
Calories (en pourcentage des besoins) 1980 (9)
Taux de scolarisation niveau secondaire 1980 (13)
Taux de scolarisation niveau supérieur 1980 (14)

Economie :
P.I.B. par habitant (calculé en pouvoir d'achat) 1983 (16)
Actifs du secteur primaire (en pourcentage de la population active totale) 1981 (1)
Actifs du secteur secondaire (en pourcentage de la population active totale) 1981 (8)
Actifs du secteur tertiaire (en pourcentage de la population active totale) 1981 (11)
Endettement (en pourcentage du PIB) 1980 (5)
Consommation d'énergie par habitant 1980 (17)

La priorité a été donnée d'une part aux phénomènes touchant les hommes dans leur dimension socio-économique et démographique plutôt que strictement économique et, d'autre part, aux proximités géographiques. Milieux naturels et sociétés continuent en effet à se façonner mutuellement au rythme du temps long et à de grandes échelles spatiales, même si la technologie accélère le temps et contracte les distances.
La carte ci-contre présente le résultat de cette analyse sous la forme d'une image de synthèse où chaque colonne visualise l'une des vingt zones obtenues, chaque ligne le profil de l'un des critères analysés. Les chiffres ont été traduits par des nuances de gris allant du blanc, pour les valeurs faibles, au noir pour les valeurs fortes. Chaque zone se caractérise donc par la prépondérance de certains critères (zones sombres de l'image) et la faiblesse de certains autres (zones claires). Par exemple l'Afrique Sud-Sahara (colonnes 1 à 4) forme un groupe nettement caractérisé par un fort accroissement de population, une urbanisation rapide et une proportion importante de travailleurs du secteur primaire, une mortalité infantile et un endettement élevés (lignes 1 à 5) allant de pair avec un très bas P.I.B. par habitant (ligne 16), une faible proportion d'actifs du secteur secondaire et tertiaire (lignes 8 et 11), un faible niveau de scolarisation (lignes 13 et 14) et une espérance de vie basse (lignes 12).

DE L'EXTRÊME PAUVRETÉ À L'EXTRÊME RICHESSE

Dans la partie gauche de l'image (A) se regroupent les pays pauvres, jeunes, avec une très forte mortalité infantile, faiblement scolarisés et dans la partie droite (C) les pays riches, vieux, fortement scolarisés, avec une espérance de vie élevée et une consommation d'énergie importante. A titre d'exemple, 29% de la population mondiale dispose de moins de 800 $ par an, dix fois moins que les pays industrialisés (17% de la population dispose de plus de 8000 $). Pour un tiers de la population, un enfant sur dix meurt avant un an contre seulement un sur cent dans les pays du Nord. Trente-neuf pour cent de la population consomme dix fois moins d'énergie que les pays industrialisés. Enfin, pour les trois-quarts de la planète, 50% de la population a moins de 20 ans, alors qu'au Nord la ligne de partage se situe au dessus de 30 ans.

UN MONDE EN TRANSITION

Toutefois la traditionnelle opposition Nord-Sud doit être nuancée du fait de la présence de nombreux pays à divers stades de transition (B). La transition démographique (ligne 7) est largement commencée en Asie et en Amérique latine alors qu'elle s'amorce à peine en Afrique et au Moyen-Orient. La transition économique (lignes 8 et 11) est en cours en Amérique latine, Afrique du Nord, Proche et Moyen-Orient ainsi qu'en Asie du Sud-Est. Toutefois l'Asie, très peuplée, reste fortement agricole (ligne 1) et la Chine se détache avec une très faible proportion d'actifs du secteur tertiaire. Il est intéressant de noter que certains pays, en particulier en Amérique tropicale de l'Ouest, bien que pauvres, investissent dans l'éducation secondaire et supérieure (lignes 13 et 14), ce qui a pour conséquence une proportion élevée d'actifs du tertiaire et peut se révéler source de frustrations et donc de tensions.

LES IMAGES DU FUTUR

Des traitements graphiques comme celui qui a permis de fabriquer la carte ci-contre permettent littéralement de **voir** des informations nombreuses et complexes (ici un tableau de 340 nombres : 20 régions par 17 critères) et de les explorer sans effort en "zoomant" ou en glissant

		A				B									C						
		1 AFRIQUE SAHELIENNE	2 AFRIQUE DU CENTRE ET DE L'EST	3 AFRIQUE DE L'OUEST COTIERE	4 AFRIQUE AUSTRALE	5 PENINSULE INDIENNE	6 ASIE DU SUD-EST - OCEANIE	7 CHINE - COREE DU NORD - TAIWAN	8 MOYEN ORIENT	9 AFRIQUE DU NORD	10 PROCHE ORIENT	11 AMERIQUE CENTRALE - CARAIBES	12 BRESIL	13 AMERIQUE DE L'OUEST TROPICALE	14 AMERIQUE DU SUD TEMPEREE	15 U.R.S.S.	16 EUROPE DE L'EST	17 EUROPE DE L'OUEST	18 JAPON - COREE DU SUD	19 AUSTRALIE - NOUVELLE ZELANDE	20 AMERIQUE DU NORD
1	ACTIFS DU SECTEUR PRIMAIRE 1981																				
2	MORTALITE INFANTILE																				
3	EVOLUTION DE L'URBANISATION																				
4	ACCROISSEMENT DE LA POPULATION																				
5	ENDETTEMENT																				
6	TAUX D'URBANISATION 2020																				
7	AGE MEDIAN 2020																				
8	ACTIFS DU SECONDAIRE 1981																				
9	CALORIES																				
10	TAUX D'URBANISATION 1980																				
11	ACTIFS DU TERTIAIRE 1981																				
12	ESPERANCE DE VIE																				
13	SCOLARISATION SECONDAIRE																				
14	SCOLARISATION SUPERIEURE																				
15	AGE MEDIAN 1980																				
16	PIB/HABITANT 1983																				
17	CONSOMMATION D'ENERGIE/HAB																				

Le cercle placé au large du Japon représente la zone Océan - Espace

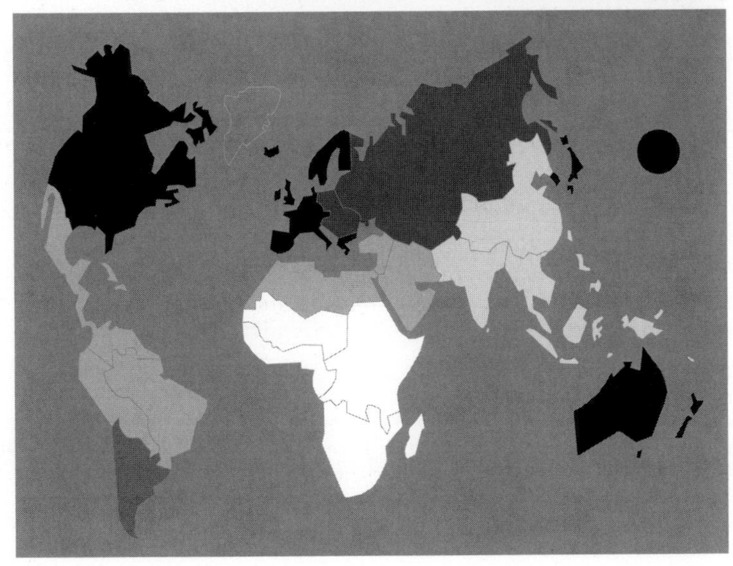

d'un élément de l'image à un autre. L'œil humain a, en effet, l'extraordinaire faculté de percevoir des millions de taches élémentaires que notre cerveau analyse et interprète instantanément. Ces possibilités exceptionnelles, qu'aucun ordinateur n'est capable d'égaler aujourd'hui, sont à la disposition de chaque être humain. Les recherches du français Jacques Bertin[1] à l'Ecole Pratique des Hautes Etudes en Sciences Sociales ont permis de mettre au point une nouvelle discipline, la Graphique qui formalise les méthodes de traitement visuel de l'information. L'ensemble des cartes et graphiques réalisés pour cet ouvrage suivent les règles de cette nouvelle discipline. Dans le monde actuel et à venir, le problème majeur n'est plus l'existence de l'information, mais au contraire sa pléthore et notre difficulté grandissante à en prendre connaissance et à en extraire les éléments pertinents. L'exploitation des performances de la vision humaine permet de reculer les limites du possible dans ce domaine. C'est, sans nul doute, la Graphique qui, détenant les clés de l'accès à notre cerveau, inspirera les langages dont nous avons déjà besoin pour décrire le monde et nous aidera ainsi à construire les images du futur.

1 Jacques Bertin, La Graphique, Mouton, Paris - La Haye, 1967.

Toutes les cartes sauf une (sur l'analphabétisme) ont été réalisées avec le découpage suivant :

AFRIQUE SUD SAHARA

ZONE 1 : AFRIQUE SAHELIENNE

BURKINA FASO
MALI
MAURITANIE
NIGER
TCHAD

ZONE 2 : AFRIQUE DU CENTRE ET DE L'EST

BURUNDI
ETHIOPIE
KENYA
MADAGASCAR
MALAWI
OUGANDA
REP CENTRAFRICAINE
RWANDA
SOMALIE
SOUDAN
TANZANIE
ZAIRE

ZONE 3 : AFRIQUE DE L'OUEST COTIERE

BENIN
CAMEROUN
CONGO
COTE D'IVOIRE
GHANA
GUINEE
LIBERIA
NIGERIA
SENEGAL
SIERRA LEONE
TOGO

ZONE 4 : AFRIQUE AUSTRALE

AFRIQUE DU SUD
ANGOLA
LESOTHO
MOZAMBIQUE
ZAMBIE
ZIMBABWE

ASIE

ZONE 5 : PENINSULE INDIENNE

AFGHANISTAN
BANGLADESH
BHOUTAN
INDE
NEPAL
PAKISTAN
SRI LANKA

ZONE 6 : ASIE DU SUD-EST - OCEANIE

BIRMANIE
HONG-KONG
INDONESIE
LAOS
MALAISIE
PAPOUASIE
PHILIPPINES
SINGAPOUR
THAILANDE
VIETNAM

ZONE 7 : ASIE DU NORD-EST

CHINE
COREE DU NORD
TAIWAN

MOYEN-ORIENT ET MEDITERRANEE SUD ET EST

ZONE 8 : MOYEN-ORIENT

ARABIE SEOUDITE
IRAK
IRAN
KOWEIT
YEMEN DU NORD
YEMEN DU SUD

ZONE 9 : AFRIQUE DU NORD

ALGERIE
EGYPTE
LIBYE
MAROC
TUNISIE

ZONE 10 : PROCHE-ORIENT

ISRAEL
JORDANIE
LIBAN
SYRIE
TURQUIE

AMERIQUE LATINE

ZONE 11 : AMERIQUE CENTRALE - CARAIBES

COLOMBIE
COSTA RICA
CUBA
EL SALVADOR
GUATEMALA
HAITI
HONDURAS
JAMAIQUE
MEXIQUE
NICARAGUA
PANAMA
REP DOMINICAINE
TRINITE TOBAGO
VENEZUELA

ZONE 12 : BRESIL

BRESIL

ZONE 13 : AMERIQUE DE L'OUEST TROPICALE

BOLIVIE
EQUATEUR
PARAGUAY
PEROU

ZONE 14 : AMERIQUE DU SUD TEMPEREE

ARGENTINE
CHILI
URUGUAY

PAYS DE L'EST

ZONE 15 : URSS

MONGOLIE
URSS

ZONE 16 : EUROPE DE L'EST

ALBANIE
BULGARIE
HONGRIE
POLOGNE
RDA
ROUMANIE
TCHECOSLOVAQUIE
YOUGOSLAVIE

OCCIDENT

ZONE 17 : EUROPE DE L'OUEST

AUTRICHE
BELGIQUE
DANEMARK
ESPAGNE
FINLANDE
FRANCE
GRECE
IRLANDE
ITALIE
NORVEGE
PAYS-BAS
PORTUGAL
RFA
ROYAUME-UNI
SUEDE
SUISSE

ZONE 18 : JAPON-COREE DU SUD

COREE DU SUD
JAPON

ZONE 19 : AUSTRALIE - NOUVELLE-ZELANDE

AUSTRALIE
NOUVELLE-ZELANDE

ZONE 20 : AMERIQUE DU NORD

CANADA
ETATS-UNIS

Préparation de cet ouvrage

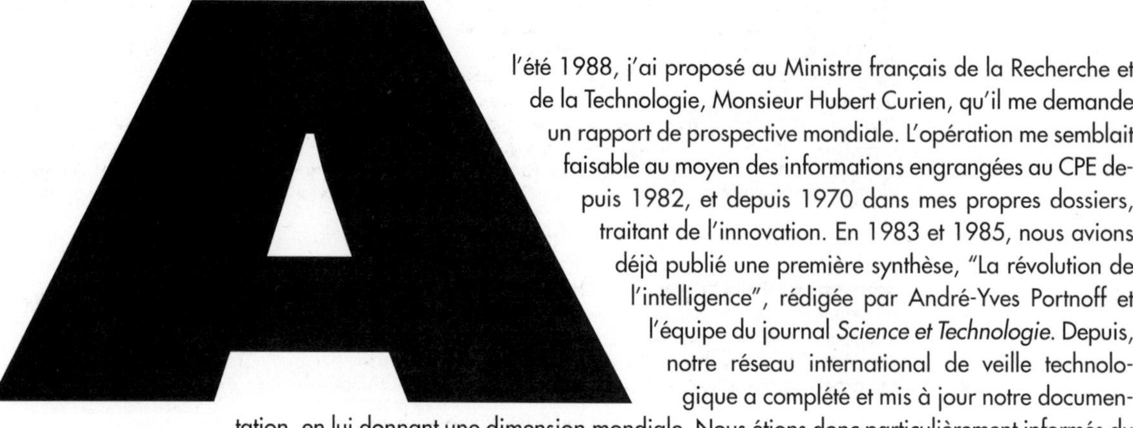

l'été 1988, j'ai proposé au Ministre français de la Recherche et de la Technologie, Monsieur Hubert Curien, qu'il me demande un rapport de prospective mondiale. L'opération me semblait faisable au moyen des informations engrangées au CPE depuis 1982, et depuis 1970 dans mes propres dossiers, traitant de l'innovation. En 1983 et 1985, nous avions déjà publié une première synthèse, "La révolution de l'intelligence", rédigée par André-Yves Portnoff et l'équipe du journal *Science et Technologie*. Depuis, notre réseau international de veille technologique a complété et mis à jour notre documentation, en lui donnant une dimension mondiale. Nous étions donc particulièrement informés du progrès des sciences et des techniques et nous avions observé la transformation des stratégies des grandes entreprises ; il nous fallait alors considérer les limites planétaires et les inégalités.

Entre septembre 1988 et juin 1989, le GRET a organisé à ma demande, avec l'ORSTOM et le CIRAD, le séminaire "Prospective des Déséquilibres Mondiaux". L'objectif était de passer en revue, systématiquement, les domaines où se manifestaient les grands déséquilibres planétaires : la démographie, le système agro-alimentaire, l'énergie et les matières premières, les télécommunications et le système financier, l'industrie, l'éducation, la culture et la religion, ainsi que les questions militaires. Chaque séance réunissait une cinquantaine de personnes pendant trois heures et demie. Elle était préparée par un dossier, confectionné par le GRET, et s'ouvrait par l'exposé de deux ou trois spécialistes. Les débats furent souvent animés, mais jamais acharnés au point de se cristalliser sur des oppositions irréductibles.

Pendant ce temps, et en coordination avec ce séminaire, l'équipe DàLT (Design à long terme) des Ateliers de l'Ecole nationale de Création Industrielle, constituée d'étudiants venant de terminer leur scolarité, imaginait des graphismes représentant des objets du futur.

Par ailleurs, de nombreuses contributions écrites nous sont parvenues, en provenance d'institutions ou de personnalités, traitant entre autres de l'espace, des océans, du climat, de l'urbanisme, des courants socio-culturels. Les compte-rendus des débats du séminaire et les contributions écrites, qui sont inclus dans le rapport au Ministre, sont réunis en un recueil disponible au GRET.

Pour élaborer le présent ouvrage destiné au grand public à partir de ces multiples travaux d'experts, nous avons effectué, de juin 1989 à l'été 1990, chapitre par chapitre, un travail de créativité et d'investigation complémentaire, suivi d'une réécriture complète dans une forme accessible et du choix d'une iconographie.

T.G.

Des contributions écrites ont été fournies par :

Christine AFRIAT — Stratégie des entreprises
André ANTONNETI — Opto-électronique
Jean Claude BARREY — Ethologie
Guy BENEY — Economie
Paul BLANQUART — Religions
Pierre CANTRELLE — Démographie, santé
Gérard CESARI — Mathématiques et pensée
Pierre CHABEL — Opto-électronique
Marc CHOPPLET — Biotechnologie/Stratég.d'entreprises
Benjamin DESSUS — Energie
Catherine DISTLER — Télécom/Stratég.d'entreprises
Alain DUPAS — Espace
Claire ESCURE — Ecologie, climat
Claude FROEHLY — Opto-électronique
Francis GENDREAU — Démographie, santé
Marc GIGET — Matériaux/Stratég.d'entreprises
François GIPOULOUX — Technologie en Chine
Elisabeth GODFRID — Education
Michel GRIFFON — Agro-alimentaire
Philippe HAERINGER — Urbanisme

Gérard HUBER	Bioéthique	Anne QUERRIEN	Urbanisme
Hugues de JOUVENEL	Rétroprospective	Maurice REYNE	Matériaux
Yann de KERMADEC	Transports	Madeleine ROUSSEAU	Le temps contracté
Louis LACOMBE	Robotique	Jean-François ROYER	Climat
Amiral Pierre LACOSTE	Transition militaire	Nadia ROYER	Habitat
Philippe LAMURE	Transports	François SALIN	Opto-électronique
Philippe de LA SAUSSAY	Economie	André SANT'ANA	Biotechnologie
Lucien LAUBIER	Océan et Antarctique	Joëlle SCHILTZ	Art et prospective
Suzanne LAVAL	Opto-électronique	Jean-Jacques TERRIN	Habitat
Gustave MASSIAH	Urbanisme	Guy THOMAS	Transports
Elisabeth MEICHELBECK	Montée de la liberté	Gérard TSALKOVITCH	Veille technologique
Long Den NGUYEN	Métrologie et Sciences	Antoine VALABREGUE	Mathématiques et pensée
Jacques PERRIAULT	Education	Alain de VULPIAN	Comportements individuels
François PHARABOD	Energie	Claude de WARREN	Education

Séminaire "Prospective des déséquilibres mondiaux" 1988-1989
Le séminaire "prospective des déséquilibres mondiaux" a été organisé par Véronique SAUVAT et Elisabeth PAQUOT (GRET) avec le conseil scientifique de Michel GRIFFON (CIRAD) et de Jean-Yves MARTIN (ORSTOM).
Les experts dont les noms suivent ont préparé les dix-huit journées de travail.

1- **Démographie Santé**, Francis GENDREAU (ORSTOM) et Pierre CANTRELLE (ISD)
2- **Environnement**, Jacques THEYS (Ministère de l'environnement), Jacqueline ALOISI (PNUE) et Rémi BARRE (CNAM), Jean MARGAT (BRGM)
3- **Ressources naturelles**, Olivier BOMSEL (CERNA) et Jean-Jacques LACOUR (IFP)
4- **Habitat-Transport Aménagement,** Gustave MASSIAH (UP6-Archi.) et Etienne HENRY (INRETS)
5- **Reconfiguration critique des systèmes de production**, Marcel MAZOYER (INA-PG)
6- **Céréales**, Jean-Paul CHARVET
7- **Oléo-protéagineux**, Jean-Pierre BERTRAND (INRA)
8- **Synthèse alimentaire, santé et biotechnologie**, Michel GRIFFON (CIRAD) et Marc CHOPPLET (biopôle UTC)
9- **Système de financement**, Maria NOWAK (CCCE), Michel AGLIETTA, Georges CORM
10- **Système énergétique**, François PHARABOD (EDF/CNRS), Bernard LAPONCHE (ICE), Jean-Marie MARTIN (IEPE), Bernard DESSUS (CNRS-PIRSEM)
11- **Télécommunication et système d'information mondial**, Catherine DISTLER (Prométhée), Jean-Marie CHARRON, Bruno LANVIN
12- **Réseaux locaux porteurs d'innovation**, Pierre JUDET (IREP-Grenoble), Pierre PARIS (GRET)
13- **Culture et religion**, Jean-Yves MARTIN et Jean-Pierre DOZON (ORSTOM), Paul BLANQUART
14- **Pouvoirs et rapports de force**, Amiral Pierre LACOSTE (FEDN), Gérard CHALIAND, Emmanuel TERRAY
15- **Technologies disponibles et nécessaires**, Thierry GAUDIN, Alice YOUNG (OCDE), Henri ROUILLE D'ORFEUIL (GRET)
16- **Restructurations industrielles et emploi**, Marc GIGET (Euroconsult), Alain LIPIETZ (CEPREMAP)
17- **Systèmes éducatifs**, Fabienne BAUDIMENT (CNAM), Abdelmalek CHERKAOUI, Michel DEBEAUVAIS
18- **Prospective générale**, Philippe de LA SAUSSAY, Pierre GONOD, François CARON, Philippe ZARIFIAN, Bruno PRALAT

Ont notamment participé aux réunions de créativité de septembre 1989 à juin 1990
Serge ANTOINE, Christine BAMIERE, Rémi BARRE, Jean-Claude BARREY, Jean-Luc BOURGEOIS, Bernard CAZES, Pierre COMTE, Claude DELAFOSSE, Jean DUNGLAS, Roger FAUCK, Guy FAUCONNEAU, Isabelle GATTEGNO, Cynthia GORRHA-GOBIN, Jean HOUOT, Gérard HUBER, Georges-Yves KERVERN, Yves LECERF, Michel-Louis LEVY, René MASSE, Edouard PARKER, Philippe QUEAU, Maurice REYNE, Danièle ROUSSEAU, Jacques THEYS

Ont participé à la mise en forme et à la correction rédactionnelle :
Ramon ALCAYA, Jean-Luc ANCEY, Dominique ATALAY, Pierre BERGER, Pierre CLERMONT, Nicolas DARBON, Jean-Luc GOUDET, Denis JEGONDAY, Yves LECERF, Denis LEFEVRE, Liliane LE MEHAUTE, Dominique MISSIKA, Edouard RENCKER, Joëlle SCHILTZ, Martine TOUROLLE, André WARUSFEL, Bertrand WARUSFEL

Ont participé à l'élaboration de l'iconographie :
Daniel CABANIS, Gilles COURTINAT, Joël PAUBEL, Diane PINELLI

Ont participé à l'élaboration de la cartographie :
Anne CHAPPUIS, Frédéric CHEVALIER, Eric GILOTIN, Laurent MATHIEU, Bruno PRALAT

A.Bertrand/JACANA : 80. A.Bonner/GAMMA : 431. A.Brucelle/SYGMA : 90, 382. A.Chinchar/NASA : Couv., 41, 169. A.De Wildenberg/GAMMA : 383 A.Dejean/SYGMA : 26 A.Fournier : 564 A. Keler/SYGMA : 310, 311, 441, 531, 573, 577. A.King/GAMMA : 554. A.Le Bot/GAMMA : 350. A.Nicolas/EXPLORER : 25. A.Noguès/SYGMA : Couv., 256, 425. A.Pixel/GAMMA : 45. A.Renoux : 385. A.Sèbe :151/152. A.Selders/GAMMA : 91. A.States/REA : 524. A.Thomas/EXPLORER :170. A.Walliser : 564. A.Webb/MAGNUM : 256, 386. A.H.Bingen/SYGMA : 277. A.H.Stillmark/The Image Bank : 271. Abbas/GAMMA : 394, 434 . Abril/GAMMA : 343, 345, 356. Adamini/GAMMA : 297, 524. Affiche signée R. Hebding - Photo : J.P. Gourevitch : 415. Ambassade du Japon : 447. Anderson/SYGMA : 482. Andy Goldsworthy, 1989, Centre d'Art Contemporain de Castres et Galerie Aline Vidal, Paris : 337, 338, 339, 342, 347, 348. Anne GUILLOT : 34. GIRAUDON : 222. B.Annebicque/SYGMA : 318. B.Gérard/EXPLORER : Couv. B.Glinn/MAGNUM : 217, 360, 44. B.Hatala/Centre Georges Pompidou :151, 152/153, 181. B.Paddock/REA : 377. Paris/CNES : 508. B.Presle/EXPLORER : 309. B.Rheims/SYGMA : 458. B.Smith/SABA : 314, 315. Bachelier/SODEL Photothèque EDF : 317. Bartoli/REA : 289. Begali/GAMMA : 572. Beijing Slides Studio : 557, 558, 559, 560. Bibliothèque Nationale de Paris : 184, 552. Birmingham/GAMMA : 95, 305, 437. Boiffin-Vivier/EXPLORER : 212. BOYD-Gamma :148. C.Bastin, J.Evrard :163. C.Bernson/VISIONS : 27. C.Charles/GAMMA : couv., 542. C.Louis : 49. C.Nash : 523. C.R.Neveu/GAMMA : 93. C.RIVES/MARINA : 299. C.Rockefeld/The Image Bank :17. C.Sauvageot : 561. C.Vioujard/GAMMA : 264. C.Hires/GAMMA : 438. C.T.Leroux/SAGEMOR : 571. Carelman/Imago :142. Carrion/SYGMA : 340. Ch.Vioujard/GAMMA : 417, 421. Cl.Carre/CNRS : 220. Classe de CE1/Ecole du Bois de l'Etang-LaVerrière (Yvelines)/Photos A.Adam : 288, 290, 306, 307. Classe de Première BTNF12 du Lycée Technique Auguste Renoir (Paris) : 404, 405. CNES : 439, 498, 504, 505, 509. CNES-Distribution SPOT IMAGE-Traitement FLEXIMAGE : 311, 354. CNES/Glavcosmos : 500, 510 CNRS-B.Nantet :143. CNRS-IRC/J.Forest :138. CNRS-TIM3 : 220. CNRS-CRISMAT/Ph.Plailly :137, 146. CNRS-CRMC2 :140. CNRS : 209. CNRS-CRSCM :149. CNRS-Embryologie/P.Plailly : 567. CNRS-IBCM : 207. CNRS-IJM : 210. CNRS-IJM/J.Forest : 285. CNRS-IMAG/Ph.Plailly :189. CNRS-Institut d'Embryologie : 210. CNRS-LESC : 86. CNRS-LMA : 201 202. CNRS-LMD/M.Farge :192, 203. CNRS/G.Boillot : 229. CNRS/OHP : 506. COSMOS : 46, 218. Cuisset/REA : 483. D.A.Hardy/COSMOS : 507, 520. D.Barritt/GAMMA : 392. D.Budd/REA : 553. D.Cabanis d'après une photo de R.Lamblin/Musée de l'Homme :18/19. D.Ferrer : 395. D.Hurn/MAGNUM : couv., 359. D.Laine/GAMMA : 316. D.Vandenberg : 517. D.A.Hardy/COSMOS : 40. D.Kirkland/CONTACT : 300. D.R. : 20, 30, 25, 27, 33, 35, 36, 37, 39, 42, 44, 44, 87, 101, 103, 105, 106, 108, 109, 110, 111, 115, 117, 146, 162, 173, 175, 235, 243, 271, 282, 289, 314, 335, 376, 402, 403, 406, 407, 409, 410, 414, 420, 433, 435, 461, 463, 501, 502, 527, 574, 577. D.R. : 187 196. Dàlt-Les Ateliers : Couv., 38, 39, 48, 281, 303, 326, 327, 334, 540, 541, 386, 488, 494, 495. Davis/SYGMA : 88, 323. de Selva/Tapabor : 64, 67, 71, 275, 449, 453. Decout/REA : 293, 382, 386, 526, 530, 546. Delmas/GAMMA : 30, 279. Descamps/SEQUIOA :197 Duclos/GAMMA : 391. E.Adams/Contact Press Image :118. E.Adams/GAMMA : 428. E.Bouvet/GAMMA : 383. E.Brissaud/GAMMA : 427. E.Kowall/GAMMA : 412. E.Martino : 45. E.Preau/SYGMA : 96, 217. E.Vitou :117. E.Bouvet/GAMMA : 438. Eagle : 511, 512, 513, 517, 519. Eberherdt/CNRS-Roumeguère : 92, 93. Edmonson/GAMMA : 277. Ernest Pignon Ernest (œuvres et photos) : 205, 206, 207, 213, 215, 224, 225. EXPLORER : 209, 535. F.Fournier/COSMOS : 42. F.Gohier/EXPLORER : 223. F.Jégou : 296, 297, 355, 356, 357, 447, 448, 450, 452, 454, 455, 456, 461, 462, 500, 515, 520, 537, 571, F.Jégou : 49, 105, 141, 145, 158, 185, 216, 222, 232, 237, 243, 245, 260, 263, 271. F.Lochon/GAMMA : 85, 96, 177, 437, 574. F.Meylan/SYGMA : 458 F.Reglain/GAMMA : 354, 534. F.Ternet/GAMMA : 493. F.Zecchin/MAGNUM : 538. F.Leguen-SYGMA :132. F.X. Bouchart : 446, 447, 464. F.X.Pelletier/GAMMA : 481. Fourmy/REA : 441. G.Abegg/SYGMA : 562. G.Buthaud/Cosmos :17. G.Morel/GAMMA : 168, 539. G.Buthaud/COSMOS : 493. G.Courtinat : 388. G.Gay/The Image Bank : 408. G.N.I.S. : 294. GAMMA : 260, 264, 279, 291, 299, 304, 320, 340, 373, 393, 394, 429, 432, 436, 456, 487, 489, 490, 508, 535, 546, 547, 568, GAMMA : Couv., 20, 29, 39, 41, 84, 89, 103, 130, 131, 133, 136, 190. Gayard/Reporters Economiques Associés : 302. Geoff-Tompkinson/COSMOS :188. Gérard/GAMMA :184. Giansanti/SYGMA : 329. Gierlich/REA : 310. GIRAUDON : 107. Giry/REA : 378. Gordon/REA : couv., 321, 332, 555. Guy Le Querrec/MAGNUM : 537. H.Faruque/GAMMA : 286. H.Gruyaert/MAGNUM : 272. Hanson, 1970/Centre G. Pompidou :16. Hersant/REA : 566. Hires/GAMMA : 442. Hofmann/GAMMA : 192. I.Berry/MAGNUM : 373. I.Bitch/SYGMA : 475. IPG/CNRS-INSU : 492. J.Argo/COSMOS : 324. J.Audefroy/GRET : 316. J.Azel/COSMOS : Couv. J.Barr/GAMMA : 293. J.Brandenborg/COSMOS : 87. J.Drivas/THE IMAGE BANK : Couv. J.Feingersh/ZEFA-Stockmarket : 32. J.Fries/The Image Bank : 22. J.Gaumy/MAGNUM : 483. J.Guichard/GAMMA : 82, 94. J.Nollerdorfs/REA : 459. J.P.Roux/GAMMA : 33, 387. J.Pavlovsky/SYGMA : 221, 330. J.Tendron :102. J.Wallace/GAMMA : couv., 28, 355. J.Willerval/IMAGO : 419. J.C.Francolon/GAMMA : 343. J.C.Renaux :183, 185, 187, 189, 191, 193, 195, 197, 199, 201, 203. J.L.Dugast/SYGMA : 552, 566. J.L.Mabit/TOTAL :174. J.M.Cara/GAMMA : 299. J.M.Loubat/GAMMA : 488. J.M.Malesherbe/CNRS-OBS Paris : 496/497. J.M.Péricat : 351, 371. J.N.Reichel/CNRS : 218. J.P.Chainon : 104. J.P.Ferraud/JACANA : 212. J.P.Greneau : 148, 443. J.P.Laffont/SYGMA : 316, 451. J.P.Varin/JACANA : couv., 42. J.P.Laffont/SYGMA : 301. J.Tiziou/SYGMA : 308/309. JACANA : 221. Jassin/GAMMA :165. Joël Paubel (œuvres et photos) : 476, 477. K.Daher/GAMMA : 353. K.Kurita/GAMMA : 79. K.Kurita/SYGMA : 322, 323. Kazemi/REA : 442. Keren/REA : 320. Kermani/GAMMA : 286, 328, 490, 199, 208. Kharbine/Tabapor : 63, 65, 66, 68, 69, 70, 72, 73, 74, 76, 77, 100, 102, 104, 114, 379, 449, 453, 499, 509, 524, 525. Kuniliusee Paulosée/Photo B. Hatala/Centre G. Pompidou : 46, 47. L.Birmingham/GAMMA : 230. L.Gabriel/TOTAL : 484. L.Gibet/RAPHO : 81. L.Migdale/EXPLORER : 387. L.Potter/GAMMA : 324. L.Psihoyos/COSMOS : 22, 23, 157, 319, 434. L.Sloan/COSMOS : 216. La Goélette : 575. Lalanne/Photo : Centre Georges Pompidou : 99 Lalanne/Photo-EDIMEDIA : 84. Lévêque : 446. Lutz L.Lindner : 397. M.Brigaud/Sodel Photothèque EDF :158. M.Fourmy/REA : 426, 433. M.Frank/MAGNUM : 547. M.Giget/EUROCONSULT (Paris) : 400. M.Greenberg/COSMOS : 378, 552. M.Greenberg/VISIONS : 46. M.Grimberg/The Image Bank : 544. M.L.de Decker : 548. M.Lounes/GAMMA : 380, 576. M.Melford/COSMOS : 332. M.Morceau/Sodel Photothèque EDF : 153, 168. M.Peterson/COSMOS : 430. M.Richards/PICTURE GROUP : 392. M.S.Wexler/Jullien Photo : 380. MAGNUM : 255, 274, 556. Maillac/REA : 439. Maille/GAMMA : 374. Mary Le Berre : 487. Maternelle de l'Ecole du Bois de la Garenne à Voisin Le Bretonneux (Yvelines)/Photos Bernadette Soulat : 532, 533. Matsumoto/SYGMA :116. Micaud : 341. Mingam/GAMMA : 463. Monique Mosser : 548. Morimoto/GAMMA :195. Museum of Anatolian Civilizations, Ankara : 571. N.Brown/THE IMAGE BANK : Couv. NASA : 505, 516. NASA/CNES : 518. NASA/Col.Courtinat : 497. NASA/COSMOS : 514. NASA/SYGMA : 498. Navia/REA : 531, 576. Novosti/GAMMA : 440, 462. O.Boitet/GAMMA : 416. O.Hamtel/GAMMA : 82. O.Murai : 331, 333. O.Rebbot/SYGMA : 454. Orban/SYGMA : 296, 445, 465. P.Amado/CNRS : 83. P.Aventurier/GAMMA : 90, 424, 430, 451, 458, 459 P.Comte : 502, 511. P.Debaisieux : 563. P.Gordon/REA : 532, 536, 538, 539. P.Ledru/SYGMA : 425. P.Perrin/SYGMA : 399. P. Piel/GAMMA : 24. P.Pierre/SEQUOIA : 27, 391. P.Turner/The Image Bank : 31, 335. P.Vauthey/SYGMA : 222. P.Weber/R.E.A. : 298. P.Welinski : 32, 97, 119, 165, 211, 239, 259, 272, 339, 375, 381, 398, 408. P.Perrin/SYGMA : 418. Pankotay-SEQUOIA :134. Paul Capron (œuvres et photos) : 344, 358/359. Pavlovsky/SYGMA : 456. Pénone/Photo B.Hatala/Centre G.Pompidou : 43. Ph.Plailly/CNRS : 225, 398. SNCF : 328. APPLE : 453. Automobiles Peugeot : 235. France Télécom : 420. P.T.T. :196. Photothèque Sodel EDF : 24. Pialoux : 108, 430. Piccoli/Gamma :137. Picture Group/REA : 437. Piers/REA : 434. R.Bossu/SYGMA : 349, 376. R.Brando : 565. R.Devez/CNRS-Ecotrop 23. R. Gaillarde/GAMMA : 119, 283, 562, 577. R.Lamblin/Musée de l'Homme :15. R.Levy/GAMMA : 479. R. Maltete/RAPHO : 530. R.Koch/REA : 439. R.Neveu/GAMMA : 296. Ramado/CNRS : 267. REA : 88. Renault/Cléon : 570. Resnick/REA : 431. Reza/GAMMA : 531. Ricciardi/SYGMA : 80. Rives/Marina Cedri : 37. Robert/JACANA : 342. Roy/EXPLORER :186. Rucki/Berçot :131. S.Bachelier :166. S.Costa/EXPLORER :18. S.DALI-Photo Démart Pro Arte B.V./ADAGP, 1990 : 31, 191. S.Ferry/GAMMA : 29. S.Franklin/SYGMA : 166. S.Mouline : 413. S.Nackstrand/GAMMA : 372. S.Sherbell/REA : 21. S.Ferry/GAMMA : 35. S.Vaughan/SYGMA : 431. Sander/GAMMA : 86, 130, 135, 188, 241, 245, 325, 374. Science Museum, Londres :100. SEQUOIA : 94. Sonnabend : 435. Spengler/SYGMA : 329. Stills/Pellé : 236, 238, 239. SYGMA : 141, 214, 216, 346, 390, 457, 476, 503, 510, 521. T.Campbell/COSMOS : 89. T.Campion/GAMMA : 265. T.Craig/REA : 331. T.Graham/SYGMA :106. T.Korody/SYGMA : 210. T.Rannou/GAMMA : 20. T.Stoddart/COSMOS :156. T.Westenberger/SYGMA : 244. Takis/Photo : Centre Georges Pompidou :160. Tazzari/GAMMA :129. The Image Bank : 21. Topkapi Museum :116. Toshiba : 35. Vedrive/GAMMA :167. Vigneron/REA 485. Vioujard/GAMMA : 194, 200, 357. W.Campbell/SYGMA : 276. W.Miles/GAMMA : 378, 423, 424. W.Rouff : 61, 62, 63, 64, 67, 68, 71, 74, 75, 77, 227, 228, 231, 232, 234, 240, 242. W.Rouff/Muglier :139. W.Siudmak/Editions MEDEIS/Presses de la Cité : 43. Wada/GAMMA : 96. X.Testelin/GAMMA : 452. X.Zimbardo/GAMMA : 360. Xinhua/GAMMA : 479, 549. Y.Gellie/GAMMA : 241. Zefa-Stockmarket : 352.

Imprimerie Hérissey - Évreux — N° 52728
Dépôt légal : Octobre 1990
Imprimé en France